JN427711

간호이론가와 이론 I

Nursing Theorists and Their Work

8 EDITION

Martha Raile Alligood, PhD, RN, ANEF
Professor Emeritus
College of Nursing
East Carolina University

〈공 역〉 김혜원, 고문희, 김주현, 박승미, 서은영, 안숙희
안혜영, 엄미란, 이경숙, 이명선, 이홍자, 은 영, 전나미

도서출판 대학서림
ELSEVIER

ELSEVIER

Nursing Theorists and Their Work, 8th Edition

Copyright © 2014 by Mosby, an imprint of Elsevier, Inc.

Copyright © 2010, 2006, 2002, 1998, 1994, 1989, 1986 by Mosby, Inc., and affiliate of Elsevier Inc.

ISBN: 978-0-323-09194-7

This translation of *Nursing Theorists and Their Work*, 8th Edition by Martha Alligood was undertaken by Daehakselim Publishing, Co. and is published by arrangement with Elsevier Inc. and Elsevier Korea L.L.C.

Korea Translation Copyright © 2016 Daehakselim Publishing, Co.

All rights reserved. No part of this publication may be reproduced or transmitted in any form or by any means, electronic or mechanical, including photocopying, recording, or any information storage and retrieval system, without permission in writing from the publisher. Details on how to seek permission, further information about the Publisher's permissions policies and our arrangements with organizations such as the Copyright Clearance Center and the Copyright Licensing Agency, can be found at our website: www.elsevier.com/permissions.

This book and the individual contributions contained in it are protected under copyright by the Publisher (other than as may be noted herein).

간호이론가와 이론 I, II, 김혜원 외

Korean ISBN : 9788969401090

Nursing Theorists and Their Work, 8th Edition, Martha Alligood의 번역서는 Elsevier Inc. 와 Elsevier Korea L.L.C. 와의 계약을 통해 대학서림 출판사에서 출간 되었습니다.

발행처인 엘스비어코리아 유한회사(Elsevier Korea LLC)의 서명 동의 없이 본서 내용의 어떤 부분도 전자 및 기계적 방법을 이용한 사진 복사, 디스크 복사 또는 여타 방법으로 복제하거나 정보 재생 시스템에 저장하거나, 그 밖의 방법으로 전송하는 등의 행위는 법률로 금합니다. 퍼미션과 관련하여, 저작권 센터나 저작권 라이선스 에이전시와의 협의나 엘스비어의 퍼미션 정책에 대한 자세한 정보는 해당 사이트(www.elsevier.com/permissions)를 참고하십시오.

본서와 각 저자들은 출판사에 의한 저작권의 보호를 받습니다.

Notice

본 출간물은 출간 시기에 맞춰 최신 정보를 최대한 정확하고 신중하게 검토하였습니다. 그러나 독자가 본 출간물의 어떤 내용이나 처치 방법, 의약품 사용법을 참조할 때에는 별도로 확인할 것을 권고합니다. 저자와 출판사는 본 출간물상의 오류나 누락에 의해 발생할 수 있는 인명 및 금전적 손해 및 손상에 대한 법적 책임을 지지 않습니다.

Printed in Korea by Daehakselim Publishing, Co.

역자 소개

편집위원 : 김혜원, 안숙희, 엄미란, 안혜영, 서은영, 박승미

역 자	소 속	담당부분
고문희	초당대학교 간호학과	23장, 32장
김주현	강원대학교 춘천캠퍼스 의과대학 간호학과	3장, 28장
김혜원	서울대학교 간호대학 간호과학 연구소	25장, 29장, 35장
박승미	호서대학교 간호학과	11장, 16장, 19장, 30장
서은영	서울대학교 간호대학 간호과학 연구소	1장, 10장, 20장
안숙희	충남대학교 간호대학	8장, 26장, 34장
안혜영	을지대학교 간호학과	17장, 27장, 36장
엄미란	목포대학교 간호학과	22장, 31장, 33장
이경숙	강릉원주대학교 원주캠퍼스 간호학과	14장, 21장, 24장
이명선	서울대학교 간호대학 간호과학 연구소	2장, 7장, 9장
이홍자	선문대학교 간호학과	4장, 18장, 37장
은 영	경상대학교 간호대학	5장, 6장, 13장
전나미	성신여자대학교 간호대학	12장, 15장

Contributors

Herdis Alvsvåg, RN, Cand Polit
Associate Professor
Department of Education and Health Promotion
University of Bergen
Bergen, Norway;
Associate Professor II
Bergen Deaconess University College
Bergen, Norway

Donald E. Bailey, Jr., PhD, RN
Associate Professor
School of Nursing
Duke University
Durham, North Carolina

Barbara Banfield, RN, PhD
Farmington Hills, Michigan

Violeta A. Berbiglia, EdD, MSN, RN
Associate Professor, Retired
The University of Texas Health Science Center at San Antonio School of Nursing
San Antonio, Texas

Debra A. Bournes, RN, PhD
Director of Nursing
New Knowledge and Innovation
University Health Network
Toronto, Canada

Nancy Brookes, PhD, RN, BC, MSc (A), CPM-HN (C)
Nurse Scholar and Adjunct Professor
Royal Ottawa Health Care Group
Royal Ottawa Mental Health Centre
University of Ottawa Faculty of Health Sciences
Ottawa, Ontario, Canada

Janet Witucki Brown, PhD, RN, CNE
Associate Professor
College of Nursing
University of Tennessee
Knoxville, Tennessee

Karen A. Brykczynski, PhD, RN, FNP-BC, FAANP, FAAN
Professor
School of Nursing at Galveston
The University of Texas Medical Branch
Galveston, Texas

Sherrilyn Coffman, PhD, RN
Professor and Assistant Dean
School of Nursing
Nevada State College
Henderson, Nevada

Doris Dickerson Coward, RN, PhD
Associate Professor, Retired
School of Nursing
The University of Texas at Austin
Austin, Texas

Thérèse Dowd, PhD, RN, HTCP
Associate Professor Emeritus
College of Nursing
The University of Akron
Akron, Ohio

Nellie S. Droes, DNSc, RN
Associate Professor, Emerita
College of Nursing
East Carolina University
Greenville, North Carolina

Margaret E. Erickson, PhD, RN, CNS, AHN-BC
Executive Director
American Holistic Nurses' Certification Corporation
Cedar Park, Texas

Mary E. Gunther, RN, MSN, PhD
Associate Professor
College of Nursing
University of Tennessee
Knoxville, Tennessee

Dana M. Hansen, RN, MSN, PhD
Assistant Professor
College of Nursing
Kent State University
Kent, Ohio

Sonya R. Hardin, PhD, RN, CCRN, NP-C
Professor
College of Nursing

East Carolina University
Greenville, North Carolina

Robin Harris, PhD, ANP-BC, ACNS-BC
Nurse Practitioner
Wellmont CVA Heart Institute
Kingsport, Tennessee

Patricia A. Higgins, PhD, RN
Assistant Professor
Frances Payne Bolton School of Nursing
Case Western Reserve University
Cleveland, Ohio

Bonnie Holaday, DNS, RN, FAAN
Professor and Director, Graduate Studies
School of Nursing and Institute on Family and Neighborhood Life
Clemson University
Clemson, South Carolina

Eun-Ok Im, PhD, MPH, RN, CNS, FAAN
Professor and Marjorie O. Rendell Endowed Professor
School of Nursing
The University of Pennsylvania
Philadelphia, Pennsylvania

D. Elizabeth Jesse, PhD, RN, CNM
Associate Professor
College of Nursing
East Carolina University
Greenville, North Carolina

Lisa Kitko, PhD, RN, CCRN
Assistant Professor
School of Nursing
The Pennsylvania State University
University Park, Pennsylvania

Theresa Gunter Lawson, PhD, APRN, FNP-BC
Assistant Professor
Department of Nursing
Lander University
Greenwood, South Carolina

Unni Å. Lindström, PhD, RN
Professor
Department of Caring Science
Faculty of Social and Caring Sciences
Åbo Academy University
Vasa, Finland

M. Katherine Maeve, PhD, RN
Nurse Researcher
Charlie Norwood VAMC
Augusta, Georgia

Marilyn R. McFarland, PhD, RN, FNP, BC, CTN
Associate Professor of Nursing and Family Nurse Practitioner
Urban Health and Wellness Center
University of Michigan
Flint, Michigan

Gwen McGhan, PhD(c), RN
Jonas/Hartford Doctoral Scholar
School of Nursing
The Pennsylvania State University
University Park, Pennsylvania

Molly Meighan, RNC, PhD
Professor Emerita
Division of Nursing
Carson-Newman College
Jefferson City, Tennessee

Patricia R. Messmer, PhD, RN-BC, FAAN
Director
Patient Care Services Research
Children's Mercy Hospital and Clinics
Kansas City, Missouri

Gail J. Mitchell, PhD, RN, MScN, BScN
Professor
School of Nursing
Chair/Director
York-UHN Nursing Academy
York University
Toronto, Ontario, Canada

Lisbet Lindholm Nyström, PhD, RN
Associate Professor
Department of Caring Science
Faculty of Social and Caring Sciences
Åbo Academy University
Vasa, Finland

Janice Penrod, PhD, RN, FGSA, FAAN
Director, Center for Nursing Research
Associate Professor
School of Nursing
The Pennsylvania State University
University Park, Pennsylvania

Susan A. Pfettscher, DNSc, RN
Retired
Bakersfield, California

Kenneth D. Phillips, PhD, RN
Professor and Associate Dean for Research and Evaluation
College of Nursing
The University of Tennessee
Knoxville, Tennessee

Marie E. Pokorny, PhD, RN
Director of the PhD Program
College of Nursing
East Carolina University
Greenville, North Carolina

Marguerite J. Purnell, PhD, RN, AHN-BC
Assistant Professor
Christine E. Lynn College of Nursing
Florida Atlantic University
Boca Raton, Florida

Teresa J. Sakraida, PhD, RN
Assistant Professor
College of Nursing
University of Colorado, Denver
Aurora, Colorado

Karen Moore Schaefer, PhD, RN
Associate Chair and Associate Professor, Retired
Department of Nursing
College of Health Professions
Temple University
Philadelphia, Pennsylvania

Ann M. Schreier, PhD, RN
Associate Professor
College of Nursing
East Carolina University
Greenville, North Carolina

Carrie J. Scotto, PhD, RN
Associate Professor
College of Nursing
University of Akron
Akron, Ohio

Christina L. Sieloff, PhD, RN, NE, BC
Associate Professor
College of Nursing
Montana State University
Billings, Montana

Janet L. Stewart, PhD, RN
Assistant Professor
Department of Health Promotion and Development
School of Nursing
University of Pittsburgh
Pittsburgh, Pennsylvania

Danuta M. Wojnar, PhD, RN, MEd, IBCLC
Assistant Professor
College of Nursing
Seattle University
Seattle, Washington

Joan E. Zetterlund, PhD, RN
Professor Emerita of Nursing
School of Nursing
North Park University
Chicago, Illinois

Reviewers

Jean Logan, RN, PhD
Professor
Grand View University
Des Moines, Iowa

Karen Pennington, PhD, RN
Associate Professor
Regis University
Denver, Colorado

Nancy Stahl, RN, MSN, CNE
Associate Professor
BSN Coordinator
University of North Georgia
Dahlonega, Georgia

저자소개 *About the Editor*

Martha Raile Alligood는 노스캐롤라이 나 그린 빌에 소재한 East Carolina University 간호대학 의 명예교수로서, 그 대학 박사과정의 주임을 맡았다. 그녀는 Good Samaritan School of Nursing을 졸업하고, Johnson University에서 문학사를 취득하였으며, University of Virginia에서 간호학사, Ohio State University에서 석사, 그리고 New York University에서 박사를 취득하였다.

그녀의 교육자로서의 경력은 아프리카 짐바브웨에서 시작하였으며, 플로리다 대학교, 사우스 캐롤라이나 대학교, 및 테네시 대학교에서 활동하였다. 전문적 경력으로는 Sigma Theta Tau International의 Epsilon and Beta Nu chapter, Southern Nursing Research Society (SNRS), North Carolina Nurses association/American Nurses Association(NCNA/ANA), and Society of Rogerian Scholars (SRS)의 회원이었다.

그녀는 수많은 수상과 명예를 지니고 있는데, National League for Nursing (NLN) Academy of Nursing Education의 정회원이기도 하다. 또한 SNRS에서 Leadership in Research Award을 수상하였고, East Carolina University에서 총장이 수여하는 탁월한 여성상을 수상하였다. 그리고 Johnson University 평의원 이사로서, Academic Affairs Committee의 위원장을 맡고 있다.

뿐만 아니라 Alligood 박사는 2011년에는 Nursing Science Quarterly(제 24권) 의 이론 관련 부문 특별 편집인으로서 공헌하였으며, Nursing Theory: Utilization & Application(제 5판)과 Nursing Theorists and Their Work (제 8판)의 저자이자 편집인 역할을 수행하고 있다.

역자서문 *Translator foreword*

이 책은 간호이론을 수강하는 학생들이 쉽게 이해할 수 있기를 바라는 마음으로 간호이론을 가르치고 있는 교수들이 모여 번역을 시작하였는데, 처음 출판된 것이 제 6판이었다. 어느덧 시간이 흘러, 제 8판이 나온 뒤에야 더 이상 미룰 수 없음을 느끼면서 저자로서의 사명감을 깨달으며 개정작업을 착수하였고, 그 결실을 보게 되었다.

개정작업을 하면서 제 6판 번역과 마찬가지로, 모든 번역에서 중요한 개념이나 용어들은 우리말과 원어를 같이 표기하여 각 이론가의 주장을 그대로 살리려고 노력하였다. 그리고 이번 제 8판은 원서에 충실하자는 원칙하에 개정작업에 임하였다. 이번 개정 판에서는 여러분의 역자들이 새로 참여하게 되었다.

개정된 제 8판이 간호학도로서 간호학자로서 간호학문을 이해하고 수용하는데 도움이 되기를 바라고, 더 많은 활용을 기대한다.

2016. 1.

역자

머리말 *Preface*

간호이론가들에게 이 책을 바칩니다.

이 책에서는 간호학의 주요 사상가들을 찾아내고 그들의 중요한 아이디어를 검토하며, 이론가들이 이용한 주요 출처와 출판하였던 출판물을 열거하면서, 독자들이 이론을 사용하고 쓸수 있도록 제시하고 있다.

1장은 간호이론의 간단한 역사와 의미, 그리고 이 책에 포함된 이론적 작업의 분석틀을 제시하고 있다. 단원 I에서 각기 다른 장은 과학의 역사와 철학, 논리적 추론(logical reasoning), 이론의 발달과정을 수록하고 있다. 전판에서 10인의 간호이론가들의 이론은 5장에서 역사적으로 중요한 간호이론가로 간략하게 설명하였다. 그들은 Peplau, Henderson, Abdellah, Wiedenbach, Hall, Travelbee, Barnard, Adam과 Roper, Logan ,Tierney와 Orlando이다.

단원 II에서는 Nightingale, Watson, Ray, Benner, Martinsen, Eriksson의 철학을 제시하였고, 단원 III에서는 Levine, Rogers, Orem, King, Neuman, Roy, Johnson의 간호모델을 설명하였다. Boykin & Schoenhofer의 간호모델은 단원 IV에 설명하였고, Meleis; Pender; Leininger; Newman; Parse; Erickson; Tomlin과 Husteds의 이론을 포함하였다. 단원 V에서는 중범위이론으로 Mercer; Mishel; Reed; Wiener & Dodd; Eakes, Burke, & Hainsworth; Barker; Kolcaba; Beck; Swanson; Ruland & Moore의 이론을 포함하고 있다. 단원 VI은 세 가지 관점; 간호과학의 철학, 이론발달의 확장, 그리고 국제적인 간호이론 사용의 현상 및 확장 측면에서 예술과 과학으로서 간호과학에 초점을 두고 있다.

이 책에서는 영문으로 번역된 세계적인 이론가들의 업적을 포함하고 있다. 이 책은 수 많은 학자들과 학생 뿐 아니라 임상실무를 담당하는 간호사를 위해서 다양한 언어로 번역되고 있다. 간호학문에 입문한 학부과정 학생들은 개념, 정의, 이론적 주장에 더 관심이 있을 것이고, 대학원 학생들은 논리적 형태, 간호학계의 수용, 이론개발의 이론적 출처, 사용된 실증적 자료에 관심이 있을 것이다. 광범위한 출판 목록은 일차와 이차 출처를 파악하는데 유용할 것이다.

- 간호이론 연결 페이지, Clayton College and State University, Department of Nursing: http://www.healthsci.clayton.edu/eichelberger/nursing.htm
- 간호이론 페이지, Hahn School of Nursing and Health Science, University of Sandiago: http://www.sandiago.edu/nursing/theory/

■ 복합적인 간호이론 미디어 모음, The Nurse Theorists: Portraits of excellence, Vol I and Vol II, and Nurse Theorists: Excellence in Action: http://www.fitne.net/

이 책에 거론된 이론가들은 간호문헌의 성장을 자극하여왔고, 연구와 실무를 안내하는 이론적 과업을 제공하여 간호전문직으로서의 삶을 풍요롭게 하고 있다. 우리가 그들의 이론을 분석하고 합성하여, 새로운 아이디어를 만들어 내며, 계속적으로 이론을 개발하고 간호교육과 간호사의 임상실무에 적용한다면 전문적인 성장의 지속은 확대된다.

이 책에서는 각 이론가에 대하여 다음과 같이 서술하고 있다: 이론가 소개, 이론개발의 이론적 출처, 이용된 실증적 자료, 주요개념과 정의, 주요 가정, 이론적 주장, 논리적 형태, 간호학계의 수용, 추후 개발, 업적의 비평, 요약. 사례연구와 비판적 사고, 추후 연구를 위한 요점 및 출판목록이 제 8판에서 개정되었다.

감사의 글 Acknowledgments

현재 내용을 정확하게 유지하도록 각 장의 초고와 수정 원고들에 대해 감수를 해 준 이론가들에게 감사드린다. Paterson & Zderad의 이론은 그들의 요청에 따라 포함되지 않았음을 알린다.

수년 간 이전 판에서부터 현재 8판에 이르도록 이 책에 공헌하고 뒤에서 우리를 도와준 모든 사람들에게 감사드린다. 제 3판에서 Dr. Martha Raile Alligood은 Ann Marriner Tomey와 함께 각 장들을 다시 정리하였고, 기고자로 활동하면서 책을 일관성 있도록 편집하였다. 이후 Tomey는 Mosby-Elsvier에 Alligood을 추천하여 '간호이론: 이용과 적용'이란 책을 디자인하고 함께 편집하였다. 이 책이 6판으로 출판되도록 힘써준 Ann Marriner Tomey의 혜안과 노력에 감사를 드린다. 내 인생에서 그녀가 보여준 지도력, 지혜 그리고 동료로서의 우정은 매우 특별하였고, 무엇보다도 이 책이 개정될 수 있도록 보여준 그녀의 헌신은 간호학문과 간호전문직에 중요하고도 가치있는 공헌을 하고 있다. 나는 Ann이 은퇴 후 잘 지내기를 바란다.

마지막으로, 이 책이 현재의 8판으로 개정될 수 있도록 지원해준 Mosby-Elsvier 출판사 편집인들에게 감사를 드린다. Mosby-Elsvier 출판사가 의뢰한 외부검토 때문에 매 번 새 개정판은 성공적으로 발전되어왔다. 오랫동안 전문적 지식과 자신의 이론에 공헌해 온 각 장의 저자들은 이 책에 가장 중요한 공헌을 하고 있다.

Martha Raile Alligood

차 례

1권

차 례

2권

I 간호이론의 발전

Evolution of Nursing Theories

- 간호사들을 연구, 교육, 행정, 그리고 전문직 실무를 이끄는 이론에 관심을 가지도록 한 특별한 간호지식을 탐구한다.
- 간호 학문 내에서 간호개념은 개념 틀(conceptual framework), 모델, 이론으로 발전했으며 종국의 이론 적용시대(theory utilization era)에는 수많은 중범위이론을 개발하기에 이르렀다.
- 간호역사를 통해 간호이론이 학문 분야 내에서는 간호교육의 일환으로, 그리고 전문직으로서는 실무의 특화된 한 영역으로서 중요하다는 것을 알 수 있다.
- 이론개발과 관련된 지식은 간호학문의 이론적 작업을 이해하는데 필수 요건이 된다.
- 체계적 고찰과 비판적 성찰을 통해 간호 이론들을 분석할 수 있다.
- 이론분석을 통해 간호연구 혹은 실무를 위한 의사결정의 틀을 마련할 수 있다.

1 장

간호이론 서론: 역사, 중요성 및 분석

Introduction to Nursing Theory: Its History, Significance, and Analysis

Martha Raile Alligood

"지식을 체계적으로 축적하는 것은 어느 전공이든 학문의 발전을 위해 필수적이다. 그러나 실무와 이론은 서로 지속적으로 상호교류 해야 한다. 실무가 없는 이론은 공허하고, 이론이 없는 실무는 암흑과 같다"(Cross, 1981, p. 110).

이 책은 독자에게 간호이론가와 그들의 이론을 소개하도록 고안되어 있다. 간호이론은 지난 한 세기 동안 간호학의 중심 주제였으며, 간호 전문직이 놀라운 성장을 거듭하고 간호 연구와 교육이 발전할 수 있는 동기가 되어왔다. 이 책에 수록한 이론들은 다양한 수준의 간호학생들이 광범위한 간호이론과 친숙해질 수 있게 하기 위한 목적으로 선별하였다. 초기에 많은 간호사들이 환자에게 훌륭한 간호를 제공하였지만 간호와 관련하여 알려진 것들이 많이 기록되지 않았으며, 간호실무의 효과를 기록하여 문서화한 연구도 없었다. 따라서 20세기 간호의 리더들은 간호 실무에 바탕을 두고, 간호의 질을 향상시키며 간호를 전문직으로 인식할 수 있게 하는 간호 지식의 개발을 목표로 하였다. 그들이 간호 실무를

Previous authors: Martha Raile Alligood, Elizabeth Chong Choi, Juanita Fogel Keck, and Ann Marriner Tomey.

이끌 수 있는 특화된 간호 지식체를 개발하려는 목표를 가지고 부단히 노력해 왔다(Alligood, 2010a; Alligood & Tomey, 1997; Bixler & Bixler, 1959; Chinn. & Kramer, 2011; George, 2011; Im & Chang, 2012; Judd, Sitzman & Davis, 2010; Meleis, 2007; Shaw, 1993).

이 장은 독자에게 역사, 중요성, 분석이라는 제목 하에 간호이론을 소개하고 있다. 이 세 가지 관점은 간호이론가와 그들의 이론이 기여한 바를 잘 나타내 줄 것이다. 전문직으로서의 간호의 *역사*를 간략하게 소개함으로써 간호가 실무와 학문을 연결하여 지식체를 구축하기 위해 간호의 본질을 찾으려 노력해 왔다는 것을 나타내고자 하였다. 이러한 간호 발전의 역사는 간호학과 간호직을 위해 간호 이론이 가지는 *중요성*을 잘 보여주고 있다. 앞서 언급한 간호 발전의 역사와 간호이론의 중요성을 바탕으로 마지막 부분에서는 간호이론 *분석*에 대해 기술하였다. 간호이론과 그 이론이 간호지식체에 대해 기여한 바를 분석하는 것은 비판적 성찰의 본질적 과정이다. 또한 간호이론을 분석할 수 있는 기준과 각각의 기준이 지식 개발에 기여한 바를 간략하게 기술하였다(Chinn & Kramer, 2004).

간호이론의 역사

전문직 간호의 역사는 플로렌스 나이팅게일Florence Nightingale로부터 시작한다. 여성들이 교육을 받지 못하고 공공 서비스에 고용되지도 못하던 시대에 간호사를 교육받은 여성 집단으로 바라본 사람이 나이팅게일이었다. 크리미안 전쟁동안 스쿠타리에서 부상병을 돌보고 조직화하는 서비스에 수년간 종사 한 후, 런던 성 토마스 병원을 설립한 그녀의 비전이 현대 간호의 효시였다. 간호실무에서 나이팅게일의 개척적인 활동과 간호에 대한 계속적인 저술은 20세기 초 미국 간호학교 설립의 지침을 제공하였다(Kalisch & Kalisch, 2003; Nightingale. 1859/1969).

나이팅게일의 간호에 대한 비전은 100년 이상 실무에 적용되어 왔고, 지난 60여년에 걸쳐 괄목할 만한 성장을 보인 간호이론 개발에 힘입어, 간호는 간호학만의 고유한 지식체를 구축하기에 이르렀다(Alligood, 2010a, 2010b; Alligood & Tomey, 2010; Bixler & Bixler, 1959; Chinn & Kramer, 2011; Fawcett, 2005; Im & Chang, 2012; Walker & Avant, 2011). 간호 지식이 의학 지식과는 구별되는 고유함을 가졌다는 사실은 1800년대 중반 나이팅게일에 처음 기록되었다. 나이팅게일은 간호사가 적절한 간호를 제공한다는 것은 환자를 자연(혹은 신(God))이 만든 가장 좋은 환경 또는 상태에 있게 하는 것이라고 하였다. 그녀는 아픈 사람을 간호한다는 것은 그 사람과 그의 환경에 대한 앎을 기본으로 하고, 그러한 앎 혹은 지식은 의사가 환자를 치료할 때 알아야 하는 지식과는 다르다고 하였다(Nightingale, 1859/1969). 이러한 나이팅게일의 가르침에도 불구하고 간호학이 의학과 구별되는 고유한 학문적 지식을 축적해 가야한다는 논의는 100년이나 지난 1950년대 중반에서야 학계의 관심대상이 되었다. 이러한 관심은 간호이론 개발이 필요하다는 자각으로 이어졌다(Alligood, 2010a, Alligood, 2004; Chinn & Kramer, 2011; Meleis, 2007; Walker & Avant, 2011). 1950년대에 이르러 간호학이 과학으로 정립되었는데, 그 전의 간호 실무는 전통적으로 이어 내려온 개별적 교육 모델이나 개별 병원 실무지침을 바탕으로 한 원칙과 관습에 의거한 것이었다(Alligood, 2010a; Kalisch & Kalisch, 2003). 간호학문이 학문으로서의 입지를 더욱 돈독하게 해가야 한다고 주장하는 초기 간호학자들이 있었지만, 간호는 학문적인 비전보다는 실무에서 그 전통을 더 강하게 이어오고 있었다. 그 이후 실구를 바탕으로 축적된 지식으로 간호 지식체를 발전시켜가기 시작했고, 간호는 직업에서 학문으로 발전해가게 된다. 간호사들은 그 동안 간호 실무의 중요성을 강조해 왔고, 그 실무를 바탕으로 간호 학문 개발에 전념하게 된다. 각각의 실무 영역에서 특화된 지식기반 개발에 목적을 두고 눈에 띄는 성장을 보인 각 시대마다, 역사적 시각으로 그 시대적 발전을 재조명하는 것이 필요하다(Alligood, 2010a; Alligood & Tomey, 1997).

*교과 과정 시대*는 간호하는 방법을 배우기 위하여 간호사가 배워야하는 것에 대해 언급한 시대였다. 이 시대에는 표준화된 교과과정을 이수하기 위한 목표를 가지고 간호학생이 무엇을 공부해야 하는지를 강조하였다. 1930년대 중반에 표준화된 교과과정이 발표되었고 많은 교육과정에서 이를 도입하였다. 간호교육을 병원 내의 3년제 프로그램에서 대학으로 옮겨 오게 된 것은 이때부터였다(Judd, Sitzman & Davis, 2010). 그러나 20세기의 중반이 되어서야 많은 주에서 이 목표가 이루어지기 시작했고, 20세기 후반기 동안 점차 3년제는 사라지고 단과대학과 대학과정에서 간호 교육이 이루어지게 되었다(Judd, Sitzman & Davis, 2010; Kalisch & Kalisch, 2003). 교과과정 시대에는 교과목의 선택과 내용을 강조하였고, 그 다음으로는 오랜 기간 수행된 연구로 지식이 축적되면 종국에는 연구 결과가 실무를 이끌 수 있다고 주장한 연구시대가 도래하였다.

수많은 간호사들이 고등교육의 학위를 무색함에 따라 예상한 대로 *연구의 시대*가 출현하였다. 더욱 더 많은 간호사들이 고등교육을 받아들여 '연구가 새로운 간호지식의 통로'라는 과학 시대의 공통적 이해에 도달하는 시대가 도래하였다. 간호사들은 연구에 참여하기 시작하였고, 연구 방법론에 관한 교과목이 많은 대학원에서 개발되어 간호학 교과과정에 포함되기 시작하였다(Alligood, 2010a). 70년대 중반 *간호연구* 저널에서 처음 25년간의 연구 동향을 분석한 결과, 많은 간호 연구들이 실무와의 이론적 연결고리가 부족한 것을 지적하며, 간호 지식체의 고유한 발전을 위해서는 개념적, 이론적 기틀의 개발이 시급하다고 결론지었다(Batey, 1977). 이러한 간호개념과 이론 개발에 대한 자각은 간호이론 개발이 급진적으로 이루어지게 된 두 가지의 계기를 마련하게 된다. 첫째는 간호학부 교육을 인준하는 미국 간호평가원이 간호학 석사과정의 교과과정을 표준화한 것이고, 둘째는 간호학 박사과정을 개설한 것이다(Alligood, 2010a).

그 이후에는 *대학원 교육 시대*가 연구 시대에 근접해 갔다. 정부와 국민의 요구에 부응하기 위해 전문화된 간호교육을 받으려는 간호사를 위한 간호학 석사과정 프로그램이 출현하였다. 이들 중 많은 프로그램은 간호연구방법론 교과목을 포함하였다. 이 시대에는 또한 대부분의 석사과정 간호프로그램에서 개념 개발 혹은 학생들에게 한 명 혹은 그 이상의 초기 간호이론가들을 소개하는 간호이론과 지식개발 과정을 포함하기 시작하였다(Alligood, 2010a). 간호 지식체의 발전이 이 시기의 주된 목적이었다. 간호 학사 과정은 전문직으로 훈련받는 고등교육 중 하나의 전공으로 폭넓게 자리 잡게 되었다. 간호 연구자들은 간호 지식체 고유의 앎을 축적하고자 노력하였으며, 주로 환자 간호의 질 향상, 전문적 실무 발전, 전문직으로서의 전문성 획득 등을 목표로 하였다.

1960년대에는 간호지식체 발전을 위해 간호학이 나아가야할 적절한 방향과 적합한 학문분야로서 입지에 대해 논쟁과 토의가 이루어졌다. 1970년대에는 간호가 계속적으로 직업에서 전문직으로 발전해 갔으며, 학자들은 간호학이 간호를 기반으로 해야 하는지, 다른 학문을 기반으로 발전해야 하는지를 논의하였다. 간호의 역사는 간호 실무가 간호과학을 기반으로 해야 한다는 것을 그 논쟁의 결과로 보여준다(Alligood, 2010a; Fawcett, 1978; Nicoll, 1986). Meleis(2007)에 의하면 “간호 이론은 간호학문의 사치품이 아니라 간호교육과 행정, 실무에서 사용하는 간호 사전(lexicon)이다”(p. 4)라고 하였다. 간호가 전문직으로 인정받고 간호학이 학문으로 인정되자 간호 이론 시대가 도래하게 되었다.

간호 연구와 교육의 시대가 자연스럽게 간호 *이론의 시대*를 열었다(Alligood, 2010a; Im & Chang, 2012). 1970년대에 개설된 많은 간호학 박사과정과 이론에 대한 많은 연구들이 간호학 박사의 존재 이유를 입증해 주었다(Nicoll, 1986, 1992, 1997; Reed, Shearer, & Nicoll, 2003; Reed & Shearer, 2009, 2012). 연구와 지식체 개발에 대한 이해가 더해지면서 이론이 없는 연구는 단절된 정보에 불과하다는 것을 많은 간호학자들이 알게 되었다. 도리어 이론과 연구가 함께 이루어질 때 간호과학이 성립되고 앎이 축적되어 갈 수 있다는 것에 동의하였다(Batey, 1977; Fawcett, 1978; Hardy, 1978). 간호학 박사과정은 새로운 교육과정으로서 신선함을 제공하였고 이론개발과 검증에 주력하였다. 이론시대에 발표된 보고서들이 간호 이론으로 자리매김하면서 상급 실무와 교육과정에 이론적 틀을 제공하였다. 1978년 뉴욕에서 열린 간호교육 학회에서 이론가들을 간호 이론가로, 그들의 이론을 간호의 개념적 틀(conceptual models)과 이론으로 명명하였다

(Fawcett, 1984; Fitzpatrick & Whall, 1983).

1980년대는 前 패러다임(pre-paradigm)시대에서 패러다임 시대로 변하는 특징을 가진 간호이론의 주요한 발전 시대였다(Fawcett, 1984; Hardy, 1978; Kuhn, 1970). 널리 확산된 간호패러다임(모델)은 간호실무, 행정, 교육, 연구, 더 나아가 이론발전에 다양한 관점을 제공하였다. 1980년대에 Fawcett은 네 가지의 주요한 간호개념을 간호 메타패러다임이라 명명하여 기존의 간호이론 뿐 아니라 개별적인 간호이론 틀도 의미 있게 분류할 수 있는 구조를 소개하였다(Fawcett, 1978, 1984, Fitzpatrick & Whall, 1983). *인간, 환경, 건강, 간호*개념을 메타패러다임으로 하는 패러다임 간호모델을 제시함으로서 간호의 이론적 연구들을 하나의 체계적 견해로 통합하였다. 이러한 견해는 패러다임의 관점에서 과학으로서의 간호학 성장의 이해를 촉진시키고 더 큰 맥락에서 이론가들의 연구를 끌어안음으로서, 지식개발 과정을 통합하고 발전시켰다(Fawcett, 2005). 간호과학과 연구, 교육, 행정, 실무 전체가 간호학문을 통해 계속 팽창하고 있다. 20세기 말의 간호학은 이론가들에 대한 탐구에서 이론을 적용하여 연구문제를 도출하거나 실무를 이끌거나 교육과정을 개발하는 방향으로 발전하였다. 국내 및 국제 학회에서 연구논문들이 발표되었고, 다양한 간호모델/이론과 관련 있는 간호학자들의 각 공동체가 만든 소식지, 월간지, 책 등은 간호 패러다임 관점에서 간호개념모델이나 이론을 실무와 연구의 이론적 근거로 기술하였다(Alligood, 2004; Alligood, 2014, in press; Fawcett & Garity, 2009; Im & Chang, 2012; Parker, 2006).

간호과학의 발전을 살펴보면 쿤(Kuhn)의 정상과학의 아이디어(idea)가 그대로 재현된 것을 볼 수 있다. 분명히 쿤의 과학철학은 간호이론의 발전을 패러다임 과학으로 이해할 수 있게 하였다. 현재 간호 이론이나 간호 모델로 알려진 이론들이 그 당시에는 미국 전역에 있는 다양한 간호학자들이 개인적으로 논문을 저널에 게재하여 간호를 개념화 해보려 했던 노력이었다는 것을 기억하는 것이 중요하다. 이후 간호 이론과 간호 모델들은 체계적으로 분석되고 평가되어 오늘에 이르고 있다(Fawcett, 1984, 1993, 2005). 이론개발은 고등교육을 모색했던 간호지도자, 행정가, 교육자, 실무자들의 전문적인 학문 세계가 성장하면서 그 과정 혹은 결과로 이루어졌다. 이 지도자들은 간호결과를 서술, 설명, 예측하는 데에 의학 같은 다른 학문의 이론에서는 그 한계를 보았고, 간호관리, 교과과정, 실무, 연구의 과학적 근거를 세우고자 노력하였다. 이론의 개발과 적용은 간호과정에 의미를 제공하고 결과적으로 오늘날 이론의 시기로 분류되기에 이르렀다(Alligood, 2010a, 2010b; Nicoll, 1986, 1992, 1997; Reed, Shearer, & Nicoll, 2003; Reed & Shearer, 2012; Wood, 2010). Fitzpatrick과 Whall (1983)은 "... 간호는 앞으로 다가올 멋진 시대의 시작점에 서있다" (p. 2)라고 하였다. 다음 세대는 *이론 적용의 시대*라 예측한 것이다.

정상과학의 다음 단계는 간호실무, 교육, 행정, 연구에서 이론의 적용을 강조하는 이론적용시대이다(Alligood, 2010c; Wood, 2010). 이 시대에는 중범위이론과 간호 개념을 실무의 실현과 사고에 적용하게 된다. 간호이론 적용 시대의 도래는 이론중심 간호, 근거기반 실무, 그리고 미래의 이론개발을 위해 매우 중요한 변화이다(Alligood, 2011a; Alligood, 2014, in press; Alligood & Tomey, 2010; Alligood & Tomey, 1997, 2002, 2006; Chinn & Kramer, 2011; Fawcett, 2005; Fawcett & Garity, 2009).

'간호이론 적용' 시대는 간호학에서 지식개발을 위해 연구와 실무가 균형을 이루어야 한다는 사실을 재확인시켜 주었다. 간호 실무에서 간호이론의 적용 사례 예시를 알고 싶은 독자에게 '*간호이론: 이용과 적용*', 제 5판(Alligood, 2014 in press)을 권한다. 간호학이 추구해온 지식 개발에 대한 역사가 표 1-1에 요약되어 있다. 각 시대마다 그 시대의 요구에 맞는 질문을 던졌지만, 간호가 역사적으로 품어온 가장 근본적인 질문은 "간호를 수행하기 위해 필요한 지식의 본질은 무엇인가?"였다(Alligood, 2010a).

이 책의 간단한 역사는 간호이론가와 그들 이론이 개발된 맥락을 제시한다. 간호이론의 적용시대는 현재에도 계속되고 있으며, 전문직으로서의 간호 실무에 대한 근거를 창출하고 간호이론을 개발하고 적용하는 것에 중점을 두고 있다. 새로운 이론과 질적 연구방법론을 이용한 접근을 통한 많은 새로운 연구방법론이 간호학자들 사이에서 그 영역을 확장하고

표 1-1 간호 지식체 확립을 위한 시대별 구분

시대	주요 질문	강조	결과	새로운 목적
교과과정시대 1900년대~1940년대	간호사가 되기 위해 학생간호사들은 어떤 교과과정 내용을 학습해야하나?	간호학 교육과정	학위 과정의 표준화	고등교육과 특수화된 지식개발
연구시대 1950년대~1970년대	간호 연구의 중심주제는 무엇인가?	간호사의 역할과 연구주제	문제 중심 연구과 간호사 대상 연구	개별화된 연구가 일관된 지식을 생산하지 않음
대학원 교육시대 1950년대~1970년대	간호 실무를 위해 어떤 지식이 필요한가?	간호실무의 근본과 상급간호 역할에 대한 탐구	보건의료현장에서 간호사들은 중요한 역할을 담당	간호지식체 개발을 위한 대학원 교육에 중점을 둠
이론 시대 1980년대 ~ 1990년대	이론적 틀이 어떻게 연구과 실무를 이끌 수 있는가?	간호에 대해 접근할 수 있는 여러 가지 방법이 있음	간호이론의 초점이 간호대상자에게로 옮겨감	간호연구과 실무를 이끄는 이론 개발
이론적용 시대 21세기 이후	간호의 질을 입증하기 위해 어떤 간호 이론이 필요한가?	간호이론이 연구, 실무, 교육, 그리고 행정을 이끎	양적, 질적 접근을 통한 중범위이론	간호이론이 간호의 질을 높이기 위한 지식을 창출함

Alligood, M. R. (2014, in press). Nursing theory: Utilization & application. Maryland Heights, (MO): Mosby-Elsevier.

있다. 간호 모델, 이론, 중범위이론의 적용은 현재 21세기에도 여러 실무 분야에서 간호의 질 확보를 위한 근거마련에 기여하고 있다(Alligood, 2010b; Fawcett, 2005; Fawcett & Garity, 2009; Peterson, 2008; Smith & Leihr, 2008; Wood, 2010). 이제 전문직 간호를 수행하기 위해서는 간호학이 가지고 있는 이론적 틀에 대한 지식과 적용 능력이 필요하게 되었다(Alligood, 2010c).

간호이론의 중요성

20세기 초, 간호는 학문도 아니고 전문직도 아니었다. 그러나 지난 세기의 노력의 결과로 간호 학문과 간호 전문직 두 분야 모두에서 간호는 그 자리를 확고하게 하였다. 일부 사람들은 학문과 전문직, 이 두 용어를 상호교환 하여 사용하지만 그 의미는 같지 않다. 학문 분야와 전문직은 결정적으로 서로 관계가 있지만 Box 1-1에 제시한 것처럼 그 차이와 특별한 의미에 주목해야 한다.

지난 세기의 전문직으로서의 성취는 간호과학의 발달과 깊은 관련이 있으나 그 성취가 쉽지만은 않았다. 많은 간호사들이 인간의 건강과 간호발전을 위해 창의적인 아이디어를 갖고 그 당시의 상황에 도전하였다는 것을 역사에서 찾아볼 수 있다. 그들의 이러한 성과로 간호가 학문분야와 전문직으로서 성공적으로 자리잡게 되는 시대가 도래하였다(Fitzpatrick, 1983; Kalish & Kalish, 2003; Meleis, 2007; Shaw, 1993). 이 장에서는 간호학문과 전문직을 위하여 이론적 연구의 중요성은 무엇인가에 대해 기술하였다. 개발된 간호 이론들은 가장 포괄적으로 구조적인 간호지식체를 보여주었다. 따라서 간호 이론은 간호학문과 전문직의 미래를 위해 매우 중요하다.

Box 1-1 전공과 전문직의 의미

- 전공학문(discipline)은 구체적인 학문분야의 하나이며, 교육과 학습의 한 분야, 지적 영역을 말한다.
- 전문직(profession)은 전공학문 분야와 실무 역량에 대한 이론적 기반 위에 세워진 구체적인 실무 분야를 말한다.

출처: Donaldson, S. K., & Crowley, D. M. (1978). The discipline of nursing. Nursing Outlook, 26(2), 1113-1120.; Orem, D. (2001). Nursing: Concepts of practice (6th ed.). St. Louis: Mosby.; Styles, M. M. (1982). On nursing: Toward a new endowment. St. Louis: Mosby.

전공학문으로서의 중요성

간호사들이 20세기 후반에 들어 학사과정을 비롯한 고등교육을 받게 되면서 간호 실무의 기반으로서 간호지식체를 발전시키려는 목적이 가시화되기 시작하였다. 대학에 학부 교육과정이 많이 생겨났고 간호학 석사학위 과정이 개발되었으며, 인증평가과정을 통해 표준 교과과정이 만들어졌다. 간호는 점차 발전해 나갔고 간호 지도자들은 간호과학을 발전시키기 위한 그들의 견해를 제시하였다. 어떤 학자는 간호가 응용학문인지 기초학문인지에 대해 심각한 의문을 제기하기도 하였다(Donaldson & Crowley, 1978; Johnson, 1959; Rogers, 1970). 역사는 합의된 증거를 제시 한다; 간호학에서 박사과정이 생겨나 간호지식을 생성하기 시작하였다.

1970년대는 간호가 크게 발전하였다. 1977년에 *Nursing Research*가 발간 된지 25년이 되어 그동안 게재된 연구들을 포괄적으로 검토하여 간호 연구의 장단점을 분석하였다. Batey(1977)는 과학적인 결과물을 만들기 위해 연구과정에서 간호개념화와 연구 설계에서 개념의 역할을 강조하였다. 이러한 노력이 이론개발 시대를 도래하게 하였고, 간호는 실무를 위한 새로운 지식을 개발하는 방향으로 발전하였다. Batey의 노력에 대한 보답으로 간호 연구자들은 간호이론을 개발하였다(Johnson, 1968, 1974; King, 1971; Levine, 1969; Neuman, 1974; Orem, 1971; Rogers, 1970; Roy, 1970).

1978년에는 Fawcett이 이론과 연구의 상호의존적인 관계를 분명히 하는 이중나선 은유double helix metaphor를 발표하였고, 이는 이후 그 주제에 대한 고전 문헌이 되었다. 이 때 역시 Henderson, Nightingale, Orlando, Peplau, Wiedenbach 같은 초기 간호학자들의 글이 본질적으로는 간호 이론적 업적이었음을 인식하기 시작하였다. 교육자들은 이 초기 이론들을 간호 프로그램에서 간호실무 교육에 적용하거나 교과과정 내용을 조직화하는 틀로서 사용하였다. 같은 맥락에서 Orlando(1961, 1972)의 이론은 국가 연구비를 받고 간호 실무를 연구하고자 설계 된 연구의 결과였다.

간호교육자를 대상으로 간호이론 회의가 1978년 뉴욕에서 개최되었을 때, 주요 이론가들이 처음으로 같은 연단에 함께 모였다. 그들 대부분은 자신들을 이론가로 보지 않는다고 하면서 발표를 시작하였다. 간호이론의 중요성에 대한 이해가 그 당시에는 제한적이었지만, 젊은 석사과정과 박사과정의 학생들은 그 사건의 중요성을 인식하는 것 같았다. 두 번째 혹은 세 번째까지 청중들은 이론가들이 자신은 이론가가 아니라는 부정에 웃었지만 이내 각 이론가들이 공유하려는 교과과정, 연구, 실무를 주의 깊게 경청하였다.

역시 주목할 만한 것은 Donaldson & Crowley (1978)가 1977년 서부 간호 고등교육회의 기조연설(Western Commission of Higher Education in Nursing Conference)에서 그들의 학교에 박사과정이 개설되기 시작하였다고 발표하였다. 그들은 간호과학의 본질과 필요한 간호 지식의 본질에 대해 재 논의하였다. 그 기조연설의 발간물은 학생들이 전공학문과 전문직 간의 차이를 분명히 하고, 학문으로서 간호에 대하여 배우는 고전 문헌이 되었다. 그 발표자들은 기초연구와 응용연구를 요청하였고, 이러한 지식의 이용이 학문과 전문직으로서의 간호에 중요하다고 주장하였다. 그들은 전공학문과 전문직은 서로 떼어놓을 수 없을 만큼 연관되어 있지만 그 두 영역을 구분할 수 없다면 간호는 직업적 영역으로만 남아있게 될 것이라고 주장하였다.

그 후, 개념적 간호틀을 간호 교육과정의 교과과정을 구성하는 틀이자 간호의 가치와 개념을 기술하는 개념틀로 인식하게 되었다. 창의적으로 개발된 간호 메타패러다임(인간, 환경, 건강, 간호)의 개념화와 주요 간호이론가들의 이론들을 분류하여 간호 패러다임과 개념적 틀(conceptual framework)을 명료화 하였다(Fawcett, 1984). 이러한 간호이론의 조직화를 통해 여러 지역에서 서로 다른 시기에 발표된 이론적 결과물이 체계적으로 집대성되었다. 각 간호의 개념틀은 일관성 있는 분석과 평가 틀에 의해 분석되었다(Fawcett, 1984, 1993). 각각의 간호 연구 결과물을 메타패러다임이라는 울타리 안에서 함께 집대성하는 과정을 통해 간호이론에 대한 이해를 도모하고 간호지식체를 발전시키는 결과를 가져왔다. 요컨대, 간호라는 전공학문 안에서의 이론의 중요성은 학문을 계속 존재하게 하는 필수적 요건이 된다는 것인데, 이는 간호가 직업으로 남을 것인지, 아니면 전문적인 이론을 기반으로 하는 실무 중심의 전공학문이 될 수 있을 지를 판가름하는 요인이 된다는 것이다.

이론적 연구결과물은 간호사들이 하는 일의 기능적 측면만이 강조되던 과거 상태로부터 환자 간호와 관련된 여러 의사결정을 위해 요구되는 간호지식과 그 응용을 위한 간호지식에 중점을 둔 고등 교육 수준으로 간호의 수준을 높였다.

간호 개념 틀과 이론은 인간과 건강에 대해 전문적 실무를 제공하기 위한 간호사의 견해를 구조화 하는데 도움을 주었다. 전문직은 서비스를 받는 대상자에게 초점을 둔 실무를 제공함으로써 공공의료서비스를 제공한다. 간호과정은 지속적으로 실무에 이용되고 있지만 가장 중요한 일차적 초점은 간호대상자인 인간이다. 인간, 환경, 건강, 간호에 대한 지식은 간호가 전공학문이라는 입지를 확고히 하는 근본이 되며, 간호전문직에 입문하는 간호사들에게 학습되었다. 모든 학문분야는 이론적 지식을 포함하고 있다. 그러므로 학문분야로서 간호의 존폐는 간호 지식의 실존 여부에 달려 있다(Butts & Rich, 2011). 이 지식은 전문직으로 진입하는 간호사들의 실무 기반이 된다. 과학철학자 쿤Kuhn(1970)은 패러다임 연구는 후에 실무를 하게 될 학생들에게 특정한 과학 사회의 일원이 되도록 준비시키는 것이다(p. 11)라고 하였다. 이것은 모든 간호사에게 중요하지만 특히 전문직에 진입하는 이들에게 중요하다. 왜냐하면 패러다임이 부재할 경우, 특정 과학분야에서 발전에 관련된 각론은 모두 중요하게 생각된다(Kuhn, 1979, p. 15). 결국 그 사회의 요원들은 우선적으로 고려되는 패러다임과 관련하여 해당 패러다임을 배우고 그것을 실무에 수행함으로서 일련의 과정을 학습한다(Kuhn, 1970, p. 43). 석사 수준의 간호사들은 실무에 이론적 지식을 응용하고 입증하며, 석사학위 논문에서 간호지식을 증명한다. 간호과학자가 되려고 공부하는 박사 학생은 간호이론을 개발하고, 이론을 검증하고, 이론에 기반을 둔 연구를 통해 간호과학자로 성장하게 된다.

전문직으로서의 중요성

이론은 학문 분야에서 간호학의 존재에 필수적일 뿐만 아니라 전문직 간호 실무에도 역시 중요하다. 전문직으로서의 간호가 20세기에 들어 꾸준히 발전해 감에 따라 20세기 말에는 오랫동안 주요 관심사였던 전문직으로서 간호를 부각시키려는 움직임은 줄어들었다. 간호학위 과정은 전문직으로서의 기준을 전문직 발전의 지침으로 이용해 왔다. 간호의 발전은 그 당시 많은 사회학적 연구의 주제가 되기도 했다. 예를 들면 Bixler & Bixler(1959)는 *American Journal of Nursing*에 '간호에 적용된 전문직 기준'에 대한 연구를 게재하기도 했다(Box 1-2).

Box 1-2 간호의 전문적 수준을 발전시킬 수 있는 요건

1. 고도의 학습을 요하는 지적 수준을 이용하여 정의되고 조직화된 특별한 지식체를 실무에 적용한다.
2. 과학적 방법을 이용하여 교육과 실무의 질을 향상시키고 지속적으로 지식체를 확장시킨다.
3. 고등교육기관에 간호실무자practitioner의 교육을 위임한다.
4. 전문직의 지식을 인간과 사회복지를 위한 중요한 일에 실제적으로 적용한다.
5. 전문직 실무를 통제할 수 있게 하는 정책 수립에 관련하여 자율적으로 기능한다.
6. 지적이고 개인적 역량을 갖춘 개인이 평생 직업으로 선택하여 개인의 성장뿐만 아니라 전문직 발전을 위해 노력할 만큼 매력적이다.
7. 지속적인 전문직 성장의 기회, 경제적 안정, 활동의 자유를 제공하여 실무자practitioner에게 보상하려고 노력 한다.

출처:Bixler, G. K., & Bixler, R. W. (1959). The professional status of nursing. American Journal of Nursing, 59(8), 1142-1146.

간호가 추구해온 발전적 경로를 더 잘 이해하기 위해서는 위의 기준들이 가진 역사적 가치에 주목해야 한다. 예를 들면 20세기 후반에 간호학의 구체적인 정의와 조직화된 지식의 기초가 공식화되었지만, 이 지식이 불변하는 것은 아니다. 오히려 간호 전문직과 관련된 지식은 인간과 사회의 복지를 위해 목표를 가지고 계속 성장한다. 따라서 지식체는 중요하지만 새로운 지식이 계속 생산됨에 따라 이론과 연구는 학문과 전문직에 절대적으로 필요하다. 간호 실무에 책임(accountability)을 강조하고, 이론에 기반을 둔 근거 기반 간호실무와 중범위이론의 성장은 간호지식을 실무에 적용하려는 최근 시도의 실례들이다(Alligood, 2014 in press).

20세기의 마지막 10년 동안 새로운 21세기를 기대하면서 간호가 나아갈 방향에 대한 의견이 제시되었다. 그 예로, Styles(1982)는 전체주의적 시각으로서의 간호전문직과 개인적 수준의 전문직으로서 간호사 간에는 구분이 있어야 한다고 하면서, 간호의 이상과 신념에 기반한 내적 발전이 필요하다고 피력하였다. 이와 유사하게 Fitzpatrick(1983)은 간호를 전문직으로 발전시킨 20세기의 성과를 역사적 연대기로 발표하였다. Styles(1982)과 Fitzpatrick(1983)은 각기 간호가 전문직으로 발전해 온 상세한 역사를 기술하고 있다. 이제 우리는 간호를 전문직으로 인식하고 간호이론과 전문직 간의 관계에 주목하고 있다. 전문직을 평가하는 여러 가지 기준을 살펴보면 서로 유사한 점과 상이한 점이 있으나 요컨대, 특정 분야가 전문직이 되기 위해서는 전문직의 실무에 근간이 되는 지식체를 이용하고 개발할 수 있는가가 필수적 요건이다(Styles, 1982).

간호사 개개인이 전문직업인으로서 성장함에 따라 이론에 기반을 둔 간호를 실무에 적용하는것이 간호의 질을 좌우하게 되었다(Butts & Rich, 2011). 이론에 기반을 둔 근거를 실무에 적용하는 것은 체계적이고 지식적인 접근을 한다는 측면에서 환자에게 유용하다. 이러한 적용이 간호사가 보건의료 사회에 기여할 수 있는 간호의 고유한 기능이기도 하다. 간호학문과 관련하여 앞에서도 언급한 것과 같이 지식 개발은 간호학자가 추구할 중요한 활동이다. 마지막으로 중요한 점은 간호 실무의 질을 담보하기 위해 실무에서의 추론, 비판적 사고, 의사결정 과정 등에 간호이론을 적용하는 것이 유용하다:

> 간호실무는 복잡하고 간호사가 끝없이 직면하는 자료(정보)의 집합체이다. 간호사는 각 환자에 대한 방대한 정보를 분석하여 무엇을 할 것인지를 결정해야 한다. 간호이론적 접근은 간호사가 다량의 정보에 압도되지 않고 정련되게 간호 과정을 밟아가도록 도와준다. 이론은 간호사가 실무에서 일어난 것을 조직화하고 이해하게 할 수 있으며, 환자의 상황을 비판적으로 분석하게 할 수 있게 하며, 적절한

간호를 계획하고 중재를 제공할 수 있게 할 뿐 아니라, 간호로 환자의 결과를 예측하고 그것의 효율성을 평가할 수 있게 한다(Alligood, 2004, p. 247).

전문직 실무는 환자에게 초점을 둔 체계적 접근을 요구하며, 이론은 환자에 대하여 그런 견해를 제공한다. 이 책에 제시한 다양한 이론의 형태가 그러한 여러 관점의 본보기들이다. 간호 철학, 간호의 개념적 모델, 간호이론, 중범위이론들은 환자에 대한 관점을 제시하고, 자료처리, 근거 평가, 의사결정 등을 수행할 수 있는 준거를 제시한다(Alligood 2014, in press; Butts & Rich, 2011; Chinn & Kramer, 2011; Fawcett & Garity, 2009). 이 장에서 언급한 간호전문직 발전에 대한 역사적 배경과 간호이론의 중요성을 기반으로 하여, 우리는 이제 간호이론을 비판적으로 검토하는 체계적 과정으로서의 이론분석으로 주제의 방향을 돌리고자 한다.

이론의 분석

간호의 이론을 비판적으로 연구하기 위해 분석, 비판, 평가의 방법을 사용한다. 특정 이론이 적절한가를 알기 위해 이론의 분석을 시행한다. 첫 작업이자 중요한 일은 이론을 교육, 연구, 행정, 그리고 실무에 적용해 보는 것이다. 이 책에 있는 각 이론 분석의 기준은 Box 1-3에 각 기준에 해당하는 질문과 함께 제시되어 있다.

이 과정은 이론을 학습하는데 유용하고, 특히 이론을 검증하고 확장/확대하려는 간호 학자에게 필수적이다. 연구자가 특정 간호이론에 연구자적 관심이 있을 때, 비판, 분석, 비판적 성찰의 과정을 통해 해당이론을 추가적으로 개발할 수 있다. 따라서 간호이론 분석은 학습 과정을 위해, 간호연구개발을 위해, 그리고 향후의 이론관련 영역의 발전을 위해 매우 중요한 과정이다.

Box 1-3 이론의 적절성을 평가하기 위한 질문

- 명확성(Clarity): 이 이론은 얼마나 명확한가?
- 간결성(Simplicity): 이 이론은 얼마나 간결한가?
- 일반성(Generality): 이 이론은 얼마나 일반적인가?
- 접근성(Accessibility): 이 이론은 얼마나 접근 가능한가?
- 중요성(Importance): 이 이론은 얼마나 중요한가?

출처:Chinn, P. L., & Kramer, M. K. (2011). Integrated knowledge development in nursing (8th ed.). St. Louis: Elsevier-Mosby.

이론의 주장

명확성

이론의 명확성과 구조를 분석한다는 것은 의미론적 명확성과 일관성, 혹은 구조적인 명확성과 일관성의 측면을 분석하는 것을 의미한다. 명확성은 사용한 단어의 의미가 명확한가를 뜻하고, 구조라 함은 단어 정의가 일관성 있게 구조를 이루고 있는가를 의미한다. 이론 분석의 첫 단계는 이론에서 사용한 주요개념, 하위개념, 개념의 정의를 파악하는 것이다. 단어는 다양한 학문에서 다양한 의미로 쓰일 수 있으므로 한 단어는 그 단어가 유래된 개념 틀(철학, 개념적 모델, 혹은 이론)을 기반으로 하여 주의 깊고 명확하게 정의되어야 한다. 그림이나 사례를 이용하여 이론의 명확성과 일관성을 높일 수 있다. 논리의 흐름과 이론 구조의 형태는 선명해야하고, 이론의 목적에 부합하여 가정은 명확하게 제시되어야 한다(Chinn & Kramer, 2011; Reynolds, 1971; Walker & Avant, 2011).

Reynolds(1971)는 "이론 내에 있는 개념의 정의와 개념간의 관계는 공동의 동의를 수반해야한다"(p. 13) 라고 하며 '상호주관성'을 강조하였다. Hardy(1978)는 "개념과 개념간의 관계는 분명히 규명되고 타당해야 한다"(p. 106) 라고 하며 의미와 논리적 적합성을 강조하였다. Ellis(1968)는 이론을 평가하기 위해 "전문용어terminology의 기준"을 언급하고, "용어를 다른 학문에서 빌려와 상이한 맥락에서 사용하면 그 의미를 잃어버릴 수 있다"고 하였다(p. 221). Walker & Avant(20011)는 이론의 "논리적 적합성"은 이론에서 제안된 "개념과 진술의 논리적 구조"에 의해 결정된다고 주장하였다.

간결성

간결성은 간호 이론개발에 있어 중요한 가치이다. Chinn & Kramer(2011)는 실무에서 간호사들이 이용할 수 있는 중범위이론과 같은 단순한 형태의 이론이 필요하다고 제안하였다. 이론은 충분히 포괄적이고 추상적 수준에 있어야 하며, 지침을 충분히 제공해야 하지만, 명료성을 돕기 위해 가능한 적은 수의 개념과 그들 사이의 간단한 관계로 설명되어야 한다. Reynolds(1971)는 "가장 큰 깨달음(understanding)을 주는 이론이 가장 유용한 이론"이라고 주장하였다. Walker & Avant(2011)는 이론의 간명성parsimony은 내용의 포괄성에서는 완벽하지만 기술은 단순함을 의미한다고 하였다.

일반성

이론의 일반성을 점검하는 것은 이론의 목적과 개념의 범위를 검토하는 것이다(Chinn & Kramer, 2011). Ellis(1968)는 "이론의 범위가 넓을수록 이론의 중요성은 더 커진다" 라고 하였다(p. 129). 이론의 일반성은 이론이 다루는 개념이 얼마나 추상적, 혹은 실제적인가에 달려있다. 이론의 추상성 수준을 학습한 박사학생들이나 간호학자들이 추상적 수준의 이론에서 중범위이론을 개발해 왔다. Rogers(1986)의 변화가속 이론은 많은 중범위이론을 도출해 낸 추상적 이론의 좋은 예이다.

접근성

경험적 접근성은 이론을 테스트해 볼 수 있는 임상적 지표의 여부와 실무에 적용 가능 여부에 관한 것이다(Chinn & Kramer, 2011). 이론이 접근 가능하다는 것은 그 이론에서 사용된 개념을 임상적 지표로 측정할 수 있는 범위나 이론의 목적을 달성할 수 있는 범위를 분명하게 밝히는 것이다(Chinn & Kramer, 2011, p. 203). Reynolds(1971)는 임상적 적절성을 객관적 자료와 특정 이론이 연결이 되는 것(p. 18)이라 정의하였다. 그리고 간호과학자들은 스스로 이론 적용의 결과를 평가하고 검증할 수 있어야 한다고 하였다. Walker와 Avant(2011)는 가설을 생성하고 임상적 연구에 주제가 되어야 하는 것이 이론의 실험가능성(testability)이라고 하였다(p. 195).

중요성

이 이론은 어떻게 중요한가?

중요성은 이론의 결과와 연결된다. 연구, 이론, 실무가 밀접하게 연관되어 있으므로 간호이론은 연구를 이끌어 지식을 창출하고 그러한 지식은 실무를 이끌어 간다. 또한 간호이론은 연구와 실무를 이끌고, 새로운 아이디어를 생성하고, 간호와 타 전문직간의 전문직 특성을 구분해 준다(Chinn & Kramer, 2011). Ellis(1968)는 "이론이 실무를 개발하고 안내하는 것은 매우 중요하며,…이론은 간호사에게 무엇이 반드시 추구해야 하는 지식인가를 드러내야 한다."(p. 220)라고 하였다.

이론분석의 5가지 기준-명확성, 간결성, 일반성, 접근가능성, 중요성-을 가지고 간호이론을 분석한 것이 6장부터 36장까지 서술되어 있다. 이 광범위한 기준은 간호철학, 개념적 모델, 이론, 중범위이론 등, 모든 수준의 이론을 분석하는데 유용할 것이다.

요약

이 장에서는 간호이론의 역사, 중요성, 분석을 논의하며 간호이론을 소개하였다. 비판적 사고와 의사 결정에 이론이 제시하는 체계적 근거를 적용할 때 간호사의 전문직 권한은 증가한다. 간호사가 이론과 이론이 바탕이 된 근거를 임상을 구조화하는데 적용한다면 간호의 질은 높아진다. 간호사는 환자의 자료를 빠르게 분류하고, 어떤 간호활동이 필요한지 결정하고, 기대되는 결과를 갖고 돌봄을 수행할 수 있을 것이다. 간호사는 다른 의료인들과 간호 실무의 본질에 대해 의견을 교환할 수 있다. 학생들은 간호실무를 이론적 맥락에서 학습함으로서 그들이 가진 가치와 전제를 적용할 수 있는 분석적 기술과 비판적 사고능력을 가지게 된다. 이론은 실무와 교육과 연구를 이끈다(Alligood 2014 in press; Chinn & Kramer, 2011; Fawcett, 2005; Meleis, 2007).

전 세계적으로 간호사들은 간호이론가들의 업적, 즉 간호 철학, 개념적모델, 이론, 중범위이론에 이르는 광범위한 전통을 인식하고 있다. 이 책도 열 개 이상의 외국어로 번역되어 출판된 것으로 보아 간호 이론이 전 세계적으로 쓰이고 있다고 여겨진다. 간호이론가들의 이러한 글로벌한 기여가 간호를 하나의 전공학문으로 자리 잡게 하였으며 추후 더 발전하기 위한 체계적 지식도 제공하고 있다. 이론이 기반이 된 연구는 근거기반 실무의 바탕이 되고 있다. 각 간호 이론이 표방하고 있는 간호의 다양한 가치를 전 세계 간호학자들이 인식하고 있다. 오늘날 우리는 더욱 더 많은 간호사들이 기존의 이론을 명확하게 하거나 이론을 적용하여 실무에 임하고 있는 것을 본다. 더욱 주목해야 할 점은 간호철학, 개념적 틀, 이론, 중범위이론들이 간호 교육, 행정, 그리고 연구와 실무에 광범위하게 쓰이고 있다는 점이다.

이 시대에는 정상과학에 대한 인식이 이론적 작업을 통해 나타난다(Wood, 2010). 간호 철학, 개념적틀, 이론, 중범위이론 등을 다룬 간호학 문헌은 지난 30년간 양적으로 팽창하였다. 뿐만 아니라 과학 철학은 질적연구방법론을 사용하여 간호지식체 개발을 더욱 확장시키고 풍부하게 하였다. 고등교육을 받은 간호사가 많아질수록 간호이론의 중요성에 대한 이해도 더 확산되고 있다. 간호사들이 간호이론을 사용하면서 지식 개발뿐만 아니라 간호실무의 질도 향상되었다(Alligood, 2010a, 2011b; Chinn & Kramer, 2011; Fawcett & Garity, 2009; George, 2011; Im & Chang, 2012; Reed & Shearer, 2012; Wood, 2010).

POINTS FOR FURTHER STUDY

- Donaldson, S. K., & Crowley, D. M. (1978). The discipline of nursing. *Nursing Outlook*, *26*(2), 1113–1120.
- Fawcett, J. (1984). The metaparadigm of nursing: current status and future refinements. *Image: The Journal of Nursing Scholarship*, *16*, 84–87.
- Kalisch, P. A., & Kalisch, B. J. (2003). *American nursing: A history* (4th ed.). Philadelphia: Lippincott Williams & Wilkins.
- Judd, D., Sitzman, K., & Davis, G. M. (2010). *A history of American nursing.* Boston: Jones & Bartlett.
- *The Nursing Theory Page at Hahn School of Nursing, University of San Diego:* Retrieved from: http://www.sandiego.edu/ACADEMICS/nursing/theory

REFERENCES

Alligood, M. R. (2011a). The power of theoretical knowledge. *Nursing Science Quarterly*, *24*(4), 304–305.

Alligood, M. R. (2011b). Theory-based practice in a major medical centre. *The Journal of Nursing Management*, *19*, 981–988.

Alligood, M. R. (2014, in press). *Nursing theory: Utilization & application*, (5th ed.). Maryland Heights, (MO): Mosby-Elsevier.

Alligood, M. R. (2010a). The nature of knowledge needed for nursing practice. In M. R. Alligood (Ed.), *Nursing theory: Utilization & application* (4th ed., pp. 3-15). St. Louis: Mosby.

Alligood, M. R. (2010b). Models and theories: critical thinking structures. In M. R. Alligood (Ed.), *Nursing theory: Utilization & application* (4th ed., pp. 43–65). St. Louis: Mosby.

Alligood, M. R. (2010c). Areas for further development of theory-based nursing practice. In M. R. Alligood (Ed.), *Nursing theory: Utilization & application* (4th ed., pp. 487–497). St. Louis: Mosby.

Alligood, M. R. (2004). Nursing theory: the basis for professional nursing practice. In K. K. Chitty (Ed.), *Professional nursing: Concepts and challenges* (4th ed., pp. 271–298). Philadelphia: Saunders.

Alligood, M. R., & Tomey, A. M. (Eds.). (1997). *Nursing theory: Utilization & application.* St. Louis: Mosby.

Alligood, M. R., & Tomey, A. M. (Eds.). (2002). *Nursing theory: Utilization & application* (2nd ed.). St. Louis: Mosby.

Alligood, M. R., & Tomey, A. M. (Eds.). (2006). *Nursing theory: Utilization & application* (3rd ed.). St. Louis: Mosby.

Alligood, M. R. & Tomey, A. M. (Eds.). (2010). *Nursing theorists and their work* (7th ed.). Maryland Heights, (MO): Mosby-Elsevier.

Batey, M. V. (1977). Conceptualization: knowledge and logic guiding empirical research. *Nursing Research*, *26*(5), 324–329.

Bixler, G. K., & Bixler, R. W. (1959). The professional status of nursing. *American Journal of Nursing*, *59*(8), 1142–1146.

Butts, J. B., & Rich, K. L. (2011). *Philosophies and theories for advanced nursing practice.* Sudbury, (MA): Jones & Bartlett.

Chinn, P. L., & Kramer, M. K. (2011). *Integrated knowledge development in nursing* (8th ed.). St. Louis: Elsevier-Mosby.

Cross, K. P. (1981). *Adults as learners.* Washington DC: Jossey-Bass.

Donaldson, S. K., & Crowley, D. M. (1978). The discipline of nursing. *Nursing Outlook*, *26*(2), 1113–1120.

Ellis, R. (1968). Characteristics of significant theories. *Nursing Research*, *27*(5), 217–222.

Fawcett, J. (1978). The relationship between theory and research: a double helix. *Advances in Nursing Science*, *1*(1), 49–62.

Fawcett, J. (1984). The metaparadigm of nursing: current status and future refinements. *Image: The Journal of Nursing Scholarship*, *16*, 84–87.

Fawcett, J. (1993). *Analysis and evaluation of nursing theories*. Philadelphia: F. A. Davis.

Fawcett, J. (2005). *Contemporary nursing knowledge: Conceptual models of nursing and nursing theories* (2nd ed.). Philadelphia: F. A. Davis.

Fawcett, J., & Garity, J. (2009). *Evaluating research for evidence-based nursing practice.* Philadelphia: F.A.Davis.

Fitzpatrick, M. L. (1983). *Prologue to professionalism.* Bowie, (MD): Robert J. Brady.

Fitzpatrick, J., & Whall, A. (1983). *Conceptual models of nursing.* Bowie, (MD): Robert J. Brady.

George, J. (2011). *Nursing theories* (6th ed.). Upper Saddle River, (NJ): Pearson.

Hardy, M. E. (1973). Theories: components, development, evaluation. *Nursing Research*, *23*(2), 100–107.

Im, E. O., & Chang, S. J. (2012). Current trends in nursing theories. *Journal of Nursing Scholarship*, *44*(2), 156–164.

Johnson, D. (1959). The nature of a science of nursing. *Nursing Outlook*, *7*, 291–294.

Johnson, D. (1968). *One conceptual model for nursing.* Unpublished paper presented at Vanderbilt University, Nashville,(TN).

Johnson, D. (1974). Development of the theory: a requisite for nursing as a primary health profession. *Nursing Research*, *23*, 372–377.

Judd, D., Sitzman, K., & Davis, G. M. (2010). *A history of American nursing.* Boston: Jones & Bartlett.

Kalisch, P. A., & Kalisch, B. J. (2003). *American nursing: A history* (4th ed.). Philadelphia: Lippincott.

King, I. (1971). *Toward a theory of nursing.* New York: Wiley.

Kuhn, T. S. (1970). *The structure of scientific revolutions.* Chicago: University of Chicago Press.

Levine, M. (1969). *Introduction to clinical nursing.* Philadelphia: F. A. Davis.

Meleis, A. (2007). *Theoretical nursing: Development and progress* (4th ed.). Philadelphia: Lippincott.

Neuman, B. (1974). The Betty Neuman health systems model: a total person approach to patient problems. In J. P. Riehl & C. Roy (Eds.), *Conceptual models for nursing practice* (pp. 94–114). New York: Appleton-Century-Crofts.

Nicoll, L. (1986). *Perspectives on nursing theory.* Boston: Little, Brown.

Nicoll, L. (1992). *Perspectives on nursing theory* (2nd ed.) Philadelphia: Lippincott, Williams & Wilkins.

Nicoll, L. (1997). *Perspectives on nursing theory*(3rd ed.) Philadelphia: Lippincott, Williams & Wilkins.

Nightingale, F. (1969). *Notes on nursing: What it is and what it is not.* New York: Dover. (Originally published 1859.)

Orem, D. (1971). *Nursing: Concepts of practice.* St. Louis: Mosby.

Orem, D. (2001). *Nursing: Concepts of practice* (6th ed.) St. Louis: Mosby.

Orlando, I. (1961). *The dynamic nurse-patient relationship.* New York: Putnam.

Orlando, I. (1972). *The discipline and teaching of nursing process.* New York: Putnam.

Parker, M. (2006). *Nursing theory and nursing practice* (2nd ed.). Philadelphia: F. A. Davis.

Peterson, S. (2008). *Middle-range theories: Applications to nursing research* (2nd ed.). Philadelphia: Lippincott, Williams & Wilkins.

Reed, P., & Shearer, N. (2009). *Perspectives on nursing theory* (5th ed.). New York: Lippincott Williams & Wilkins.

Reed, P., & Shearer, N. (2012). *Perspectives on nursing theory* (6th ed.). New York: Lippincott Williams & Wilkins.

Reed, P., Shearer, N., & Nicoll, L. (2003). *Perspectives on nursing theory* (4th ed.). Philadelphia: Lippincott Williams & Wilkins.

Reynolds, P. D. (1971). *A primer for theory construction* Indianapolis: Bobbs-Merrill.

Rogers, M. E. (1970). *An introduction to the theoretical basis of nursing.* Philadelphia: F. A. Davis.

Rogers, M. E. (1986). Science of unitary human beings. In V. Malinski (Ed.), *Explorations on Martha*

Rogers' science of unitary human beings. Norwalk, (CT): Appleton-Century-Crofts.

Roy, C. (1970). Adaptation: a conceptual framework for nursing. *Nursing Outlook*, *18*, 42–45.

Shaw, M.C. (1993). The discipline of nursing: historical roots, current perspectives, future directions. *Journal of Advanced Nursing*, *18*, 1651–1656.

Smith, M., & Leihr, P. (2008). *Middle range theory for nursing* (2nd ed.). New York: Springer.

Styles, M. M. (1982). *On nursing: Toward a new endowment.* St. Louis: Mosby.

Walker, L. O., & Avant, K. C. (2011). *Strategies for theory construction in nursing* (5th ed.). Boston: Prentice Hall.

Wood, A. F. (2010). Nursing models: normal science for nursing practice. In M. R. Alligood (Ed.) *Nursing theory: Utilization & application*, 4th ed. (pp. 17–46). Maryland Heights, (MO): Mosby-Elsevier.

2장

과학의 역사와 철학

History and Philosophy of Science

Sonya R. Hardin

"왜 간호사는 과학의 역사와 철학에 관심을 가져야만 하는가? 과학의 역사와 철학은 과학적 결과가 실제로 진실인지 아닌지를 탐구하기 위한 기초가 되므로 중요하다. 간호사는 실무의 기반을 진실에 두어야 하고 과학의 결과를 해석할 수 있어야 한다. 간호과학은 우리에게 묘사하고 설명하며 예측하기 위한 지식을 제공한다. 모든 전문직의 타당성은 이론을 도출하고 적용하는 능력 위에 토대를 둔다"(McCrae, 2011, p. 222).

현대 과학은 주어진 관심 현상을 형식화하기 위한 지적 활동으로서 자연의 사건들을 기술하고 설명하고 예측하거나 통제하기 위하여 400년 전에 확립되었다. 과학 활동은 삶의 질을 증진시키고, 미지를 이해하고자 하는 욕망과 창조적 작업 및 규칙성을 위한 인간의 욕구를 충족시켜왔기 때문에 존속할 것이다(Bronowski, 1979; Gale, 1979; Piaget, 1970). 간호과학은 1960년대 이래로 과학적 학문을 추구하면서 발달되었다. 과학적 학문이 된다는 것은 환자, 가족, 그리고 지역사회를 돌보는 간호의 고유한 기여를 확인하는 것을 의미한다. 이

이전저자: Sue Marquis Bishop

것은 간호사들이 개인의 전 생애를 돌보는데 있어서 과학적 기본을 확립하기 위한 기본적인 임상 간호 연구를 진행할 수 있음을 의미한다. 예를 들어, 한 연구에서 입원 환자의 통증 조절 요구도와 환자와 의료진 사이에 교환된 정보 간의 간극을 밝혀냈다. 비록 많은 노인들이 통증을 경험하지만 그 통증은 쉽게 눈에 띄지 않을 수 있다(예로, 증상이 있는 골관절염). 하지만 의료 전문가들이 어떤 방식의 질문으로 노인들로부터 진단적 정보를 얻어내고, 이러한 질문들이 정보의 질과 양에 영향을 주는지에 대한 연구는 거의 없다. 최근 연구에서는 어떤 특정 유형의 질문이 가장 적합한 반응을 이끌어 내는지에 대한 이론을 검증하였다. 그 이론에서는 폐쇄형 질문보다 개방형 질문이 환자가 진단에 필요한 다량의 통증 정보를 제공하는데 더 유용하였음을 확인하였다(McDonald, Shea, Rose, & Fedo, 2009). 이 연구는 간호과학의 한 예로서, 상급 실무 간호사는 긴 간호과학 역사에 대해 정통해야만 한다.

과학의 본질에 대한 역사적 관점

간호과학을 형식화하기 위해서는 다음과 같은 기본적인 질문들을 고려해야 한다. '과학, 지식, 그리고 진리란 무엇인가', '어떤 방법으로 과학적 지식을 생산해 내는가?'이다. 이와 같은 질문은 철학적인 문제이다. 인식론Epistemology이라는 용어는 철학의 지식 이론에 관한 것이다. 이러한 질문에 답하기 위해 선택된 특정한 철학적 견해는 과학자가 어떻게 과학적 활동을 수행하고, 어떻게 결과를 해석하며, 심지어 무엇을 지식과 과학으로 간주하는지에 대해 영향을 미친다(Brown, 1977). 비록 철학이 3,000년 동안의 활동으로 기록되어 왔지만, 형식 과학formal science은 비교적 새로운 추구 활동으로서 최근에 와서야 과학 활동을 연구의 대상으로 삼았다(Brown 1977; Foucault 1973).

과학의 두 가지 경쟁적인 철학적 기초인 합리주의와 경험주의는 현대과학의 시대 속에서 여러 가지로 변형되면서 전개되어 왔다. 게일Gale(1979)은 이 양자택일의 인식론은 이성의 힘과 감각적 경험의 힘이 핵심적으로 관련되어 있다고 본다. 게일은 고전 그리스 시대에서 과학의 이러한 다양한 관점들 간의 공통점을 찾고 있다. 예를 들면, 아리스토텔레스Aristotle는 생물학의 발전은 자연세계 내 물체와 사건의 체계적인 관찰을 통해 발전한다고 보았고, 피타고라스Pythagoras는 자연세계에 대한 지식은 수학적 추리로부터 발전한다고 믿었다(Brown 1977 ; Gale 1979).

간호과학은 지식의 두 갈래 철학에 의해 특징지어진다. 실증주의적 그리고 해석학적, 기계론적 그리고 전체론적, 양적 그리고 질적, 연역적 그리고 귀납적 과학의 형식과 같이 다양한 용어들이 이 두 가지 입장을 묘사하기 위해 활용되고 있다. 이러한 과학적 입장에 대한 본질을 이해해야만 각각의 형식이 간호 지식에 어떻게 기여하는 지를 이해할 수 있다.

합리주의

합리주의자의 인식론(지식의 범위)은 지식을 발전시키는 적합한 방법으로서 선험적a priori 추리의 중요성을 강조한다. 선험적 추리는 원인에서 효과로 또는 일반화에서 특별한 사례로의 추리에 의한 연역적 논리를 활용한다. 간호의 한 예로 사회적 지지의 부족(원인)은 병원의 재입원(효과)을 야기할 수 있다는 논리이다. 이러한 원인 추리는 반증될 때까지 하나의 이론으로 존재한다. 이러한 전통적인 접근은 주어진 현상에 대해 체계적으로 기술하여(이론) 입원을 해명함으로써 발전된다(Gale, 1979). 이러한 개념체계는 이론의 논리구조와 개발에 이용되는 논리적 추리를 통해 분석된다. 그 다음 연역 추리로 도출된 이론적인 주장들은 실험 검증을 통해 확증된다. 레이놀즈(Reynolds, 1971)는 이 접근을 이론-후-연구theory-then-research라고 명명하였다. 만일 연구 결과가 이론적인 주장과 일치하지 않으면 추가 연구를 실시하거나 아니면 이론이 수정되어 새로운 추가 연구가 고안된다. 그렇지 않다면, 대안적 설명이 우위를 차지하게 되고 그 이론은 결국 파기된다(Gale, 1979 Zetterberg, 1966). 포퍼Popper(1962)는 논박의 과정을 통해 과학이 보다 빠르게 발전할 것이라고 주장하였다. 예를 들어, 그의 관점은 단순하다; 사회적 지지가 없는 모든 개인이 자주 재입원한다는 것은 결코 증명할 수 없는데 왜냐하면 재입원하지 않은 단 한 명의 개인이 있을 수 있기 때문이다. 사회적 지지가 없는데 재입원하지 않은 단 한 명이 사회적 지지가 없는 모든 개인은 재입원을 한다는 이론을 반박한다는 것이다. 따라서 포퍼의 관점은 "연구는 도출된 일반적 가정들로 구성되며, 그 다음 이들을 반박하기 위한 시도를 해야 한다는 것이다"(Lipton, 2005, p. 1263). 즉 사회적 지지의 부족은 병원 재입원을 야기한다는 가정이 논박해야 할 관심 현상이다.

합리주의적 관점은 이론물리학자인 아인슈타인의 업적에서 가장 명료하게 드러난다. 아인슈타인은 이론 개발에서 수학 방정식을 폭넓게 활용하여 이론을 개발하였고 이러한 이론들은 다양한 영역 내 연구 방향을 제시해 줄 수 있는 상상력이 풍부한 틀을 제공하였다(Calder, 1979). 레이놀즈(1971)가 지적하듯이, 만일 누군가 과학은 현상에 대한 기술description을 발명하는 과정이라고 믿는다면, 이론 구축에 적합한 전략은 이론-후-연구 전략이다. 레이놀즈의 관점에서 보면, "이론 구축(발명)과 경험적인 연구 과정을 통한 실험 사이의 지속적인 상호작용을 통해서 자연에 대한 기술이 더욱 명료하고 완벽한 이론이 되어서 결국 과학의 목표 달성에 더욱 유용해진다"(Reynolds, 1971, p. 145).

경험주의

경험주의자 관점은 과학적인 지식은 단지 지각된 경험에서 비롯될 수 있다는 사고를 중심 기반으로 하고 있다(예를 들어, 사실을 보고 듣고 느끼는 것). 프란시스 베이컨Francis Bacon(Gale, 1979)이 탐구에 대한 경험주의적 접근의 기초를 대중화하였다. 베이컨은 과학적 진리란 자연세계 내에서 관찰된 사실들에 대한 일반화를 통해서 발견된다고 믿었다. 이 접근은 귀납법이라고 불리는데, 이는 사실에 대한 수집이 일반화를 공식화하기 위한 시도에 우선한다는 사고에 기초하는 것으로서, 레이놀즈(1971)는 이를 연구-후-이론 전략research-then- theory strategy이라고 부른다. 간호에 있어서 이러한 논리 형식을 입증하는 가장 좋은 예는 감별진단을 형성하는 것과 관련이 있다. 감별진단을 만들어내기 위해 사실을 수집하고 그 이후 그 사실을 설명하는 위해 가능한 이론들의 목록을 고안하는 것이 필요하다.

엄격한 경험주의적 관점은 행동주의자인 왓슨Watson과 스키너Skinner의 업적에서 잘 보여주고 있다. 1950년 논문에서, 스키너는 과학자들이 경험적인 자료 수집에 집중한다면 심리학 발전을 기대할 수 있다고 주장하였다. 그는 더 많은 사실이 수집되기 이전에 미성숙한 추론을 도출해 내는 것에 대해 반대하고 이론 정립의 일시 정지를 제안했다. 이론구축에 대한 스키너의 접근(1950)은 확실히 귀납적이었다. 그의 과학적 관점과 행동주의의 대중화는 1950년대와 1970년대에 심리학이 이론 구축에서 사실 수집에 대한 강조로 전환하는데 기여하였다(Snelbecker, 1974). 한편 귀납적인 탐구방식의 문제는, 세계는 무한한 수의 가능한 관찰들을 제시하고 있으며 따라서 과학자는 관찰에 포함할 것과 배제할 것을 미리 결정하기 위하여 자신의 아이디어를 경험으로 끌고 들어와야 한다는 것이다(Steiner, 1977).

요약하자면, 연역적 연구는 이론-후-연구 접근을 사용하고 귀납적 연구는 연구-후-이론 접근을 사용한다. 이 두 가지 접근 모두 간호 영역에서 사용되고 있다.

20세기 초반의 과학과 이론의 관점

금세기 초반의 철학자들은 이론구조에 대한 분석에 집중한 반면, 과학자들은 경험적인 연구에 집중하였다(Brown, 1977). 과학의 역사, 과학적인 발견의 본성, 또는 과학에 대한 철학적 관점과 과학적 방법 간의 유사성에는 최소한의 관심을 보였다(Brown, 1977). 꽁뜨Comte에 의해 처음 사용된 용어인 실증주의positivism는 현대 과학의 우세한 견해로 대두되었다(Gale, 1979). 현대 논리 실증주의자는 경험적 연구와 논리적 분석(연역적 그리고 귀납적)이 과학적 지식을 양산해가는 두 가지 접근이라고 믿었다(Brown, 1977).

논리 경험주의자는 논리 실증주의보다 더 관대한 관점을 제공했고, 이론적인 명제(명제를 확인하거나 어떤 것을 부정하는)는 관찰과 실험을 통하여 검증되어야 한다고 주장했다(Brown, 1977). 이러한 견해는 경험적인 사실은 이론과 독립적으로 존재하고 과학에서 객관성을 위한 유일한 기저를 제공한다는 사고에 기초하고 있다(Brown, 1977). 이러한 관점에서 보면, 객관적 진리는 연구자와는 별개로 독립적으로 존재하고, 과학의 작업은 바로 이 객관적 진리를 발견하는 것으로 이것은 연역적 방법이다(Gale ,1979). 과학에 대한 이런 관점은 방법론 수업에서 종종 다음과 같이 소개되고 있다 "과학자는 우선 실험을 시작하고 발생하는 것을 관찰하고 그 발생을 기술하기 위해 예비 가설을 세우고 그 가설을 검증하기 위해 더 많은 실험을 수행하여, 마침내 그 결과에 비추어 가설을 정정 또는 수정한다"(Gale, 1979, p. 13).

큰 자료 세트의 분석을 가능케 하는 컴퓨터 사용의 증가는 현대 과학의 실증주의적 접근 수용에 공헌했을지도 모른다(Snelbecker, 1974). 그러나 1950년대 실증주의적 관점에 대한 도전이 나타나기 시작하였고, 결과적으로 20세기 후반에는 새로운 관점의 과학이 대두되었다(Brown, 1977).

20세기 후반기의 과학과 이론의 관점

20세기 후반 여러 학자들은 실증주의에 도전하고 이에 더 나아가 과학의 새로운 견해에 기초가 되는 논문들을 제시하였다(Brown, 1977 Foucault, 1973 Hanson, 1958 Kuhn, 1962 Toulmin, 1961). 푸코(Foucault, 1973)는 17세기부터 19세기까지의 인간 과학의 인식론(지식)에 대한 분석을 출간하였다. 푸코는 주요 논문에서 경험적 지식은 특정한 시간과 문화에서 각기 다른 양상으로 정렬되고 그것은 인간이 연구의 대상이 된다고 하였다. 슈츠(Schutz, 1967)는 *Phenomenology of the Social World*라는 책에서, 사회세계를 이해하려는 과학자는 자신의 삶의 경험으로부터 분리해서 외부 세계를 인지할 수 없다고 주장하였다. 에드문트 후설(Edmunt Husserl, 1859 to 1938)에서 시작된 현상학은 과학의 객관주의는 세계에 대한 적절한 이해를 제공할 수 없다고 제안하였다(Husserl 1931, 1970). 현상학적 접근은 특정 맥락과는 관계없이 현상의 의미에 대한 관찰 또는 텍스트로 축소한다. 이러한 접근은 체험의 의미에 초점을 둔다.

1977년 브라운Brown은 과학의 역사를 강조하는 철학 내 지적 혁명은 형식 논리가 과학철학 내 주요 분석도구로 대체되었다고 주장했다. 새로운 철학의 주요한 견해 중의 하나는 과학을 결과에 초점을 둔 생성물이라기 보다는 지속적인 연구 과정으로서의 과학을 강조했다. 이 새로운 인식론에서는 강조점이 과학적 발견의 이해 및 시간이 지나면서 변화하는 과정으로서의 이론으로 변화되었다.

경험주의자들은 객관적으로 현상을 바라보고 자료를 수집하며 귀납적으로 제안된 이론을 분석한다(Brown, 1977). 이러한 입장은 세계에 존재하며 밝혀지길 기다리는 객관적 진리에 근거하고 있다. 브라운(1977)은 이론이 과학자가 무엇을 관찰하고 그것이 어떻게 해석되는지를 결정하는데 중요한 역할을 한다는 것을 제안한 경험주의자들의 관점에 도전하는 새로운 인식론을 주장했다. 다음 이야기는 관찰은 개념-의존적concept-laden이라는 브라운의 논제를 잘 설명하고 있다. 즉 관찰은 관찰자의 마음에 있는 가치와 아이디어들에 의해 영향을 받는다는 것이다.

> "한 노인이 외상을 입고 울고 있다. 간호사는 입원시 그 환자의 몸에 표시가 있음을 관찰하고 학대당했다고 믿고 있다. 정형외과 의사는 엑스레이를 보고서 환자가 울고 있는 이유는 수술은 필요하지 않지만 폐쇄 정복이 필요한 고관절 골절로 인한 통증 때문이라고 믿는다. 목사는 울고 있는 환자는 영적 지지가 필요하다고 믿는다. 각각의 관찰은 개념-의존적이다."

브라운(1977)은 화학자와 어린이가 제철소를 지나면서 걷고 있는 예를 소개했다. 화학자는 이산화황의 냄새로 지각했고 아이는 썩은 달걀 냄새로 생각했다. 예시에서 관찰자 모두 동일한 관찰을 하였지만 명확하게 다른 해석으로 반응하였다. 개념과 이론은 경계를 세우고 특정한 관찰 양식에 대한 추론으로 적합한 현상을 구체화한다. 이러한 예들은 각 인간에게 드러나는 각기 다른 아이디어들을 나타낸다.

만일 과학자가 경험적인 세계에서 과학자가 전제로 한 이론에 근거하여 양상을 지각하면, 새로운 양상이 어떻게 지각되고 새로운 발견이 어떻게 형성될 수 있는가? 게일(1979)은 과학자는 선험적a priori 사고 틀에 도전하는 환경에서 강력한 방해요인들을 지각할 수 있으며, 그리하여 현재의 이론적 견해와 관련된 질문을 떠올린다라고 제안하였다. 브라운(1977)은 전제된 이론적 틀이 지각에 영향을 주지만, 이론이 과학자의 견해를 결정하는 단일 요소는 아니라고 주장한다. 그리고 이론과 관찰 간의 관계에 대해 다음과 같이 세 개의 다른 관점을 규명하였다:

1. 과학자는 경험적인 세계에서 일어나는 일들을 단순히 수동적으로 관찰하는 사람들이다. 관찰 자료는 밝혀지길 기다리는 객관적 진리이다.
2. 이론은 과학자가 경험적 세계에서 지각한 것을 구조화한다.
3. 전제된 이론과 관찰 자료는 과학적 탐구 과정에서 상호 작용한다(Brown, 1977, p. 298).

상호작용론자의 견해에 대한 브라운의 주장은 인간의 정보처리 방식에서 나타나는 양상 인지 연구에서의 과학적인 합의와 일치되고 있다. 다음의 미세 이론들은 이러한 분야의 연구 노력들을 안내해 왔다: (1) 자료에서 나온data-driven, 또는 하의 상달식bottom-up 이론과 (2) 개념적으로 나온conceptually driven 또는 상의 하달식top-down 이론이다(Norman, 1976). 전자는 인지적 기대(알려져 있는 것 또는 의미를 조합하는 방법)는 환경에서 들어오는 정보를 입력하고 처리하기 위해 선택되곤 한다. 후자는 들어오는 자료들은 입력 라벨 없이 지각되고, 모든 자료들이 분류될 때까지 복잡한 수준에 이르게 된 원 자료로 분석된다. 현재의 연구에서는 인간의 양상 인지는 자료-도출data-driven과 개념 도출conceptually-driven 과정 간의 상호 작용을 통해 발전된다고 여긴다. 그리고 인간의 양상 인지는 현재 조직화하고 인지한 범주들 내의 정보와 감각적 환경으로부터의 자극에서 나온 정보의 모두를 출처로 이용한다는 것이다. 상호작용론자의 견해는 인간의 인지기능에 대한 피아제Piaget의 이론에서도 명백하게 반영되고 있다 :

> "피아제 학파의 학자는 지식을 구축하는데 있어서 감각으로 얻은 정보를 수동적으로 모방하기 보다는 적극적으로 선택하고 해석한다. 지식을 추구함에 있어서 환경의 구조에 관심을 갖고 심사숙고하는 와중에서 자신의 고유한 생각의 틀에 따라 환경을 재추론하고 재해석한다... 생각 혹은 마음은 결코 세계를 복사하는 것이 아니다. 그렇다고 사적인 마음의 개념을 만들면서 세계를 무시하지도 않는다. 마음은 지극히 적극적이고 자기 주도적인 방식에서 환경과 만나게 된다." (Flavell, 1977, p. 6).

만일 객관적 진리란 존재하지 않고, 과학이란 발견된 이론들과 경험적 관찰들 사이에서 상호 작용하는 과정이라고 받아들인다면, 과학자는 어떻게 진리와 과학적 지식을 결정하겠는가? 새로운 인식론에서는 과학을 계속적인 과정으로 본다. 과학자들 간의 합의라는 생각에 많은 무게를 두고 있다. 브라운(1977)의 결론대로, 과학이 최종적인 진리를 확립할 수 있다는 것은 속설이다. 가능한 증거에 대한 합리적 판단에 근거를 둔 일시적 합의가 과학자들이 기대할 수 있는 최선의 것이다. 이 견해에서 보면 과학적 지식이란 어떤 주어진 역사적 시기에 살고있는 과학자들의 사회가 과학적 지식이라고 간주한다. 이러한 시점에서, 과학자들 간의 현재 합의가 주어진 이론적 진술이 진실임을 결정하는데, 즉 이것이 실재reality를 적절하게 기술하는지 아닌지를 결정한다(Brown, 1977). 이러한 합의는 자신들의 작업을 공개적으로 비평하고 논박하면서 기존의 과학적 발견 위에 구축된다. 따라서 이러한 합의는 많은 과학자들 간의 협력을 통하여 가능하게 된다(Randall, 1964).

어떤 특정한 시대와 학문 내에서 과학은 연구 현상을 정의하고 자료 수집과 해석의 적당한 방법들을 정의하는 전제들의 인정된 세트에 의해 구조화된다(Brown, 1977 Foucault, 1973 Kuhn, 1962). 이러한 전제들로 인하여 특정한 분야내 과학적 기획enterprise을 위한 경계가 만들어진다. 이론과 경험적 관찰 간의 교류에 관한 브라운의 관점은 다음과 같다.

> *"이론은 어떤 관찰이 가치가 있는지와 이 관찰이 어떻게 이해되는지를 결정하고, 관찰은 인정받고 있는 이론적 구조에 도전하게 한다. 일관성 있게 조직화된 이론과 관찰의 본체body를 생산하기 위한 지속적인 시도가 연구의 원동력이 되고, 특정한 연구 프로젝트가 장기적으로 적합하지 못하면 과학적 혁명으로 나아가게 된다."* (Brown 1977, p. 167).

혁명적인 이론의 제시와 수용은 기존의 전제와 이론들을 변경하고, 그리하여 다른 세트의 경계와 절차들이 창출될 것이다. 그 결과는 문제의 새로운 세트이거나 관찰을 해석하는 새로운 방법이다. 즉 세계에 대한 새로운 그림이다(Kuhn, 1962). 이러한 과학적 관점에서 보면, 확립된 결과보다는 오히려 진행되고 있는 연구에 무게를 두어야 한다. 쿤Kuhn에 따르면, 과학은 과학 이전으로부터, 정상과학으로, 위기로, 그 다음은 혁명으로, 그리고 그 다음은 새로운 정상과학으로 진전한다. 한번 정상과학이 발전하면 그 과정에서 위기가 일어나고 그것이 혁명을 이끌어내고 드디어 새로운 정상과학이 다시 등장한다(Kuhn, 1970; Nyatanga, 2005). 이것이 바로 쿤Kuhn이 한 학문의 과학적 발전 내에서의 패러다임 이동paradigm shift이라고 언급한 것이다. 예를 들어, 최근 연구는 위중한 환자의 이른 거동은 더 좋은 환자 결과를 보여주고 있음을 지지한다(Schweickert & Kress, 2011). 이론-기반의 간호 실무는 환자 결과와 만족을 증진시키는 전문적인 간호를 재구성할 수 있는 능력을 보여주었다(Alligood, 2011).

이론과 연구의 상호의존성

전통적으로, 이론 구축과 연구는 분리된 과정으로 학생들에게 제시되었다. 이러한 분리는 종종 학생들이 이론의 본질을 이해하는데 문제를 일으킬뿐더러, 연구 노력들과의 관련성을 파악할 때에도 문제를 일으켰다(Winston, 1974). 과학의 실증주의적 관점을 수용하면서 이론과 연구 방법 간의 명백한 구분에 영향을 주었을지 모른다(Gale, 1979). 비록 이론과 연구가 별개의 작업으로 보일 수 있지만, 이들은 과학적 과정의 상호 의존적인 구성 요소로 더 적절하다고 보고 있다(Dubin, 1978). 이론 구축에서, 이론가는 이용 가능한 경험적 결과에 대한 지식을 갖고 있어야만 하고, 이것을 참작할 수 있어야만 한다. 왜냐하면 이론은 부분적으로 한 특정한 현상에 대해 이용할 수 있는 지식을 조직화하고 형성하는데 관여하기 때문이다. 만약 가설들이 경험적 결과와 일치하지 않는다면 그 이론은 수정되어야 하고, 아니면 새로운 정보를 설명하는 대안적인 설명을 위해 그 이론은 파기되어야 한다(Brown, 1977 Dubin, 1978 Kuhn, 1962).

현대 과학 이론에서 과학적인 기획은 발견과 검증verification(혹은 수용) 과정을 강조하는 일련의 단계로 기술되어 왔다(Gale, 1979; Giere, 1979). 이러한 단계는 새로운 아이디어를 제시하고 검증하는 데 주로 관심을 둔다. 현상이나 새로운 자료에 관한 새로운 사고방식은 발견단계에서 과학 공동체에 소개된다. 이 시기에는 새로운 개념이 이전의 개념보다 진보했음을 드러내기 위해 설득력 있게 논쟁을 제시하는데 초점을 둔다(Gale, 1979). 검증이란 반박하기 위해서 새로운 개념을 비판적으로 분석하고 검증하기 위한 과학자들의 노력으로 특징지워진다. 그 다음 새로운 관점은 검증과 분석을 받게 된다(Gale, 1979). 그러나 브라운(1977)은 발견과 증명은 별개의 단계로 볼 수 없다고 주장하였는데, 왜냐하면 과학 공동체는 보통 의미 있는 실험이 받아들여질 때까지 새로운 개념을 잘 수용하지 않기 때문이라고 하였다(Gale, 1979).

어떤 과학적 학문에서도 권위, 신념 또는 직관을 기초로 하나의 이론을 판단하는 것은 적합하지 않다. 이론은 과학적 합의에 기초하여 판단되어야 한다(Randall, 1964). 예를 들면, 특수한 간호이론이 수용될 수 있다고 보일지라도, 존경받는 간호 지도자가 그 이론을 만들었기 때문에 지지해서는 안 된다. "나는 이 이론을 좋아한다"거나 "나는 이 이론을 좋아하지 않는다"와 같은 사적인 감정이 판단을 위한 타당한 기초를 제공하지 않는다. 이론은 논리적이고 개념적이거나 경험적인 배경에 근거해서 수용할 만하다고 판단되어야 하고, 과학 공동체가 이러한 판단을 해야만 한다(Gale, 1979).

그러므로 과학의 발전은 많은 연구자가 각자의 업적에 관해서 평가하고 이를 위해 구축하는 협동적인 노력으로 이루어진다. 이론, 절차, 경험적인 연구로부터 나온 결과들이 축적되기 위해서는 과학자들의 비판적 평가를 받아야만 한다. 동일한 절차들이 주어진 분석 또는 결과를 지지하거나 논박하기 위해 이용될 수 있다. 과학자가 동의할 때 이론은 수용되는데, 그 이론은 현재 연구 결과를 기반으로 한 현상을 포착하는 현실을 기술한다(Brown, 1977). 과학적 가설의 수용은 이론의 일관성에 대한 평가에 달려 있는데, 그 평가는 논리성에 대한 질문, 이론의 대응성, 즉 이론을 관찰 가능한 현상과 관계 짓기 위한 노력을 포함하는 것이다(Steiner, 1978). 게일(1979)은 이 기준을 인식론적이고 형이상학적 관심으로 명명하였다.

이론의 대응성에 관한 일치는 단일 연구에 의거할 수 없으므로 반복 시험이 중요하다. 연구는 같은 조건 아래에서 시행되어야 하고, 이론적인 주장들은 다른 조건이나 다른 측정으로 탐색되어야 한다. 그러므로 합의는 축적된 증거를 근거로 한다(Giere, 1979). 이론이 연구로부터 지지되는 것처럼 보이지 않을 지라도 과학 공동체는 그것을 반드시 거부하지는 않는다. 이론 그 자체에 문제가 있다고 동의하기 보다는, 오히려 이론을 검증할 때 사용되는 기준의 타당성이나 신뢰성 또는 연구 설계의 적절성에 대하여 판단한다. 한 특정 이론을 검증하기 위해 비판적으로 평가하는 모든 시도에는 이러한 가능성들을 포함하여야 한다.

다음의 3가지 핵심 영역에서 이론에 대한 과학적인 합의가 필수적으로 이루어진다: (1) 이론의 경계에 대한 동의, 즉 이론이 주목하는 현상과 그것이 제외하는 현상(정합성의 기준), (2) 유사한 견해로부터 더 많은 이해를 위한 이론의 구축에서 사용되는 논리에 대한 동의(정합성Coherence의 기준), (3) 이론이 연구를 통해 수집되고 분석되는 자료와 맞는지에 대한 동의(대응Corresoondence성의 기준)(Brown, 1977 Dubin, 1978; Steiner, 1977; Steiner, 1978). 이 3가지 필수 영역은 과학자들 사이에 "같은 것을 보게 하고, 같은 방식 안에서 수행하며, 경험적 실험에 의해 인증된 신뢰 수준을 갖는지"에 대한 동의로 구성된다(Dubin, 1978, p. 13). 그러므로 이론은 현실에 대항하여 점검하도록 조작될 수 있어야 한다.

귀추법, 연역적, 귀납적 추리 형태는 현실에 대한 이론적 기술과 설명을 구축하고, 이용 가능한 결과를 설명하기 위한 시도를 꾀하고, 검증 가능한 가설을 이끌어내고, 새로운 경험적 자료의 견해에서 이론을 평가함으로써 과학이 발전하는 데에 이용된다(Steiner, 1978).

정상과학 내 과학적 탐구는 한 특정한 이론을 검증하고, 이론의 새로운 적용을 개발하거나 기존 이론을 확장하는 일을 포함한다. 이따금 기존 이론을 바꾼다거나 다른 가정과 더불어 새로운 이론을 제기하기도 한다. 쿤(1962)은 이것을 과학혁명이라고 기술했는데, 이는 혁명적 이론으로서 다른 전제를 가지고 이론으로 기술한다. 수용된 전제의 변화는 새로운 문제 세트를 만들어 내거나 관찰을 새롭게 해석하는 방식을 제시한다(Kuhn, 1962). 만일 그 이론이 경험적인 결과들과 일치되지 않거나 부가적 연구를 위한 정확한 방향을 제시하지 못한다면, 이전에 인정된 학설은 다른 이론에 의해 폐기될 수 있다. 과학 공동체는 이용 가능한 자료를 설명하고 지속적 연구를 위해 선택된 대안적 이론을 평가해야 한다(Brown, 1977). 이로써 새로운 세계관이 만들어진다.

사회과학과 행동과학에서는 실험 설계, 측정, 및 통계분석의 방법 밑에 깔린 가정에 대한 도전 과제가 있다. 즉 보편적인 법칙 탐구와 상황을 넘어서 대상자의 무작위 배당 절차 사용을 강조한다. 하지만 Mishler(1979)는 행동을 연구하는데 있어서, 과학자는 맥락을 뛰어넘는 법칙을 탐구함으로써 맥락을 제거하기 보다는, 의미를 위해 맥락에 의존하는 방법과 절차를 개발해야만 한다고 주장하였다. 연구 방법과 가정에 대한 이러한 평가는 현상학자와 민속방법론자로부터 시작되었는데, 이들은 과학적인 과정을 매우 다른 패러다임으로 보았다(Bowers, 1992 Hudson, 1972; Mishler, 1979; Pallikkathayil & Morgan, 1991). 현상학은 우리가 어떻게 외부 세계의 대상을 경험하는지를 기술하고 우리가 어떻게 경험의 대상을 구성하는지에 대한 설명을 제공한다. 현상학에서, 탐구자들은 모든 사물이 존재한다는 것은 사람들이 그것을 인식하고 구성하기 때문이라고 상정한다. 민속방법론은 "사회적 사실"의 세계에 초점을 두는데 이는 사람들의 해석적인 작업을 통해 성취되거나 함께-만들어진 것이다. 이러한 관점에서 현상을 탐구한다는 것은 사회적 현실과 사회적 사실들이란 일상적인 삶의 평범한 행동과 환경을 통해 구성되고 생산되며 조직화된다는 관점을 가지고 탐구한다는 것이 된다.

단일 과학도 단일의 과학적 방법도 존재하지 않는다. 각각 고유한 탐구 현상과 구조와 연구 방법을 지닌 다양한 과학들이 존재한다(Springagesh & Springagesh, 1986). 그러나 과학들 간의 공통점은 지식을 발전시키기 위해 진리를 추론으로부터 분리하기 위한 과학자들의 노력에 관심을 둔다는 것이다(Snelbecker, 1974). 한 특정 과학내 지식의 구조에 관한 질문으로 무엇이 과학적 지식이고 탐구방법인지는 그 학문 내 과학자들 간의 합의로 결정된다(Brown, 1977; Gale, 1979).

간호실무를 위한 지식 기반이 불완전하다는 합의가 도출됨에 따라 간호학문에서는 간호실무를 위한 과학적 기반의 개발이 상당히 우선되어야 한다고 여긴다. 후기실증주의와 해석적 패러다임은 지식 개발을 인도하는 패러다임으로서 간호학문에서 어느 정도 수용되고 있다(FordGilboe, Campbell, & Berman, 1995). 후기실증주의는 현상을 기술, 설명, 예측하는 양식을 발견하는 데 초점을 둔다. 그것은 감각을 통해 단지 관찰 가능한 것만이 궁극적이며 객관적인 지식이라는 오래된 전통적 실증주의자의 관점을 거부한다(Ford-Gilboe et al., 1995; Weiss, 1995). 해석적 패러다임은 상황과 맥락, 그리고 일상의 사건으로부터 개인이 만들어 내는 다양한 인지적 구성을 강조하는 참여자의 사회적 상호작용의 의미를 표현함으로써 이해를 도모하고자 한다(Ford-Gilboe et al., 1995). 간호에서의 지식 개발을 위한 비판적 패러다임 또한 떠오르는 포스트모던 패러다임으로 묘사되고 있는데, 이것은 사회적, 정치적, 경제적, 젠더, 그리고 문화적 요소들 간의 상호작용에 대한 탐구의 틀을 제공하고 건강과 질병 경험을 탐구하기 위한 틀을 제공한다(Ford-Gilboe et al., 1995). 포스트모더니즘의 폭넓은 개념은 "지식의 객관화"에 도전하는 특정한 철학을 포함하고 있는데, 가령 "현상학, 해석학, 페미니즘, 비판이론과 후기 구조주의와 같은 것들이다(Omery, Kasper & Page, 1995)."

간호철학은 150년에 걸쳐 발전되어왔다. 돌봄 철학, 자연주의 철학 그리고 전체론적 철학이 문헌에서 발견되고 있다. 수많은 저자들이 돌봄에 대해 연구해왔다. 돌봄은 전체적인 환자 상황이므로 간호에서는 해석, 이해 그리고 해석학적 경험이 필요하다. 돌봄의 철학은 돌봄의 맥락 안에서 동시다발적으로 모든 요소들을 다루기 위한 지식, 기술, 환자에 대한 신뢰, 그리고 역량을 포함한다(Austgard, 2008).

전체론Wholism은 환자를 이해하기 위한 또 다른 철학이다(Hennessey, 2011). 전체론적 간호는 생물학적, 심리학적, 그리고 사회학적 하위체제는 서로 연관되어 있으나 분리될 수 없으므로 그 전체는 각각의 합과 일치한다고 생각한다. 전체론적 간호에서는 다양한 하위체계들이 지속되는 상호작용 내 존재하고 마음-몸의 관계가 존재함을 인정한다(Kinney & Erickson, 1990).

자연주의naturalism는 자연적 세계가 존재한다는 형이상학적 요소를 가지고 있다. 즉 비자연적이거나 초자연적인 영역은 없다는 것이다. 자연적 세계는 개방되어 있는데, 왜냐하면 자연세계란 어떤 방법을 필요로 하는 질문인지에 달려 있기 때문이다. 자연주의에서는 지식과 신념은 근거와 다양한 과학적 방법에 의해 안내된 개인의 감각에 의해 얻어지는 것이라고 주장한다(Hussey, 2011). 이러한 철학들이 문헌에서 제시되고 있지만 간호과학은 아직 초기 단계에 있다.

간호 학문이 진전되면서 보다 많은 간호 학자들이 연구와 학구적인 대화를 통해 지식 발전에 활발하게 참여하고 있다는 풍부한 증거들이 있다. 즉 간호와 다른 학문으로부터의 귀납적, 연역적, 그리고 이론 통합을 활용하는 중범위이론의 출현에서 찾아볼 수 있다(Peterson & Bredow, 2008; Sieloff & Frey, 2007; Smith & Liehr, 2008). 이러한 간호과학자와 학자들이 만들어내는 새로운 세기의 간호 학문은 간호 현상을 탐색하여 양질의 상급실무를 위한 근거를 제공해 줄 것이다.

사회적 기획으로서의 과학

과학적 탐구 과정은 사회적인 기획으로 볼 수 있다(Mishler,1979). 게일의 말을 빌리자면 "인간이 과학을 한다."(1979, p. 290). 그러므로 사회적, 경제적, 정치적인 요소가 과학적인 기획에 영향을 미칠 수 있다고 예측할 수 있다(Brown, 1977). 예를 들면 특정한 이데올로기의 대중화는 현상이 어떻게 보이는지, 어떠한 문제가 연구 대상이 되는지에 대해 영향을 미칠 수 있다(Hudson, 1972). 또한 특정분야에 대한 연구 자금의 이용 가능성은 그 분야의 연구 활동을 증가시킬 수 있다. 그러나 과학은 개인적 특성이나 어떤 특정 과학자나 과학자 집단의 설득에 의존하지 않고 과학자 공동체 내에서 자체적으로 강력하게 수정된다(Randall, 1964). 과학은 간호 학문 안에서의 대화의 다양성에 의해 발전한다. 하나의 패러다임 사용, 다양한 패러다임 사용, 혹은 다양한 패러다임으로부터 병합된 패러다임의 창조는 앞으로도 간호인식론 발전과 관련하여 논란의 여지가 있다.

POINTS FOR FURTHER STUDY

- 100 Basic Philosophical Terms:http://www.str.org/site/News2?page=NewsArticle&id=5493
- Edmund Husserl: http://plato.stanford.edu/entries/husserl/
- Kant's Philosophy of Science: http://plato.stanford.edu/entries/kant-science/
- Phenomenology: http://plato.stanford.edu/entries/phenomenology/
- Naturalism: http://plato.stanford.edu/entries/naturalism/

REFERENCES

Alligood, M.R. (2011). Theory-based practice in a major medical center. *Journal of Nursing Management, 19*, 981–988.

Austgard, K. I. (2008). What characterises nursing care? A hermenutical philosophical inquiry. *Scand J Caring, 22*, 314–319.

Bowers, L. (1992). Ethnomethodology I: an approach to nursing research. *International Journal of Nursing Studies, 29*(1), 59–67.

Bronowski, J. (1979). *The visionary eye: Essays in the arts, literature and science.* Cambridge, (MA): MIT Press.

Brown, H. (1977). *Perception, theory and commitment: The new philosophy of science.* Chicago: University of Chicago Press.

Calder, N. (1979). *Einstein's universe.* New York: Viking.

Dubin, R. (1978). *Theory building.* New York: Free Press.

Flavell, J. H. (1977). *Cognitive development.* Englewood Cliffs, (NJ): Prentice-Hall.

Ford-Gilboe, M., Campbell, J., & Berman, H. (1995). Stories and numbers: coexistence without compromise. *Advances in Nursing Science, 18*(1), 14–26.

Foucault, M. (1973). *The order of things: An archaeology of the human sciences.* New York: Vintage Books.

Gale, G. (1979). *Theory of science: An introduction to the history, logic and philosophy of science.* New York: McGraw-Hill.

Giere, R. N. (1979). *Understanding scientific reasoning.* New York: Holt, Rhinehart, & Winston.

Hanson, N. R. (1958). *Patterns of discovery.* Cambridge, (MA): Cambridge University Press.

Hennessey, S. (2011). Wholism: another perspective. *California Journal of Oriental Medicine, 22*(2), 7–11.

Hudson, L. (1972). *The cult of the fact.* New York: Harper & Row.

Husserl, E. (1931). *Ideas: General introduction to pure phenomenology.* (W. R. Boyce Gibson, Trans.). New York: Humanities Press.

Husserl, E. (1970). *The crisis of European sciences and transcendental phenomenology.*(D. Carr, Trans.). Evanston, (IL): Northwestern University Press.

Hussey, T. (2011). Naturalistic nursing. *Nursing Phi-*

losophy, 12, 45–52.

Kinney, C. K., & Erickson, H. C. (1990). Modeling the client's world: a way to holistic care. *Issues in Mental Health Nursing, 11(2),* 93–108.

Kuhn, T. S. (1962). *The structure of scientific revolutions.* Chicago: University of Chicago Press.

Kuhn, T. S. (1970). *The structure of scientific revolutions* (2nd ed.). Chicago: University of Chicago Press.

Lipton, P. (2005). The Medawar lecture 2004: the truth about science. *Philosophical Transactions of The Royal Society*, 360, 1259–1269.

McCrae, N. (2011). Whither nursing models? The value of nursing theory in the context of evidence-based practice and multidisciplinary health care. *Journal of Advanced Nursing*, *68*(1), 222–229.

McDonald, D.D., Shea, M., Rose, L., & Fedo, J. (2009). The effect of pain question phrasing on older adult pain information. *J Pain Symptom Manage*, *37*, 1050–1060.

Mishler, E. G. (1979). Meaning in context: is there any other kind? *Harvard Educational Review*, *49*, 1–19.

Norman, D. A. (1976). *Memory and attention: An introduction to human information processing.* New York: Wiley.

Nyatanga, L. (2005). Nursing and the philosophy of science. *Nurse Education Today*, *25*(8), 670–674.

Omery, A., Kasper, C. E., & Page, G. G. (1995). *In search of nursing science.* Thousand Oaks, (CA): Sage.

Pallikkathayil, L., & Morgan, S. (1991). Phenomenology as a method for conducting clinical research. *Applied Nursing Research*, *4*(4), 195–200.

Peterson, S. J., & Bredow, T. S. (2008). *Middle range theories: Application to nursing research* (2nd ed.). Philadelphia: Lippincott, Williams & Wilkins.

Piaget, J. (1970). *The place of the sciences of man in the system of sciences.* New York: Harper & Row.

Popper, K. (1962). *Conjectures and refutations.* New York: Basic Books.

Randall, J. H. (1964). *Philosophy: An introduction.* New York: Barnes & Noble.

Reynolds, P. (1971). *A primer in theory construction.* Indianapolis, (IN): Bobbs-Merrill.

Schutz A. (1967). *The phenomenology of the social world.* Evanston, (IL): Northwestern University Press.

Schweickert, W. D., & Kress J. P. (2011). Implementing early mobilization interventions in mechanically ventilated patients in the ICU. *Chest*, *140*, 1612–1617.

Sieloff, C. L. & Frey, M. A. (Eds.). (2007). *Middle range theory development using King's conceptual system.* New York: Springer.

Skinner, B. F. (1950). Are theories of learning necessary? *Psychological Review*, *57*, 193–216.

Smith, M. J., & Liehr, P. R. (2008). *Middle range theory for nursing*. (2nd ed.). New York: Springer.

Snelbecker, G. (1974). *Learning theory, instructional theory, and psychoeducational design.* New York: McGraw-Hill.

Springagesh, K., & Springagesh, S. (1986). Philosophy and scientific approach. *Contemporary Philosophy*, *11*(6), 18–20.

Steiner, E. (1977). *Criteria for theory of art education.* Unpublished monograph presented at Seminar for Research in Art Education. Philadelphia.

Steiner, E. (1978). *Logical and conceptual analytic techniques for educational researchers.* Washington, (DC): University Press.

Toulmin, S. (1961). *Foresight and understanding.* New York: Harper & Row.

Weiss, S. J. (1995). Contemporary empiricism. In A. Omery, C. E. Kasper, & G. G. Page (Eds.), *In search of nursing science.* Thousand Oaks, (CA): Sage.

Winston, C. (1974). *Theory and measurement in sociology.* New York: Wiley.

Zetterberg, H. L. (1966). *On theory and verification in sociology.* Totowa, (NJ): Bedminster Press.

3장

이론개발 과정

Theory Development Process

Sonya R. Hardin

"의미 있는 인간 서비스를 위한 간호의 잠재력은 그 성취를 위한 이론과 실무의 연계에 달려 있다"
(Rogers, 1970, p.viii).

간호이론의 개발은 학문의 지식을 발전시키려는 간호학자들에게는 핵심적인 것이다. 어떤 전문직이든 이론을 생성하고 적용시키는 능력을 바탕으로 그 정통성이 확립된다(McCrae.2011, p. 222). 간호이론은 간호현상(자가간호, 치료적 의사소통, 만성적 슬픔 등)의 분석과 이해를 증진하고 연구를 통한 간호실무의 발전을 학문적으로 안내한다. 간호이론은 일단 어느 한 현상이나 영역에 적합하다고 확인되면, 이론의 완성도, 관련요소나 관계가 결여되어 있는지, 검증을 위해 조작적으로 정의를 내릴 수 있는 지, 실증적 발견과 이론과의 관련성 등과 같은 여러 쟁점들이 고려되어야 한다.

이런 특성의 분석은 논리적으로 이론개발을 다음 단계로 이끌어 간다. 반복되는 활발한 연구들을 통해 이론적 주장을 지지하거나 거부하는 과학적 증거들이 쌓이고 이들이 이론의 확장이나 수정을 안내한다. 간호이론의 개발은 신비스러운 것도, 마술적 행위도 아니며, 체계적으로 추진해야 하는 학문적 행위이다.

활발한 간호이론의 개발은 간호전문직의 실무와 학문의 미래를 위해 가장 우선되어야 한다.

이론 구축 접근법은 매우 다양하나 *체계적 개발*systematic development이라는 개념을 이해하는 것은 매우 중요하다. 이론은 귀납적, 연역적 환원적 추론을 통해 개발될 수 있다.

연역적 추론은 협소하며 일반적인 것으로부터 특수한 것으로 나아가는 것이다. 예를 들어 임상영역에서 간호사는 종종 일반적 법칙에 대한 경험을 가지고 이를 환자에게 적용한다. 귀납적 추론은 보다 광범위하고 탐색적이며 특수한 것으로부터 일반적인 것으로 나아간다. 환원적 추론은 관찰의 불완전한 세트로부터 시작하여 그 세트에 적합한 가능한 설명들로 나아가는 것이다. 주어진 일련의 증상들을 가지고 이를 가장 잘 설명하는 진단명을 찾는 의학적 진단이 환원적 추론의 적용의 예이다. 이론개발 접근에 대한 일반적 관점의 하나는 이론개발의 명시적 단계를 만들면서 이론개발에 정확하고 체계적인 방식으로 접근하는 것이다. 이론개발 과정에서 간호이론을 체계적으로 고안하여 공식적 검토를 위해 간호사회에 제안하고, 간호학자들 사이에서의 학문적인 논의에 있어 간호사의 참여는 매우 중요하다. 이런 학문적 작업이 문헌으로 발표될 때, 간호이론가들과 연구자들은 연구결과에 대한 이론적 주장의 관련성과 이론개발에 사용된 논리적 과정의 적절성을 검토하고 비판할 수 있다.

이론적 주장

이론 개발은 학문적으로 검토하고 분석해야 할 수 있으므로 선택된 학문적 용어, 정의, 가정들에 대한 이해가 요구된다. 이론개발과정을 이해하려면 용어와 정의된 의미에 주의를 기울여야한다. 그리하여 용어의 명확성, 그들의 과학적 유용성, 그 학문에 대한 가치는 이론개발 과정에 있어서 중요한 고려할 점들이다.

Hage(1972)는 6개의 이론 구성요소 이론의 구성요소들을 확인하였고, 각 요소가 전체 이론에 기여하는 바를 기술하였다(표 3-1). “그는 구성요소 중 하나나 둘을 포함시키는데 실패함으로써 전체 이론에의 특정 기여를 배제하는 결과를 초래하였다고 주장하였다”. 이론의 이런 관점은 이론구축 과정theory-building process에서 각 요소의 기능을 이해하는 기초로서 논의되고 있다.

표 3-1 이론의 구성요소와 이론에의 기여

이론의 구성요소	이론에의 기여
개념과 정의	
개념	현상의 서술과 분류
개념의 이론적 정의	의미를 구성함
개념의 조작적 정의	측정을 가능하게 함
관계진술	
이론적 진술	개념들을 서로 연결시킴; 분석을 가능하게 함
조작적 진술	개념과 측정을 연결시킴
연결과 순서	
이론적 진술의 연결성	이론적 진술들이 왜 연결되는지에 대한 근거를 제공함; 타당성을 부여함(plausibility)
조작적 진술의 연결성	측정변수가 어떻게 연결되는 지에 대한 근거를 제공함; 검증가능성을 부여함
개념과 정의를 원시적 및 도출된 용어로 조직화함	중복을 배제함(tautology)
진술과 연결성을 전제, 도출된 가설 및 공식으로 조직화함	중복을 배제함

Modified from Hage, J. (1972). Techniques and problems of theory construction in sociology. New York: John Wiley & Sons.

개념과 정의

관련 분야의 현상은 이론 구축의 블록인 개념들로 표현된다(Kaplan, 1964). 개념에 대한 어떤 논의에서도 그 개념의 의미가 도출되고 포함되어 있던 이론적 체계로부터 분리하여 논의해서는 안 된다. 개념들은 서로 다른 이론적 체계에서는 서로 완전히 다른 의미를 가지고 있다. 과학적 과정은 과학자 사회의 연구 작업으로써 비판적인 검토 및 검증에 기초하고 있다. 개념은 추상적이거나 구체적이다. 특정한 시간과 장소와 관련된 구체적 개념에 비해 추상적 개념은 특수한 시간과 장소와 관련되어 있다. 직접적으로 경험되고 특정 시간과 장소와 관련된다(Chinn & Krammer, 2011;Hage, 1972; Reynolds, 1971).

표 3-2 추상적 개념과 구체적 개념

추상적 개념	구체적 개념
이동	스트레처, 휠체어, 병원침대
심혈관질환	뇌졸중, 심근경색증
원격측정법(telemetry)	심전도, 홀터 모니터링
관계 상실	이혼, 사별
간호사 역량	문화적, 비위관 삽입, 투약

Data from Chinn & Kramer, 2011; Hage, 1972; Reynolds, 1971

예를 들어 이동이라는 추상적 개념의 구체적 개념 예는 스트레처, 휠체어, 병원 침대 등이며 그 외의 예는 표 3-2에 제시하였다. 보다 특수한 예로 주어진 이론적 체계 안에서 간호사 역량은 그 정의, 특성, 기능은 투약과 같은 것으로 명료화된다.

개념은 *불연속* 또는 *연속개념*으로 분류되기도 한다. 이런 명명체계는 현상들의 범주를 확인하는 개념들의 연속선을 따라 다양하게 개념을 분화시킨다. 불연속 개념은 환자, 간호사 또는 환경 등과 같이 현상을 범주화하고 분류한다. 학생들은 간호사가 되거나 다른 전문직을 선택할 수 있지만 그 또는 그녀가 부분적인 간호사는 될 수 없다. 그래서 현상들은 주어진 범주나 계급에 속하거나 속하지 않는 것으로만 확인되어진다. 이런 이유 때문에 불연속 개념은 *불변개념nonvariable concept*라고 한다. 현상들을 불변적이고 불연속적인 범주로 분류하는 것은 기존의 현상들과 관련된 실재가 범주화로 파악될 수 있다는 가정에 근거한다(Hage, 1972). 변량들variables의 양이나 정도는 고려하지 않는다. 유형학typology을 구축하기 위해 일련의 *불변 불연속 개념들*(그리고 하위 개념)로서 이론들이 사용될 수 있다. 유형학은 개념들의 조직적 배열로 이루어져 있다. 예를 들어 결혼상태에 대한 유형학은 기혼, 이혼, 사별, 또는 독신 등과 같이 결혼 상태를 구분할 수 있게 해줄 수 있다. 이러한 불연속 범주들은 구분될 수 있을 뿐 아니라 더 나아가 성별과 같은 부차적인 변수들을 이런 유형으로 분류하게

표 3-3 결혼상태와 성의 유형

	결혼상태			
대상자	독신	기혼	이혼	미망인
남성	15	75	23	6
여성	25	72	41	13
총계	40	147	64	19

허용한다. 표 3-3은 결혼상태와 성별의 유형을 나타낸 것이다.

반면에 연속 개념은 예를 들어 결혼갈등의 정도와 같이 연속선을 따라 정도 또는 차원으로 분류 할 수 있게 해준다. 예를 들어 결혼한 부부는 하나의 측정도구를 이용하여 부부 관계에서의 결혼 갈등의 정도를 나타내는 것으로 분류할 수 있다.

결혼 갈등의 정도

0 ←→ 120

낮음 높음

그 밖에 부부를 분류할 수 있는 연속 개념에는 의사소통 및 공유 활동의 양, 또는 자녀의 수를 포함시킬 수 있다. 환자를 분류하는 데에 사용할 수 있는 연속개념의 예로 체온, 불안 정도, 또는 연령 등이 있다. 간호사는 통증에 대해 0에서 10에 이르는 도구를 이용하여 대상자에게 통증정도를 질문함으로서 통증의 역치 또는 통증사건을 연속개념화할 수 있다.

통증의 정도

0 —— 10

낮음 높음

연속개념은 용어로 표현되지 않지만 *연속선상의 정도*degrees on a continuum로 개념화된다는 것에 주의해야 한다. 범위나 연속선에 기초하는 변수 개념들의 사용은 한 차원이 그 현상과 관련된 모든 실제를 파악한다는 가정 없이 한 차원에 초점을 두는 경향이 있다. 현상의 보다 넓어진 관점을 측정하기 위해 차원을 더하도록 제안될 수도 있다. 개념을 측정하기 위해 도구들을 사용할 수 있으며 이들은 전체 개념과 관련된 분리된 개념을 측정하는 하위영역을 가질 수도 있다. 건강관련조직을 나타내는 데에 갈등률, 전문가 대 비전문가 비율, 의사소통율, 또는 환자에 대한 간호사의 비율 등과 같은 변수 개념variable concept을 사용할 수 있다.

이론 개발에 있어 현상을 분류하는 데에 불변 개념이 유용함에도 불구하고 Hage(1972)는 여러 학문분야에서 불변 개념에서 변수 개념으로 이동할 때, 중요한 변화가 발생하는데 그 이유는 변수 개념이 현상의 전 범위를 연속선상에서 점수화하도록 허용하기 때문이라고 주장하였다. 그러므로 개념발달은 현상을 서술하고 분류하도록 허용한다(Hage, 1972). 명명된 개념들은 선택된 현상의 관찰과 관심 현상에 대한 추론의 경계를 제시한다. 새로운 개념들은 새로운 현상에 초점을 맞추거나 상이한 방식으로 현상들을 분류하고 생각해보도록 촉진할 수 있다(Hage, 1972). 간호이론에서 학문적으로 개념을 분석하는 것은 이론적 탐구과정에서 매우 중요한 시작 단계이다. 간호학 문헌에는 개념 과정의 많은 예가 있다. 표 3-4는 분석에서의 다양한 접근들의 예이다. 개념분석은 이론개발과정에서 개념적 정의로 발전해나가는 매우 중요한 시작단계이다.

단일 개념이든 일련의 개념들이든 간에 가능한 한 잘못된 이해를 하지 않게 하려면 개념을 명확하게 정의하는 것이 중요하다. 비록 의미에서 그 차이를 완전히 제거하지는 못하더라도 명확한 정의를 제공하는 것은 이런 차이를 최소화 할 수 있다. 완전한 이론의 개발에 있어 이론적 및 조작적 정의 양자 모두는 개념의 의미와 실증적 지표를 찾는 기초를 제공해 준다. 또한 이론적 정의는 제시된 개념과 여타의 이론적 생각(아이디어)과의 관계를 고려해보도록 허용한다. 예를 들어 McMahon & Fleury(2012) 는 노인들의 안녕에 대한 개념분석을 발표하였다. 노인들의 안녕은 이론적으로 개인적인 가치가 있는 목표와 강점을 반영하고 결과적으로 삶의 가치와 안녕을 가져오는 개인적 성장, 경험의 통합, 타인과의 의미 있는 관계형성 등을 위한 목표 지향적 과정으로 정의된다, 노인의 안녕 개념은 되어가기, 통합

표 3-4 여러 접근법을 이용한 발표된 개념분석의 예

개념	접근법	저자
영성	Chinn & Kramer	Buck (2006)
변화준비도	Chinn & Kramer	Dalton & Gottlieb (2003)
문화변용	Morse	Baker (2011)
윤리적 민감성	Morse	Weaver, Morse, & Mitcham (2008)
불능과 노화	Rodgers	Greco & Vincent (2011)
신경과학 간호에서의 도덕적 스트레스(디스트레스)	Rodgers	Russell (2012)
증상지각	Schwartz-Barcott & Kim	Posey (2006)
민감해지기	Schwartz-Barcott & Kim	Sayers, K., & de Vries, K. (2008)
간호에서의 근무계약	Walker & Avant	Bargagliotti (2012)
이주	Walker & Avant	Freeman, Baumann, Blythe, Fisher, & Akhtar-Danesh (2012)
유아 스트레스(디스트레스)	Wilson method	Hatfield & Polomano (2012)
사회적 정의	Wilson method	Buettner-Schmidt & Lobo (2012)

표 3-5 이론적 및 조작적 정의의 예개념이론적 정의조작적 정의

개념	이론적 정의	조작적 정의
체온	신체의 온도조절 체계에 의해 유지되는 내적 환경의 정온 범위(homeothermic range)	혀 밑에서 1분간 체온계로 측정한 온도
심부전	심장의 기능이 순환요구를 충족시키지 못함	신체적physical, 정서적emotional, 사회적social, 정신적mental 분류법으로 측정된 심부전의 단계
영성 (Spirituality)	혁신성과 점차 증가하는 창조적이고 다양한(나선성;helicy) 경험과 관련된 고주파 패턴(공명성;resonancy)의 표현으로서의 인간/환경장의 상호작용 과정에 대한 다 차원적 자각이다.	의미와 목적을 탐색해봄으로서 한 개인의 영성을 측정하는 도구인 영적 신념 측정 도구(Spiritual Belief Scale:SIBS) 점수. SIBS에는 4개 하위 측정이 있다. 1) 내적/바탕 2) 겸손/개인적 규칙 3) 외적/명상 4) 외적/제식 이론의 논리, 관찰, 측정에 필수적이다.

*Hardin, Hussey, & Steele, 2003.
†Rector & Cohen, 1992.
‡Malinski, 1994.
§Hatch, Burg, Naberhaus, & Hellmich, 1998.
¶Hardin, Hussey, & Steele, 2003.

하기, 관계하기 등으로 된 한 변화과정으로 조작화operationalized 되어 진다.

이론은 실재reality에서 검증되어야 하기에 개념의 조작적 정의는 특정한 실증적 지표로 관찰 가능한 현상과 관련되어 있다. 표 3-5는 개념의 이론적 정의와 조작적 정의의 예들이다. 이들 연결고리는 이론의 논리, 관찰, 측정에 필수적이다.

개념정립과정은 여러 학문분야의 연구결과들과 문헌들과 통합되면서 실무로부터 도출된다. 개념은 개념틀로 구축되고 더 나아가 정련된다. 문헌에서는 개념정립의 10단계가 제시되고 있다(Smith & Liehr, 2008; Smith & Liehr, 2012) 개념정립 과정은 환자의 이야기로부터 도출되었다. 10개 단계는 다음과 같다: (1) 의미 있는 실무 스트리를 쓴다; (2) 실무 스토리에서 중심적 현상에 이름을 붙인다; (3) 그 현상을 조망할 수 있는 이론적 렌즈를 확인다; (4) 그 현상과 기존의 문헌들을 연결시킨다; (5) 그 현상을 경험하고 있는 사람으로부터 스토리를 얻는다; (6) 공유된 스토리(5단계에서의)를 재구성하고 그 메시지를 포착하여 미니 계보mini-saga를 생성한다; (7) 현상의 핵심적 특성을 확인한다; (8) 정의를 만드는 데에 핵심적 특성을 사용한다; (9) 현상 모델을 만들고; (10) 연구방향을 제시해주는 집단에 현상을 통합시켜주는 미니 합성mini-synthesis을 써 본다. 초보 학자가 실무의 친숙성으로부터 연구를 위한 현상의 비

친숙성으로의 발판을 제공해주는 이 과정은 거의 10여 년간 그 사용법을 배워 왔고 그 잠재성을 보여주는 예로 공유될 수 있다(Smith & Liehr, 2012, p.65).

관계 진술

정의로 분류될 수 있는 이론에서의 진술은 특정한 개념과 관련되어 있다. 정의가 개념을 서술해주는 반면에, 연관 진술은 둘 또는 그 이상의 개념이나 변수들 간의 관계를 나타내는 것이다. 만일 개념이 이론 구축의 블록으로 간주되어 질 수 있다면 이론적 진술들은 개념들을 연결하는 체인으로 생각할 수 있다. 그러므로 간호이론을 고안하려면 일련의 이론적 진술 속에서 개념들이 서로서로 연결되어 있어야 한다.

변수들 사이의 관계에서 첫 번째 변수가 두 번째 변수에 영향을 줄 것으로 가정 될 수 있다. 이런 예에서 첫 번째 변수는 선행 또는 결정(독립) 변수로, 두 번째 변수는 결과(종속) 변수로 명명되기도 한다. 이 경우에 첫 번째 변수는 독립변수로, 두 번째 변수는 종속변수라고도 한다(Giere, 1997). Zetterberg(1966)는 두 개 변수간의 이론적 진술은 이론 발달에서 중요한 중간 단계가 될 수 있다고 결론지었다. 이런 진술들은 이론의 발달에 따라 또는 새로운 정보를 활용할 수 있게 될 때 재구성되어 질 수 있다. 선행변수와 결과변수의 한 예는 노인의 안녕well 이라는 개념을 설명할 때, 선행변수는 타인과의 연결, 가정된 기회 강점인식, 의미 찾기 등으로 확인되어 진다. 결과변수는 삶의 가치와 안녕한 상태이다. 이 선행변수와 결과변수는 문헌으로부터 개발되었다(McMahon & Fleury, 2012). 이론적 주장은 필요조건이나 충분조건 또는 둘 모두로 표현될 수 있다. 이런 명칭들은 이론적 진술 내에서의 두개 변수간의 관계를 설명해준다. 예를 들어 하나의 관계진술은 충분조건으로 표현될 수 있다; 즉 간호사가 환자의 자가-간호 행위에 긍정적으로 반응한다면(NA = nurses approval), 환자는 자가-간호행위를 하려고 더욱 노력하게 된다(PSC = patients self care). 이것은 선행 및 결과 변수와 관련된 복합 진술의 하나이다. 그 진술은 선행변수가 참이라는 것을 주장하지 않는다. 차라리 선행변수가 참이라면 결과변수가 참이라는 주장이다(Giere, 1979). 이에 더해 선행변수가 왜 결과변수와 관련되는 지를 설명하는 진술도 아니다. 위의 진술을 상징적 형태로 표현해보면 다음과 같다.

$$NA \longrightarrow PSC$$

(선행/독립변수 ⟶ 결과/종속변수)

충분조건은 한 변수가 다른 변수를 발생시킬 수 있다고 주장하는 것이다. 이 때 그 한 변수만이 다른 변수를 발생시킬 수 있다고 주장하는 것은 아니다. 이런 진술은 환자의 자가-간호 행위에 대한 간호사의 긍정적 반응이 환자가 자가-간호행위를 하게 하는 데에 충분하다고 주장하는 것이다. 그러나 이 경우, 환자의 자가-간호행위를 하게 한 원인이 환자의 건강상태와 성격과 같은 변수일 수 있음을 배제할 수는 없다. 이것들도 환자가 자가-간호행위를 하게하는 데에 충분한 또 다른 선행변수가 될 수 있다.

필요조건 형태의 진술은 또 다른 변수의 발생에 한 변수가 필요하다고 주장하는 것이다. 예를 들어 만일 환자들이 잘 동기화되면 (WM = wellness motivation), 처방된 치료지시를 잘 이행할 것이다(AR = adhere regimen).

> *만일 환자들이 회복하고자 하는 동기가 있다면(WM = wellness motivation), 환자들은 그들에게 처방된 지시를 잘 이행하게 될 것이다(AR = adhere regimen).*

$$WM \longrightarrow AR$$

이는 환자들이 회복하고자 하는 동기가(WM) 없다면, 결코 치료 지시를 이행하지(AR) 않을 것임을 의미한다. 이는 환자들이 치료지시를 이행하는 것은 회복하고자 하는 동기에서 하는 것이라고 주장하는 것이 아니다. 그러나 만일 회복하고자 하는 동기가 없다면, 환자들은 치료지시를 열심히 이행하지 않을 것이라고 주장하는 것이다. 회복하고자 하는 동기는 필요하지만, 이런 결과를 가져오는 데에 충분한 조건은 아니다.

만일if 이라는 용어는 일반적으로 충분조건을 말하는 데에 사용되며, *단지 ... 일 경우라면only if and if...then* 라는 용어는 필요조건을 말하는 데에 사용된다(Giere, 1979). 대부분의 경우, 조건 진술은 필요와 충분 모두인 경우는 아니다. 그러나 하나의 진술이 두 조건을 모두 표현할 수도 있다. 그런 경우, *만일 그리고 단지 ... 일 경우if and only if* 라는 용어는 그 진술이 서로 서로에게 필요, 충분조건임을 나타내는 데에 사용된다. 이 경우, (1) 선행변수가 없다면 그 결과는 결코 발생하지 않고 (2) 선행변수가 있을 경우에는 그 결과가 항상 발생한다(Giere, 1979). 그러나 모든 조건 진술이 인과적인 것은 아님을 알아야 한다. 예를 들어 "만일 이번 달이 11월이라면, 다음 달은 12월이다"와 같은 진술은 11월이 12월을 발생시키는 원인임을 주장하는 것이 아니다. 오히려 달의 순서 상 12월은 11월 이후에 온다는 것을 말해주는 것이다(Dubin, 1978; Giere, 1979).

Giere(1979)는 인과진술에 대한 논의에서 *결정형* 모델과 *확률형* 모델을 구분하였다. 결정형 모델의 이론적 진술은 한 변수의 존재나 부재가 두 번째 변수의 존재나 부재를 결정한다는 것이다. 확률적 모델은 인간과 여타의 사회 및 환경적 현상은 그 복합적인 성격으로 인해 확률적 틀로 개념화하는 것이 가장 좋다는 관점에서 도출된 접근법이다. 확률적 진술은 일반적으로 통계적 자료에 기초하고 있으며 변수간의 관계는 각각의 사례마다 발생하는 것이 아니라 어떤 확률에 기초하여 발생한다고 주장한다. 예를 들면 규칙적인 운동의 결핍이 국가적 건강문제인 비만을 초래한다는 주장이 있다. 의자에 앉아 먹는 감자 칩이 항상 의학적 비만(MO = medical obesity)을 초래하는 것이 아니기 때문에 운동결핍(LE = lack exercise)이 항상 비만을 초래하는 것은 아니라는 것은 분명하다. 그러나 의학적 비만으로 발전할 확률(P MO = probability medical obesity)이 규칙적인 운동을 기피하는 사람에게서 어느 정도의 확률로 증가할 수 있다. 이는 다음과 같은 상징으로 표현될 수 있다.

$$IF\ LE \longrightarrow P\ MO$$

변수 간의 관련성을 주장하는 관계진술의 발전은 분석을 하게 해주고 설명과 예측을 위한 기초를 제공해준다(Hage, 1972).

연결과 순위

연결linkage의 특정화는 이론발달의 중요한 부분이다(Hage, 1972). 비록 이론적 진술이 개념간의 관계를 주장하더라도 진술된 관계의 논리적 근거도 발달되고 명확하게 제시되어야 한다. 이론적 연결성의 발달은 이론 내의 변수가 즉 특정한 연결을 주장하는 것에 대한 이론적 추론인 어떤 방식으로 연결될 수 있는 이유를 설명해준다(Hage, 1972). Hage는 이런 근거가 이론의 가능성을 높여준다고 하였다. 다른 한편으로 조작적 연결은 측정변수들이 어떻게 연결되어 있는가를 명확하게 해 줌으로써 이론에 검증적 요소를 부여해준다. 조작적 연결은 개념간의 연결이 긍정적인지 부정적인지 또는 선형인지 곡선형인지 등과 같은 개념 간 관계의 성격을 이해하게 해준다(Hage, 1972).

한 이론이 개념, 정의, 진술 및 연결 등의 요소를 포함하고 있다면, 매우 완전하다고 간주될 수 있다. 그러나 이론이 완전히 발달하려면 개념과 정의를 원시적이고 도출된 용어로 조직화하고 진술과 연결을 전제, 가설, 공식 등으로 조직화할 필요가 있다(Hage, 1972). 한 전제는 도출된 결론으로부터 또는 그에 근거하는 한 주장을 제안하는 것이다. 진술과 연결을 전제나 공식으로 개념적 배열을 하는 것이 불일치의 영역을 들러낼 수 있다(Hage, 1972). 전제

(또는 공리axiom) 들은 공식의 형태로 도출된 가설 보다 더 일반적인 주장으로 간주되고 있다. 이론이 많은 수의 이론적 진술을 포함하고 있을 경우에 이론적 진술과 그들 간의 연결에 대한 개념적 순위화가 필요하다는 것에 대체로 동의하고 있다.

Reynold(1971)는 이론을 조직화하는 데에는 *법칙laws*, *이론theory*, *인과과정(예측)causal process** 등의 3유형이 있다고 하였다. 각각은 서로 다른 개념적 접근법이며 제한점도 각각 다르다. *법칙 세트 접근법a set of laws*은 경험적 연구로 얻은 결과를 조직화하려는 시도이다. 특정 흥미 분야의 유용한 연구로부터 얻어진 경험적 결과들은 평가를 위해 문헌에 발표된다. 결과들은 각각의 이론적 주장을 지지해주는 연구 증거의 정도에 기초하여 법칙 범주, 경험적 일반화 및 가설 등으로 평가되고 분류된다(Reynolds, 1971). Reynolds(1971)는 이론구축에서의 법칙 세트 접근법의 제한점에 대하여 다음과 같이 언급하였다.

첫째, 연구 성격이 종종 2개의 변수정도인 제한된 수의 변수 간의 관계에 초점을 두고 있다. 그러므로 연구결과로부터 법칙 세트 이론을 발전시키려는 시도는 둘 또는 그 이상 변수들 간의 관계를 주장하는 많은 수의 진술들을 만들어낸다. 이런 많은 수의 일반화 진술들은 조직화하고 서로 관련짓게 만드는 것이 어렵다. 두 번째, 연구를 하기 위해서는 개념들이 측정될 수 있도록 조작적으로 정의되어져야만 한다. 그럼으로써 경험적 결과 진술들에서 관심분야의 현상들을 이해하는 데에 유용할 보다 추상적이고 이론적인 개념들을 이끌어낼 수 있다(Foster, 1997).

Reynolds(1971)는 법칙 세트 유형이 선택된 변수들 간의 관계를 예측하고 또는 현상들을 분류해주기는 하지만 과학적 발전에 중요한 이해를 할 수 있게 해주지는 못한다고 하였다.

마지막으로 Reynolds(1971)는 일련의 법칙 유형의 각 진술은, 여러 진술들이 조직화된 개념틀 또는 개념모델로부터 진화된 서술과 설명 체계로 서로 연결되지 못하기 때문에, 독립적인 것으로 간주되고 있다고 하였다. 표 3-6은 이론개발의 원칙: 법칙, 가설, 이론에 대한 것이다. 그러므로 각 진술들은 검증되어야 한다. 각각의 진술은 서로 연결되어 있지 않

표 3-6 이론개발 원칙

원 칙	정 의	경험적 증거
과학적 법칙	한 행동이나 일련의 행동을 묘사하는 사실에 대한 진술	단순, 진실, 우주적, 절대적
가 설	관찰에 근거한 숙련된 추측	아직 증명되지 않음
이 론	일련의 관련된 관찰들이나 사건들을 설명하는 1개 또는 그 이상의 가설들이 여러 번에 걸쳐 증명되어 왔음	진실이고 증명되었다고 수용됨

기 때문에 한 진술을 지지하는 연구가 다른 진술도 지지해 줄 수는 없다. 이 일련의 법칙은 이론개발 시작에 유용하나 연구도 보다 광범위하게 이루어져야만 한다. 법칙 세트 유형과는 대조적으로 이론을 조직함에 있어 공리적 유형은 상호 관련되어있는 논리적 체계이다. 특히 공리적 이론은 명백한 정의, 개념 세트, 기존 진술 세트 및 계층구조로 배열한 관계진술 세트 등으로 이루어져 있다(Reynolds, 1971). 개념에는 매우 추상적인 개념, 중간 정도인 개념, 보다 구체적인 개념 등이 포함된다. 기존 일련의 존재 진술set-of-existence statements은 이론 적용이 가능한 상황을 서술한다. 이론의 경계를 확인하는 데에 도움을 주는 진술은 이론의 범위를 나타내준다(Dubin, 1978; Hage, 1972; Reynolds, 1971). 관계진술은 공리와 전제로 이루어져 있다. 고도로 추상적이고 이론적인 진술 또는 공리들은 계층구조의 상위에 위치하고 있다. 모든 여타의 전제들은 공리들로부터(Gross, 1959) 또는 문헌상의 연구결과(표3-7)들로부터 논리적인 연역을 통해 발달된다. 이로서 고도로 상호 관련되는 설명체계가 만들어진다.

이론가들은 일련의 명제proposition들이 도출되는 소수의 광범위한 공리axiom로 된 개념체계를 사용함으로서 모순적인 공리의 문제를 피하려고 한다. 이 책에 있는 7개의 간호 개념모델들은 이론이 개발될 수 있는 소수의 공리로 된 예들이다. 과학이 진보하고 새로운 실증적 데이터가 알려질 때, 일반적 공리general axioms들은 수정되거나 확장된다. 이런 유형의 확장 예들은 광범위한 공리들로서 간호 개념모델을 사용한 일부 간호이론 들과 중범위이론들이다. 그러나 논리적 체계에의 이런 첨가가 이론 내 모순을 초래하게 되면, 그 이론은 모순 없는 이론을 위해 거부되어져야 한다(Schltfeldt, 1992). 새로운 이론들은 종종 특별 케이스로서 이전 이론의 부분을 포함하곤 한다(Brown, 1977). 예를 들어 아인슈타인의 상대성 이론에는 특별 케이스로서 뉴톤의 중력 법칙이 이론 내에 포함되어 있다. 사회 및 행동 과학에서 공리적 이론이 일반적인 것은 아니지만 물리와 수학 분야에서는 매우 분명하다.

공리적 유형의 이론을 발달시키는 것에는 여러 이점이 있다(Reynolds, 1971; Salmon, 1973). 첫째, 이론은 한 진술이 다른 것으로부터 도출되는 고도로 상호 관련된 진술들의 세트이기 때문에, 모든 개념들을 조작적으로 정의할 필요는 없다(Reynolds, 1971). 이는 이론가들이 측정할 수는 없으나 설명은 할 수 있는 매우 추상적인 개념을 이론 내에 체화시킬 수 있게 허용한다.

이론적 체계는 또한 법칙laws 유형으로 된 긴 이론적 진술 목록보다 설명하는 데에 더 효율적일 수 있다. 이에 더해 이론적 진술 하나에 대한 경험적 지지는 이론에 지지를 제공하는 것으로 평가되어 질 수도 있어, 각 진술마다 검증을 필요로 하는 법칙laws 유형에서 보다 적은 검증 연구를 필요로 한다. 어떤 경우엔 공리적 이론이 인과과정 유형으로 조직화되어 이해를 증진시킬 수 있기도 한다.

*인과과정*causal process은 이론의 구분되는 유형으로 독립변수와 종속변수 간의 인과 기전이 특징인 이론적 진술 발달 유형이다. 이론조직의 이런 유형은 인과과정이 특징인 일련의 개념들, 정의들, 기존의 진술들, 및 이론적 진술들 등으로 구성되어 있다(Reynolds, 1971). 개념에는 추상적 및 구체적 아이디어가 포함된다. 기존의 진술들은 공리적 이론에서 이론의 범위-즉, 이론을 적용하는 상황-를 서술하기 위해 했던 것과 같은 기능을 한다(Dubin, 1978; Hage, 1972; Reynolds, 1971). 인과적 진술은 변수 하나의 하나 또는 그 이상의 다른 변수들에 대한 가설적 효과effects를 표현한다. 복잡한 인과과정 이론에서는 회환 고리(feedback loop), 여러 변수들에 영향을 미치는 통로 등이 상호 관련된 진술들 내에서 가설화 될 수 있다(Mullins, 1971; Nowak, 1975). Reynolds(1971)는 이론의 인과과정 유형은 사건이 일어나는 과정에 대해 설명해준다고 하였다. 그는 인과과정 이론 유형에는 여러 이점이 있다고 하였다. 첫째, 공리적 이론과 같이 매우 추상적이고 이론적인 개념을 제공한다. 두 번째, 공리적 이론과 같이, 이런 유형은 상호 연결된 이론적 진술들을 보다 효과적으로 검증하는 연구를 하게 허용한다. 마지막으로 인과 과정 진술들은 다른 유형에서는 가능하지 않은 관심 분야의 현상에 대한 이해를 할 수 있게 해준다. 이는 연구자의 연구영역에서의 이전 연구결과들을 근거로 이

표 3-7 과학적 방법에서의 이론개발

단계	예
관찰: 의문을 야기시킨 관찰에서부터 출발	슬관절 전 치환술 환자를 간호하는 간호사에게 자가수혈은 시간 소모적이다.
논리적 가설: 귀납법, 연역법, 또는 환원적 방법을 이용하여 가능한 답(가설들)을 진술한다.	자가수혈환자는 퇴원시 타인의 혈액으로 수혈한 환자보다 헤모글로빈치가 더 높다.
검증: 실험연구를 실시한다.	자가수혈 환자는 퇴원 시 더 높은 헤모글로빈치를 나타내었다.
유포: 연구결과를 학술지에 발표한다.	Poulin-Tabor, D., & Hyrkas, K. (2008). Evaluation of postoperative blood salvage and re-transfusion in a total knee arthoplasty patient population: A retrospective study. *MEDSURG Nursing, 17*(5), 317-321.
반복 : 다른 과학자가 이 연구결과를 보고 반복연구를 해봄으로서 검증한다.	Faber, F. C., & Hardin, S. R. (2010). Outcomes of knee replacement patients using autotransfusion. *Orthopedic Nursing, 29*(5), 333-337. Findings: No significant difference in hemoglobin
이론: 다른 연구자가 연구를 통해 나의 가설을 지지하였다면 이 가설은 이론이 될 것이다.	이론 없음

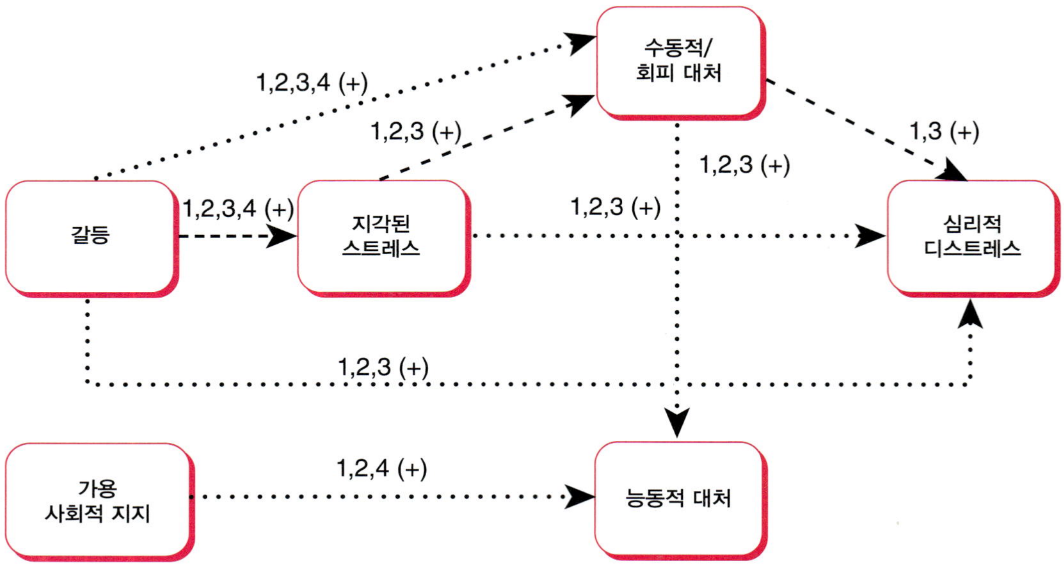

그림 3-1 능동적 대처의 인과모델

출처: Ducharme, F., Ricard, N., Duquette, A., & Lachance, I. (1998). Empirical testing of a longitudinal model derived from the Roy Adaptation Model. *Nursing Science Quarterly, 11*(4), 149 - 159.)

론 확장과 검증으로 성공적으로 구축한 이론개발의 매우 높은 수준의 형태이다. 그림 3-1은 능동적 대처 이론을 검증하기 위한 인과모델이다. 꺽인 선은 예상 연결방향을 보여준다. 점선은 잠재적인 새로운 관계를 나타낸다. 화살표는 연구의 가설이 예측한 인과 방향을 나타낸다. 선에 표시된 숫자는 제안된 관계를 지지하는 이전의 연구들을 나타낸다.

간호이론 발달에서의 현재의 논의들

간호과학 진보로의 이론적 경계와 수준

Fawcett(1984)의 인간, 환경, 건강 및 간호에 대한 4메타패러다임에 대한 논의 이후로, 간호학자들 사이에서 이 틀이 간호과학 발전에 유용하다는 일반적인 동의가 있었다. 일반적으로 메타패러다임은 학문의 관심 영역을 보다 넓게-예를 들면 의학과 같은 다른 학문 영역으로부터 간호학의 영역을 분리하는 것과 같이-나눈다. Fawcett(2005)은 메타패러다임이 간결한 방식으로 학문과 관련된 모든 현상들을 정의해야 하며 관점 중용적perspectives-neutral이고 국제적 범주를 가져야 한다고도 주장하였다. 그는 관점 중용적perspectives-neutral의 정의를 그 메타패러다임 개념들이 어느 특정 개념모델이나 패러다임을 반영하지 않는 것이라고 하였다. 이런 준거는 간호학 모델과 패러다임이 메타패러다임 개념을 포함하지만 분명하게 다른 방식으로 정의됨을 명확하게 나타내었다. 이것이 메타패러다임 개념이 광범위하지만 각각의 개념이론 또는 이론에 특정화되는 일반적 특성을 지지하는 것이다. Fawcett이 지적한 바의 의미를 이해하는 것은 중요하다. 지식의 구조에서 메타 패러다임이 매우 높은 철학적 수준이기에 모델과 이론이 그들 작업에서 용어를 정의하고 그들 간의 차이를 확실하게 한다. Thorne과 그 동료들(1998)은 개념적 체계가 이런 개념들을 정의해야 한다는 메타 패러다임 논쟁을 계속하는 것은 비생산적이라고 하였으며, 각각의 개념모델은 서로 상이한 철학적 관점을 통한 메타패러다임 개념을 내포하고 있기 때문에 간호개념모델로 명명되어 진다고 하였다.

박사과정 학생들과 간호학자들이 학문적 탐구에 참여 할 때 이런 학문적 논쟁들이 계속될 것이라고 기대될 수 있다. 간호학과 간호지식체로의 접근들에 대한 논의는 간호사들이 역동적인 사회적 책임의식과 이론의 일시성, 학문적 진보로서 새로운 개발에 참여할 때 촉진될 것이다(Monti & Tingen, 1999).

메타 패러다임을 서로 다른 문화적 관점에서 보는 것은 학문이 전 세계적으로 발전할 수 있게 우리의 이해를 높이고 우리의 사고를 확장해준다. 예를 들어 Kao, Reeder, Hsu, & Cheng(2006)의 연구는 서구의 간호학 패러다임을 공자와 도교라는 렌즈를 통해 보는 중국적 관점을 보여주었다. 인간이라는 개념은 생물적, 심리 사회적 영적인 존재bio-psycho-social spiritual being 이상이며 책임도 아우르는 존재이다. 건강은 기, 음양과 오행(불, 물, 나무, 금속, 흙)을 포함한다. 지식개발에의 도전은 많은 렌즈들을 통해 간호 현상을 보는 법과 지식개발을 강화하고 전 지구적 사람들의 간호를 향상시키는 법을 배우는 것이다.

학문적 다양성 내의 이론의 발달에 있어, 이론은 메타이론(이론에 대한 이론)으로부터 거대이론(넓고 일반적인 이론)으로 그리고 중범위이론과 미시이론으로 추상성 수준에 따라 분류되어 진다. 초기 간호학문에서 거대이론의 발전과 정련화에 초점을 두던 것이 중범위이론의 발달을 점차 강조하고 상황특정이론situation-specific theories에 초점을 두는 것으로 변화하게 되었다(Acton, Irvin, Jensen, Hopkins & Miller, 1997; Good, 1998; Im & Meleis, 1999; Lawson, 2003; Liehr & Smith, 1999; Smith, et al., 2002). Meleis(2007)가 제안한 상황특정이론(situation specific theory)은 특정 집단 환자 군이나 간호문제에 적용가능하다. 상황특정이론의 통합적 접근은 4개의 넓게 상호 관련되어 있는 단계-이론개발을 위한 가정 검토, 여러 소스를 통한 현상 탐색, 이론화 그리고 보고/타당화 등으로 요약 된다.

Merton(1967)에 의해 서술된 중범위이론은 특정 현상(현상의 보다 넓은 범위를 다루려고 시도하기보다는)에 초점을 두고, 한 개념체계에서 서로 연결되는 두개 또는 그 이상의 개념들로 된 가설로 이루어져 있다. 중범위이론은 간호현상의 넓고 일반적인 개념(거대이론)과 매우 제한된 간호현상의 좁고 특정한 부분에 초점을 둔 것(상황-기반 이론situation-based theories) 사이의 중간정도에 해당하는 것으로 생각되어 질 수 있다. 오늘날 간호학 관련문헌들에서 많은 중범위이론들이 실무 관찰, 인터뷰 등을 통해 질적으로, 간호 개념모델이나 이론으로부터 양적으로 개발되었다. 중범위이론은 실무수준에서 실용적이며 다음과 같은 실무 상황에 대한 특별한 관점을 포함하고 있다.

- 관련된 상황이나 건강상태
- 대상자 집단 또는 연령집단
- 실무 영역이나 장소(지역사회 등과 같은)
- 간호사의 행동이나 중재

이것이 중범위이론을 실무에 적용가능하게 하는 특수성들이다. 중범위이론들은 특정 영역의 이론, 간호실무, 환자에 대한 효과 간의 관계에 대한 개념을 증진시킨다고 주장되고 있다.

1996년 Lenz(Liehr & Smith, 1999)는 중범위이론의 개발을 위해 다음 접근법을 확인하였다.

1. 연구를 통한 귀납적 접근
2. 거대 간호이론으로부터의 연역적 접근
3. 간호학과 비간호학의 통합
4. 비 간호학적 이론으로부터의 도출적 접근derivative approach
5. 임상실무를 위한 가이드라인으로부터의 도출된 이론들
6. 연구결과들을 합성하는 접근법

Liehr & Smith(1999)는 1980년대 후반에서 1990년대까지 약 10년간 중범위이론의 발달에 대한 간호문헌들을 검토하여, 22개의 중범위이론을 발견하였고 이론 구축 접근법을 5와 6의 Lenz 접근법으로 범주화 할 수 있었다. 그러나 그들은 보고된 것 중 연구결과를 합성하여 구축한 이론은 발견하지 못하였다. 간호학적 문헌에서 중범위이론을 구축함에 있어 서로 다른 접근법의 예에는 간호표준을 이용하여 발전시킨 말기환자의 평화로운 임종을 위한 중범위이론(Ruland & Moore, 1998), 임상 지침을 이용하여 발전시킨 급성 통증관리를 위한 중범위이론(Good, 1998), 근거이론으로 구축한 동료로부터 괴롭힘을 당하는 소년을 위한 중범위이론(Lawson, 2003), 그리고 로이의 적응이론을 기초로 다른 연구대상자 집단에서도 같은 관계가 존재하는지를 검증한 여러 연구들로부터 얻은 경험적 자료를 분석한 것 등이 포함된

다(Ducharme, Ricard, Duquette, Levesque, & Lachance, 1998).

현재 간호학자들 사이에 어떤 간호이론을 거대이론이나 중범위이론으로 분류하여야 하는지와 중범위이론의 정의에 대해 약간의 의견 차이가 있다. 최근의 간호학 문헌들은 중범위이론과 보다 넓은 이론 및 패러다임과의 관련성 그리고 간호지식 발전을 위한 경험적 검증 및 반복 연구 등의 중요성을 강조하고 있다. Fahs, Morgan, & Kalman(2003)은 간호학자들이 "소비자들에게 안전하고 효과적이며 질적인 간호를 할 수 있도록...신뢰할 만한 연구-실무 연결"을 제공할 수 있게 하는 반복 연구에 많은 주의를 기울여야 할 필요가 있다고 주장하였다(p. 70). 중범위이론은 지난 10년간 급속히 성장하여 교과서(Peterson, 2008; Sieloff & Frey, 2007; Smith & Liehr, 2008)에도 실리게 되었고 이론 기반 실무theory based practice를 위한 대학원 교육에서도 가르치고 있다.

수많은 학자들이 이론 평가 기준을 제안해 왔다(Chinn & Kramer, 2011; Fawcett, 2005; Meleis, 2007; Parker, 2006). 그들은 학문적 미래에의 간호학적 지식의 중요성을 반영하면서 접근법에 다소 차이가 있다. 이 이론이 수미일관성이 있는지, 유의미한지, 또는 간호학에 기여하는지에 대하여 1장에는 이론분석에 사용되는 준거들(Chinn & Kramer, 2011)이 제시되어 있다.

간호이론, 실무, 연구

이론-검증 연구는 이용 가능한 연구 자료를 보다 적절하게 설명하는 이론을 선택하고 다른 이론은 폐기할 수 있게 해준다. 그러므로 간호학에서 간호학이 발전하도록 이론 검증 연구를 계속하는 것은 중요하다. 여러 간호학자들은 이론-검증연구를 평가하기 위한 준거들criteria을 제안하고 있다(e.g., Silva, 1986; Acton, Irvin, & Hopkins, 1991). 이런 준거들은 연구의 목적과 초점을 결정하고, 가설을 도출하며, 의미 있는 연구결과를 간호이론에 다시 되돌리기 위해 간호이론을 사용하는 것이 중요하다고 강조한다.

간호학에서 이론-검증연구들이 보다 활발하게 이루어지게 하는 것 이외에도, 간호학자와 실무자 모두는 이론, 연구, 실무 간의 관계에 관심을 기울여야 할 필요가 있다. 다음은 그 권장사항들이다.

- 특정 간호실무와 관련된 간호이론을 지속적으로 개발하는 것
- 과학자와 실무자 간의 협력을 증대시키는 것
- 실무와 관련 있는 연구결과를 교류하려는 간호연구자들의 노력을 격려하는 것
- 중범위이론을 간호 패러다임에 관련시키려는 노력을 증대시키는 것
- 임상 연구에 대한 강조를 증대시키는 것

- 임상적 의사결정에 간호이론의 사용을 증대시키는 것
  (Chinn & Krammer, 2004; Cody, 1999; Hoffman & Bertus, 1991; Liehr & Smith, 1999; Lutz, Jones, & Kendall, 1997; Reed, 2000; Sparacino, 1991 참조)

교육에서. 일부학교들은 간호학 커리큘럼에 1개의 이론을 사용하고 있지만 다른 일부는 메타패러다임의 틀을 활용하고 있다.

Malinski(2000)와 그 외 사람들은 특히 간호이론에 기초한 석사 및 박사 과정을 강화하는 것과 간호이론에 기초한 연구에 주의를 증대시켜야 한다고 주장하였다. 임상 실무에서 간호지식을 사용하는 것과 관련하여 Cody는 "전문간호사는 자신의 학문분야의 지식적 기초를 활용할 윤리적 책임이 있다"고 주장하였다(1997, p. 4). 1992년 *Clinical Nursing Research*라는 학술지에서 Schlotfeldt는 다음과 같이 진술하였다.

> 간호임상학자들은... 간호실무에 중심이 되는 인간 현상을 확인할 것이며... 지식이 요구되지만 아직 활용가능하지 않은 실무문제를 검토하도록 촉구한다. 인류에 중요한 간호서비스를 책임지고 간호지식을 발전시키는 검증할 수 있는 이론을 개발하는 것은 간호임상 장학금nursing clinical scholarship에 달려있다(schlotfeldt, 1992, p. 9).

요약하면, 간호학자들은 이론구축과정에서 아래 사항들을 강조하고 있다.

- 간호학에서 이론적 탐구의 개발을 지속할 것
- 간호이론들과 패러다임들과 관련시키려는 노력을 포함하여 중범위이론과 상황특정이론situation-specific에 대한 후원을 지속할 것
- 간호지식 합성에 더 많은 주의를 기울일 것
- 간호이론-연구-실무 연결을 강화할 것

간호학은 이론, 실무 그리고 연구가 따로 구분되어 더 이상 분리되지 있지 않도록 이들 간의 관계에 대한 이해를 증진시켜 왔다. 이들 간의 상호관련성은 이론이 실무를 안내하고, 실무가 새로운 중범위이론을 도출해 내는 것과 같이 실무에 대한 새로운 이해증진을 길러준다. 유사하게 간호과학자들은 양적인 연구 보고들이 그들의 틀에 대한 명백한 묘사를 포함하고 질적 연구자들이 간호학적 틀이라는 맥락에서 그들의 연구결과를 해석하는 것과 같이 이론으로부터 연구로의 관계에 대한 새로운 이해에 도달하고 있다. 이런 관계의 상호보완성은 이 이론 활용시대에서 간호과학의 성장을 가져올 것이다. 이론을 강조하는 것은

간호학에서 이론개발이 학문적 지식을 발전시키는 간호 학자에게 핵심적 요소이기 때문에 중요하다.

비판적 사고

1. John A. Hartford 재단-*http://www.bandwidthonline.org/images.asp*에서 찾을 수 있음-에서 온 사진을 보여준다. 사진을 1분간 본 후 스스로에게 물어본다. 나는 무엇을 보고 있는가? 목록을 만들어본다. 사진으로 다시 돌아와서 자신의 목록이 정확한지 스스로에게 물어본다. 사진을 볼 때 어떤 의문이 마음 속에서 떠올랐는지를 스스로에게 물어 본다. 사진에서 누락된 것은 무엇인지? 상황에서는 무엇이 누락되었는지? 질문의 각 유형마다 여러 유형의 사고로 이끌게 될 것이다.

2. 사고를 이분적인 것으로부터 맥락적인 것으로 이동하시오. 빌딩이라는 유추를 사용한다. 종이에 빌딩을 그려본다. 빌딩의 기초부분에 패러다임이라고 쓴다. 벽들에 개념모델이라고 쓴다. 개념 모델은 패러다임에 의해 그 구조가 지지된다. 빌딩 내 벽에 색칠을 하고 이론이라고 쓴다. 이론들은 내벽 형태와 유사하다. 어떤 형태는 분명한 목적을 가지고 있고 어떤 것은 그렇지 않다. 모든 내벽은 외벽(개념모델)과 접해 있고 기초(패러다임)로 지지되고 있다. 방의 내부를 여러 가지로 장식해 그려 넣는다. 이론의 고유 개념들은 고유한 실내장식과 유사하다. 실내장식은 개념모델의 개념과 같이 관찰가능하다.

POINTS FOR FURTHER STUDY

- Webber, P. B. (2008). Yes, Virginia, nursing does have laws. *Nurse Science Quarterly, 21*(1), 68–73.
- Classic References
- Dubin, R. (1978). *Theory building.* New York: Free Press.
- Hage, J. (1972). *Techniques and problems of theory construction in sociology.* New York, Wiley.
- Kaplan, A. (1964). *The conduct of inquiry: Methodology for behavioral science.* New York: Chandler.
- Mullins, N. (1971). *The art of theory: Construction and use.* New York: Harper & Row.
- Wilson, J.(1969). *Thinking with concepts.* Cambridge: Cambridge University Press.

REFERENCES

Acton, G., Irvin, B., & Hopkins, B. (1991). Theory-testing research: building the science. *Advances in Nursing Science*, *14*(1), 52–61.

Acton, G., Irvin, B., Jensen, B., Hopkins, B., & Miller, E. (1997). Explicating middle-range theory through methodological diversity. *Advances in Nursing Science*, *19*(3), 78–85.

Alligood, M. R. (2010). Areas for further development of theory-based nursing practice. In M. R. Alligood, (Ed.), *Nursing theory: Utilization & application* (4th ed., pp. 481–493). Maryland Heights, (MO): Mosby-Elsevier.

Baker, D. (2011). Conceptual parameters of acculturation within the Asian and Pacific Islander American populations: applications for nursing practice and research. *Nursing Forum*, *46*(2), 83–93.

Bargagliotti, L. A. (2012). Work engagement in nursing: a concept analysis. *Journal of Advanced Nursing*, *68*, 1414–1428.

Brown, H. (1977). *Perception, theory and commitment: The new philosophy of science.* Chicago: University of Chicago Press.

Buck, H. (2006). Spirituality: concept analysis and model development. *Holistic Nursing Practice*, *20*, 288–292.

Buettner-Schmidt, K., & Lobo, M. L. (2012). Social justice: a concept analysis. *Journal of Advanced Nursing*, *68*, 948–958.

Chinn, P., & Kramer, M. (2011). *Integrated theory and knowledge development in nursing* (8th ed.). St Louis: Mosby.

Cody, W. (1997). Of tombstones, milestones, and gemstones: a retrospective and prospective on nursing theory. *Nursing Science Quarterly*, *10*(1), 3–5.

Cody, W. (1999). Middle range theories: do they foster the development of nursing science? *Nursing Science Quarterly*, *12*(1), 9–14.

Dalton, C., & Gottlieb, L. N. (2003). The concept of readiness to change. *Journal of Advanced Nursing*, *42*,108–117.

Dubin, R. (1978). *Theory building.* New York: Free-Press.

Ducharme, F., Ricard, N., Duquette, A., & Lachance, I. (1998). Empirical testing of a longitudinal model derived from the Roy Adaptation Model. *Nursing Science Quarterly*, *11*(4), 149–159.

Duff, E. (2011). Relating the nursing paradigm to practice: a teaching strategy. *International Journal of Nursing Education Scholarship*, *1*(11), 1–8.

Faber, F. C., & Hardin, S. R. (2010). Outcomes of knee replacement patients using autotransfusion. *Orthopedic Nursing, 29*, 333–337.

Fahs, P. S., Morgan, L. L., & Kalman, M. (2003). A call for replication. *Journal of Nursing Scholarship*, *35*(1), 67–72.

Fawcett, J. (1984). The metaparadigm of nursing: present status and future refinements. *Image: The Journal of Nursing Scholarship*, *16*(3), 84–87.

Fawcett, J. (2005). *Analysis and evaluation of contemporary nursing knowledge: Nursing models and theories* (2nd ed.). Philadelphia: F. A. Davis.

Foster, L. (1997). Addressing epistemologic and practical issues in multimethod research: a procedure for conceptual triangulation. *Advances in Nursing Science*, *20*(2), 1–12.

Freeman, M., Baumann, A., Blythe, J., Fisher A., & Akhtar-Danesh, N. (2012). Migration: a concept analysis from a nursing perspective. *Journal of Advanced Nursing*, *68*(5), 1176–1186.

Giere, R. N. (1979). *Understanding scientific reasoning.* New York: Holt, Rhinehart, & Winston.

Giere, R. N. (1997). *Understanding scientific reasoning* (4th ed.). Fort Worth, (TX): Harcourt.

Good, M. (1998). Middle range theory of acute pain management: use in research. *Nursing Outlook*, *46*, 120–124.

Greco, S., & Vincent, C. (2011). Disability & aging: an evolutionary concept analysis. *Journal of Gerontological Nursing*, *37*(8), 18–29.

Gross, L. (1959). *Symposium on sociological theory.* Evanston, (IL): Row, Peterson.

Hage, J. (1972). *Techniques and problems of theory construction in sociology.* New York: John Wiley & Sons.

Hanna, D. R. (2011). Teaching theoretical thinking for a sense of salience. *Journal of Nursing Education, 50*(8) 479–482.

Hardin, S. R., Hussey, L. C., & Steele, L. (2003). Spirituality as integrality among chronic heart failure patients: a pilot study. *Visions: The Journal of Rogerian Nursing Science*, *11*(1), 43–53.

Hatch, R. L., Burg, M. A., Naberhaus, D. S., & Hellmich, L. K. (1998). The Spiritual Involvement and Beliefs Scale: development and testing of a new instrument. *Journal of Family Practice, 46*(6) 476–486.

Hatfield, L. A., & Polomano, R. C. (2012). Infant distress: moving toward concept clarity. *Clinical Nursing Research*, *21*(2), 164–182.

Hoffman, A., & Bertus, P. (1991). Theory and practice: bridging scientists' and practitioners' roles. *Archives of Psychiatric Nursing*, *7*(1), 2–9.

Hussey, L. C., & Hardin, S. R. (2003). Sex-related differences in heart failure. *Heart & Lung*, *32*(4), 215–225.

Im, E. (2005). Development of situation-specific theories. *Advances in Nursing Science*, *28*(2), 137–151.

Im, E. (2006). A situation-specific theory of Caucasian cancer patients' pain experience. *Advances in Nursing Science*, *29*(3), 232–244.

Im, E., & Meleis, A. (1999). Situation-specific theories: philosophical roots, properties and approach. *Advances in Nursing Science*, *22*(2), 11–24.

Kao, H., Reeder, F., Hsu, M., & Cheng, S. (2006) A Chinese view of the Western nursing metaparadigm. *Journal of Holistic Nursing*, *24*(2), 92–101.

Kaplan, A. (1964). *The conduct of inquiry: Methodology for behavioral science.* New York: Chandler.

Keenan, J. (1999). A concept analysis of autonomy. *Journal of Advanced Nursing*, *29*(3), 556–562.

Lawson, L. (2003). Becoming a success story: how boys who have molested children talk about treatment. *Journal of Psychiatric and Mental Health Nursing*, *10*, 259–268.

Liehr, P., & Smith, M. J. (1999). Middle range theory: spinning research and practice to create knowledge for the new millennium. *Advances in Nursing Science*, *21*(4), 8–91.

Lorentzon, M. (1998). The way forward: nursing research or collaborative health care research? *Journal of Advanced Nursing*, *27*, 675–676.

Lutz, K., Jones, K., & Kendall, J. (1997). Expanding the praxis debate: contributions to clinical inquiry. *Advances in Nursing Science*, *20*(2), 13–22.

Malinski, V. (1994). Spirituality: a pattern manifestation of the human/environment mutual process. *Visions: The Journal of Rogerian Science*, *2*(1), 12–18.

Malinski, V. (2000). Research-based evaluation of conceptual models of nursing. *Nursing Science Quarterly*, *13*(2), 103–110.

McCrae, N. (2011). Whither nursing models? The value of nursing theory in the context of evidence-based practice and multidisciplinary health care. *Journal of Advanced Nursing*, *68*(1), 222–229.

McMahon, S., & Fleury, J. (2012). Wellness in older adults: a concept analysis. *Nursing Forum*, *47*(1), 39–51.

Meleis, A. (2007). *Theoretical nursing: Development and progress* (4th ed.). Philadelphia: Lippincott, Williams & Wilkins.

Merton, R. K. (1967). *On theoretical sociology.* New York: Free Press.

Monti, E., & Tingen, M. (1999). Multiple paradigms of nursing science. *Advances in Nursing Science*, *21*(4), 64–80.

Morse, J. (1995). Exploring the theoretical basis of nursing using advanced techniques of concept analysis. *Advances in Nursing Science*, *17*, 31–46.

Mullins, N. (1971). *The art of theory: Construction and use.* New York: Harper & Row.

Nowak, S. (1975). Causal interpretations of statistical relationships in social research. In H. Blalock (Ed.), *Quantitative sociology: International perspectives on mathematical and statistical modeling.* New York: Academic Press.

Parker, M. E. (2006). *Nursing theories & nursing practice* (2nd ed.). Philadelphia: F. A. Davis.

Peterson, S. J. (2008). *Middle range theories: Application to nursing research* (2nd ed.). Philadelphia: Lippincott, Williams & Wilkins.

Posey, A. (2006). Symptom perception: a concept exploration. *Nursing Forum*, *41*(3), 113–124.

Poulin-Tabor, D., & Hyrkas, K. (2008). Evaluation

of postoperative blood salvage and re-transfusion in a total knee arthoplasty patient population: a retrospective study. *MEDSURG Nursing*, *17*(5), 317–321.

Rector, T. S., & Cohn, J. N. (1992). Assessment of patient outcome with the Minnesota Living with Heart Failure questionnaire: reliability and validity during a randomized, double-blind, placebo-controlled trial of pimobendan. Pimobendan Multicenter Research Group. *American Heart Journal, 124*(4): 1017–1025.

Reed, P. (2000). Nursing reformation: historical reflections and philosophic foundations. *Nursing Science Quarterly*, *13*(2), 129–136.

Reynolds, P. (1971). *A primer in theory construction.* Indianapolis, (IN): Bobbs-Merrill.

Rodgers, B. L. (1989). Concept analysis, the development of knowledge: the evolutionary cycle. *Journal of Advanced Nursing*, *14*, 330–335.

Russell, A. C. (2012). Moral distress in neuroscience nursing: an evolutionary concept analysis. *Journal of Neuroscience Nursing*, *44*(1), 15–26.

Salmon, W. D. (1973). *Logic.* Englewood Cliffs, (NJ): Prentice Hall.

Sayers, K., & de Vries, K. (2008). A concept development of 'being sensitive' in nursing. *Nursing Ethics*, *15*(3), 289–303.

Schlotfeldt, R. (1992). Why promote clinical nursing scholarship? *Clinical Nursing Research*, *1*(1), 5–8.

Schwartz-Barcott, D., & Kim, H. S. (2000). An expansion and elaboration of the hybrid model of concept development. In B. L. Rodgers & K. A. Knafl (Eds.), *Concept development in nursing* (2nd ed., pp. 129–160). Philadelphia: Saunders.

Sieloff, C., & Frey, M. A. (2007). *Middle range theory development using King's conceptual system.* New York: Springer.

Silva, M. (1986). Research testing nursing theory: state of the art. *Advances in Nursing Science*, *9*(10), 1–11.

Smith, M. J. & Liehr, P. (2008).*Middle range theory for nursing* (2nd ed.). New York: Springer.

Smith M. J., & Liehr, P. (2012). Concept building: applying rigor to conceptualization phenomena for nursing research. *Applied Nursing Research*, *25*(2), 65–67.

Sparacino, P. (1991). The reciprocal relationship between practice and theory. *Clinical Nurse Specialist*, *5*(3),138.

Spear, H. & Kulbok, P. (2004). Autonomy and adolescence: a concept analysis. *Public Health Nursing*, *21*(2), 144–152.

Thorne, S., Canam, C., Dahinten, S., Hall, W., Henderson, A., & Kirkham, S. R. (1998). Nursing's metaparadigm concepts: disimpacting the debates. *Journal of Advanced Nursing*, *27*, 1257–1268.

Walker, L., & Avant, K. (2011). *Strategies for theory construction in nursing* (5th ed.). Upper Saddle River, (NJ): Prentice Hall.

Weaver, K., Morse, J., & Mitcham, C. (2008). Ethical sensitivity in professional practice: concept analysis. *Journal of Advanced Nursing*, *62*(5), 607–618.

Werkmeister, W. (1959). Theory construction and the problem of objectivity. In L. Gross (Ed.), *Symposium of sociological theory.* Evanston, (IL): Row, Peterson.

Wilson, J.(1969) *Thinking with concepts.* Cambridge: Cambridge University Press.

Zetterberg, H. L. (1966). *On theory and verification in sociology*. New York: Wiley.

4장

간호 지식체의 구조

The Structure of Specialized Nursing Knowledge

Martha Raile Alligood

이 장에서는 본 저서의 각 단원을 조직적으로 잘 구성하기 위하여 기본 바탕으로 사용한 간호지식의 구조를 설명하고자 한다. 1장에서 제시한 바와 같이 20세기 이후 전문직으로서 인정받기 위하여 필요한 간호학만이 가지는 독특한 지식체에 대한 요구가 매우 강하였다. 20세기가 시작되면서 간호사는 국민의 건강을 책임지는 매우 중요한 역할을 하므로 전문직으로 발전해야 한다고 주장하는 사회학자들이 간호를 연구하기 시작하였다. 이 과정에서 전문직이 가져야 하는 기준을 가이드라인으로 제시하였다(Bixler & Bixler, 1959; Kalish & Kalish, 2003). 이 기준에 간호만이 가지는 독특한 지식과 간호 지식체가 특히 중요하다고 강조하였다(Bixler & Bixler, 1959). 그 내용은 다음과 같다.

> 고등교육의 지적 수준에서 획득할 수 있는 실무에 활용할 수 있는 정확하게 정의되고 잘 조직화된 독특한 지식체(p. 1143).

표 4-1은 위에서 설명하는 간호학이 가지는 독특한 지식체의 유형, 수준, 예를 보여 주고 있다. 6장에서 부터 36장까지 설명하고 있는 이론가들의 업적은 간호의 이론적 틀에 대한 설명으로서 네 가지 유형으로 분류하였다. 즉, 이론가의 사상이나 대표적 이론을 반영

표 4-1 사례로 본 지식체의 수준

지식체 수준	이론의 예
메타파라다임 (Metaparadigm)	인간, 환경, 건강, 간호
철학 (Philosophy)	나이팅게일 (Nightingale)
개념적 모델 (Conceptual model)	뉴만 (Neuman)의 시스템 모델
이론 (Theory)	뉴만 (Neuman)의 '적정 수준의 클라이언트 안정성 이론'
중범위이론 (Middle-range theory)	지역사회에서 건강한 노화를 위한 체계적 활동을 통한 적정 수준의 클라이언트 안정성 유지

Modified from Alligood, M. R. (2010). Nursing theory: Utilization & zpplication (4th ed.). St. Louis: Mosby: and Fawcett, J. (2005). Contemporary nursing knowledge: Conceptual models of nursing and nursing theories (2nd ed). Philadelphia: F.A.Davis

하여 네 유형으로 분류하였다.

첫 번째는 간호철학이다. 철학은 가장 추상적 개념의 유형으로 간호 현상을 논리적 근거를 바탕으로 분석하여 설명하고 의미를 부여하여 진술한다. 나이팅게일이 활동을 하였던 간호이론 시대의 초창기(1859-1969)에는 이론을 발달시킬 수 있는 기초를 마련해 주는 지식체 또는 이론의 방향을 알려주는 지식체를 개발하는데 공헌하였다. 후기에는 그 시대의 인간 과학이나 인간과학에 대한 방법론을 반영하고 있다(Alligood, 2010; Chinn & Kraker, 2011; Meleis, 2007). 간호철학에 속하는 이론들은 단원 II의 6장부터 11장까지 설명하였다.

두 번째 유형은 간호 개념적 모델로서 간호이론에 있어서는 개척자 같은 몇 명의 이론가가 속한다(Chinn & Kraker, 2011; Fawcett, 2005; Meleis, 2007). Fawcett(2005)는 "개념적 모델은 관심있는 현상을 어떻게 관찰하고 해석할 것인지에 대한 기준을 제공해 주는 학문의 튼튼한 구조가 될 수 있다"(p. 16)라고 말하고 있다. 간호모델은 복합적이며 포괄적이고, 각각의 모델은 인간, 환경, 건강, 간호라는 네 가지 간호의 메타파라다임을 강조한다(Fawcett, 1984; 2000; 2005). 개념적 모델은 그 모델이 개발하고자 하는 이론을 함축하고 있어서 이론가는 그 모델로부터 명확한 이론을 이끌어 낸다(Alligood, 2010b; Wood, 2010). 간호모델로 분류한 이론은 단원 III의 12장부터 18장까지 설명하였다.

세 번째 유형은 간호이론이다. 간호이론은 간호철학이나 개념적 모델, 또는 간단한 간호이론에서 시작하여 개발되었거나 다른 학문에서 나온 이론을 말한다(Alligood, 2010a; Wood, 2010). 간호이론으로 분류한 이론은 개념적 모델에서 나온 추상성이 높은 이론을 말하는 것으로 일반적으로 구체성을 가진 중범위이론(middle-range theory)과는 구별한다. 모델과 이론을 혼용하여 사용하기도 하지만 이론은 검증가능하다는 점에서 모델과 구별하기도 한다(Alligood,

2010a; 2010b; Wood, 2010). 간호모델에서 나온 이론으로 Roy의 이론을 들 수 있다. Roy는 적응하는 시스템으로서의 인간에 대한 이론을 콘인의 적응모델에서 유도해 내였다. Roy 이론은 추상적 수준이므로 간호실무에 적용되는 낮은 중범위이론을 유도해 낼 수 있다(Alligood, 2010b; 2010c). 이론은 간호실무 현장이나 특수 상황에 맞게 적용이 될 수 있는데 Meleis의 변화이론을 예로 들 수 있다(20장). Meleis의 변화이론은 건강상태에서 질병상태의 과정으로 진행하고 있는 인간의 삶의 과정에 맞게 적용이 된다. 간호이론은 단원 IV의 19장부터 26장까지 설명하였다.

네 번째 유형은 중범위이론이다. 중범위이론은 특수한 상황에 초점을 두기 때문에 추상

Box 4-1 간호이론의 유형

1) 간호철학	3) 간호이론
나이팅게일(Nightingale)	보이킨(Boykin) & 스켄호프(Schoenhofer)
왓슨(Watson)	멜리스(Meleis)
레이(Ray)	펜더(Pender)
베너(Benner)	라이닝거(Leininger)
마틴슨(Martinsen)	뉴만(Newman)
에릭슨(Eriksson)	파시(Parse)
	에릭슨(Erickson), 톰린(Tomlin), & 스웨인(Swain)
	허스티드(Husted) & 허스터드(Husted)
2) 간호의 개념적 모델	**4) 중범위이론**
레빈(Levine)	머서(Mercer)
로저스(Rogers)	미셀(Mishel)
오렘(Orem)	리드(Reed)
킹(King)	와이너(Wiener) & 도드(Dodd)
뉴만(Neuman)	에이크(Eakes), 브커(Burke), & 하인스워스(Hainsworth)
로이(Roy)	버크(Barker)
존슨(Johnson)	콜카바(Kolcaba)
	(Beck)
	스완슨(Swanson)
	루랜드(Ruland) & 무어(Moore)

Box 4-2 역사적으로 중요한 초창기의 이론가

이론가	생몰년
힐데가드 페플라우(Hildegard E. Peplau)	1909~1999
버지니아 핸드슨(Virginia Henderson)	1897~1996
페이 글렌 압델라(Faye Glenn Abdellah)	1919~현재
어니스틴 와이덴바흐(Earnestine Wiedenbach)	1900~1996
리디아 홀(Lydia Hall)	1906~1969
조이스 트라벨비(Joyce Travelbee)	1926~1973
케드린 버나드(Kathryn E. Barnard)	1938~현재
에블린 아담(Evelyn Adam)	1929~현재
낸시 로페(Nancy Roper)*	1918~2004
위니프레드 로건(Winifred Logan)*	
엘리슨 티어니(Alison J. Tierney)*	
이다 진 올란도 펠레티어(Ida Jean Olando Pelletier)	1926~2007

* Roper, Logan, Tierney는 일상생활수행능력에 기초한 Roper-Logan-Tierney의 간호이론을 공동 집필하였음.

성의 수준에서는 가장 구체성을 가진다고 할 수 있다(Alligood, 2010b; 2010c; Chinn & Kramer, 2011; Fawcett, 2005). 중범위이론은 간명하며, 간호실무에서 생길 수 있는 구체적 의문 상황에 구체적인 답을 제공해 준다. 중범위이론을 적용하는 연구자들은 그들이 적용하고자 하는 개념이나 이론의 관점에서 그들이 관찰한 간호상황에 대한 구체적인 내용을 설명한다(Alligood, 2010a; 2006b; Fawcett, 2005; Wood, 2010). 중범위이론에서 제시하는 구체성에는 환자의 연령군, 가족 상태, 환자의 건강 상태, 환자의 거주 지역, 간호 활동 등의 내용이 포함된다(Alligood, 2010a; Wood, 2010). 출간된 저서에는 귀납적 또는 연역적으로 개발된 수많은 중범위이론의 예들이 있다. 중범위이론으로 분류한 이론은 단원 V의 27장부터 36장까지 설명하였다.

'*간호이론가와 이론*'(1986)의 초판이 출판된 이후 내용을 충실히 하기 위해 지속적으로 이론가의 업적에 중점을 두어 보충하였다. 간호 지식체의 패러다임이 개발되기 이전에 활동하여 이론 개발에 중요한 공헌을 한 간호사들도 많이 있다(Hardy, 1978). 이렇게 중요한 공헌을 했음에도 불구하고 참고문헌에서는 제외되는 제한 점으로 인하여 2006년의 6판 출판에는 초창기 사례들의 중요한 공헌을 인식하게 되었다. 간호이론의 혁명을 다룬 본 단원에서는 5장(Box 4-2)에서 역사적으로 중요한 10개의 사례를 마지막에 제시하였다. 간호를 발달시키기 위해 노력한 초창기의 개혁가들이나 본 저서에 포함된 이론가들의 업적에 대해 더 배우기를 원하는 사람들은 그들의 원 저서를 참조할 수 있다.

REFERENCE

Alligood, M. R. (2010a). Models and theories: Critical thinking structures. In M. R. Alligood (Ed.), *Nursing theory: Utilization & application* (4th ed., pp. 43–65). Maryland Heights, (MO): Mosby-Elsevier.

Alligood, M. R. (2010b). Areas for further development of theory-based nursing practice. In M. R. Alligood (Ed.), *Nursing theory: Utilization & application* (4th ed., pp. 487–497). Maryland Heights, (MO): Mosby-Elsevier.

Bixler, G. K., & Bixler, R. W. (1959). The professional status of nursing. *American Journal of Nursing, 59*(8), 1142–1146.

Chinn, P. L., & Kramer, M. K. (2011). *Integrated knowledge development in nursing* (8th ed.). St. Louis: Elsevier-Mosby.

Fawcett, J. (1984). The metaparadigm of nursing: current status and future refinements. *Image: The Journal of Nursing Scholarship, 16*, 84–87.

Fawcett, J. (2000). *Contemporary nursing knowledge: Conceptual models of nursing and nursing theories.* Philadelphia: F. A. Davis.

Fawcett, J. (2005). *Contemporary nursing knowledge: Conceptual models of nursing and nursing theories* (2nd ed.). Philadelphia: F. A. Davis.

Hardy, M. E. (1978). Perspectives on nursing theory. *Advances in Nursing Science, 1*(1), 27–48.

Kalisch, P. A., & Kalisch, B. J. (2003). *American nursing: A history* (4th ed.). Philadelphia: Lippincott.

Marriner, A. (1986). *Nursing theorists and their work.* St. Louis: Mosby.

Meleis, A. (2007). *Theoretical nursing: Development and progress* (4th ed.). Philadelphia: Lippincott.

Nightingale, F. (1969). *Notes on nursing: What it is and what it is not.* New Yark: Dover. (Originally published in 1859.)

Tomey, A. M., & Alligood, M. R. (2006). *Nursing theorists and their work* (6th ed.). St. Louis: Mosby-Elsevier.

Wood, A. F. (2010). Nursing models: normal science for nursing practice. In M. R. Alligood (Ed.), *Nursing theory: Utilization & application* (4th ed., pp. 17–46). Maryland Heights, (MO): Mosby-Elsevier.

힐데가드 페플라우

Hildegard E. Peplau

1909-1999

버지니아 핸더슨

Virginia Henderson

1897-1996

화이 글린 압델라

Faye Glenn Abdellah

1919-present

어니시틴 위덴바

Ernestine Wiedenbach

1900-1996

리디아 홀

Lydia Hall

1906-1969

조이스 트레블비

Joyce Travelbee

1926-1973

캐드린 바나드

Kathryn E. Barnard

1938-present

이블린 아담

Evelyn Adam

1929-present

낸시 로퍼

Nancy Roper

1918-2004

위니프레드 로간

Winifred W. Logan

앨리슨 티어니

Alison J. Tierney

아이다 진 올란도

Ida Jean (Orlando) Pelletier

1926-2007

5장

역사적으로 중요한 간호이론가

Nursing Theorists of Historical Significance

Marie E. Pokorny

"간호의 사상인 아픈 사람을 돌보고 건강에 취약한 사람들을 위한 애정 어린 돌봄과 배려는 역사적으로 뿌리가 깊은 전문직의 기초이다"(Wolf, 2006, p. 301).

이 장은 패러다임전 기간동안에 간호이론의 개발에서 주목할만한 이론가들을 서술하였다. 이론가들은 특정한 간호지식의 발달에 중요한 기여를 하였다.

힐데가드 페플라우

대인관계 이론

힐데가드 페플라우는 정신간호학의 어머니라고 불리워진다. 왜냐하면 그녀는 이론적이고 임상적 작업을 통해 정신간호학에서 명백한 전문영역 발달을 이끌었기 때문이다. 그녀

Photo Credit(Joyce Travelbee): Louisiana State University Health Sciences Center, School of Nursing, New Orleans, LA.
이전 저자: Ann Marriner Tomey.

가 간호에 영향을 미친 범위는 정신간호 전문가, 교육자, 저자 그리고 간호지도자와 이론가를 포함한다. 페플라우는 간호의 전문직화에 주요한 리더십을 발휘하였다. 미국간호사협회American Nurses Association(ANA)의 사무국장과 회장을 역임하였다. 그녀는 American Nurses Association(ANA)의 *간호: 사회적 정책 진술Nursing: A Social Policy Statement*(Butts and Rich, 2011)에 도움을 주었다. 그녀는 자격을 통한 전문직 표준과 규율을 장려하였다. 페플라우는 Teachers College, Columbia University에서 대학원 정신간호학 학생들을 가르치면서, 다른 사람들을 돕는 자신의 행동을 이해하는 간호사의 능력에 대한 중요성을 강조하였다. 그녀의 세미나책인 *Interpersonal Relationa in Nursing*(1952)에서 간호사-환자의 관계의 중요성을 "의미있고, 치료적인 대인관계적 과정"(p. 16)으로 서술하였는데, 이 책은 1850년대의 나이팅게일의 작업이후의 최초의 간호이론책으로 인정받게 되었다. 그녀는 해롭거나 건설적인 반응을 이끌어내는 4가지의 정신생물학적인 경험으로 욕구needs, 좌절frustrations, 갈등conflicts, 불안anxieties을 논의하였다.

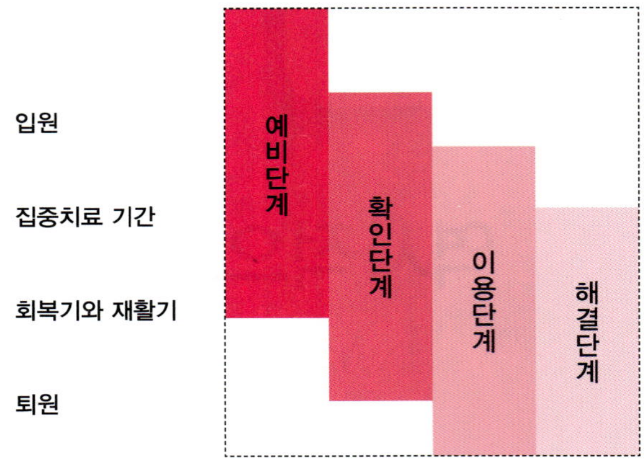

그림 5-1. Overlapping Phases in Nurse-Patient Relationships.

출처: Peplau, H.E.[1952]. Interpersonal relations in nursing. New York: G.P. Putnam's Sons.

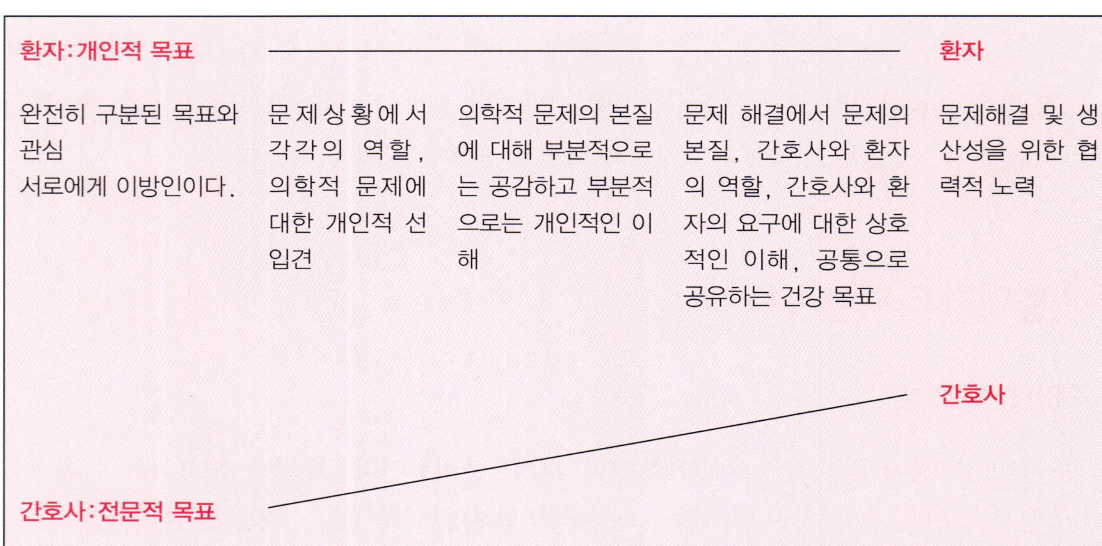

그림 5-2. Continuum showing changing aspects of nurse-patient relationships.

출처: Peplau, H.E.[1952]. *Interpersonal relations in nursing*. New York: G.P. Putnam's Sons.

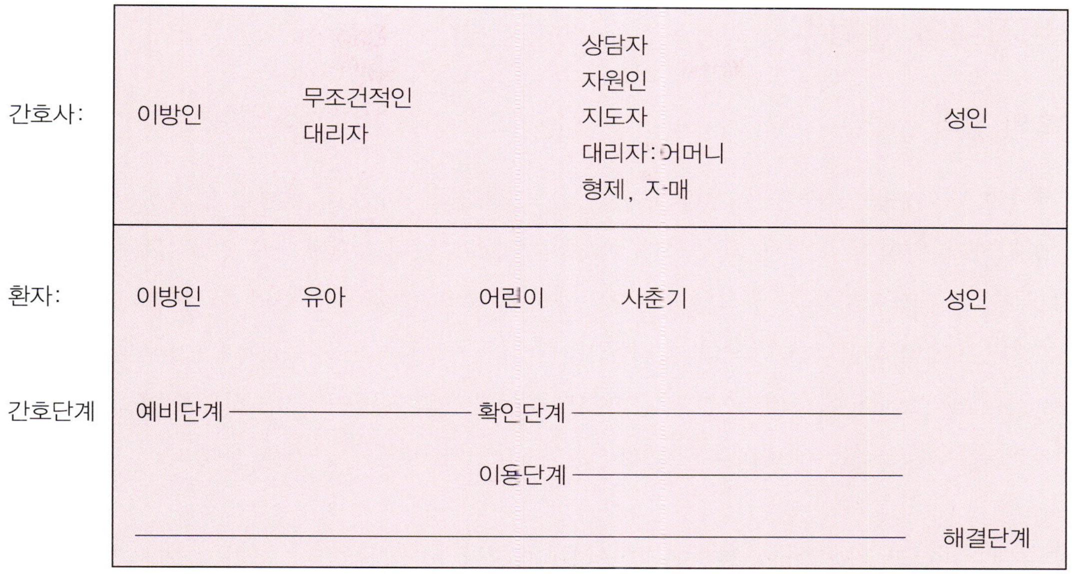

그림 5-3. Phases and changing roles in nurse-patient relationship

출처:Peplau, H.E.[1952]. Interpersonal relations in nursing. New York:G.P. Putnam's Sons

페플라우는 *예비단계*orientation, *확인단계*identification, *이용단계*exploitation, *해결단계*resolution로 간호사-환자의 변화하는 측면을 그림으로 나타내었다(그림 5-2) 그리고 6가지의 간호사의 역할을 제안하고 서술하였는데; *자원제공자*, *교사*, *지도자*, *대리자*, *상담사*이다(그림 5-3).

페플라우는 정신과, 의학, 교육, 사회학의 전문가들과 전문적인 관계를 가졌는데, 그들은 전문직이 무엇인가, 전문직이 무엇을 하는가, 전문직은 무엇이어야 하는가라는 페플라우의 견해에 영향을 미쳤다. 페플라우는 프로이드, 매슬로우Maslow와 설리반Sullivan의 대인관계이론에 의해 영향을 받았고 동시대의 정신분석학적 모델에 의해서도 영향을 받았다. 다른 과학 분야에서 이론을 빌려와서 간호를 위한 이론으로 합성한 첫 번째 간호학자이었다. 대인관계론을 발달시키기 위하여 심리학적인 모델을 사용하였다. 페플라우 이론은 간호실무를 위한 이론으로 규정할 수 있다(Haber, 2000). 페플라우의 간호사-환자의 관계에 대한 작업은 국제적으로도 잘 알려져있고, 간호실무와 연구에 지속적으로 영향을 미치고 있다. 그녀의 모델을 사용한 최근의 출판물들에서는 직원과 학생간의 관계에 대한 연구(Aghamohammadi-Kalkhoran, Karimollahi & Abdi, 2011), 정신과 인력 개발(Hanrahan, Delaney, & Stuart 2012), 주의력 부족과/과다활동장애 환자의 간호(Keoghan, 2011), 연구의 대상자 모집, 유지, 참여(Penckofer, Byrn, Mumby, & Ferrans, 2011), 입원 정신병원 간호사의 실무 환경(Roche, Duffield & White, 2011), 식욕부진 여성과 의료요원간의 치료적 관계(Wright & Hacking, 2012)를 포함한다. 페플라우의 작업은 간호사-환자의 관계에서 구체적이고, 간호실무를 위한 이론이다.

버지니아 핸더슨

간호의 정의

버지니아 핸더슨은 환자를 생각할 때 독립을 성취하고, 마음과 신체의 완전성 혹은 전체성을 성취하기 위하여 도움을 요구하는 한 개인으로 보았다. 핸더슨은 간호실무를 의사의 실무로부터 독립적이기를 구상하였고, 간호사의 기능을 많은 영향력의 합성이라고 인지하였다. 핸더슨의 철학은 (1) 미국의 심리학자인 숀다이크Thorndike의 이론과 (2) Henry House Visiting Nurse Agency에서의 경험과 (3) 재활병동에서의 경험에 기초하였으며, (4) 상세한 간호행위를 설명하는 개념화와 관련해서는 올란도의 이론에 근거를 두었다(Henderson, 1964. Orlando, 1961).

핸더슨은 간호의 기술적art 측면을 강조하면서 간호의 기본으로 14가지 기본적인 인간 욕구를 확인하였다. 핸더슨은 간호를 정의하고 자율적인 간호의 기능을 상세화했으며 환자를 위한 독립적인 목표를 강조하고 자가간호 개념을 만들어 간호에 기여하였다. 자가간호 개념은 압델라Adellah와 아담Adam(Abdellah, Beland, Martin, & Matheney, 1960; Adam, 1980, 1991)의 이론에 영향을 주었다.

핸더슨은 60여 년 동안 간호사, 교사, 저자, 연구자로 상당한 기여를 하였고 그동안 많은 출판을 하였다. 1900년부터 1959년까지 간호학과 관련된 인물 전기, 분석적 및 역사적 문헌들을 색인으로 묶은 4권의 책을 출판하였다. 핸더슨은 간호의 고전이 되는 3권의 책을 저술하였다; *Textbook of the Principles* and *Practice of Nursing*(1955), *Basic Principles of Nursing Care*(1960), and *The Nature of Nursing*(1966). 핸더슨의 간호연구에 대한 주요한 공헌은 11년동안 예일대학이 지원한 *Nursing Studies Index Project*에서 1900년에서 1959년동안의 간호의 연대기적, 분석적, 역사적 문헌에 대한 4권의 주석있는 인덱스를 출판한 것이다.

1958년에 국제간호협회(ICN)의 간호서비스 위원에서는 핸더슨에게 간호의 개념을 서술해달라고 요청하였다. 이것이 1961년 ICN이 출판한 것으로 대상자에 대한 최종적인 결정체를 대표하는 것으로, 역사적인 핸더슨의 간호에 대한 정의이다.

> "간호사의 고유한 기능은 아프거나 건강한 개인을 돕는 것인데, 환자가 필요한 지식이나 의지 또는 힘이 있다면 도움을 받지 않고도 수행할 수 있도록 건강에 기여하거나 회복을(또는 평화로운 죽음에 이르게 하는) 돕는 행위를 하는 것이며 또한 가능한 빨리 독립할 수 있도록 돕는 것이다(1955. p.7)."(Henderson, 1964, p.63).

Box 5-1 핸더슨의 14개 욕구

1.	정상적인 호흡
2.	적합한 수분과 음식물의 섭취
3.	신체노폐물의 배설
4.	운동과 적절한 자세유지
5.	수면과 휴식
6.	적절한 의복의 선택-입고 벗기
7.	의복과 환경조절을 통한 정상체온 유지
8.	신체의 청결 유지 및 피부 보호
9.	위험한 환경을 피하고 남에게 해를 입히지 않음
10.	감정, 욕구, 두려움 혹은 의견 등을 다른 사람과 의사소통을 통해 표현함
11.	다른 사람의 신념을 존중함
12.	성취감을 맛보며 활동함
13.	다양한 형태의 놀이나 오락에 참여함
14.	정상적인 발달 및 건강과 관련된 학습 및 호기심 만족, 이용가능한 의료시설 활용

출처:Henderson, V. A.(1991). The nature of nursing: Reflections after 25years (pp. 22-23). New York: National League for Nursing Press.

핸더슨의 간호에 대한 정의는 나중 ICN에 채택되어 넓게 확산되어 세계적으로 사용되고 있다. 핸더슨은 1966년 「*간호의 본성:실무, 연구 및 교육을 위한 정의와 적용*」*The Nature of Nursing: A definition and its Implications for Practice, and Education* 에서 간호의 기본적인 14가지 욕구를 제시하였다(Box 5-1). 또한 다음과 같이 간호사-환자 관계를 3가지로 구분하였다.(Box 5-1)

핸더슨은 간호사가 행동하는 것에서 환자와 간호사를 세가지 수준으로 규명하였는데, (1) 환자를 위한 대리인substitute, (2) 환자를 위한 도우미helper, (3) 환자의 파트너. 대인관계적 과정을 통하여 간호사는 어떤 도움이 필요한지를 알기 위하여 각각의 환자와 "매우 밀접하게" 관계를 가져야 한다고 하였다(Harmer and Henderson, 1955, p. 5). 핸더슨은 간호사와 의사의 역할이 중복된다고 생각하지만, 간호사는 다른 건강전문가와 환자와의 상호의존관계로 일을 해야 하며, 그들과의 관계적인 기여를 나타내는 파이pie 그래프를 사용하였다.

1991년 「*간호의 본성: 25년을 되돌아보며*」*The Nature of Nursing: Reflections After 25 Years* 에서 핸더슨은 자신의 의견을 설명하고 변화된 비전을 제시하기 위하여 1966년 판의 각 장에 추가사항을 덧붙였다. 핸더슨은 이론에 대해서 말하기를 서비스의 "복잡성과 질은 그것을 해석하는 간호사의 상상력과 능숙함에 의해서만 제한된다"라고 하였다(Henderson, 2006). 그녀의 이론은 장기이식이라는 특정한 분야의 연구에서 응용되었고(Nicely & DeLario, 2011), 기술적인 시대에 간호의 예술을 기억하는 것에 대한 논의의 틀을 잡았다(Henderson, 1980; Timmins 2011). 핸더슨의 작업은 목적과 기능의 간호철학으로 간주될 수 있다.

화이 글린 압델라

21가지 간호문제

화이 글린 압델라는 보건과 공공정책에서 지도적인 연구자 중의 한 명이며 건강문제에 있어서는 국제적인 전문가이다. 1994년에는 미국간호학회American Academy of Nursing의 "살아있는 유산living legend"으로 칭해졌으며, 일생동안 미국을 위한 필수적인 건강프로그램을 만들고 이끌었다는 점에서 2000년에는 the National Womens Hall of Fame에 이름을 올렸다. 압델라는 2012년 간호에 대한 일생동안의 공로를 인정받아 the American Nurses Association Hall of Fame에 이름을 올렸다(ANA News Release, 2012).

압델라는 전문직 간호협회에서 활발하게 일하였으며, 150개 이상의 출판물의 저자이다. 미국 공중 위생국(1949-1989)에서 장교로 40년동안 봉직하는 동안에 17년 동안(1970-1987)은 간호 관리 책임자로 봉직하였으며, 해군소장에 오른 첫 번째 간호사였고(Abdellah, 2004), 군의감으로 첫 번째 여성이자 첫 번째 간호사였다(1982 to 1987). 압델라는 은퇴후에는 Uniformed Services University of the Health Sciences(USUHS)의 간호대학원의 첫 번째 학장을 역임하였다.

압델라는 과학으로서 간호연구를 위한 기초를 수립하는데 역할을 할 수 있었다는 점을 자신의 가장 큰 업적이라고 여겼다(p iii). 그녀의 책 "*간호에서 환자 중심적 접근Patient-Centered Approaches to Nursing*"에서 간호과학을 강조하고, 간호교육과정을 통해서 변화를 끌어내었다

압델라 이론은 문제-해결 방법을 근간으로 하였고 간호학 교과과정 개발에 지대한 영향을 미쳤다. 문제해결은 환자가 건강한 결과를 향하도록 간호문제를 상세화 하는 매개체가 되었다.

압델라는 간호를 기술art과 과학으로 보았는데, 이는 환자가 아프거나 건강하거나 간에 환자의 건강욕구에 잘 적응하도록 도우려는 바람으로 간호사의 개별적인 태도, 지적인 능력 및 기술적인 숙련됨이 함께 녹아 있는 것으로 보았다. 압델라는 간호행위가 일반적이거

Box 5-2 압델라의 21개 간호문제

1. 좋은 위생과 신체적 안위 유지
2. 최적의 활동을 증진시키는 것-운동, 휴식, 수면
3. 사고, 상해, 기타 외상의 예방과 감염, 전파의 예방을 통한 안전의 증진
4. 좋은 신체기전을 유지하고 기형을 예방하며 교정하는 것
5. 모든 신체세포에 산소공급을 원활하게 하는 것
6. 모든 신체세포에 영양공급을 원활하게 하는 것
7. 배설의 유지를 원활하게 하는 것
8. 체액과 전해질 균형을 원활하게 하는 것
9. 질병상태에 따르는 신체의 생리적 반응을 인지하는 것-병리적, 생리적, 보상적 반응
10. 조절기전과 기능의 유지를 원활하게 하는 것
11. 감각기능의 유지를 원활하게 하는 것
12. 긍정적이거나 부정적인 표현, 감정, 반응을 파악하고 수용하는 것
13. 정서와 기질적 질환과의 상호관련성을 파악하고 수용하는 것
14. 효과적인 언어적, 비언어적 의사소통의 유지를 원활하게 하는 것
15. 생산적인 상호 인간관계 발달을 증진시키는 것
16. 개인적인 영적 목표를 달성해 나가도록 촉진시키는 것
17. 치료적인 환경을 만들거나 유지하게 하는 것
18. 다양한 신체적, 정서적 및 발달적 욕구를 가진 개인으로써 자기를 자각하도록 돕는 것
19. 신체적, 정서적 제한 내에서 가능한 최상의 목표를 수용하도록 하는 것
20. 질병으로 인해 발생된 문제를 해결하기 위해서 지역사회 자원을 이용하는 것
21. 질병에 영향을 주는 요인으로서 사회적 문제의 역할을 이해하는 것

출처:Abdellah, F.G., Beland, I.L., Martin, A., & Matheney, R.V.(1960). Patient-centered approaches to nursing. New York: Macmillan. Reprinted with the permission of Scribner, a division of Simon & Schuster.

나 특수한 의료적인 방향으로 수행된다고 믿었지만, 간호연구를 검토하여 이를 근거로 21가지의 간호문제를 공식화하였다(Box 5-2). 그리고 간호문제를 분류하기 위하여 핸더슨의 14가지 인간욕구와 간호연구를 이용하였다(Box 5-1).

압델라 이론은 핸더슨 이론과 구별된다; 압델라의 문제는 간호 중심 서비스nursing-centered services라는 용어로 만들어졌으며 환자의 욕구를 평가하는데 이용된다. 간호이론 개발에 대한 기여는 간호학 총론의 초기 지침으로 21가지 간호문제를 공식화하기 위하여 연구를 체계적으

로 분석했다는 점이다. 21가지 간호문제를 유형화한 것은 1960년 판 「*간호의 환자 중심 접근*」 *Patient-Centered Approach to Nursing*에서 처음 제시하였다(Abdellah, Beland, Martin, & Matheney, 1960).

그리고 1994년 「*21세기의 간호연구를 위한 준비: 발전, 방법론 그리고 도전*」 *Preparing for Nursing Research in the 21st Century: Evolution, Methodologies, and Challenges*에서 발전시켰다(Abdellah & Levine, 1994). 21가지 간호문제는 2세대의 발달로 *환자문제와 환자결과*로 발전하였다. 압델라는 ADIS, 약물중독, 폭력, 흡연, 알코올중독에 대해서 대중들에게 교육하였다. 압델라의 작업은 문제 중심적 접근이거나 간호철학이다. 압델라의 글들은 http://www.nlm.gov/hmd/manuscrips/msc.html 에서 볼 수 있다.

어니시틴 위덴바

임상간호의 도움의 기술

어니스틴 위덴바는 예일대학 간호대학에서 모성간호학을 가르치면서 개발한 모성영유아 간호와 간호이론개발로 유명하다. 어니스틴 위덴바는 이다 올랜도를 예일대학에서 가르쳤으며, 철학자 Dickoff와 James와 간호이론의 진화에 대한 학습에서 사용된 실무 원리안에서 이론에 대한 고전적인 작업을 서술하였다(Dickoff, James & Wiedenbach, 1968). 예일의 간호대학에서 모성과 영아 건강간호에서 주요한 교과과정을 지시하였고 석사과정을 열었으며(Kaplan & King, 2000), 간호교육에서 널리 쓰이는 책의 저자였다.

간호에 대한 정의는 그녀의 간호 조산사로서의 배경을 나타내준다. 웨덴바는 다음과 같이 진술하였다: "사람들은 간호의 개념에 대하여 다르게 생각할 수 있다. 그러나 간호란 어머니다운 형태로 누군가를 보살피거나 돌보는 것이라는 데에는 동의하지 않을 사람이 거의 없을 것이다(Widenbach, 1964, p. 1)."

위덴바의 생각은 간호철학인데, 간호사의 행위를 간호의 기술로 이끌어 준다. 다음의 4가지 요소로 설명하였다; *철학, 목적, 실무, 기술*

그녀는 임상 간호는 환자의 지각된 도움을 청하는 욕구need-for-help를 충족시키는 방향으로 나아가는 것이라고 간주하였다. 간호에 대한 그녀의 비전은 간호의 기술이 상당히 강조되었던 시기를 반영하고 있다. 그녀는 자율적인 간호보다는 올란도의 계획적인 이론을 추종하였으며, 간호과정의 단계로 통합하였다.

1964년 「*임상간호: 돕는 기술*」 *Clinical Nursing: A Helping Art* 라는 책에는 일련의 간호 단계를 제시하였다.

그녀는 간호사들은 환자의 도움을 필요로 하는 욕구를 다음과 같이 확인해야 한다고 제안하였다(그림 5-5).

1. 그들의 편안함과 일치하거나 일치하지 않는 행동을 관찰하기
2. 그들의 행동의 의미를 탐색하기
3. 그들의 불편감 또는 무능력함의 원인을 판단하기
4. 그들이 그들의 문제를 해결할 수 있는지 또는 도움을 청하는 욕구를 가지고 있는지 판단하기

이것에 따르면 간호사들은 필요로 하는 도움을 베풀고(그림 5-6), 도움을 청하는 욕구가 충족되었는지(그림 5-7) 확인해야 한다(Wiedenbach, 1964). 위덴바는 처방적 이론은 간호실무를 이끌고 증진시킨다고 제안하였다. 그녀의 작업은 간호예술의 철학이라고 간주할 수 있다.

리디아 홀

핵심, 돌봄 그리고 치료 모델

리디아 홀은 재활간호사로서 자신의 간호철학을 뉴욕 몬테피오르Montefiore 병원에 있는 로엡Loeb 간호센터를 개설하고 설계하는데 사용하였다. 그녀는 1963년 로엡센터가 개설한 때부터 1969년 그녀가 사망할 때까지 로엡센터의 행정책임자로 일하였다. 1960년대에 리디아 홀이 출판한 20개가 넘는 논문들은 주로 로엡센터와 장기간호와 만성질환조절에 대한 것들이었다. 1964년에 *Canadian Nurses*에 「*간호: 간호란 무엇인가?*」*Nursing: What Is It?*를 제시하였다. 1969년에 *International Journal of Nursing Studies*에 「*간호와 재활을 위한 로엡센터*」*The Loeb Center for Nursing and Rehabilitation*를 제안하였다.

홀은 병원의 침상을 치료적 간호를 제공하는데 초점을 둔 병동으로 모으는 것을 주장하였다. 로엡계획은 후에 등장하는 "일차간호"라고 개념과 유사하게 보여진다(Wiggins, 1980). 1975년에 출판된 로엡Loeb 간호센터의 평가연구에서는 전통적인 병동에 입원한 것에 비하여 로엡간호센터에 입원하였을 때에 재입원이 적고, 보다 독립적이고, 퇴원후 삶의 질이 더 증가하였고, 병원생활에 대한 만족이 더 컸다(Hall, Alfano, Rifkin. & Levine, 1975).

홀은 간호의 기능을 환자의 특성을 나타내는 서로 연관된 세 가지의 원을 사용하여 설명하였다. 간호 원은 환자의 신체를 나타내고, 치료 원은 환자의 신체적 체계에 영향을 미치는 질병을 나타내고, 핵심 원은 개인의 내적인 느낌과 관리를 나타낸다(그림 5-6). 이 세 원은

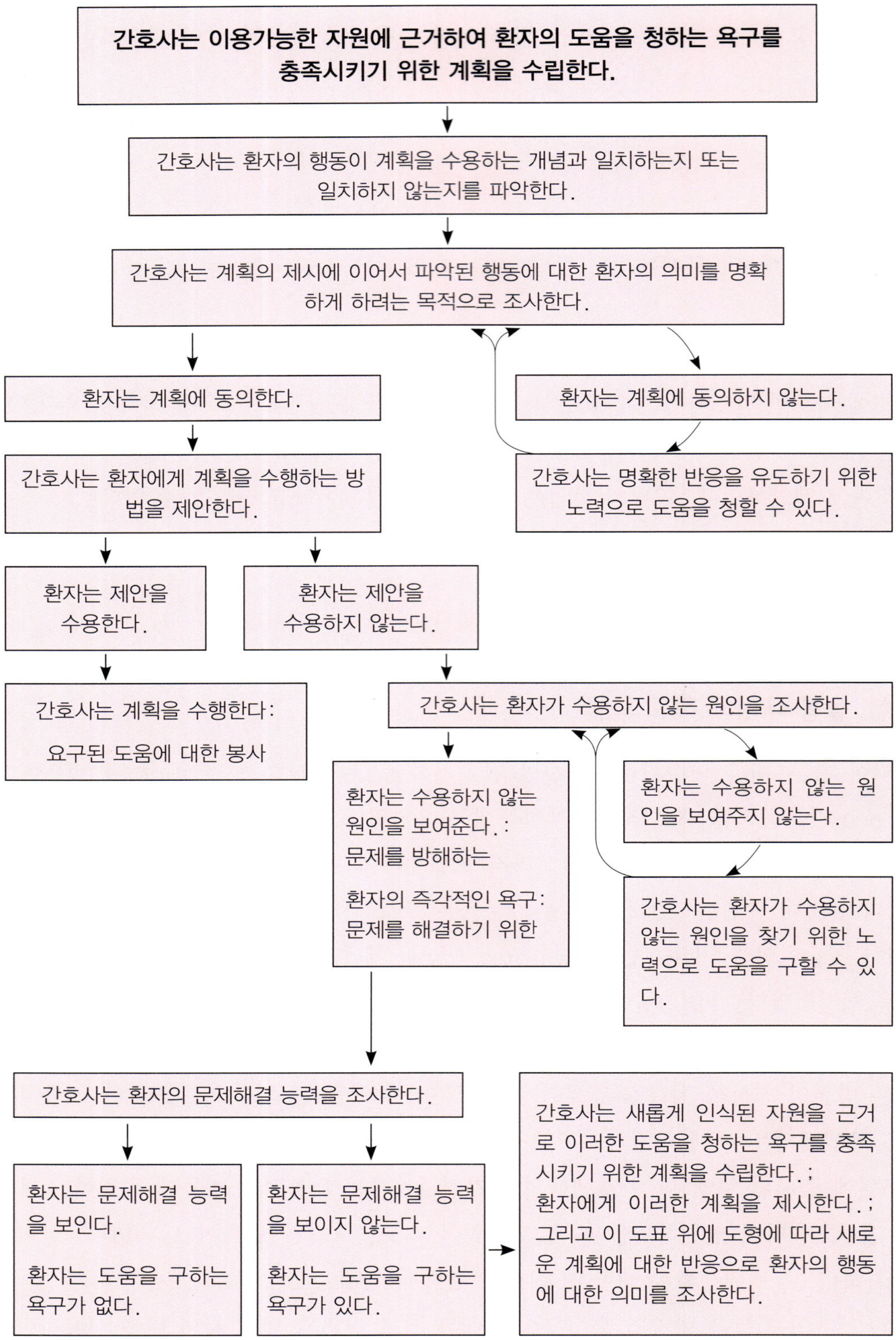

그림 5-4. Ministration of help

출처:Wiedenbach, E.[1964]. Clinical nursing:A helping art [p. 61]. New York:Springer

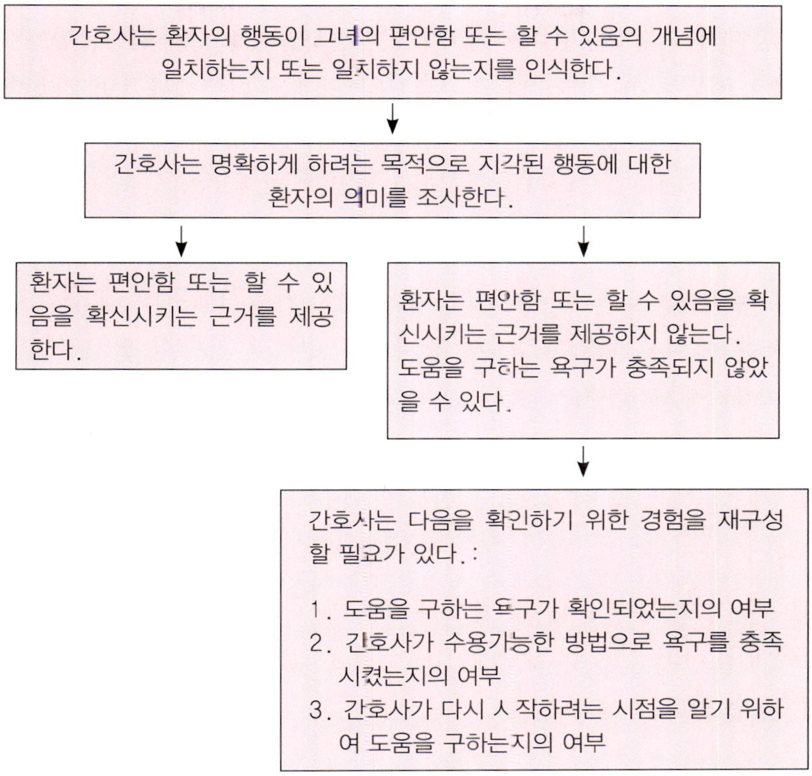

그림 5-5. Validation that need-for-help was met.

출처:Wiedenbach, E.[1964]. Clinical nursing:A helping art [p. 62]. New York:Springer.

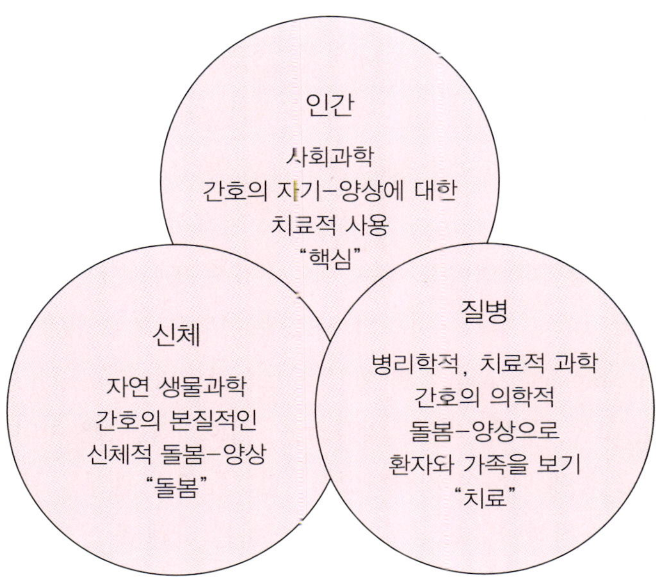

그림 5-6. Core, Care, and Cure Model.

출처:Hall, L. [1964, Feb.] Nursing:What is it? The Canadian Nurse, 60[2], 151.

질병 과정에서 환자의 단계와 관련하여 크기가 변하고, 서로 중복된다. 간호사는 이 세 가지 원 안에서 역할을 하지만, 각각 다른 수준으로 하게 된다. 예를들면 간호단계에서 간호사는 용변보기와 목욕하기 등과 같은 일상생활활동과 관련하여 환자의 직접적인 신체 간호를 제공한다. 치료단계에서는 간호사는 환자의 치료에 대한 의학적 지식을 적용하고, 핵심단계에서는 간호사는 효과적인 의사소통과 편안한 환경을 위하여 환자의 사회적 정서적 요구를 언급한다(Touhy & Birnbach, 2001). 간호사는 또한 다른 제공자들과 함께 원을 공유한다.

리디아홀의 이론은 심부전을 가정에서 관리하고 있는 환자에서 환자간호 의사소통, 자기-성장, 자기-자각에서 향상을 보이는데 사용되었고(McCoy, Davidhizar, & Gillum, 2007). 재난준비와 연관된 간호과정과 비판적 사고에서 사용되었다(Bulson, & Bulson, 2011).

홀은 전문직 간호는 회복을 재촉하고, 의학적 치료는 덜 요구될수록 더 전문적인 간호와 교육이 필요하다고 생각하였다. 홀은 간호의 자율적인 기능을 강조하였다. 뉴욕에 있는 로엡센터에서 간호철학을 발달시키고 사용하게 하는데 홀의 간호이론이 기여하였다. 그녀는 전문간호사들을 인정하고 환자의 결과에 기여하게끔 그들을 격려하였다. 홀의 작업은 간호철학으로 간주될 수 있다.

조이스 트레블비

인간관계 이론

조이스 트레블비는 「*간호의 대인적 측면*」*Interpersonal Aspects of Nursing*(1966, 1971)이라는 책에서 인간관계 이론을 제안하였다(1966,1971). 조이스 트레블비는 1960년대 중반에 아주 뛰어난 출판을 하였으며, 1973년 비교적 젊은 나이에 사망하였다. 트레블비는 간호의 목표는 질병과 고통의 경험을 예방하거나 또는 대처하거나 필요하다면 희망이 있음이라는 궁극적인 목표를 갖고 이러한 경험의 의미를 찾는 개인, 가족 또는 지역사회를 돕는 것이다라고 제안하였다(Travelbee, 1966,1971). 그녀는 자신의 사고에 영향을 미친 Rollo May(1953)과 함께 자신이 신뢰하는 Victor Frankle(1963)과 함께 이론을 토의하였다(Meleis, 2007). 트레블비의 작업은 개념적이었고, 질병, 고통, 동통, 희망, 의사소통, 상호작용, 감정이입, 공감, 라포, 그리고 자신의 치료적 이용 등에 대하여 기술하였다. 간호는 인간관계를 통하여 이루어지는데, (1) 첫 만남의 단계에서 시작하여, (2) 정체감을 확인하는 단계로 진전되며, (3) 감정이입으로 발전되고, 후에는 (4) 공감을 하고, (5) 간호사와 환자는 마지막 단계에서 라포를 형성하게 된다(그림 5-7).

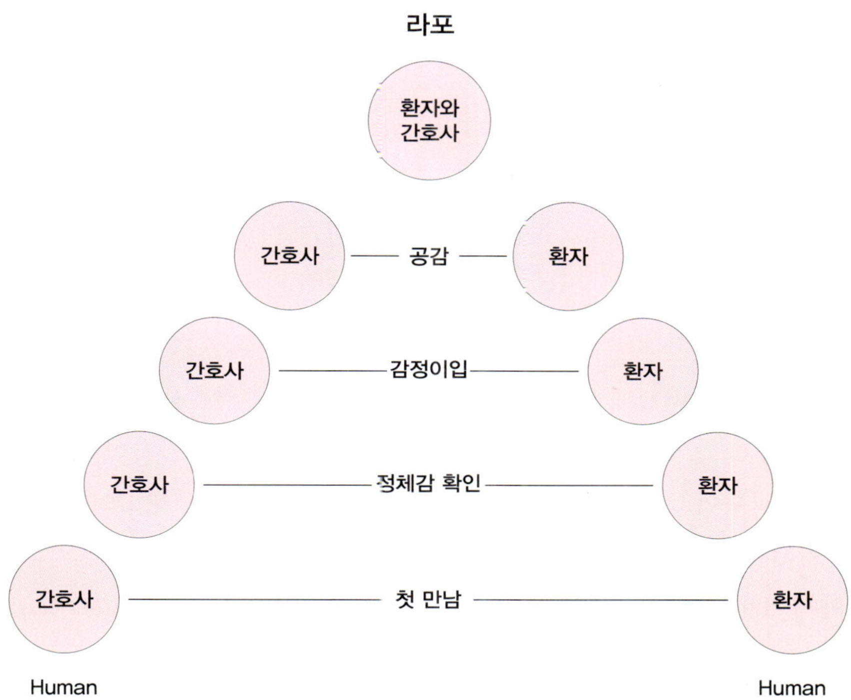

그림 5-7. Human-to-human relationship
Conceptualized by Willian Hobble and Theresa Lansinger based on Joyce Travelbee's writings

트리블비는 간호사와 환자가 *인간관계*를 발달하고자 한다면 감정이입과 마찬가지로 동정심을 갖는 것이 중요하다고 믿었다(Travelbee, 1964). 그녀는 다음과 같은 것을 관찰하면서 환자와 간호사의 영성에 대해서 명백하게 하였다

> "개인이 붙잡고 있는 영적인 가치가 매우 광범위하게 자신의 질병에 대한 지각을 결정한다. 질병과 고통에 대한 간호사의 영적인 가치 또는 철학적 신념이 아픈 사람이 이러한 상황에서 의미 또는 의미 없음을 찾는데 도울 수 있는 정도를 결정한다"(Travelbee, 1971, p. 16).

트레블비의 이론은 페플라우와 올란도의 인간관계 이론을 확장하였지만, 간호사와 환자 간의 치료적인 인간관계라는 용어를 사용하여 그녀의 작업을 다른 사람들의 생각과 구분지어 고유한 합성을 하였다. 트레블비는 감정이입, 공감, 라포 그리고 간호의 정서적 측면을 강조하였다(Travelbee, 1963, 1964). Rich(2003)는 트레블비의 간호에서 동정심의 가치에 대한 논쟁을 재논의하고 갱신하였으며, 열정이 총체적인 간호의 핵심이라고 하였다. Bunkers(2012)는 최근에 자신의 인간관계모델에서 현존(presence)의 의미를 탐구하였다. 트레블비의 작업은 간호이론으로 분류할 수 있다.

캐드린 바나드

아동건강사정 이론

캐드린 바나드는 1960년대 중반부터 영아와 그 가족의 건강을 향상시키는 것에 관하여 상당히 많은 출판을 했던 아주 활동적인 연구가, 교육자, 상담가이다. 그녀는 워싱턴 간호대학의 명예교수이고, 영아 정신 건강과 발달 센터의 설립자이고 책임자이다. 그녀는 영아와 유아의 신체적 정신적 건강결과를 향상시키는 개척자적인 작업으로 the Institute of Medicine에서 the Gustav O. Leinhard Award를 받았고, 2006년에 American Academy of Nursing에서 Episteme Award and the Living Legend Award를 받았다. 그녀는 정신적으로 또는 신체적으로 장애가 있는 아동과 성인에 대한 연구로 시작하여 건강한 아동에 대한 연구로 옮겨 갔으며, 그 이후에는 아동의 성장과 발달 및 모아관계를 평가하는 방법을 연구하는 것으로 확장하였으며, 마침내는 아동과 가족의 발달에 환경이 미치는 영향에 대한 연구를 수행하였다(Barnard, 2004). 그녀는 영아발달과 부모-아동 상호작용을 사정하기 위한 가이드라인을 전세계 건강관리요원들에게 제공하는 아동 건강사정 위성 프로젝트Nursing Child Assessment Satelite Training Project의 설립자이다.

바나드는 이론개발을 의도하지는 않았지만, 종단적 아동건강사정 연구는 아동건강사정 상호작용 이론Child Health Assessment Interaction Theory에 대한 근거를 제공하였다(그림 5-8). 바나드는 각 멤버들의 개인적 특성은 부모-영아 체계parent-infant system에 영향을 주며, 적응행동은 체계의 욕구를 충족시키기 위하여 그러한 특성들을 변화시킨다고 제안하였다. 바나드의 이론은 심리학과 인간발달로부터 빌려온 것이며, 환

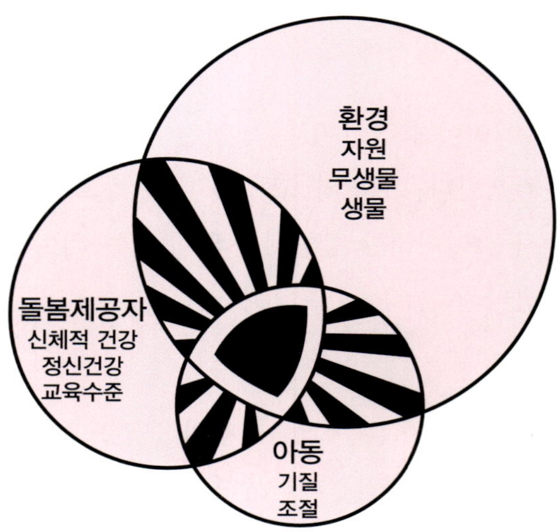

그림 5-8. Child Health Assessment Model.

출처:Summer, G., & Spietz, A.[Eds.].[1994]. NCAST caregiver/parent-child interction teaching manual[p.3]. Seattle:NCAST Publications, University of Washington School of Nursing.

경에 대한 모아 상호작용에 중점을 두고 있다. 그녀의 이론은 수유효과, 교육, 그리고 환경을 측정하기 위한 척도에 근거하고 있다(Kelly & Barnard, 2000). 그녀의 이론은 특정 대상자로 국한되는데; 이 이론은 돌봄제공자와 1년된 영아사이의 상호작용에 적용할 수 있으며 그후에 3년된 아동과의 관계로 확대되었다(Masters, 2012). 그녀는 계속된 연구로 이론을 정교화하였으며, 실무에 가깝게 연결시켰는데, 부모-어린이 관계에 비추어 돌봄제공자들이 어린이를 평가할 수 있는 방법으로 변용되었다. 그녀의 영아의 수면-각성 사이클에 대한 수면활동 기록은 영아와 엄마의 활동일주기(circadian rhythm)에 대한 연구에 사용되었다(Tsai, Barnard, Lentz, & Thomas 2011; Tsai, Thomas, Lentz, & Barnard, 2012). 바나드의 작업은 간호이론이다.

이블린 아담

간호의 개념적 모델

이블린 아담은 1970년대 중반에 출판을 시작한 캐나다 간호사이다. 그녀의 대부분의 작업은 간호의 개념에 대한 모델과 이론들을 개발하는데 중점을 두었다(1983, 1987, 1999). 그녀는 도로시 존슨Dorothy Johnson으로부터 배운 모델을 사용하였다. 「*간호사가 되기 위하여*」*To be a Nurse* (1980)에서 그녀는 버지니아 핸더슨의 간호에 대한 정의를 존슨의 모델에 적용하고, 가정assumption, 신념beliefs 및 가치values와 그리고 주요한 단위major units들을 명시하였다. 그녀는 후에 전문직의 목표, 전문직 서비스의 수혜자, 전문인의 역할, 수혜자의 어려움의 원인, 전문인의 중재 그리고 결과에 대한 범주를 포함시켰다. 1991년 그녀는 둘째 판에서 그녀의 연구를 확대하였다. 그녀의 고전적인 논문 "Modeles conceptuels" 에서 사고의 방법을 만들고 실무를 위한 틀을 제공하는 것이 중요하다고 주장하였다. 아담의 작업은 간호의 미래를 확대시키는데 독특한 근거를 사용하는 좋은 예가 된다. 아담의 간호에서의 이상적인 틀에 대한 주장은 건강 텔레매틱스 교육 컨퍼런스에서 서술하였다(Tallberg, 1997). 그녀는 초기 작업에 대한 명시와 해설로써 이론개발에 기여하였다. 아담의 작업은 간호이론이다.

낸시 로퍼, 위니프레드 로간 그리고 앨리슨 티어니

삶의 모델에 근거한 간호모델

낸시 로퍼는 "침상곁의 간호사를 실제적으로 돕는 것"이라는 단순한 간호이론을 제안한 실무적 이론가로 서술된다(Dopson, 2004; Scott, 2004).

낸시는 영국의 간호학교에서 주요 강사로 15년 동안 봉직한 후에 1960년대에 전업 작가로 경력을 쌓으면서 *Principles of Nursing*(1967). 이라는 책을 포함하여 수권의 인기있는 교과서들을 출판하였다. 그녀의 박사학위 연구인 「*간호교육에서의 임상 경험*」*Clinical Experience in Nurse Education*(1976)은 연구논문으로 출판되었는데, 간호의 식별가능한 '핵심'의 개념을 연구하였다. 이 작업은 후에 로간과 티어니와 함께 하는 작업에 근간이 되었다. 로퍼는 유럽 간호 조산사 유니트European and Nursing and Midwifery Unit와 작업을 하였는데, 이는 간호의 유럽적 표준을 개발시키는데 영향을 주었다(Hallett & Wagner, 2011; Roper, 1977). 그녀는 계속해서 로간과 티어니와 함께 「*간호의 요소*」*The Elements of Nursing*을 1980년, 1985년 그리고 1990년도에 출판하였다.

그리고 1996년에 이 세 사람은 「*삶의 모델에 근거한 간호의 요소*」*The Elements of Nursing base*

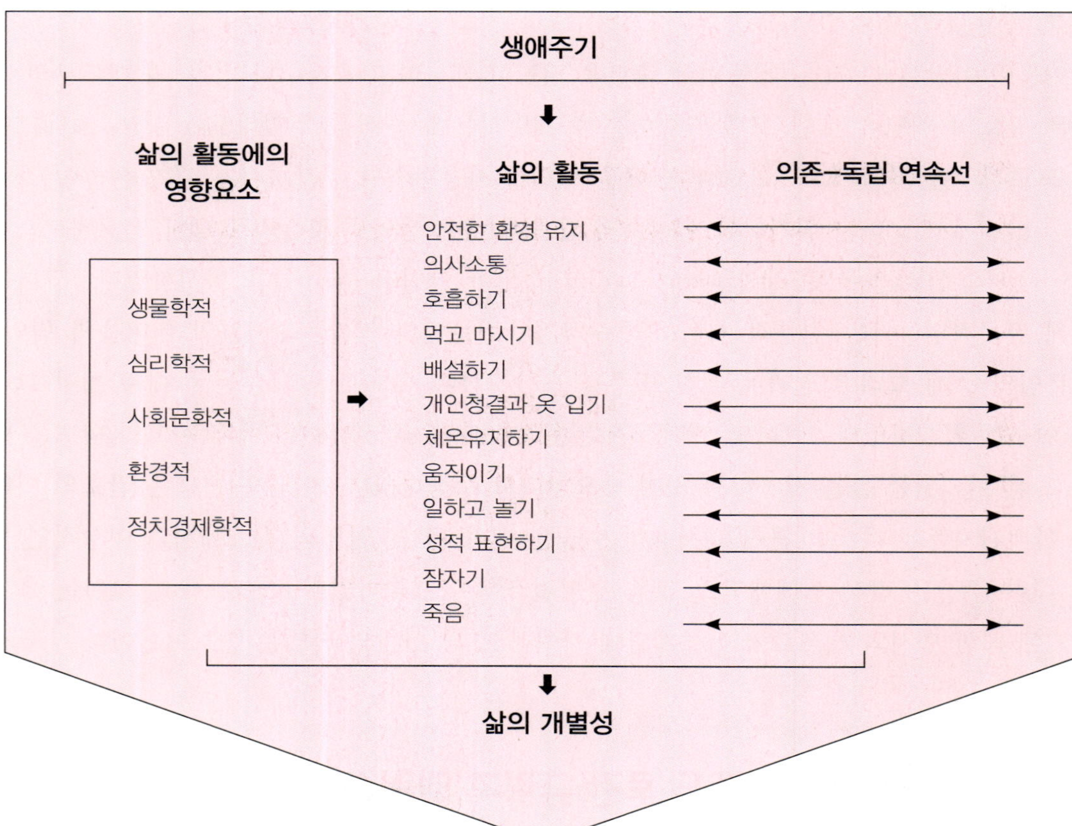

그림 5–9. Diagram of the Model of Living

출처:Roper, N., Logan W.W., Tierney, A.J.[1996]. The elements of nursing:A model for nursing based on a model of living[4th ed., p. 20]. Edinburgh:Churchill Livingstone.

*on a Model of Living*를 네 번째 판으로 함께 출판하였다. 1970년대에 로퍼는 간호의 핵심을 밝히기 위한 연구를 수행하였는데, 삶의 모델Model of Living에 기초하였다(그림 5-9). 로퍼에 의하여 삼십여 년 동안 간호의 요소에 대한 연구는 일상생활활동에 영향을 주었던 주요한 5가지 요소와 함께 간호를 위한 모델Model for Nursing으로 발전하였다(그림 5-10, 표 5-1). 이론가들은 4번째 판의 개정판보다는 *The Roper-Logan-Tierney Model of Nursing: Based on Activities of Living*을 논문으로 출판하였으나(Roper, Logan & Tierney, 2000), 모델의 적용에 대한 것은 없었다. Holland, Jenkins and Solomon(2003)은 로퍼-로간-티어니의 간호모델을 사용하였다.

그들은 학생들에게 문제해결 능력을 돕기 위하여 급성치료셀팅과 지역사회 세팅에서 다양한 문제를 가진 성인 환자에 대한 사례연구와 연습을 사용하였다.

간호모델에서의 12가지의 삶의 활동(ALs: activities of living)은 안전한 환경의 유지, 의사소통, 호흡, 먹기와 마시기, 배설하기, 개인적인 청결과 옷 입기, 체온조절, 움직이기, 일하기와

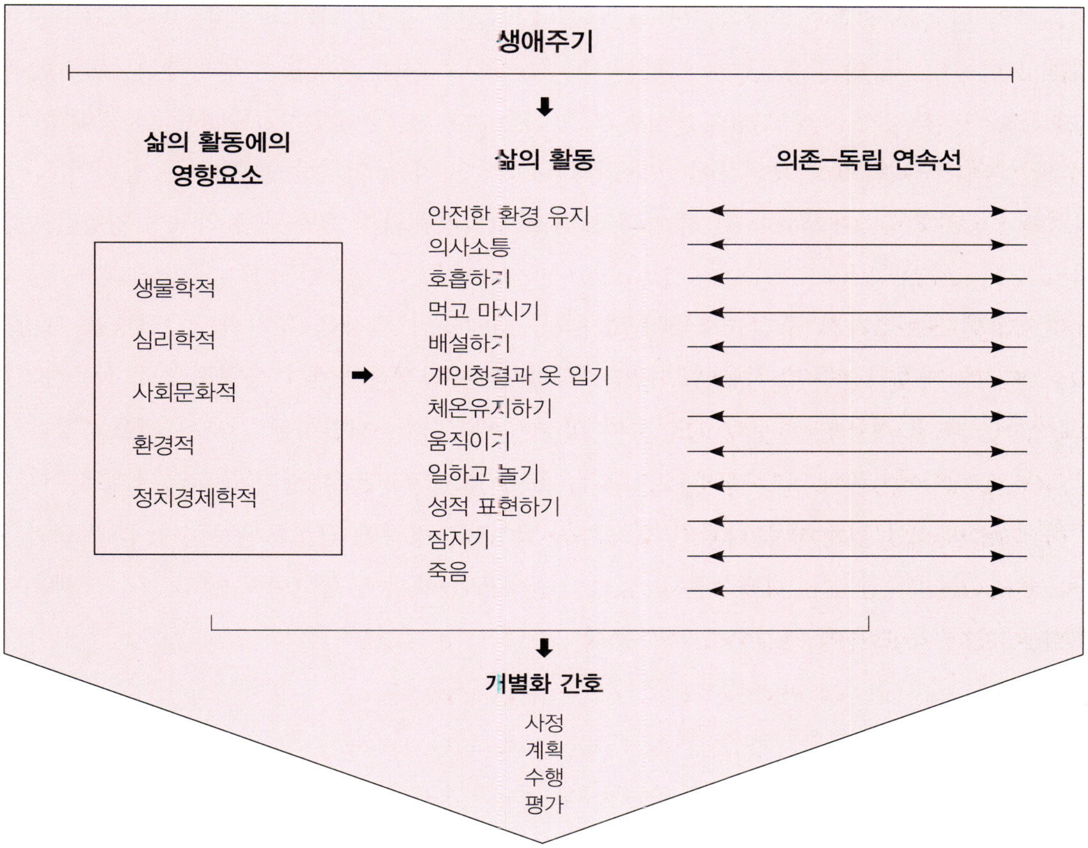

그림 5-10. Diagram of the Model of Nursing

출처: Roper, N., Logan W.W., Tierney, A.J.[1996]. The elements of nursing: A model for nursing based on a model of living[4th ed., p. 34]. Edinburgh: Churchill Livingstone.

표 5-1 삶의 모델과 간호를 위한 모델에서 주요 개념의 비교

삶의 모델	간호를 위한 모델
12가지 삶의 활동 12 ALs	2가지 삶의 활동 12 ALs
생애주기 Life span	생애주기 Life span
의존-독립의 연속 Dependence-independence continuum	의존-독립의 연속 Dependence-independence continuum
삶의 활동에 영향을 미치는 요인 Factors influencing the ALs	삶의 활동에 영향을 미치는 요인 Factors influencing the ALs
삶에서 개별성 Individuality in living	삶에서 개별화 Individualizing in living

출처:Roper, N., Logan, W. W., & Tierney, A. J.(1996). The elements of nursing:A model for nursing based on a model of living(4th ed., p. 33). Edinburgh:Churchill Livingstone. ALs, Activities of living.

놀기, 성적 표현하기, 잠자기와 그리고 죽음 등이다. 출생에서부터 죽음에 이르기까지 생애주기의 범위와 전적인 의존에서부터 전적인 독립에 이르기까지의 의존-독립 연속선 범위를 포함한다. 삶의 활동(ALs)에 영향을 주는 5가지 그룹의 요소들은 생물학적, 심리학적, 사회문화적, 환경적 그리고 정치경제학적 요소들이다. 삶의 개별성은 개인들이 생애주기에서 또는 의존-독립의 연속선상에서 개인의 위치에 따라 삶의 활동을 대하는 방식이고, 생물학적, 심리학적, 사회문화적, 환경적 그리고 정치경제학적 요소들에 의하여 영향을 받는다.

간호모델에는 5가지 구성요소들이 있는데, 개인들이 건강을 유지하고, 질병을 예방하고, 질병과 재활기간동안 적응하고, 만성적인 나쁜 건강상태에서 긍정적으로 적응하거나 또는 죽을 때에 적응하는 것과 관련하여 설명될 수 있다. 개별화된 간호는 간호과정을 사용하여 수행되어지는데, (1) 사정, (2) 계획, (3) 중재, 그리고 (4) 평가 등의 4단계로 이루어진다. 간호과정은 단순히 논리적인 사고의 방법이며, 명확한 간호모델로 사용될 필요가 있다. 삶에 있어서 환자의 개별성은 과정의 4단계 모두에서 명심하여야 한다. 이 모델은 간호실무, 연구와 교육에 지침으로서 사용되어진다.

아이다 진 올란도

간호과정 이론

아이다 진 올란도는 Yale 간호대학에서 연구를 수행하면서 정신건강개념을 기본간호 교과과정에 통합하면서 이론을 개발하였다. 연구는 환자, 학생, 간호사 그리고 강사들의 경험의 관찰과 참여를 통해서 이루어졌으며, 필드노트로부터 귀납적으로 유추되었다. 올란도는 2000개의 간호사 환자 접촉의 내용을 분석하고 자료의 분석에 기초한 이론을 창조하였다(Schmieding, 1993). Meleis(2007)는 ... "올란도는 환자는 자신들의 의미를 갖고 있고 상황을 해석하므로 간호사는 그들의 추론을 확인하여야 하고 결론을 내기 전에 환자와 함께 분석을 하여야 한다는 것을 제안한 간호에서의 초기 사상가중의 한 명이다..."(p. 347). 이론은 프로젝트의 결과로 *간호사–환자 관계의 역동성The Dynamic Nurse-Patient Relationship*(1961), 이라는 책으로 출판되었다. 그녀의 책에서 간호사–환자관계, 간호사의 전문적 역할, 정체성, 간호에서의 지식발달에 대한 관점들을 제안하였다(Schmieding, 1993). 1990년, 미국 National League for Nursing(NLN)은 올란도의 1961년 저서를 재판 발행하였다. NLN판 서론에서, 올란도는 다음과 같이 언급하였다 :

"1961년에 내가 더욱 용기가 있었다면, 나는 책 이름을 '효과적인 간호 실무 이론Theory of effective nursing practice' 대신 '간호 과정 이론Nursing Process Theory'이라고 했을 것이다."(Orlando, 1990, p. vii). 올란도는 계속적으로 작업을 개발하고 정련화하여 2번째 책 *간호과정의 원리와 교육: 평가적 연구The Discipline and Teaching of Nursing Process: An Evaluative Study*(1972)를 출판하였다. 이 책에서 간호과정 원리로서 숙고적인 간호과정을 재정의하고 재명명하였다.

올란도의 간호 이론은 환자와 간호사 간 상호 관계에 중점을 두었다. 환자와 간호사들이 하는 말이나 행동은 서로에게 영향을 미친다. 올란도(1961)는 간호사의 직업적 역할은 환자의 도움 요청을 즉각적으로 발견하여 충족시켜 주는 것이라고 보았다. 올란도는 간호 과정의 요소와 간호 과정에 있어서의 환자 참여가 얼마나 중요한지를 밝히고 강조한 최초의 간호 지도자 중 하나이다. 올란도의 이론은 어떻게 환자의 행동을 개선시키는가에 관해 초점을 맞춘다. 환자의 고통 완화를 보여주는 증거는 관찰 가능한 환자 행동의 긍정적인 변화에 의해 결정된다. 올란도는 논리적인 사고를 하도록 간호사들의 발전을 촉진시켜왔을 것이다(Nursing Theories Conference Group & George, 1980).

올란도(1961)에 따르면, 인간은 그들이 즉각적으로 충족될 수 없는 도움을 필요로 하거나 신체적 제약을 가지고 있거나 주변 환경에 부정적인 반응을 하거나 혹은 요구사항에 관해 의사소통을 할 수 없을 때 간호를 필요로 하게 된다. 환자는 충족되지 않은 도움에 대한 요구 때문에 고통을 느끼거나 무기력해진다(Orlando 1961). 올란도는 요구가 충족되지 않는 기간과 환자의 고통에는 상관관계가 있다고 생각했다. 따라서 올란도의 이론에서는 즉시성이 강조된다. 올란도의 관점에 의하면 인간이 그들의 요구를 충족할 수 있을 때에는 힘들어하지도 않고 전문간호사들로부터 도움을 필요로 하지도 않는다. 올란도의 이론에 의한 실무는 추론 검증을 위한 성찰적 원리를 채택한다(May, 2010; Schmieding, 2006). 올란도는 간호사가 자신의 지각, 사고, 느낌을 공유하여 자신들의 추론이 환자의 요구와 일치하는지를 결정할 수 있는 것이 매우 중요하다고 강조한다(Schmieding, 2006). Abraham(2011) 은 올란도의 이론을 간호사가 낙상감소와 같은 보다 성공적인 환자 결과를 성취하도록 돕는데 사용하였다. 올란도의 이론은 신규간호사가 막 실무를 시작할 때 특히 도움을 줄 수 있는 가장 효과적인 실무이론이다.

POINTS FOR FURTHER STUDY

- Kaplan, D., & King, C. (2000). *Guide to the Ernestine Wiedenbach papers.* Retrieved from: http://hdl.handle.net/10079/fa/mssa.ms.1647.
- May, B. A. (2010). Orlando's nursing process theory and nursing practice. In M. R. Alligood (Ed.), *Nursing theory: Utilization & application* (4th ed., pp. 337–357). Maryland Heights, (MO): Mosby-Elsevier.
- Orlando, I. J. (1990). *The dynamic nurse-patient relationship: function, process, and principles* (Pub. No. 15-2341). New York: National League for Nursing.
- Orlando interview: Nursing process discipline. In *Nurse theorists: Portraits of excellence,* Volume 1 (video). Athens, (OH): Fitne.
- Peplau, H. (1952). *Interpersonal relations in nursing.* New York: Putnam.
- Peplau Interview: Interpersonal relations in nursing. In *Nurse theorists: Portraits of excellence,* Volume 1 (video). Athens, (OH): Fitne.
- Roper, N., Logan, W. W., & Tierney, A. J. (1996). *The elements of nursing: A model for nursing based on a model of living* (4th ed.). Edinburgh: Churchill Livingstone.
- Schmieding, N. J. (2006). Ida Jean Orlando (Pelletier): Nursing process theory. In A. M. Tomey & M. R. Alligood (Eds.), *Nursing theorists and their work* (6th ed., pp. 431–451). St. Louis: Mosby.
- Travelbee, J. (1971). *Interpersonal aspects of nursing* (2nd ed.). Philadelphia: F. A. Davis.

REFERENCES

Abdellah, F. G. (2004). Interview with Rear Admiral Faye Glenn Abdellah. Interview by Captain Melvin Lessing. *Military Medicine*, *169*(11), iii–xi.

Abdellah, F. G., Beland, I. L., Martin, A., & Matheney, R. V. (1960). *Patient-centered approaches to nursing.* New York: Macmillan.

Abdellah, F. G., & Levine, E. (1994). *Preparing for nursing research in the 21st century: Evolution, methodologies, challenges.* New York: Springer.

Abraham, S. (2011). Fall prevention conceptual framework. *The Health Care Manager, 30,* 179–184.

Adam, E. (1980). *To be a nurse.* Philadelphia: Saunders.

Adam, E. (1983). Frontiers of nursing in the 21st century: development of models and theories on the concept of nursing. *Journal of Advanced Nursing*, *8*,41–45.

Adam, E. (1987). Nursing theory: what it is and what it is not. Nursing papers. *Perspectives in Nursing*, *19*, 5–14.

Adam, E. (1991). *To be a nurse* (2nd ed.). Montreal: Saunders.

Adam, E. (1999). Conceptual models. *Canadian Journal of Nursing Research*, *30*, 103–114.

Aghamohammadi-Kalkhoran, M., Karimollahi, M., & Abdi, R. (2011). Iranian staff nurses' attitudes toward nursing students. *Nurse Education Today*, *31*, 477–481.

American Nurses Association, (June 14, 2012). *Six registered nurses to be inducted into ANA hall of fame for lifetime of contributions to nursing*. Retrieved from: http://nursingworld.org/FunctionalMenuCategories/MediaResources/PressReleases/ANAHallofFamePR-June2012.pdf.

Barnard, K. E. (1978). *Nursing child assessment and training: Learning resource manual.* Seattle: University of Washington.

Barnard, K. E. (2004). *Welcome and Opening Plenary. Proceedings from AMCHP '04: Mental health—Promoting a new paradigm for MCH public health practice*. Retrieved from: http://128.248.232.90/archives/mchb/amchp2004/p1/transcripts/session09f.htm.

Bulson, J. A., & Bulson, T. (2011). Nursing process and critical thinking linked to disaster preparedness. *Journal of Emergency Nursing*, *37*, 477–483.

Bunkers, S. S. (2012). Presence: the eye of the needle. *Nursing Science Quarterly*, *25*, 10–14.

Butts, J., & Rich, K. (2011). *Philosophies and theories for advanced practice nursing*. Sudbury, (MA): Jones & Bartlett.

Dickoff, J., James, P., & Wiedenbach, E. (1968). Theory in a practice discipline, part II: practice oriented research. *Nursing Research*, *17*, 545–554.

Dopson, L. (October 15, 2004). Obituary: Nancy Roper. *The Independent.* Retrieved from: http://www.independent.co.uk.

Frankel, V. (1963). *Man's search for meaning: an introduction to logotherapy*. New Yark: Washington Square Press.

Haber, J. (2000). Hildegard E. Peplau: the psychiatric nursing legacy of a legend. *Journal of the American Psychiatric Nurses Association*, *6*, 56–62.

Hall, L. E. (1964). Nursing: what is it? *The Canadian Nurse*, *60*, 150–154.

Hall, L. E. (1969). The Loeb Center for Nursing and Rehabilitation. *International Journal of Nursing Studies*, *6*, 81–95.

Hall, L. E., Alfano, G. J., Rifkin E., & Levine, H. S. (1975). *Longitudinal effects of an experimental nursing process* (final report). New Yark: Loeb Center for Nursing and Rehabilitation.

Hallett, D. C., & Wagner, L. (2011). Promoting the health of Europeans in a rapidly changing world: a historical study of the implementation of World Health Organization policies by the nursing and midwifery unit, European regional office, 1970–2003. *Nursing Inquiry*, *18*, 359–368.

Hanrahan, N. P., Delaney, D., & Stuart, G. W. (2012). Blueprint for development of the advanced practice psychiatric nurse workforce. *Nursing Outlook*, *60*, 91–106.

Henderson, V. (1955). *Textbook of the principles and practice of nursing* (5th ed.). New Yark: Macmillan. (Note: earlier editions were Harmer & Henderson).

Henderson, V. (1960). *Basic principles of nursing care.* London: International Council of Nurses.

Henderson, V. (1964). The nature of nursing. *American Journal of Nursing*, *64*, 62–68.

Henderson, V. (1966). *The nature of nursing: A definition and its implications for practice, research, and education.* New York: Macmillan.

Henderson V. (1980). Preserving the essence of nursing in a technological age. *Journal of Advanced Nursing*, *5*, 245–260.

Henderson, V. A. (1991). *The nature of nursing: Reflections after 25 years.* New Yark: National League for Nursing Press.

Henderson, V. (2006). The concept of nursing. *Journal of Advanced Nursing*, *53*, 21–31.

Holland, K., Jenkins, J., Solomon, J., & Whittam, S. (2003). *Applying the Roper-Logan-Tierney Model in practice.* Edinburgh: Churchill Livingstone.

Kaplan, D., & King, C. (2000). *Guide to the Ernestine Wiedenbach papers*. Retrieved from: http://hdl.handle.net/10079/fa/mssa.ms.1647.

Kelly, J. F., & Barnard, K. E. (2000). Assessment of parent-child interaction: implications for early intervention. In S. Shonkoff & S. J. Meisels (Eds.), *Handbook of early childhood intervention* (pp. 258–289). Cambridge: Cambridge University Press.

Keoghan, S. (2011). Attention deficit hyperactivity disorder: a model of nursing care. *Mental Health Practice*, *215*, 20–22.

Masters, K. (2012). *Nursing theories: A framework for professional practice.* Sudbury, (MA): Jones & Bartlett.

May, B A. (2010). Orlando's nursing process theory and nursing practice. In M. R. Alligood (Ed.), *Nursing theory: Utilization & application* (4th ed., pp. 337–357). Maryland Heights, (MO): Mosby-Elsevier.

May, R. (1953). *Man's search for himself.* New Yark: W. W. Norton.

McCoy, M. L., Davidhizar, R., & Gillum, D. R. (2007). A correlational pilot study of home health nurse management of heart failure patients and hospital readmissions. *Home Health Care Management and Practice*, *19*, 392–396.

Meleis, A. (2007). *Theoretical nursing: Development and progress* (4th ed.). Philadelphia: Lippincott.

National Library of Medicine. (1988). *Finding aid to the Faye Glenn Abdellah papers, 1952–1989.* (NIH Collection No. MS C 424). Bethesda, (MD): National Library of Medicine. Retrieved from: http://www.nlm.nih.gov/hmd/manuscripts/ead/abdellah.html.

Nicely, B., & DeLario, G. T. (2011). Virginia Henderson's principles and practice of nursing applied to organ donation after brain death. *Progress in Transplantation*, *21*, 72–77.

Nursing Theories Conference Group, & George, J. B. (Chairperson). (1980). *Nursing theories: The base for professional practice.* Englewood Cliffs, (NJ): Prentice-Hall.

Orlando, I. J. (1961). *The dynamic nurse-patient relationship: Function, process and principles of professional nursing practice*. New York: Putnam.

Orlando, I. J. (1972). *The discipline and teaching of nursing process: An evaluative study*. New York: Putnam.

Orlando, I. J. (1990). *The dynamic nurse-patient relationship: Function, process, and principles* (Pub. No. 15-2341). New Yark: National League for Nursing.

Penckofer, S., Byrn, M., Mumby, P., & Ferrans, C. E. (2011). Improving subject recruitment, retention, and participation in research through Peplau's theory of interpersonal relations. *Nursing Science Quarterly*, *24*, 146–151.

Peplau, H. E. (1952). *Interpersonal relations in nursing.* New York: Putnam.

Rich, K. (2003). Revisiting Joyce Travelbee's question: what's wrong with sympathy? *Journal of the American Psychiatric Association*, *9*(6), 202–205.

Roche, M., Duffield, C., & White, E., (2011). Factors in the practice environment of nurses working in inpatient mental health: a partial least squares path modeling approach. *International Journal of Nursing Studies*, *48*, 1475–1486.

Roper, N. (1967). *Principles of nursing.* Edinburgh: Churchill Livingstone.

Roper, N. (1976). *Clinical experience in nurse education* (Research monograph). Edinburgh: Churchill Livingstone.

Roper, N. (1977). *Paper (and working documents) on the assessment of patient/client needs for nursing care*. NMU Archive Box 2, Kolding.

Roper, N. (1980). *The elements of nursing: A model for nursing*. Edinburgh: Churchill Livingstone.

Roper, N. (1985). *The elements of nursing: A model for nursing* (2nd ed.). Edinburgh: Churchill Livingstone.

Roper, N. (1990). *The elements of nursing: A model for nursing based on a model of living* (3rd ed.). Edinburgh: Churchill Livingstone.

Roper, N., Logan, W. W., & Tierney, A. J. (1996). *The elements of nursing: A model for nursing based on a model of living* (4th ed.). Edinburgh: Churchill Livingstone.

Roper, N., Logan, W. W, & Tierney, A. J. (2000). *The Roper-Logan-Tierney model of nursing: Based on activities of living*. Edinburgh: Churchill Livingstone.

Schmieding, N. J. (1993). *Ida Jean Orlando: A nursing process theory*. Newbury Park, (CA): Sage Publications.

Schmieding, N. J. (2006). Ida Jean Orlando (Pelletier): nursing process theory. In A. M. Tomey & M. R. Alligood (Eds.), *Nursing theorists and their work* (6th ed., pp. 431–451). St. Louis: Mosby.

Scott, H. (2004). Nancy Roper (1918–2004): a great

nursing pioneer. *British Journal of Nursing, 19*, 1121.

Sills, G. M. (1998). Peplau and professionalism: the emergence of the paradigm of professionalization. *Journal of Psychiatric and Mental Health Nursing, 5*, 167–171.

Tallberg, M. (1997). Supporting the nursing process—an aim for education in nursing informatics. In J. Mantas (Ed.), *Health telematics education: Studies in health technology and informatics, vol 41* (pp. 291–296). Amsterdam: IOS Press.

Timmins, F. (2011). Remembering the art of nursing in a technological age. *Nursing in Critical Care, 16*, 161–163.

Touhy, T. A., & Birnbach, N. (2001). Lydia Hall: the care, core, cure model. In M. E. Parker (Ed.), *Nursing theories and nursing practice* (pp. 135–137). Philadelphia: F. A. Davis.

Travelbee, J. (1963). What do we mean by rapport? *American Journal of Nursing, 63*, 70–72.

Travelbee, J. (1964). What's wrong with sympathy? *American Journal of Nursing, 64*, 68–71.

Travelbee, J. (1966). *Interpersonal aspects of nursing*. Philadelphia: F. A. Davis.

Travelbee, J. (1971). *Interpersonal aspects of nursing* (2nd ed.). Philadelphia: F. A. Davis.

Tsai, S. Y., Barnard, K. E., Lentz, M. J., & Thomas, K. A. (2011). Mother-infant activity synchrony as a correlate of the emergence of circadian rhythm. *Biological Research for Nursing, 1*, 80–88.

Tsai, S., Thomas, K. A., Lentz, M. J., & Barnard, K. E. (2012). Light is beneficial for infant circadian entrainment: an actigraphic study. *Journal of Advanced Nursing, 68*, 1738–1747.

Wiedenbach, E. (1964). *Clinical nursing: A helping art*. New York: Springer.

Wiedenbach, E. (1970). Nurses' wisdom in nursing theory. *American Journal of Nursing, 70*, 1057–1062.

Wiggins, R. L. (1980). Lydia Hall's place in the development of theory of nursing. *Image: Journal of Nursing Scholarship, 12*, 10–12.

Wolf, K. A. (2006). Advancing the profession. In L. C. Andrist, P. K. Nicholas, & K. A. Wolf (Eds.), *A history of nursing ideas* (pp. 301–304). Sudbury, (MA): Jones & Bartlett.

Wright, K. M., & Hacking, S. (2012). An angel on my shoulder: a study of relationships between women with anorexia and health care professionals. *Journal of Psychiatric and Mental Health Nursing, 19*, 107–112.

Ⅱ 간호철학

Nursing Philosophies

- 간호철학은 분석, 추론, 논리적 주장을 통해서 간호현상에 대한 의미를 설명한다.
- 철학은 학문에 대한 방향을 제시하고, 전문적 학문을 위한 기초를 형성하고, 새로운 이론적 이해를 안내함으로서 간호지식에 기여한다.
- 간호철학은 철학적 본질에 대한 당대의 작업과 마찬가지로 이론적 시기 이전의 초기작업을 대표한다.
- 철학이란 학문과 그의 전문적 적용을 발전시키는 광범위한 이해를 제공하는 작업이다.

6 장

플로렌스 나이팅게일
Florence Nightingale
1820-1910

현대간호

Modern Nursing

Susan A. Pfettscher

"간호를 의학과 구분된 전문적 노력으로 인식한 것은 나이팅게일로부터 시작하였다"(Chinn & Kramer, 2011, p. 26).

이론가 소개

현대 간호의 선구자인 플로렌스 나이팅게일Florence Nightingale은 1820년 5월 12일에 태어났다. 태어날 당시 부모는 유럽전역을 여행하고 있었다. 부모인 Nightingale Edward와 Frances는 그녀의 출생지인 이탈리아 Florence의 이름을 따서 딸 이름을 지었다. 나이팅게일은 오랫동안 Derbyshire와 Hampshire에서 살아온 빅토리아 가문으로 좋은 교육을 받은 부유한 귀족이었다. 후에는 런던근교에서 살았다.

나이팅게일은 대가족이었지만 직계가족으로 플로렌스 나이팅게일과 언니 Parthenope 뿐이었다. 어린 시절 나이팅게일의 아버지는 나이팅게일에게 당시의 다른 여성들 보다 엄격

이전 저자: Susan A. Pfettscher, Karen R. de Graff, Ann Marriner Tomey, Cynthia L. Mossman, and Maribeth Slebodnik.

하게 폭넓은 교육을 시켰다. 그녀는 부친과 다른 사람한테서 수학, 언어, 종교 및 철학 등을 교육받았다. 나이팅게일은 청소년기에 빅토리아 귀족 사회에서 일상적인 편안한 생활을 하면서도 한편으로는 좀 더 의미 있는 삶을 살아야 한다는 생각을 갖고 있었다.

1837년 나이팅게일은 일기에 자신의 소명에 대해 적었다 '신께서 그의 일을 하도록 나를 부르셨다'(Holliday & Parker, 1997, p. 491). 그러나 봉사에 대한 본질과 소명을 얼마동안 분명하게 알지 못했다. 후에 간호사가 되는 것으로 소명 받았다는 것을 알게 되었고, 마침내 1851년 교육을 마칠 수 있었다. 나이팅게일은 병원이 있는 교회 공동체인 독일의 Kaiserwerth에서 교육을 받았다. 그곳에서 약 3개월 정도 머물렀고 선생님은 그녀를 간호사로 훈련시켰다.

영국으로 돌아와서 나이팅게일은 병원시설과 감화원 그리고 자선기관을 점검하기 시작하였다. 교육을 마친 2년 후 1853년 런던에 있는 병원의 감독자가 되었다.

크리미아 전쟁 때 나이팅게일은 Sidney Herbert경(가족의 친구인 동시 전쟁 관련비서)으로부터 요청을 받고 터키의 Scutari로 가서 부상당한 영국 병사를 돌보는 간호사를 교육하였다.

나이팅게일은 1854년 11월 그곳에 도착하여 간호전문직 기준에 부합되는 38명의 새로운 간호사를 채용하였다. 그 기준은 기본적인 일반 교육을 받은 젊은 중산층 여성이었다. 간호를 제공하기 위한 목적(미션)을 성취하기 위해 나이팅게일은 그곳의 환경문제를 건의하였다. 환경문제에는 위생상태의 불량과 불결함(부족한 침상용변기, 오염된 물, 오염된 시트와 담요, 넘쳐흐르는 구정물통)이 포함되어 있었다. 게다가 병사들은 위험, 동상, 기생충 만연, 그리고 전쟁중에 입은 상처가 회복되는 기간에 질병에 걸릴 기회가 많았다.

이처럼 처참하고 열악한 상태를 개선하는 나이팅게일의 업무 때문에 나이팅게일은 병사들 사이에서 유명해지고 존경받는 사람이 되었다. 그러나 의사들이나 군행정가의 지지는 열정적이기는 커녕 오히려 냉담하였다. 나이팅게일은 밤에 촛불을 들고 부상병들을 돌보았기 때문에 Henry Wadsworth Longfellow(Longfellow, 1857)의 시 Santa Filomena에서 영원불멸을 의미하는 '등불을 든 여인'이라고 불리었다. 나이팅게일은 Scutari에서 발진티브스나 부루셀로시스 인 크리미안 열로 심하게 앓기도 하였는데 그 병은 그녀의 건강에 오랫동안 영향을 미쳤다.

전쟁이 끝나고 영국으로 돌아온 나이팅게일은 빅토리아 여왕으로부터 고귀한 작위를 받았다. 1860년 전쟁 중 봉사의 대가로 받은 자금으로 런던에 있는 왕립 대학병원과 St. Thomas병원에 간호교육기관을 설립하였다. 그 후 얼마 되지 않아 나이팅게일의 학교에는 세계 여러 병원으로부터 간호학교를 세우기 위한 요청이 쇄도하기 시작하였으며, 현대 간호의 선구자로서 플로렌스 나이팅게일의 명성은 높아졌다.

나이팅게일은 직업(전문직)으로서 간호의 발전 뿐 아니라 사회 변화를 주도하고 열악한 환경을 개선하기 위해 지역사회, 국가, 국제적, 사회적 이슈들과 주제에도 에너지를 모두 쏟아 부었다. 그녀는 계속해서 군 공중위생의 개혁, 군 병원의 기능, 인도의 위생, 영국에서 빈민을 위한 건강관리와 위생에 관심을 가졌다. 「*전쟁 후기 경험에서 주로 얻은 영국 군대의 건강, 효율 그리고 병원 행정에 영향을 준 요인에 관한 기록*」*Notes on Matters Affecting the Health, Efficiency & Hospital Administration of the British Army Founded Chiefly on the Experience of the Late War*, (Nightingale, 1858a), 「*병원에 관한 기록*」*Notes on Hospitals* (Nightingale, 1858b), 「*1869년 6월에서 1870년 6월까지 인도의 위생 개선을 위해 채택된 평가 보고서*」*Report on Measures Adopted for Sanitary Improvement in the India from June 1869 to June 1870* (Nightingale, 1871)등의 저서들은 특히 군대의 위생 문제에 대한 그녀의 지속적인 관심을 반영하였다.

영국으로 돌아온 후 나이팅게일은 건강의 악화와 질병이 지속적으로 재발되어 런던에 있는 저택에 머물렀다. 80세까지 나이팅게일은 친구, 친지, 연합국, 반대파들에게 15,000통에서 20,000통 정도의 편지를 썼다. 문장은 강하고 명료했으며, 사회와 보건의료체계의 변화를 위한 소망과 경험, 신념을 담아 전했다. 이러한 편지들을 통해 관심을 갖고 있는 세계와 이슈들에 영향을 줄 수 있었다. 꼭 필요하거나 자신의 건강이 허락할 때는 일에 대한 이유를 지지하고 수행할 전략을 의논하기 위해 집에서 유력한 방문객들을 맞이하였다.

나이팅게일의 노력은 모국과 여러 다른 나라로부터의 많은 수상을 통하여 인정받았다. 그녀는 시력을 잃은 80세까지 계속 노력하였고 90세인 1910년 8월 13일 눈을 감았다.

현대의 전기 작가와 평론가들은 가족관계 특히 부모, 자매들과의 관계를 통한 나이팅게일의 필생의 업적을 분석하였다. 영화 각색에서는 가족, 친구관계에 대해 부정확하게 그려지는 경우도 많았다. 나이팅게일의 개인적, 공적인 삶의 많은 부분에서 커다란 음모intrigue로 여겨지는 부분이 있기는 하지만, 이러한 후향적인 분석에서는 현대 간호의 선구자이고, 빅토리아시대의 지도자라고 글을 쓰면서 대로는 과도하게 긍정적이기도 하고, 때로는 거친 비판과 함께 매우 부정적이기도 하였다. 많은 작가들이 나이팅게일의 삶과 업적을 저술하였다.

이러한 프로젝트의 과오oversight 속에서 Cook(1913)은 가족관계에 편중된 나이팅게일의 편지를 근간으로 한 첫 번째 총괄적인 전기를 저술하였다. 그것이 가장 긍정적인 전기로 남아있다. 그 이후, Strachey(1918)은 「*저명한 빅토리아 왕조 사람*」*Eminent Victorians*이란 책에서 나이팅게일을 거만하고 속임수가 많은 사람으로 언급하여 첫 번째로 부정적인 면을 저술하였다. O'Malley(1931)는 1820년에서 1856년까지의 나이팅게일의 삶에 초점을 맞춘 좀 더 긍정적인 전기를 썼다. 그러나 그녀의 나머지 삶에 대해 서술한 2권은 결국 출판되지 않았다. Woodham-Smith의 책(1951)인 나이팅게일의 전 생애에 대한 연대기는 처음으로 가족들이 준 편지와 문서를 토대로 그려졌다. 이 전기가 미국인에게 가장 친밀하고 나이팅게일 전기의 결정적인 것으로 인정되었다. 이 전기가 비교적 중립을 지키고 있지만 그래도 긍정적인 것으로 남아있다. 1982년 Smith는 나이팅게일의 인격과 업적 둘 다를 비판하는 「*플로렌스 나이팅게일: 평판과 권력*」*Florence Nightingale:Reputation and Power*을 저술하였다. 가장 최근에 Small(1998) 은 「*플로렌스 나이팅게일: 복수의 천사*」*Florence Nightingale: Avenging Angel*라는 또 다른 전기를 출판하였다. 다시 그는 그녀의 인격과 업적의 특정 측면들에 대해 비판했지만 그의 표현은 중립적으로 더욱 안정되었다. Small은 오늘날 남아있는 자신과 가족들의 거대한 양의 글 때문에 나이팅게일의 삶이 역사상 이전의 어떤 다른 사람들의 삶보다도 잘 기술되었을 것이라고 서술하였다(Small, 2000). 그의 관심과 다른 전기학자들과의 의견충돌에 대해서는 지금 출판중에 있다고 하였다(Small ,2008). Small은 나이팅게일에 대한 연구를 지속하고 있으며, 자신의 웹사이트에 크림전쟁과 나이팅게일에 대한 정보를 갱신하고 있다. 나이팅게일의 역할, 지위, 제한적인 생활양식에 대한 논란은 계속되는데; 최근에 런던 신문에서는 나이팅게일과 John Hall경 (크림전재엥서 영국군의료책임자)과의 갈등과 관련된 편지들을 새로이 발견하였다고 한다(Kennedy, 2007). 인터넷 검색에서는 수천 개의 사이트에서 나이팅게일에 대해 긍정적이거나 부정적인 면을 보여주는 다양한 논문, 자료, 비평들이 제공되고 있다. 명백하게 세계는 여전히 이 독특한 여성에 대해 관심을 갖고 있다.

미국의 간호계에서도 나이팅게일의 삶과 일에 대해서 여전히 유사한 관심을 보이고 있다. Kalish와 Kalish(1983a, 1983b, 1987)은 전문직 활동을 하는 동안 플로렌스 나이팅게일의 많은 업적을 독자들이 이해하는데 도움이 되도록 미디어를 이용한 비평을 제공하였다. 이러한 방법은 나이팅게일의 삶과 업적을 연구하는 데 흥미가 있는 사람들에게 최근 출판물과 사건을 분석하는 방법을 제공하게 한다. Dossey(2000)의 총괄적인 서적인 「*플로렌스 나이팅게일: 종교적 선지자적 치료자*」*Florence Nightingale:Mystic, Visionary Healer*에서는 나이팅게일의 삶과 업적에 대한 해석, 그리고 또 다른 심도 있는 경력을 독자들에게 제공하고 있다. 나이팅게일의 자서전(일기와 편지들)과 평생 동안 교류하며 교신한 다른 사람들의 글을 인용하였던 Dossay는 그녀를 보는 또 다른 창의적인 방식으로 영적존재와 필생의 업적을 해석하는 것에 초점을 두었다. Macrae(2001)은 나이팅게일 글에 깔려 있는 간호사의 삶을 위한 영성을 서술한 서문으로, 또한 나이팅게일의 글과 기록을 검토하여 영성을 탐구하였다. 나이팅게일의 저술에 기반을 둔 간호사의 삶을 위한 영성의 서술에 대한 서문에서 Macrae(2001)은 나이팅게일의 저술과 문헌을 고찰한 후에 해석한 나이팅게일의 영성에 대해서 탐구하였다고 하였다. Lorentzon(2003)은 보다 최근에 나이팅게일이 멘토로서의 역할을 매우 분명하게 보여주는 나이팅게일과 그녀의 학생간에 쓰여진 편지글에 대한 고찰과 분석을 제공하였다.

마침내 나이팅게일의 남아있는 모든 글은 「*플로렌스 나이팅게일의 업적에 대한 전집*」 *Collected Works of Florence Nightingale*으로 출판되는 과정에 있다. 지금까지, 16권 중 5권이 사회학자인 Lynn McDonald의 지휘 하에 출판되었다(McDonald, 2001-present). 이러한 대형 프로젝트는 그녀의 삶과 업적에 대해 앞으로 탐구하고, 해석하고, 추측하게 될 많은 논문과 서적의 수를 증가시키게 될 것이다. 덧붙여 나이팅게일에 대한 새로운 전기를 출판하였다(McDonald, 2010a).

이론의 배경

나이팅게일의 간호철학 개발에는 많은 요인들이 영향을 미쳤다. 개인적, 사회적, 전문직 가치관과 관심이 그녀의 신념을 발전시키기 위해 모두 통합되었다.

나이팅게일은 자신을 변화시키기 위해 자신의 자원과 유용한 사회적, 전문적 자원에 관한 관심을 집결시켰다.

이미 언급된 바와 같이, 나이팅게일의 교육은 빅토리아 가문의 소녀를 위한 특별한 것이었다. 잘 교육받고 지적인 아버지가 수학과 철학을 통해 그 시대 여성에게는 유일한 지식과 개념적인 사고 능력을 길러준 것처럼 주제에 따라 그녀가 받은 지도는 달랐다. 부모는 처음에는 그녀가 수학을 계속 공부하고자 하는 소망에 반대하였으나, 나중에는 누그러져서 매우 존경받는 수학자에게 추가적인 지도를 받게 하였다. 숙모인 Mai는 헌신적인 친척이자 동료로서 빅토리아 시대의 여성에게 사용되지 않았던 묘사이지만 나이팅게일을 넓은 가슴을 가진 여성으로 묘사하여 그녀를 인정하였다. 나이팅게일이 어떠한 상황 하에서도 위대한 지도자이자 사상가가 될 수 있는 천재인지의 여부와 그녀의 독특한 형식의 교육, 사회적 지위가 그 시대에 일어난 일들을 위해 필수적이었는지에 대해서는 아직 의문으로 남아있다. 나이팅게일이 요즘 시대에 태어났다면 그러한 지도자가 되었을까? 만일 그 시대 그 장소에서 태어나지 않았다면 오늘날 간호는 어떻게 되었을까?

귀족가문이라는 사회적 위치 때문에 나이팅게일은 권력과 영향력이 있는 사람들에게 쉽게 접근할 수 있었다. 그래서 죽을 때까지 협력자이자 충실한 지지자로 남아있던 Stanly Herbert와 같은 많은 가문의 친구들이 있었다. 나이팅게일은 아버지가 그 지역의 정치적, 사회적인 활동을 하는데 귀족으로서의 역할을 한 것과 짧은 정치생활을 했던 아버지의 경험을 통하여 빅토리아시대 영국의 정치적인 과정에 대해 이해하는 것을 배웠다. 이를테면 자신의 주장을 위한 정치적인 투쟁을 위해 그녀는 자신의 경험과 이러한 사실에 의존하였다.

나이팅게일은 또한 그 시대의 사회적 변화와 개인의 건강에 대한 정치적 사회적 영향을 인식하였다. 산업화는 영국에 엄습하였고 새로운 사회계층, 새로운 질병, 그리고 새로운 사회적 문제를 유발시켰다. Dickens의 사회적 논평과 소설은 영국의 사회 개혁의 필요성과 건강관리에 대한 냉혹한 비평을 영국사회에 제시하였다. 그의 소설인 *Martin Chuzzewit*(Dickens, 1987)에서는 Sairey Gamp를 술에 취하고 숙련되지 않은 간호사로 묘사하여 빅토리아시대의 간호실무에 대한 공포이미지를 사회에 알렸다. Dickens와 나이팅게일의 협력관계는 분명히 간호와 건강관리의 정의, 그녀의 간호이론에 영향을 미쳤다. 또한 이들 협력관계는 사회적, 건강관리이슈에 대한 나이팅게일의 견해를 발표하는 공개토론forum을 갖게 하였다(Dossey, 2000; Kalisch & Kalisch, 1983a; Woodham-Smith, 1951).

많은 정치 지도자들과 지식인, 사회개혁자들(John Stuart Mill, Benjamin Jowett, Edwin Chadwick, Harriet Marineau)과의 담론은 나이팅게일의 간호이론과 철학의 근거가 되는 철학적이고 논리적인 사고를 발전시켰다(Dossey, 2000; Kalisch & Kalisch, 1983a; Woodham-Smith, 1951). 이러한 담론은 그 당시 그 사회에서 그녀가 수용하기 어려웠던 것을 변화시키기 위해 계속 노력하도록 고무시켰다

마지막으로, 나이팅게일의 종교적인 고뇌affiliation와 믿음은 특히 간호이론을 위해 매우 중요한 자원이었다. 유일신교처럼 교육받아 다른 사람의 이익을 위해 행동하는 그녀의 믿음은 신을 섬기는 기본적인 방법으로 이는 간호행위를 종교적인 소명calling이라고 정의하는 토대가 되었다. 게다가, 유일신교 공동체는 그들 신의 섬김과 삶의 완성을 위해 사람들을 돕는 수단으로, 신이 준 잠재력을 개발하는 수단으로 교육을 강력히 지지하였다. 나이팅게일의 신념은 그녀가 살아가는 동안 강점으로 작용하였고, 간호가 전문직이 되기 위해서는 교육이 결정적인 요소라는 믿음을 갖게 하였다. 특히 그 당시 영국에서 있었던 성공회와 가톨릭간의 종교적인 충돌 때문에 간호는 비종교적인secular 전문직이어야 한다는 강한 신념을 갖게 하였다(Dossey, 2000; Helmstadter, 1977; Nelson, 1997; Woodham-Smith, 1951). 나이팅게일의 강한 종교적인 신념과 소명에 대한 인식에도 불구하고, 종교적인 신념과 소명은 간호사의 필수요건은 아니었다. 실제로 크리미아(그들을 개종시켰다고 보고함)에서 수녀들의 업무에 대한 그녀의 반대는 바티칸의 개입수준에 대한 대립을 점차 높여갔다(Dossey, 2000; Woodham-Smith, 1951). 19세기의 목회 간호에 대한 Nelson의 평가는 간호에 있어서 종교적 봉사 역할에 대한 흥미로운 역사적인 관점을 제공하였다(Nelson, 1997).

주요 개념과 정의

나이팅게일의 이론은 환경에 초점을 맞추고 있다. 그러나 나이팅게일은 저서에서 *surroundings*라는 개념을 사용한다. 나이팅게일은 저술에서 통상적으로 환경을 의미하는 surroundings의 요소로 *환기, 보온, 빛, 식이, 청결, 소음 개념*에 대해 자세하게 서술하고 정의하였다.

「간호에 관한 이론적 견해」 Notes on Nursing(Nightingale, 1969)와 다른 저서에서 물리적 *환경*을 강조하는 것을 쉽게 확인할 수 있다. 전쟁으로 인한 폐허와 감화원과 같은 다양한 환경을 개선하고 향상시키기 위해 애썼던 구체적인 이수와 그 시대에 있어서 이러한 강조는 매우 적절하였다(Gropper, 1990). 건강한 환경에 대한 관심은 크리미아와 영국에 있는 병원 환경뿐만 아니라 환자들의 집과 빈민의 물리적 생활환경으로까지 확대되었다. 나이팅게일은 건강한 주위 환경이 적절한 간호를 위해 필수적이라고 믿었다. 환경적 건강의 다섯 가지 필수요소(*깨끗한 공기, 깨끗한 물, 효과적인 배수, 청결, 빛*)에 대한 그녀의 이론은 150년 전부터 오늘날까지 필수적이다.

환자를 위한 적절한 환기는 나이팅게일이 가장 많은 관심을 가졌던 것으로 보인다. 간호사에 대한 요구는 "사람들이 오한을 느끼지 않고 깨끗한 외부공기를 들이마시도록 하는 것"이었다(Nightingale, 1969, p. 12). 그녀가 그 시대에 새로이 개발된 세균germ이론은 부정하면서도, 적절한 환기에 대해 강조하는 것은 환경요소를 질병과 회복의 요인으로 인식하고 있음을 보여주는 것이다. 방안과 가정에서의 환기에 대한 논의에 덧붙여, 나이팅게일은 열소실을 확인하기 위하여 환자의 사지를 촉진하여 체온을 측정하는 것에 대해서 서술하였다(Nightingale, 1969). 간호사는 환기를 유지하고 환자의 보온을 위하여 좋은 열원을 제공하는 것, 창을 여는 것, 환자의 체위를 적절하게 하는 것 등에 대한 조작을 하도록 교육을 받는다.

빛 개념 또한 나이팅게일의 이론에서 중요하다. 특히 직접적인 햇볕을 환자들의 개별적인 요구로 확인하였다. 나이팅게일은 "빛은 인체에 실제로 확실한 영향을 많이 준다..... 병실의 공기에 대한 빛의 정화효과를 누가 관찰하지 못했는가?"라고 기록하였다(Nightingale, 1969, P. 84-85). 햇빛의 효과를 얻기 위해서, 간호사는 환자가 햇빛에 노출되도록 체위를 취해주고 움직이게 하는 교육을 받았다.

청결 개념은 나이팅게일의 환경 이론에서 또 다른 중요한 요소이다(Nightingale, 1969). 이런 점에서, 그녀는 구체적으로 환자, 간호사, 물리적인 환경의 청결에 대해 제시하였다.

주요 개념과 정의

비록 환기가 잘되는 환경일지라도 더러운 곳에는 세균이 존재한다. 그래서 신체분비물과 오수의 적절한 처리는 환경오염을 예방하기 위하여 필요하다. 마지막으로 나이팅게일은 그 당시 그러한 규정이 없을 때 환자들이 가능한 한 자주 매일 목욕하는 것을 주장하였다. 뿐만 아니라 간호사들 또한 매일 목욕하고 옷은 깨끗하게 입고 손을 자주 씻을 것을 요구하였다(Nightingale, 1969). 이러한 청결 개념은 환자의 개별적인 간호뿐 아니라 깨끗한 물이 귀하고 더러운 오수가 있는 열악한 환경에 모여 살고 있는 빈민들의 건강상태를 향상시키는데 있어서도 매우 중요하였다(Nightingale, 1969).

나이팅게일의 환경 이론에는 *조용함, 식이개념*이 포함되었다. 조용함에 대한 요구 또한 간호사가 사정하고 중재해야 할 하나의 개념이었다(Nightingale, 1969). 병실환경에서 물리적인 활동으로 발생되는 소음은 환자에게 해를 끼칠 수 있기 때문에 피해야 한다. 나이팅게일은 환자들의 식이에도 관심을 가졌다(Nightingale, 1969). 간호사에게 환자의 식이섭취를 사정하는 것 뿐 아니라 식사스케줄과 식이의 효과를 사정하도록 교육하였다. 그녀는 만성질환을 가진 환자들이 굶어죽을 수 있으므로, 지식 있는 간호사는 환자들의 이러한 영양요구를 성공적으로 충족시킬 수 있어야 한다고 믿었다.

나이팅게일 이론의 또 다른 구성요소는 사소한 관리petty management(간호관리)에 대한 정의 또는 서술이었다(Nightingale, 1969). 간호사는 물리적으로 행정적으로 환경을 관리하였다. 간호사는 신체적, 정신적으로 해로운 모든 것들로부터 환자를 보호하기 위해 환경을 조절해야만 한다. 예를 들어 간호사는 좋지 않은 소식, 환자의 회복에 부정적인 영향을 미치는 방문객, 갑작스런 수면장애를 일으키는 것으로부터 환자를 보호한다. 부가해서, 나이팅게일은 작은 동물과 같은 애완동물이 환자에게 편안감을 줄 수 있다는 것을 인식하였다. 나이팅게일은 또한 간호사는 다른 사람을 감독해야 하므로 자신이 근무하지 않을 때에도 환경에 대한 책임을 져야 한다고 믿었다.

경험적 증거의 이용

크리미아와 영국의 건강과 위생상태에 대해 서술한 나이팅게일의 보고서에서 그녀가 저명한 과학자이면서 실증적인 연구자라는 사실이 밝혀졌다. 통계학의 전문가라는 사실도 건강관리, 간호, 사회적 개혁 등 다양한 주제에 대해 그녀가 일생동안 작성한 보고서에서 입증되었다.

나이팅게일이 크리미아 전쟁동안 병원간호체계와 조직의 효율성을 설명했던 자세한 정보는 아마 그녀를 가장 잘 알리게 된 작업일지도 모른다. 「*전쟁후기 경험에서 얻은 영국군대의 건강, 효율 그리고 병원 행정에 영향을 준 요인에 관한 기록*」*Notes on Matters Affecting the Health, Efficiency & Hospital Administration of the British Army Founded Chiefly on the Experience of the Late War* (Nightingale, 1858a)에 있는 그녀의 경험과 수집된 자료에 대한 보고서는 영국 왕실의 위생위원회에 제출되었다. 이 위원회는 열악한 위생환경에 대한 나이팅게일의 문제제기로 인해 조직되었다. 이 보고서에 있는 자료는 나이팅게일이 크리미아 병원 막사의 개혁을 강력히 제안하는데 유익하게 이용되었다. Cohen(1984)에 따르면, 나이팅게일은 크리미아에 있는 영국군병원에서의 불필요한 죽음의 범위를 극적으로 나타내는 양극도형polar-area diagram을 창안하였다. 이 논문에서 Cohen은 "그녀는 사회적 현상을 객관적으로 측정하고 수학적 분석을 하는 혁신적인 의지를 가진 선구자로서 기여했다"고 적음으로서 연구자와 통계학자로서의 나이팅게일 업적을 요약하였다(1984, p. 128). Palmer(1977)는 기록, 의사소통, 배열, 부호화, 개념화, 추론, 분석, 합성을 포함한 나이팅게일의 연구기술을 서술하였다. 개별적, 체계적 수준에서의 사회적 현상의 관찰은 나이팅게일에게 특별히 중요하였고 그것은 저술하는 토대로 이용되었다. 나이팅게일은 간호사를 교육하는데 업무의 수행과 관찰을 동시에 하는 것을 강조하였고 그들이 일할 때 이러한 활동이 계속 이용되기를 기대하였다.

주요 가정

간호

나이팅게일은 간호가 다른 누군가의 건강을 책임지는 것이라는 점에서 그녀가 살아가던 그 시대의 모든 여성들은 간호사의 역할을 수행한다고 믿었다. 나이팅게일의 책인 「*간호에 대한 이론적 견해*」*Notes on Nursing* (Nightingale, 1969)는 가정에서 그들이 사랑하는 사람을 돌보기 위한 안내서, "간호사로 생각하는" 방법에 대한 조언을 여성들에게 주기 위해 1859년 처음 출판되었다(Nightingale, 1969, p. 4). 교육받은 간호사들은 그들 업무에 대한 부가적인 과학적 원칙들을 배우고 적용하여 환자를 회복시키기 위한 중재를 수행 할 때 환자의 건강상태에 대한 기록과 관찰을 더욱 노련하게 하였다.

인간

나이팅게일은 저서 대부분에서 인간을 환자로 언급하였다. 간호사는 *환자*에게, 환자를 위해서 업무를 수행하였고 회복을 돕기 위해 환자의 환경을 조절하였다. 대부분 나이팅게일은 이런 관계에서 환자를 수동적으로 묘사하였다. 그러나, 가능하거나 특별한 경우 자가 간호를 수행하는 환자의 예가 있는데 이는 식사의 내용이나 시간적 조절을 하는 경우이다. 이런 경우 그 환자는 완전히 수동적인 사람은 아니다. 나이팅게일은 환자를 한 인간으로 보아야 한다는 신념을 보여 간호사는 환자에게 그들의 기호에 대해 묻도록 교육받았다. 어쨌든 간호사는 환자의 환경에 대해 책임지고 관리해야 하고, 불이행하는 환자의 행위를 조절해야 한다고 나이팅게일(1969)은 강조하였다. 나이팅게일은 다양한 배경을 가진 사람을 인간으로 존중하고, 사회적 가치에 의해서 판단해서는 안된다고 하였다.

건강

나이팅게일은 건강을 안녕 그리고 인간이 그들의 삶을 살아가는데 있어서 최대한 가지고 있는 모든 힘(자원)을 충분히 사용하는 것으로 정의하였다. 부가적으로 질병과 질환을 사람들이 건강문제를 간호하지 않아도 자연적으로 회복되는 과정으로 보았다. 나이팅게일은 환경관리와 사회적인 책임에 의한 질병예방을 통하여 건강유지를 계획하였다. 그리고 현대 보건간호가 무엇인지, 더욱 현대적인 개념인 건강증진이 무엇인지 기술하였다. 또한 건강 간호health nursing 개념을 아픈 환자를 회복하게 하거나 혹은 죽을 때까지 보다 나은 삶을 살게 하는 간호와 구별하였다. 이러한 건강간호개념은 오늘날 건강을 유지하는데 이용하고, 질병을 예방하는 방법에 대해 사람들을 가르치는 영국과 다른 나라의 간호사와 건강종사자의 역할로 남아있다. 그것은 또한 미국에서 작은 변화를 시도한 공중 보건기관과 부서들이 이용한 하나의 모델이기도 하다.

환경

나이팅게일의 환경에 대한 개념에서 간호는 "환자의 힐링을 위해서 자연을 보조하는 것"을 강조하였다. 환경에 대한 정의에 의하면 환자 주변에 있는 모든 것 중에서 환경이 아닌 것은 거의 없다. 가정에서 간호를 하는 사람과 병원에서 훈련받은 간호사 모두에 대한 충고admonition는 환자의 회복과 안위를 높일 수 있는 치료적 환경을 유지하고 만들어가라는 것이다. 농촌 위생에 대한 논문에서는 환경적인 문제와 그 결과에 대해 믿을 수 없을 만큼 구체적으로 서술하였고 가정과 지역사회를 위한 이러한 문제에 대해서 실무적인 해결이 포함되었다(Halsall, 1977).

그 당시 환경에 대한 나이팅게일의 가정과 이해는 그녀의 철학과 가장 관련이 있었다. 나이팅게일은 아픈 가난한 사람들이 그들의 신체와 마음에 영향을 주는 환경의 개선으로 이득을 볼 수 있다고 믿었다. 간호사가 그들의 신체적, 정신적 생활여건을 향상시킴으로서 가난한 사람의 사회적 지위를 바꾸는 도구가 된다고 믿었다.

그 시대의 많은 귀족은 빈민의 생활상을 알지 못했다. 그러나 나이팅게일의 어머니는 그들의 사유지 주변에 있는 가난한 이웃들을 방문하여 돌봐주었다. 나이팅게일은 어릴 때부터 이러한 방문에 동행하였고, 성장했을 때 자신이 그 일을 계속하였다. 그래서 나이팅게일은 자신의 편안한 삶과 동떨어진 직접체험, 그리고 관찰과 경험을 통하여 물리적 환경과 건강상태에 미치는 환경의 영향에 대해 이해하게 되었다.

이론적 주장

나이팅게일은 질병을 회복되는 과정이라고 믿었다. 질병은 중독 혹은 부패나 그 사람이 가지고 있는 상태에 대한 반응을 치료하기 위한 자연의 노력이었다. 이러한 개념이 오늘날 바보처럼 보이지만, 그 시대에 널리 알려진 것(질병을 벌punishment 이라고 봄)보다는 좀 더 과학적이었다. 자연을 신과 같은 동의어로 제시하면서 그녀의 저서에서 *자연*이라는 단어를 자주 대문자로 기록하였다. 그녀의 유일신교인 종교적 믿음은 신을 자연으로 보았다. 그러나 소문자로 *자연 nature*이란 단어를 사용했을 때는 유기체의 병리적인 과정과 동의어인지 아니면 다른 것을 의미하는지 명확하지 않다. 나이팅게일은 간호의 역할이 회복과정의 방해물을 예방하고, 회복과정을 촉진하기 위한 적절한 조건을 제공하여 환자의 회복을 확실하게 하는 것이라고 믿었다.

나이팅게일은 간호교육(훈련)에 완전히 몰두하였다. 모든 여성을 위한 「*간호에 대한 이론적인 견해*」를 썼음에도 불구하고, 그녀의 첫 번째 논문에서는 좀 더 많은 훈련을 요구하는 예방적 건강관리(공중보건간호)를 제공하기 위해 또는 아픈 환자의 간호를 제공하기 위해서는 세분화된 구체적인 교육이 필요하다고 하였다. 나이팅게일(1969)은 또한 간호사는 환자와 환경에 대해 유능한 관찰자여야 한다는 것을 느꼈다. 관찰은 교육받은 간호사의 계속되는 활동 중 하나이다. 게다가 간호사는 실무에서 관찰, 인내, 독창력과 함께 일반상식도 이용할 필요가 있다고 믿었다. 마지막으로, 나이팅게일은 사람들은 간호사와 협력하여 건강을 소망하고, 또한 질병을 예방하기 위하여 환경을 개선하여 회복과정을 가져오는 자연을 원한다고 믿었다.

비록 나이팅게일이 종종 세균germ이론을 수용하지 않으려고 헐뜯고 비웃었지만, 환자와 환경의 유기체를 통한 전염contagion과 오염contamination개념을 명확히 이해하였다. 나이팅게일이 관찰한 많은 부분은 감염과 세균이론과 일치하였다. 예를 들면, 다양한 질병에 대한 예방접종 개념을 포함하였다. Small(2004)은 나이팅게일이 세균이론은 믿었지만 피할 수 없는 감염을 일으키는 질병의 균이 있다는 것은 믿지 않았다고 주장하였다. 그와 같은 이론은 공중위생sanitation과 바람직한 개인위생이 감염을 예방할 수 있다는 믿음과 상반되었다. 환경에 대한 적절한 관리가 질병을 예방할 수 있다는 그녀의 신념은 현대의 공중위생 활동에서 강조된다.

나이팅게일은 간호사의 돌봄 행위를 명쾌하게 논의하지 못했다. 대인관계가 환자의 회복과정에 영향을 준다는 것 외에 대인관계에 대하여 거의 기술하지 않았다. 간호라고 불리우는 현상과 간호업무의 필요성을 서술하였다. 크리미아에서 경험한 간호실무의 예는 돌봄 행위의 증거로 제공되었다. 이것은 새로운 개념으로 밤에 환자를 관찰하는 것으로 임종 시 함께 있어주고, 수술하는 동안 침대 옆에 서있으며, 그들을 위해 편지를 쓰고, 회복하는 동안 독서실을 포함하여 읽을거리를 제공하는 등의 실무도 포함된다. 또한 그녀는 병사들이 죽은 후에 그들의 가족들에게 편지를 썼다. Watson은 나이팅게일의 서술/행위에 대해서 한계를 초월한 의미를 위한 청사진이고 돌봄의 모델이라고 정의한다(Watson.2010, p. 107). Neils(2010)은 순회에 대한 나이팅게일의 서술에 기반한 연락간호로서의 간호사의 역할인 돌봄을 서술한다. Neils은 이 활동을 다른 간호관찰을 수행하는 동안에도 돌봄을 표현하고 영적인 지지를 표현하는 하나의 방법이라고 해석한다. Straughair(2012)는 간호에서 열정(돌봄의 요소로서)을 상실하였다는 것이 영국의 국가건강서비스에서 밝혀졌다고 보고하면서, 나이팅게일의 전문직 간호에 대한 주목이 이루어져야 한다고 청원하였다. 유사하게 Burkhart와 Hogan(2008)과 Wu와 Lin(2011)은 나이팅게일이 처음으로 서술한 간호실무에서 영적 간호를 규명하는 연구를 수행하였다. 이 연구의 배경(미국과 대만)은 나이팅게일 작업의 보편성을 조명하였다. Straughair(2012)는 근대간호에서 사라진 것으로 보이는 열정의 재발견이 필요하다는 사례를 만들었다. 마침내 Wagner와 White(2010)은 "나이팅게일 자신의 저서에서 "돌봄 관계 "를 탐구하고 분석한다. 이 역사적 연구를 통해 우리는 나이팅게일이 어떻게 돌봄의 근대적 개념을 서술하는가에 대해 이해할 수 있다.

나이팅게일은 간호사는 도덕적이어야 한다고 믿었다. 환자와의 전문적 관계에 대해 진술하였다. 간호사에게 비밀유지confidentiality원칙과 빈민의 건강과 사회적인 상황을 향상시키기 위해 빈민의 돌봄을 위한 옹호원칙을 교육하였다. 덧붙여, 현대 윤리개념의 한 요소인 환자들의 의사결정을 언급하였다. 나이팅게일(1969)은 환자가 내리는 결정이 우유부단하거나 마음이 변하여 환자에게 더 해가 되는 경우 간호사와 의사가 내리는 명료하고 정확한 의사결정이 필요하다고 하였다. Hoyt(2010)은 나이팅게일이 어떻게 윤리적 전문직으로서의 간호와 간호속에 내재된 윤리적 실무로서 간호를 정의하는가를 분석한다.

논리적 형식

나이팅게일은 관찰과 경험으로부터 건강, 질병, 간호의 법칙을 끌어내기 위해 귀납적인 추론과정을 이용하였다. 어린시절 교육 특히 철학과 수학교육은 논리적인 사고와 귀납적인 추론능력에 도움이 되었다. 예를 들면, Scutari 병원상태에 대한 관찰은 오염되고 더럽고, 어두운 환경이 질병을 일으킨다는 것으로 결론을 내게 하였다. 나이팅게일은 그런 환경에서 만연한 것으로부터 질병을 예방할 뿐아니라 세밀한 기록을 보존함으로서 결과를 타당화하였다. 자신의 간호교육, 런던에서의 감독자로서의 경험과 크리미아에서의 경험으로 인해 관찰을 할 수 있게 되었고 간호교육과 환자간호원칙을 세울 수 있었다 (Nightingale, 1969).

간호학계의 수용

실무

나이팅게일의 간호 원칙은 오늘날까지 적용가능하다. 이론의 환경적인 측면(환기, 보온, 조용함, 식이, 청결)은 간호의 필수요소로 남아있다. 21세기에 들어와서도 간호사가 실무에 입문할 때 이들 개념의 적절성은 지속되었다. 실제로 국제사회가 질병관리의 새로운 이슈에 직면하면서 그 개념의 적절성은 더욱 증가하였다. 미국에서 현대 위생과 물 관리가 성공적으로 질병의 전통적인 원인으로 관리되는 동안에, 환경 변화나 일반적이라고 하기 어려운 오염물질의 유입으로 인한 오염된 물은 여러 나라에서 건강이슈로 남아있다. 세계 여행은 이전에 예상했던 것보다 더 빠르게 질병의 전파와 전파가능성을 극적으로 증가시켰다. 뿐만 아니라 현대의 위생, 적절한 물 관리, 그리고 질병의 다른 전파방법에 대한 인식과 통제는 전 세계 간호사의 도전으로 남아있다.

새로운 환경에 대한 관심은 현대건축(예:sick-building syndrome) 때문에 생겨났다;간호사는 현대 빌딩이 나이팅게일이 언급한 바람직한 환기에 관한 원칙을 지켰는지 알아볼 필요가 있다. 다른 한편으로 환경을 통제하여 간접흡연, 독가스, 자동차 배기와 다른 환경유해물로부터 주민을 보호해야 한다. 현대사회에 있는 독성폐기물, 화학제품을 포함한 폐기물 처리는 간호사와 다른 건강전문직들이 건강한 환경개념을 재평가하기 위한 도전이기도 하다(Butterfield, 1999; Gropper, 1990; MNA, 1999; Sessler, 1999). Shaner-McRae, McRae, and Jas(2007)은 개인 환자의 환경과 나이팅게일에 의해서 규명된 다양한 환경 개념으로 합병된 보다 큰 환경에 영향을 미치는 병원의 환경적 조건을 서술하였다. 그들은 서구의 병원에 초점을 맞추었지만, 이것은 간호사에게는 국제적인 도전의 근거가 된다.

건강관리시설에서 환자개인을 위한 병실온도를 조절하는 능력은 점점 더 어려워지고 있다. 그와 같은 환경은 환자의 회복과정을 돕기 위해 이용되는 기계작동으로 인해 큰 소음을 발생시키기도 한다. 이들 소음이 환자와 건강관리체계에 계속 영향을 준다면 간호사는 이 문제를 학문적인 면에서 보아야 한다(McCarthy, Ouimet, & Daun, 1991; McLaughlin, McLaughlin, Elliot, & Campalani, 1996; MNA, 1999; Pope, 1995).

Monterio(1985)는 위생학자이자 사회개혁자인 나이팅게일 저서의 포괄적인 논평review을 미국 공중보건위원회American Public Health Community에 제공하였는데 이는 다양한 장소에서의 건강관리에 대한 영향력 그리고 빈곤과 위생문제에 관한 그녀의 관심을 다시 상기시키기 위함이었다. 미국의 다른 학문분야에서 점점 그러한 이슈들이 제안되지만, 모든 시민들에게 건강한 환경을 보장하기 위한 사회적, 정치적 활동무대에서 간호사의 역할은 능동적이며, 또한 직접적인 환자간호를 제공하는 간호에 있어서도 적극적이라는 사실은 분명하다.

McPhaul and Lipscomb(2005) 나이팅게일의 환경원칙을 직업건강간호의 실무에 응용하였다. 이 전문간호사들은 현재의 환경 건강문제가 국소적, 지역적, 그리고 국제적 수준에서 점차적으로 증가한다고 인식하였다. 여행, 이민, 물리적 환경 등에서의 근대적 변화는 여러 가지의 건강문제의 원인이 된다. 감염성 질환(예, HIV, TB, West Nile virus)은 이러한 변화의 예들이다. 더하여 간호사들은 독성 물질의 확산과 병원감염과 환자의 환경에서 저항성 병원체(예 MRSA)의 발달에 직면해있다; 손씻기와 환경적 청결함과 같은 첫 번째 방어선은 나이팅게일의 원래의 환경이론과 원칙에 귀기울이게 한다. 환경변화와 오염에 의해서 발생된 다른 문제들은 나이팅게일을 경악시키겠지만, 나이팅게일이라면 통제를 위하여 전형적으로 공격적인 방법으로 접근할 것이다. 의료체계와 제공자들은 의료환경에서의 감염예방을 통해서 환자의 안전을 증진시키려고 노력하는데, 이런 작업은 나이팅게일의 단어들속에서 틀을 갖출 것이다; "명확히 선언하기가 이상한 것으로 여겨지는 것으로 바로 그 첫 번째의 요구는 병원에서 환자에게 해를 끼치지 않아야 한다는 것이다."(Vincent, 2005).

의학적 발전과 과학적인 발견으로 나이팅게일의 이론적 근거의 일부분이 수정되거나 부정되었음에도 불구하고, 개념의 많은 부분과 이론의 일부분에 대한 시대의 검증과 기술적인 발전은 계속되어왔다. 그녀의 많은 이론이 오늘날의 간호와 관련지어져 있다는 것은 명백하다. 나이팅게일 저서에 있는 개념들은 정치적인 논평에서 학구적인 연구에 이르기까지 간호문헌에 계속 인용되고 있다. 몇몇 저자들은 최근 나이팅게일의 관리 양식의 항시성timelessness, 일반성을 재확인하기 위해 사소한 관리 개념과 행위를 분석하고 있다(Decker & Farley, 1991; Henry, Woods, & Nagelkerk, 1990; Monteiro, 1985). Lorenzon(2003)은 멘토로서의 나이팅게일의 역할에 주목하고, 나이팅게일의 학생인 Rachel Wlliams와 나이팅게일간의 편지글을 분석하였다. 이 분석을 통해서 나이팅게일의 이론에 기반한 멘토링 접근에 대한 고찰을 제공한다; 나이팅게일은 Rachel Wlliams에게 제안한 관리에 대한 코멘트에서 멘토링과 전문직 발달을 위한 오늘날의 간호사의 요구에 대한 좋은 토론을 자극하였다. Lannon(2007)과 Narayanasamy와 Narayanasamy(2007)은 간호직원의 시험과 리더십 발달을 간호실무에서 계속교육의 필수적인 요구에 대한 나이팅게일의 진술문에 기반을 두었다.

마지막으로, 몇몇 저자들은 특히 여성주의 이론개발 측면에서 선거권 운동에 있어서 나이팅게일의 역할을 분석하였다. 비록 나이팅게일이 이 운동에 적극적으로 참가하지 않았다는 비판을 받았지만, 나이팅게일은 John Stuart Mill에게 보내는 편지에서 다른 방법으로 여성을 위해 일할 수 있다는 것을 제시하였다(Woodham-Smith, 1951). *Cassandra*(Nightingale, 1852)라는 제목의 수필은 현재 여성주의로 알려진 개념에 대한 강한 지지를 반영하고 있다. 학자들은 현 시대 여성주의 운동에서의 나이팅게일의 역할과 위치를 분석하고 사정하는 것을 계속하였다(Dossey, 2000; Hektor, 1994; Holiday & Parker, 1997; Welch, 1990). Selanders(2010)은 나이팅게일은 여성주의자였고, 여성주의자로서 그녀의 신념은 근대 전문직 간호의 발달로 통합되었다라고 강력하게 주장하였다.

교육

간호교육에 대한 나이팅게일의 원칙(과학적 원리에 대한 교육과 기술숙달을 위한 실무경험)은 영국에 있는 왕립대학병원과 성 토마스 병원에 설립된 초기 간호학교의 일반적인 표본template으로 제공되었다. 미국에서 나이팅게일의 간호교육모델을 사용하여 1873년 실험적으로 세 개의 학교가 설립되었다(Ashley, 1976).

1. 뉴욕에 있는 Bellevue 병원
2. 코네티컷의 New Haven 병원
3. 보스톤의 Massachusetts 병원

이러한 교육체계의 영향과 원칙의 많은 부분이 아직도 오늘날의 간호프로그램에 증거로 남아있다.

나이팅게일은 학생이 병원의 노동인력labor pool에 포함되지 않도록 보장하기 위해 병원으로부터 간호교육의 독립성을 주장했음에도 불구하고, 미국간호학교들은 오랜 세월동안 독립성을 이루지 못했다(Ashley, 1976). 나이팅게일은 면허시험으로 간호의 예술적인 면art of nursing을 측정할 수 없으므로 성 토마스 병원에서 초창기 간호사에게 시행한 사례연구(기록)를 포함한 시험방법들을 이용해야 한다고 믿었다.

나이팅게일은 좋은 실무는 좋은 교육에 의해서만 가능하다는 사실을 분명히 이해하였다. 이런 메시지는 간호에 대한 저서를 통하여 널리 알려졌다. 나이팅게일 역사학자인 Joanne Farley는 "교육은 간호사로서 자신의 업무를 알게 하기 위하여 가르치는 것이다. 교육은 지적이고 책임 있는 사람처럼 최선을 다하여 행동하는 간호사가 될 수 있도록 하는 것이다..."라고 기록하여 현대 간호학생에게 응답하였다(Decker & Farley, 1991, pp. 12-13). 만일 나이팅게일이 간호사의 교육적 요구를 정의하지 않고 첫 번째 학교를 설립하였다면 아픈 사람을 간호하는 것이 무엇인지 상상하는 것은 어려웠을 것이다.

연구

과학적 방법과 통계학에 대한 나이팅게일의 관심은 간호연구에서 이용되는 과학적 방법을 분명히 하기 위해 계속되었다. 자료를 수집하고 분석하는 능력은 매우 능률적이고 탁월하였다. 자료를 도표로 표현하는 나이팅게일의 능력은 첫째로 창안한 도표 설명graphic illustration형식인 양극화도형polar diagram에서 확인되었다(Agnew, 1958; Cohen, 1984, McDonald, 2010b). 의료전달체계의 문제를 해결하기 위한 경험적 접근은 수많은 편지 자료에 분명하게 나타나 있다.

만일 나이팅게일의 저서가 이론으로 정의되고 분석되었다면, 근대간호에 적용할 수 있는 철학적인 접근을 나타낼 수 있게 보여질 것이다. 의료전달체계의 문제를 해결하기 위한 실증적 접근은 수많은 보고서들과 편지에 포함된 자료에서 명백하다. 나이팅게일의 저술이 이론으로서 정의되고 분석될 때, 근대 간호에 적용할 수 있는 철학적 접근을 보이는 것으로 간주될 것이다. 나이팅게일이 밝힌 개념들은 현대간호과학과 실무 외 최근 연구의 토대로 사용된다. 가장 주목할만한 것으로는 환경environment과 환경의 간호에서의 중요성에 초점을 둔 점이다. 끝으로 나이팅게일이 「*간호에 대한 이론적 견해*」(1969)에서 논의한 많은 개념을 보여주기 위한 예로서 간단한 사례연구를 이용하였다는 기록은 흥미로운 일이다.

미래의 발전

나이팅게일의 철학과 간호이론은 나이팅게일의 저서로 가장 잘 알려진 「*간호에 대한 이론적 견해*」(1969)에서 간결하고 명료하게 기술되어 있다. 원저의 내용은 이론을 가장 잘 분석하도록 되어 있다. 나이팅게일은 이 원저에서 병자의 간호를 위한 지침을 제공하고, 간호가 무엇이고, 간호가 아닌 것은 무엇인가를 명확하게 하였다. 책의 내용은 이론분석으로 잘 처리될 수 있을 것으로 여겨진다. Hardy(1978)는 나이팅게일이 행동의 전체성totality을 설명하는 거대이론을 만들었다고 언급하였다. 개발된 간호이론에 대한 지식에 비춰본다면, 나이팅게일의 작업은 간호의 철학으로 인식되어진다. 비록 일부의 진술은 검증되었지만, 대부분의 원칙들은 의미의 예를 보이는 일회성의 상황에서 유추되어 그들의 주장을 지지한다. 그녀의 작업은 이론으로서 논의되기도 하지만, 나이팅게일의 전제는 간호실무와 현재의 간호이론의 발달을 위한 기초를 제공한다는 점은 명백하다. Tourville 와 Ingalls(2003)은 나이팅게일을 간호이론들의 살아있는 나무의 몸통라고 서술하였다.

비평

명료함

나이팅게일의 이론은 다음의 3가지 주요관계를 포함하고 있다.

1. 환자와 환경
2. 환경과 간호사
3. 간호사와 환자

환경이 환자들에게 질병을 발생시키는 주요 요인이라고 나이팅게일은 믿었다. 질병을 "우리 자신들이 접하고 있는 상태에 대항하는 매우 자연스런 반응"으로 간주하였다(Nightingale, 1969, p. 56). 나이팅게일은 환경의 해로움을 인식할 뿐 아니라 질병을 예방하는데 있어서 좋은 환경의 유익함을 강조하였다.

간호사의 실무에 있어서 환자의 회복을 촉진시키기 위한 많은 방법 중에 환경조절이 포함된다. 오염과 감염물질의 배제, 신선한 공기, 빛, 보온, 조용함이 환경을 통제하거나 조작하는 요소로 확인되었다. 나이팅게일은 오염과 병실의 환기, 조명과 환자의 체위, 청결과 어둠, 소음, 그리고 환자의 자극에 대해 논의하면서 이들 요소들 간의 관련성을 밝혀내기 시작하였다. 또한 병실과 집의 안정감 간의 관계, 집과 주위 이웃 간의 관계에 대해서도 기술하였다.

간호사와 환자의 관계는 나이팅게일의 저서에서 비교적 잘 정의되었다. 환자의 식습관과 기호, 사랑스러운 애완동물로 인한 환자의 편안함, 정서적 고통으로부터 환자 보호, 환자가 자가 간호 할 때의 에너지 보존에 관한 논의에서 간호사와 환자 간의 협력과 협동에 대한 제안이 있었다. 마지막으로, 나이팅게일이 환자간호에 대한 지침을 주기 위해, 그리고 간호중재에 대한 반응이 증가 또는 결여되었는지를 평가하기 위해 광범위하게 이용되는 관찰개념을 논의한 것은 흥미 있는 일이었다.

간단성

나이팅게일은 기술적, 설명적 이론을 제공하였다. 역학적인 요소에 초점을 둔 환경이론은 예측적인 잠재력을 가졌지만, 나이팅게일은 결코 그런 면으로 이론을 검증하지는 않았다. 나이팅게일이 의도적으로 간호이론을 개발하였는지는 분명하지 않다. 간호의 과학과 예술을 정의하려고 하였고 환자에게 좋은 간호를 하여 생기는 결과에 대한 설명으로 일반적인 규칙을 제공하였다. 그래서 실무와 간호의 개발을 위한 4가지 일반적인 규칙을 만드는 목표는 이러한 단순한 이론을 통해서 충족되었다.

일반성

나이팅게일 이론은 150년 보다 더 오래 전에 소개된 이래 모든 간호사를 위한 일반적인 지침을 제공하고자 이용되었다. 그녀가 서술했던 어떤 행동들은 더 이상 적절하지 않더라도 개념들의 일반성과 항시성은 영구적으로 남아있다. 간호사들이 관찰의 역할과 결과의 측정을 간호실무의 필수요소로서 인식하는 것이 증가하였다. Burnes Bolton과 Goodenough(2003), Erlen(2007), Robb, Mackie, & Elcock(2007)과 Weir Hughes(2007)은 모두 나이팅게일의 관찰에 대한 언급에 기반하여 환자결과의 측정과 질향상의 방법에 대해서 서술하였다. 몇몇 관련 개념(간호사, 환자, 환경)은 오늘날 모든 간호현장에서 적용가능하다. 그러므로 이 이론은 일반성의 기준에 부합된다.

접근성

나이팅게일 이론에 있는 개념과 개념간의 관계는 암암리에 자주 진술된다. 그리고 일시적이고 검증가능하기보다는 오히려 진리르 알려져 있다. 나이팅게일은 크리미아에서 수행된 사망률에 대한 양적연구와는 대조적으로, 실무는 자신의 관찰과 경험을 토대로 해야 한다고 간호사에게 조언하였다. 그녀의 개념은 양적 방법과 마찬가지로 오늘날 질적접근의 연구에도 적합하다.

중요성

나이팅게일의 저서에서는 간호사가 환자와 자신을 의하여 할 일을 비범하게 지시하였다. 이러한 지시는 실무, 연구, 교육의 영역을 포함한다. 간호실무를 만들기 위해 시도했던 원칙은 매우 구체적이다. 그녀는 간호사에지 "당신의 의견이 아닌 실제의 사실"을 의사에게 말하도록 촉구하였다(Nightingale, 1969, p. 122). 유사하게, "만일 관찰하는 습관을 가질 수 없다면 간호사가 되는 것을 포기하는 것이 낫고, 소명 받은 것이 아니라면 친절하고 사려 깊어야 한다고 조언하였다."(Nightingale, 1969, p. 113).

나이팅게일의 인간성에 대한 견해는 그녀의 간호이론과 일치하였다. 성장과 변화를 위한 능력과 잠재력을 가진 창조적이고 우주적인 인간성을 믿었다(Dossey, 2000; Hektor, 1994; Palmer, 1977). 또한 간호를 종교적으로 신의 의지를 수행하는 수단으로 보았다. 개혁자로서 생긴 열의와 정의로움은 그녀가 옹호했던 신념과 실무를 설명해주었다. 끝으로 나이팅게일의 견해를 좀더 잘 이해하기 위해서는 영국 빅토리아 시대 그녀가 살았던 장소와 기간을 이해하고 고려해야 한다.

환자의 환경 조절과 정서적 간호에 대한 나이팅게일의 기본 원리는 현대 간호현장에도 적용될 수 있다. 비록 일부의 비판이 있지만 나이팅게일의 이론과 원칙은 전문직 정체성과 간호실무와 관련이 있다.

*Notes on Nursing*을 읽으면 나이팅게일에 의한 문장과 관찰은 오늘날 간호의 세계에 매우 중요함을 알 수 있다. Vidrine, Owen-Smith와 Faulkner(2002)는 말을 이용한 그룹 심리치료를 인도하는 이론으로 이런 관찰중 하나를 규명하였는데, "작은 동물이 아픈사람 특히 오랫동안 만성질환을 앓고 있는 환자를 위해서 훌륭한 동반자가 될 수 있다"(Nightingale, 1969, p. 102). 비록 말이 "병실에서 작은 동물"과는 같지 않지만 이 저자들은 자신들의 치료가 환자에게 성공적이었음을 발견하였다. 실제로 나이팅게일은 자신의 이론에 대한 증거이다.; 그녀는 60마리의 고양이를 키웠다(그녀는 성인기에 만성적으로 아팠으나 90세까지 살았다)

요약

플로렌스 나이팅게일은 세계사에 남는 유일한 인물이다. 그녀의 사진이 100년동안 영국의 10파운드 지폐에 있다. 세계적으로 그처럼 다양한 지역의 많은 사람들의 우상으로 남아있는 어떤 다른 여성도 아직은 없다. 그들의 삶과 업적에 대한 해석, 논쟁, 관심을 그만큼 자극하는 인물도 거의 없다. 간호 전문직은 그의 업적에 대한 오늘날의 영향에 대해 아직도 논쟁이 있기는 하지만 그녀를 계속해서 현대간호의 창시자로 보고 있다.

나이팅게일은 간호하는데 필요한 전문적 기술, 행동과 지식 그리고 업무에 대해 교육받은 간호사를 정의하였다. 이러한 서술의 유물remnants은 비록 오늘날 많은 간호사들이 그들 서술의 근원을 기억하거나 알지 못해도 오늘날 간호 전문직에 잘 전해지고 있다.

세계의 과학적, 사회적 변화에 근거하여 경험적 지식의 일부분은 부정되었다. 그러나 철저한 분석에서 보여준 신념, 철학과 관찰을 강조하는 것은 계속 타당할 것이다. 나이팅게일은 의식적으로 간호이론을 개발하려고 시도하지는 않았다. 그리고 오늘날 전문직 간호를 형성하는 이론과 개념적인 모델, 틀을 개발할 수 있는 간호사에 대해 처음으로 정의하였다. 다른 전문직들도 점차적으로 나이팅게일을 여성지도자로 인정하였다. 수학자들은 탁월한 통계학자로 나이팅게일을 존경하였고, 한편 역학자 및 공중보건전문직, 일반건강관리종사자들도 건강증진과 질병예방을 수행한 사람들에 대한 서술로 자신들 학문 분야의 원조로 나이팅게일을 간주하고 있다. 사회학자들도 지역사회와 사회적 질병을 정의하고, 지역사회 구성원의 건강을 향상시키는 방법으로 사회문제를 개선하기 위한 연구를 하는 데에 나이팅게일의 지도자 역할을 인정하고 있다.

나이팅게일의 사후 100년동안 세계의 간호계는 나이팅게일의 삶과 일에 대해서 특별히 주목하였다. 특히 *Journal of Holistic Nursing*은 다양한 논문들을 출판하였다(이장에서 인용함), 그중 특별한 것으로 Beck의 나이팅게일의 철학에 기초한 21세기 간호실무를 위한 7가지 권고에서는 세계를 통하여 나이팅게일의 작업을 흠모하는 간호사들에게 분명한 메시지를 제공한다.

학생이든 실무자든 모든 간호사는 나이팅게일의 최초 원저에 친숙해지고 점차적으로 이용 가능한 많은 책과 자료를 읽어야 한다(McDonald, 2001부터 현재까지). 만일 당신이 전에 「*간호에 대한 이론적 견해*」(1969)를 읽고 다시 읽는다면 비뚤어진 유머감각에서의 간결한 모습처럼 새롭고 영감 있는 아이디어를 발견해 낼 수 있을 것이다. 나이팅게일의 저서에서 논리와 상식은 간호사 개인과 간호 전문직을 위한 생산적인 사고를 자극하는 데 이용 될 수 있다. 나이팅게일의 삶을 모방하는 것은 우리의 지역사회와 국가, 세계의 좋은 시민이 되고 지도자가 되는 것이다. 나이팅게일이 현대간호의 훌륭하고 창조적인 선구자이자 첫 번째 간호이론가로서 계속 인식되는 것은 너무도 당연하다. 나이팅게일은 오늘날 간호에 관해 무엇을 말하고 있는가? 무엇을 말하든지 간에 그녀는 아마도 객관적이고 논리적으로 신뢰할 수 있는 분석과 비평들을 제공한다.

사례연구

요리하다가 다리 아래부위에 화상을 입어 몇 주 동안 입원치료를 받고 있는 82세 할머니 환자를 간호하고 있다. 할머니는 입원하기 전에 작은 아파트에서 혼자 살고 있었는데, 입원할 때 아무 가족이 없다고 말했다. 할머니를 도와주는 사람은 이웃에 살고 있는 다른 노인이었다. 다른 이웃들은 교통이 불편하여 그 할머니를 자주 방문할 수 없었다. 이웃 중 한 명이 할머니는 애완견 한 마리를 기른다고 하였다. 할머니를 돌보고 있을 때 할머니는 이웃 친구가 애완견을 데리고 병원에 올 수 있게 해달라고 당신에게 간청하였다. 할머니는 다른 어떤 간호사도 이 얘기를 들어주지 않는다고 당신에게 말하면서 울기 시작하였고, 애완견과는 절대로 따로 떨어질 수 없다고 말한다. 당신은 아침 보고시간에 직원들에게 이 할머니의 안녕감과 안위를 위해 관심을 가지도록 상기시켰다. 그들은 할머니가 음식을 거의 먹지 않고 우울해 보인다고 말했다. 나이팅게일의 연구를 토대로 당신이 이 할머니를 간호하는데 수행해야 할 구체적인 중재를 확인하시오.

1. 할머니가 애완견을 보게 해달라고 요청할 때 당신이 취해야 하는 행동이 무엇인지 기술하세요. 당신 결정의 이론적 근거와 나이팅게일 연구의 이해에 근거한 행동에 대해 논의하시오.
2. 당신이 내린 간호진단과 할머니의 영양상태와 정서적인 안녕감을 위해 시작한 중재들이 무엇인지 서술하고 논의하시오.
3. 이 환자의 담당간호사로서 퇴원에 대한 계획을 확인하고 논의하시오. 퇴원팀의 구성원과 이 과정에 있어서 퇴원팀의 역할을 확인하시오. 나이팅게일의 관찰과 간호사의 역할에 대한 서술을 근거로 이 환자를 어떻게 옹호할 수 있는지 설명하시오.

비판적 사고

1. 당신의 지역사회가 자연재해(토네이도, 홍수, 허리케인, 지진 등)의 위험에 놓여있다. 이러한 사건들 중의 하나를 위한 응급계획을 개발하기 위해 나이팅게일의 원칙과 관찰을 사용하시오. 계획에 포함시킬 항목들을 개괄하시오.
2. 나이팅게일의 *환기, 빛, 소음, 청결 개념*을 이용하여 당신이 학생이나 간호사로 일하고 있는 간호현장을 분석하시오.
3. 당신은 병원에서 질향상프로젝트에 참여하고 있다. 나이팅게일의 접근에 기반하여 그룹에게 제시할 아이디어를 어떻게 개발할 것인지를 공유하시오.

POINTS FOR FURTHER STUDY

- Florence Nightingale: *The nurse theorists: Portraits of excellence,* The Helene Fuld Health Trust (1990), Studio Three Productions, a division of Samuel Merritt College, Oakland, CA. (Video/DVD available from Fitne, Inc., Athens, OH.)
- McDonald, L. (Ed.). (2001–present). *The collected works of Florence Nightingale.* Ontario, Canada: Wilfred Laurier University Press. Retrieved from: http://www.sociology.uoguelph.ca/fnightingale.
- Nightingale, F. (1969). *Notes on nursing: What it is and what it is not.* New York: Dover (first published in 1859).
- *The Florence Nightingale Museum.* Retrieved from: http://www.florence-nightingale.co.uk.

REFERENCES

Agnew, L. R. (1958). Florence Nightingale, statistician. *American Journal of Nursing, 58,* 644.

Ashley, J. A. (1976). *Hospitals, paternalism, and the role of the nurse.* New York: Teachers College Press.

Beck, D. M. (2010). Expanding our Nightingale horizon: Seven recommendations for 21st century nursing practice. *Journal of Holistic Nursing, 28*(4), 317–326.

Burkhart, L., & Hogan, N. (2008). An experiential theory of spiritual care in nursing practice. *Qualitative Health Research, 18*(7), 928–938.

Burnes Bolton, L., & Goodenough, A. (2003). A Magnet nursing service approach to nursing's role in quality improvement. *Nursing Administration Quarterly, 27*(4), 344–354.

Butterfield, P. (1999). Integrating environmental health into clinical nursing. *Journal of the New York State Nurses Association, 30*(1), 24–27.

Chinn, P., & Kramer, M. (2011). *Theory and nursing: a systematic approach.* (8th ed.) Maryland Heights, (MO): Mosby-Elsevier.

Cohen, I. B. (1984). Florence Nightingale. *Scientific American, 250*(3), 128–137.

Cook, E. T. (1913). *The life of Florence Nightingale.* London: Macmillan.

Decker, B., & Farley, J. K. (1991, May/June). What would Nightingale say? *Nurse Educator, 16*(3), 12–13.

Dickens, C. (1987). *Life and adventures of Martin Chuzzlewit.* London: New Oxford Press.

Dossey, B. M. (2000). *Florence Nightingale: Mystic, visionary, healer.* Springhouse, (PA): Springhouse.

Erlen, J. A. (2007). Patient safety, error reduction, and ethical practice. *Orthopaedic Nursing*, *26*(2), 130–133.

Gropper, E. I. (1990). Florence Nightingale: nursing's first environmental theorist. *Nursing Forum*, *25*(3), 30–33.

Halsall, P. (1997). *Modern history sourcebook: Florence Nightingale: rural hygiene.* Retrieved from: http://www.fordham.edu/halsall/mod/nightingale-rural.html.

Hardy, M. (1978). Perspectives on nursing theory. *Advances in Nursing Science*, *1,* 37–48.

Hektor, M. (1994). Florence Nightingale and the women's movement: friend or foe? *Nursing Inquiry*, *1*(1), 38–45.

Helmstadter, C. (1997). Doctors and nurses in the London teaching hospitals: class, gender, religion, and professional expertise, 1850–1890. *Nursing History Review*, *5,* 161–167.

Henry, B., Woods, S., & Nagelkerk, J. (1990). Nightingale's perspective of nursing administration. *Nursing and Health Care*, *11*(4), 200–206.

Holliday, M. E., & Parker, D. L. (1997). Florence Nightingale, feminism and nursing. *Journal of Advanced Nursing*, *28,* 483–488.

Hoyt, S. (2010). Florence Nightingale's contribution to contemporary nursing ethics. *Journal of Advanced Nursing*, *28*(4), 331–332.

Kalisch, B. J., & Kalisch, P. A. (1983a). Heroine out of focus: media images of Florence Nightingale. Part I: Popular biographies and stage productions. *Nursing and Health Care*, *4*(4), 181–187.

Kalisch, B. J., & Kalisch, P. A. (1983b). Heroine out of focus: media images of Florence Nightingale. Part II: Film, radio, and television dramatizations. *Nursing and Health Care*, *4*(5), 270–278.

Kalisch, P. A., & Kalisch B. J. (1987). *The changing image of the nurse.* Menlo Park, (CA): Addison-Wesley.

Kennedy, M. (2007). *Angel of mercy or power-crazed meddler? Unseen letters challenge view of pioneer nurse.* Retrieved from: http://www.guardian.co.uk/uk/2007/sep/03/health.healthandwellbeing/print

Lannon, S. L. (2007). Leadership skills beyond the classic: professional development classes for the staff nurse. *Journal of Continuing Education in Nursing*, *38*(1), 17–21.

Longfellow, H. W. (1857). Santa Filomena. *Atlantic Monthly*, *1*(1), 22–23.

Lorentzen, M. (2003). Florence Nightingale as "mentor of matrons": correspondence with Rachel Williams at St. Mary's Hospital. *Journal of Nursing Management*, *11,* 266–274.

Macrae, J. A. (2001). *Nursing as a spiritual practice: A contemporary application of Florence Nightingale's views.* New York: Springer.

McCarthy, D. O., Ouimet, M. E., & Daun, J. M. (1991). Shades of Florence Nightingale: potential impact of noise stress on wound healing. *Holistic Nursing Practice*, *5*(4), 39–48.

McDonald, L. (Ed.). (2001–present). *The collected works of Florence Nightingale.* Ontario, Canada: Wilfred Laurier University Press.

McDonald, L. (2010a). *Florence Nightingale at First Hand.* Waterloo, (ON): Wilfrid Laurier University Press.

McDonald, L. (2010b). Florence Nightingale: passionate statistician. *Journal of Holistic Nursing*, *28*(1), 92–98.

McLaughlin, A., McLaughlin, B., Elliott, J., & Campalani, G. (1996). Noise levels in a cardiac surgical intensive care unit: a preliminary study conducted in secret. *Intensive and Critical Care Nursing*, *12*(4), 226–230.

McPhaul, K. M., & Lipscomb, J. A. (2005). Incorporating environmental health into practice. *AAOHN Journal*, *53*(1), 31–36.

Michigan Nurses Association (1999). Nursing practice: moving toward environmentally responsible health care. *Michigan Nurse*, *72*(1), 8–9.

Monteiro, L. A. (1985). Florence Nightingale on public health nursing. *American Journal of Public Health*, *75,* 181–186.

Narayanasamy, A., & Narayanasamy, M. (2007). Advancing nursing development and progression in nursing. *British Journal of Nursing*, *16*(7), 384–388.

Neils, P. E. (2010). The influence of Nightingale rounding by the liaison nurse on surgical patient families with attention to differing cultural needs. *Journal of Holistic Nursing*, *28*(4), 235–243.

Nelson, S. (1997). Pastoral care and moral government: early nineteenth century nursing and solutions to the Irish question. *Journal of Advanced Nursing, 26,* 6–14.

Nightingale, F. (1852). *Cassandra.* [Unpublishedessay.]

Nightingale, F. (1858a). *Notes on matters affecting the health, efficiency, and hospital administration of the British army founded chiefly on the experience of the late war. Presented by request to the Secretary of State for War.* London: Harrison & Sons.

Nightingale, F. (1858b). *Notes on hospitals: Being two papers read before the National Association for the Promotion of Social Science, at Liverpool, in October 1858. With evidence given to the Royal Commissioner on the state of the army in 1857.* London: John W. Park and Son.

Nightingale, F. (1871). *Report on measures adopted for sanitary improvements in India, from June 1870 to June 1871.* London: George Edward Eye and William Spottiswoode.

Nightingale, F. (1969). *Notes on nursing: what it is and what it is not.* New York: Dover.

O'Malley, I. B. (1931). *Life of Florence Nightingale, 1820–1956.* London: Butterworth.

Palmer, I. S. (1977). Florence Nightingale: reformer, reactionary, researcher. *Nursing Research*, *26,* 84–89.

Pope, D. S. (1995). Music, noise, and the human voice in the nurse-patient environment. *Image: The Journal of Nursing Scholarship*, *27,* 291–295.

Rasmussen, B., & Edvardsson, D. (2007). The influence of environment in palliative care: supporting or hindering experiences of 'at-homeness.' *Contemporary Nurse*, *27*(1), 119–131.

Robb, E., Mackie, S., & Elcock, K. (2007). Monitoring quality. *Nursing Management*, *14*(5), 22–26.

Sessler, A. (1999). Doing more than doing no harm: nursing professionals turn their attention to the environment. *On-Call*, *2*(4), 20–23.

Selanders, L. (2010). Florence Nightingale: the evolution and social impact of feminist values in nursing. *Journal of Holistic Nursing*, *28*(1), 70–78.

Shaner-McRae, H., McRae, G., & Jas, V. (2007). Environmentally safe health care agencies: nursing's responsibility, Nightingale's legacy. *Online Journal of Issues in Nursing*, *12*(2), 1.

Small, H. (1998). *Avenging angel.* New York: St. Martin's Press.

Small, H. (2000). *Florence Nightingale's 20th century bio-graphies.* Paper originally presented to the Friends of Florence Nightingale Museum, London. Retrieved from: http://www.florence-nightingale-avenging-angel.co.uk/biograph.htm.

Small, H. (2008). *Florence Nightingale, avenging angel.* Retrieved from: http://www.florence-nightingale-avenging-angel.co.uk/Nightingale.html.

Smith, F. B. (1982). *Florence Nightingale: reputation and power.* New York: St. Martin.

Strachey, L. (1918). *Eminent Victorians.* London: Chatto &Windus.

Straughair, C. (2012). Exploring compassion: implications for contemporary nursing. Part 1. *British Journal of Nursing*, *21*(3), 160–164.

Tourville, C., & Ingalls, K. (2003). The living tree of nursing theories. *Nursing Forum*, *38*(3), 21–30.

Vidrine, M., Owen-Smith, P., & Faulkner, P. (2002). Equine-facilitated group psychotherapy: applications for therapeutic vaulting. *Issues in Mental Health Nursing*, *23,* 587–603.

Vincent, C. (2005). Patient safety. London: Churchill LivingstoneElsevier.

Wagner, D. J., & Whaite, B. (2010). An exploration of the nature of caring relationships in the writings of Florence Nightingale. *Journal of Holistic Nursing*, *28*(4), 225–234.

Watson, J. (2010). Florence Nightingale and the enduring legacy of transpersonal human caring-healing. *Journal of Holistic Nursing*, *28*(1), 107–108.

Weir-Hughes, D. (2007). Reviewing nursing diagnoses. *Nursing Management*, *14*(5), 32–35.

Welch, M. (1990). Florence Nightingale—the social construction of a Victorian feminist. *Western Journal of Nursing Research*, *12*(3), 404–407.

Woodham-Smith, C. (1951). *Florence Nightingale.*

New York: McGraw-Hill.

Wu, L-F., & Lin, L-Y. (2011). Exploration of clinical nurses' perceptions of spirituality and spiritual care. *Journal of Nursing Research, 19*(4), 250–256.

BIBLIOGRAPHY

Primary Sources

Books

Nightingale, F. (1911). *Letters from Miss Florence Nightingale on health visiting in rural districts.* London: King.

Nightingale, F. (1954). *Selected writings* [Compiled by Lucy R. Seymer]. New York: Macmillan.

Nightingale, F. (1957). *Notes on nursing.* Philadelphia: Lippincott. [Originally published in1859.]

Nightingale, F. (1969). *Notes on nursing: What it is and what it is not.* New York: Dover.

Nightingale, F. (1974). *Letters of Florence Nightingale in the history of nursing archive.* Boston: Boston UniversityPress.

Nightingale, F. (1976). *Notes on hospitals.* New York: Gordon.

Nightingale, F. (1978). *Notes on nursing.* London: Duckworth.

Nightingale, F. (1992). *Notes on nursing.* Philadelphia: Lippincott. [Commemorative edition with commentaries by contemporary nursingleaders.]

Journal Articles*

Nightingale, F. (1930, July). Trained nursing for the sick poor. *International Nursing Review, 5,* 426–433.

Nightingale, F. (1954, May). Maternity hospital and midwifery school. *Nursing Mirror, 99,* ix–xi, 369.

Nightingale, F. (1954). The training of nurses. *Nursing Mirror, 99*, iv–xi.

Secondary Sources

Books

Aiken, C. A. (1915). *Lessons from the life of Florence Nightingale.* New York: Lakeside.

Aldis, M. (1914). *Florence Nightingale.* New York: National Organization for Public Health Nursing.

Andrews, M. R. (1929). *A lost commander.* Garden City, (NY): Doubleday.

Baly, M. E. (1986). *Florence Nightingale: the nursing legacy.* New York: Methuen.

Barth, R. J. (1945). *Fiery angel: the story of Florence Nightingale.* Coral Gables, (FL): GladeHouse.

Bishop, W. J. (1962). *A bio-bibliography of Florence Nightingale.* London: Dawson's of PallMall.

Boyd, N. (1982). *Three Victorian women who changed their world.* New York: Oxford.

Bull, A. (1985). *Florence Nightingale.* North Pomfret, (VT): David andCharles.

Bullough, V. L., Bullough, B., & Stanton, M. P. (Eds.). (1990). *Florence Nightingale and her era: a collection of new scholarship.* New York: Garland.

Calabria, M., & Macrae, J. (Eds.). (1994). *Suggestions for thought by Florence Nightingale: Sslections and commentaries.* Philadelphia: University of Pennsylvania Press.

Collins, D. (1985). *Florence Nightingale.* Milford, (MI): MottMedia.

Columbia University Faculty of Medicine and Department of Nursing. (1937). *Catalogue of the Florence Nightingale collection.* New York: Author.

Cook, E. T. (1913). *The life of Florence Nightingale.* London: Macmillan.

Cook, E. T. (1941). *A short life of Florence Nightingale.* New York: Macmillan.

Cope, Z. (1958). *Florence Nightingale and the doctors.* Philadelphia: Lippincott.

Cope, Z. (1961). *Six disciples of Florence Nightingale.* New York: Pitman.

Davies, C. (1980). *Rewriting nursing history.* London:

*All published posthumously.

CroomHelm.

Dossey, B. M. (2000). *Florence Nightingale: mystic, visionary, healer.* Springhouse, (PA): Springhouse.

Editors of RN. (1970). *Florence Nightingale: rebel with a cause.* Oradell, (NJ): MedicalEconomics.

French, Y. (1953). *Six great Englishwomen.* London: H. Hamilton.

Goldie, S. (1987). *I have done my duty: Florence Nightingale in the Crimea War, 1854–1856.* London: Manchester University Press.

Goldsmith, M. L. (1937). *Florence Nightingale: the woman and the legend.* London: Hodder and Stoughton.

Gordon, R. (1979). *The private life of Florence Nightingale.* New York: Atheneum.

Hall, E. F. (1920). *Florence Nightingale.* New York: Macmillan.

Hallock, G. T., & Turner, C. E. (1928). *Florence Nightingale.* New York: Metropolitan Life Insurance Company.

Herbert, R. G. (1981). *Florence Nightingale: saint, reformer, or rebel?* Melbourne, (FL): Krieger.

Holmes, M. (n.d.). *Florence Nightingale: a cameo lifesketch.* London: Woman's FreedomLeague.

Huxley, E. J. (1975). *Florence Nightingale.* London: Putnam.

Hyndman, J. A. (1969). *Florence Nightingale: nurse to the world.* Cleveland, (OH): World.

Keele, J. (Ed.). (1981). *Florence Nightingale in Rome.* Philadelphia: American PhilosophicalSociety.

Lammond, D. (1935). *Florence Nightingale.* London: Duckworth.

Macrae, J. A. (2001). *Nursing as a spiritual practice: a contemporary application of Florence Nightingale's views.* New York: Springer.

McDonald, L. (2010). *Florence Nightingale at first hand.* Waterloo, (ON): Wilfrid Laurier University Press.

Miller, B. W. (1947). *Florence Nightingale: The lady with the lamp.* Grand Rapids, MI: Zondervan.

Miller, M. (1987). *Florence Nightingale.* Minneapolis: Bethany House.

Mosby, C. V. (1938). *Little journey to the home of Florence Nightingale.* New York: Mosby.

Muir, D. E. (1946). *Florence Nightingale.* Glasgow: Blackie and Son.

Nash, R. (1937). *A sketch for the life of Florence Nightingale.* London: Society for Promoting Christian Knowledge.

O'Malley, I. B. (1931). *Life of Florence Nightingale, 1820–1856.* London: Butterworth.

Pollard, E. (1902). *Florence Nightingale: the wounded soldiers' friend.* London: Partridge.

Presbyterian Hospital School of Nursing. (1937). *Catalogue of the Florence Nightingale collection.* New York: Author.

Quiller-Couch, A. T. (1927). *Victor of peace.* New York: Nelson.

Quinn, V., & Prest, J. (Eds.). (1987). *Dear Miss Nightingale: a selection of Benjamin Jowett's letters to Florence Nightingale, 1860–1893.* Oxford: Clarendon Press.

Rappe, E. C. (1977). *God bless you, my dear Miss Nightingale.* Stockholm: Almqvist och Wiksell.

Sabatini, R. (1934). *Heroic lives.* Boston: Houghton.

Saint Thomas's Hospital. (1960). *The Nightingale training school: St. Thomas's Hospital, 1860–1960.* London: Author.

Selanders, L. C. (1993). *Florence Nightingale: an environmental adaptation theory.* Newbury Park, (CA): Sage.

Seymer, L. R. (1951). *Florence Nightingale.* New York: Macmillan.

Shor, D. (1987). *Florence Nightingale.* Lexington, (NH): Silver.

Small, H. (1998). *Avenging angel.* New York: St. Martin's Press.

Smith, F. B. (1982). *Florence Nightingale: reputation and power.* New York: St. Martin's Press.

Stark, M. (1979). *Introduction to Cassandra: an essay by Florence Nightingale.* Old Westbury, (NY): Feminist Press.

Stephenson, G. E. (1924). *Some pioneers in the medical and nursing world.* Shanghai: Nurse Association of China.

Strachey, L. (1918). *Eminent Victorians.* London:

Chatto & Windus.

Tooley, S. A. (1905). *The life of Florence Nightingale.* New York: Macmillan.

Turner, D. (1986). *Florence Nightingale.* New York: Watts.

Vicinus, M., & Nergaard, B. (1990). *Ever yours, Florence Nightingale.* Cambridge, (MA): Harvard University Press.

Wilson, W. G. (1940). *Soldier's heroine.* Edinburgh: Missionary Education Movement.

Woodman-Smith, C. (1983). *Florence Nightingale.* New York: Atheneum.

Woodham-Smith, C. B. (1951). *Florence Nightingale, 1820–1910.* New York: McGraw-Hill.

Woodham-Smith, C. B. (1951). *Lonely crusader: the life of Florence Nightingale, 1820–1910.* New York: Whittlesey House.

Woodham-Smith, C. B. (1956). *Lady-in-chief.* London: Methven.

Woodham-Smith, C. B. (1977). *Florence Nightingale, 1820–1910.* London: Collins.

Unpublished Dissertations

Hektor, L. M. (1992). *Nursing, science, and gender: Florence Nightingale and Martha E. Rogers.* Unpublished doctoral dissertation, University of Miami, Miami.

Newton, M. E. (1949). *Florence Nightingale's philosophy of life and education.* Unpublished doctoral dissertation, Stanford University, Stanford, CA.

Selanders, L. C. (1992). *An analysis of the utilization of power by Florence Nightingale.* Unpublished doctoral dissertation, Western Michigan University, Kalamazoo, MI.

Tschirch, P. (1992). *The caring tradition: nursing ethics in the United States, 1890–1915.* Unpublished doctoral dissertation, The University of Texas at Galveston, Graduate School of Biomedical Science, Galveston, TX.

Journal Articles

A criticism of Miss Florence Nightingale. (1907, Feb.). *Nursing Times, 3,* 89.

Address by the Archbishop of York. (1970, May). Florence Nightingale. *Nursing Times, 66,* 670.

Address given at fiftieth anniversary of founding by Florence Nightingale of first training school for nurses at St. Thomas's Hospital, London, England. (1911, Feb.). *American Journal of Nursing, 11,* 331–361.

A passionate statistician. (1931, May). *American Journal of Nursing, 31,* 566.

Attewell, A. (1998). Florence Nightingale's relevance to nurses. *Journal of Holistic Nursing, 16,* 281–291.

Baly, M. (1986). Shattering the Nightingale myth. *Nursing Times, 82*(24), 16–18.

Baly, M. E. (1969, Jan.). Florence Nightingale's influence on nursing today. *Nursing Times, 65*(Suppl.), 1–4.

Barber, E. M. (1935, July). A culinary campaign. *Journal of the American Dietetic Association, 11,* 89–98.

Barber, J. A. (1999). Concerning our national honour: Florence Nightingale and the welfare of Aboriginal Australians. *Collegian: Journal of the Royal College of Nursing Australia, 6*(1), 36–39.

Barker, E. R. (1989, Oct.). Caregivers as casualties: war experiences and the postwar consequences for both Nightingale- and Vietnam-era nurses. *Western Journal of Nursing Research, 11,* 628–631.

Barritt, E. R. (1973). Florence Nightingale's values and modern nursing education. *Nursing Forum, 12,* 7–47.

Berentson, L. (1982, April/May). Florence Nightingale: Change agent. *Registered Nurse, 6*(2), *3,* 7.

Bishop, W. J. (1957). Florence Nightingale's letters. *American Journal of Nursing, 57*(5), 607.

Bishop, W. J. (1960, May). Florence Nightingale's message for today. *Nursing Outlook, 8,* 246.

Blanc, E. (1980). Nightingale remembered: reflections on times past. *California Nurse, 75*(10), 7.

Blanchard, J. R. (1939, June). Florence Nightingale: a study in vocation. *New Zealand Nursing Journal, 32,* 193–197.

Boylen, J. O. (1974, April). The Florence Nightingale–Mary Stanley controversy: some unpublished letters. *Medical History, 18*(2), 186–193.

Bridges, D. C. (1954, April). Florence Nightingale centenary. *International Nurses Review, 1,* 3.

Brow, E. J. (1954, April). Florence Nightingale and her international influence. *International Nursing Review, 1,* 17–19.

Brown, E. (2000). Nightingale's values live on. *Kai Tiaki: Nursing New Zealand, 6*(3), 31.

Carlisle, D. (1989). A nightingale sings: Florence Nightingale: unknown details of her life story. *Nursing Times, 85*(50), 38–39.

Charatan, F. B. (1990). Florence Nightingale: the most famous nurse in the world. *Today's OR Nurse, 12*(2), 25–30.

Cherescavich, G. (1971). Florence, where are you? *Nursing Clinics of North America, 6*(2), 217–223.

Choa, G. H. (1971, May). Speech by Dr. the Hon. G. H. Choa at the Florence Nightingale Day Celebration on Wednesday, 12th May, 1971, at City Hall, Hong Kong. *Nursing Journal, 10,* 33–34.

Clayton, R. E. (1974, April). How men may live and not die in India: Florence Nightingale. *Australian Nurses Journal, 2*(33), 10–11.

Coakley, M. L. (1989). Florence Nightingale: a one-woman revolution. *Journal of Christian Nursing, 6*(1), 20–25.

Cohen, S. (1997). Miss Loane, Florence Nightingale, and district nursing in late Victorian Britain. *Nursing History Review, 5,* 83–103.

de Guzman, G. (1935, July). Florence Nightingale. *Filipino Nurse, 10,* 10–14.

Dennis, K. E., & Prescott, P. A. (1985). Florence Nightingale: yesterday, today, and tomorrow. *Advances in Nursing Science, 7*(2), 66–81.

de Tornayay, R. (1976). Past is prologue: Florence Nightingale. *Pulse, 12*(6), 9–11.

Dwyer, B. A. (1937, Jan.). The mother of our modern nursing system. *Filipino Nurse, 12,* 8–10.

Florence Nightingale: Rebel with a cause. (1970, May). *Registered Nurse, 33,* 39–55.

Florence Nightingale: The original geriatric nurse. (1980). *Oklahoma Nurse, 25*(4), 6.

Gibbon, C. (1997). The influence of Florence Nightingale's image on Liverpool nurses 1945–1995. *International History of Nursing Journal, 2*(3), 17–26.

Gordon, J. E. (1972). Nurses and nursing in Britain. 21. The work of Florence Nightingale. I. For the health of the army. *Midwife Health Visitor and Community Nurse, 8*(10), 351–359.

Gordon, J. E. (1972, Nov.). Nurses and nursing in Britain. 22. The work of Florence Nightingale. II. The establishment of nurse training in Britain. *Midwife Health Visitor and Community Nurse, 8*(11), 391–396.

Gordon, J. E. (1973, Jan.). Nurses and nursing in Britain. 23. The work of Florence Nightingale. III. Her influence throughout the world. *Midwife Health Visitor and Community Nurse, 9*(1), 17–22.

Hoole, L. (2000). Florence Nightingale must remain as nursing's icon. *British Journal of Nursing, 4,* 189.

Ifemesia, C. C. (1976). Florence Nightingale (1820-1910). *Nigerian Nurse, 8*(3), 26–34.

Kelly, L. Y. (1976). Our nursing heritage: have we renounced it? (Florence Nightingale). *Image: The Journal of Nursing Scholarship, 8*(3), 43–48.

Large, J. T. (1985). Florence Nightingale: a multifaceted personality. *Nursing Journal of India, 76*(5), *110,* 114.

LeVasseur, J. (1998). Student scholarship: Plato, Nightingale, and contemporary nursing. *Image: The Journal of Nursing Scholarship, 30,* 281–285.

Light, K. M. (1997). Florence Nightingale and holistic philosophy. *Journal of Holistic Nursing, 15*(1), 25–40.

Macmillan, K. (1994). Brilliant mind gave Florence her edge: Florence Nightingale. *Registered Nurse, 6*(2), 29–30.

Macrae, J. (1995, Spring). Nightingale's spiritual philosophy and its significance for modern nursing. *Image: The Journal of Nursing Scholarship, 27*(1), 8–10.

McDonald, L. (1998). Florence Nightingale: passionate statistician. *Journal of Holistic Nursing, 16,* 267–277.

Monteiro, L. A. (1985). Response in anger: Florence Nightingale on the importance of training for nurses. *Journal of Nursing History, 1*(1), 11–18.

Rabstein, C. (2000). Patron saint or has-been? Role models: is Florence Nightingale holding us back? *Nursing, 30*(1), 8.

Selanders, L. C. (1998). Florence Nightingale: the evolution and social impact of feminist values in nursing. *Journal of Holistic Nursing, 16*(2), 227–243.

Selanders, L. C. (1998). The power of environmental adaptation: Florence Nightingale's original theory for nursing practice. *Journal of Holistic Nursing, 16,* 247–263.

Sparacino, P. S. A. (1994). Clinical practice: Florence Nightingale: a CNS role model. *Clinical Nurse Specialist, 8*(2), 64.

Stronk, K. (1997). Florence Nightingale: mother of all nurses. *Journal of Nursing Jocularity, 7*(2), 14.

Watson, J. (1998). Reflections: Florence Nightingale and the enduring legacy of transpersonal human caring. *Journal of Holistic Nursing, 16,* 292–294.

Welch, M. (1986). Nineteenth-century philosophic influences on Nightingale's concept of the person. *Journal of Nursing History, 1*(2), 3–11.

Wheeler, W., & Walker, M. (1999). Florence: death of an icon: Florence Nightingale. *Nursing Times, 95*(19), 24–26.

Widerquist, J. G. (1992). The spirituality of Florence Nightingale. *Nursing Research, 41*(1), 49–55.

Widerquist, J. G. (1997). Sanitary reform and nursing: Edwin Chadwick and Florence Nightingale. *Nursing History Review, 5,* 149–160.

Williams, B. (2000). Florence Nightingale: a relevant heroine for nurses today? *California Nurse, 96*(1), *9,* 27.

7 장

진 왓슨
Jean Watson
1940-현재

왓슨의 개인초월적 돌봄의 철학과 이론

Watson's Philosophy and Theory of Transpersonal Caring

D. Elizabeth Jesse and Martha R. Alligood

"우리는 제도적 어둠 속의 빛이며, 이 모델 안에서 우리는 인간성의 빛으로 되돌아간다"(Jean Watson, 7/9/2012).

이론가 소개

마가렛 진 하먼 왓슨Margaret Jean Harman Watson, PhD, RN, AHN-BC,FAAN은 서부 버지니아 아팔라치아 산맥에 위치한 웰치의 작은 마을에서 터어나고 성장하였다. 여덟 명의 아이들 중 막내로 대가족 환경 안에서 성장하였으며 서부 버지니아의 고등학교 졸업 후 버지니아 로아노크에 있는 루이스 개일 간호학교를 졸업하였다. 1961년 졸업 후, 더글라스와 결혼하여 남편의 고향 콜로라도로 이주하였다. 왓슨은 1998년 사망한 남편 더글라스를 신체적, 정신적 파트너이자 가장 친한 친구라고 묘사하였다. 슬하에 큰 딸 제니퍼와 둘째 줄리 및 5명의 손주

이전 저자: Ruth M. Neil, Ann Marriner Tomey, J. F. Patton, Deborah A. Barnhart, Patricia M. Bennett, Beverly D. Porter, and Rebecca S. Sloan. These authors wish to thank Dr. Jean Watson for her ongoing inspiration and support, along with her review of the content of this chapter for accuracy and her assistance in updating the references and bibliography.

를 가족으로 두고 있으며 현재 콜로라도 볼더에서 살고 있다.

콜로라도 이주 후, 왓슨은 콜로라도 대학에서 간호 교육과 대학원 공부를 계속하였다. 1964년 볼더 캠퍼스에서 간호학사를 취득하였으며 1966년 건강과학 캠퍼스에서 정신건강 간호학 석사학위를 취득하였다. 더불어 1973년 볼더 캠퍼스 대학원에서 교육 심리학 및 상담에 관한 박사 학위를 취득하였다. 왓슨은 박사학위 취득 후, 덴버에 위치한 콜로라도 대학 건강과학 센터의 간호대학 보직교수로 재직하면서 행정 업무도 역임하였다. 1981년과 1982년에 안식년을 맞이하여 뉴질랜드, 오스트리아, 인도, 태국 그리고 대만에서 다국적 연구를 수행하였고, 2005년 안식년에는 스페인의 엘 카미노 지역의 성지를 순례하였다.

1980년에 왓슨과 동료들은 콜로라도 대학에 인간 돌봄 센터(Center for Human Caring)를 설립하였다. 이 센터는 임상 실무, 학문, 행정 및 리더십을 위해 인간 돌봄 지식을 사용한 첫 번째 다학제적 센터였다(Watson, 1986). 이 센터에서 왓슨과 동료들은 인간 돌봄을 활용한 임상, 교육, 지역사회 학문 활동을 후원한다. 이러한 활동들은 거주 지역 내 국내 및 국제적 학자들을 포함하고 있을 뿐 아니라 호주, 브라질, 캐나다, 한국, 일본, 뉴질랜드, 영국, 스칸디나비아, 태국 그리고 베네수엘라와 같은 세계 곳곳의 동료들과 국제적으로 연계된 활동을 포함하고 있다. 이같은 활동들은 콜로라도 대학 내 돌봄-치유 국제 인증 프로그램(International Certificate Program in Caring-Healing)으로 지속되고 있으며 여기에서 왓슨은 박사과정 학생들을 위해 자신의 이론 강좌들을 제공하고 있다.

왓슨은 콜로라도 간호대학에서 학과장 및 학부 부학장을 맡았다. 1978년과 1981년 사이에는 간호학 박사과정의 계획과 실행에 참여하였으며 박사과정의 코디네이터와 소장을 역임하였다. 1983~90년까지 콜로라도 간호대학 학장과 대학병원 부설 간호실무 부소장을 역임하였다. 학장 재직 중, 왓슨은 인간 돌봄 건강과 치유에 관한 학사 후 교과과정을 개발하였고 이는 임상전문 박사학위 과정인 간호학 박사학위(nursing doctorate, ND)로 이어졌으며 2005년에는 간호실무 박사학위(Doctor of Nursing Practice: DNP)로 전환되었다.

전문 분야에서의 왓슨의 활동으로는 볼더 카운티 호스피스 위원회의 설립자이자 멤버로 봉사하는 동시에 지역 내 건강관리 기관과 많은 협력을 이루어냈다. 왓슨은 인간 돌봄과 관련된 다양한 연구와 선진 교육 연방지원 자금의 수혜자이자 수상자이었고, 수많은 대학과 민간으로부터 연구비를 지원받았으며 인간 돌봄과 관련하여 교외에서 교수 및 행정 프로젝트 및 장학금 지원을 받아 왔다.

1992년 왓슨은 콜로라도 간호대학으로부터 최고 명예 교수직을 수여받았다. 그 외에도 미국 내 대학에서 6개의 명예 박사학위와 스웨덴의 예테보리 대학교, 런던 루턴 대학교,

그리고 캐나다 퀘백의 몬트리올 대학에서 3개의 명예 박사학위를 수여받았다. 1993년에는 National League for Nursing(NLN) Martha E. Rogers Award의 내셔널 리그 수상자가 되었는데, 이 상은 간호 지식과 다른 보건 지식 발전에 중요한 공헌을 한 간호학자를 인정하는 상이다. 1993년과 1996년 사이에 왓슨은 NLN의 이사회의의 실행이사와 위원직을 역임하였으며 1995~1996년에는 NLN 대표로 선출되었다. 1997년에는 NLN에서 그녀에게 전인적인 간호사로서의 평생 명예증을 수여하였다. 마지막으로 1999년 돌봄 과학의 Murchison-Scoville Endowed Chair(석좌)의 초대 역할을 맡았으며 현재는 간호학 저명 교수이다.

1998년 왓슨은 뉴욕대학에서 최고 간호학자로 지목 받았고 이듬해 1999년 Fetzer Institute로 부터 National Norman Cousins Award를 수상하게 되었는데, 이는 관계중심적인 돌봄 실무를 발전하고 유지하고 전형화시킨 왓슨의 헌신에 대한 공로를 인정한 것이다(Watson, personal communication 중에서. 2000년 8월 14일).

왓슨은 보스턴 대학교, 가톨릭 대학교, 애들피 대학교, 컬럼비아 대학교 사범대학, 뉴욕주립대학교를 포함한 국제적인 대학의 저명한 석좌 강사이다. 그녀의 국제적인 활동은 또한, 호주(1982)에서의 국제 켈로그 펠로우쉽과 스웨덴과 스칸디나비아 반도 국가에서의 풀브라이트 연구과 강의 수상(1991) 및 영국 각지의 강의들을(1993) 포함한다. 왓슨은 국제적인 프로젝트에도 참여해왔으며 뉴질랜드, 인도, 태국, 대만, 이스라엘, 일본, 베네수엘라, 한국 등 수많은 나라로부터 초청을 받았다. 그녀는 최소 20개국에 배포된 간호이론에 관한 오디오테입, 비디오테입 또는 CD에 출연하였으며, 일부는 챕터의 마지막 미래 연구에 수록되어 있다.

진 왓슨은 6개의 공동 저작을 포함하여 11개의 책을 저술하였고 간호학 저널에 수 많은 논문을 게재하였다. 다음의 출판물들은 돌봄의 철학과 과학에 대한 그녀의 이상idea으로부터 나온 돌봄이론에 대한 발전을 반영한다.

왓슨의 첫 번째 책, *Nursing: The Philosophy and Science of Caring*(1979)은 콜로라도 대학에서 학부과정에서 가르쳤던 강의안으로부터 개발되었다. Yalom의 11개의 치료 요소는 왓슨의 책(Watson, 1997), 간호의 핵심(p. 9), 그리고 도덕적 이상을 위한 뼈대를 조직화하는 것을 묘사한 10가지 돌봄 요소에 대한 생각에 영향을 미쳤다. 이 책은 1985년에 재판되었고 한국어와 불어로 번역되었다.

왓슨의 두 번째 책, *Nursing: Human Science and Human Care-A Theory of Nursing*은 1985년에 출판되었고, 1988년과 1999년에 재판되었는데 여기에서는 간호학에서의 개념적이고 철학적인 문제를 다루었다. 이 책은 중국어, 독일어, 일본어, 한국어, 스웨덴어, 노르웨이어, 덴마크어로 번역되었고 아마도 다른 언어로도 번역되었을 것이다.

왓슨의 세 번째 책, *Postmodern Nursing and Beyond*(Watson, 1999) 는 21세기의 간호 실무를 다룬 모델로 대표된다. 왓슨은 자신의 저술에 영향을 미친 두 가지 개인적 삶의 이벤트를 기술하고 있다. 1997년, 그녀는 왼쪽 눈의 시력을 잃게 되는 우발적인 외상을 경험하였고 얼마 지나지 않은 1998년에는 남편을 잃게 되었다. 왓슨은 "이러한 상처들을 나의 삶과 작업에 통합시키려고 시도하였다. 고통을 통해서 얻은 선물 중의 하나는 남편과 사랑하는 간호사 친구와 동료들의 돌봄을 통하여 나 자신의 이론을 경험하고 수용하는 특권을 얻은 것이다" 라고 진술하고 있다(Watson, personal communication, 2000년 8월 31일). 이 세 번째 책은 포르투갈어와 일본어로 번역되었다. 돌봄을 사정하고 측정하기 위한 21가지 도구 모음인 *Instruments for Assessing and Measuring Caring in Nursing and Health Sciences*(2002)는 *American Journal of Nursing Book of the Year Award*를 수상하였다.

왓슨의 다섯 번째 책인 Caring Science as Sacred Science(2005)는 돌봄 과학, 영적인 실무, 돌봄의 개념과 실무, 그리고 돌봄-치유 활동에 대한 이해를 높이기 위한 자신의 개인적 여행을 기술하고 있다. 이 책에서 왓슨은 깊은 내면의 성찰과 개인적 성장, 의사소통 기술, 자기초월적 성장의 사용, 그리고 용서, 감사, 포기를 통한 돌봄 과학과 치유를 강조함으로써 독자들로 하여금 시사하는 바가 많은 경험을 하게 하여 간호의 성스러움으로 이끈다. 이 책은 *American Journal of Nursing 2005 Book of the Year Award*를 수상하였다.

최근의 책은 *Measuring Caring: International Research on Caritas as Healing*(Nelson & Watson, 2001), *Creating a Caring Science Curriculum (Hills & Watson, 2001) 그리고 Human Caring Science: A Theory of Nursing*(Watson, 2012)을 포함한다.

이론의 배경

왓슨의 업적은 철학, 청사진, 윤리, 패러다임, 세계관, 논문, 개념적 모델, 틀, 그리고 이론이라고 불리운다(Watson, 1996). 이 장에서는 이론과 기틀이란 용어를 교환해서 사용한다. 왓슨(1998)은 자신의 이론을 발전시키기 위해, 이론을 "주어진 현상을 상징적으로 대표하는 지식, 이상idea, 그리고 경험을 창의적으로 그룹화하는 것이고 주어진 현상을 밝히기 위해 찾는 것"이라고 정의한다(p. 1). 왓슨은 이론에 대한 라틴어의 의미가 "보는 것"이라는 것을 활용하여 "인간 과학은 하나의 이론으로서 이는 나로 하여금 더욱 넓고 명확하게 "보도록" 돕는다"고 결론짓고 있다(p. 1). 왓슨은 페미니스트 이론, 형이상학, 현상학, 양자물리학,

전통적 지혜, 철학 및 불교로부터 철학적이고 지적인 안내를 받았을 뿐 아니라, 과학과 인문학으로부터 현상학적, 존재론적, 그리고 영적인 안내를 받았다(Watson, 1995, 1997, 1999, 2005, 2012). 또한 나이팅게일, 헨더슨, 레닌저, 페플라우, 로저스, 뉴만, 그리고 간호 철학자이자 건강관리 윤리학자인 Gadow의 업적을 포함한 간호 철학자와 이론가들을 자신의 이론을 위한 배경으로 끌어들었다(Watson, 1985,1997, 2005, 2012). 왓슨은 나이팅게일의 깊은 사명감과 인류 봉사 윤리에 대한 소명을 연결하고 있다.

왓슨의 일치, 공감, 그리고 따뜻함의 대인관계적이고 개인초월적인 질에 대한 강조는 Carl Rogers와 최근 개인초월적 심리학자들의 견해들에 기초하고 있다. 왓슨은 간호사가 타인을 조작하고 환경을 통제하기 위한 것이 아니라 타인을 이해하기 위해 이곳에 있다는 견해를 지닌 Carl Rogers의 현상학적인 접근이 "임상화(clinicalization, 환자의 치료적 통제와 조작)"가 하나의 표준이 된 시기에 상당한 영향을 받았다고 지적하고 있다(Watson, personal communication, August 31, 2000). Caring Science as Sacred Science(2005)라는 자신의 책에서 왓슨은 프랑스 철학자 엠마뉘엘 레비나스 Emmanual Levinas(1969)와 덴마크 철학자 Knud Løgstrup(1995)의 지혜를 자신의 업적의 기초로 기술하고 있다.

왓슨의 주요 개념은 10가지 돌봄 요소와(표 7-1과 주요 개념과 정의에 관한 표) 개인초월적 치유와 개인초월적 돌봄 관계, 돌봄 순간, 돌봄 상황, 돌봄 의식적 에너지, 그리고 현상적 파일/통합된 의식을 포함하고 있다. 왓슨은 돌봄 요소를 밀접하게 관련된 개념인 카리타스 'caritas'로 확대하였는데, 라틴어인 'caritas'는 "비록 애정 어린 관심까지는 아닐지라도, 소중히 여기고 고마워하고 특별한 관심을 주는 것"을 의미한다. 왓슨은 돌봄 요소를 확장된 관점 내에서 자신의 이상과 가치를 발달시킴으로써 근본적인 돌봄 요소들을 개방적 방식으로 배려하는 임상 카리타스 과정으로 변환시켰다(표 7-1).

왓슨은 "개인초월적 돌봄 관계"를 이론의 기초로 삼았다; 이것은 "특별한 종류의 인간 돌봄 관계-다른 사람과의 연합-총체적 인간과 세계 내 존재에 대한 높은 관심"이라고 설명한다(p. 63).

표 7-1 돌봄 요인과 카리타스 과정

돌봄 요인 CARATIVE FACTORS	돌봄 과정 CARITAS PROCESS
1. 인본주의적 – 이타적 가치 체계의 형성	돌봄 인식의 맥락 안에서 사랑–친절과 평정의 실천
2. 신뢰 – 희망의 주입	진정한 현 존재, 그리고 자신과 돌봄 대상자의 깊은 신념체계와 주관적 삶의 세계의 활성화 및 유지
3. 자신과 타인에 대한 감수성의 배양	자신의 영적 활동의 배양과 자아를 뛰어넘은 개인 초월적 자아의 함양
4. 조력–신뢰 관계에서 돌봄–신뢰 인간돌봄 관계의 발달로 전환되는 것(in 2004 Watson website).	조력–신뢰의 진정한 돌봄 관계의 발전과 유지
5. 긍정적이고 부정적인 감정 표현의 증진과 수용	깊은 영혼, 자아, 그리고 돌봄 대상자와 연결된 긍정적이고 부정적인 감정들의 표현과 함께하고 지지하는 것
6. 의사 결정을 위한 과학적 문제 해결 방법의 체계적 사용이 창조적인 문제 해결 카리타스 과정의 체계적 사용으로 바뀌는 것(in 2004 Watson website).	자아의 창조적 사용과 카리타스 과정의 일부분으로 인지되는 모든 방법들: 돌봄–치유 실무의 예술적 작업에 몰두
7. 개인초월적 교육 – 학습의 증진	타인의 창조틀 내에 머무르면서 존재와 의미의 통합을 이루는 진정한 교육–학습 경험에 몰두하는 것
8. 정신적, 신체적, 사회적, 정신적인 환경을 지지적 보호적, 교정적으로 제공	모든 수준(물리적 환경뿐 아니라 에너지와 의식을 지닌 비물리적이고 신비로운 환경, 즉 아름다움, 편안함, 존엄, 그리고 평화가 강화되는 환경)에서 치유적 환경을 창조하는 것
9. 인간적 욕구를 만족시키도록 지지	의도적인 돌봄의식을 가지고 기본 요구를 지지해주는 것. 즉 돌봄의 모든 측면에서 마음 신체 영혼의 조화, 총체성, 그리고 존재의 통합을 강화시키는 인간 돌봄의 필수사항을 제공하는 것
10. 실존적–현상학적 힘의 수용이 실존적–현상학적–정신적인 힘의 수용으로 바뀌는 것(in 2004 Watson website).	개인의 고유한 인생과 죽음에 대한 영혼적–신비적–존재론적 측면의 개방성과 관심:자신과 돌봄 대상자를 위한 영혼 돌봄

Modified from Watson, J.(1979). Nursing:The philosophy and science of caring(pp. 9-10). Boston:Little, Brown. (for original carative factors);and Waston, J.(2004). Theory of Human caring(website). Denver, (CO):Jean Watson/University of Colorado School of Nursing. Retrieved June from http://hschealth.uchsc.edu/son/ faculty/jw_evolution.htm (for caritas processes and revised carative factors).

주요 개념과 정의

10가지 독창적 돌봄 요소

왓슨은 다음 10가지 돌봄 요소를 이용하여 간호실무를 위한 이론적 토대를 형성하였다. 각각은 간호에 의해 완수되는 관계 안에 포함된 개인과 관련된 역동적인 현상학적 요소를 가지고 있다. 첫 번째 3개의 상호 의존적 요소들은 돌봄 과학에 대한 철학적 기초로 적합하다(Watson, 1979, pp. 9-10). 왓슨의 사고와 가치가 변화함에 따라, 10가지의 돌봄 요소는 카리타스caritas 과정으로 변형되었다. 카리타스 과정은 명확한 영적 영역과 사랑과 돌봄의 분명한 재현을 포함하였다.(표 7-1 [p. 104] original carative factors and the caritas process interpretation.)

1. 인본주의적 이타적 가치 체계의 형성

Formation of a Humanistical Altruistic System of Values

인본주의적이고 이타적인 가치는 생의 초기에 습득되지만 간호교육자에 의해 큰 영향을 받을 수 있다. 이 요소는 나눔과 자아의식의 확장을 통한 만족으로 정의된다(Watson, 1979).

2. 믿음과 희망의 주입 Instillation of Faith-Hope

인본주의적이고 이타적인 가치를 통합하는 이 요소는 전인적인 간호와 긍정적인 건강을 촉진시킨다. 또한, 효과적인 간호사-환자 상호작용 개발을 위한 간호사의 역할과 환자의 건강 추구행위를 돕는 안녕 증진에서의 간호사의 역할을 기술한다(Watson, 1979).

3. 자신과 타인에 대한 민감성 배양

Cultivation of Sensitivity to Self and To Others

감정의 인식은 간호사와 환자 모두에게 자아 수용을 통한 자아실현을 이끈다. 자신의 민감성과 감정을 인식함에 다라, 간호사는 더 진실되고 진정성이 있게 되고 타인에게도 민감하게 된다(Watson, 1979).

주요 개념과 정의

4. 조력-신뢰 관계의 발달

Development of a Helping-Trust Relationship

간호사와 환자 사이의 조력-신뢰 관계의 발달은 개인초월적 돌봄을 위해 중요하다. 신뢰 관계는 긍정적 감정과 부정적 감정 모두의 표현을 촉진하고 수용한다. 이 관계는 일치와 감정이입, 무소유의 따스함, 그리고 효과적 의사소통에 관여한다. 일치는 실제성과 정직함 그리고 순수함과 진실성을 갈망한다. 감정이입이란 경험하는 능력으로서 다른 사람의 지각과 감정을 이해하고 그 이해를 의사소통할 수 있는 능력이다. 무소유의 따스함은 적당한 크기의 목소리와 편안하고 개방된 자세를 가지고 다른 사람과 진지한 얼굴표정으로 의사소통하면서 표현된다. 효과적인 의사소통은 인지적이며 정서적이고 행동적인 반응 요소들을 포함한다(Watson, 1979).

5. 긍정적, 부정적 감정 표현의 증진과 수용

Promotion and Acceptance of the Expression of Positive and Negative Feelings

감정을 공유하는 것은 간호사와 환자 모두에게 어느 정도의 위험을 감수하는 경험이다. 간호사는 긍정적이거나 부정적인 감정 모두에 준비되어 있어야 한다. 간호사는 상황에 대한 지적이고 정서적인 이해가 서로 다르다는 것을 인지해야 한다(Watson, 1979).

6. 의사결정을 위한 과학적 문제 해결 방법의 체계적 사용

Systematic Use of the Scientific Problem-Solving Method for Decision Making

간호 과정의 사용은 간호 영역에 과학적인 문제해결 접근을 유도하고, 이를 통해 의사 보조인이라는 전통적인 간호사의 이미지를 제거할 수 있게 한다. 간호 과정은 체계적이고 조직적인 연구과정과 유사하다(Watson, 1979).

7. 대인간 교수-학습의 증진 Promotion of Interpersonal Teaching-Learning

이 요소는 치료curing로부터 돌봄caring을 분리하는데 중요한 간호 개념이다. 이것은 환자에게 정보를 제공하고 자신의 안녕과 건강에 대한 책임을 환자에게 되돌려주는 것이다. 간호사는 환자에게 자가간호를 제공하고, 개인적 욕구를 결정하고, 그들에게 개인적 성장을 위한 기회를 제공할 수 있도록 고안된 교육을 통해 이 과정을 촉진시킨다(Watson, 1979).

주요 개념과 정의

8. 정신, 신체, 사회문화적, 영적인 환경을 지지, 보호, 교정
Provision for Supportive, Protective, and Corrective Mental, Physical, Sociocultural, and Spiritual Environment

간호사는 내외적 환경이 개인의 건강과 질병에 영향을 미친다는 것을 인지해야 한다. 내부의 환경과 관계가 있는 개념들은 개인의 정신, 영적 안녕과 개인에 대한 사회문화적 신념을 포함한다. 역학적 변수는 물론 다른 외적 변수로는 안위, 사생활, 안전과 청결, 그리고 미적 환경을 포함한다(Watson, 1979).

9. 인간적 욕구 만족에 대한 지지 Assistance with Gratification of Human Needs

간호사는 자신과 환자의 생리학적, 정신신체적, 정신사회적, 내적 욕구들을 인지해야 한다. 환자들은 높은 수준의 욕구들을 충족시키기 이전에 낮은 수준의 욕구를 먼저 충족시켜야 한다. 음식, 버설, 환기는 낮은 수준의 생물학적 욕구의 예이다. 이에 반하여, 활동-비활동, 성생활은 낮은 수준의 정신신체적 욕구로 간주된다. 성취와 귀속은 높은 수준의 정신사회적 욕구이고, 자아실현은 높은 수준의 인간의 내적-대인관계적 욕구이다(Watson, 1979).

10. 실존적-현상학적 힘의 수용 Allowance for Existential-Phenomenological Forces

현상학은 사람에게 문제가 되는 현상을 이해하도록 돕는 즉각적 상황의 자료들을 기술하는 것이다. 실존주의 심리학은 현상학적인 분석을 사용하는 인간 실존 과학이다. 자신과 타인을 더 많이 이해하기 위해 생각하게 하는 경험을 유도하는 것을 포함한다. 왓슨은 이 요인을 이해하는 것이 어렵다고 생각했다. 그리고 간호사는 10가지 돌봄 요소를 뛰어넘어 예방적 건강 행위를 통한 건강 증진 분야 안에서 환자들의 발전을 촉진시킬 책임감을 가지고 있다고 믿었다. 이것의 목표는 환자에게 건강증진을 위한 변화를 교육하고, 상황적 지지를 제공하고, 문제해결 방식을 교육하고, 환자가 상실에 대한 대처기술과 적응을 인식하도록 함으로써 성취된다(Watson, 1979).

경험적 증거의 이용

왓슨은 돌봄에 대한 연구에 경험주의를 적용시켰으나, 자연과학보다 오히려 간호 현상에서 시작된 접근들을 강조하고 있다(Leininger, 1979). 예를 들어 왓슨은 인간 과학, 경험적 현상학과 초월적 현상학을 사용해왔다. 또한 인간 돌봄과 치유에 대해 소통하고 전달하고 설명하기 위하여 비유와 은유를 연구해왔다(Watson, 1987, 2005). 왓슨은 자신의 연구와 저서에서 인류와 우주 사이에는 신성한 관계가 존재한다는 자신의 신념을 더욱 구체화하였다(Watson, 1997, 2005).

주요 가정

왓슨은 과학은 인문학과 결합해야 한다고 주장한다. 그래야만 간호사는 돌봄 과학과 마음-신체-영성의 틀을 사용하기 위한 필수조건이 되고 있는 교양과목의 배경지식과 타 문화에 대한 이해를 지니게 되기 때문이다. 또한 인문학에 대한 연구는 마음을 확장시키고 사고력과 개인적 성장을 증대시킨다고 믿고 있다. 왓슨은 간호의 위치를 오직 틈 사이로 흐르는 물을 보기 위해 깨진 독에 물을 부어야했던 신화적 인물인 다아니데스Danaides와 비교하고 있다. 왓슨은 간호 지식에 대한 과학적 기반에 있는 유사한 틈들을 메꾸기 위해 과학과 인문학 연구가 필요하다고 믿었다(watson, 1981, 1997).

왓슨은 다학제적 전문가들에게도 개인초월적 돌봄 관계를 확장하는 가정들을 다음과 같이 기술하고 있다;

- 간호사의 도덕적 헌신, 의도성 그리고 카리타스 의식은 인간 존엄성, 전체성 그리고 치유를 보호하고 증대시키며 강화하여 한 개인이 자신의 존재의 의미를 스스로 또는 함께 만들어내는 것을 허용한다.
- 생물학적, 제도적, 기타 요소로부터 나온 위험과 절망 한가운데서 간호사가 돌봄을 지속하기 위해 애쓴다는 것은 간호사가 의식적이고 의지적으로 환자의 주관적이고 영적인 중요성을 확인한다는 것을 의미한다. 따라서 나와 이것의 관계 I-It Relationship 보다는 나와 당신의 관계 I-Thou Relationship를 더욱 존중한다.
- 간호사는 돌봄 순간의 중심에 서서 진정성 있게 함께 함으로써 타인의 영적인 내적 상태를 인식하고 정확하게 파악하고 연결하려고 애쓴다; 행동, 단어, 태도, 인식, 몸짓, 감정, 직관, 생각, 감각, 에너지장 등 기타 모든 것들은 개인초월적 돌봄 연결에 기여한다.

- 개인초월적인 영적 수준에서 타인과 연결하는 간호사는 움직임, 제스처, 얼굴표정, 절차, 정보, 접촉, 소리, 언어적 표현, 그리고 기타 과학적, 기술적, 미학적인 의사소통 수단을 간호의 인간 예술/활동 혹은 의도적인 돌봄-치유 양상으로 바꾸어 놓을 수 있는 능력이 있다.
- 개인초월적 돌봄/카리타스 자각의 맥락 내 돌봄-치유 양상은 자연적인 치유 과정을 방해하는 어떤 부조화를 풀어줌으로써 존재의 조화, 전체성 그리고 일치를 강화시킨다; 간호사는 이러한 과정을 통해 나이팅게일의 충실한 간호세계관 안에서 환자가 치유의 힘에 도달하도록 돕는다.
- 영적 훈련 뿐 아니라 개인적이고 전문적인 발전과 지속적이 영적 성장을 통하여 간호사는 보다 전문적인 치유 실무의 깊은 단계로 들어가게 된다. 이때 간호사는 진전된 간호 실무 수준에서 필요로 하는 세계에 대한 개인초월적 상태와 존재론적 능력에 대한 충실한 실현을 깨닫게 된다.
- 간호사 개인의 생활사, 이전의 경험, 집중적인 연구 기회, 다양한 인간 조건에 대한 체험, 그리고 다양한 상황 내 타인의 감정들에 대한 상상은 이러한 작업에 소중한 선생 역할을 한다; 간호사는 자신의 가치와 깊은 신념 및 자신, 타인 및 세계와의 관계에 대한 탐색과 함께 타 문화와의 교류 및 인문학 연구를 통하여 필요로 하는 지식과 의식을 어느 정도 획득할 수 있다. 인문학에서는 예술, 드라마, 문학, 개인 이야기, 질병이나 여행 내러티브 등이 포함된다.
- 다른 촉진 요인으로는 심리 치료, 개인초월적 심리학, 명상, 생물 에너지학 모델, 그리고 기타 영적 자각을 위한 모델들이 있다.
- 개인초월적 돌봄 모델 안에서의 발달과 성숙을 위한 지속적인 성장은 계속되고 있다. 상처 치유사와 같은 건강 전문가 영역은 이 이론/철학 안에서 필요로 하는 성장과 연민을 불러일으키는 한 분야로 인정받고 있다(Watson, 2006)

이론적 주장

간호

왓슨에 의하면(1998), 간호nurse 라는 단어는 명사이고 동사이다. 간호는 지식, 생각, 가치, 철학, 헌신, 행동, 그리고 어느 정도의 열정으로 구성되어 있다(p. 53). 간호사는 건강, 질병, 인간 경험; 건강 증진 및 회복; 질병의 예방을 이해하는 데 관심이 있다. 왓슨의 이론은 간호사들에게 간호 실무 현장에서 사용되는 절차, 업무, 기술 등과 같은 간호의 변두리를 뛰어넘을 것을 요구한다. 그 대신에 개인초월적 돌봄 과정 안에서 치료적 결과를 낳는 간호사-환자 관계 측면을 의미하는 간호의 핵심을 요청하고 있다(Watson, 2005; 2012). 간호사는 다양한 대상자들에게 10가지 돌봄 요소를 사용하면서 돌봄을 제공한다. 각 돌봄 요소와 임상적 카리타스 과정들은 대상자가 건강을 얻고 유지하는 방식 또는 평화롭게 죽는 방식에 관한 돌봄 과정을 기술한다. 반대로, 왓슨은 치료curing를 질병의 제거를 나타내는 의학적 용어로 설명했다(Watson, 1979). 왓슨은 연구를 진행하면서 개인초월적 돌봄 관계 안에서의 인간 돌봄 과정과 돌봄-치유의 개인초월적 측면에 대한 관심을 증가시켰다(Watson, 1999, 2005).

왓슨은 사물과 인간이 자신, 타인, 자연과 더 큰 우주로부터 분리되어 다루어질 수 없음을 명백하게 하기 위해 계속 연구하고 있다. 돌봄-치유 패러다임은 우주 안에서 진화하는 인간과 함께 형이상학적이고 초월적인 우주론 내에 놓여져 있다. 왓슨은 타인에게 가능성을 열고 자신과 타인에 대한 가정을 제껴두고 다시 배우면서 자신의 모든 감각을 사용하여 볼 것을 요청하고 있다.

인간

왓슨은 인간human being, 사람person, 삶life, 인간성personhood, 그리고 자아self라는 단어들을 교환하며 사용하고 있다. 그녀는 인간을 마음/신체/정신/자연의 일치로 바라보며(1996, p. 147), 인간은 관념에 묶여 있으며 개인의 영혼은 객관적인 시간과 공간에 의해 정의될 수 없는 신체를 지니고 있다... 라고 말하고 있다(Watson, 1988, p. 45). 왓슨은 "나는 진화하는 신흥 세계관-모든 것과의 연결, 가끔은 *Unitary Transformative Paradigm-Holographic Thinking*으로 불리는-안에서의 마음, 몸, 영혼 또는 일치를 사용한다. 내가 마음, 신체, 영혼 이 세 가지 단어를 사용하기 때문에 때로는 이것을 이원론적으로 본다. 하지만 이는 다른 모델에서는 언급하지 않고 있는 정신/형이상학적 것을 함축하고 명백히 하기 위하여 의도적으로 사용하게 되었다"(Watson, personal communication. April 12, 1994).

건강

원래, 왓슨의 건강에 대한 정의는 신체적, 정신적, 사회적으로 긍정적인 상태인 다음의 세 가지를 포함하고 있다.: (1) 전반적으로 신체적, 정신적, 사회적 기능의 높은 수준, (2) 일상 기능의 전반적인 적응-유지 수준, (3) 질병의 부재(또는 그것을 없애기 위한 노력의 존재)로 표현되는 세계보건기구(WHO)의 정의로부터 유래되었다(p. 220). 이후, 왓슨은 건강을 마음, 신체, 영혼의 일치와 조화로 정의하였으며 그것은 지각된 자아와 경험된 자아 사이의 조화 정도와 관련이 있다고 말했다(Watson, 1988, p 48). 왓슨은 더 나아가, 질병은 필연적으로 질환disease과 다르다; 예를 들어, 질병은 의식적으로 또는 무의식적으로 마음, 신체 그리고 영혼과 같은 인간의 영역 안에서의 주관적 혼란 또는 부조화이다(p. 47). 질병은 질환을 초래할 수 있는 반면, 질병과 건강은 필연적으로 한 연속선 상에 있지 않은 하나의 현상이다. 질환 과정은 또한 유전적, 취약한 체질로부터 생기며, 부조화가 있을 때 스스로 드러난다. 결과적으로 질환은 더 큰 부조화를 만들어낸다(Watson, 1985, 1988, p. 48).

환경

근본적인 10가지 돌봄 요소 안에서, 왓슨은 환경 안에서의 간호사의 역할을 정신적, 신체적, 사회적, 영적인 환경을 지지하고 보호하며 교정하는 것에 참여하는 것으로 말하고 있다(Watson, 1979, p. 10). 후에 그녀는 환경에 대해 더욱 광범위한 견해를 갖게 되는데, 돌봄 과학이란 인간을 위한 것일 뿐만 아니라 우주를 지속시키기 위한 것이다. . . 소속이란 자연과 살아있는 모든 것들의 무한한 우주적 정신세계를 말한다; 소속은 시간과 공간 그리고 경계와 국가를 뛰어넘는 인간과 삶 그 자체와의 태고적 연결이다(Watson, 2003 p. 305). 왓슨은 치유 공간은 타인이 질병, 통증, 그리고 고통을 초월하도록 돕는데 사용될 수 있다라고 말하며, 환경과 인간관계에 대해서는 간호사가 환자의 방에 들어갈 때 기대의 자기장이 만들어진다는 것으로 강조하고 있다(Watson, 2003 p. 305).

논리적 형식

왓슨 이론의 틀은 논리적인 형식에서 설명된다. 그것은 건강-질병 현상을 설명하는 포괄적인 생각들을 포함한다. 왓슨의 돌봄caring에 대한 정의는 치료curing의 반대 개념으로서 의학으로부터 간호를 분리하여 묘사하며 분리된 과학으로서 간호 지식체를 분류한다.

1979년 이후 이론개발에서는 인간을 돌보는 간호사와 돌봄을 받는 환자로 분류해 왔다. 또 다른 강조점으로 존재론적-현상학적, 그리고 영적 요소를 들 수 있다. 2005년 왓슨은 영적으로 충만한 돌봄업무 영역과 돌봄지식 영역에 대해 다시금 강조하고 있다(p.x).

왓슨의 이론은 Rogers, Erikson과 Maslow 같은 다른 분야의 이론가들에게서 기본적인 지지를 받는다. 그녀는 많은 분야로부터의 전인적 지식을 조화시키고, 인문학, 예술, 그리고 과학을 통합하는 간호교육을 주장하고 있다. 그리고 건강관리 시스템과 환자들의 복잡한 요구가 증가하면서 간호사들을 위한 폭 넓은 교양 교육을 더욱 강조하고 있다(Sakalys & Watson, 1986).

왓슨은 개인초월적 돌봄이론 전반에 걸쳐 포스트모던 패러다임 전환의 측면들을 통합시켰다. 그녀의 이론적 토대는 불변 상태의 유지, 적응, 순차적 상호 작용과 문제 중심 간호 실무와 같은 개념들과 관련되어 왔다. 포스트모던 접근으로 이 점을 넘어서게 되었다. 예로, 간호 패러다임은 보다 전인적이고 인본주의적이며 개방적인 체계로 전환되었고, 거기에는 조화, 해석, 그리고 자기 초월이 인식론적 전환을 반영하면서 나타나게 되었다.

간호학계의 수용

실무

왓슨의 이론은 외래 환자, 입원 환자, 지역사회, 그리고 다양한 인구집단을 통해 입증되고 있으며 최근에는 환자 돌봄의 본질의 적용(Pipe, Connolly, Spahr, et al, 2012), 인공호흡기에 의존하는 삶(Lindahl, 2011), 시뮬레이팅 돌봄(Diener & Hobbs, 2012)이 포함된다. 왓슨과 포스터(2003)는 이론의 임상적 적용을 시범으로 보여주고있다; *Attending Nurse Caring Model*(ANCM)은 덴버 어린이병원에서 수행한 유일한 사전조사 프로젝트로 *Attending Physician Model*을 본떠 만들었다. 그러나 의학적/치료 모델과는 달리, 이 ANCM 모델은 간호 돌봄 모델과 관련이 있다. 이것은 간호-돌봄 과학이자 이론-안내적이고 근거 기반적이며 협동적인 실무 모델로 구축되었으며, 37개 병상을 가진 수술 후 병동에서 통증 관리를 안내하고 감독하기 위해 만들어졌다(Watson & Foster, 2003, p.363). 이 프로젝트에 참여하는 간호사들은 왓슨의 돌봄이론, 돌봄 요소, 돌봄 자각, 의도성, 돌봄-치유 실무에 관한 것을 배운다. 이러한 ANCM의 미션은 아픈 환아와 가족들과의 지속적인 돌봄 관계를 유지하는 것이다. ANCM는 병원 도처에서 돌봄-치유 존재가 가시화되고 있다. 예를 들면, 시카고, 덴버, 버지니아, 캔터키, 뉴욕, 뉴저지, 플로리다, 캘리포니아 등에 있는 다양한 병원에서 왓슨의 이론을 사용하고 있다(Watson website http://www.watsoncaringscience.org).

행정/리더십

왓슨의 이론은, 비록 입원 환자의 예민도의 증가, 재원 기간의 단축, 기술의 복잡성 증가, 간호 업무task에 대한 기대가 더욱 증가되더라도, 돌봄을 받아들이는 행정 실무와 비즈니스 모델이 필요함을 강조한다(Watson, 2006c). 이러한 도전들은 간호사를 위한 병상수의 증가, 상여금 지급, 또는 인센티브성 근무지 재배치와 같은 단기적 해결책 보다는 깊고 윤리적인 수준에서 간호사들이 자신의 전문적 실무 모델을 따라가게 하는 건강관리시스템 교정과 같은 해결책이 요구된다. 켄터키 렉싱튼에 있는 *Central Baptist Hospital*과 같이 간호서비스의 우수성을 인정하는 *Magnet* 등급을 받기 위해 노력하는 많은 병원에서 행정적인 변화를 위해 왓슨의 인간 돌봄이론을 사용하고 있다. 다른 곳에서는 환자 간호의 본질에 대한 정의에 근거를 둔 전문적인 환경 유지를 요구하고 있다(Pipe. Connolly, Spahr, et al., 2012). 행정 실무에서의 돌봄에 관한 이러한 예들은 왓슨의 웹사이트와 최근 논문, *Caring Theory as an Ethical Guide to Administrative and Clinical Practices*에 기술되어 있다(Watson, 2006c).

교육

왓슨의 저서들은 연구 방향에 따라 대학원 학생들을 교육하고 이들의 실무를 위한 존재론적, 윤리적, 인식론적 기본을 제공하는데 초점을 두고 있다(Hills & Watson, 2011). 왓슨의 돌봄틀은 켄터키 루이빌의 Bellarmine대학, 매사추세츠 Worcester의 Assumption대학, Terre Haute의 인디아나 주립대학, 오클라호마 시립대학, 플로리다 애틀랜틱대학을 포함하는 학사학위 간호 교과과정에서 채택되었으며, 이 개념들은 호주, 일본, 브라질, 핀란드, 사우디아라비아, 스웨덴, 그리고 영국의 간호 프로그램에서도 널리 사용되고 있다.

연구

질적, 자연주의적 그리고 현상학적 방법은 인간 과학으로서의 돌봄 연구와 간호 발전과 관련이 있다(Nelson & Watson, 2011; Watson, 2012). 왓슨은 질적-양적연구의 조합이 유용할 것이라고 제안한다. 이 이론을 검증하고 확산시키며 평가하기 위한 국내외적 연구의 규모는 커지고 있다(DiNapoli, Nelson, Turkel, & Watson, 2010; Nelson & Watson, 2011). Smith(2004)는 왓슨의 이론을 사용한 40개의 조사 연구를 리뷰하여 출판하였다. Persky, Nelson, Watson, 그리고 Bent의 연구(2008)는 뉴욕 Presbyterian Hospital/Columbia University Medical Center에서 관계-기반 돌봄Relationship-Based Care(RBC)의 도입을 위한 노력의 일부로서 카라타스 간호사의 속성을 밝히기 위해 양적 접근법을 사용하였다. 최근 Nelson과 Watson(2011)은 7개 국가에서 진행된 연구를 발표했고 돌봄에 관한 국제적인 인식의 차이점, 간호사와 환자 관계, 그리고 병원의 Magnet 등급을 획득하기 위한 가이드라인과 같은 8개의 돌봄 연구와 기타 다른 연구 도구들을 발표했다.

미래의 발전

왓슨은 최근의 저서에서 자신의 이론을 업데이트하고(Watson, 2012), 돌봄 측정 도구를 재검토하고(Watson, 2011), 돌봄 과학 교과과정 개발을 이끌고 있다(Hills & Watson, 2011).

비평

명확성

왓슨은 돌봄-사랑caring-love, 돌봄 요소carative factors, 카리타스caritas와 같이 자신의 개념을 예술적으로 묘사하기 위해 비전문적이고 정교하고 부드럽고 점진적인 언어를 사용한다. 역설적으로, 실천하기 어려운 돌봄-사랑과 같은 관념과 간단한 개념들은 실제로 사용하고 경험하면서 더 큰 이해로 나아갈 수 있다. 때로 어구와 문장들이 길지만 이들을 몇 번이고 읽는다면 더욱 높은 이해를 얻을 수 있다. 왓슨은 은유, 개인적 투영, 예술 작품, 그리고 시 등을 많이 포함하여 설명하면서 자신의 개념을 더욱 명백하고 심미적으로 호소하는 개념으로 만들어 갔다. 자신의 이론을 계속하여 재정립하고 최근에는 원래의 돌봄 요소를 카리타스caritas 과정으로 수정하고 있다. 왓슨의 저서에 대한 비평으로는 정의되지 않거나 혹은 변화하고 바뀌는 정의와 단어의 사용 그리고 간호의 병태 생리학적 측면 보다는 심리학적인 측면에 초점이 맞추어진 것에 집중되어 왔다. 왓슨(1985)은 자신의 저서 *Nursing: The Philosophy and Science of Caring*(1979, 1988)과 *Nursing: Human Science and Human Care- A Theory of Nursing*(1985)의 서문과 *Caring Science as Sacred Science*(Watson, 2005)에서 그러한 비평에 대해 설명하고 있다. 표 7-1에 왓슨의 사고의 진화과정이 요약되어 있다.

간결성

왓슨은 자신의 이론을 공론화하기 위해 많은 분야들을 끌어들였다. 이 이론은 행위doing 보다는 존재being에 관한 것으로서, 실무에서 이 이론을 실현하기 위해 간호사는 철저하게 그것을 내면화시켜야 한다. 왓슨의 이론을 이해하기 위해서 독자는 다양한 분야와 친근해져야 한다. 특히 교양과목에 대한 이해가 부족한 간호사들에게는 이 이론이 지닌 존재론적-현상학적 특성이 매우 복잡하게 보일 것이다. 비록 왓슨의 이론이 일부 복잡하게 여겨지더라도, 많은 간호사들은 이 이론을 이해하고 실무에 적용하는 것이 쉽다고 여긴다.

일반성

왓슨의 이론은 간호를 위한 도덕적이고 철학적 기초로서 가장 잘 이해되고 있다. 이론틀의 범위는 건강-질병 현상의 넓은 측면을 포함한다. 또한, 이 이론은 건강 증진, 질병 예방 그리고 평화로운 죽음 경험의 측면들을 언급함으로써 일반성이 증가된다. 돌봄 요소는 환자 돌봄의 중요한 측면인 간호사-환자 상호 작용에 대한 지침을 제공하고 있다.

왓슨의 이론은 진정한 돌봄-치유 관계를 형성하기 위해 무엇을 해야 하는지에 대한 명확한 지시를 하지 않고 있다. 구체적인 지침을 원하는 간호사가 이 이론에만 의지하려고 한다면 안정감을 느끼지 못할 것이다. 일부는 카리타스caritas를 실무 안으로 포함하는데 너무 많은 시간이 걸린다고 하였으며 일부는 왓슨의 개인적 성장에 대한 강조는 누군가에게는 적합하지만 다른 누군가에게는 적합하지 않을 수도 있다고 지적한다(Drummond, 2005, p. 218).

접근성

왓슨은 자신의 이론을 기술적인 것이라고 설명하면서 이론의 진화적 특성을 인정하고 타자로부터의 추가적 교류를 환영하고 있다(Watson, 2012). 비록 이 이론은 전통적인 과학적 방법을 사용하는 연구에서 쉽게 사용되기 어렵지만, 최근의 질적 간호연구적 접근은 적절하다. 최근 저서에서는 측정 도구에 대한 국제적 연구의 폭넓은 집합체들을 재검토하고, 돌봄 연구를 위한 연구 지침과 설계 추천 및 도구를 제공하고 있다(Nelson & Watson, 2011).

중요성

왓슨의 이론은 간호수행을 위해 유용하고 중요한 형이상학적인 안내를 계속해서 제공한다(Watson, 2007). 자신의 이용, 환자 중심의 요구, 돌봄의 과정과 존재하는 인간의 영적 감각과 같은 이론적인 개념들은 복잡성이 증가되는 시기에 의미와 조화를 찾는 간호사와 환자들에게 도움이 될 수 있다. 의사소통에 풍부한 자원을 제공하는 철학, 예술, 인간 과학, 전통적 과학, 전통에 관한 다양한 지식은 타 학문분야의 전문가들이 왓슨의 업적을 공유하고 인지할 수 있게 하고 있다.

요약

진 왓슨은 콜로라도 대학학부 과정의 부학장 재직기간 동안에 자신의 이론을 발전시켰고, 콜로라도 대학의 간호학 박사 학위과정 프로그램을 계획하고 적용하는데까지 발전시켰다. 첫 번째 저서는 혁신적이고 통합적인 수업과정 중의 메모에서 시작되었다. 1978~1981년 박사과정 프로그램의 코디네이터와 감독자 및 간호대학의 학장으로 재직하는 동안, 인간 돌봄에 관한 학사 후 교육과정을 개발하였고 이것은 임상전문 박사학위과정으로 이어졌다. 이러한 교과과정은 1990년에 시행되었고, 후에 간호실무 박사학위(DNP)로 통합되었다. 왓슨은 실무와 학문을 위한 인간 돌봄 지식의 발전과 활용을 위하여 다학제간 센터인 *Center for Human Caring*을 미국에서 처음으로 설립하였다. Yalom의 11가지 치유 요소들로부터 10가지의 돌봄 요소들을 형성하기 위해 연구하였고, 점차 10가지 요소들이 약간 수정되었고, 정신적인 측면을 포함하면서 보다 유동적이며 발전된 언어를 사용하여 카리타스caritas 과정을 개발했다.

사례연구

다음 사례연구는 동부 캐롤리나 대학 간호학과의 Advanced Nursing Synthesis for the Nurse-Midwifery Concentration 에서 발표하기 위해 Valeric Taylor(2008)의 임상 사례로부터 각색된 것이다(허가받고 재인쇄됨).

당신은 최근 조산사 대학원 과정 졸업 후 100병상의 작은 병원에서 근무하고 있으며 왓슨의 이론을 치료적인 결과를 위한 간호사-조산사-환자 관계를 형성함으로서 실무에 적용하기 위해 몰두하고 있다. 당신은 신규이기 때문에 스테프, 동료조산사들, 그리고 의사들과 함께 천천히 이 이론을 추진하고 있다. 오늘 당신은 현재 39주로 4번째 출산인 23살의 히스

패닉계 여성인 마리아, TPAL(term, preterm, abortion, and livebirth) 4004(산과력: 정상 분만, 조산, 유산, 생존아)를 위한 간호에 왓슨 이론을 통합하고자 노력하고 있다. 36주에 건강 부서로부터 현재 그룹 실무 쪽으로 이동한 마리아는 출산 비용을 자기가 부담하고있다. 마리아는 영어를 못하며 영어를 읽고 쓸 수 있는 남편 다니엘이 통역사 역할을 한다. 그녀와 다니엘은 근무지 때문에 이 지역으로 이사해서 가족과 친구의 지지없이 혼자 집에서 세 자녀를 돌보고 있다. 마리아가 병원에 있는 동안 시누이가 세 아이들을 돌보고 있다. 그들은 천주교 신자이지만, 현재 성당에 소속되어 있지는 않다. 그녀의 병력에 특별한 사항은 없고, 이전 출산력도 정상이다. 첫째와 둘째 아이들은 멕시코에서 출산하였고, 마지막 아이는 1년 전에 미국의 다른 병원에서 출산하였다.

마리아를 위한 간호사-조산사 돌봄으로서, 왓슨의 이론은 당신으로 하여금 신체, 마음 그리고 영적인 측면에서 그녀와 가족들을 전인적으로 바라보게 한다. 당신은 기본 요구를 도와주는 동안 돌봄 요소, 돌봄 자각, 의도성, 그리고 돌봄-치유 실무를 포함해야 하는 것과 정신적, 신체적 그리고 영적으로 치유적인 환경을 조성하기 위해 절차, 업무, 그리고 기술들을 넘어서야 한다는 것을 기억한다. 왓슨의 이론은 내가 진심으로 마리아와 그녀의 남편과 함께 존재하면서 도와주고 신뢰하는 돌봄관계를 발전시키고 유지해야 함을 일깨운다. 오늘, 당신은 아프가 점수가 8~9점인 건강한 여아인 릴리아를 출산하는 마리아의 자연분만에 참여한다. 마리아는 비록 B형 감염으로 치료받고 있지만, 분만에는 특별한 문제가 없다. 분만 후, 당신은 피부 접촉을 위해 릴리아를 마리아의 배 위에 올려놓고 마리아가 모유 수유를 할 수 있도록 자세를 도와준다. 마리아와 남편은 첫 모유 수유를 위해 젖을 물고 있는 릴리아를 바라본다. 첫 번째 유대감 형성 이후, 릴리아는 신생아실로 이동되고; 검진 결과 모두 정상이고 문제가 없다. 간호사는 릴리아가 6시간이 지나도 기저귀가 젖지 않는 것을 발견하였고, 신생아 전문의는 릴리아에게 신장문제가 있다고 판단하여 추가적인 검사와 평가를 위해 3차 지역 병원으로 이송되도록 하였다.

첫 번째 돌봄 계획에서 당신은 통역사, 산부인과의사, 신생아전문의, 동료간호사, 그리고 사회복지사 상호간에 대화를 유지하는 것이 얼마나 중요한지 안다. 당신은 신생아전문의와 가까이 서서 마리아와 통역사인 남편에게 릴리아가 3차 병원에서 좋은 간호를 받을 것이라고 설명한다. 마리아는 눈물을 흘리고 남편은 아내에게 아기가 특별한 관찰과 간호가 필요하여 즉시 지역병원으로의 이송을 준비하고 있다는 것을 통역하면서 힘들어 한다. 마리아는 안정되고 분만 후 과정도 정상이다. 다만 릴리아의 상태에 대한 불확실성, 아기로부터의 분리, 지연된 모유수유에 대한 불안, 그리고 이 사건들을 더 잘 이해하는데 어려움을 주는 언어 장벽이 문제이다.

당신은 아기로부터의 분리, 아기의 예후에 대한 두려움, 모유 수유의 불가능, 언어 장벽, 그리고 경제적인 걱정과 관련된 마리아의 스트레스/불안을 사정하는데 이론적 지침을 사용한다. 당신은 마리아가 피부-대-피부 접촉을 갖지 못하고 이러한 결합의 장애는 옥시토신 감소를 초래하고 모유 생성을 지연시킬 수 있다는 것을 안다. 스트레스와 휴식의 부족은 또한 자연분만으로부터 정상적으로 회복하는데 방해를 줄 수 있고 출혈과 지연된 자궁퇴축을 초래할 수 있다. 중단된 모유수유로 인해 유방 울혈 또는 모유생성이 감소될 수 있다. 마리아는 3시간 거리에 살고 있는 시누이를 제외하고는 가족지지가 제한되어 있다. 즉 멕시코에서 이민을 와서 친구와의 연결이 부족하고 대처를 위한 지지 그룹도 가지고 있지 않다. 마리아는 종교인이지만 영적인 안내/지지 또는 멤버로서의 유대를 위한 교회 등록은 되어있지 않다. 당신은 왓슨의 돌봄이론과 돌봄 요소/카리타스가 마리아와 남편 그리고 갓 태어난 아기를 위해 성공적인 결과와 최고의 건강 상태를 가능케 할 수 있다는 것을 안다.

정기적인 분만과 검진 후에, 당신은 마리아의 휴식과 걱정에 대한 생물물리학적 요구를 다룬다. 당신은 신생아 전문의와 신생아실 스텝들을 격려하여 릴리아가 이송되기 전에 부모와 릴리아가 연합하는 것을 허락한다. 그리고 병원 목사에게 연락하여 환자에게 지시 사항을 가르치고 24시간 입원 후 조기 퇴원할 수 있도록 스페인어를 할 수 있는 성직자와 병원 통역사를 요청한다. 당신은 릴리아가 이송될 동안 사회복지사가 엄마와 신생아 사이의 연락 담당자가 되므로 그녀와 연락한다. 마리아, 다니엘 그리고 릴리아를 돌보는 동안 내내 당신은 애정 어린 친절함이 당신의 실무를 안내한 것과 같이, 이러한 친절이 스텝 사이에서도 촉진되도 한다. 3차병원에서 마리아와 다니엘이 그곳의 성직자 및 간호사들과 대화를 나눈 후 약간의 편안함을 느꼈다고 보고하였기 때문에, 당신은 간호사-조산사-환자 관계가 치료적 결과를 낳았음을 안다. 마리아는 전날 밤 휴식을 취할 수 있었고 산후 검진도 정상이다. 마리아는 이제 모유가 나오고 스텝 간호사들은 모유 수유를 계획한다. 사회복지사는 마리아와 다니엘이 오늘 퇴원한 이후 3차 병원에 있는 아기를 보러 갈 수 있도록 하였다. 마리아가 시누이에게 이러한 사실들을 전함에 따라 시누이는 조카들을 좀 더 보살펴줄 것이다. 마리아와 남편 다니엘은 입원 기간 동안 당신이 자신들의 간호사-조산사가 되어주어 얼마나 고마웠는지에 대해 털어 놓는다.

Valerie G. Taylor, MSN, CNM
Hivkory, North Carolina

비판적 사고

1. 당신의 신념이 왓슨의 각 10가지 돌봄caring/카리타스caritas 가정들과 부합한다면, 인간, 환경, 건강, 간호에 대한 본인의 철학 안에서 가치와 신념들을 검토해보시오.

2. 당신의 인생에서 누군가가 당신을 진정으로 돌보아 준 것을 느꼈을 때를 생각해 보시오. 이들 상호 작용의 주요한 특성들을 확인하고 그러한 특성들을 당신의 간호실무 스타일 속에 어떻게 포함할 수 있을지 기술하시오

3. 당신의 간호 실무에서의 돌봄 행위의 목록을 만드시오. *Measuring Caring: International reserch on caritas as healing*(Nelson & Watson, 2011)을 검토해보고, 본문에 포함된 돌봄을 측정하기 위해 만들어진 도구로부터 돌봄 행위를 서로 비교해보시오.

4. 매주 10분 동안 눈을 감고 조용한 음악을 들을 수 있는 시간과 장소를 계획하시오. 동정적이고 의도적이고 조용하고 평안함을 느끼는 방법을 반성해 보시오. 당신의 반성으로부터 생각들을 당신의 간호 임상으로 통합하기 위한 방법에 대해 생각해보시오.

POINTS FOR FURTHER STUDY

- Jesse, D. E. (2010). Watson's philosophy in nursing practice. In M. R. Alligood, *Nursing theory: utilization & application* (4th ed., pp. 111–136). St. Louis: Mosby-Elsevier.
- Watson, J. (2012). *Human caring science: a theory of nursing.* Boston: Jones & Bartlett.
- Hill, M., & Watson, J. (2011). *Creating a caring sequence curriculum.* New York: Springer.
- Watson, J. (1989). *The nurse theorists: portraits of excellence* [Videotape, CD, DVD]. New York: Helene Fuld Health Trust. Available from Fitne, Inc. at: http://www.fitne.net/.
- Watson, J. (2005). *Caring science as sacred science.* Philadelphia: F. A. Davis.
- *Watson Caring Science Institute, International Caritas Consortium*. Retrieved from: http://www.watsoncaringscience.org.

REFERENCES

Diener, E. & Hobbs, N. (2012). Simulating care: technology-mediated learning in twenty-first century education. *Nursing Forum*, *47*(1), 34–38.

DiNapoli, P., Nelson, J., Turkel, M., & Watson, J. (2010). Measuring the caritas processes: caring factor survey. *International Journal for Human Caring, 14*(3), 17–20.

Drummond, J. (2005). Caring science as sacred science. [Book review.] *Nursing Philosophy, 6,* 218–220.

Hills, M., & Watson, J. (2011). *Creating a caring science curriculum: an emancipatory pedagogy for* *nursing.*New York: Springer.

Jesse, D. E. (2010). Watson's philosophy in nursing practice. In M. R. Alligood (Ed.), *Nursing theory: Utilization & application* (4th ed., pp. 111–136). St. Louis: Mosby-Elsevier.

Leininger, M. (1979). Preface. In J. Watson (Ed.), *Nursing: the philosophy and science of caring.* Boston: Little, Brown.

Levinas, E. (1969). *Totality and infinity.* (A. Lingis, Trans.) Pittsburgh, (PA): Duquesne University.

Lindahl, B. (2011). Experiences of exclusion when living on a ventilator: reflections based on the application of Julia Kristev's philosophy of caring. *Nursing Philosophy,12*(1), 12–21.

Løgstrup, K. E. (1995). Metaphysics, vol 1. Milwaukee: Marquette University.

Nelson, J., & Watson, J. (2011). *Measuring caring: international research on caritas as healing.* New York: Springer.

Persky, G. J., Nelson, J. W., Watson, J., & Bent, K. (2008). Creating a profile of a nurse effective in caring. *Nursing Administration Quarterly*, *32*(1), 15–20.

Pipe, T., Connolly, T., Spahr, N., Lendzion, N., Buchda, V., Jury, R., et al. (2012). Bringing back the basics of nursing: defining patient care. *Nursing Administration Quarterly*, *36*(3), 225–233.

Sakalys, J., & Watson, J. (1986). Professional education: post-baccalaureate education for professional nursing. *Journal of Professional Nursing*, *2*(2), 91–97.

Smith, M. (2004). Review of research related to Watson's theory of caring. *Nursing Science Quarterly*, *17*(1), 13–25.

Watson, J. (1979). *Nursing: the philosophy and science of caring.* Boston: Little, Brown.

Watson, J. (1981). Nursing's scientific quest. *Nursing Outlook*, *29*, 413–416.

Watson, J. (1985). *Nursing: human science and human care—a theory of nursing.* Norwalk, (CT): Appleton-Century-Crofts.

Watson, J. (1986, Dec.). The dean speaks out: center for human caring established. *The University of Colorado School of Nursing News,* 1–6.

Watson, J. (1987). Nursing on the caring edge: metaphorical vignettes. *Advances in Nursing Science*, *10*(1), 10–18.

Watson, J. (1988). *Nursing: human science and human care: a theory of nursing.* New Yark: National League for Nursing.

Watson, J. (1995). Post modernism and knowledge development in nursing. *Nursing Science Quarterly*, *8*(2), 60–64.

Watson, J. (1996). Watson's theory of transpersonal caring. In P. J. Walker & B. Neuman (Eds.), *Blueprint for use of nursing models: education, research, practice and administration* (pp. 141–184). New Yark: National League for Nursing Press.

Watson, J. (1997). The theory of human caring: retrospective and prospective. *Nursing Science Quarterly*, *10*(1), 49–52.

Watson, J. (1999). *Postmodern nursing and beyond.* Edinburgh: Churchill Livingstone.

Watson, J. (2003). Caring science: belonging before being as ethical cosmology. *Nursing Science Quarterly*, *18*(4), 304–305.

Watson, J. (2005). *Caring science as sacred science.* Philadelphia: F. A. Davis.

Watson, J. (2006a). Walking pilgrimage as caritas action in the world. *Journal of Holistic Nursing*, *24*(4), 289–296.

Watson, J. (2006b). *Transpersonal caring and the caring moment defined.* Retrieved from: http://www2.uchsc.edu/son/caring/content/transpersonal.asp.

Watson, J. (2006c). Caring theory as an ethical guide to administrative and clinical practices. *Nursing Administration Quarterly*, *30*(1), 48–55.

Watson, J. (2007). Theoretical questions and concerns: response from a caring science framework. *Nursing Science Quarterly*, *20*(1), 13–15.

Watson, J. (2012). *Human caring science: a theory of nursing.* Boston: Jones & Bartlett.

Watson, J., & Foster, R. (2003). The attending nurse caring model: integrating theory, evidence, and advanced caring-healing therapeutics for transforming professional practice. *Journal of Clinical Nursing*, *12*, 360–365.

Watson Caring Science Institute, International Caritas Consortium. Available at: http://www.watsoncaring-science.org.

BIBLIOGRAPHY

Primary Sources

Books

Bevis, E. O., & Watson, J. (1989). *Toward a caring curriculum: a new pedagogy for nursing.* New Yark: National League for Nursing.

Bevis, E. O., & Watson, J. (2000, reprinted). *Toward a caring curriculum: a new pedagogy for nursing.* Sudbury, (MA): Jones & Bartlett.

Chinn, P., & Watson, J. (Eds.). (1994). *Art and aesthetics of nursing.* New York: National League for Nursing.

Hills, M., & Watson, J. (2011). *Creating a caring science curriculum: an emancipatory pedagogy for nursing.* New York: Springer.

Leininger, M., & Watson, J. (Eds.). (1990). *The caring imperative in education.* New Yark: National League for Nursing.

Nelson, J., & Watson, J. (2011). *Measuring caring: International research on caritas as healing.* New York: Springer.

Taylor, R., & Watson, J. (Eds.). (1989). *They shall not hurt: human suffering and human caring.* Boulder, (CO): University Press of Colorado.

Watson, J. (1979, reprinted in 1985 by University Press of Colorado). *Nursing: the philosophy and science of caring.* Boston: Little, Brown. [Translated into French.]

Watson, J. (1985, reprinted in 1988. Reprinted by NLN & Bartlett in 1999). *Nursing: human science and human care.* Norwalk, (CT): Appleton-Century-Crofts. [Translated into Japanese, Swedish, Chinese, Korean, German, Norwegian, and Danish.]

Watson, J. (1985). *Nursing: the philosophy and science of caring* [2nd printing]. Boulder, (CO): University Press of Colorado.

Watson, J. (1988). *Nursing: human science and human care* [2nd printing]. New Yark: National League for Nursing. [Translated into Japanese in 1990.]

Watson, J. (Ed.). (1994). *Applying the art and science of human caring.* New York: National League for Nursing.

Watson, J. (1999). *Postmodern nursing and beyond.* Edinburgh, Scotland: Churchill Livingstone Saunders. [Translated into Japanese in 2001.]

Watson, J. (2002). *Instruments for assessing and measuring caring in nursing and health sciences.* New York: Springer. [*American Journal of Nursing* Book of the Year Award in 2002. Japanese translation in print.]

Watson, J. (2005). *Caring science as sacred science.* Philadelphia: F. A. Davis. (*American Journal of Nursing* Book of the Year Award in2005.)

Watson, J. (2012). *Human caring science: a theory of nursing.* Boston: Jones &Bartlett.

Watson, J., Jones, W., & Levin, J. (Eds.). (1999). *Essentials of complementary alternative medicine.* Philadelphia: Lippincott.

Watson, J., & Ray, M. (Eds.). (1988). *The ethics of care and the ethics of cure: synthesis in chronicity.* New York: National League for Nursing.

Chapters and Monographs

Watson, J. (1980). Self losses. In F. Bower (Ed.), *Nursing and the concept of loss* (pp. 51–84). New York: Wiley.

Watson, J. (1981). Some issues related to a science of caring for nursing practice. In M. Leininger (Ed.), *Caring: an essential human need* (pp. 61–67). Proceedings from National Caring Conference, University of Utah. Thorofare, (NJ): Charles B. Slack.

Watson, J. (1982). The nurse-client relationship. In L. Sonstegard, K. Kowalski, & B. Jennings (Eds.), *Women's health care* (pp. 45–56). New York: Grune & Stratton.

Watson, J. (1983). Delivery and assurance of quality health care: a rights based foundation. In R. Luke, J. Krueger, & R. Madrow (Eds.), *Organization and change in health care quality assurance* (pp. 13–19). Rockville, (MD): Aspen.

Watson, J. (1985). Reflection on different methodologies for the future of nursing. In M. Leininger (Ed.), *Qualitative research methods in nursing* (pp. 343–349). Orlando, (FL): Grune & Stratton.

Watson, J. (1987). The dream curriculum. In National League for Nursing (Ed.), *Patterns in nursing: stra-*

tegic planning for nursing education (pp. 91–104). New York: Author.

Watson, J. (1988). A case study: curriculum in transition. In National League for Nursing (Ed.), *Curriculum revolution: mandate for change* (pp. 1–8). New York: Author.

Watson, J. (1988). Introduction. In J. Watson & M. Ray (Eds.), *The ethics of care and the ethics of cure: synthesis in chronicity* (pp. 1–3). New York: National League for Nursing.

Watson, J. (1988). The professional doctorate as an entry level into practice. In National League for Nursing (Ed.), *Perspectives* (pp. 41–47). New York: Author.

Watson, J. (1989). Human caring and suffering: a subjective model for health sciences. In R. Taylor & J. Watson (Eds.), *They shall not hurt: human suffering and human caring* (pp. 125–135). Boulder, (CO): University Press of Colorado.

Watson, J. (1989). Watson's philosophy and theory of human caring in nursing. In J. Riehl-Sisca (Ed.), *Conceptual models for nursing practice* (3rd ed., pp. 219–236). Norwalk, (CT): Appleton & Lange.

Watson, J. (1990). Transformation in nursing: bring care back to health care. In National League for Nursing (Ed.), *Curriculum revolution: redefining the student-teacher relationship* (pp. 15–20). New Yark: National League for Nursing.

Watson, J. (1990). Transpersonal caring: a transcendent view of person, health, and healing. In M. Parker (Ed.), *Nursing theories in practice* (pp. 277–288). New Yark: National League for Nursing.

Watson, J. (1992). Notes on nursing: guidelines for caring then and now. In F. Nightingale (Ed.), *Notes on nursing.* Philadelphia: Lippincott.

Watson, J. (1994). A frog, a rock, a ritual: an eco-caring cosmology. In E. Schuster & C. Brown (Eds.), *Caring and environmental connection.* New Yark: National League for Nursing.

Watson, J. (1994). Anthology on art and esthetics. In J. Watson & P. Chinn (Eds.), *Art and aesthetics as passage between centuries.* New York: National League for Nursing.

Watson, J. (1994). Introduction. In J. Watson (Ed.), *Applying the art and science of human caring* (pp. 1–10). New Yark: National League for Nursing.

Watson, J. (1994). Overview of caring theory. In J. Watson (Ed.), *Applying the art and science of human caring.* New Yark: National League for Nursing.

Watson, J. (1994). Poeticizing as truth through language. In P. L. Chinn & J. Watson (Eds.), *Art and aesthetics in nursing* (pp. 3–17). New Yark: National League for Nursing.

Watson, J. (1995). Into the future. In O. Slevin & L. Basford (Eds.), *Theory and practice of nursing: an integrated approach to patient care* (2nd ed.). Cheltenham, UK: Nelson Thornes.

Watson, J. (1996). Art, caring, spirituality, and humanity. In E. Farmer (Ed.), *Exploring the spiritual dimension of care* (pp. 29–40). Wiltshire, England: Mark Allen.

Watson, J. (1996). Artistry and caring: heart and soul of nursing. In D. Marks-Maran & P. Rose (Eds.), *Reconstructing nursing: beyond art and science* (pp. 54–63). London: Bailliere Tindall.

Watson, J. (1996). Beyond art and science. In D. Marks-Maran & P. Rose (Eds.), *Reconstructing nursing: beyond art and science.* London: Bailliere Tindall.

Watson, J. (1996). Nursing, caring-healing paradigm. In D. Pesat (Ed.), *Capsules of comments in psychiatric nursing.* St. Louis: Mosby.

Watson, J. (1996). Poeticizing as truth on nursing inquiry. In J. Kikuchi, H. Simmons, & D. Romyn (Eds.), *Truth on nursing inquiry* (pp. 125–138). Thousand Oaks, (CA): Sage.

Watson, J. (1996). Watson's theory of transpersonal caring. In P. J. Walker & B. Neuman (Eds.), *Blueprint for use of nursing models: education, research, practice and administration* (pp. 141–184). New Yark: National League for Nursing.

Watson, J. (1999). Postmodern nursing and beyond. In N. Chaska (Ed.), *The nursing profession: nursing theories and nursing practice* (pp. 343–354). Philadelphia: F. A. Davis.

Watson, J. (2000). *Monograph of instruments for measuring and assessing caring.* New York: Springer.

Watson, J. (2000). Postmodern nursing and beyond. In N. L. Chaska (Ed.), *The nursing profession: Tomorrow's vision and beyond* (pp. 299-308). Thousand Oaks, (CA): Sage.

Watson, J. (2001). Jean Watson: theory of human caring. In M. E. Parker (Ed.), *Nursing theories and nursing practice* (pp. 344–354). Philadelphia: F. A. Davis.

Watson, J. (2002). Illuminating the spiritual journey: Jean Watson tells her story. In P. Burkhardt & M. G. Nagai-Jackson (Eds.), *Spirituality: living our connectedness* (pp. 181–186). New York: Delmar.

Watson, J. (2006). Jean Watson's theory of human caring. In M. Parker (Ed.), *Nursing theories and nursing practice* (2nd ed., pp. 295–301). Philadelphia: F. A. Davis.

Watson, J., & Bevis, E. (1990). Coming of age for a new age. In N. L. Chaska (Ed.), *The nursing profession: turning points* (pp. 100–105). St. Louis: Mosby.

Journal Articles

Carozza, V., Congdon, J. A., & Watson, J. (1978, Nov.). An experimental educationally sponsored pilot internship program. *Journal of Nursing Education, 17*, 14–20.

Fawcett, J., Watson, J., Neuman, B., & Hinton-Walker, P. (2001). On missing theories and evidence. *Journal of Nursing Scholarship*, *33*(2), 115–119.

Krysl, M., & Watson, J. (1988). Poetry on caring and addendum on center for human caring. *Advances in Nursing Science*, *10*(2), 12–17.

Persky, G. J., Nelson, J. W., Watson, J., & Bent, K. (2008). Creating a profile of a nurse effective in caring. *Nursing Administration Quarterly*, *32*(1), 15–20.

Quinn, J., Smith, M., Swanson, K., Ritenbaugh, C., & Watson, J. (2003). The healing relationship in clinical nursing: guidelines for research. *Journal of Alternative Therapies*, *9*(3), A65–A79.

Sakalys, J., & Watson, J. (1985). New directions in higher education: a review of trends. *Journal of Professional Nursing*, *1*(5), 293–299.

Sakalys, J., & Watson, J. (1986). Professional education: post-baccalaureate education for professional nursing. *Journal of Professional Nursing*, *2*(2), 91–97.

Salsberry, P. (1992). Caring, virtue theory, and a foundation for nursing ethics. *Scholarly Inquiry for Nursing Practice: An International Journal*,.(2), 155–167.

Watson, J. (1980). [Response to review of *Nursing: Philosophy and science of caring.*] *Western Journal of Nursing Research*, *2*(2), 514–515.

Watson, J. (1980). [Review of *Starting point: An introduction to the dialectic of existence.*] *Western Journal of Nursing Research*, *2*(3), 637–638.

Watson, J. (1981). Conceptual systems of students and practicing nurses. *Western Journal of Nursing Research*, *3*(2), 172–192.

Watson, J. (1981). Nursing's scientific quest. *Nursing Outlook*, *29*(7), 413–416.

Watson, J. (1981, Aug.). Professional identity crisis—is nursing finally growing up? *American Journal of Nursing*, *81*, 1488–1490.

Watson, J. (1981). Response to conceptual systems, students, practitioner. *Western Journal of Nursing Research*, *3*(2), 197–198.

Watson, J (1981, reprinted in 1983). The lost art of nursing. *Nursing Forum*, *20*(3), 244–249.

Watson, J. (1982). Traditional v. tertiary: ideological shifts in nursing education. *The Australian Nurses Journal*, *12*(2), 44–46.

Watson, J. (1983). Commentary on instructor directed research model. *Western Journal of Nursing Research*, *5*(4), 310–311.

Watson, J. (1987). Nursing on the caring edge: metaphorical vignettes. *Advances in Nursing Science, X*(1), 10–18.

Watson, J. (1987). [Review of *Health as expanding consciousness.*] *Journal of Professional Nursing,* 3(5), 315.

Watson, J. (1987). [Review of *Practical psychotherapy.*] *Journal of Psychosocial Nursing and Mental Health Services*, *25*(3), 42.

Watson, J. (1988). Human caring as moral context for nursing education. *Nursing and Health Care*, *9*(8), 422–425.

Watson, J. (1988). New dimensions of human caring theory. *Nursing Science Quarterly*, *1*(4), 175–181.

Watson, J. (1988). Of nurses, women and the devaluation of caring. [Review of *Images of nurses: Perspectives for history, art, and literature.*] *Medical Humanities Review*, *2*(2), 60–62.

Watson, J. (1988). Response to caring and practice: construction of the nurses' world. *Scholarly Inquiry for Nursing Practice: An International Journal*, *2*(3), 217–221.

Watson, J. (1989). Caring theory. *Journal of Japan Academy of Nursing Science*, *9*(2), 29–37.

Watson, J. (1989). Keynote address: caring theory. *Journal of Japan Academy of Nursing Science*, *9*(2), 9–37.

Watson, J. (1990). Caring knowledge and informed moral passion. *Advances in Nursing Science*, *13*(1), 15–24.

Watson, J. (1990). Reconceptualizing nursing ethics: a response. *Scholarly Inquiry for Nursing Practice: An International Journal*, *4*(3), 219–221.

Watson, J. (1990). The moral failure of the patriarchy. *Nursing Outlook*, *28*(2), 62–66.

Watson, J. (1991). From revolution to renaissance. *Revolution: Journal of Nurse Empowerment*, *1*(1), 94–100.

Watson, J. (1991). Robb, Dock, and Nutting: I wish I'd been there. *Nursing and Health Care*, *12*(4), 210.

Watson, J. (1992). Response to caring, virtue theory, and a foundation for nursing ethics. *Scholarly Inquiry for Nursing Practice: An International Journal*, *6*(2), 169–171.

Watson, J. (1993). Dr. Jean Watson with E. Henderson—an interview. *Alberta Association of Registered Nurses Newsletter*, *49*(6), 10–12.

Watson, J. (1993). Should NPs, CNMs, and CNAs, etc., add graduate credentials? *Open Mind*, *2*(3), 2.

Watson, J. (1994). Guest editorial. *Nursing Praxis in New Zealand*, *9*(1), 2–5.

Watson, J. (1994). Have we arrived or are we on our way out? Promises, possibilities, and paradigms. [Invited editorial.] *Image: The Journal of Nursing Scholarship*, *26*(2), 86.

Watson, J. (1995). Advanced nursing practice and what might be. *Journal of Nursing and Health Care*, *16*(2), 78-83.

Watson, J. (1995). A Fulbright in Sweden: runes, academics, archetypal motifs, and other things. *Image: The Journal of Nursing Scholarship*, *27*(1), 71–75.

Watson, J. (1995). A yearning for new debates. *NLN Update*, *1*(3), 6–8.

Watson, J. (1995). Nursing's caring-healing model as an exemplar for alternative medicine. *Journal of Alternative Therapies in Health and Medicine*, *1*(3), 64–69.

Watson, J. (1995). Postmodernism and knowledge development in nursing. *Nursing Science Quarterly*, *8*(2), 60–64.

Watson, J. (1995). President's message: challenges and summons from within and without. *Journal of Nursing and Health Care*, *16*(6), 340.

Watson, J. (1995). President's message: Visioning on: toward action transformation. *Journal of Nursing and Health Care*, *16*(5), 290.

Watson, J. (1995). [Review of *Healing power of aromatherapy*.] *Journal of Alternative Therapies in Health and Medicine*, *1*(3), 64–69.

Watson, J. (1996). President's message: From discipline specific to "inter" to "multi" to "transdisciplinary" health care education and practice. *Journal of Nursing and Health Care*, *17*(2), 90–91.

Watson, J. (1996). [Review of *Healing nutrition*.] *Journal of Alternative Therapies in Health and Medicine*, *2*(3), 91.

Watson, J. (1996, May). The wait, the wonder, the watch: caring in a transplant unit. *Journal of Clinical Nursing*, *5*(3), 199–200.

Watson, J. (1996). United States of America: can nursing theory and practice survive? *International Journal of Nursing Practice*, *2*(4), 241–243.

Watson, J. (1997). From the mountaintop to the marsh/fens: punting on the River Cam. [Guest editorial.] *Journal of Clinical Nursing*, 6(1), 3–4.

Watson, J. (1997). The future of nursing-scholarship. *Image: The Journal of Nursing Scholarship*, *29*(2), 117.

Watson, J. (1997). The theory of human caring: retrospective and prospective. *Nursing Science Quarterly*, *10*(1), 49–52.

Watson, J. (1998). Nightingale and the enduring legacy of transpersonal human caring. *Journal of Holistic Nursing*, *16*(2), 292.

Watson, J. (1999). Aesthetic expressions of caring: private psalms—surrendering to the sacred. Personal professional reflections on caring and healing. *International Journal of Human Caring*, *3*(3), 34.

Watson, J. (2000). Leading via caring-healing: the fourfold way toward transformative leadership. *Nursing Administration Quarterly*, *25*(1), 1–6.

Watson, J. (2000). Philosophical perspectives in home care: reconsidering caring. *Journal of Geriatric Nursing*, *21*(6), 330–331.

Watson, J. (2000). Reconsidering caring in the home. *Journal of Geriatric Nursing*, *21*(6), 330–333.

Watson, J. (2000). Via negative: considering caring by way of non-caring. *Australian Journal of Holistic Nursing*, *7*(1), 4–8.

Watson, J. (2001). Post-hospital nursing: shortages, shifts, and script. *Nursing Administration Quarterly*, *25*(3), 77–82.

Watson, J. (2002). Caring and healing our living and dying. *The International Nurse*, *14*(2), 4–5.

Watson, J. (2002). Holistic nursing and caring: a values-based approach. *Journal of Japan Academy of Nursing Science*, *22*(2), 69–74.

Watson, J. (2002). Intentionality and caring-healing consciousness: a theory of transpersonal nursing *Holistic Nursing Journal*, *16*(4), 12–19.

Watson, J. (2002). Metaphysics of virtual caring communities. *International Journal of Human Caring*, *6*(1), 41–45.

Watson, J. (2002, Spring). Nursing: seeking its source and survival. [Guest editorial.]*ICU Nursing Web Journal*, *9*, 1–7. Retrieved from: http://www.nursing.gr/J.W.editorial.pdf.

Watson, J. (2003). Love and caring: ethics of face and hand. *Nursing Administration Quarterly*, *27*(3), 197–202.

Watson, J. (2004). Caritas and communitas: an ethic for caring science. *Journal Japan Academy of Nursing Science*, *24*(3), 66–67.

Watson, J. (2004). The relational core of nursing practice as partnership. [Invited commentary.] *Journal of Advanced Nursing*, *47*(3), 241–250.

Watson, J. (2004). Caritas and communitas: an ethic for caring science. *Journal Japan Academy of Nursing Science*, *24*(1), 66–71.

Watson, J. (2005). Caring for our future: an interview with Jean Watson. [Interview by Carla Mariano.] *Beginnings (American Holistic Nurses' Association)*, *25*(3), 1, 12–14.

Watson, J. (2005). Caring science: belonging before being as ethical cosmology. *Nursing Science Quarterly*, *18*(4), 304–305.

Watson, J. (2005). Commentary on Shattell, M. (2004). Nurse-patient interaction: a review of the literature. *Journal of Clinical Nursing*, *14*, 530–532.

Watson, J. (2005). What, may I ask, is happening to nursing knowledge and professional practices? What is nursing thinking at this turn in human history? *Journal of Clinical Nursing*, *14*(8), 913–914.

Watson, J. (2005). Current issues and haunting concerns for survival of nursing profession. *Japanese Journal of Nursing Science*, *30*(11), 50–53.

Watson, J. (2005). Love and caring. [Reprinted.] *Alternative Journal of Nursing, 9*. Retrieved from: www.altjn.com .

Watson, J. (2005). *An overview of Watson's theory of human caring.* Tokyo, Japan: Bulletin of Japanese Red Cross University College of Nursing.

Watson, J. (2006). Frontline and backstage caring: American nurse/world-wide nurses. *American Nurse Today*, *1*(1), 24–28.

Watson, J (2006). Carative factors—Caritas processes guide to professional nursing. *Danish Clinical Nursing Journal*, *20*(3), 21–27.

Watson, J. (2006). Can an ethic of caring be maintained? *Journal of Advanced Nursing*, *54*(3), 257–259.

Watson, J. (2006). Caring theory as an ethical guide to administrative and clinical practices. *JONAS Healthcare Law, Ethics and Regulation*, *8*(3), 87–93.

Watson, J. (2006). Caring theory as an ethical guide to administrative and clinical practices. *Nursing Administration Quarterly*, *30*(1), 48–55.

Watson, J. (2006). Walking pilgrimage as caritas action in the world. *Journal of Holistic Nursing*, *24*(4), 289–296.

Watson, J. (2007). Theoretical questions and concerns: response from a caring science framework. *Nursing Science Quarterly*, *20*(1), 13–15.

Watson, J. Bauer, R., & Biley, F. (2002). Bavarian nursing secret: an inside view. *Reflections on Nursing Leadership: Sigma Theta Tau International Magazine*, *28*(1), 26–28.

Watson, J., Biley, F. C., & Biley, A. M. (2001). Aesthetics, postmodern nursing, complementary therapies and more: an Internet dialogue. *Theoria: Journal of Nursing Theory*, *10*(3), 13–16.

Watson, J., Biley, F. C., & Biley, A. M. (2002). Aesthetics, postmodern nursing, complementary therapies, and more: an Internet dialogue. *Complementary Therapies in Nursing and Midwifery*, *8*, 81–83.

Watson, J., & Foster, R. (2003). The Attending Nurse Caring Model: integrating theory, evidence, and advanced caring-healing therapeutics for transforming professional practice. *Journal of Clinical Nursing*, *12*, 360–365.

Watson, J., & Phillips, S. (1992). A call for educational reform: Colorado nursing doctorate model as exemplar. *Nursing Outlook*, *40*, 20–26.

Watson, J., & Smith, M. C. (2002). Caring science and the science of unitary human beings: A trans-theoretical discourse for nursing knowledge development. *Journal of Advanced Nursing*, *7*(5), 452–461.

Secondary Sources

Chapters and Monographs

Burns, P. (1991). Elements of spirituality and Watson's theory of transpersonal caring: Expansion of focus. In P. L. Chinn (Ed.), *Anthology of caring* (pp. 141–153). New Yark: National League for Nursing.

Duffy, J. R. (1992). The impact of nursing caring on patient outcomes. In D. Gaut (Ed.), *The presence of caring in nursing* (pp. 113–136). New Yark: National League for Nursing.

Fawcett, J. (2000). Watson's theory of human caring. In J. Fawcett (Ed.), *Analysis and evaluation of contemporary nursing knowledge: nursing models and theories* (pp. 657–687). Philadelphia: F. A. Davis.

Jesse, E. (2006). Watson's philosophy in nursing practice. In M. R. Alligood & A.M. Tomey (Eds.). *Nursing theory: Utilization & application* (3rd ed., pp. 97–121). St. Louis: Mosby.

Jesse, E. (2006). La filosofia di Watson nella pratica informieristica. In M. R. Alligood & A. M. Tomey, *La teoria del nursing* (3rd ed., pp. 91–115). [C. Calamandrei, Italian translation.] Milano, Italy: McGraw-Hill.

McGraw, M. J. (2003). Watson's philosophy in nursing practice. In M. R. Alligood & A. M. Tomey, *Nursing theory: Utilization & application* (3rd ed., pp. 97–121). St. Louis: Mosby.

Morris, D. L. (1998). Watson's human care model. In J. J. Fitzpatrick (Ed.), *Encyclopedia of Nursing Research* (pp. 593–595). New York: Springer.

Neil, R. M. (1990). Watson's theory of caring in nursing: the rainbow of and for people living with AIDS. In M. E. Parker (Ed.), *Nursing theories in practice* (pp. 289–301). New Yark: National League for Nursing.

Neil, R. M. (1995). Evidence in support of basing a nursing center on nursing theory: the Denver nursing project in human caring. In B. Murphy (Ed.), *Nursing centers: the time is now* (pp. 33–46). New Yark: National League for Nursing.

Neil, R. M. (2003). Philosophy and science of caring. In A. M. Tomey & M. R. Alligood (Eds.), *Nursing theorists and their work* (6th ed., pp. 91–115). St. Louis: Mosby.

Nyberg, J. (1994). Implementing Watson's theory of caring. In J. Watson (Ed.), *Applying the art and science of human caring* (pp. 53–61). New Yark: National League for Nursing.

Woodward, T. K. (2006). Application of Jean Watson's Theory of Human Caring. In M. Parker (Ed.), *Nursing theories and nursing practice* (2nd ed., pp. 302–308). Philadelphia: F. A. Davis.

Journal Articles

Bent, K. N. (1999). The ecologies of community caring. *Advances in Nursing Science*, *21*, 29–36.

Biley, A. (2000). [Review of*Postmodern nursing and beyond*.] *Journal of Clinical Nursing*, *9*, 649–653.

Burchiel, R. N. (1995). The Watson theory of human care applied to ASPO/Lamaze perinatal education. *Journal of Perinatal Education*, *6*(1), 43–47.

Coates, C. J. (1997). The caring efficacy scale: nurses' self-reports of caring in practice settings. *Advanced Practice Nursing Quarterly*, *3*(1), 53–59.

Eddins, B. B., & Riley-Eddins, E. A. (1997). Watson's theory of human caring: the twentieth century and beyond. *Journal of Multicultural Nursing and Health*, *3*, 30–35.

Falk, R., & Adeline, R. (2000). Watson's philosophy, science and theory of human caring as a conceptual framework for guiding community health nursing practice. *Advances in Nursing Science*, *23*(2),

34–50.

Fawcett, J. (2002). The nurse theorists: 21st century updates—Jean Watson. *Nursing Science Quarterly, 15*(3), 214–219.

From, M. A. (1995). Utilizing the home setting to teach Watson's theory of human caring. *Nursing Forum, 30*, 5–11.

Horrigan, B. (2000). Regions hospital opens holistic nursing unit. *Alternative Therapies, 6*(4), 92–93.

Jensen, K. P., Back-Pettersson, S. R., & Segesten, K. M. (1993). The caring moment and the green-thumb phenomenon among Swedish nurses. *Nursing Science Quarterly, 6*,98–104.

Kilby, J. W. (1997). Case study: transpersonal caring theory in perinatal loss. *Journal of Perinatal Education, 6*(2), 45–50.

Marck, B. B. (1995). Watson's theory of caring: a model for implementation in practice. *Journal of Nursing Care Quality, 9*(4), 43–54.

McNamara, S. A. (1995). Perioperative nurses' perceptions of caring practices. *AORN Journal 61*(377), 380–385.

Mullaney, J. A. (2000). The lived experience of using Watson's actual caring occasion to treat depressed women. *Journal of Holistic Nursing, 18*(2), 129–142.

Nelson-Marten, P., Hecomovich, K., & Pangle, M. (1998). Caring theory: a framework for advanced practice nursing. *Advanced Practice Nursing Quarterly, 4*,70–77.

Norred, C. (2000). Minimizing preoperative anxiety with alternative caring-healing therapies. *AORN Journal, 72*(3), 1–4.

Nyman, C. S., & Lutzen, K. (1999). Caring needs of patients with rheumatoid arthritis. *Nursing Science Quarterly, 12*(2), 164–169.

Perry, B. (1997). Beliefs of eight exemplary nurses related to Watson's nursing theory. *Canadian Oncology Nursing Journal, 8*(2), 97–101.

Ray, M. A. (1997). Consciousness and the moral ideal: a transcultural analysis of Watson's theory of transpersonal caring. *Advanced Practice Nursing Quarterly, 3*, 25–31.

Saewyc, E. (2000). Nursing theories of caring. *Journal of Holistic Nursing, 18*(2), 109–113.

Schindel-Martin, L. (1991). Using Watson's theory to explore the dimensions of adult polycystic kidney disease. *American Nephrology Nurses' Association Journal, 18*, 493–496.

Schroeder, C. (1993). Nursing's response to the crisis of access, costs, and quality in health care. *Advances in Nursing Science, 16*(1), 1–20.

Schroeder, C., & Maeve, M. K. (1992). Nursing care partnerships at the Denver nursing project in human caring: An application and extension of caring theory in practice. *Advances in Nursing Science, 15*(2), 25–38.

Smith, M. C. (1997). Nursing theory-guided practice: practice guided by Watson's theory. The Denver nursing project in human caring. *Nursing Science Quarterly, 10*, 56–58.

Swanson, K. M. (1991). Empirical development of a middle range theory of caring. *Nursing Research, 40*, 161–166.

Updike, P., Cleveland, M. J., & Nyberg, J. (2000). Complementary caring-healing practices of nurses caring for children with life-challenging illnesses and their families: a pilot project with case reports. *Alternative Therapies, 6*(4), 108–112.

Walker, C. A. (1996). Coalescing the theories of two nurse visionaries: Parse and Watson. *Journal of Advanced Nursing, 24*, 988–996.

Ward, S. (1998). Caring and healing in the 21st century. *MCN Journal 23*(4), 210–215.

8장

매릴린 앤 레이
Marilyn Anne Ray

1938-현재

관료적 돌봄이론

Theory of Bureaucratic Caring

Sherrilyn Coffman

"복합적인 관료적 건강관리체계에서 환자안전의 증진, 감염 관리, 투약오류의 감소 및 양질의 돌봄을 위해서는 복합적인 조직에 대한 지식과 이해가 필수적이다. 여기에는 모든 환자와 전문가를 위한 정치-경제 체계, 영적-윤리적 돌봄, 동정 및 올바른 행동을 포함한다" (M. Ray, Personal communication, May 15, 2012).

이론가 소개

매릴린 앤 레이Marilyn Anne (Dee) Ray는 캐나나 온타리오주 해밀턴시에서 태어나 여섯 형제가 있는 가정에서 성장하였다. 15세에 그녀의 아버지는 심각한 질병으로 병원에 입원하여 사경을 헤매었는데 한 간호사가 그의 생명을 살려주었다. 레이는 그 때 간호사가 되어 다른 사람을 돕고, 그들의 생명을 살리기로 결심하였다.

Photo credit: M. Dauley, Artistic Images, Littleton, CO.

1958년에 매릴린 앤 레이는 해밀턴에 있는 St. Joseph 병원 간호학교를 졸업하고 로스앤젤레스로 옮겨왔다. 로스앤젤레스에 있는 캘리포니아대학교(UCLA) 의료센터에서 산부인과, 응급실, 심장내과 및 성인과 소아 중환자실 등에서 근무하였다. 아프리카계 미국인과 라틴계 동료와 일하면서 레이는 간호와 세계에 대한 사람들의 관점을 발달시키는 데 문화가 얼마나 중요한지 깨달았다.

1965년 레이는 콜로라도 대학교 간호대학에 입학하여 간호학사학위와 모아간호전공 석사학위를 받았다. 여기에서 그녀는 최초의 간호-인류학자이며, 연방 간호사-과학자 프로그램 회장을 맡고 있던 Dr. Madeleine Leininger를 만났다. 그녀는 레이를 지도하면서, 그녀에게 상당한 영향을 미쳤다. 레이는 간호, 인류학, 아동기 및 문화에 대해 특별한 관심을 갖게 되었다. 그녀는 '작은 문화'로서 조직을 공부하였고, 석사과정에서는 '작은 문화'로서 어린이병원 연구에 참여하였다. 콜로라도 대학교에서 공부하는 동안, 그녀는 성인과 소아 중환자실, 투석실, 가족중심 간호를 제공하는 산업장에서 실무를 수행하였다.

1960년대 중반 레이는 미국 시민권을 취득하였다. 이 후, 1967년에, 미국 공군예비역의 간호 군단(과 공군 방위군) 장교로 임관하였다. 그녀는 텍사스주 샌 안토니오에 있는 Brooks 공군기지의 우주항공의학교에서 항공 간호사로 졸업하였고, 항공의학 후송 간호사로 일하였다. 베트남전에서는 다양한 공군 비행기를 타고 전쟁 사상자와 환자를 돌보았다. 그 이후 레이는 공군에서 항공간호사, 진료자, 행정가, 교육자 및 연구자 등 다양한 직책을 가지고 30년 이상 봉사해 왔고, 10년 이상 대령직을 수행하였다. 그녀는 항공간호에 대해 관심을 갖고 앨라배마 주 헌츠빌에 있는 Marshall Space Flight Center에서 시행한 교육자 프로그램에 참석하였다. 그녀는 지금까지 항공간호학회 창립회원으로 활동하고 있다. 1990년 레이는 구소련이 미국우주기술자와 의사에게 자체 우주항공 조작을 공개하였을 때 우주항공 의료협회와 함께 소련을 방문한 최초의 간호사였다. 1991년에는 현역병으로서 제1차 페르시아 만 전쟁에 참가하였다. 이 때 그녀는 플로리다 Eglin 공군기지에 소속되어 응급실에서 퇴원 계획을 통합하고 연구를 수행하였다.

레이는 공군 재직중에 간호 교육과 연구발전에 기여하여 공군 표창 메달을 비롯한 다수의 메달을 수여받았다. 가장 유명한 것은 2000년에 TRICARE/Managed care가 전체 군력 준비에 미치는 영향이라는 연구로 미국 국방장관연합회에서 수여하는 연방간호서비스 논문상을 받은 것이다. 이 상은 그녀가 Tri-Service 군간호 연구위원회로부터 약 10억원을 받아 수행한 경제성과와 간호사-환자관계에 대한 연구프로그램에서 그녀의 성과를 인정한 것이다.

레이의 첫 간호학 교수 경력은 UCSF와 샌프란시스코 대학교에서 시작하였다. 그 당시

UCSF에서 근거이론 방법의 저자인 Glaser와 Strauss교수가 재직하고 있었다. 이러한 관계가 그녀의 관심을 질적 연구방법으로 이끄는 데 중요한 역할을 하였다. 그녀는 계속해서 문화로서 간호를 연구하는데 더욱 호기심을 갖게 되었고 다양한 미국과 아시아 문화권에서 온 학생들을 가르칠 기회를 가졌다. 1971년 여름에는 인류학과 보건을 공부하기 위해 동료들과 함께 멕시코를 여행하였다.

1973-1977년에 레이는 캐나다에 있는 가족에게 돌아왔다. 레이는 온타리오주 해밀턴시에 있는 McMaster 대학교의 간호학 교수가 되어 가족전문간호사 프로그램에서 학생을 가르쳤다. 그 시기에 맥매스터 대학교 건강과학센터에서 근거중심 교수법, 교육, 및 실무를 시작하고 있었기 때문에 이런 기회는 매우 신나는 일이었다. 레이는 이곳 문화인류학과에서 인문학 석사학위과정을 마치고, 조직의 문화로서 인간 관계, 의사결정 및 갈등, 그리고 병원에 대해 공부하였다. 레이는 유타대학교에 처음으로 개설된 횡문화 간호학 박사과정에 지원해 보겠느냐는 Leininger의 편지를 받았다. 레이의 박사학위논문(1981a)은 복합적인 병원 조직문화에서 돌봄에 대한 연구였다. 이 연구를 통해 '관료적 돌봄이론'을 개발하였다.

박사과정 동안, 레이는 그녀의 영혼이자 친구이고 애인인 James L.Droesbeke 와 결혼하였다. 남편은 2001년 암으로 사망할 때까지 레이가 경력을 쌓아가는 동안 지속적인 후원자이자 조력자였다. 그녀는 1981년 박사과정을 마친 후 콜로라도 대학교 간호대학에 돌아가게 되었다. 콜로라도 대학교에서 레이는 간호에서 인간의 돌봄이론과 실무를 발전시켜온 Dr. Jean Watson과 함께 재직하였다. 레이는 Dr. Watson 과 몇 학자들과 함께 국제인간돌봄협회를 창립하였다. 그녀는 이후 2008년에 평생 공로상을 수여받았다. 1980년 레이는 콜로라도 대학교에서 현상학 및 질적 연구방법에 대한 연구를 계속하고 학위논문을 지도하였다.

1989년 레이는 플로리다 아틀란틱 대학교 간호대학에서 Dr.Anne Boykin이 지명한 Christine R. Lynn Eminent Scholar(저명 학자) 교수직을 맡아 1994년까지 일하였다. 이 대학교는 돌봄 센터를 발전시켜왔고 1977년 국제인간돌봄협회가 개설된 이래 돌봄에 대한 수많은 자료들을 수집해 오고 있다. 그녀는 또한 1994-1995년에는 Virginia Commonwealth 대학교 간호대학에서 Yingling Visiting Scholar 위원장으로, 1989-1999에는 콜로라도 대학교 방문교수로 재직하였다. 레이는 호주, 뉴질랜드 및 태국에 있는 대학교에서 방문교수로 재직하면서 인간 돌봄의 상급 교육과 연구를 촉진하고 발전시켰다(Ray 1994b, 2000, 2010a, 2010b; Ray & Turkel, 2000, 2010). 레이는 횡문화적 돌봄, 횡문화적 윤리, 그리고 돌봄 연구에 대한 여러 편의 이론 책과 연구 논문을 출간하였다.

레이는 플로리다 아틀란틱 대학교 간호대학에서 명예교수로서 박사과정프로그램과 교수지도자프로그램의 교수 요원으로 활동하고 있다. 레이의 횡문화적 간호에 대한 관심은 연구, 교육, 및 실무에서 주요 주제가 되고 있다. 그녀는 Dr. Sherrilyn Coffman과 함께 아프리카계 미국인 고위험 임산부에 대한 근거이론연구를 수행하였다(Coffman & Ray, 1999, 2002). 그녀는 취약한 인구집단에 대해 더 많이 배우면서 이들의 요구에 대해, 특히 건강관리에 동등한 접근성과 돌봄 공동체의 중요성에 관련하여 보다 깊은 이해를 갖게 되었다. 레이는 1998-2000년 까지 플로리다인을 위한 건강관리협회(universal health care) 부회장직을 수행하였다. 그녀는 인증받은 횡문화 간호사이며 국제횡문화간호협회 회원이다. 그녀는 중국, 사우디아라비아, 스웨덴, 핀랜드, 영국, 스위스, 태국 및 베트남에서 국제 학술대회에서 강연을 해 왔다. 1984년 레이는 횡문화 간호에 탁월성을 보인 학자에게 수여하는 Leininger 횡문화간호 우수상을 받았다. 2005년 레이는 국제횡문화간호협회 횡문화간호학자로 명명되었다. 레이는 *Who's Who in America*와 *Who's Who in the World*에 등재되었고, 2010년에 세계대학교포럼(Davos, 스위스)에서 돌봄 조직에 대한 논문을 발표하였다(Ray, 2010c). 그녀는 UN에서 2015년 새천년 목표 수행과 관련한 연구 프로그램에 참여하였다. 레이는 *횡문화간호학회지*와 *질적 건강연구*에서 편집위원으로 일하고 있다. 또한 *간호와 보건관리에서 횡문화적 돌봄에 대한 역동*이란 저서를 출간하였고(Ray, 2010a), *간호, 돌봄, 복합 과학: 인간-환경 안녕을 위하여* 저서의 공동 편집자로 작업하였고, 이 도서는 2011년 미국 간호학회지 올해의 책으로 상을 받았다.

레이의 연구관심은 중환자실과 중간단계 간호단위 및 간호 관리시 간호사, 간호행정가와 환자를 대상으로 한 복잡한 병원 조직문화를 계속 연구하고 있다. 그녀는 Tri Service 간호연구프로그램의 연방연구비 지원으로 Dr. Marian Turkel과 함께 간호사-환자 관계를 경제 자원으로 연구하는 연구프로그램을 개발하였다(Turkel & Ray, 2000, 2001, 2003). 계속해서 Turkel과 함께 복잡한 돌봄 관계 이론, 돌봄과 윤리적 선택을 통한 조직적 변환, 조직적 돌봄에서 도구개발, 경제적 및 정치적 돌봄, 그리고 돌봄 조직의 창조 분야에 걸쳐 출간하고 있다. 그녀는 최근에 *Nursing Science Quarterly*에 간호과정을 돌봄의 언어로 재명명할 것을 제안하였다(Turkel, Ray, & Kornblatt, 2012). 플로리다 아틀란틱대학교에서 레이의 새로운 박사과정 강의는 지역적, 국가적, 그리고 세계적 차원에서 복잡한 조직에 계속 영향을 끼치고, 돌봄 조직과 환경을 창조할 수 있는 기회를 제공하였다. 간호 교육에 대한 공헌으로 2005년에 네바다 주립 대학에서 명예 박사 학위를 받았고, 2007년에 유타 대학교 간호대학에서 탁월한 동문상을 받았다.

이론의 배경

간호학문의 주제로서 돌봄에 대한 그녀의 관심은 1968년 초, Leininger와 함께 일할 때 자극을 받아 횡문화적 간호와 문화기술지-문화기술간호연구방법에 초점을 두게 되었다. 그녀는 실질적인 그리고 형식적인 근거이론을 만들어내고자 문화기술지 방법론에 현상학을 조합하여 사용하였다. 그 결과 중요한 관료적 돌봄이론을 개발하였는데(Ray, 1981a, 1984, 1989, 1994b, 2010b, 2011), 이 이론은 병원과 같은 복잡한 조직에서의 간호에 초점을 두고 있다. 그녀는 조직을 인간이 사회에서 어떻게 행동하는가, 그리고 직장생활의 중요성 또는 의미에 대한 인류학적 연구(Louis, 1985) 에서 기초한 문화로서 구별하였다. 조직적 문화는 상호작용에서 의미를 통해 상징적으로 형성된 사회구성물이라 여긴다(Smircich, 1985).

레이의 초기 작업(1989)은 주제thesis, 상반되는 주제antithesis, 합성synthesis간의 관계를 가정한 Hegel의 철학에 영향을 받았다(Monicca, 1983). 레이 이론에서 돌봄에 대한 주제(인간적, 영적, 윤리적)와 관료주의에 대한 상반되는 주제(기술적, 경제적, 정치적, 법적)가 조정되어 통합된 힘, 관료적 돌봄으로 합성되었다. 무엇인가 되어가는 과정으로서의 합성은 그것을 항상 변화하고, 출현하고, 변환하는 과정을 계속 반복하는 변환을 의미한다.

레이(2001, 2006; Ray & Turkel, 2010)는 자신의 형식이론을 계속해서 개발하는 동안, 그녀의 연구결과가 혼동 이론chaos theory 의 설명과 잘 맞고 있는 것을 발견하였다. 혼동 이론은 동시적 질서와 무질서, 그리고 무질서 속에 질서를 기술한다. 숨겨진 질서 또는 연관성은 분명한 무작위 사건에서도 존재한다 (Peat, 2002). 수학연구에서는 무작위로 보이는 어떤 것은 실제 보다 큰 패턴의 일부라고 보고해 왔다. 조직에 이런 이론을 적용하는 것은 혼란상태에서 수행 가능한데, 이 체계는 잘 질서화된 경계 안에 있기 때문이다(Wheatley, 2006). 나아가 혼란은 새로운 창조적 질서를 위해 필요하다. Briggs와 Peat는 이 창조과정을 다음과 같이 서술한다.

> "우리가 인생의 가장 험난한 시기에 처하게 되면, 우리는 바닥까지 내려가 있을 때 모든 것은 항상 새롭다는 것을 실감한다. 종종 우리는 이런 사실을 알아차리는데 실패하곤 한다. 우리는 창조적인 존재가 될 때, 이것을 알아차린다." (Brigg & Peat, 1999, p. 30).

레이는 복잡한 조직에서의 변화를 이런 창조적인 과정과 비교하고, 간호사에게 잠깐 뒤로 물러나서 일상 사건들에 대한 생각을 새롭게 하고, 숨겨진 의미를 발견하도록 자극한다. 이는 조직의 변화기 때에 특히 더 중요하다. 복잡성은 혼란보다 더 광범위한 개념으로 전체성 또는 홀로노미holonomy에 초점을 둔다. 조직과 같은 복잡한 체제에는 다양한 방법으로 서로 상호작용하는 여러 사람들이 있다. 그 결과 이런 체제들은 역동적이고 항상 변화한다. 체제는 투입에 대해 비율적으로 반응을 하지 않기 때문에 비선형 패션으로 행동한다. 예를 들면, 동료에게 도움을 요청하는 간단한 중재는 쉽게 응답을 받을 수 있다. 그러나 바쁜 날에 이런 요청을 하는 것은 말도 안되는 요구라고 보여질 수 있다. 이에 복잡한 체제의 행동은 예측 불가능하다 (Davidson, Ray, & Tuckel, 2011; Vicenzi, White, & Begun, 1997). 그럼에도 불구하고 모든 체제가 총체적이기 때문에 혼란이 존재할 뿐이다. Brigg와 Peat(1999, pp. 156-157)은 이러한 '혼란 속 전체성'을 '특별하고, 활동적이고, 상호작용하며, 비선형 피드백으로 나타나는, 자기조직 체제에서 분리된 자기 유사체로, 나아가 예측할 수 없는 혼란속 무질서로 모든 것을 생산해 낼 수 있는 능력으로 가득찬' 것이라 기술한다. 이런 생각들은 레이의 관료적 돌봄이론을 계속해서 발전시키는 데 영향을 미쳤다. 이는 다양한 체제 투입은 조직 문화에서 돌봄과 연계되어 있음을 주장한다(Davidson, Ray, & Turkel, 2011; Ray, Turkel, & Cohn, 2011). 레이가 관료적 돌봄이론을 입체상holographic 홀로그램《피사체에 레이저 광선을 비치면 입체상이 나타남》으로서 성찰하게 된 것은 새로운 입체상holographic 세계관에 기초하는 것이다(Davidson, Ray, & Turkel, 2011; Ray, 2001, 2006; 2010a; Ray & Turkel, 2010). 명백하게 무관한 아원자성subatomic 사건들 간의 상호 연관성 발견은 과학자에게 호기심을 유발시켰다. 과학자들은 체계가 스스로 조직하는 능력을 갖는다고 결론지었다; 그래서 관심이 부분을 기술하는 것에서 벗어나는 대신 실질적인 과정으로서 전체성에 초점을 두게 된다(Wheatley, 2006). 입체상Hologram에 대한 개념화는 모든 조직이 어떻게 상호 침투하는지와 다른 조직에 의해 상호 침투되는 것을 설명하고 있다. 즉 부분은 전체이고, 전체는 모든 부분에서 반영되는 것이다(Talbot, 1991).

입체상hologram은 과학자에게 질서에 대한 새로운 이해를 제공해 왔다. Bohm은 우주를 거대한, 유동적인 hologram의 종류라고 개념화하였다. 그는 우리의 매일의 현실이 실제로는 입체상 영상과 같은 환상이라고 주장한다. Bohm은 우리의 존재에 대한 의식적 수준을 *명백한explicate* 질서와 인간이 일반적으로 *함축된implicate*, *숨겨져 있는enfolded* 질서를 인식하지 못하는 실제의 깊은 층으로 명명하였다. 관료적 돌봄이론에서 레이는 정치적, 법적, 경제적, 교육적, 생리적, 사회-문화적, 그리고 기술적 건강관리 구조를 명백한 질서와 함축된 질서를 가진 영적 윤리적 돌봄과 비교하였다. 건강관리와 관련된 예를 들면 사례 관리자가 가정에 있는 대상자 관리에 어떤 자원을 얻을까 결정하는 것이다. 처음 볼 때에는, 법적인managed care 계약과 같은 명백한 구조 또는 대상자의 신체적 요구가 충분한 정보로 보일 수 있다. 그러나 사례관리자는 대상자와 돌봄 관계를 통해 대상자의 가치관이나 열망과 같은 보다 함축된 문제를 찾을 수 있다. 사실, 각각의 간호 상황에는 명백한 질서와 함축된 질서 가운데 셀 수 없는 가려진 것과 노출된 상황이 존재한다. 그리고 두 측면 모두 의사결정 과정에 중요하다.

보건의료체계에서 일을 진행하기 위해서는 딱딱하다고 생각하는 관료주의에 대한 지식과 이해 및 변화에 대한 복합성이 필요하다. 관료주의와 복합성은 서로 상반된 듯하나, 사실 관료주의 구조(조직 내에서 정치, 경제, 법률 및 기술적 체계를 밝혀주는)는 인간 행동의 패턴과 돌봄의 패턴을 함께 창조하기 위해 복합적인 연관성 있는 연결망과 결합하여 작용한다. 관료주의와 복합성 모두 다양한 대상자가 체계 안에서 그들의 삶 속에서 경험을 기술하고 직관적으로 살아가는 그 방법에 영향을 미친다. 체계 안에서는 어떤 상황이나 사람도 독립적이지 않다. 대신 상호의존적이다. 이 체계는 전체와 부분이 상호 연결되는 입체상을 갖는다. 따라서 관료주의와 복합성은 함께 창조하고 서로 변환한다. 관료적 돌봄이론은 체계와 돌봄 요소의 관련성을 대표하는 것이다.

주요 개념과 정의

진리를 보고, 좋은 것(돌봄)을 보는, 그리고 의사소통에 대한 이론적 인식의 과정은 이 이론의 중심이다. 둘러싸고 있는 정치적, 법적, 경제적, 교육적, 생리적, 사회-문화적, 그리고 기술적 구조(외연적 질서)와 연관된 영적-윤리적 돌봄(함축적 질서)에 대한 논리는 모든 것이 전체 문화의 대우주 안에 돌봄과 체계 간에 상호 연관되어 있음을 보여주고 있다. 모델에서(그림 8-2), 모든 것은 가운데 있는 영적-윤리적 돌봄 내에서 조직생활의 구조와 통합적이며 유기적인 연관을 맺는 것으로 나타난다. 영적-윤리적 돌봄은 정치적, 경제적 그리고 기술적인 돌봄과 같이 질적으로 다른 과정으로 포함되어 있다.

개념간의 상호 연관성이 홀로그래픽 이론으로서의 관료적 돌봄이론을 만들게 하였다(Ray, 2001). *홀로그래피holography*는 무엇이든 한 상황에서는 *전체*가 되지만, 다른 곳에서는 *부분*이 된다는 것을 의미한다. -전체 안에 각 부분이 있고, 부분에 전체가 있다(Talbot, 1991). 영적-윤리적 돌봄은 부분과 전체 양 측면이 있다. 이와 같이 모든 부분은 부분의 각각으로부터 그 의미를 보유 받는다. 이는 또한 전체로서 간주될 수 있다. 이 이론은 홀로그래픽하다. 왜냐하면 모든 구조가 상호 투과성을 가지며, 다른 모든 것에 의해 투과되어진다. - 그래서 부분은 전체가 되고, 전체는 각 부분에서 반영되어진다.

이 관료적 돌봄이론에서 주요개념들의 정의는 아래와 같다.

주요 개념과 정의

돌봄 Caring

*돌봄*은 복합적이고, 횡문화적이고, 관계적 과정이며, 윤리와 영적 상황에 근거를 둔 것으로 정의된다. 돌봄은 자비와 올바른 행동간의 관계이고, 괴로움에 반응하는 동정과 같은 사랑과 요구 간의 관계이며, 해야 할 것이라는 측면에서 정의 또는 정당성간의 관계이다. 돌봄은 개인적 문화, 병원조직 문화 또는 사회와 세계적 문화를 포함하여 하나의 문화 또는 사회 안에서 일어난다(M. Ray, personal communication, March 27, 2002).

영적-윤리적 돌봄 Spiritual-Ethical Caring

*영성*은 창조성과 선택을 포함하고, 이는 애착, 사랑, 그리고 지역사회를 통해 드러난다. 영적인 돌봄과 결합된 윤리적 돌봄의 필수 요건은 우리의 타인에 대한 도덕적 의무와 연관된다. 이는 사람을 단순히 목적을 위한 수단으로 또는 그것의 결과물로 대해서는 절대 안 된다는 것을 의미하며, 대신 선택할 수 있는 능력을 갖춘 존재라는 것이다.

간호에서 영적-윤리적 돌봄은 타인에게 선을 베풀기 위해서 선택의 중재가 수행될 수 있는가 또는 수행되어야 하는 가에 초점을 둔다(Ray, 1989, 1997a, 2010a).

교육적 Educational

공식 및 비공식적 교육프로그램, 정보를 전달하기 위한 시청각 교재, 정보의 교육 및 나눔을 위한 다른 교육 형태가 돌봄의 수단으로 연결되는 교육적 요소의 예이다(Ray, 1981a, 1989; 2010c).

신체적 Physical

신체적 요소는 생물학적 그리고 정신 패턴을 포함한 신체적 상태와 연관된다. 마음과 몸은 상호 관련되어 있기 때문에 각각의 패턴은 서로에게 영향을 미친다(Ray, 2001, 2006).

사회-문화적 Social-Cultural

사회-문화적 요소의 예로는 민족성과 가족 구조; 친구와 가족 간 친밀감; 의사소통; 사회적 상호작용과 지지; 상호관계, 참여, 그리고 친밀감의 이해; 그리고 문화집단, 지역사회, 및 사회의 구조 등이 있다(Ray, 1981a, 1989, 2001, 2006, 2010a).

주요 개념과 정의

법적 Legal

돌봄의 의미와 연관되는 법적 요소에는 의무와 책임; 행동을 지도하는 규칙과 원칙, 규정과 절차와 같은 것; 정보제공동의서; 권리와 사생활 보호; 비행과 책임의 문제; 대상자, 가족 그리고 전문인의 권리; 그리고 보호적인 의료 및 간호실무 등이 있다(Gibson, 2008; Ray, 1981a, 1989, 2010a, 2010b)

기술적 Technological

기술적 요소에는 환자의 생리적 안녕을 유지하기 의한 기계의 사용, 진단적 검사, 약물 요인, 그리고 이런 자원을 활용하는데 요구되는 지식과 기술 등과 같은 비 인간적 자원을 말한다(Ray, 1987, 1989). 또한 여기에는 컴퓨터가 지원하는 실무와 기록도 포함된다(Campling, Ray & Lopez-Devine, 2011; Swinderman, 2011).

경제적 Economic

돌봄의 의미와 관련된 요인에는 돈, 예산, 보험체계, 한계, 그리고 managed care 조직에 의해 주어진 지침 그리고, 일반적으로 조직의 경제적 생존력을 유지하기 위한 희귀 인적 및 물적 자원의 배분 등이 포함된다(Ray, 1981a, 1989). 상품, 돈, 그리고 서비스 뿐 아니라 돌봄 역시 대인관계 자원으로서 고려되어야 한다(Turkel & Ray, 2000, 2001, 2003; Ray, Turkel & Cohn, 2011).

정치적 Political

건강관리 행정부 안에 있는 정치적 요소와 권력 구조는 간호가 건강관리에서 어떻게 보이는 지에 영향을 미친다. 이 요소에는 조직에서 의사소통과 의사결정 패턴; 간호사, 의사, 그리고 행정가 간에 역할과 성별 계층화; 협상과 대면을 포함한 조합 활동; 정부와 보험회사의 영향; 권력, 명성, 그리고 특권의 사용; 일반적으로 희귀 인적 및 물적 자원의 경쟁 등이 있다(Ray, 1989, 2010a, 2010b).

경험적 증거의 이용

이 관료적 돌봄이론은 병원에 있는 의료인과 대상자를 포함한 질적 연구를 통해 만들어졌다. 이 연구는 조직 문화에서 돌봄에 초점을 두고 있고 1981년에 박사학위 논문에서 처음 소개되었으며, 1984년과 1989년에는 다른 문헌에서 소개되었다. 학위논문의 목적은 복합적인 조직에서 역동적인 돌봄의 구조이론을 만들어내는 것이었다. 사용된 방법론은 연구대상자의 돌봄의 의미를 드러낼 수 있는 현상학(경험의 의미)과 문화기술지(조직문화의 패턴)를 포함한 근거이론이었다.

근거 이론적 접근은 현상에 대한 귀납적 근거이론을 개발하기 위해 체계적인 일련의 절차를 사용하는 질적 연구방법이다. 연구자의 목적은 참여자가 보는 것을 그들의 사회적 실체로서 구성하는 것이다(Strauss & Corbin, 1990). 이런 과정은 실체이론(경험으로부터 나온 돌봄의 자료)의 발전과 함께 형식이론(돌봄과 관료적 구조의 통합적합성 synthesis)을 가져온다.

레이는 병원의 모든 분야-간호에서부터 물품관리에서 행정(간호행정 포함)까지-에서 돌봄을 연구하였다. 의도적 표집 및 편의표집으로 200명 이상의 대상자를 모집하였다. 대상자에게 주어진 주요 질문은 "당신에게 돌봄이란 어떤 의미인가?" 돌봄에 대한 대화와 탐색의 과정은 심층면담, 참여자 관찰, 간호제공, 및 현장노트의 기록을 통해서 진행되었다(Ray, 1989).

관료적 돌봄의 발견은 실체이론으로 시작되었고, 형식이론을 산출하였다. 실체이론은 '차별화된 돌봄'으로 대두되었고, 상황에 따라 그 돌봄의 의미가 달라지는 것을 확인하였다. 주요 돌봄 영역은 실무영역 또는 병원 세팅에 따라 다양하다. 예를 들면, 중환자실은 기술적 돌봄(모니터, 인공호흡기, 처치, 그리고 약물 치료적)이 우월한 가치로 존재하고, 암 병동에서는 보다 친밀한, 영적 돌봄(가족중심의, 편안한, 동정심)이 귀중한 간호이다. 일반간호사는 환자와 연관하여 돌봄의 가치를 제시하였고, 반면에 행정가는 병원의 경제적 복지를 지켜줄 수 있는 관련된 체계로 돌봄의 가치를 보고 있었다.

이 형식적인 '관료적 돌봄이론'은 역동적인 돌봄의 구조를 상징적으로 나타낸다. 이 구조는 인간적인(사회적, 교육적, 윤리적, 종교적-영적 구조) 돌봄의 주제thesis와, 관료적인(경제적, 정치적, 법적, 그리고 기술적 구조) 돌봄으로서의 상반되는 주제antithesis간의 변증법적 논리에서 시작한다. 다양한 구조와 연관된 돌봄의 변증법적 논리는 모든 것이 돌봄과 상호 연관되어 있고, 조직 체계는 전체 문화라는 대우주 속에 있다는 것을 보여준다.

레이의 이론 발달의 전개는 그림 8-1에 제시되어 있다. 이는 1981년과 1989년에 출간된 관료적 돌봄 구조에 대한 그림이다. 원래의 근거이론(그림 8-1A)에서는 정치적 및 경제적

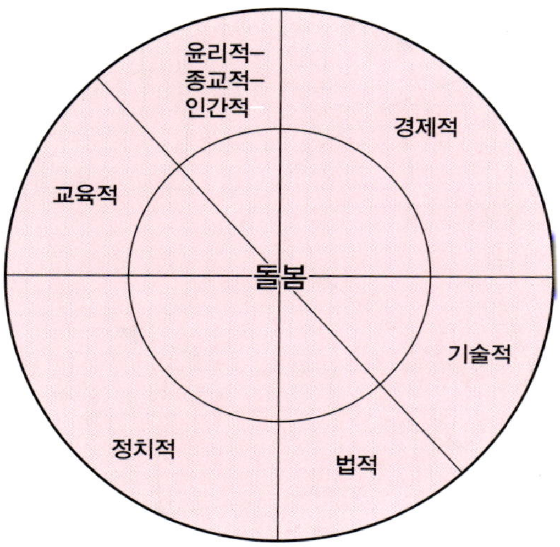

그림 8-1. A. 원래의 근거이론 : 관료적 돌봄이론. 기관의 문화 속에서의 돌봄에 대한 연구

출처 : Ray, M. A. [1981a]. A study of caring within an institutional culture. Dissertation Abstracts International, 42[06]. [University Microfilm No. 8127787]

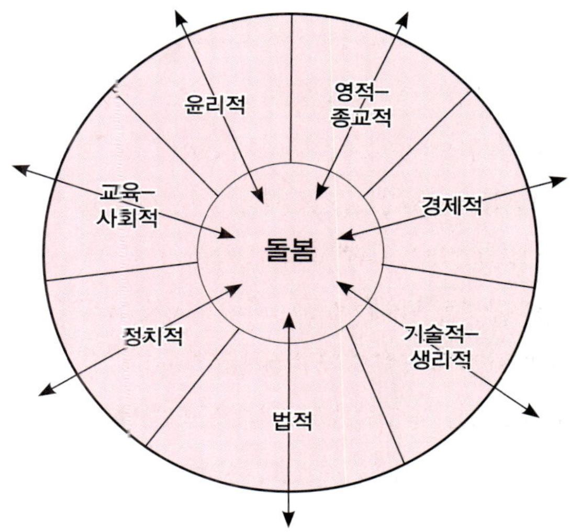

그림 8-1. B. 후속적인 근거이론 : 차별화된 돌봄을 나타냄

출처 : Parker M. E. [2001]. Nursing theories and nursing practice. Philadelphia, F. A. Davis. Graphics redrawn from originals by J. Castle and B. Jensen, Nevada State College, Henderson, NV.

구조 각각이 기관에서의 돌봄에 증가된 영향력을 보여주기 위해 각각의 큰 영역을 차지하고 있었다(Ray, 1981a). 중환자실과 중환자연계병동에서 수행된 후속 연구는 정치적, 법적, 경제적, 기술적-생리학적, 영적-종교적, 윤리적, 그리고 교육적-사회적 요소들의 경쟁적 구조를 통한 다른 형태의 돌봄의 본질을 강조하였다(그림 8-1B). 레이는 중환자간호를 위한 고도의 기술 영역에서 돌봄에 초점을 둔 최초의 간호연구가 중 한 명으로, 그녀의 업적은 가히 혁신적이었다. 1987년 기술적 돌봄에 관한 논문에서 "중환자간호는 매우 인간적이고 도덕적이며 기술적이다"라고 적었다(p. 172). 레이는 중환자 간호에서 기술의 장점과 제한점에 대한 간호의 이해를 높일 수 있도록 다른 연구가들이 이 영역에 대한 연구를 계속할 것을 격려하고 있다. 중환자 간호영역Dimension of Critical Care Nursing 잡지에서는 레이의 개척적인 업적에 대해 그 해의 연구자 상 수여자로 선정하였다.

레이는 지속적인 연구와 분석을 거쳐서 간호사-환자 관계의 경제성에 대한 연구를 종합하여 더욱 더 영적-윤리적 간호의 현실을 드러내기 시작하였다(그림 8-2)(Ray, 2001). 간호사-환자 관계에 초점을 둔 발견 때문에 영적-윤리적 돌봄은 월등한 본보기가 되었다. 정치적, 경제적, 사회-문화적, 그리고 생리적 돌봄과 같이 질적으로 다른 체계가 개방형 그리고 상호작용으로 나타내게 될 때 이는 전체가 되고, 간호사의 선택에 의해 조작된다(Davidson & Ray, 1991; Ray, 1994a). 간호에서 영적-윤리적 돌봄은 타인에게 선을 베풀기 위해서 어떤 선택을 하

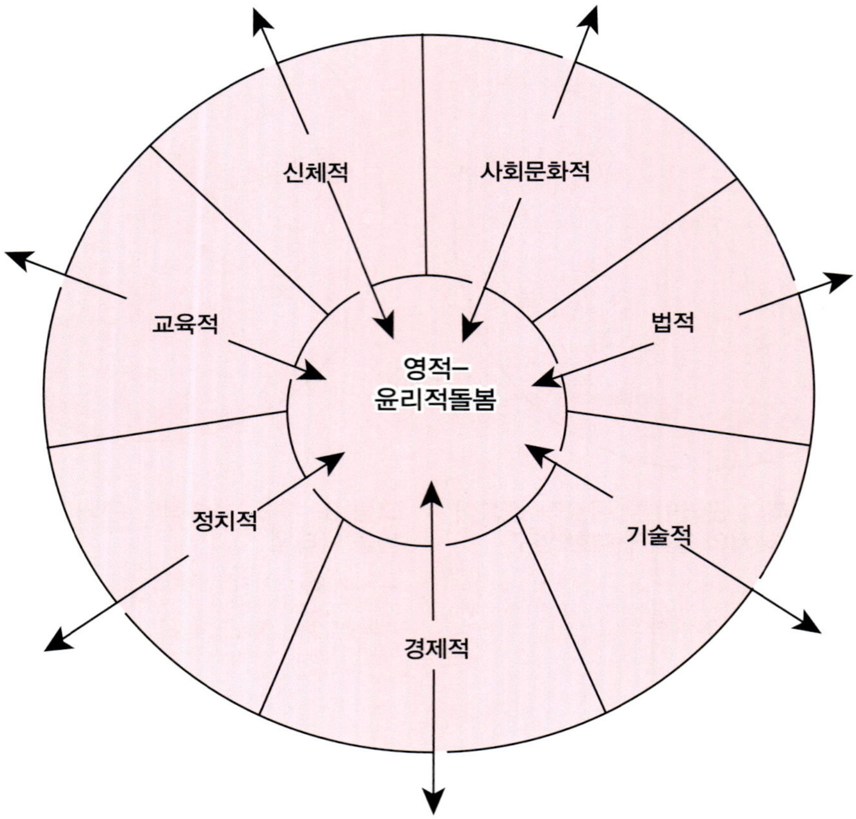

그림 8-2. 입체상의 관료적 돌봄이론

출처: Parker, M. E. [2001]. Nursing theories and nursing practice. Philadelphia: F. A. Davis. Graphics redrawn from originals by J. Castle and B. Jensen, Nevada State College, Henderson, NV.

느냐는 간호실무에서 이것이 수행될 수 있는가를 말한다.

레이는 연구를 통해서 간호(돌봄)는 복합 조직 내에서 인간적-영적 영역과 체계 영역사이 경계선에서 수행되며, 존속되고 있음을 밝혔다. 이런 결과는 실제로 공존하는 명제에 반대하는 현상을 제안하는 새로운 복합과학의 세계관과 일치한다(Briggs & Peat, 1999; Ray, 1998). 그래서 기술적인 부분과 인간적인 체계 모두가 함께 존재하는 것이다. 복합성 이론은 관료적 돌봄이론이나 합성에서 설명되는 다른 체계사이(상반되는 주제)간의 패러독스가 왜 해결되어야 하는가를 설명하는데 도움을 준다.

요약하면, 관료적 돌봄이론은 근거이론 방법, 현상학과 문화기술지의 혼합으로부터 도출되었다. 초기 이론은 Hegel의 철학을 사용하여 검증하고 있다. 이 이론은 계속적인 연구를 통해 2001년에 재평가되었고, 그 결과는 복합과학과 혼돈이론 측면에서 검증되었으며, 결과적으로 입체상의 관료적 돌봄이론을 도출하였다(그림 8-2).

주요 가정

간호

간호는 복합적인 공동체, 조직, 그리고 관료적 문화 속에서 자신과 타인의 선을 추구하는 총체적이고, 관계적이며, 영적이고 윤리적인 돌봄이다. 돌봄의 본질 깊은 곳을 들여다보면 영적 돌봄의 근간은 사랑임이 드러난다. 영감을 드러내는 삶의 내면에 신비롭게 자리한 지식에 따르면, 사랑은 간호사의 삶에서 구체적인 돌봄 행동을 표현할 수 있도록 의무적인 윤리적 삶을 살도록 요청한다. 이와 같이 돌봄은 문화적이고 사회적이다. 횡문화적 돌봄은 관계가 형성되고 변화되어가는 사회적 실제 속에서 중요성을 찾을 수 있는, 동정심 또는 사랑과 정의 또는 정당성의 신념과 가치로 둘러싸여 있다. 횡문화적 돌봄은 인간의 선택이 나타날 수 있는 독특한 렌즈로 건강과 치유에 대한 이해가 일어나는 곳이다. 그래서 간호는 연민과 정의를 통해 관계, 조직 그리고 지역사회라는 복합적인 문화상황의 활력 속에서 돌봄 행위를 위해 탁월성을 갖추고자 노력하고 있다(Ray, 2010a; Davidson, Ray, & Turkel, 2011).

인간

인간은 영적이고 문화적인 존재이다. 인간은 신에 의해 창조된, 신비의 존재이며, 의미와 가치를 찾기 위해서 인간 조직 내 그리고 횡문화적 관계 내에서 함께 창조적으로 연관된다(M. Ray, personal communication, May 25, 2004).

건강

건강은 개인, 가족, 그리고 지역사회에서 의미 있는 패턴이다. 모든 인간사회에서 질병과 건강에 대한 신념과 돌봄 행위는 문화의 주요형태이다. 건강은 단순히 인간의 신체상태의 결과가 아니다. 사람들은 생물학, 정신적인 양상, 신체, 마음 그리고 영혼, 가족구조, 사회와 공동체의 구조(정치적, 경제적, 법적, 그리고 기술적), 그리고 통합적 방법으로 삶에 의미를 주는 돌봄의 경험에 대한 이미지의 특성에 입각하여 그들의 건강실체를 구성한다. 사회에서 건강과 질병에 대한 사회적 조직(건강관리체계)은 사람들이 아프다 또는 건강하다로 인식하는 방법, 건강/질병이 건강전문인에게 표현되는 방법, 그리고 건강/질병이 개인별로 해석되는 방법을 결정한다. 그래서 건강은 문화 집단 내에서, 조직 문화에서, 또는 관료적 체계 안에서 사람들(간호사 포함)이 실체를 구성하고 의미를 부여하면서 찾는 방법들과 긴밀하게 연관되어 있다(Helman, 1997; Ray, 2010a).

환경

환경은 복합적인 영적, 윤리적, 생태학적, 그리고 문화적 현상이다. 이러한 환경의 개념화에는 삶의 형식의 아름다움에 대한 지식과 의식, 상징적(대표적인) 체계 또는 의미의 패턴으로 구체화된다. 패턴은 돌봄의 가치, 태도, 그리고 의사소통에 의해 역사적으로 전달되고, 보존되거나 변화된다. 사회구조 또는 관료주의(정치적, 법적, 기술적, 그리고 경제적인) 안에서 확인된 기능적 형식은 인간의 문화집단과 복합적인 조직 환경 안에서 돌봄, 협동, 그리고 갈등의 의미를 이해하는 데 중요한 역할을 하고 있다. 환경에서 간호실무는 사회구조요소와 의미에 대한 영적, 윤리적 돌봄 패턴으로 구체화된다(Davidson, Ray, & Turkel, 2011; Ray, 2010a).

이론적 주장

인간, 간호, 환경, 그리고 건강은 관료적 돌봄이론 안에 통합되어 있다. 이 이론은 영적-윤리적 돌봄이라는 인간(대상자과 간호사)의 영역과 관료주의나 조직문화(기술적, 경제적, 정치적, 법적, 그리고 사회적)라는 구조(간호, 환경)적 영역 간의 변증법적 관계(주제, 상반되는 주제, 합성)가 있음을 암시한다. 레이에 따르면 돌봄과 관료주의의 논리는 관료적 돌봄으로 합성된다. 인간과 구조영역 간 합성된 가장자리인 관료적 돌봄은 간호사, 환자, 그리고 행정가가 인간, 간호, 건강, 환경을 통합해야 하는 곳이다.

관료적 돌봄이론의 이론적 주장은 다음과 같다.

1. 돌봄의 의미는 그것의 구조에 따라 매우 다르다(사회-문화적, 교육적, 정치적, 경제적, 신체적, 기술적, 법적). 다른 돌봄에 대한 실체이론은 간호에 있어서 돌봄은 상황적이고, 조직구조나 문화에 의해 영향을 받게 됨을 밝혔다. 돌봄의 의미는 응급실, 중환자실, 암병동, 그리고 다른 영역에 따라 다양하다. 돌봄의 의미는 개인이 가지고 있는 역할과 지위에 따라 더욱 영향을 받게 된다. 예를 들면, 환자는 일차적으로 간호에 대한 요구를 표현하고, 반면에 의사는 주로 기술적 측면으로 서술하게 된다. 돌봄에 대한 명확한 정의나 의미가 확인되지 않았기 때문에 돌봄에 대한 의미는 다른 것으로 나타났다(Ray, 1984, 1989; Ray, 2010b). 다른 돌봄의 실체이론을 서술하는 이론적 진술은 아래와 같이 만들어졌다.

"병원에서 나타나는 차별화된 돌봄은 돌봄에 대한 의미에 대해 표현된 다양한 가치, 신념, 그리고 행동의 결과로 나타나는 역동적인 사회과정이다. 차별화된 돌봄은 지배적인 미국(세계)문화 속에 있는 사회적 힘에 의해 영향을 받는 조직문화 속에서 정치적, 경제적, 법적, 기술적 힘과 더불어 교육적, 사회적, 인간적, 종교적/영적, 그리고 윤리적 힘이 경쟁(협동)하는 것과 연관된다." (Ray, 1989)

2. 돌봄은 영적, 윤리적이면서 관료적이다. 왜냐하던 이는 조직구조와 연관해서 그것의 의미가 이해될 수 있는 상황이기 때문이다(Davidson Ray, & Turkel, 2011; Ray, 1989, 2001, 2006; Ray & Turkel, 2010). 이론적 모델(그림 8-2)에 따르면 모든 것은 조직생활의 구조(예: 정치적, 교육적)와 통합적이며 관계적인 연결에 의해 영적-윤리적 돌봄 안으로 주입된다. 영적-윤리적 돌봄은, 조직구조의 각각이 부분이며 전체인 것과 같이, 부분이면서 전체가 된다. 모든 부분은 다른 부분으로부터 그 목적과 의미를 보유하게 된다. 관료적 조직체제에서 홀로그램 형태로 영적-윤리적 돌봄을 이해하는 것은 환자의 건강성과를 향상시키고 인간의 환경적 안녕으로의 전환을 촉진시킨다(M. Ray, personal communication, April 13, 2008; Ray, 2010a).
3. 돌봄은 간호의 근본적인 구조이며 의식이다. 영적-윤리적 돌봄과 조직구조(그림 8-2)가 통합되고, 개방되고, 상호작용하면 전체가 되고, 이는 의식적인 선택에 의해 조작되어야 한다. 간호사의 선택은 심사 숙고를 통해 윤리적 원칙을 활용하면서, 진심으로부터 우러난 인간적 관심으로 이루어진다. 레이(2001)는 "간호에서 영적-윤리적 돌봄은 복합체계에서 간호를 할 것인가 아닌가의 질문이 아니다. 이는 타인에게 선을 베풀기 위해 얼마나 성실한 숙고와 궁극적으로 선택의 활용이 수행될 수 있는가, 또는 수행되어야 하는가와 더 밀접하다"고 진술하였다(p. 429).

논리적 형식

형식적 관료적 돌봄이론은 일차적으로 경험전체에 대한 비교분석과 통찰에 의해 유도되었다. 간호, 철학, 사회 과정, 그리고 조직에 대한 문헌고찰은 레이가 문화기술지, 현상학 그리고 근거 이론적 연구를 통해 발견한 차별화된 돌봄으로 명명된 실체이론에 합해졌다. 이러한 아이디어들은 귀납적이고 논리적인 과정을 통해 통합되고 분석되었다. 이는 실체이론과 문헌의 자료로 구축한 귀납형식이다. 동시에 이는 Hegel의 변증법에 대한 철학적 논쟁(Moccia, 1986; Ray, 1989, 2006, 2010b) 그리고 새로운 이론 형성을 위해 돌봄과 관료주의를 합성하기 위한 복합과학을 그려낸 것으로서 논리적이다(Davidson, Ray, & Turkel, 2011; Ray, 2001).

간호학계의 수용

실무

관료적 돌봄이론은 실무와 간호행정에 직접적으로 적용 가능하다. 임상현장에서 간호사는 지식, 기술, 그리고 돌봄을 한 번에 통합해야한다(Turkel, 2001). 이런 행동과 지식의 합성은 관료적 돌봄이론의 총체적 본질을 반영한다. 혼돈의 가장자리에 서서, 건강관리비용의 폭등과 같은 현재 문제들은 법인단체인 건강관리 조직 안에서 변화의 촉매로서 작용한다. 영적-윤리적 돌봄 속에 파묻혀 있는 윤리적 요소(그림 8-2)는 간호사의 도덕적 의무감을 타인에게 주지시킨다. 레이(2001)는 "간호사가 돌봄에 대한 영적 윤리적 영역을 다시 소개한다면, 오늘날의 경영시장 같은 분위기조차 변화를 가져올 수 있다. 내외적 조직은 다수를 위해 선을 행하기 위한 선택에 내재된 심오한 가치를 느낄 것이다"라고 강조하였다(p.429).

조지아 헬레나의 Telfair 주립 교도소의 교정직 의료팀 관리자 Deborah McCray-Stewart는 교정 건강관리 시설에서 간호사가 자신의 실무 틀에 관료적 돌봄이론을 어떻게 통합하는지 설명하였다. 교정직 간호사는 복잡한 특수 집단을 돌봐야 할 책임이 있다. 그들은 그 문화를 이해해야 하며, 수감자를 인간으로 봐야하고 건강관리 영역 안에서 소통, 교육 및 갱생 능력을 가져야 한다. 그 효과는 매일의 실무에서 돌봄이론의 사회문화적, 신체적, 교육적, 법적 및 윤리적 차원을 통합할 때 나타난다. 교정체계의 경제적, 정치적 분야에서 간호사는 질적 돌봄을 제공하면서 건강관리 비용은 경감시켜야 하는 문제, 이는 병원에서도 동일한 문제로 고민하고 있다. 경제적 전략에는 환자를 병원에 수송하는 것이 아니라 시설 수준의 의료 서비스를 시행하는 것이다. 간호사를 필요로 하는 모든 영역에서 필요한 방사선, 실험실 및 원격의료가 시스템에 도입되었다. 정부는 이 특수한 집단을 위한 돌봄의 구성을 제공한다.

레이(2010a)는 다양한 문화가 건강관리체계에 미치는 영향에 대해 언급하였다. 횡문화적 의사소통적 돌봄 도구는 간호사가 문화적으로 역동적인 건강관리 상황에서 나타나는 대상자의 요구, 어려움, 문제들 그리고 질문들을 이해하는데 유용한 지침을 제공한다(Ray & Turkel, 2000; Ray, 2010a). 도구의 영역은 다음과 같다.

1. 연민

2. 옹호
3. 존중
4. 상호작용
5. 협상
6. 안내

관리

레이의 연구는 간호사, 환자 그리고 행정가가 간호사-환자 또는 행정가-간호사 관계에서 함께 만들어가는 돌봄에 의도적인 가치를 부여하고 있음을 보여주고 있다. 윤리적 돌봄 관계를 만들게 되면, 행정가와 그 직원은 작업환경을 변화시킬 수 있다(Ray, Turkel, & Marino, 2002). 관료적 돌봄이론에서는 윤리적 선택, 존중, 그리고 신뢰를 강화하는 조직은 미래의 성공적인 조직이 될 것임을 제안한다.

Miller(1995)는 레이와 다른 이론가들의 작업을 요약하고 간호실무자가 그들의 일간 돌봄 기술을 조사하고 행정 실무에서 이 기술을 사용하도록 격려하였다. 레이와 같이 연구한 Nyberg는 그녀의 책, *A Caring Approach in Nursing Administration*(Nyberg, 1998)에서 레이의 아이디어에 영향을 받았다고 인정하였다. Nyberg는 간호 행정가에게 조직 관리, 비용 및 경제력에 대한 책임을 갖고 돌봄과 연민 체계를 생성하도록 촉구하였다. Turkel과 레이(2003)는 미공군 담당자와 연구를 시행하였고, 이는 민간 및 군사 정책 입안자 사이의 문제 인식을 향상시켰다.

콜로라도 덴버의 보건 간호 국장 Karen O'Brien은 보건 간호사가 레이의 관료적 돌봄이론의 핵심 원칙을 통합시킴으로써 신규 간호사를 위한 오리엔테이션을 어떻게 개발할 것인가에 대해 기술하였다(O'Brien, personal communication, April 12, 2008). 오리엔테이션 커리큘럼에는 전체 모집단의 돌봄에 대한 법적, 기술적, 경제적 및 영적/윤리적 영향의 구성 요소를 포함한다. 간호사는 그들의 실무를 안내하기 위해 이론의 정치적, 경제적 차원을 사용하는 것이 좋다. 관료적 돌봄이론은 간호사가 전체 모집단을 관찰하고 치료결과에 영향을 줄 수 있는 방법을 이해하기 위한 구성요소 틀을 제공한다.

콜롬비아 보고타에 있는 콜롬비아 국립대학의 교수 Olga J. Gomez와 간호학생은 병원의 간호 관리 역할을 중심으로 레이의 관료적 돌봄이론을 연구하였다(Gomez, personal communication, April 5, 2008). 그들이 인간 돌봄과 경제학 개념 사이의 모순을 연구한 것처럼 학생들은 현상학적 연구를 위한 틀을 개발하고 인간 돌봄, 경제학 및 의료비 조정 사이의 관계에 관한 간호

실무자의 인식을 탐구하였다. 연구 성과는 병원환경에서의 고객의 만족과 능력향상을 위해 대학과 병원이 함께 일을 해야하는 중요성 인식이다. 마침내 2012년 Iowa Health, Des Moines의 세 개 병원에서는 탁월성을 갖춘 기관으로써 Magnet 인정 기관으로 신청을 준비하면서, 관료적 돌봄이론을 전문간호실무를 위한 이론적 지침으로써 실행하기 위해 받아들였다(Turkel, 2004).

교육

이 이론은 간호에서의 돌봄에 광범위한 초점을 맞추고 있고 건강관리체계를 개념화하였기 때문에 간호교육에 유용하다. 홀로그래픽 이론은 총체적인 틀 안에서 구조의 차별화를 포함한다. 복합적인 조직(법적, 경제적, 사회-문화적)안에서 구조나 힘에 대한 토론은 간호 상황에 포함되는 요소들에 대한 개요를 제공한다. 이들 구조 속에 영적-윤리적 돌봄이 주입되면서 간호사에게 도덕적 필수불가결성과 선택을 강조한다.

교수들은 네바다주립대학에 새로운 간호학부과정이 개설될 때 돌봄의 철학 안에 간호와 연관된 영역이 서술되어 있는 이 이론을 특별히 이용하였다. 이 새로운 간호프로그램의 개념적 틀은 관료적 돌봄이론에 Watson(1985)과 Johns(2000)의 이론적 사고를 합하여 만들어졌다. 그림 8-3은 간호사와 환자가 건강관리체계에서 상호작용하는 방법과 실무에서의 반영이 어떻게 이런 과정에 영향을 주는지를 보여주고 있다. 그림 8-3에 제시된 개념적 틀에 대한 서술은 다음과 같다.

> *... 돌봄에 대한 홀로그래픽한 이론은 모든 사물에 대한 상호 연관성을 인식시켜 모든 것이 한 상황에서는 전체가 되고, 또 다른 상황에서는 전체의 부분이 된다는 것을 알려준다. 영적-윤리적 돌봄은 의사소통의 초점으로, 신체적, 사회-문화적, 법적, 기술적, 경제적, 정치적, 그리고 교육적 힘을 포함한 모든 간호현상에 주입된다. 이 화살표는 간호사에 의한 영적-윤리적 돌봄의 역동적인 본질과, 변화하는 건강관리체계의 구조에 영향을 미치는 힘을 반영한다. 이런 힘은 대상자/환자와 간호사 모두에게 영향을 미친다(Nevada State College, 2010, p. 2).*

건강관리체계 안에서, 대상자-환자와 간호사는 역동적인 개인의 한계를 초월한 돌봄 관계를 갖게 될 것이다(Watson, 1985). 이는 의사소통을 통해 간호사가 인간을 선택 능력을 가진 존재로 보는 것이다. 경험에 대한 성찰을 통해서 간호사는 어떤 힘이 간호 상황에 가장 큰 영향력을 미치는 지 평가한다(Johns, 2000). 간호사는 과학적, 윤리적 그리고 개인적 지식을 동원하여 대상자에게 정보를 제공하고 미학적 반응에 영향을 미친다. 간호목표-돌봄을 통한 안녕감 증진-는 이러한 개인의 한계를 초월한 관계 속에서 간호사의 돌봄활동을 통해 달성될 수 있다(Nevada State College, 2010).

관료적 돌봄이론은 플로리다 아틀란틱대학교 간호행정 석사학위과정과 석박사 이론 교과에서 교과과정 개발을 안내하는데 사용되어 왔다(Turkel, 2001). 이론에 제시된 윤리적, 영적, 경제적, 기술적, 법적, 정치적, 그리고 사회적 구조는 최근 건강관리 문제를 탐색하는 틀로 이용한다. 학생들은 돌봄의 관점으로 건강관리의 최신 경제구조를 분석하기위해 노력하고 있다. 건강관리전달체계 속에 있는 돌봄은 간호교과목의 필수 개념이다(Tukel, 2001; Ray, personal communicationm May 2012).

연구

레이의 연구결과에서 관료적돌봄이론이 개발되었고, 그녀는 자신의 연구를 계속적으로 안내할 수 있도록 현상학적-해석학적 접근과 돌봄연구 접근법을 개발하였다(Ray, 1985, 1991, 1994b, 2011). 이 연구방법론은 간호연구자에게 특히 의미가 있는데, 이는 인본주의와 돌봄의 철학에 근간을 두고, 간호사로 하여금 돌봄의 렌즈를 통해서 현상학적 해석학을 활용하도록 격려하기 때문이다. 레이의 연구방법론에 대한 혁신은 문화기술지-문화기술간호, 근거이론, 그리고 현상학과 함께 시작되었고 Caring Inquiry and Complex Caring Dynamics 접근법을 최고에 올려놓았다. 이 방법론들은 대상자의 삶의 세계의 의미와 관계적 경험을 탐구함으로서 자료를 생산하는 것이다. 면담과 서술적 대화는 문화기술지-문화기술 간호, 근거이론, 그리고 현상학적 접근에서 자료를 생산하는 일차 방법이다. Caring Inquiry에서 돌봄의 존재론은 자료생산을 위한 접근법 중 하나이다. Complex Caring Dynamics은 복합적인 양적 연구 자료의 수집과 분석기술과 더불어, 질적인 자료생산과 분석을 포함한다. 성찰을 통해, 연구자는 현상의 중요 의미를 찾아낸다. 게다가 성찰은 자료를 해석적 주제와 메타 주제로 변환시키는 목적을 달성할 수 있도록 면담자료의 해석을 용이하게 한다. 연구접근의 목표는 이론과 개념적 모델 속에서 의미의 통일성을 파악해 내고 의미를 이론으로 합성하는 것이다.

이 관료적 돌봄이론에 기초하여 레이와 Turkel은 복합적인 조직에서 간호에 초점을 둔 연구프로그램을 개발하였다(Davidson, Ray & Turkel 2011; Ray, Turkel, & Cohn, 2011). 이 연구들은 병원간호사, 행정가, 그리고 대상자-환자에게서 돌봄의 의미와 간호의 본질을 보다 깊이 탐색하

네바다 주립대학 간호조직틀

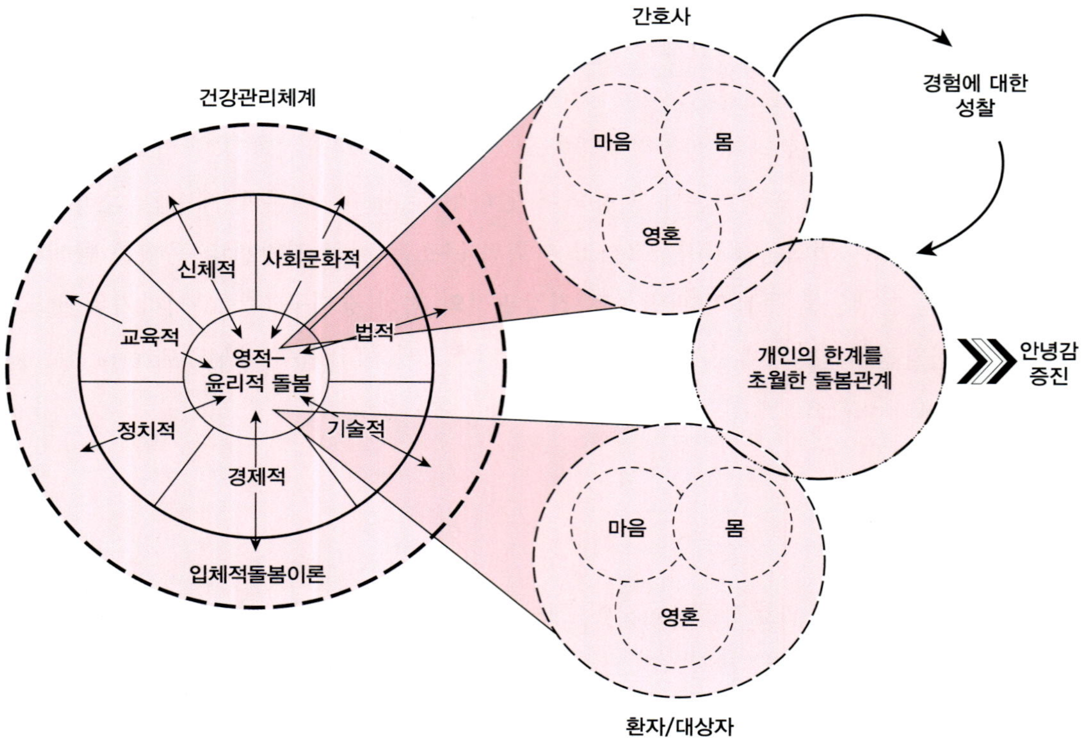

그림 8-3. 네바다 주립대학 간호조직틀

Reprinted with permission of Nevada State College, Department of Nursing, Henderson, NV, 2010. Graphics redrawn from original by J. Castle, Nevada State College, Henderson, NV.

고 있다. TriService 프로그램 연구비는 경제적 자원으로서 간호에 대한 확장된 연구를 지원하였다. 표 8-1은 이 프로그램을 서술한 출판물을 제시하였다.

미래의 발전

레이의 관료적 돌봄이론의 발전은 연구와 장학생 프로그램을 통해 지속되고 있다. 그녀의 업적은 간호과학, 윤리, 철학, 복합과학, 인류학, 경제학, 그리고 조직 경영의 합성이다. 레이는 *Nursing Science Quarterly*에 *TriService* 간호연구프로그램의 지원을 받은 가장 최근의 프로그램을 서술하였다(Turkel & Ray, 2001). 간호사-환자 관계자원분석에 대한 도구(Nurse-Patient Relationship Resource Analysis Tool), 지금은 관계적 돌봄질문지Relationship Caring Questionnaire

표 8-1 관료적 돌봄과 관련된 연구 출간물

연도	인용	연구 초점과 결과
1981	Ray, M. A. Study of caring within an institutional culture. Dissertation Abstracts International, 42(06). (University Microfilm No. 8127787.)	이 논문은 192명의 참여자를 통해 병원 문화에서 돌봄에 대한 표현과 행동의 의미를 분석하였다. 다른 차별화된 돌봄(Differential Caring)에 대한 실체이론과 형식적인 관료적 돌봄이론이 추상화 되었다.
1984	Ray, M. The development of a classification system of institutional caring. In M. Leininger (Ed.), Care: The essence of nursing and health. Thorofare, NJ: Slack.	이 토론은 병원의 문화적 상황 속에서 돌봄의 구조를 검증하였다. 분류체계에는 심리적, 실무적, 상호작용적, 그리고 철학적 요소가 담긴 문화적 돌봄의 상징이 포함되어있다.
1987	Ray, M. Technological caring: A new model in critical care. Dimensions in Critical Care Nursing, .(3), 166–173.	이 현상학적 연구는 중환자실 간호사로부터 돌봄의 의미를 검증하였다. 이 연구는 윤리적 결정, 도덕적 추론, 그리고 선택이 성장과 성숙의 과정을 경험하고 있음을 보여주었다.
1989	Ray, M. A. The theory of bureaucratic caring for nursing practice in the organizational culture. Nursing Administration Quarterly, 13(2), 31–42.	이 연구의 초점은 조직문화에서의 돌봄이다. 이는 차별화된 돌봄에 대한 실체이론과 형식적인 관료적 돌봄이론을 서술한다. 모델의 중심에 있는 돌봄에는 윤리적, 영적–종교적, 경제적, 기술적–생리적, 법적, 정치적, 그리고 교육적–사회적 구조가 포함되어 있다.
1989	Ray, M. A. The theory of bureaucratic caring for nursing practice in the organizational culture. Nursing Administration Quarterly, 13(2), 31–42.	간호사, 환자, 그리고 법인인 건강관리자가 돌봄을 정의하기 위해 양적 및 질적 자료를 제공하였다. 자료는 레이(1984)가 개발한 범주 틀에 따라 짜여졌다.
1993	Ray, M. A. A study of care processes using total quality management as a framework in a USAF regional hospital emergency service and related services. Military Medicine, 158(6), 396–403.	이 서술연구는 총 질 관리 틀을 이용하여 군 지역병원 응급실에서 돌봄 과정에 대한 접근성을 연구하였다. 이 연구는 지역 지휘권에 주어진 권한과 통솔력의 증대 요구와 탈중심화된, 협동적인 건강관리 체계의 필요성을 지지하고 있다.
1997	Ray, M. The ethical theory of existential authenticity: The lived experience of the art of caring in nursing administration. Canadian Journal of Nursing Research, 29(1), 111–126.	간호행정가는 의해 존재에 대한 확증Existential authenticity이 돌봄에 대한 의미의 요소라고 밝혔다. 이는 간호직원과 조직에 선을 베풀기 위한 돌봄과 생활의 윤리로 서술되었다.
1998	Ray, M. A. A phenomenologic study of the interface of caring and technology in intermediate care: Toward a reflexive ethics for clinical practice. Holistic Nursing Practice, 12(4), 69–77.	이 현상학적 연구는 기술에 의존하는 환자의 돌봄에 대한 의미를 검증하였다. 연구결과 취약성, 고통, 그리고 도덕적 해이함과 도덕적 맹점이라는 윤리적 상황이 이 환자들을 위한 역동적인 돌봄이다.

연도	인용	연구 초점과 결과
2000	Turkel, M., & Ray, M. Relational complexity: A theory of the nurse-patient relationship within an economic context. Nursing Science Quarterly, 13(4), 307-313.	관계적 복합성Relational Complexity이라는 형식이론은 돌봄 관계는 복합적이고 역동적이며, 과정과 결과를 모두 갖고, 경제적 및 돌봄 변수로서 기능한다고 서술한다. 즉 모두가 한 번에 관계적, 체계적 자아-조직으로 살아가는 상호관계과정을 의미한다.
2001	Ray, M., & Turkel, M. Impact of TRICARE/managed care on total force readiness. Military Medicine, 166(4), 281-289.	이 현상학적 연구는 군인과 민간인 건강관리체계에서 managed care를 받고 있는 USAF 현역과 예비역의 경험에 대한 삶의 세계를 기술하였다. 이는 USAF 인력과 그들 가족이 갖고 있는 건강관리요구를 보다 잘 충족시키기 위한 정책변화의 필요성을 제시하였다.
2001	Turkel, M., & Ray, M. Relational complexity: From grounded theory to instrument theoretical testing. Nursing Science Quarterly, 14(4), 281-287.	이 논문은 돌봄, 경제, 비용, 질, 간호사-환자 관계 간 관계를 검증한 일련의 연구를 서술하고 있다. 이론검증 결과 과정으로서 관계적 돌봄을 확인하고, 이는 안녕에 목표를 둔 결과 관계적 자아조직에 대해 가장 강력한 예측 요인임이 확인되었다.
2002	Ray, M., Turkel, M., & Marino, F. The transformative process for nursing in workforce redevelopment. Nursing Administration Quarterly, 26(2), 1-14.	관계적 자아조직은 계속해서 변화하는 그리고 상호 연관된 작업환경에 대한 공유된 창조적인 반응이다. 가시성(visibility)을 존중하고, 의사소통하고, 유지하는 전략과 참여적 의사결정에 관여하는 전략은 성장과 변환을 유도하는 변환과정이다.
2003	Turkel, M. A journey into caring as experienced by nurse managers. International Journal for Human Caring, 7(1), 20-26.	이 현상학적 연구의 목적은 간호관리자가 경험하는 돌봄의 의미를 간호 관리자의 경험으로 찾고자 하였다. 나타난 주요 주제는 성장, 경청, 지지, 직관, 선물 받기와 좌절이다.
2003	Turkel, M., & Ray, M. A process model for policy analysis within the context of political caring. International Journal for Human Caring, 7(3), 17-25.	이 현상학적 연구는 군인과 민간인 건강관리체계에서 managed care를 받고 있는 미국공군 현역병의 경험을 서술하였다. 정책분석 과정을 요약하는 모델이 만들어졌다.

USAF, U. S. Air Force.

(전문가용과 환자용)로 명명, 개발과 심리계량적 검증 내용이 실려있다. 이 도구는 간호사-환자 관계를 행정측면과 대인간 자원으로 측정하기 위한 것으로 의료인용(간호사, 비간호사,간호행정가)과 환자용으로 구성된 Likert 척도형 질문지이다. 이 도구는 연구자가 돌봄의 비경제적(대인간) 자원을 행정시스템 자원(경제적/예산 절차)과 연계시키도록 돕는다. 이 도구는 스웨덴 언어로 번역되어 검증과정에 있다. 이러한 학제간 연구는 간호계의 최첨단이며, 관료적 돌봄 이론에서 개념과 관계에 대한 폭넓은 이해를 유도할 것이다.

비평

명확성

영적-종교적, 윤리적, 기술적-생리적, 사회적, 법적, 경제적, 정치적, 그리고 교육적 측면에 대한 주요 구조는 1989년 레이의 출판물에 정의되어 있다. 이들 정의는 의미론적 명확성을 갖고 있고, 실무 간호사가 흔히 사용하는 정의와 일치한다. 또한 이론의 개념이 그들이 현장에서 사용하는 정의와 일치하는 방향으로 의미론적 일치성을 갖는다(Chinn & Kramer, 2011). 대부분의 용어가 1989년에서 2001년과 2006년 출판물에 이르기까지 변화는 없었으나, 몇 개념은 이론이 발달됨에 따라 이후 통합되거나 분리되었다(Ray, 2010a; Ray & Turkel, 2010). 이 장에서는 최근에 사용되는 용어들이 이론가에 의해 명확하게 제시되었다. 이 책에서 처음으로 이론과 연관되어서 *영적-윤리적 돌봄, 사회-문화적, 신체적* 그리고 *기술적 돌봄* 등에 대한 공식적인 정의가 출간되었다.

그림 8-2에 소개된 도형은 명확성을 높혀준다. 영적-윤리적 돌봄과 모든 다른 구조들 간의 상호관계와 체계의 개방성은 개념의 구성과 역동적인 화살표에 의해 나타나 있다. 레이 이론에 대한 서술(2001, pp. 428~429)은 독자에게 홀로그라피로서 이론관계를 상상하도록 도와준다.

간결성

이 이론은 복합적인 관료주의 조직의 역동성을 단순화하는데 유용하다. 레이는 수많은 귀납적인 근거이론 연구에 근거한 서술을 통해서 영적-윤리적 돌봄이라는 통합적 개념과 7가지 상호 연관된 개념-*신체적, 사회-문화적, 법적, 기술적, 경제적, 정치적* 그리고 *교육적 구조*-을 도출하였다. 관료적 조직의 복합성이 인정되면, 개념의 수는 최소가 된다.

일반성

관료적 돌봄이론은 간호의 본질을 돌봄으로서 소개하는 철학이다. Alligood과 Tomey(2002)는 "간호철학은 분석, 사유 그리고 논리적 논쟁을 통해 의미를 찾는 것이라 말한다. 레이의 이론은 간호에서 돌봄의 본질은 무엇인가?"와 "돌봄으로서 간호실무의 본질은 무엇인가?"와 같은 질문을 내놓는다. 철학은 광범위하며, 간호학문의 방향을 제시한다(Alligood, 2010, p. 69).

이 관료적 돌봄이론은 건강관리 조직에 대해, 그리고 간호현상이 어떻게 체계의 전체와 부분으로서 상호 연관되는지에 대한 독특한 관점을 제공한다. 개념 또는 현상은 귀납적 연구를 통해 논리적으로 유도되었다. 레이의 분석은 복합과학으로부터 아이디어들을 통합하였다. 건강관리 체계를 홀로그래피로서 개념화한 것은 개념과 관계에 대한 총체적인 본질을 강조한다. 간호실무의 모든 영역에서 간호사가 이 새로운 개념화를 연구한다면, 그들은 원인과 결과에 대한 보다 오래된, 선형적인 생각들에 대해 의문을 제기할 것이다. 그러므로 관료적 돌봄이론은 모든 실무간호사의 생각하는 방법이나 패러다임을 변화시킬 가능성이 있다.

접근성

이 관료적 돌봄이론은 근거이론에 의해 만들어졌고 연구를 통해 이론의 지속적인 수정작업이 이루어졌기 때문에, 경험적 정밀성은 정의된 개념이 관찰할 수 있는 실체에 근거하였기 때문에 높다. 이론은 출간된 논문에 요약되어 있는 연구 자료와 직접적으로 연관된다(Ray, 1981a; 1981b, 1984, 1987, 1989, 1997b, 1998).

레이, Turkel 그리고 Marino는 이 이론을 경제적 자원으로서 간호사-환자관계에 대한 연구프로그램에서 사용한다(Ray, 1998; Ray, Turkel & Marino, 2002; Turkel, 2003; Turkel & Ray, 2000, 2001, 2003). 이 연구에서는 간호실무를 위한 안내를 제공하고 건강관리조직의 역동성에 대한 간호사의 이해를 증진시키는 모델을 만들고 있다. 레이(2001)는 관료적 돌봄이론이 "간호세계의 심오한 실체를 이해하기 위한 비전에 있어서" 최고조에 달하였다고 제시하였다(p. 426).

중요성

오늘날 간호사가 직면한 문제는 managed care 환경에서 경제적 제약과 이런 제약(예: 간호사 비율)이 간호사-환자 관계에 미치는 영향이다. 이는 관료적 돌봄이론이 다루는 바로 그 이슈이다. 행정, 연구 그리고 실무자 역할을 수행하는 간호사는 이 이론의 정치적, 경제적 영역을 그들의 실무를 정보화하는 틀로 사용할 수 있다. 이 이론은 간호사가 일하고 있는 현재 간호세계와 매우 연관성이 높다.

레이와 Turkel은 관료적 돌봄이론에 기초한 연구프로그램으로부터 중범위이론을 만들어 냈다. 존재에 대한 확증Existential authenticity은 간호행정가의 돌봄 예술의 의미에 대한 유일성으로 레이(1997b)가 발견하였고, Sorbello는 최근에 이를 적용하였다(2008). 간호행정가는 간호직원과 조직의 선을 베풀기 위한 돌봄과 생활의 윤리를 서술하였다. 관계적 돌봄의 복합성Relational caring complexity은 경제적 상황 안에서 간호사–환자관계에 초점을 둔 이론이다(Turkel & Ray, 2000, 2001; Davidson, Ray, & Turkel, 2011; Ray, Turkel, & Cohn, 2011). 연구 자료는 간호행정가, 간호사와 환자간 관계적 돌봄이 안녕에 목표를 둔 결과, 관계적 자아 조직에 가장 강력한 예측요인임을 보여주고 있다. 관계적 자아조직은 성장과 변환을 포함한 공유된 창조적인 반응이다(Ray, Turkel, & Marino, 2002). 관계적 자아조직을 유도할 수 있는 변환과정은 직장에서 가시성visibility을 존중하며, 의사소통하고, 유지하는 것과 참여적 의사결정에 관여하는 것이다. 레이의 업적은 심오한 가치와 도덕적 상호작용이 어떻게 윤리적 결정을 만드는가에 대한 이해를 증대시키고자 임상실무에 필요한 새로운 성찰적 윤리를 위한 요구를 확인하였다(Ray, 1998, 2010a).

요약

관료적 돌봄이론은 간호에 참여하는 모든 사람에게 세상을 보다 총체적으로 바라보게 하고, 우주를 홀로그램으로 고려하기 위해서는 일상적인 패러다임을 넘어서서 생각하라고 말한다. 모든 사람, 환경, 그리고 사건 간 상호 연관성에 대한 인정은 이 이론을 이해하는 열쇠이다. 이 이론은 건강관리조직과 간호현상이 체계의 전체로서 그리고 부분으로서 어떻게 상호 연관되는 지에 대한 독특한 관점을 제공한다. 레이의 이론 중 독특한 구성이 바로 기술적technological 돌봄과 경제적 돌봄이다. 이 이론의 개발은 레이의 동료와 다른 학자들이 계속 진행하고 있다. 레이는 간호사에게 돌봄의 영적 및 윤리적 영역에 대해 또한 복잡한 조직 수준의 건강관리체계에 대해 비전을 가지라고 주문한다. 이를 통해 관료적 돌봄이론은 간호사에게 창조성에 대한 정보를 제공하고 직업 세계를 변화시킬 것이다.

사례연구

Smith 부인은 73세 과부로 가까운 가족과 주위의 도움 없이 혼자 살고 있다. 그녀는 수년간 폐기종으로 고생하고 있고, 호흡기계 문제로 자주 입원하였다. 마지막 입원 시에 폐렴이 악화되어 폐부전으로 진행되었다. 병실에 홀로 있으면서, 의식이 왔다 갔다 하면서 죽음을 맞이하고 있다. 내외과계 간호사와 간호 관리자는 그녀가 최대한 편안하게 삶을 마치는

데 초점을 두었다. 간호부원장께 자문을 구한 후 간호 관리자와 간호사는 Smith 부인을 호스피스 병동으로 옮기는 것이 의료비용을 줄일 수 있을지라도 환자 전동에 반대하기로 결정을 하였다. 죽음의 과정에서 이미 증상징후를 경험하는 그녀를 보호하고 돌봐야 할 간호요구가 있었기 때문이다. 간호사들은 주간 간호실무회의에서 "간호 실무의 언어"(Turkel, Ray, & Kornblatt, 2012)라는 인간 돌봄에 관한 기사를 읽고서 이를 수행하였다.

간호 관리자는 환자 담당자를 재조정하였다. 그녀는 새롭게 배정된 의료 및 외과계에서 일했던 임상간호지도자가 이 상황에서 직접적인 간호와 조정을 할 수 있다고 생각하였다.(Sherman, 2010). 임상간호지도자 뿐만 아니라 Smith부인을 돕고자 자원한 간호직원이 몇 시간 동안 Smith부인을 위한 개별 간호를 제공하였다. 임상간호지도자는 간호 관리자에게 Smith부인에게 그녀의 마지막 순간에 옆에 있어줄 친한 친구가 있는지 물었다. 한 친구가 Smith부인을 찾아와 작별인사를 하였다. 임상간호지도자는 팀의 도움을 받아 Smith부인의 자세를 변경하고, 목욕을 시키고, 흡인간호를 시행하였다. 그녀는 조용하게 기도하고, 부드럽게 찬송가를 부르면서, Smith부인을 돌보는 진심을 담아 평화로운 환경을 조성하였다. 간호 관리자와 간호직원은 침착했고, 임상간호지도자와 간호사들의 개인적 돌봄에 의한 "마음이 깨어있는" 간호가 제공되었다. Smith부인은 침상에 자신을 돌보는 사람이 있는 상태에서 죽음을 맞이하였다. 그 간호직원은 Smith부인이 홀로 외롭게 죽어가지 않은 것에 대해 안도감을 느꼈다.

Davidson, Ray와 Turkel(2011)는 돌봄은 복잡하고 돌봄 과학은 실무예술을 포함한다고 하였다. "간호사와 환자의 역동적인 관계의 아름다움을 비추는 미학은 전환-치유, 건강, 안녕 및 평화로운 죽음으로-을 위해 진정한 영적-윤리적 선택을 가능하게 만든다."(p.xxiv) 이러한 상황에서 임상간호지도자와 간호직원은 환자의 안녕에 초점을 맞춘 간호 실무를 수행하면서, 동시에 돌봄-치유 환경을 조성하여 전체- 병동의 정서적 분위기, 그들의 자발적이며 능숙하게 돌봄을 수행하는 능력, 직원이 다른 환자에게 제공할 수 있는 양질의 돌봄의 안녕에 기여하였다. 병원의 관료적 성격에는 간호 관리자와 임상간호지도자, 간호직원의 간호부원장과의 파트너십을 통해 권력, 권한 및 통제를 포함하는 리더십과 경영체계를 갖고 있다. 간호 행정, 임상간호지도자 및 직원의 행동은 그들이 제공하는 간호, 기술을 사용하는 방법, 인간관계를 잘 다루는 법에 관한 가치와 믿음, 태도 및 행동을 반영하였다. 모든 직원의 윤리적 및 영적인 선택과 그들의 가치를 소통하는 방법은 모두 병원 단위의 직장문화에서 돌봄 사회를 창조하고 반영하였다.

비판적 사고

위의 사례를 바탕으로 하여 다음 질문을 생각해보세요.

1. 이러한 상황에서 간호직원이 간호 관리자에게 Smith부인을 돕겠다고 선뜻 나선 돌봄 행위는 무엇인가?
2. 관료적 돌봄이론의 구조(윤리적, 영적, 법적, 사회-문화적, 경제적)중 어떤 문제가 이런 상황에 영향을 미쳤는가?
3. 간호 관리자는 이런 문제를 어떻게 균형 있게 조절하였는가? 의사결정 하는데 어떻게 심사숙고하였는가?
4. 이러한 환경에서 어떤 연관성이 드러났는가? 대인관계는 어떠한가? 즉 간호 부원장, 간호관리자, 임상간호지도자, 간호직원, 환자 모두 이 상황에서 어떻게 연결되었는가? Turkel 등(2012)의 관료적 돌봄이론에서 들봄 실무의 언어를 전통적인 간호과정과 비교 대조하시오.

POINTS FOR FURTHER STUDY

- Florida Atlantic University, Christine E. Lynn College of Nursing, Boca Raton, FL, at: www.fau.edu
- International Association for Human Caring, at: www.humancaring.org
- New England Complex Systems Institute, Cambridge, MA, at: www.necsi.edu
- Plexus Institute, Allentown, NJ, at: www.plexusinstitute.org
- Ray, M. (2010). *Transcultural caring dynamics in nursing and health care*. Philadelphia: F. A. Davis.
- Santa Fe Institute, Santa Fe, NM, at: www.santafe.edu
- Watson Caring Science Institute, at www.wcsi.org

REFERENCES

Alligood, M. R., & Tomey, A. M. (2010). *Nursing theorists and their work* (7th ed.). St. Louis: Mosby.

Briggs, J., & Peat, F. D. (1999). *Seven life lessons of chaos: spiritual wisdom from the science of change.* New York: Harper Collins.

Chinn, P. L., & Kramer, M. K. (2011). *Integrated theory and knowledge development in nursing* (8th ed.). St. Louis: Mosby.

Campling, A., Ray, M., & Lopez-Devine, J. (2011). Implementing change in nursing informatics practice. In A. Davidson, M. Ray, & M. Turkel (Eds.), *Nursing, caring, and complexity science: for human-*

environment well-being (pp. 325–339). New York: Springer.

Coffman, S., & Ray, M. A. (1999). Mutual intentionality: a theory of support processes in pregnant African American women. *Qualitative Health Research, 9*(4), 479–492.

Coffman, S., & Ray, M. A. (2002). African American women describe support processes during high-risk pregnancy and postpartum. *Journal of Obstetric, Gynecologic, and Neonatal Nursing, 31*(5), 536–544.

Davidson, A., & Ray, M. (1991). Studying the human-environment phenomenon using the science of complexity. *Advances in Nursing Science,*14(2): 73–87.

Davidson, A., Ray, M., & Turkel, M. (2011). *Nursing, caring and complexity science: for human-environment well-being.* New York: Springer.

Fadiman, A. (1998). *The spirit catches you and you fall down.* New Yark: Farrar, Straus, & Giroux.

Gibson, S. (2008). Legal caring: preventing retraumatization of abused children through the caring nursing interview using Roach's six Cs. *International Journal for Human Caring, 12*(4), 32–37.

Helman, C. (1997). *Culture, health and illness* (3rd ed.). Oxford, UK:Butterworth-Heinemann.

Johns, C. (2000). *Becoming a reflective practitioner.* Oxford, UK: Blackwell Science.

Louis, M. (1985). An investigator's guide to workplace culture. In P. Frost, L. Moore, M. Louis, L. C. Lundberg, & J. Martin (Eds.), *Organizational culture* (pp. 73–93). Beverly Hills, (CA): Sage.

Miller, K. (1995). Keeping the care in nursing care: our biggest challenge. *Journal of Nursing Administration, 25*(11), 29–32.

Moccia, P. (1986). *New approaches to theory development* (Pub. No. 15-1992). New Yark: National League for Nursing.

Nevada State College. (2010). *Nursing organizing framework.* Henderson, (NV): Author.

Nyberg, J. J. (1998). *A caring approach in nursing administration.* Niwot, (CO): University Press of Colorado.

Peat, F. (2002). *From certainty to uncertainty: the story of science and ideas in the twentieth century.* Washington, DC: Joseph Henry Press.

Ray, M. (1981a). A study of caring within an institutional culture. *Dissertation Abstracts International, 42*(06). (University Microfilms No. 8127787.)

Ray, M. (1981b). A philosophical analysis of caring within nursing. In M. Leininger (Ed.), *Caring: an essential human need* (pp. 25–360). Thorofare, (NJ): Slack.

Ray, M. (1984). The development of a classification system of institutional caring. In M. Leininger (Ed.), *Care: the essence of nursing and health* (pp. 95–112). Thorofare, (NJ): Slack.

Ray, M. (1987). Technological caring: a new model in critical care. *Dimensions in Critical Care Nursing, 6*(3), 166–173.

Ray, M. (1989). The Theory of Bureaucratic Caring for nursing practice in the organizational culture. *Nursing Administration Quarterly, 13*(2), 31–42.

Ray, M. A. (1985). A philosophical method to study nursing phenomena. In M. Leininger (Ed.), *Qualitative research methods in nursing* (pp. 81–92). New Yark: Grune & Stratton.

Ray, M. A. (1991). Caring inquiry: the esthetic process in the way of compassion. In D. Gaut & M. Leininger (Eds.), *Caring: the compassionate healer* (pp. 181–189). New Yark: National League for Nursing.

Ray, M. A. (1994a). Complex caring dynamics: a unifying model for nursing inquiry. *Theoretic and Applied Chaos in Nursing, 1*(1), 23–32. (Journal renamed *Complexity and Chaos in* Nursing.)

Ray, M. A. (1994b). The richness of phenomenology: philosophic, theoretic, and methodologic concerns. In J. Morse (Ed.), *Critical issues in qualitative research methods* (pp. 116–135). Newbury Park, (CA): Sage.

Ray, M. A. (1997a). Consciousness and the moral ideal: a transcultural analysis of Watson's theory of transpersonal caring. *Advanced Practice Nursing Quarterly, 3*(1), 25–31.

Ray, M. A. (1997b). The ethical theory of existential authenticity: the lived experience of the art of caring in nursing administration. *Canadian Journal of Nursing Research, 29*(1), 111–126.

Ray, M. A. (1998). A phenomenologic study of the interface of caring and technology: a new reflexive ethics in intermediate care. *Holistic Nursing Practice, 12*(4), 71–79.

Ray, M. A. (2000). Transcultural assessment of older adults. In S. Garratt & S. Koch (Eds.), *Assessing older people: a practical guide for health professionals.* Sydney, Australia: MacLennan & Petty.

Ray, M. A. (2001). The Theory of Bureaucratic Caring. In M. Parker (Ed.), *Nursing theories and nursing practice* (pp. 422–431). Philadelphia: F. A. Davis.

Ray, M. A. (2006). The Theory of Bureaucratic Caring. In M. Parker (Ed.), *Nursing theories and nursing practice* (2nd ed., pp. 360–368). Philadelphia: F. A. Davis.

Ray, M. (2010a). *Transcultural caring dynamics in nursing and health care.* Philadelphia: F. A. Davis.

Ray, M. (2010b). *A study of caring within the institutional culture: The discovery of the Theory of Bureaucratic Caring.*Saarbrucken, Germany: Lambert AcademicPress.

Ray, M. (2010c). Creating caring organizations and cultures through communitarian ethics. *Journal of the World Universities Forum*, *3*(5), 41–52.

Ray, M. (2011). Complex caring dynamics: a unifying model for nursing inquiry. In A. Davidson, M. Ray, & M. Turkel (Eds.), *Nursing, caring, and complexity science: For human-environment well-being.* (pp. 31–52). New York: Springer.

Ray, M. A., & Turkel, M. C. (2000). Culturally based caring. In L. Dunphy & J. Winland-Brown (Eds.), *Advanced practice nursing: a holistic approach* (pp. 43–55). Philadelphia: F. A. Davis.

Ray, M., & Turkel, M. (2010). Marilyn Anne Ray's Theory of Bureaucratic Caring. In M. Parker & M. Smith (Eds.), *Nursing theories and nursing practice.* Philadelphia: F. A. Davis.

Ray, M., Turkel, M., & Cohn, J. (2011). Relational caring complexity: the study of caring and complexity in health care hospital organizations. In A. Davidson, M. Ray, & M. Turkel (Eds.), *Nursing, caring, and complexity science: For human-environment well-being.* (pp. 95–117). New York: Springer.

Ray, M., Turkel, M., & Marino, F. (2002). The transformative process for nursing in workforce redevelopment. *Nursing Administration Quarterly*, *26*(2), 1–14.

Sherman, R. (2012). Lessons in innovations: role transition experiences of clinical nurse leaders. *Journal of Nursing Administration*, *40*(12), 547–554.

Smircich, L. (1985). Is the concept of culture a paradigm for understanding organizations and ourselves? In P. Frost, L. Moore, M. Louis, L. C. Lundberg, & J. Martin (Eds.), *Organizational culture* (pp. 55–72). Beverly Hills, (CA): Sage.

Sorbello, B. (2008). The nurse administrator as caring person: a synoptic analysis applying caring philosophy, Ray's ethical theory of existential authenticity, the ethic of justice, and the ethic of care. *International Journal for Human Caring*, *12*(1), 44–49.

Strauss, A., & Corbin, J. (1990). *Basics of qualitative research: grounded theory procedures and techniques.* Newbury Park, (CA): Sage.

Swinderman, T. (2011). Technological change in health care electronic documentation as facilitated by the science of complexity. In A. Davidson, M. Ray, & M. Turkel (Eds.), *Nursing, caring, and complexity science: for human-environment well-being* (pp. 309–319). New York: Springer.

Talbot, M. (1991). *The holographic universe.* New York: Harper Collins.

Turkel, M. (2001). Applicability of bureaucratic caring theory to contemporary nursing practice: The political and economic dimensions. In M. Parker (Ed.), *Nursing theories and nursing practice* (pp. 433–444). Philadelphia: F. A. Davis.

Turkel, M. (2003). A journey into caring as experienced by nurse managers. *International Journal for Human Caring*, *7*(1), 20–26.

Turkel, M. (2004). *Magnet status: assessing, pursuing, and achieving nursing excellence.* Marblehead, (MA): HCPro.

Turkel, M., & Ray, M. (2000). Relational complexity: a theory of the nurse-patient relationship within an economic context. *Nursing Science Quarterly*, *13*(4), 307–313.

Turkel, M., & Ray, M. (2001). Relational complexity: from grounded theory to instrument development and theoretical testing. *Nursing Science Quarterly*, *14*(4), 281–287.

Turkel, M., & Ray, M. (2003). A process model for policy analysis within the context of political caring. *International Journal for Human Caring*, *7*(3), 17–25.

Turkel, M. C., Ray, M. A., & Kornblatt, L. (2012). Instead of reconceptualizing the nursing process let's re-name it. *Nursing Science Quarterly*, *25*(2),

194–198.

Vicenzi, A. E., White, K. R., & Begun, J. W. (1997). Chaos in nursing: make it work for you. *American Journal of Nursing*, *97*(10), 26–31.

Watson, J. (1985). *Nursing: human science and human care.* Norwalk, (CT): Appleton-Century-Crofts.

Watson, J. (2009). *Assessing and measuring caring in nursing and health science* (2nd ed.). New York: Springer.

Wheatley, M. J. (2006). *Leadership and the new science: discovering order in a chaotic world* (2nd ed.). San Francisco: Berrett-Koehler..

BIBLIOGRAPHY

Primary Sources

Books

Davidson, A., Ray, M., & Turkel, M. (2011). *Nursing, caring and complexity science: For human-environment well-being.* New York: Springer.

Ray, M. (2010). *Transcultural caring dynamics in nursing and health care.* Philadelphia: F. A. Davis.

Watson, J., & Ray, M. (Eds.). (1988). *The ethics of care and the ethics of cure: synthesis in chronicity.*New York: National League for Nursing. (Released 1989; translated into Swedish.)

Book Chapters

Ray, M. A. (1981). A philosophical analysis of caring within nursing. In M. Leininger (Ed.), *Caring: an essential human need* (pp. 25–36). Thorofare, (NJ): Charles B.Slack.

Ray, M. A. (1984). The development of a nursing classification system of institutional caring. In M. Leininger (Ed.), *Care: the essence of nursing and health* (pp. 95–112). Thorofare, (NJ): Charles B.Slack.

Ray, M. A. (1985). A philosophical method to study nursing phenomena. In M. Leininger (Ed.), *Qualitative research methods in nursing* (pp. 81–92). New Yark: Grune & Stratton.

Ray, M. A. (1990). Phenomenological method in nursing research. In N. Chaska (Ed.), *The nursing profession: turning points* (pp. 173–179). New York: McGraw-Hill.

Ray, M. A. (1991). Caring inquiry: the esthetic process in the way of compassion. In D. Gaut & M. Leininger (Eds.), *Caring: the compassionate healer* (pp. 181–189). New Yark: National League for Nursing.

Ray, M. A. (1992). Phenomenological method for nursing research. In J. Poindexter (Ed.), *Nursing theory. Research & Practice Summer Research Conference monograph* (pp. 163–174). Detroit: Wayne State University.

Ray, M. A. (1994). Environmental encountering through interiority. In E. Schuster & C. Brown (Eds.), *Exploring our environmental connections* (pp. 113–118). New Yark: National League for Nursing Press.

Ray, M. A. (1994). The quality of authentic presence: transcultural caring inquiry in primary care. In J. Wang & P. Simoni (Eds.), *Proceedings of First International and Interdisciplinary Health Research Symposium* (pp. 69–72). At Peking Union Medical College Hospital, Beijing, China, and Zhejiang Medical University, Hangzhou, China (Chinese translation). Morgantown, (WV): West Virginia University.

Ray, M. A. (1994). The richness of phenomenology: philosophic, theoretic, and methodologic concerns. In J. Morse (Ed.), *Critical issues in qualitative research methods* (pp. 116-135). Newbury Park, (CA): Sage. (Translated into Spanish,2004.)

Ray, M. A. (1995). Transcultural health care ethics: pathways to progress. In J. Wang (Ed.), *Health care and culture* (pp. 3–9). Morgantown, (WV): West Virginia University.

Ray, M. A. (1997). Illuminating the meaning of caring: unfolding the sacred art of divine love. In M. S. Roach (Ed.), *Caring from the heart: the convergence between caring and spirituality* (pp. 163–178). New Yark: Paulist Press.

Ray, M. A. (1999). Caring foundations of deacony. In T. Ryokas & K. Keissling (Eds.), *Spiritus-Lux-Caritas* (pp. 225–236). Lahti, Finland: Deaconal Institution of Lahti. (Translated into German, 1999, University of Heidelberg, Germany.)

Ray, M. A. (1999). Critical theory as a framework to enhance nursing science. In E. Polifroni & M. Welch (Eds.), *Perspectives on philosophy of science in nursing* (pp. 382–386). Philadelphia: Lippincott.

Ray, M. A. (2000). Transcultural assessment of older adults. In S. Koch & S. Garratt (Eds.), *Assessing older people: a practical guide for health professionals.* Sydney, Australia: MacLennan &Petty.

Ray, M. A. (2001). Complex culture and technology: toward a global caring communitarian ethics of nursing. In R. Locsin (Ed.), *Concerning technology and caring* (pp. 41–52). Westport, (CT):Greenwood.

Ray, M. A. (2001). The Theory of Bureaucratic Caring. In M. Parker (Ed.), *Nursing theories and nursing practice* (pp. 422–431). Philadelphia: F. A. Davis.

Ray, M. A. (2006). The Theory of Bureaucratic Caring. In M. Parker (Ed.), *Nursing theories and nursing practice* (2nd ed., pp. 360–368). Philadelphia: F. A. Davis.

Ray, M. (2007). Technological caring as a dynamic of complexity in nursing practice. In A. Barnard & R. Locsin (Eds.), *Perspectives on technology and nursing practice.* United Kingdom:Palgrave.

Ray, M. A., & Turkel, M. C. (2000). Culturally based caring. In L. Dunphy & J. Winland-Brown (Eds.). *Advanced practice nursing: a holistic approach* (pp 43–55). Philadelphia: F. A. Davis.

Journal Articles

Davidson, A., & Ray, M. (1991). Studying the human-environment relationship using the science of complexity. *Advances in Nursing Science*, *14*(2), 73–87.

Douglas, M. K., Kemppainen, J. K., McFarland, M. R., Papadopoulos, I., Ray, M. A., Roper, J. M., et al. (2010). Chapter 10: Research methodologies for investigating cultural phenomena and evaluating interventions. *Journal of Transcultural Nursing*, *21*(4), 373S–405S.

Ray, M. (1999). Transcultural caring in primary care. *National Academies of Practice Forum*, *1*(1), 177–182.

Ray, M. A. (1987). Technological caring: a new model in critical care. *Dimensions of Critical Care Nursing*, *2*(3), 166–173.

Ray, M. A. (1989). A theory of bureaucratic caring for nursing practice in the organizational culture. *Nursing Administration Quarterly*, *13*(2), 31–42. (Also translated and published in Japanese.)

Ray, M. A. (1992). Critical theory as a framework to enhance nursing science. *Nursing Science Quarterly*, *5*(3), 98–101.

Ray, M. A. (1993). A study of care processes using Total Quality Management as a framework in a USAF regional hospital emergency service and related services. *Military Medicine*, *158*(6), 396–403.

Ray, M. A. (1993). A theory of bureaucratic caring for nursing practice in the organizational culture. *The Japanese Journal of Nursing Research*, *1*, 14–24.

Ray, M. A. (1994). Communal moral experience as the research starting point for health care ethics. *Nursing Outlook*, *42*(3), 104–109.

Ray, M. A. (1994). Complex caring dynamics: a unifying model for nursing inquiry. *Theoretic and Applied Chaos in Nursing*, *1*(1), 23–32. (Journal renamed *Complexity and Chaos in*Nursing.)

Ray, M. A. (1994). Interpretive analysis of Olson's book, *The life of illness: one woman's journey. Qualitative Health Research*, *2*(2), 250–253.

Ray, M. A. (1994). Transcultural nursing ethics: a framework and model for transcultural ethical analysis. *Journal of Holistic Nursing*, *12*(3), 251–264.

Ray, M. A. (1997). Consciousness and the moral ideal: transcultural analysis of Watson's Transpersonal Caring Theory. *Advanced Nursing Practice Journal*, *3*(1), 25–31.

Ray, M. A. (1997). The ethical theory of Existential Authenticity: the lived experience of the art of caring in nursing administration. *Canadian Journal of Nursing Research*, *22*(1), 111–126. (Abstract also published in French.)

Ray, M. A. (1998). Complexity and nursing science. *Nursing Science Quarterly*, *11*(3), 91–93.

Ray, M. A (1998). The interface of caring and technology: a new reflexive ethics in intermediate care. *Holistic Nursing Practice*, *12*(4), 71–79.

Ray, M. A. (1999). The future of caring in the challenging health care environment. *International Journal for Human Caring*, *3*(1), 7–11.

Ray, M. A (2011). A celebration of a life of commitment to transcultural nursing: opening of the Madeleine M. Leininger Collection on Human Caring and Transcultural Nursing. *Journal of Transcultural Nursing*, *22*(1), 97.

Ray, M. A., Didominic, V. A., Dittman, P. W., Hurst, P. A., Seaver, J. B., Sorbello, B. C., et al. (1995). The edge of chaos: caring and the bottom line. *Nursing Management*, *9*, 48–50.

Ray, M., & Turkel, M. (2001). Impact of TRICARE/managed care on total force readiness. *Military Medicine*, *166*(4), 281–289.

Ray, M., Turkel, M., & Marino, F. (2002). The transformative process for nursing in workforce redevelopment. *Nursing Administration Quarterly*, *26*(2), 1–14.

Turkel, M., & Ray, M. (2000). Relational complexity: a theory of the nurse-patient relationship within an economic context. *Nursing Science Quarterly*, *13*(4), 307–313.

Turkel, M., & Ray, M. (2001). Relational complexity: from grounded theory to instrument development and theoretical testing. *Nursing Science Quarterly*, *14*(4), 281–287.

Turkel, M., & Ray, M. (2003). A process model for policy analysis within the context of political caring. *International Journal for Human Caring*, *7*(3), 17–25.

Turkel, M., & Ray, M. (2004). Creating a caring practice environment through self-renewal. *Nursing Administration Quarterly*, *28*(4), 249–254.

Turkel, M., & Ray, M. A. (2005). Models of caring practice. [Editorial.] *International Journal for Human Caring*, *9*(3), 7–8.

Dissertation

Ray, M. (1981a). A study of caring within an institutional culture. (Dissertation, University Microfilm No. 8127787). *Dissertation Abstracts International,*42(06).

Secondary Sources

Book Chapters

Coffman, S. (2012). Chapter 25: Caring, the essence of nursing. In A. Berman & S. Snyder (Eds.), *Kozier & Erb's fundamentals of nursing: Concepts, process, and practice* (9th ed., pp. 448–461). Upper Saddle River, (NJ): PrenticeHall.

Turkel, M. (2001, Challenging contemporary practices in critical care settings. In R. Locsin (Ed.), *Advancing technology, caring, and nursing* (pp. 133–145). Westport, (CT): Auburn House.

Turkel, M. (2006). Applications of Marilyn Ray's Theory of Bureaucratic Caring. In M. Parker (Ed.), *Nursing theories and nursing practice* (2nd ed., pp. 369–379). Philadelphia: F. A. Davis.

Journal Articles

Andrews, M., Backstrand, J. R., Boyle, J. S., Campinha-Bacote, J., Davidhizar, R. E., Doutrich, D., et al. (2010). Chapter 3: Theoretical basis for transcultural care. *Journal of Transcultural Nursing*, *21*(4), 53S–136S.

Tuckett, A. G. (2005). Residents' rights and nurses' ethics in the Australian nursing home. *International Nursing Review*, *52*(3), 219–224.

Tuckett, A. G. (2005). The care encounter: pondering caring, honest communication and control. *International Journal of Nursing Practice*, *11*(2), 77–84.

Tuckett, A. G., Hughes, K., Schluter, P. J., & Turner, C. (2009). Validation of CARE-Q in residential aged-care: rating of importance of caring behaviours from an e-cohort sub-study. *Journal of Clinical Nursing*, *18*(10), 1501–1509.

Tuckett, A., Hughes, K., Gilmour, J., Hegney, D., Huntington, A., & Turner, C. (2009). Caring in residential aged-care. Qualitative findings from an e-cohort sub-study. *Journal of Clinical Nursing*, *18*(18), 2604–2612.

Turkel, M. (2003). A journey into caring as experienced by nurse managers. *International Journal for Human Caring*, *7*(1), 20–26.

Turkel, M. (2007). Dr. Marilyn Ray's Theory of Bureaucratic Caring. *International Journal for Human Caring*, *11*(4), 57–70.

Theses and Dissertations

Czerenda, A. J. (2006). *"The show must go on": a caring inquiry into the meaning of widowhood and health for older Indian widows.* (D.N.S. dissertation, Florida Atlantic University, United States—Florida). Retrieved from *ProQuest Digital Dissertations* database. (Publication No. AAT3222085.)

Eggenberger, T. (2011). *Holding the frontline: The experience of being a charge nurse in an acute care setting.* (PhD Dissertation, Florida Atlantic University), Boca Raton, Florida.

Hilsenbeck, J. R. (2006). *Unveiling the mystery of covenantal trust: the theory of the social process between the nurse manager and the chief nursing officer.* (D.N.S. dissertation, Florida Atlantic University, United States—Florida). Retrieved from *ProQuest Digital Dissertations* database. (Publication No. AAT3244888.)

Swinderman, T. D. (2005). *The magnetic appeal of nurse informaticians: caring attractor for emergence.* (D.N.S. dissertation, Florida Atlantic University, United States—Florida). Retrieved from *ProQuest Digital Dissertations* database. (Publication No. AAT3162666.)

9장

패트리시아 베너
Partricia Benner

간호실무에서의 돌봄, 임상적 지혜, 그리고 윤리

Caring, Clinical Wisdom, and Ethics in Nursing Practice

Karen A. Brykczynski

"간호사-환자 관계는 획일적이고 전문화된 청사진이라기 보다는, 가장 극적이고 가슴 아픈 일상적인 삶의 순간에서 친밀감과 거리감이 만들어 내는 만화경과 같은 것이다"(Benner, 1984a).

이론가 소개

패트리시아 베너Patricia Benner는 버지니아 함프톤에서 태어나서 캘리포니아에서 어린 시절을 보냈고 그곳에서 초기교육과 전문교육을 받았다. 1964년 Pasadena대학에서 간호학 전공으로 학사학위를 취득하였고, 1970년 캘리포니아 주립 샌프란시스코 대학(UCSF)에서 내외과 간호학으로 석사학위를 취득하였다. 베너는 1982년에 캘리포니아 버클리 대학에서 스트레스, 대처 그리고 건강으로 박사학위를 취득하였고 1984년에 박사논문을 출판하였다(Benner, 1984b). 베너는 내 · 외과병동, 중환자실, 가정간호 등 폭 넓은 임상적 경험을 가지고 있으며, 석사학위를 취득한 이후 간호 연구자로서의 경력을 시작하였다. 1982년 박사

이전 저자: Jullette C. Mitre, Sr., Judith E. Alexander, and Susan 1. Keller. The author wishes to express apprecitaion to Patricia Benner for reviewing this chapter.

학위를 받은 후에 베너는 UCSF에서 생리간호학과의 부교수를 역임하였고, 1989년에 종신 교수가 되었다. 2002년에 UCSF 사회행동과학과로 옮겼으며, 그곳에서 Thelma Shobe Cook Endowed Chair in Ethics and Spirituality의 첫 번째 보직자가 되었다. 박사와 석사 학위과정에서 계속 가르쳤으며, 해마다 3~4 개의 학위논문 심사위원회의 일원으로 활동하였다. 베너는 2008년 UCSF에서 전임교수에서 은퇴하고 명예교수가 되었지만, 발표와 자문활동 뿐 아니라 저작과 프로젝트 연구를 지속하였다. 현재는 시애틀대학 간호학과에서 석학 초빙교수로서 학부와 대학원 교과과정의 변화를 지원하고 있다.

베너는 광범위한 출판과 함께 수많은 명예와 상을 받아왔으며, 가장 최근에는 Danish Nursing Society의 명예 회원이 되었고 Interpretive Phenomenology in Health Care Research의 공동 편저자로서 *Sigma Thera Tau International Book Author* 상을 수상하였다(Chan, Brykczynski, Malone, & Benner, 2010). 그녀는 *From Novice to Expert:Excellence and Power in Clinical Nursing Practice*(1984a), *The Primacy of Caring:Stress and Coping in Health and Illness*(1989, With Wrubel), *Expertise in Nursing Practice:Caring, Clinical Judgment, and Ethics*(1996, with Tanner and Chesla), *Clinical Wisdom in Critical Care:A Thinking-in-Action Approach*(1999, with Hooper-Kyriakidis & Stannard)로 1984년, 1989년, 1996년 그리고 1999년에 *American Journal of Nursing Book of the Year* 상을 수상하였다. Susan S. Phillips와 베너에 의해 편집된 The Crisis of Care:Affirming and Restoring Caring Practices in the Helping Professions(1994)는 1995년 우수 학문 도서로 선정되었다. 베너의 논문들뿐만 아니라 책들도 10개국의 언어로 번역되었다. 베너는 Clinical Wisdom and Interventions in Critical Care:A thinking in Action Approach(2001)로 AJN(American Journal of Nursing) Media CD-ROM을 수상했다.

1985년 베너는 American Academy of Nursing에 가입하였다. 1989년 교육 현장에서의 리더쉽을 인정받아 National League for Nursing's Linda Richards 상을 수상하였고 2010년에는 간호교육 부분에서 NLN Excellence in Leadership상과 Creativity and Innovation 부분에서의 NLN President's Award 상을 수상하였다. 1990년에 California Organization of Nursing Executives에서 간호연구와 간호교육에 관한 우수상을 수상하였다. 또한 1993년에 Point Loma Nazarene College(이전의 파사데나 대학)에서 동창회상을 수상하였다. 1994년에 영국의 Royal College of Nursing의 명예회원이 되었다. 1995년에 간호과학과 연구에 대한 기여도에 대한 인정으로 UCSF에서 교직원으로부터 Helen Nahm Research Lecture상을 수상하였다. 베너는 2002년에 National Council of State Boards of Nursing에서 간호의 오류에 대한 특성과 원인을 알아내기 위한 도구, Taxonomy of

Error, Root Cause and Practice (TRTCAP)를 개발한 논문으로 전문직의 탁월한 기여도를 인정받아 상을 수상하였다(Benner, Sheets, Uris, et al., 2002).

2002년 The institute for Nursing Healthcare Leadership은 "Charting the Curse: The Power of Expert Nurses to Define the Future" 학회에서 "초보자에서 숙련가까지*From Novice to Expert*(1984a)" 책이 20년 동안 임상적 지혜, 경험적 배움 그리고 돌봄 실무를 모으고 확장시켰음을 인정하며 상을 수여함으로써 이 책의 획기적인 영향을 기념하였다. 베너는 2004년 5월 중환자 간호에 관한 기술 습득과 명료한 간호 지식에 관한 보고서로 American Association of Colleges of Nursing Pioneering Spirit Award를 수상하였다. 2007년 그녀는 UCSF School of Nursing's Centennial Wall of Fame으로 선정되었고 2009년 펜실베니아 간호대학의 초빙교수가 되었다. 베너는 자신의 남편이자 동료인 Richard Benner와 함께 전 세계적으로 임상적 실무 발전 모델(CPDMs)과 관련된 자문을 해준다(Benner & Benner, 1999). 베너는 2004년 3월 카네기재단의 Preparation for the Professions Program(PPP)에 대한 간호교육 연구이사로 임경받았다. 카네기재단으로부터 *Advancement of Teaching National Nursing Education* 연구, *Educating Nurses: A Call for Radical Transformation*를 위해 발간된 이 책은 2010년 *American Journal of Nursing Book of the Year* 상과 Prose Award for Scholarly Writing을 수상하였다. 이 전국적인 연구는 전문적 교육에 관한 연구로서, 기술적 전문성으로 부터 시민적 전문성으로의 전환에 관한 것이다. 2011년에는 America Academy of Nursing에서 패트리시아 베너를 살아있는 전설로서 존경을 표했다.

철학적 배경

베너는 자신의 간호에 대한 사고가 버지니아 헨더슨의 영향을 크게 받았음을 인정한다. 베너는 간호실무에 배어있는 지식을 발견하고 묘사하기 위한 시도로 임상간호실무를 연구한다. 그녀는 지식이란 실무 규율 안에서 시간이 지남에 따라 축적되고 특정 실무 상황에서의 실무에 대한 경험적 학습, 상황적 사고와 반영을 통해 발전된다고 주장한다. 그녀는 이러한 작업을 기술연구articulation research라고 지칭하는데 이는 우리가 당연시하는 임상적 지혜, 숙련된 노하우 그리고 좋은 실무개념들을 기술하고, 묘사하고, 언어화하는 것으로 정의한다(Benner, Hooper-Kyriakidis, & Stannard, 1999, p. 5). 베너의 첫 번째 철학적 특징 중 하나는 실무지식과 이론적 지식을 차별화하는 것이었다. 그녀는 "실무분야에서의 지식 개발은 이론에 기초한 과학적 연구들과 그 분야의 임상적 경험을 통해 발전된 현행의 기록들로 실무적 지식(Know-how)을 확장시킨다"고 진술하였다(1984a, p. 3). 베너는 간호사들이 간호기록에 태만해왔고 이러한 "실무와 임상적 관찰에 대한 기록의 누락으로 전문적 임상 실무에 기초한 지식의 풍요로움과 독특함을 담은 간호이론이 부족했다"고 믿는다(Benner, 1983, p. 3). 그녀는 간호실무 노하우에 대한 기록에 기여해왔다.

과학철학자인 Kuhn(1970)과 Polanyi(1958)을 인용하여, 베너는 "할 줄 아는 것knowing how", 즉 정확하고 추상적인 형상화를 비껴가는 실무지식과 "사실을 아는 것knowing that", 즉 그 자체로 이론적 설명을 이끄는 것, 사이의 차이를 강조한다. 사실을 아는 것은 한 개인이 사건들 사이의 원인관계를 확립하면서 앎에 도착하는 방식이다. 임상 상황은 이론적 계산보다 항상 더 다양하고 복잡하다. 따라서 임상실무는 탐구해야 할 영역으로서 간호 지식 개발의 원천이 된다. 실무를 연구함으로써 간호사는 새로운 지식을 창조할 수 있다. 간호사는 실무(노하우, know-how)에 기반을 둔 지식을 발전시켜야하며, 연구와 관찰을 통해 임상전문가들의 노하우를 기록하고 발전시키도록 해야 한다. 이상적으로, 실무와 이론 사이의 대화는 새로운 가능성을 만들어낸다. 이론은 실무로부터 이끌어지고 실무는 이론에 의해서 확장된다.

Hubert Dreyfus는 베너를 현상학자에게 소개했다. 버클리 캘리포니아 대학의 작전연구 분야의 Stuart Dreyfus와 철학의 Hubert Dreyfus는 Dreyfus Model of Skill Acquisition(Dreyfus & Dreyfus, 1980; Dreyfus & Dreyfus, 1986)을 개발하였고. 베너는 이 모델을 From Novice to Expert에 적용시켰다(1984a). 그녀는 자극과 영향의 원천으로서 하이데거(1962)와 Kierkegaard(1962)의 이론과 Jane Rubins(1984)의 학풍, 교육, 동료관계를 지적하였다. Richard Lazarus(Lazarus & Folkman, 1984; Lazarus, 1985)는 스트레스와 대처 분야의 정신적 지주가 되어왔다. Judith Wrubel은 수년 동안 베너의 동료이자 공동 저자였고 돌봄과 돌봄 실무의 형이상학 분야의 협력자였다(Benner & Wrubel, 1989). 베너의 논문에 추가적으로 철학적 윤리적 영향을 준 사람은 Joseph Dunne(1993), Knud Logstrup(1995,1997), Alistair MacIntyre(1981,1999), Maurice Merleau-Ponty(1962), Onora O'Neill(1996) 그리고 Charles Taylor(1971, 1982, 1989, 1991, 1993,1994)가 있다.

베너(1984a)는 임상간호실무에 Dreyfus 모델을 적용했다. Dreyfus형제는 응급상황에서의 조종사와 체스 숙련자의 수행을 연구함으로써 기술 습득 모델을 발전시켰다(Dreyfus & Dreyfus, 1980; Dreyfus & Dreyfus, 1986). 베너의 모델은 상황 중심적 관점에서 기술습득 과정을 ① 초보자Novice ② 진전된 초보자Advanced Beginner ③ 적임자Competent ④ 숙련가Proficient ⑤ 전문가Expert의 5단계로 기술한다. 4가지 수행의 측면에서 변화하는 모델의 가정은 다음과 같은 기술습득 단계를 통해 이동이 발생한다:① 과거에 사용한 추상적인 원리와 규칙의 믿음으로부터 구체적인 경험으로의 이동. ② 분석적이고 규칙에 기반을 둔 생각으로부터 직관적 통찰로의 이동. ③ 상황에 대한 인식의 변화로서, 동등하게 드러난 자료들의 편집으로 보는 견해에서 벗어나 어떤 부분에서 복잡한 전체로 시각화하는 것으로의 변화 ④ 상황 밖에 서있는 분리된 관찰자에서 상황에 전체적으로 참여하는 몰입의 위치로 이동(Benner, Tanner, & Chesla, 1992).

이 모델은 특성-기반trait-based이 아니라, 상황-기반situation-based이기 때문에 수행 수준은 개인 수행자의 개인적 특성이 아니고 개인의 교육 배경과의 결합 안에서 특정 상황에 대한 간호사들의 익숙함에 달려있다. 수행 수준은 전문가의 합의와 상황에 대한 결과 평가로 결정될 수 있다(Benner, 1984a). 간호에 그 모델을 적용함에 있어 베너는 경험에 기초를 두고 습득된 지식이 튼튼한 교육기반에 의지할 때 더욱 안전하고 빠르다고 주장했다(1984a, p.xix). 베너(1984a)는 기술과 노련한 실무란 실제로 임상에서 수행하는 것으로 정의하였다. 그 어떠한 경우에도 상황과 관련이 없는 정신 역동적 기술 또는 간호실무 상황 밖에서 인정받은 기술에 의존할 수 없다는 것이다.

Dreyfus 모델을 설명한 추후 연구에서, 베너는 임상적 판단기술을 진전된 초보자Advanced Beginner에서 전문가까지의 실무 단계를 구별할 수 있는 두 가지 상호 관계 측면을 규명하였다(Benner, Tanner, & Chesla, 1992; 1996). 첫째, 다른 단계의 임상간호사들은 서로 다른 임상세계에 살면서, 행위를 위한 상황적 요구에 대해 서로 다르게 인식하고 반응한다. 두 번째, 임상간호사들은 베너가 agency라고 말한 것, 즉 환자에 대한 책임감을 발전시키고, 건강관리 팀의 완벽한 구성원으로 참여하게 된다. 간호경험을 통해 습득한 기술과 전문가적 "상황의 게스탈트(즉 상황을 통일적 전례로 파악하여)" 의사결정자로 발전하게 되는 지각적 인식으로 인해서, 간호전문가는 환자를 관찰할 때 나타나는 미묘한 변화를 확인하기 위한 증거를 찾고자 할 경우 직감을 따르게 된다(1984a, p.xviii).

경험이란 예상된 생각들이 실제 상황에서 도전받거나 수정되거나 반박되면서 생겨나는 결과라는 개념은 하이데거(1962)와 Gadamer(1970)의 이론에 기초한다. 간호사의 경험이 쌓임에 따라 임상지식은 실무와 이론적 지식을 조화시킨다. 전문적 의견은 실제 상황에서 원리에 기초한 예상들을 임상가들이 지속적으로 검증하고 수정함에 따라 발전한다. 하이데거의 영향은 이러한 점과 베너의 일차 간호에 대한 연속적 작업에서 분명해진다. 베너는 인간을 마음과 신체로 묘사한 이원론적인 데카르트 학파를 논박하고 관심, 실무, 그리고 삶의 경험에 의해 정의된 자기 해석적인 존재로서 현상학을 묘사한 하이데거를 지지하였다. 인간은 항상 상황 속에서 존재한다. 즉 인간은 그들이 처한 상황 속에 의미 있게 맞물려 있다. 하이데거(1962)는 개인이 그 상황에 관련되었을 때 발생하는 지식의 종류를 실무 지식Practical Knowledge이라 명명하였다. 인간이기 때문에 우리는 상황에 있음으로써 알게 되는 의미, 즉

체화된 지식을 얻게된다. 유사한 상황에 처하면, 그것에 대해 체화된 인식이 떠오르게 된다. 예를 들어 이전에 누군가가 폐색전증으로 진행되는 것을 목격했으면, 그 간호사는 질적인 미묘한 차이를 알아차리게 되어, 결국은 이전에 간호해 본적이 없는 다른 간호사보다 먼저 그것을 관찰할 수 있는 인지능력을 지니게 된다. 베너와 Wrubel(1989)은 "체화된 지식으로 만들어진 기술적 활동은 지적이고 성찰적인 활동보다 '낮은' 수준으로 오랫동안 간주되어 왔다"고 주장한다. 하지만 이들은 지적이고 반영적인 능력은 체화된 지식embodied knowing에 의존한다고 주장한다(p. 43). 체화된 지식과 존재의 의미는 간호능력의 전제조건이다;무언가가 중요해지면 우리는 그것에 몰입하게 되고 우리의 관심이 된다(p. 42).

버클리에서 박사 공부를 하는 동안 베너는 스트레스와 대처이론가로 알려진 Richard S. Lazarus(Lazarus, 1985; Lazarus & Folkman, 1984)의 연구조교였다. Lazarus 대형 연구의 한 부분으로 베너는 중년 남성의 일과 대처의 의미에 대한 연구를 하였고, 그것은 *Stress and Satisfaction on the Job: Working Meanings and Coping of Mid-career Men* 으로 출판되었다(1984b). 스트레스와 대처에 대한 Lazarus의 이론은 현상학적으로 설명된다. 즉 인간은 의미를 만들고 의미에 의해 구성된 것으로 이해된다. 스트레스는 의미들의 파괴이고 대처는 그 파괴에 대해 인간이 무엇을 하는지로 설명된다. 스트레스가 가득한 상황에서 무언가를 하는 것과 무언가 하는 것을 금지하는 것이 대처의 방법이다. 대처는 인간이 스트레스라고 해석하는 것에 내재된 의미에 의해 결정된다. 다른 가능성들은 인간이 놓여있는 상황으로부터 발생한다. 베너는 간호사가 돌보는 방식으로 상황에 존재함으로 인해 차이를 만들어 낼 수 있다는 점에서 이러한 개념으로 임상간호실무를 설명하고자 하였다.

From Novice to Expert(1984a)로 시작했던 베너의 지식개발 접근법은 실례를 수집하고 해석하는 과정을 통해 임상간호실무로부터 배운다는 살아있는 전통에서 시작했다.(Benner, 1994; Benner & Benner, 1999;Benner et al., 1996; Benner et al., 1999). 베너(1999)는 다음과 같이 진술하였다.

> "환자/가족 간호를 효과적으로 수행하기 위해서는 훌륭한 실무를 유지하고 창조하려는 실무자들의 도덕적 공동체에 배어있는 좋은 실무를 상호 지지하고 집단적으로 관심을 갖는 것이 필요하다. 실무의 이러한 시각은 윤리학의 아리스토텔레스 학풍(Aristotle, 1985)으로부터 받아들여진 것이고, 더 최근의 것은 Alasdair Mac Intyre(1981)의 학풍을 따른 것인데, 여기에서는 실무에 내재된 생각들을 지닌 집단적 노력으로 실무를 정의한다. 그러나 이러한 집단적 노력은 숙련된 방법, 기술, 과학 그리고 도덕적인 마음을 가지고 양질의 실무를 계속 창조하고 실행하는 개별 실무자들로 구성되어야만 한다(pp. 23-24)"

주요 개념과 정의

초보자 Novice

Dreyfus 모델에서 기술습득의 초보자 단계는, 한 개인이 속해있는 상황에 대한 이해가 전혀 없는 상태를 의미한다. 따라서 상황을 배제한 원칙과 목적이 수행을 이끈다. 상황에서 실제적으로 중요한 것과 중요하지 않은 면들의 분별이 어렵다. 일반적으로 이 수준은 간호학생에게 적용된다. 하지만 베너는 실무의 한 분야에서 고도의 기술을 지닌 간호사가, 만약 일반 내외과 성인 병동에서 신생아 중환자실로 이동하는 것과 같이, 완전하게 낯선 상황 또는 영역에 처한다면, 이 간호사는 초보자 수준으로 분류될 수 있다고 기술하고 있다(Benner, 1984a).

진전된 초보자 Advanced Beginner

Dreyfus 모델에서 진전된 초보자는 상황의 의미 있는 요소들이 반복될 때 조언자가 지적한 실제 상황에 충분히 대처하는 수행이 간신히 수용될 수 있는 상태를 의미한다. 진전된 초보자는 상황의 측면들을 파악하기 위한 충분한 경험을 가진다. 속성과 특징과는 달리 상황들은 그들이 상황의 정황 인식에 기초한 경험을 요구하기 때문에 완벽하게 구체화될 수 없다. 이러한 수준에서 기능하는 간호사는 규칙에 따라 수행하고 과업 완성을 향한다. 그들은 더 큰 관점에서 현재 환자의 상황을 파악하는데 어려움을 갖는다. 그러나 Dreyfus & Dreyfus(1996)는 다음과 같이 진술하였다.

> "교육자 또는 학생이 객관적 특성으로 정의할 수 없는 의미 있는 요소가 있는 구체적 상황에서의 실제 경험을 통해 진전된 초보자는 이러한 요소들을 직관적으로 인식하기 시작한다. 우리는 이렇게 서롭게 인식된 요소들을 초보자 Beginner가 구체적 사례 이전에 인식하는 기술 영역의 객관적 구성요소들과 구별하기 위해 "상황적situational"이라고 불렀다.(P.38)"

진전된 초보자 단계에서 간호사들은 환자의 요구와 반응 보다는 자신의 능력과 자신이 처한 상황의 요구들의 시각으로 임상상황을 바라본다. 진전된 초보자는 환자를 관리하는데 고도의 책임감을 느끼지만 전문가의 도움은 여전히 필요하다. 베너는 대부분 갓 졸업한 신규간호사들이 이 단계에 속한다고 하였다.

주요 개념과 정의

적임자 Competent

실제 실무 상황에서 배우고 다른 사람들의 행동을 따라하면서 진전된 초보자는 적임자 수준으로 나아간다(Benner, Tanner, & Chesla, 1992). Dreyfus 모델의 적임자 수준은 현재와 미래 상황의 중요한 측면과 무시될 수 있는 측면을 결정하는 사려 깊은 계획과 양심에 의해 유형화된다(Benner, 1984a).

일관성, 예측성, 그리고 시간 관리는 유능한 수행에 있어 중요하다. 통솔감은 계획과 예측성을 통해 얻어진다(Benner, Tanner, & Chesla, 1992). 효율성의 수준은 증가하지만, "환자 요구와의 관계에 대한 시간보다는 관리와 간호사의 업무 조직의 시간에 초점이 맞추어져 있다"(Benner, Tanner, & Chesla, 1992, p. 20). 유능한 간호사는 환자에 대해 고도의 책임감, 때로는 비현실적인 책임감을 보여주고 자신에 대해 항상 비판적인 시각을 가진다(Benner, Tanner, & Chesla, 1992).

적임자 단계는 학습자가 상황의 구성요소들을 경청해야 하는지 무시해도 되는지를 결정하고 양상들을 인식하기 시작해야하기 때문에 임상을 배우는데 있어 가장 중요하다. 적임자인 간호사는 그 상황의 드러난 사실들에 근거하여 배운 활동의 원리들을 적용하는 동안 계획을 위한 새로운 규칙과 추론 과정을 고안한다. 숙련가Proficient가 되기 위해 적임자인 간호사는 상황에 따라 반응하도록 고려해야한다(Dreyfus & Dreyfus, 1992). 많은 연구에서 적임자에서 숙련가로 진급하는 간호사들을 지도하기 위해 적임자 단계에서의 교육과 학습의 중요성을 지적하고 있다(Benner, Tanner, & chesla 1996; Benner, Hooper Kyriakidis, & Stannatd, 1999; Benner, 2005; Benner, Malloch, & Sheets, 2010). 적임자 단계에서의 배움은 간호사가 일상의 윤리적 처신을 형성하는데 있어서 중추적인 역할을 한다(Benner, 2005).

적임자 단계에서의 불안은 초보자나 진전된 초보자 단계의 불안보다는 좀 더 상황에 맞춰져 있다. 즉 초보자나 진전된 초보자는 잘 배워서 실수없이 수행하려는 전반적인 불안을 갖고 있지만, 적임자는 상황에 따른 불안을 갖게 된다. 이 시점에서 간호사들이 어떠한 가이드 규칙도 없이 무엇이 관련이 있는지 결정하도록 배워야하기 때문에, 평상시와 같지 않거나 심지어 불길한 예감 또는 모호하게 불안한 감정들을 따르도록 격려해야한다. 이 단계에서 잘 수행하면 간호사들은 아주 희열을 느끼고, 잘못된 것이나 관련된 미묘한 증상과 징후를 놓치지 않고 조금 더 집중했었더라면 더욱 효과적이거나 선경지명적이 었다는 것을 깨달았을 때에는 회환을 느낀다. 이러한 정서적 반응들이 좋은

주요 개념과 정의

실무에 대한 심미적 감상을 형성하도록 한다. 수행 행동과 관련된 이러한 만족과 불안의 감정들은 경험적인 도덕성을 일깨우고 임상적 배움을 가이드하는 도덕적 나침반 역할을 한다. 중환자 간호사에 대한 연구에서 언급하였듯이, 조직하고 계획하고 예측하기 위해 만든 계획적인 규칙이나 지침에 기초한 전략들과 좀 더 반응에 근거한 실무 개발 사이에는 항상 긴장이 내재해 있다(Benner, 2005. p. 195).

숙련가 Proficient

Dreyfus 모델에서 숙련가 단계의 수행자들은 한 측면이 아닌 전체로서 상황을 인지하고 지침에 따라 수행이 이루어진다. 숙련가 수준은 적임자 단계로부터의 질적인 도약이다. 이 단계의 수행자들은 배경지식에 기초하여 상황을 직관적으로 파악한다(Benner, 1984a).

이 수준의 간호사들은 상황에서 이끌어진 숙련된 반응들을 통해 인식하고 중재하며 상황에 따라 변화하는 관련성들을 알아차리기 위한 새로운 능력을 보여준다. 그들은 더 이상 미리 세운 목표에 의존하지 않는다. 그들은 자신의 지식과 능력에 자신감이 증가되어 있다(Benner, Tanner, & Chesla. 1992). 숙련가 단계에서는 환자와 가족에게 더 많이 관여한다. 숙련가 단계는 전문가로 이어진다(Benner Tanner, & Chesla, 1996).

전문가 Expert

Dreyfus 모델의 5번째 단계인 전문가는 "수행자가 더 이상 적절한 활동을 위해 상황을 이해하고 연결시키기 위한 분석적 원칙(예를 들어, 규칙, 가이드라인, 지침)에 의존하지 않을 때" 도달하게 된다(Benner, 1984a, p. 31). 베너는 전문가를 상황에 대하여 직관적 판단을 하고, 대안적인 진단alternative diagnosis과 해결책의 범위를 고려하는 데 시간을 소비하지 않고 문제의 영역을 규명할 수 있는 단계로 설명하였다. 전문가가 "환자를 안다는 것"은 질적인 변화로서 이는 반응들의 전형적 유형을 알고 인간으로서 환자를 안다는 것을 의미한다. 전문가인 간호사 실무의 주요 측면은 다음과 같다(Benner, Tanner, & Chesla, 1996).

주요 개념과 정의

- 임상 파악력과 자원에 기초한 실무를 보여주는 것
- 체화된 노하우를 갖추는 것
- 전체적인 상황을 보는 것
- 예측할 수 없는 것을 보는 것

전문가는 깊이 있는 경험적 배경을 토대로 유형들을 인식할 수 있는 능력을 가진다. 전문가인 간호사에게는 환자의 실제적 문제와 요구를 충족시키는 것은 가장 중요하다. 비록 간호계획을 변화시켜야 할 새로운 계획과 협상을 의미할지라도 이는 가장 중요한 것이다. 이들은 대부분 자신에 대해 투명한 시각을 갖는다(Benner, Tanner, & Chesla, 1992).

상황의 측면 Aspects of Situation

간호사는 이전의 경험을 가지고 있다. 그러므로 상황의 측면들이란 맥락 내에서 인지되고 이해되는 것들로서 이들은 반복적이고 의미있는 상황적 요소들로 구성된다(Benner, 1984a).

상황의 속성 Attributes of Situation

속성은 이전의 경험 없이 설명될 수 있는 상황의 측정 가능한 성질들이다(Benner, 1984a).

능력 Competency

능력은 "목적, 기능, 그리고 의미에 의해 확인되고 설명된 숙련된 수행이라고 해석학적으로 정의된다"(Benner, 1984a. p. 292). 이러한 용어는 Dreyfus 모델의 적임자 단계와 관계되어 있지 않다.

영역 Domain

영역이란 유사한 목적, 기능, 그리고 의미와 함께 수많은 능력을 갖고 있는 실무 분야이다(Benner, 1984a).

주요 개념과 정의

예시 Exemplar

예시는 한 가지 또는 그 이상의 목적, 의미, 기능, 결과를 나타내는 임상상황의 사례로서, 이는 다른 상황에서 쉽게 해석되거나 비교될 수 있다(Benner, 1984a).

경험 Experience

경험은 단순한 시간의 경과가 아니다. 경험이란 실제 상황에 직면했을 때 미리 생각해 둔 이론, 개념, 그리고 아이디어를 세련화하고 변화시키는 적극적인 과정이다. 이는 실무에서 발견된 것과 기대되는 것 사이의 대화임을 의미한다(Benner & Wrubel, 1982).

지침 Maxim

지침은 가르침에 적용하기 위해 필요로 하는 경험의 단계로서 숙련된 수행을 은유적으로 설명한 것이다(Benner, 1984a).

패러다임 사례 Paradigm Case

패러다임 사례는 미래의 상황을 지각하고 이해하는 방식을 알려주고 변화시키는 임상경험이다(Benner, 1984a). 패러다임 사례는 새로운 임상적 이해를 창출하고, 새로운 임상적 조망과 대안을 보여준다.

중요성 Salience

중요성은 상황의 측면 중에서 더 중요하고 덜 중요함을 알려주는 체화된 지식에 대한 지각 상태이다(Benner, 1984a).

주요 개념과 정의

윤리적 품행 Ethical Comportment

윤리적 품행은 환자와의 개인적 관계에서 나온 좋은 품행이다. 이것은 특정 상황의 개입을 포함하고 관련 전문가 집단에서의 회원 의식을 수반한다. 이것은 실무에 배어 있고 살아있고 체화된 것이고, 존재하는 방식이며, 환자의 웰빙을 증진하는 임상적 상황에 반응하는 것이다(Day & Benner, 2002). "임상적 판단과 윤리적인 판단은 불가분하며, 이들은 구체적인 상황 내에서 인간적 관심과 가능성을 함께 하며 이해하면서 이루어진다"(Benner, 2000, p. 305).

해석학 Hermeneutics

해석학은 "해석적"을 의미한다. 이 단어는 성서적 그리고 법적 해설로부터 유래되었다. 연구에서 사용하는 대로, 해석학은 "실무적인 이해에 기초하여, 기존의 이론적 가정들로부터 가능한 한 구애받지 않으면서 의미있는 인간 현상을 주의깊고 세밀한 방식으로 기술하고 탐구하는 것"을 말한다(Packer,1985. pp. 1081-1082).

경험적 증거의 이용

1978년에서 1981년까지 베너는 국가의 지원을 받아 이루어진 AMICAE 프로젝트의 숙련가 내의 합의, 사정, 그리고 평가를 이루는 방법에 대한 연구의 저자이고 책임자였다. 이 연구를 통해 *From Novice to Expert*(1984)를 간행하였다. 베너는 샌프란시스코 지역의 간호학교와 병원들의 평가방법을 개발하기 위해 AMICAE를 지휘하였다. 그것은 임상간호 실무에서 기술습득 수준을 설명하기 위한 Dreyfus의 5단계를 사용하여 해석하고 기술한 연구였다. 베너(1984a)는 해석학적 접근이란 해석(해석학 hermememeutics)을 위한 텍스트를 제공하기 위해 실제 간호실무에 대한 관찰과 내러티브 진술들로 부터 간호실무를 풍부하게 설명하기 위한 작업이라고 설명한다.

긍정적인 차이를 보인 환자 간호 상황에 처한 간호사들의 기술과 설명들은 "학문으로서의 간호가 예술적이고 독특함을 보여준다"(Benner, 1984a, p.xxvi). AMICAE 프로젝트의 일부로

1,200명 이상의 간호사가 참여하여 질문지를 작성하고 인터뷰하였다. 프리셉터와 프리셉티의 쌍으로 이루어진 인터뷰는 같은 임상 사건에 대해서 초보자와 숙련가의 차이점을 구별하고 특징 지울 수 있는지를 발견하는데 목표를 두었다(Benner, 1984, p. 14). 그리고 서로 다른 단계에서의 간호수행 특징들을 기술하기 위해 51명의 간호 임상가들과 갓 졸업한 신규간호사들 그리고 4학년의 간호학생들을 대상으로 인터뷰와 참여 관찰을 시행하였다(Benner, 1984, p. 15). 질문지의 목적은 숙련된 실무에 묻어있는 의미와 지식을 드러내는 것이고 이러한 의미와 기술과 지식은 다른 유명한 논문들로부터 가져 옴으로써 새로운 지식과 이해들이 이루어진다(Benner, 1984, p. 218).

사건들에 대한 해석과 참여자들의 관심을 포함한 환자 간호 사례들의 상세한 묘사에 대한 인터뷰를 분석한 결과 31개의 기능들이 도출되었다. 실제 상황으로부터 규명된 이러한 기능은 7가지 영역으로서, 이들은 수집된 사례들의 분석 결과로부터 기능과 목적의 유사성에 기초하여 귀납적으로 도출되었다(Benner, 1984a).

1. 돕는 역할
2. 교육과 지도의 기능
3. 진단과 환자 모니터링 기능
4. 빠르게 변화하는 상황에 대한 효과적인 관리
5. 치료적 중재와 치료를 수행하고 모니터하는 것
6. 건강간호실무의 질을 감시하고 확보하는 것
7. 조직적인 작업-역할 능력

각각의 영역은 실제 실무 상황의 묘사로부터 관계된 능력들을 사용하면서 발전되었다. 베너는 간호실무에 배어있는 지식의 이해를 촉진하기 위해 개방적인 해석 틀로 간호실무의 영역과 기능들을 표현하였다. 사회적으로 둘러싸여있고, 관계적이고, 대화적인 특성을 지닌 임상 지식의 영역과 기능은 각각의 특정 영역에서 임상실무 연구를 통해 사용할 수 있도록 각색할 필요가 있다(Benner & Benner, 1999). 그러한 각색은 전 세계에 걸쳐 병원 간호직원을 위해 수행되고 있다(Alberti, 1991; Balasco & Black, 1988; Brykczynski, 1998; Dolan, 1984; Gaston, 1989; Gordon, 1986; Hamric, Whitworth, & Greenfield, 1993; Lock & Gordon, 1989; Nuccio, Lingen, Burke, et al., 1996; Silver, 1986a, 1986b). 이러한 영역과 수행능력들은 발전된 실무 간호에 배어있는 지식을 지속적으로 기술하는데 유용하다(Brykczynski, 1999; Fenton, 1985; Fenton & Brykczynski, 1993; Lindeke, Canedy, & Kay, 1997; Martin, 1996).

Benner와 Wrubel(1989)은 The Primacy of Caring:Stress and Coping in Health and Illness에서 간호실무에 기초한 지식을 지속적으로 연구하기 위한 배경을 설명하고 개발했다. 그

들은 돌봄의 우수성을 건강과 질병의 체험 속에서 스트레스와 대처를 생산하는 자, 간호실무에 힘을 실어주는 조건, 질병 결과에 긍정적인 영향을 미치는 돌봄에 근거한 간호실무 방법의 세 가지 갈래라고 지적하였다.

베너는 *From Novice to Expert*(1984a) 연구를 확대하여 *Expertise in Nursing Practice: Caring, Clinical Judgement, and Ethics*를 발표했다(Benner, Tanner, & Chesla, 1996; 2009). 이 책은 130명의 중환자실 간호사를 대상으로 6년 동안 연구하였으며 임상적 전문성의 습득, 임상지식의 특징, 임상적 질문들, 임상적 판단, 그리고 전문가의 도덕적 요소에 대하여 조사하였다. 이 연구의 주요 목표는 다음과 같다.

- 전문적 실무에 배어 있는 실무 지식의 윤곽을 그리기 위해서
- 중환자 간호실무에서 지식 습득의 특징을 설명하기 위해서
- 간호실무에서 전문성의 발전을 위해 기관 장애물과 자원을 규명하기 위해서
- 전문성의 발달을 격려하는 교육적 전략들을 규명하기 위해서

1996년 논문에서 베너는 "간호 단체의 특성들을 조사한 결과 특별한 임상 상황에서 활동에 대한 가능성을 계획하는 것이 실무 공동체에게 인식과 활동이 어떻게 형태화되는지에 대한 새로운 시각을 준다는 것을 발견했다."라고 주장했다. 그 연구 결과, 문제 또는 상황과 간호의 필수적인 대인관계 기술 사이의 특징들을 더 분명하게 이해하게 되었다. 이러한 간호 기술은 경험적으로 시간에 걸쳐 습득되고 참여의 기술은 간호 전문성을 얻는데 중요한 것처럼 보인다. 임상적 결정과 윤리적 결정(예; 개개인의 좋고 나쁜 결과들의 이해와 훌륭한 임상적 판단과 활동들의 시각화하는 방법)의 상호 관련성에 대한 이해는 이러한 연구에 의해 촉진된다. 연구는 중환자 간호실무의 특징을 묘사하기 위한 연합 프로젝트의 한 단계로 진행되었다.

두 번째 단계는 1996년부터 1997년에 진행 되었고, 6개의 병원에서 근무하는 76명의 간호사들(그들 중 32명은 advanced practice nurse이다)을 포함한다. 이 작업은 1999년에 *Clinical Wisdom and Interventions in Acute and Critical Care: A Thinking-in-Action Approach*로 출간되었으며 2011년에 Benner, Hooper-Kyriakidis와 Stannard에 의해 갱신되고 확대되었다. 다음의 중환자 간호실무의 9가지 영역은 넓은 주제들로서 이 작업에서 규명되었다.

1. 불안정한 급성 환자에게 삶을 유지하기 위한 신체적 기능들을 진단하고 관리하는 것
2. 위기를 관리하는 숙련된 방법을 사용하는 것
3. 위독한 상태에서 안위를 제공하는 것

4. 환자의 가족을 간호하는 것
5. 기술적인 환경 속에서 위험들을 예방하는 것
6. 죽음에 직면하는 것: 임종 간호와 의사결정
7. 다양한 관점에서 의사소통하고 협상하는 것
8. 질을 모니터하고 장애를 관리하는 것
9. 임상적 리더십의 숙련된 노하우를 활용하고 타인을 코치하고 후원하는 것

중환자 간호실무의 9가지 영역들은 자료를 해석하고 아래에 나열된 임상적 판단과 숙련된 솜씨의 9가지 측면에 대한 묘사를 결합하기 위한 넓은 주제들로 사용되었다.

1. 중요성에 대한 감각의 개발
2. 상황에 맞는 배움과 지식 습득과 지식 사용과의 통합
3. 전환에 있어서의 관련된 추론
4. 숙련된 노하우
5. 반응에 기초한 실무
6. 서비스 제공
7. 지각의 예리함과 환자와의 대인관계적 개입
8. 임상적 추론과 윤리적 추론과의 통합
9. 임상적 상상력의 개발

임상적 이해와 임상적 예상의 확인(이 연계 프로젝트의 두 번째 단계의 간호실무의 활동과 연결된 사고의 두 가지 습관)은 임상적 판단에 대한 이해를 풍요롭게 한다(Benner, Hooper-Kyriakidis, & Stannard, 1999). 베너는 임상적 이해(clinical grasp)를 다음과 같이 설명하였다.

> *"... 특정 환자와 가족들의 특별한 변화에 대해 시간에 걸쳐 문제규명과 임상적 판단을 포함하는 활동에 관한 임상적 질문에는 4가지 요소를 포함한다. 질적인 특징을 만드는 것, 발견 작업에 참여하는 것, 임상적으로 드러난 변화를 인식하는 것, 특정 환자 집단에서 임상적 지식을 발전시키는 것"*(Benner, Hooper-Kyriakidis, & Stannard, 1999, p. 317).

베너는 비록 임상가들의 실무를 논리적으로 구조화하는데 있어 임상적 이해뿐 아니라 "임상적 예상도 중요한 역할을 한다고 덧붙였다. 임상적 예상은 사고와 행동의 4가지 습관

으로 구성된다.:미래를 생각하기, 특정 진단과 상해에 대한 임상적 예상, 특정 환자의 위험 예상, 기대되지 않은 결과를 알아차리는 것"(Benner, Hooper-Kyriakidis, & Stannard, 1999, p. 317)이다.

주요 가정

베너는 다음의 가정을 자신의 연계 연구에서 통합하였다(Brykczynski의 1985년 논문에서 서술되었고, Benner 1984a 참조바람).

- 해석으로부터 자유로운 자료는 없다. 이것은 독립적 현실의 의미는 추상적 용어 또는 개념으로 표현될 수 있다는 자연과학의 전제를 무시한다(Taylor, 1982).
- 무반응적인 자료는 없다. 이것은 사실적인 자료는 중립적으로 관찰할 수 있다는 자연과학의 잘못된 믿음을 버리는 것이다(Taylor, 1982).
- 의미는 기술과 실무, 의도, 기대 그리고 결과에 뿌리박혀 있다. 이들은 당연하게 여겨져 때때로 지식처럼 인식되지 않기도 한다. Polanyi(1958)에 따르면 상황은 실존적 의미를 가지고 있으며 이는 "외연적 또는 더 일반적인 표현적 의미"(p. 58) 로부터 구별된다. 그는 상황을 구성하는 부분들을 확실한 전체로 바꾸는 것은 어떤 목적이나 의미를 빼앗는 것이라고 주장한다.
- 문화와 언어 그리고 역사를 함께 나누는 사람들은 이해와 해석에 대해 같은 배경을 가진다. 하이데거(1962)는 이러한 점을 primordial understanding이라고 하였고 1800년 후기와 1900년 초기에 Dilthey의 논문(1976)에서 문화적 조직과 의미들은 개인의 이해에 선행하고 영향을 끼친다고 주장했다.
- 기술, 실무, 의도, 기대 그리고 결과에 배어있는 의미들은 완벽하게 명백한 것으로 만들 수 없다. 그러나 그들은 유사한 언어와 문화적 배경을 가지고 있는 사람들에 의해 해석될 수 있으며 참여자와 관련있는 실무가들에 의해 타당성을 인정받을 수 있다. 인간은 자기 해석적 존재이다(Heidegger, 1962). 해석학은 문화적 상황과 의미 있는 인간 활동에 대한 해석이다.
- 인간은 통합되고 총체적인 존재이다. 심신은 분리될 수 없다. 체화된 지식은 경험과 전문적 기능을 통해 숙련된 활동을 가능하게 한다(Dreyfus & Dreyfus, 1980:Dreyfus & Dreyfus, 1986). 베너는 "이러한 모델은 모든 실무 상황들이 형식적인 모델, 이론, 그리고 교과서에 의해 묘사되는 것 보다 훨씬 더 복잡하다는 것을 전제하고 있다고 진술했다"(1984a, p. 178). 지적이고 반영적 활동이 체화되고 숙련된 기술의 우위에 있다고 보는 위

계질서적인 사고는 숙련된 활동은 앎의 방식이고 숙련된 몸은 높은 수준의 사고력을 위해 필수적이라는 점을 간과하게 만든다(Dreyfus, 1979).

베너와 그의 동료들은 그들의 논문에서 간호, 인간, 상황, 그리고 건강의 주제를 설명하였다.

간호

간호는 돌봄관계로 설명되는데, 이는 "연결과 관심을 가능케 하는 조건"이다(Benner & Wrubel, 1984, p. 4). "돌봄caring은 도움을 주고받는 것을 가능하게 하기 때문에 가장 중요하다"(Benner & Wrubel, 1989, p. 4). "간호란 도덕과 돌봄윤리와 책임에 의해 안내되는 돌봄실무로 보고 있다"(Benner & Wrubel, 1989, p. xi). 베너와 Wrubel(1989)은 간호실무를 건강, 아픔, 질병에 관한 생생한 경험과 이 세 요소 사이의 관계에 관한 연구이고 돌봄이라고 이해했다.

인간

인간에 대한 하이데거의 현상학적 설명을 사용한 베너와 Wrubel은(1989) "인간은 자기 해석적 존재, 즉 미리 정해진 상태로 세상에 오는 것이 아니라 삶의 과정에서 정의된다고 보았다. 또한 인간은 세상에서 자신에 대해 쉽게 비반영적인 이해를 지니고 있다."고 설명했다. "인간은 공유된 의미 내의 참여자로 간주된다."(Benner & Wrubel, 1989, p. 23)

마지막으로 베너와 Wrubel(1989)은 인간을 다룰 때 이해해야 할 다음의 4가지 주요 측면들을 개념화했다.

1. 상황의 역할
2. 신체의 역할
3. 개인적 관심의 역할
4. 일시적인(temporality) 역할

더불어, 인간의 이러한 측면들은 세계 속의 인간을 형성한다. 인간에 대한 이러한 시각은 하이데거(1962), Merleau-Ponty(1962), Dreyfus(1979, 1991)의 보고서에 기초한다. 그들의 목표는 마음과 신체를 구별하고 본질을 분리하는 시각인 데카르트 학파의 이원주의를 극복하는 것이다(Visintainer, 1988).

베너와 Wrubel(1989)은 의미 있는 상황에 반응하기 위한 신체의 능력으로서 체화embodiment를 정의했다. Merleau-Ponty(1962), Dreyfus(1979, 1991), Dreyfus and Dreyfus(1986)의 보고서에 기초하여 그들은 신체의 5가지 차원을 다음과 같이 요약했다(Benner & Wrubel, 1989).

1. 복합적이고 문화에 적응하지 않은 태아와 신생아의 신체
2. 습관적으로 익숙한 신체: "동일시, 모방, 시행착오 등을 통하여 사회적으로 학습된 자세, 몸짓, 관습, 기술"(Benner & Wrubel, 1989, p. 71).
3. 투사적 신체: 신체가 구체적으로 상황에서 행동할 경향이 있는 방식(예를 들어, 문을 여는 것 또는 걷는 것)
4. 실제로 투사된 신체: 다양하고 유연적인 상황에서 현재 그 사람의 신체적 지남력이나 투사로 상황에 적절하도록 변화됨
5. 현상적인 신체: 운동감각을 상상하고 기술할 수 있으며 자기 자신을 인식할 수 있는 신체

베너와 Wrubel(1989)은 신체의 이러한 모든 차원에 간호사가 참여하고 건강, 질병, 그리고 회복의 특정 상황에서 체화의 역할을 이해하려고 애써야 한다고 강조했다.

건강

Heidegger(1962)와 Merleau-Ponty(1962)의 논문에 기초하여 베너와 Wrubel은 "건강과 질병의 체험에 초점을 두었다."(1989, p. 7) 건강health은 사정할 수 있는 것으로 보고 안녕well-being은 건강이나 총체성에 대한 인간 경험으로 보았다. 안녕과 질병은 세계에 존재하는 상이한 방식으로 이해하였다. 건강은 질환이나 질병이 없는 것으로 보았다. 또한 Kleinman, Eisenberg 그리고 Good(1978)의 업적에 기초하면, 인간은 질환을 가질 수 있으나 질병은 경험하지 않을런지 모른다. 왜냐하면 질병이란 상실이나 기능 장애에 대한 인간 경험인 반면에 질환이란 신체적 수준에서 사정할 수 있는 것이기 때문이다(Benner & Wrubel, 1989).

상황

베너와 Wrubel(1989)은 환경environment이라는 단어보다 상황situation이라는 단어를 사용하였다. 왜냐하면 상황은 사회적 정의와 의미를 가진 사회적 환경을 전달하기 때문이다. 그들은 상황적인 존재being situated, 상황적 의미situated meaning라는 현상학적 용어들을 사용하였고

그것은 인간이 관계된 상호활동, 해석 그리고 상황의 이해로 정의된다. "상황에 대한 개인적 해석은 상황 내 개인의 존재 방식에 따라 결정된다(Benner & Wrubel, 1989, p. 84)." 이것은 각각의 개인이 지닌 의미, 습관, 견해를 포함하여 과거 현재 그리고 미래가 현재 상황에 영향을 미친다는 것을 의미한다.

이론적 주장

베너(1984a)는 이론이 예견하는 것보다 항상 더 많은 상황이 존재한다고 말한다. 간호의 숙달된 기술은 형식 이론의 한계를 넘어선다. 구체적인 경험은 상황에 대한 의미의 이면과 예외적인 것에 대한 학습을 원활하게 한다. 실무에 배어든 지식은 이론의 발견과 해석을 이끌어낼 수 있고, 이론을 앞서 가고 확장시키며, 돌봄 간호실무에서 이론을 합성하고 조정한다. 베너는 임상간호실무애 대한 지식을 알아내기 위해 해석학적 접근을 취해왔다. Dunlop(1986)는 "베너가 그렇게 함으로써, 그녀는 깊게 얽혀있는 간호-돌봄도 밝혀내고 있다(p. 668)." 라고 말했다. Dunlop는 또한 베너의 접근은 "일반적인 돌봄이나 특정한 간호-돌봄에 관한 어떤 보편적 진실들을 우리에게 제공하지 않는다-사실상 이는 어떤 가식들을 만들어내지 않는다"라고 언급하였다.

이와 같이, 각 영역 안에 있는 역량들은 완전한 목록으로 의도된 것은 결코 아니다. 대신, 간호실무를 묘사하는 상황 기반의 해석학적 접근은 환원주의의의 문제점과 간호과정 범주에 기반을 둔 전반적이고 매우 일반적인 설명들의 문제점을 극복하기 위해 애쓰고 있다(Benner, 1984a). 이러한 접근에 대한 추가적인 설명에서, 베너(1992)는 전문적인 임상간호실무에서 옳고 윤리적인 돌봄의 개념을 이해하기 위해 내러티브적인 설명의 역할을 조사하였다. "실제의 구체적인 사건에 대한 내러티브적 기억은 스며들어있는 노하우와 행동거지 속으로 들어앉게 되고 상황에 대한 정서적인 반응으로 완성된다. 이 내러티브적 기억은 패턴인식을 증강시키는 인지적 또는 감각적 기억들을 불러일으킬 수 있다"(p. 16). 베너의 작업에 포함된 관계 진술들의 일부를 살펴보면 다음과 같다.

- 가정, 기대, 그리고 세트를 발견하는 것은 탐구되지 않은 실무지식 분야를 노출시켜 이를 체계적으로 연구하고 확장하고 혹은 반박할 수 있게 한다 (Benner,1984a, p. 8).
- 임상지식은 수칙보다는 지각 속에 배어 있다.
- 지각적 인식은 훌륭한 간호 결정을 위한 핵심이다. 숙련가는 비판적 분석을 우선 무시하고 모호한 직감을 갖고 광범위한 사정부터 시작한다. 그 다음 개념적 명료성이 우선

시되기 보다는 오히려 종종 뒤따르게 한다(Benner, 1984a, p. x viii).

- 형식적인 규칙은 제한적이고 실제적인 임상상황에서는 재량적인 판단이 요구된다.
- 임상지식은 시간의 경과와 함께 개발되고, 각 임상가는 실무지식의 개인적 레퍼토리를 개발하고 이를 다른 임상가들과 대화로 공유할 수 있다.
- "전문성은 실제 실무상황에서 임상가들이 가정, 가설, 그리고 원리에 근거한 예상들을 검증하고 세련화시키면서 개발된다."(Benner,1984a, p. 3).

논리적 형식

서술적인 질적 연구에서 베너는 임상간호실무에 대한 기술 습득을 더 잘 이해하기 위해 Dreyfus의 기술습득 모델을 사용했다. 이 모델의 논리적 순서를 따름으로써 베너는 수행의 특성들을 확인할 수 있었고 각 기술 단계에 내재된 교육-학습 요구들을 확인할 수 있었다. 연구 보고에서 베너는 직접적인 면담과 실무에 대한 명확한 그림을 읽는데 도움이 되는 숙련된 실무의 관찰을 예로 사용했다. 사례 또는 임상적 내러티브를 묘사하기 위한 가이드라인으로, 첫째 임상적 사건 "clinical incidents"이라고 불렸던 것들이 From Novice to Expert에 소개되었고, 그것은 추후 *Clinical Wisdom and Interventions in Acute and Critical Care: A Thinking-in-Action Approach* 로 발전되었다(Benner, Hooper-Kyriakidis, & Stannard, 2011). 임상적 내러티브를 묘사하기 위한 접근은 연구, 실무, 그리고 교육영역에서 내러티브를 사용한 베너의 작업과 일치한다. 베너의 연구 목표는 숙련된 기술에 배어 있는 의미와 지식을 가져와 공식적인 담론에 포함시키는 것이다. 베너(1984a)는 새로운 지식과 이해는 이미 임상실무에 배어 있어 당연하다고 여기는 의미, 기술, 그리고 지식들을 명료화하면서 구축된다고 주장하였다.

간호학계의 수용

실무

베너는 해석적인 현상학적 접근을 사용하여 임상간호실무를 기술하였다. *From Novice to Expert*(1984a)는 실무현장에 베너의 작업을 적용한 다음과 같은 예를 포함하고 있다: Dolan (1984)은 프리셉터 개발, 오리엔테이션 프로그램, 그리고 경력 개발의 유용성에 대해 기술; Huntsman, Lederer, 그리고 Peterman(1984)은 경험있는 스텝 간호사들을 인정하고 유지하기 위해 임상적 단계에 대한 그들의 수행에 대한 자세한 설명; Ullery (1984)는 간호사들이 임상적 지식을 인정하고 더욱 발달시키기 위해 자신들의 임상적 이야기들을 발표한 연간 우수 심포지엄 개최의 유용성에 대한 설명; 그리고 Fenton(1984)은 임상전문간호사의 수행에 대한 문화기술적 연구에서 베너의 접근방법의 사용을 언급하였다.

Balasco와 Black(1988), 그리고 Silver(1986a, 1986b)도 간호에서 임상지식 발전과 근무연수 간의 차이에 대한 기초로 베너의 연구를 사용하였다. Neverveld(1990)는 기초 및 고급 프리셉터 개발에 베너의 이론적 근거를 이용하였다. Farrell과 Bramadat(1990)은 실제 실무 상황에서 임상적으로 의미있는 기술의 개발을 잘 이해하기 위한 3차 교육병원과 간호대학간의 교육 프로젝트에서 베너의 사례분석 패러다임을 사용하였다. Crissman과 Jelsma(1990)는 베너의 연구결과를 지원배치의 불균형을 교정하기 위한 교차훈련과정cross-training program의 개발에 적용하였다. 그들은 신규간호사를 위한 특별한 교차훈련과정의 목표를 서술하였을 뿐 아니라, 임상영역 내에 프리셉터를 지정함으로써 이들의 경험적 판단이 익숙하지 않은 상황에서 쓰여질 수 있다고 지적하였다. 그 목표는 초보자가 경험있는 간호사를 자원으로 활용하면서 진전된 초보자처럼 수행할 수 있도록 하는 것이다.

베너의 접근은 임상 승진 단계, 새로운 졸업생 오리엔테이션 프로그램, 그리고 임상적 지식개발 세미나 개발에 지속적으로 사용되고 있다 (Benner & Benner, 1999; Benner, Tanner, & Chesla, 2009; Coyle, 2011, Hargreaves, Nichols, Shanks, & Halamak, 2010). Mauleon과 동료들은 (2005) 노인 환자를 위한 마취 간호에서 마취전문간호사가 실제로 경험한 문제적인 상황에 대한 해석학적 현상학적 분석을 수항하였는데, 이는 경험으로부터 나온 도덕적 디스트레스를 다루기 위한 윤리적 토론에 대한 필요성을 제시하고 있다. Uhrenfeldt(2009)는 베너와 Wrubel의 돌봄 틀로 일선first-line 간호사 리더들이 간호 스텝들을 어떻게 돌보는지에 관한 연구를 수행하였다. Cathcart(2010)는 베너의 접근을 통하여 간호 관리자들이 실무에서 경험적으로 얻은 지식, 기술, 그리그 스며들어있는 윤리를 분명하게 설명하였다.

베너는 간호실무 관심사와 실무에서의 돌봄의 역할에 대해 간호문헌들은 인용되었다. 그리고 지속된 출판을 통해 임상상황에 뿌리 박혀있는 지식에 대한 이해를 증진시키고 있다(Benner,1985a, 1985b, 1987: Benner & Tanner,1987; Benner, Tanner, & Chesla, 1996, 2009; Benner, Hooper-Kyriakidis, & Stannatd, 1999, 2011). 베너는 또한 임상사례 시리즈를 1980년대에 *American Journal of Nursing*에서 편집하였다. 2001년에는 "*Current Controversies in Critical Care*"라는 제목으로 *American Journal of Critical Care*에서 편집하기 시작했다. *National Council of State Boards of Nursing*과 함께한 베너의 작업은 임상간호에서의 오류 인식과 안전 향상

에서 중대한 공헌을 한 것으로 여겨진다 (Benner, Sheets, Uris, et al., 2002). 이 연구는 의료 실수를 극적으로 감소시키기 위해 의료 체계 내에 있는 비난 문화를 개혁시키는 것을 목표로 하여 체계 관점에서 실무의 와해에 대해 탐구하였다(Benner, Malloch, & Sheets, 2010).

교육

베너(1982)는 능력에 기초한 시험competency-based testing에 대해 비판하면서, 이를 Dreyfus의 기술습득 모델에서 명시된 전문화 단계의 복잡성과 AMICAE 프로젝트(benner,1984a)에서 설명하는 31개의 능력과 대조시켰다. 요약하면, 베너는 "능력에 기초한 시험은 덜 상황적이고 덜 상호작용적인 환자간호에 기초하고 있는데, 즉 행동이 잘 정의되어 있으며 환자와 간호사들 사이의 변이들도 수행 준거에 변화를 주지 않는다"고 진술하였다(1982, p. 309).

Fenton(1984, 1985)은 임상전문간호사로서의 숙련된 수행을 배우기 위한 기초로서 임상간호실무 영역을 적용하였다. 그녀의 분석은 AMICAE 프로젝트에서 숙련된 간호사들이 보고한 기술들과 함께 공통의 증명된 능력들을 학습하는 것에 대한 필요성을 증명했다. 또한 상담자 역할을 포함한 숙련된 간호사의 부가적인 영역을 확인하고, 대학원 과정의 교과과정 평가를 위한 5개의 예비 범주를 언급하였다. 이 영역들은 윤리적, 임상적, 정책적 딜레마, 성패를 좌우하는 지위나 위치, 그리고 경험과 이론을 합성하는 새로운 지식이다.

Barnum(1990)에 따르면, 간호교육에 가장 큰 영향을 준 것은 베너가 개발한 7가지 간호실무 영역이 아니라, "우리 학문 내 학습과 사고를 설명하는 데 있어서 Dryfus 모델을 유용하게 적용한 덕이라고 지적하였다"(p. 170). 베너가 Dreyfus 모델을 적용한 결과, 간호교육자들은 학습요구가 임상지식 개발의 초기 단계와 후기 단계에서 차이가 있음을 인지하게 되었다. 이러한 차이는 학생들의 경험적 배경에 따라 적절한 간호교육 프로그램이 필요함을 인정하고 가치있게 여겨야 함을 보여준다.

Expertise in Nursing Practice(1996)에서 베너, Tanner 그리고 Chesla는 학부과정에서는 임상경험을 통한 참여와 돌봄의 기술, 명확한 실무지식, 그리고 내러티브의 이용을 포함하는 학습이 중요하다고 강조하였다. 더 나아가 이는 신규 졸업자를 전문가보다는 신규가 잘 이해할 수 있는 방식으로 간호실무를 설명해 줄 수 있는 유능한 간호사를 배치하는 것이 더 나을 수 있다는 논제를 지지한다. 왜냐하면 전문가 간호사가 가진 직관적 지식은 아직 상황을 포착할 경험적 노하우가 없는 신규 졸업자를 혼란스럽게 할 수 있기 때문이다. 현재 두 번째 개정판(Benner, Tanner, & Chesla, 2009)에서 이러한 작업은 신규 졸업 간호사를 위한 인턴쉽과 오리엔테이션 프로그램의 개발과 좀 더 경험있는 간호사들을 위한 프로그램의 임

상적 개발을 이끌고 있다.

Clinical Wisdom in Critical Care(1999)라는 책에서 베너, Hooper-Kyriakidis, 그리고 Stannard(1999)는 경험적 학습에 대해 더 많은 관심을 쏟아야 한다고 주장하면서 교육 안내 책자를 제시하였다. 이들은 상호 대화형의 CD-ROM을 책과 함께 제작하였다(Benner, Stannard, & Hooper-Kyriakidis, 2001). 두 번째 개정판(Benner, Hooper-Kyriakidis & Stannard, 2011)은 급성 간호와 중환자 간호에 배어있는 지식에 관한 연구에서 나온 교육적 함의를 담은 장을 추가하였고, 베너, Sutphen, Leonard, & Day (2010)가 추천한 교수법을 통합하였다. 2011년도 개정판에는 통합적 전략에 대한 두 가지 주요 유형을 보여주고 있는데, 하나는 상황적 학습을 코칭하는 사례들이고 다른 하나는 임상 교육과 교실 수업을 통합하는 thinking-in-action 접근 즉, 행동하며 생각하는 접근에 대한 다양한 사례들이다.

간호 교육에 대한 마지막 국제적 연구(Schwartz, 2005)이후, 30년 동안 발전되어온 간호의 도전들을 다루기 위해 간호사의 역량을 극대화하는 "signature pedagogies"를 증명하고 기술하기 위해 국가적인 간호교육 연구가 설계되었다. Educating Nurses(Benner, Malloch. & Sheets 2010)라는 이 책은 간호 교육에 대한 국가적 연구에 대한 세부 사항을 보고하고, 간호 교육에 있어서의 교육 격차, 즉 실무에 더 가까이 가기 위한 주요 개혁에 대한 간호교육의 요구에 대한 결론을 내리고 있다. 교육 격차는 상충되는 요구를 다루고 연구와 새로운 기술들로 인해 증가하는 실무의 복잡성을 따라잡는 것에 대한 어려움으로부터 생겨나고 있다. 이 저자들은 간호 교육자들에게 다음의 네 가지 측면에서 초점을 이동할 것을 추천한다: (1) 추상적 지식을 다루는 것에서 특별한 상황을 위한 교육을 강조하는 것으로; (2) 임상과 교실에서의 분리된 교육에서 통합으로; (3) 비판적 사고에서 임상적 추론으로; (4) 사회화와 역할 습득을 강조하는 것에서 전문적 정체성을 형성하는 것으로. 이러한 결과물과 추천 내용은 국내외 학술대회와 많은 간호학교의 교수들에게 소개되고 있다.

McNiesh, 베너 그리고 Chesla(2011)는 석사 과정 입문을 위한 프로그램에 있는 학생들이 어떻게 간호실무를 경험적으로 배웠는지에 대해 연구하였다. 그들은 환자에 대한 독립적인 간호가 학생으로서의 정체성 개발과 간호사로 발전하는데 중심축이 되었다는 것을 발견했다. Crider와 McNiesh(2011)는 세 개로 구분된 견습 기간의 접근을 통합하였는데, 그것은 정신 간호에서 실무적 추론 기술을 발달시키기 위해 학생들을 가르칠 때 전문적 역할에 대한 지적, 실무적 그리고 윤리적 세가지 측면을 통합하는 것이었다.

연구

베너는 임상간호실무에는 우수성과 힘이 있으며 그것은 명료화 연구를 통하여 가시화될 수 있다고 주장한다. 상황적 맥락에 대한 복잡한 뉘앙스의 묘사(임상적 내러티브)는 이러한 연구 접근의 본질이며, 이는 자료가 실제 실무에서의 상황-기반의 대화나 관찰을 통해 수집됨을 의미한다. 이러한 상황적 맥락은 해석자들 사이에서의 합의와 같은 의미들의 해석을 안내한다. 이는 총제적인 접근으로서 임상 실무에 배어 있는 의미를 확인하고 기술하는 것에 초점을 둔다. 총처적인 접근은 연구 과정을 통하여 유지된다. 연구자와 임상가 사이의 대화를 통하여 내러티브가 해석되면서 상황적 맥락이 유지된다.

연구 동료들과 대학원생들과 함께 한 베너의 수 많은 연구와 프로젝트들은 해석학적 현상학 학자들의 집단을 만들어냈다. 베너(1994)는 해석학적 현상학자들의 집단으로부터 선택된 에세이와 연구들을 수집하여 *Interpretive Phenomenology: Embodiment, Caring, and Ethics in Health and Illness*로 편집하여 기여하였는데, 이들은 베너의 경력 내내 영감을 불러일으켜주고 가르쳐주었다. 이 책은 질적 연구 방법으로서의 해석학적 현상학을 위한 철학적 소개와 이러한 접근의 전략과 과정을 이해하기 위한 지침, 그리고 유사점과 차이점을 전달하는 연구의 다양한 선택을 제공한다. 해석학적 현상학은 과정과 기술의 하나의 세트로서 설명될 수 없다. 대신, "각 해석자는 자신의 선이해를 시험하고 각자의 특정한 역사적, 문화적 그리고 개인적 입장으로부터의 다름, 침묵, 유사성, 그리고 보편성과 대면함으로써 해석학적 순환에 들어가게 된다"(Benner, 1994, p.xviii).

Chan Brykczynski, Malon, 그리고 베너(2010)에 의해 편집된 해석학적 현상학적 독해와 연구의 두 번째 판은 베너가 확립한 연구 전통의 영향력과 중요성을 명예롭게 한 Festschrift(학자를 위한 은퇴 기념행사)에서 유래되었다. 이 책은 지속적으로 전개되는 해석학적 현상학적 철학과 연구 접근을 설명하고 있다. 첫 번째 부분은 해석학적 현상학적 전통 내의 이론적이고 철학적인 담론을 탐색한 반면, 두 번째 부분은 연구들 간의 접근에서 나타나는 유사성과 차이점을 사례로 한 연구들을 모아놓았다.

미래의 발전

베너의 현재 연구는 *Tri-Service Military Nursing Research Group*(De Jong, Benner, Benner, et al., 2010)과 함께 하는 대규모 연합 연구를 포함한다. 그들은 이란과 아프가니스탄과의 전쟁 동안 간호실무로부터 얻은 지식개발과 경험적 학습에 대해 탐구하고 있다.

베너(2012a)는 Educating Nurse 연구에서 수행하고 있는 추천 내용들의 적용 과정에 대해 논의하였는데, 여기에는 미국의 여러 주에서 간호 교육을 위해 제안된 변화를 수행하기 위해 시작된 것과 많은 병원과 간호대학들이 간호사 레지던스residency 프로그램을 도입한 것이 포함되고 있다. 연구에서 나온 추천 내용에 대한 보급과 수행을 촉진시키기 위해 두개의 웹사이트가 만들어졌다: Educating Nurses.com (http://www.educatingnurses.com)는 교육 자료, 교과과정 개발, 교수 훈련 자료와 관련된 비디오 테입을 제공하고 있다. NovicetoExper.org (http://www.NovicetoExper.org)는 근거 기반 학습을 온라인으로 제공하고 있고 Educating Nurses 연구에서 나온 추천내용들을 지원하고 있다. 또한, 간호 교육자와 함께 연구 추천을 공유하고 지속적인 대화를 만들어가기 위해 교육적 뉴스레터가 개시되었다(Benner, 2011; 2012b, 2012c; 2012d).

비평

명확성

베너의 초보자에서 전문가 모델의 명확성은 전세계적으로 간호사들 사이의 활용을 이끌어냈다. 임상적 지혜라는 아이디어의 확인과 임상적 전문 지식 발달의 변화 단계에 대한 증명은 매우 빠르게 퍼져나갔다. 베너의 작업은 임상적 실무의 이해뿐 아니라 실무에 배어든 간호 지식을 드러내는데 기여하였다.

간결성

베너는 해석적, 기술적 설명으로 임상간호실무를 개발시켰다. 개념들이란 바로 숙련된 실무 단계에 대한 Dreyfus 모델로부터 가져왔으며, 초보자, 진전된 초보자, 적임자, 노련가, 숙련가를 포함한다. 그녀는 면담, 관찰, 간호사가 제공하는 사례의 분석에 기반을 둔 간호실무를 설명하기 위하여 이러한 5단계의 개념을 사용하였다. 이러한 설명으로 역량들이 확인되었고, 이들은 공통된 의미에 따라 간호실무의 7개의 영역이 귀납적으로 도출되었다(Benner,1984a). 베너와 동료들은 중환자간호실무의 연구(1996)에서 실무의 깊이에서 단계의 차이를 찾았고, 각기 다른 단계의 간호사들은 서로 다른 세계 안에서 살고 있음을 이야기하고 있다. 베너의 후속 연구에서는 중환자 간호실무의 9개 영역을 제시하고 있다(Benner, Hooper-Kyriakidis, & Stannard, 1999). 이 모델은 기술습득의 5단계에 비하면 비교적 단순하고, 개별

간호사의 설명과 관찰 그리고 합의에 의해 검증된 해석으로부터 간호실무의 수준을 확인할 수 있는 상대적인 가이드를 제공하고 있다.

복합성의 정도는 능력의 차이와 의미와 의도의 구분 요구의 정도에 따라 차이가 있는 하부개념 안에서 결정된다. 해석학적 접근은 연구에 대한 이론적-기술적 제한을 극복하고 실무를 기술하기 위해 설계되었다. 비록 수행에 대한 초보자 수준의 비맥락적이고 객관적인 설명은 가능하겠지만, 숙련된 현상에 대한 설명은 불가능하거나 제한적이다. 왜냐하면 객관화의 한계 때문이다. 다시 말하면, 전문가적 실무의 모든 측면을 구체화 하려고 하면 무한 회귀의 철학적 문제에 직면하게 된다는 것이다. 이보다는 특정한 상황에 대한 총체적인 이해가 전문가적 수행에서 요구된다.

일반성

초보자에서 숙련가까지의 기술습득 모델은 보편적인 특성을 가지고 있다. 이것은 나이, 질병, 건강 또는 간호실무 현장에 의해 제한되지 않는다. 이론적 보편성의 특성은 예측을 위한 조작화의 특성을 지니고 있다. 그런데 이 견해는 예측성을 지니고 있지 않다. 사실상 현상학적 견해는 인간 연구에서의 보편성의 한계를 비판하고 있다. 그런데 간호실무에 대한 해석학적 모델은 하나의 틀로서 보편적인 적용을 위한 잠재력을 가지고 있다고 할 수 있다. 그러나 이는 실제의 임상간호 상황에 의존함으로써 제한적이다. 따라서 결과에 대한 사용은 유능성에 대한 5가지 단계에 대한 이해력에 의해 좌우된다. 또한 각 실무 단계에 내재된 특징적인 의도와 의미를 확인하는 능력에 의해 좌우된다.

비록 임상지식이 관계적이고 맥락적이며, 또한 지엽적, 특징적, 그리고 역사적 쟁점들을 불러일으키지만, 이는 비슷한 상황에 대한 의미들의 해석이라는 관점에서는 일반화가 가능하다(Guba & Lincoln, 1982). 실무의 맥락적이고 관련적인 쟁점들을 포착하기 위하여, 베너는 실제의 임상상황에 대한 내러티브적 설명들을 사용하였고, 이 접근은 비록 객관적인 상황이 아주 다를지라도, 독자들에게 비슷한 의도와 의미를 가능케 하도록 한다. 여기에서 사용하고 있는 일반성generability 혹은 전이가능성transferability의 예는 다음과 같다: 임종하는 아이를 둔 가족과 관련된 간호사의 이야기를 읽거나 들으면, 다른 간호사는 여기에서 전달된 지식과 의미들을 자신들이 경험했던 임종 환자 가족과 연관지을 수 있다.

접근성

이 모델은 질적 방법을 이용하여 경험적으로 검증되었다. 간호실무의 7개 영역과 31개의 역량, 그리고 중환자 간호실무의 9개의 영역이 귀납적으로 도출되었다. 그 이후의 연구에서 이 틀은 간호실무에 적합한 지식의 지속적인 개발을 위한 유용성과 적용성을 제시했다. 지식개발을 위한 이러한 접근은 돌봄의 수월성과 돌봄의 중심이 되는 윤리, 그리고 전문간호실무에 배어있는 책임성을 밝히는데 아주 좋은 방법이다(Benner, 1999).

간호지식체를 발견하기 위한 질적과정의 사용은 베너의 업적을 비평하기 더욱 어렵게 한다. 질적 해석적 접근은 전문적 간호실무를 사례를 들어 묘사하고 있다. 베너의 연구는 가설 검증보다는 가설 생성으로 고려될 수 있다. 베너는 전문간호적 상황적 의미로 들어가 발견하는 방법론을 제공한다. Altmann(2007)은 베너의 업적에 대한 비평은 이론에 대한 베너의 철학에 대한 오해로 이어지고 양적 기준으로 베너의 질적 연구를 평가하는 것으로 이어지곤 하였다.

중요성

비록 전 세계 임상 간호사들이 *From Novice to Expert*(1984a)를 적극적으로 받아들였지만, 초기에 몇몇 학자와 행정가들은 전통주의를 증진하고 간호실무를 위한 교육과 이론을 평가절하 하는 것으로 설명했다(Christman, 1985). 베너의 간호실무의 단계와 의미를 설명하기 위한 질적 해석적 접근은 일부 연구자들에게 의문점을 불러일으켰다. 베너의 전문성과 직관 개념의 인지적 해석에 대하여 지속적인 논쟁이 있어왔다(Benner, 1996b; Cash, 1995; Darby-shire, 1994; English, 1993; Paley, 1996). 이러한 현상학적 개념들로 둘러쌓인 학문적인 논쟁은 연구 접근의 본질을 명확히 하는 것에 기여하였다.

베너의 관점은 현상학적이지 인지적인 것이 아니다. 그녀는 "임상적 판단과 돌봄 실무에는 시간과 변화의 정도, 무엇을 배웠는가에 대한 환자의 특별한 상황에 주목 하는 것이 요구된다. 이러한 임상 판단에서 보면 숙련된 노하우와 행위는 결합된 것이다"라고 말한다(Benner,1999, p.316). 베너 연구 결과의 중요성은 "간호사의 임상지식은 환자간호와 환자 결과에서 차이를 보여주는 간호기술의 정도와 관련되어 있다"라는 결론에서 나타난다(Benner & Wrubel, 1982, p.11).

일반화는 설명하고 예측하는 보편적이고 추상적인 법칙을 통해서 라기 보다는 공통된 의미, 기술, 실무 그리고 구체화된 능력에 대한 이해를 통해 접근되어진다. 이러한 공통된 의미, 기술, 실무는 간호학교와 실무현장, 그리고 간호의 전통에 사회적으로 내재화되어 있다. 임상간호실무에 배어있는 지식은 간호에 대한 이해를 넓히기 위해 공공의 지식으로 끌어내어야 한다. 베너(1984a)는 간호실무의 범위와 복합성은 실무나 경험의 관점을 이상화나 탈-맥락화 하기에는 너무 포괄적이라고 믿는다. 베너(1992)는 "다양한 경험을 초월할 수 있는 일반성을 찾기 위한 관념적 추구는 잘못된 방향이다... 편집되지 않은 구체적이고 도덕적인 경험에 이론들을 종속시키고, 기술적이고 윤리적인 행동은 경험을 넘어서는 것이 아니라 경험에 의해 훈련되고 교육된다는 것을 인정한다면, 우리는 방향을 되찾을 수 있다."(p. 19)고 말한다.

해석학적 접근으로 가능한 일반화는 관련적이고 맥락적으로 관련된 의도와 임상지식의 측면들을 보여주는 사례를 통하여 묘사된다. 물리학과 자연과학에서 보편성과 일반화를 위해 사용하는 접근법의 적용성과 관련성은 해석학적 접근에서는 의문시된다. 해석학적 접근에서는 임상지식의 일반화를 위한 기초란 구조적이거나 기계적일 수 없다고 본다. 그 대신에 공유된 의미와 실무에 기초해야만 한다고 본다. 임상실무에서의 일반화를 위해 선택된 전략은 상황의 역할을 보여주고 있는 사례들에 의해 묘사된 기술적 지식, 의도, 내용, 그리고 좋은 임상 지식의 개념에 기초한다.

베너는 간호사들이 주관-객관적 묘사의 한계를 극복하는 것이 필요하다고 주장한다. 그녀는 윤리적인 돌봄의 실무로서의 간호를 증명하기 위해 "대중적 담화의 증가"와 "윤리적 구별과 관심의 보존, 확장, 그리고 개조"를 요구한다(Benner, 1992, pp. 19-20). 베너(1996a)는 "우리는 동정심이 현명할 수 있음을 보여주는, 그래서 결국 방어적이고 적대관계에 있는 commodified technocures보다 비용효과적이 되는 실무가들의 이야기를 간과해 왔다"(pp. 35-36)로 진술하고 있다. 베너의 연구는 실제적으로 존재하고 행하고 있는 간호의 맥락에 들어있는 간호실무를 구성하는데 유용하다.

요약

베너는 간호사가 능률과 기술 그리고 측정 가능한 결과들에 대해 보상받는 것에 더욱 중점을 두는 시기에 간호사의 돌봄의 실무를 확인하고 복원하기를 원했다. 그녀는 "간호실무는 일상적인 인간요구에 대한 지식과 기술로 이루어져 있고, 이들이 돌봄으로 경험되기 위해서는 간호를 받는 특정한 사람과 조화되어야 하고, 간호가 펼쳐지는 상황에도 조율되어야 한다"고 말한다. 간호실무에 대한 베너의 철학은 역동적이고 전인적인 견해로서 실무-연구-이론이 상호독립적이면서 상호연관적이고 해석적임을 내포하고 있다. 그녀는 *From*

Novice to Expert(1984a)의 서두에서 이야기 한대로, 체계 구축자에 의해 정의되지 않은 영역과 역량들은 대부분 실현될 것이다. 그리고 이 개념들을 적용하는 사람들은 맥락적 배경을 중요시 할 것이다. 베너의 업적은 철학, 실무, 연구, 이론 그리고 교육의 연관성의 예가 된다.

사례연구

또래 간호사 전문화 프로젝트(Brykczynski, 1993-1995)가 간호부의 임상 강화 과정의 한 부분으로 운영되었는데. 이 프로젝트는 기관의 전문적인 일반 간호실무를 기술하고 확인하기 위해 시도하였다. 임상간호실무의 지식 개발에 대한 베너의 접근을 설명하기 위하여 이 프로젝트를 선택하게 되었다. 이 프로젝트에서는 사례들을 수집하고 서술적 자료를 얻기 위해 참여관찰도 수행하였다. 이 자료는 베너의 다각적인 서술적 현상학적 과정(Benner, 1984a, 1994)을 사용하여 설명하였다. 자료분석의 마지막 단계에서 베너의 간호실무 영역과 역량들이 해석적 틀로 포함되었다. 베너식 접근 사용에 대한 비판적인 측면은 영역과 역량들이 수집된 내러티브와 자료 해석에 쓰인 해석적 틀을 역동적으로 전개하면서 형성되도록 구현하는 것이다. 이러한 상황을 기술한 간호사는 중환자 분야에서 8년의 임상경력을 가지고 있었고, 그녀는 이러한 상황이 중환자를 보살피는 위기의 가족들을 간호하는데 어떻게 통합하는지를 가르쳐 주었기 때문에 자신의 임상실무에 중요하다고 언급했다. 따라서, 이것은 앞으로 실무에 직면해서 많은 것을 배우게 될 간호사를 위한 모범 사례가 되었다.

김모씨는 70년대에 CABG(Coronary Artery Bypass graft)를 반복적으로 시술받은 여성 노인 환자이다. 가족들은 김모씨가 첫 번째 시술을 받을 때 살았던 집 주변에 살고 있었다. 위중한 상태가 지속되었고, 임종 몇 주 전에는 불안정한 상태였다. 가족들은 그녀의 불안과 악화되는 상태 때문에 매우 불안해하고, 그래서 처음 몇 주 동안은 24시간 환자의 곁을 지켰다.

김모씨가 시술 받는 동안 간호사는 가족들과의 만남을 시작했다. 시술이 첫번째 보다 오래 걸렸기 때문에 가족들이 매우 불안해하였고, 환자에 대하 물으려고 계속 중환자실 담당자를 찾았다. 간호사는 가족들을 수술장 내로 불러들여 환자의 상태에 대해 정보를 들을 수 있도록 심혈관 전문의와 만나게 해 주었다.

그 간호사가 가족을 지지하기 위해 도움이 되었던 것 중 하나는 이 환자와 함께 하는 간호사들이 같은 집단임을 확인시키고, 결국 가족들이 간호사들을 신뢰하고 환자가 받고 있는 간호에 대해 긍지를 느끼게 한 것이다. 결과적으로 가족들은 휴식을 위해 병원을 떠날 수 있게 되었고, 가족들은 그 간호사를 정보를 잘 알려주는 따뜻한 가족처럼 여기게 되었다. 가족들은 궁금한 내용도 미리 준비해 왔다. 환자의 특별한 상황을 알고있는 가까운 간호사들은 가족과 간호사들이 덜 불안해 하고 더 만족할 수 있도록 도와주었다. 가족과 함께 간호하는 3명의 간호사는 더욱 친밀한 관계로 발전하였고 환자의 삶과 관련된 세밀한 부분까지도 공유하는 관계가 되었다.

이 일과 관련된 간호사는 가족의 개입을 허용하지 않는 전형적인 중환자실 간호 환경에 처해 있었다. 그녀는 환자의 자녀들에게 어머니 김모씨를 위해 할 수 있는 단순한 것들을 교육하면서 이런 전형을 깼다. 자녀들은 목욕시키기와 같은 기본적인 간호를 배웠다. 그 간호사는 가족들이 복합적인 지식과 민감성이 필요한 중증 환자 간호에 함께 하는 것을 허락했다. 그리고 간호사들은 가족과 함께 일하는 것을 배울 때 발전적 과정이 생겨난다고 믿었다.

간호사들은 많은 경험과 함께 고도의 기계적 기술에 매우 편안해 진 후에야 가족들이 병실에 있는 것이 괜찮아짐을 그 간호사는 알고있다. 불안해하는 가족들이 기술이 부족하여 불안정한 간호사를 직접 보면서, "왜 지금 그걸 하고 있나요? 간호사 누구 누구는 다르게 하던데요" 라는 질문이라도 받게 되면, 무척 당황해한다고 그 간호사는 지적하였다. 그녀는 간호사들이 융통성과 일의 우선순위를 재조정하는 것을 배운다고 언급하였다. 간호사들은 지금 당장 해야 할 필요가 없는 것은 기다려주고, 가족들에게 환자와 함께 할 시간을 줄 수 있어야 한다. 간호사가 돌봄을 조정한 것 중의 하나는 가족들에게 가장 좋은 시간이 언제인지를 알기위해 가족들을 만나는 것이었다; 그리고 그 간호사는 환자의 돌봄에 관여하는 다른 사람들과의 계획을 교환하기 위해 가족 시간표를 자신의 방 바깥쪽에 있는 환자 활동시간표 위에 붙여 놓았다.

환자가 사망 했을 때, 자녀들은 그녀의 시신 수습에 참여하기를 원했다. 이는 그 병동에서 한번도 해본 적이 없는 일이었다. 그러나 규정에 위배되지 않음을 확인하고 그 간호사는 그들의 바램을 들어주었다. 자녀들은 병실의 불을 끄고 문을 닫은 후 음악을 틀었다; 그리고 간호사와 딸과 아들은 사망한 환자의 안치실을 준비하는 동안 함께 소리내어 울었다. 간호사는 자녀들이 환자를 목욕시키는 동안 환자의 정맥주사와 튜브를 정리했다. 그 간호사는 처음에는 자신은 빠지고 환자의 아들과 딸만이 그들의 어머니와 함께 있어야한다고 생각했기 때문에 불편감을 느꼈으나, 나중에는 가족들과 함께 하는 자신의 개입 기술이 어떻게 조화롭게 변했는지에 대한 증거를 제공했다. 그 간호사는 자녀들도 진정으로 자신이 어머니와 함께 있기를 원한다는 것을 깨달았다. 이 상황은 그 간호사에게 중환자 가족에 대한 간호의 필요성을 일깨워 주었다. 이로 인해 이 간호사는 자신의 환자에서 더 나아가 다른 근무조와 환자와 가족들, 그리고 다른 분야에 자신의 영향력을 확장시켰고 전문간호사(CNS)로 역할을 바꾼 동기가 된 사례였다고 설명했다.

영역: 간호사의 돕는 역할 Domain: The Helping Role of Nurse

위의 내러티브는 이 영역 내 여러 가지 역량들이 지닌 의미와 의도를 보여준다. 특히 치유적 분위기를 만들면서 환자의 가족에게 정서적, 정보적 지지를 제공하는 사례를 보여 주고 있다. 중환자 간호에 가족을 참여자로 통합시키기 위해서는 높은 수준의 기술을 필요로 하는데, 이러한 기술은 간호사가 기계적인 중환자 간호기술에 대하여 자신이 유능하고 자신만만하다고 느낄 때 개발된다. 이 간호사는 그 병동에서 수년간의 실무 경험이 있고, 어머니인 환자에게 간호를 제공하게 하는 것이 자녀들에게 중요하다는 것을 알고 있었기 때문에 기존의 전형적인 틀을 깨고 가족들에게 위생간호와 안위를 어떻게 제공 하는지 가르칠 수 있었다. 이 간호사는 중환자실의 다른 간호사들에게 가족을 간호에 적극적으로 개입시키는 것을 개방했고 이는 기존의 신념에 전적으로 위배되는 것이었다. 환자의 안전을 위한 우려와 간호 효율에 기초한 이러한 신념은 아직까지 가족들이 환자간호에 전적으로 개입하는 것을 배제하고 있다. 이 간호사는 윤리적 용기와 간호의 책임을 보여주고 있으며, 가족을 직접 간호에 개입시키지 않는 병동의 전통에 저항하였다. 그녀는 그 병동에서 8년간의 경험이 있었고 동료들은 그녀를 존경했다. 이 때문에 그녀는 환자-가족 간호를 시작하고, 함께 근무하는 다른 두 명의 간호사를 여기에 참여시켜 실무의 변화를 가져올 수 있었다.

Chesla(1996)의 연구에서는 환자간호에 가족을 포함하는 것과 관련하여 이론과 실무에 차이가 있음을 지적하였다. Eckle(1996)은 응급실에서 소아 환자와 가족이 함께 있는 것에 대해 연구했다. 그 결과 위기의 시간에 가족들에게도 효과적이고 온정적인 간호가 제공되어야 함을 주장한다. 간호에 가족을 포함하는 숙련된 실무는 또래 간호사 전문화 연구로부터 나온 내러티브 텍스트에서 상당히 중요하고 의미 있는 것으로 나타났다. 여기에서 간호사의 도와주는 영역에 역할helping role of Nurse과 간호에 있어서 가족 역할의 극대화Maximizing the family's role in care라는 부가적인 역량으로 구분되었다(Brykczynsk.,1998). 이 역량의 목적은 시간에 따라 발전되는 각 상황을 사정하여 특별한 환자-가족 관계에서 가족의 개입 여부를 결정하도록 하는 것이다. 그리하여 가족이 환자간호에 참여하는데 배제되지도 않고 느닷없이 환자간호에 참여하도록 강요하지도 않게된다.

이 서술적 증례는 베너의 접근이 역동적이고 각 기관마다 독특하다는 것을 보여준다. 가족의 참여를 조율하는 것이 발전적인 간호의 일부라는 신념은 Nuccio 등(1996)의 연구에서 지지되었다. Niccio 등은 숙련된 간호사는 간호에 환자와 가족을 포함시키기 위한 창조적인 접근법을 개발하는 한편, 초보간호사는 가족중심 간호와 관련된 느낌만을 갖는다고 보고하였다. 그 후 중환자 간호에 있어서 가족과의 세심한 조율과 협력의 복잡한 과정은 Levy(2004)의 중증 화상 환아와 가족들을 돌보는 간호실무에 관한 해석학적 현상학 연구에서 설명되었다.

비판적 사고

1. 초보자에서 숙련가까지의 기술 발전 단계에 따라 간호사들이 어떻게 간호에 환자와 가족을 참여시키는지에 대해 당신이 경험한 임상적 상황을 묘사하시오.
2. 임상적 추론의 상황적 배움을 촉진시키기 위해 위의 사례 연구 형식으로 제시된 임상적 이야기에 대해 논의해보시오(Benner, Hooper-Kyriakidis, & Stannard, 2011). 이 사례의 여러 가지 측면에 관한 생각을 격려하고 이해를 증진시키며 대화를 촉진하는 다음과 같은 질문들을 숙고해보시오: 이 상황에서 당신의 걱정은 무엇인가? 어떤 측면이 중요하게 두드러지는가? 주어진 시점에서 당신은 가족에게 어떠한 말을 하겠는가? 간호에 가족을 포함시키는 당신에게 의문을 제기하는 다른 동료들에게 당신은 어떻게 반응할 것인가?(Benner, Hooper-Kyriakidis, & Stannard, 2011)
3. 베너의 관점에서 돌봄실무, 중재 기술, 임상적 판단, 조정 능력이 간호실무의 가시성을 증진시킨다는 진술은 무엇을 의미하는지 다음의 세 가지 영역 즉 (1) 개인 간호사 (2) 동료 간호사 그리고 (3) 건강관리 체계에서 설명하시오.

POINTS FOR FURTHER STUDY

- Brykczynski, K. A. (2002). Benner's philosophy in nursing practice. In M. R. Alligood & A. M. Tomey (Eds.), *Nursing theory: utilization & application* (2nd ed., pp. 123–148). St. Louis: Mosby.
- Benner, P. (2001). *From novice to expert: commemorative edition.* Upper Saddle River, (NJ): Prentice Hall. (Re-published edition of the original 1984 work.)
- Hubert Dreyfus home page at: http://philosophy.berkeley.edu/
- Patricia Benner home page at: http://home.earthlink.net/~bennerassoc/
- The Carnegie Foundation for the Advancement of Teaching, Professional and Graduate Education at: http://www.carnegiefoundation.org

Videotapes

- Benner, P., Tanner, C., & Chesla, C. (1992). *From beginner to expert: clinical knowledge in critical care nursing* (Video). New York: Helene Fuld Trust Fund. Available from Springer Publishing Company (see Benner home page).
- EducatingNurses.com: See Video Previews of Expert teachers.

- Moccia, R. (1987). *Nursing theory: a circle of knowledge* (Video). New York: National League for Nursing.
- NovicetoExpert.org: See demonstration of online clinical simulation of unfolding case studies.

CD-ROM

- Benner, P., Stannard, D., & Hooper-Kyriakidis, P. (2001). *Clinical wisdom and interventions in critical care: a thinking-in-action approach* (CD-ROM). Philadelphia: Saunders.

DVD

- Patricia Benner, Novice to Expert (2008). *The Nurse Theorists Portraits of Excellence,* Volume 2, Athens, OH: FITNE, Inc.

REFERENCES

Alberti, A. M. (1991). Advancing the scope of primary nurses in the NICU. *Journal of Perinatal and Neonatal Nursing*, *5*(3), 44–50.

Altmann, T. K. (2007). An evaluation of the seminal work of Patricia Benner: theory or philosophy? *Contemporary Nurse, 25*(1-2), 114–123.

Alvsvåg, H. (2010). Kari Martinsen: philosophy of caring. In A. M. Tomey & M. R. Alligood (Eds.), *Nursing theorists and their work* (7th ed.). St. Louis: Mosby, 165–189.

Aristotle (1985). *Nicomachean ethics* [T. Irwin, Trans.]. Indianapolis: Hackett.

Balasco, E. M., & Black, A. S. (1988). Advancing nursing practice: description, recognition, and reward. *Nursing Administration Quarterly*, *12*(2), 52–62.

Barnum, B. J. (1990). *Nursing theory: analysis, application, evaluation.* Glenview, (IL): Scott, Foresman.

Benner, P. (1982). Issues in competency-based training. *Nursing Outlook*, *20*(5), 303–309.

Benner, P. (1983). Uncovering the knowledge embedded in clinical practice. *Image: The Journal of Nursing Scholarship*, *15*(2), 36–41.

Benner, P. (1984a). *From novice to expert: excellence and power in clinical nursing practice.* Menlo Park, (CA): Addison-Wesley.

Benner, P. (1984b). *Stress and satisfaction on the job: work meanings and coping of mid-career men.* New York: Praeger.

Benner, P. (1985a). The oncology clinical nurse specialist: an expert coach. *Oncology Nursing Forum*, *12*(2), 40–44.

Benner, P. (1985b). Quality of life: a phenomenological perspective on explanation, prediction, and understanding in nursing science. *Advances in Nursing Science*, *8*(1), 1–14.

Benner, P. (1987). A dialogue with excellence. *American Journal of Nursing*, *87*(9), 1170–1172.

Benner, P. (1992). The role of narrative experience and community in ethical comportment. *Advances in Nursing Science*, *14*(2), 1–21.

Benner, P. (1994). The tradition and skill of interpretive phenomenology in studying health, illness, and caring practices. In P. Benner (Ed.), Interpretive phenomenology: embodiment, caring, and ethics in health and illness (pp. 99-126). Thousand Oaks, (CA): Sage.

Benner, P. (1996a). Embodiment, caring and ethics: a nursing perspective: The 1995 Helen Nahm lecture. *The Science of Caring*, *8*(2), 30–36.

Benner, P. (1996b). A response by P. Benner to K. Cash. Benner and expertise in nursing: a critique. *International Journal of Nursing Studies*, *33*(6), 669–674.

Benner, P. (1999). Claiming the wisdom and worth of clinical practice. *Nursing and Health Care Perspectives*, *20*(6), 312–319.

Benner, P. (2000). The quest for control and the possibilities of care. In M. A. Wrathall & J. Malpas (Eds.), *Heidegger, coping and cognitive science: essays in honor of Hubert L. Dreyfus* (vol 2, pp. 293–383). Cambridge, (MA): M.I.T. Press.

Benner, P. (2003). Finding the good behind the right: a dialogue between nursing and bioethics. In F. G. Miller, J. C. Fletcher, &. J. M. Humber (Eds.), *The nature and prospect of bioethics: interdisciplinary perspectives* (pp. 113–139). Totowa, (NJ): Humana Press.

Benner, P. (2005). Using the Dreyfus Model of Skill Acquisition to describe and interpret skill acquisition and clinical judgment in nursing practice and education. *The Bulletin of Science, Technology and Society Special Issue: Human Expertise in the Age of the Computer*, *24*(3), 188–199.

Benner, P. (2011). *Designing a transformative curriculum in nursing education.* Newsletter. Retrieved from: http://www.educatingnurses.com.

Benner, P. (2012a). Educating nurses: a call for radical transformation—how far have we come? *Journal of Nursing Education*, *51*(4), 183–184.

Benner, P. (2012b).*The pedagogical art of asking questions and astute listening.* Newsletter. Retrieved from: http://www.educatingnurses.com.

Benner, P. (2012c). *Reviving and renewing graduate school preparation for teaching nursing courses.* Newsletter. Retrieved from http://www.educatingnurses.com.

Benner, P. (2012d). *Pedagogically sound uses of lecture.* Newsletter. Retrieved from: http://www.educatingnurses.com.

Benner, P., & Benner, R. V. (1979). *The new nurses' work entry: a troubled sponsorship.* New York: Tiresias.

Benner, P., & Benner, R. V. (1999). The clinical practice development model: making the clinical judgment, caring and collaborative work of nurses visible. In B. Haag-Heitman (Ed.), *Clinical practice development: using novice to expert theory* (pp. 17–42). Gaithersburg, (MD): Aspen.

Benner, P., Hooper-Kyriakidis, P., & Stannard, D. (1999). *Clinical wisdom and interventions in critical care: a thinking-in-action approach.* Philadelphia: Saunders.

Benner, P., Hooper-Kyriakidis, P., & Stannard, D. (2011). *Clinical wisdom and interventions in acute and critical care: a thinking-in-action approach* (2nd ed.). New York: Springer.

Benner, P., & Kramer, M. (1972). Role conceptions and integrative role behavior of nurses in special care and regular hospital nursing units. *Nursing Research*, *21*(1), 20–29.

Benner, P., Malloch, K., & Sheets, V. (Ed.). (2010). *Nursing pathways for patient safety: expert panel on practice breakdown.*Philadelphia: Elsevier InternationalPress.

Benner, P., Sheets, V., Uris, P., Malloch, K., Schwed, K., & Jamison, D. (2002). Individual, practice, and system causes of errors in nursing: a taxonomy. *Journal of Nursing Administration*, *32*(10), 509–523.

Benner, P., Stannard, D., & Hooper-Kyriakidis, P. (2001). *Clinical wisdom and interventions in critical care: a thinking-in-action approach.* (CD-ROM). Philadelphia: Saunders.

Benner, P., Sutphen, M., Leonard, V., & Day, L. (2010). *Educating nurses: a call for radical transformation.* Stanford, (CA): The Carnegie Foundation for the Advancement of Teaching, San Francisco: Jossey-Bass.

Benner, P., & Tanner, C. (1987). Clinical judgment: how expert nurses use intuition. *American Journal of Nursing*, *87*(1), 23–31.

Benner, P., Tanner, C., & Chesla, C. (1992). From beginner to expert: gaining a differentiated clinical world in critical care nursing. *Advances in Nursing Science*, *14*(3), 13–28.

Benner, P., Tanner, C., & Chesla, C. (1996). *Expertise in nursing practice: caring, clinical judgment, and ethics.* New York: Springer.

Benner, P., Tanner, C., & Chesla, C. (2009). *Expertise in nursing practice: caring, clinical judgment, and ethics* (2nd ed.). New York: Springer.

Benner, P., & Wrubel, J. (1982). Skilled clinical knowledge: the value of perceptual awareness. *Nurse Educator*, *7*(3), 11–17.

Benner, P., & Wrubel, J. (1989). *The primacy of caring: stress and coping in health and illness.* Menlo Park, (CA): Addison-Wesley.

Brykczynski, K. A. (1985). *Exploring the clinical practice of nurse practitioners.* [Doctoral dissertation, University of California, San Francisco.] *Dissertation Abstracts International*, *46*, 3789B. (University Microfilms No.DA8600592.)

Brykczynski, K. A. (1993-1995*). Principal investigator. Developing a profile of expert nursing practice.* Project of the UTMB Nursing Service Task Force studying expert nursing practice, supported by UTMB Joint Ventures. Galveston, (TX): University of Texas Medical Branch.

Brykczynski, K. A. (1998). Clinical exemplars describing expert staff nursing practice. *Journal of Nursing Management*, *6*, 351–359.

Brykczynski, K. A. (1999). An interpretive study describing the clinical judgment of nurse practitioners. *Scholarly Inquiry for Nursing Practice: An International Journal*, *13*(2), 141–166.

Cash, K. (1995). Benner and expertise in nursing: a critique. *International Journal of Nursing Studies*, *32*(6), 527–534.

Cathcart, E. B. (2010). The making of a nurse manager: the role of experiential learning in leadership development. *Journal of Nursing Management*, *18*(4), 440–447.

Chan, G. K., Brykczynski, K. A., Malone, R. E., & Benner, P. (2010). (Eds.). *Interpretive phenomenology in health care research.* Indianapolis, (IN): Sigma Theta TauInternational.

Chesla, C. A. (1996). Reconciling technologic and family care in critical-care nursing. *Image: The Journal of Nursing Scholarship*, *28*(3), 199–203.

Christman, L. (1985). (Review of *From novice to expert* (1984), by Patricia Benner.) *Nursing Administration Quarterly*, *9*(4), 87–89.

Coyle, J. S. (2011). Development of a model home health nurse internship program for new graduates: key lessons learned. *Journal of Continuing Education in Nursing*, *42*(5), 201–214.

Crider, M. C., & McNiesh, S. G. (2011). Integrating a professional apprenticeship model with psychiatric clinical simulation. *Journal of Psychosocial Nursing & Mental Health Services*, *49*(5), 42–49.

Crissman, S., & Jelsma, N. (1990). Cross-training: practicing effectively on two levels. *Nursing Management*, *21*(3), 64a–64h.

Darbyshire, P. (1994). Skilled expert practice: is it "all in the mind"? A response to English's critique of Benner's novice to expert model. *Journal of Advanced Nursing*, *19*, 755–761.

Day, L., & Benner, P. (2002). Ethics, ethical comportment, and etiquette. *American Journal of Critical Care*, *11*(1), 76–79.

De Jong, M. J., Benner, R., Benner, P., Richard, M. L., Kenny, D. J., Kelley, P., et al. (2010). Mass casualty care in an expeditionary environment: developing local knowledge and expertise in context. *Journal of Trauma Nursing*, *17*(1), 45–58.

Dilthey, W. (1976). *Selected writings.* [H. P. Rickman, Trans. & Ed.] London: Cambridge University Press. (Original work published 1833 to 1911.)

Dolan, K. (1984). Building bridges between education and practice. In P. Benner (Ed.), *From novice to expert: excellence and power in clinical nursing practice* (pp. 275–284). Menlo Park, (CA): Addison-Wesley.

Dreyfus, H. L. (1979). *What computers can't do.* New Yark: Harper & Row.

Dreyfus, H. L. (1991). *Being-in-the-world: a commentary on being and time dimension. I.* Cambridge, (MA): MIT Press.

Dreyfus, H. L., & Dreyfus, S. E. (1986). *Mind over machine.* New Yark: The Free Press.

Dreyfus, H. L., & Dreyfus, S. E. (1996). The relationship of theory and practice in the acquisition of skill. In P. Benner, C. Tanner, & C. Chesla (Eds.), *Expertise in nursing practice: Caring, clinical judgment, and ethics* (pp. 29–47). New York: Springer.

Dreyfus, S. E., & Dreyfus, H. L. (1980). *A five-stage model of the mental activities involved in directed skill acquisition.* Unpublished report supported by the Air Force Office of Scientific Research, USAF (Contract F49620-79-c-0063). Berkeley, (CA): University of California, Berkeley.

Dunlop, M. J. (1986). Is a science of caring possible? *Journal of Advanced Nursing*, *11*, 661-670.

Dunne, J. (1993). *Back to the rough ground: practical judgment and the lure of technique.* Notre Dame. (IN): Indiana University Press.

Eckle, N. J. (1996). Family presence—where would you want to be? *Critical Care Nurse*, *16*(1), 102.

English, I. (1993). Intuition as a function of the expert nurse: a critique of Benner's novice to expert model. *Journal of Advanced Nursing*, *18*, 387–393.

Farrell, P., & Bramadat, I. J. (1990). Paradigm case analysis and stimulated recall: strategies for developing clinical reasoning skills. *Clinical Nurse Specialist*, *4*(3), 153–157.

Fenton, M. V. (1984). Identification of the skilled performance of master's prepared nurses as a method of curriculum planning and evaluation. In P. Benner (Ed.), *From novice to expert: excellence and power in clinical nursing practice* (pp. 262-274). Menlo Park, (CA): Addison-Wesley.

Fenton, M. V. (1985). Identifying competencies of clinical nurse specialists. *Journal of Nursing Administration*, *15*(12), 31–37.

Fenton, M. V., & Brykczynski, K. A. (1993). Qualitative distinctions and similarities in the practice of clinical nurse specialists and nurse practitioners. *Journal of Professional Nursing*, *9*(6), 313–326.

Gadamer, G. (1970). *Truth and method.* London: Sheer & Ward.

Gaston, C. (1989). Inservice education: career development for South Australian nurses. *Australian Journal of Advanced Nursing*, *6*(4), 5–9.

Gordon, D. R. (1984). Research application: identifying the use and misuse of formal nursing models in nursing practice. In P. Benner (Ed.), *From novice to expert: excellence and power in clinical nursing practice* (pp. 225–243). Menlo Park, (CA): Addison-Wesley.

Gordon, D. R. (1986). Models of clinical expertise in American nursing practice. *Social Science and Medicine*, *22*(9), 953–961.

Guba, E. G., & Lincoln, Y. S. (1982). Epistemological and methodological bases of naturalistic inquiry. *Educational Communications and Technology Journal*, *30*, 233–252.

Hamric, A. B., Whitworth, T. R., & Greenfield, A. S. (1993). Implementing a clinically focused advancement system. *Journal of Nursing Administration*, *23*(9), 20–28.

Hargreaves, L., Nichols, A., Shanks, S., & Halamak, L. P. (2010). A handoff report card for general nursing orientation. *Journal of Nursing Administration*, *40*(10), 424–431.

Heidegger, M. (1962). *Being and time.* [J. MacQuarrie & E. Robinson, Trans.] New Yark: Harper & Row.

Huntsman, A., Lederer, J. R., & Peterman, E. M. (1984). Implementation of staff nurse III at El Camino Hospital. In P. Benner (Ed.), *From novice to expert: excellence and power in clinical nursing practice* (pp. 244–257). Menlo Park, (CA): Addison-Wesley.

Kierkegaard, S. (1962). *The present age.* [A. Dur, Trans.] New Yark: Harper & Row.

Kleinman, A., Eisenberg, L., & Good, B. (1978). Culture, illness, and care: clinical lessons from anthropologic and cross-cultural research. *Annals of Internal Medicine*, *88*, 251–258.

Kuhn, T. S. (1970). *The structure of scientific revolutions* (2nd ed.). Chicago: University of Chicago Press.

Lazarus, R. S. (1985). The trivialization of distress. In J. C. Rosen & L. J. Solomon (Eds.), *Preventing health risk behaviors and promoting coping with illness* (vol 8, pp. 279–298). Hanover, (NH): University Press of New England.

Lazarus, R. S., & Folkman, S. (1984). *Stress appraisals and coping.* New York: Springer.

Levy, K. (2004). Practices that facilitate critically burned children's healing. *Qualitative Health Research*, *13*(10), 1–21.

Lindeke, L. L., Canedy, B. H., & Kay, M. M. (1997). A comparison of practice domains of clinical nurse specialists and nurse practitioners, *Journal of Professional Nursing*, *13*(5), 281–287.

Lock, M., & Gordon, D. R. (Eds.). (1989). *Biomedicine examined.* Boston, (MA): Kluwer Academic.

Løgstrup, K. E. (1995a). *Metaphysics* (vol I; R. L. Dees, Trans.). Milwaukee, (WI): Marquette UniversityPress.

Løgstrup, K. E. (1995b). *Metaphysics* (vol II; R. L. Dees, Trans.). Milwaukee, (WI): Marquette University Press.

Løgstrup, K. E. (1997). *The ethical demand* (with introduction by A. MacIntyre & H. Fink). Notre Dame, (IN): University of Notre Dame Press.

MacIntyre, A. (1981). *After virtue: a study in moral theory.* Notre Dame, (IN): University of Notre Dame Press.

MacIntyre, A. (1999). *Dependent rational animals: why human beings need the virtues.* Chicago: Open Court.

McNiesh, S., Benner, P., & Chesla, C. (2011). Learning formative skills of nursing practice in an accelerated program. *Qualitative Health Research*, *21*(1), 51–61.

Martin, L. L. (1996). *Factors affecting performance of advanced nursing practice.* [Doctoral dissertation, Virginia Commonwealth University School of Nursing.] (University Microfilms No. 9627443.)

Mauleon, A. L., Palo-Bengtsson, L., Ekman, S. (2005). Anesthesia care of older patients as experienced by nurse anesthetists. *Nursing Ethics, 12*(3), 263–272.

Merleau-Ponty, M. (1962). *Phenomenology of perception.* [C. Smith, Trans.] London: Routledge and Kegan Paul.

Neverveld, M. E. (1990). Preceptorship: one step beyond. *Journal of Nursing Staff Development, 6*(4), 186–189, 194.

Nuccio, S. A., Lingen, D., Burke, L. J., Kramer, A., Ladewig, N., Raum, J., et al. (1996). The clinical practice developmental model: the transition process. *Journal of Nursing Administration, 26*, 29–37.

O'Neill, O. (1996). *Towards justice and virtue: a constructive account of practical reasoning.* Cambridge, (MA): Cambridge University Press.

Packer, M. J. (1985). Hermeneutic inquiry in the study of human conduct. *American Psychologist, 40*(10), 1081–1093.

Paley, J. (1996). Intuition and expertise: comments on the Benner debate. *Journal of Advanced Nursing, 23*(4), 665–671.

Phillips, S., & Benner, P. (Eds.). (1994). *The crisis of care: affirming and restoring caring practices in the helping professions.* Washington, DC: Georgetown University Press.

Polanyi, M. (1958). *Personal knowledge.* Chicago: University of Chicago Press.

Rubin, J. (1984). *Too much of nothing: modern culture, the self and salvation in Kierkegaard's thought.* [Unpublished doctoral dissertation.] Berkeley, (CA): University of California, Berkeley.

Schwartz, A. (2005). State of nursing education. *Science of Caring, 17*(1), 12–15.

Silver, M. (1986a). A program for career structure: a vision becomes a reality. *The Australian Nurse, 16*(2), 44–47.

Silver, M. (1986b). A program for career structure: from neophyte to expert. *The Australian Nurse, 16*(2), 38–41.

Taylor, C. (1971). Interpretation and the sciences of man. *The Review of Metaphysics, 25*, 3–34.

Taylor, C. (1982). *Theories of meaning.* Dawes Hicks Lecture. Read November 6, 1980. Proceedings of the British Academy (pp. 283–327). Oxford, UK: Oxford University Press.

Taylor, C. (1989). *Sources of the self: the making of modern identity.* Cambridge, (MA): Harvard.

Taylor, C. (1991). *Ethics of authenticity.* Cambridge, (MA): Harvard.

Taylor, C. (1993). Explanation and practical reason. In M. Nussbaum & A. Sen (Eds.). *The quality of life* (pp. 208–231). Oxford, UK: Clarendon.

Taylor, C. (1994). Philosophical reflections on caring practices. In S. S. Phillips & P. Benner (Eds.), *The crisis of care: affirming and restoring caring practices in the helping professions* (pp. 174–187). Washington, DC: Georgetown University Press.

Uhrenfeldt, L. (2009). Caring for nursing staff among proficient first-line nurse leaders. *International Journal for Human Caring, 13*(2), 39–44.

Ullery, J. (1984). Focus on excellence. In P. Benner (Ed.), *From novice to expert: excellence and power in clinical nursing practice* (pp. 258–261). Menlo Park, (CA): Addison-Wesley.

Visintainer, M. (1988). [Review of *The primacy of caring: Stress and coping in health and illness.*] *Image: The Journal of Nursing Scholarship, 20*(2), 113–114.

BIBLIOGRAPHY

Primary Sources

Books

Benner, P. (2001). *From novice to expert.* [Commemorative edition.] Upper Saddle River, (NJ): Prentice Hall.

Benner, P. (2004). *The use of nursing narratives for reflecting on ethical and clinical judgment.* Tokyo, Japan: Shorinsha.

Gordon, S., Benner, P., & Noddings, N. (Eds.). (1996). *Caregiving readings in knowledge, practice, ethics, and politics*. Philadelphia: University of Pennsylvania Press.

Book Chapters

Benner, P. (1997). A dialogue between virtue ethics and care ethics. In D. Thomasma (Ed.), *The moral philosophy of Edmund Pellegrino* (pp. 47-61). Dordrecht, Netherlands: Kluwer.

Benner, P. (1998). When health care becomes a commodity: the need for compassionate strangers. In J. F. Kilner, R. D. Orr, & J. A. Shelly (Eds.), *The changing face of health care* (pp. 119–135). Grand Rapids, (MI): William B. Eerdmans.

Benner, P. (1999). Parish nursing in the context of caring practices. In A. Solari-Twaddell (Ed.), *Parish nursing*. Thousand Oaks, (CA): Sage.

Benner, P. (2001). The phenomenon of care. In S. K. Tombs (Ed.), *Handbook of phenomenology and medicine* (pp. 351–369). Dordrecht, Netherlands: Kluwer.

Benner, P. (2002). Learning through experience and expression: skillful ethical comportment in nursing practice. In E. D. Pellegrino, D. C. Thomasma, & J. L. Kissel (Eds.), *The healthcare professional as friend and healer: building on the work of Edmund Pellegrino* (pp. 49–64). Washington, DC: Georgetown University Press.

Benner, P. (2003). Clinical reasoning articulating experiential learning in nursing practice. In O. Slevin & L. Basford (Eds.), *Theory and practice of nursing* (2nd ed., pp. 176–186). London, UK: Nelson Thornes.

Benner, P. (2005). Stigma and personal responsibility: moral dimensions of a chronic illness. In R. B. Purtillo, G. M. Jensen, & R. C. Brasic (Eds.), *Educating for moral action: A sourcebook in health and rehabilitation ethics*. Philadelphia: F. A. Davis.

Benner, P. (2007). Experiential learning, skill acquisition and gaining clinical knowledge. In K. Osborn, A. Watson , & C. Wraa (Eds.), *Medical-surgical nursing*. Saddleback, (NJ): Prentice-Hall.

Benner, P. (2007). Interpretive phenomenology. In L. M. Given (Ed.), *The Sage encyclopedia of qualitative methods*. Thousand Oaks, (CA): Sage.

Benner, P., & Leonard, V. W. (2005). Patient concerns and choices and clinical judgment in EBP. In B. Melnyk & E. Fineout-Overholt (Eds.), *Evidence-based practice in nursing and healthcare: a guide to best practices*. Philadelphia: Lippincott.

Benner, P., & Gordon, S. (1996). Caring practice. In S. Gordon, P. Benner, & N. Noddings (Eds.), *Caregiving, readings in knowledge, practice, ethics and politics* (pp. 40–55). Philadelphia: University of Pennsylvania Press.

Benner, P., & Leonard, V. W. (2005). Patient concerns, choices, and clinical judgment in evidence-based practice. In B. M. Mszurek (Ed.), *Evidence-based practice in nursing & healthcare: a guide to best practice* (pp.163–182).

Benner P., & Sutphen, M. (2007). Clinical reasoning, decision-making in action: thinking critically and clinically. In R. Hughes (Ed.), *Patient safety and quality for nursing center for primary care, prevention, & clinical partnerships*. Rockville, (MD): Agency for Healthcare Research and Quality.

Journal Articles[*]

Benner, P. (1996). A dialogue between virtue ethics and care ethics. *Theoretical Medicine, 23,* 1–15.

Benner, P. (1996). A response by P. Benner to K. Cash, Benner expertise in nursing: a critique. *International Journal of Nursing Studies*, *33*(6), 669–674.

Benner, P. (2000). The roles of embodiment, emotion and lifeworld for rationality and agency in nursing practice. *Nursing Philosophy*, *1*, 5–19.

Benner, P. (2000). The wisdom of our practice. *American Journal of Nursing, 100* (10), 99–101, *103*, 105.

Benner, P. (2001). Curing, caring, and healing in medicine: symbiosis and synergy or syncretism? *Park Ridge Center Bulletin*, *23*, 11–12.

Benner, P. (2001). Developing clinical expertise in undergraduate education [in Japanese]. *Expert Nurse*, *12*(15), 107–113.

Benner, P. (2003). [Book review for *From detached concern to empathy: humanizing medical practice,* J. Halpern, Ed.] *The Cambridge Quarterly for Health Care Ethics*, *12*(1), 134–136.

Benner, P. (2004). The dangers of geneticism. *Journal*

[*] See the 5th edition (2002) of this chapter for Benner's *American Journal of Nursing* "Clinical Exemplar" article series; see the 7th edition (2010) for Benner's *American Journal of Critical Care* "Current Controversies in Critical Care" article series.

of Midwifery and Women's Press, 49(3), 260–262.

Benner, P. (2011). Formation in professional education: an examination of the relationship between theories of meaning and theories of the self. *Journal of Medicine and Philosophy. Special Edition on the Influence of Charles Taylor on Medical Ethics, 36,* 342–353.

Benner, P., Brennan, M. R., Sr., Kessenich, C. R., & Letvak, S. A. (1996). Critique of Silva's philosophy, science and theory: interrelationships and implications for nursing research. *Image: The Journal of Nursing Scholarship*, *29*(3), 214–215.

Benner, P., Ekegren, K., Nelson, G., Tsolinas, T., & Ferguson-Dietz, L. (1997). The nurse as a wise, skillful and compassionate stranger. *American Journal of Nursing*, *97*(11), 27–34.

Benner P., & Sutphen, M. (2007). Learning across the professions: the clergy, a case in point. *Journal of Nursing Education*, *46*(3), 103–108.

Benner, P., Sutphen, M., Leonard, V., & Day, L. (2007). Learning to see and think like a nurse: clinical reasoning and caring practices. *Journal of Japanese Society of Nursing Research*, *30*(1), 20–24.

Benner, P., Sutphen, M., Leonard, V., Day, L., (2008). Formation and ethical comportment in nursing. *American Journal of Critical Care*, *17*(5), 173–176.

Benner, P., Stannard, D., & Hooper, P. L. (1996). "Thinking-in-action" approach to teaching clinical judgment: a classroom innovation for acute care advanced practice nurses. *Advanced Practice Nursing Quarterly*, *1*, 70–77.

Benner, P., Tanner, C. A., & Chesla, C. A. (1996). Nurse practitioner extra: becoming an expert nurse. (Adapted with permission from Benner, Tanner, & Chesla [Eds.], *Expertise in nursing practice: caring, clinical judgment, and ethics.* New Yark: Springer.) *American Journal of Nursing*, *97*(6), Contin Care Extra Ed, 16BBB, 16DDD.

Benner, P., Tanner, C. A., & Chesla, C. A. (1996). The social fabric of nursing knowledge. (Adapted with permission from Benner, Tanner, & Chesla [Eds.], *Expertise in nursing practice: caring, clinical judgment, and ethics.* New Yark: Springer.) *American Journal of Nursing*, *97*(7), Nurse Pract Extra Ed, 16BBB.

Benner, P., et al. (1996). Survey reactions of nursing leaders: a grim prognosis for health care? *American Journal of Nursing*, *96*(11), 40–44.

Brant, M., Rosen, L., & Benner, P. (1998). Nurses as skilled Samaritans: the nurse as wise, skillful, and compassionate stranger. *American Journal of Nursing*, *98*(4), Contin Care Extra Ed, 22–23.

Cohen H., & Benner, P. (2002). Errors in nursing: individual, practice, and system causes of errors in nursing: a taxonomy. *Journal of Nursing Administration*, *32*(10), 50–523.

Dracup, K., Cronenwett, L., Meleis, A., & Benner, P. (2005). Reflections on the doctorate of nursing practice. *Nursing Outlook*, *53*(4), 177–182.

Ekegren, K , Nelson, G., Tsolinas, A., Ferguson-Dietz, L., & Benner, P. (1997). The nurse as wise, skillful, and compassionate stranger. *American Journal of Nursing*, *97*, 26–34.

Emami, A., Benner, P., & Ekman, S. L. (2001). A sociocultural health model for late-in-life immigrants. *Journal of Transcultural Nursing*, *12*(1), 15–24.

Emami, A., Benner, P., Lipson, J. G., & Ekman, S. L. (2001). Health as continuity and balance in life. *Western Journal of Nursing Research*, *22*, 812–825.

Fowler, M., & Benner, P. (2001). The new code of ethics for nurses: a dialogue with Marsha Fowler. *American Journal of Critical Care*, *10*(6), 434–437.

Harrington, C., Crider, M. C., Benner, P., & Malone, R. (2005). Advanced nursing training in health policy: designing and implementing a new program. *Policy, Politics & Nursing Practice*, *6*(2), 99–108.

Puntillo, K. A., Benner, P., Drought, T., Drew, B., Stotts, N., Stannard, D., et al. (2001). End-of-life issues in intensive care units: a national random survey of nurses' knowledge and beliefs. *American Journal of Critical Care*, *10*(4), 216–229.

Spichiger, E., Wallhagen, M., & Benner, P. (2005). Nursing as a caring practice from a phenomenological perspective. *Scandinavian Journal of Caring Sciences*, *19*(4), 303–309.

Sullivan, W., & Benner, P., (2005). Challenges to professionalism: work integrity and the call to renew and strengthen the social contract of the professions. *American Journal of Critical Care*, *14*(1), 78–84.

Sunvisson, H., Haberman, B., Weiss, S., Benner, P. (2009).Augmenting the Cartesian medical discourse with an understanding of the person's lifeworld, lived body, life story and social identity. *Nursing*

Philosophy, *10*, 241–252.

Weiss, S. M., Malone, R. E., Merighi, J. R., & Benner, P. (2002). Economism, efficiency, and the moral ecology of good nursing practice. *Canadian Journal of Nursing Research*, *34*(2), 95–119.

Secondary Sources

Doctoral Dissertations

The following doctoral dissertations were supervised by Patricia Benner:

Boller, J. E. (2001). *The ecology of exercise: an interpretive phenomenological account of exercise in the lifeworld of persons on maintenance hemodialysis.* [Doctoral dissertation, University of California, San Francisco.] *Dissertation Abstracts International,* B62/12, 5638. (University Microfilms No. 3034743.)

Brykczynski, K. A. (1985). *Exploring the clinical practice of nurse practitioners.* [Doctoral dissertation, University of California, San Francisco.] *Dissertation Abstracts International,* 46, 3789B. (University Microfilms No. DA8600592.)

Chan, G. K. (2005). *E.R. □ exit required. A philosophical, theoretical, and phenomenological investigation of care at the end-of-life in the emergency department.* [Doctoral dissertation, University of California, San Francisco.] *Dissertation Abstracts International,* B66/06, 3054. (University Microfilms No. 3179943.)

Chesla, C. A. (1988). *Parents' caring practices and coping with schizophrenic offspring, an interpretive study.* [Doctoral dissertation, University of California, San Francisco.] *Dissertation Abstracts International,* 49-B, 2563. (University Microfilms No. AAD88-13331.)

Cho, A. (2001). *Understanding the lived experience of heart transplant recipients in North America and South Korea: an interpretive phenomenological cross-cultural study.* [Doctoral dissertation, University of California, San Francisco.] *Dissertation Abstracts International,* B62/12, 5639. (University Microfilms No. 3034721.)

Day, L. J. (1999). *Nursing care of potential organ donors: an articulation of ethics, etiquette and practice.* [Doctoral dissertation, University of California, San Francisco.] *Dissertation Abstracts International,* 60-B, 5431. (University Microfilms No. AADAA-19951464.)

Doolittle, N. (1990). *Life after stroke.* [Doctoral dissertation, University of California, San Francisco.] *Dissertation Abstracts International,* 51-B, 1742. (University Microfilms No. AAD90-24963.)

Dunlop, M. (1990). *Shaping nursing knowledge: an interpretive analysis of curriculum documents from NSW Australia.* [Doctoral dissertation, University of California, San Francisco.] *Dissertation Abstracts International,* 51-B, 659. (University Microfilms No. AAD90-16380.)

Gordon, D. (1984). *Expertise, formalism, and change in American nursing practice: a case study. Medical anthropology program.* [Doctoral dissertation, University of California, San Francisco.] *Dissertation Abstracts International,* 46-A, 738. (University Microfilms No. AAD85-09101.)

Hartfield, M. (1985). *Appraisal of anger situations and subsequent coping responses in hypertensive and normotensive adults: a comparison.* [Doctoral dissertation, University of California, San Francisco.] *Dissertation Abstracts International,* 46-B, 4452. (University Microfilms No. AAD85-24005.)

Hooper, P. L. (1995). *Expert titration of multiple vasoactive drugs in post-cardiac surgical patients: an interpretive study of clinical judgment and perceptual acuity.* [Doctoral dissertation, University of California, San Francisco.] *Dissertation Abstracts International,* 57-B, 238. (University Microfilms No. AAD85-19614338.)

Kesselring, A. (1990). *The experienced body, when taken-for-grantedness falters: a phenomenological study of living with breast cancer.* [Doctoral dissertation, University of California, San Francisco.] *Dissertation Abstracts International,* 52-B, 1955. (University Microfilms No. AAD91-19579.)

Kinavey, C. (2003). *Adolescents living with spina bifida: moving from parental to self-care.* [Doctoral dissertation, University of California, San Francisco.] *Dissertation Abstracts International.* (University Microfilms No. 3051044.)

Leonard, V. W. (1993). *Stress and coping in the transition to parenthood of first time mothers with career commitments: an interpretive study.* [Doctoral dissertation, University of California, San Francisco.] *Dissertation Abstracts International,* 54-A, 3221. (University Microfilms No. AAD94-02354.)

Lionberger, H. (1986). *Phenomenological study of therapeutic touch in nursing practice: an interpretive study of nurses' practice of therapeutic touch.* [Doctoral dissertation, University of California, San Francisco.] *Dissertation Abstracts International,* 46-B, 2624. (University Microfilms No. AAD85-24008.)

MacIntyre, R. (1993). *Sex, drugs, and T-cell counts in the gay community: symbolic meanings among gay men with asymptomatic HIV infections (immune deficiency).* [Doctoral dissertation, University of California, San Francisco.] *Dissertation Abstracts International,* 54-B, 4601. (University Microfilms No. AAD94-06617.)

Mahrer-Imhof, R. (2003). *Couples' daily experiences after the onset of cardiac disease: an interpretive phenomenological study.* [Doctoral dissertation, University of California, San Francisco.]

Malone, R. (1995). *The almshouse revisited: heavy users of emergency services.* [Doctoral dissertation, University of California, San Francisco.] *Dissertation Abstracts International,* 56-B, 6036. (University Microfilms No. AADAA-19606591.

McKeever, L. C. (1988). *Menopause: an uncertain passage. An interpretive study.* [Doctoral dissertation, University of California, San Francisco.] *Dissertation Abstracts International,* 49-B, 3677. (University Microfilms No. AAD88-24678.)

McNiesh, S. G. (2009). *Formation in an accelerated nursing program: learning existential skills of nursing practice.* [Doctoral dissertation, University of California, San Francisco.] *Dissertation Abstracts International,* B69/9, 5320. (University Microfilms No. 3324573.)

Oakes-Greenspan, M. (2008). *Running toward: reframing possibility and finitude through physicians' stories at the end of life.* [Doctoral dissertation, University of California, San Francisco.] *Dissertation Abstracts International,* A68/11, (University Microfilms No. 3289310.)

Orsolini-Hain, L. M. (2009). *An interpretive phenomenological study on the influences on associate degree prepared nurses to return to school to earn a higher degree in nursing.* [Doctoral dissertation, University of California, San Francisco.] *Dissertation Abstracts International,* B69/09, 5321. (University Microfilms No. 3324576.)

Plager, K. A. (1995). *Practical well-being in families with school-age children: An interpretive study.* [Doctoral dissertation, University of California, San Francisco.] *Dissertation Abstracts International,* 56-B, 6039. (University Microfilms No. AADAA-16906593.)

Popell, C. L. (1983). *An interpretive study of stress and coping among parents of school-age developmentally disabled children.* [Doctoral dissertation, Wright Institute of Graduate Psychology.] *Dissertation Abstracts International,* 44-B, 1604. (University Microfilms No. AAD83-20854.)

Prakke, H. (2004). *Articulating maternal caregivers' concerns knowledge and needs.* [Doctoral dissertation, University of California, San Francisco.] *Dissertation Abstracts International.* (University Microfilms No. 3149700.)

Raingruber, B. J. (1998). *Moving in a climate of care: styles and patterns of interaction between nurse-therapists and clients: an interpretive study.* [Doctoral dissertation, University of California, San Francisco.] *Dissertation Abstracts International,* 58-B, 6482. (University Microfilms No. AAD98-18661.)

Rodriguez, L. (2007). *Student and faculty experiences of practice breakdown and error in nursing school.* [Doctoral dissertation, University of California, San Francisco.] Dissertation Abstracts International. (University Microfilms No. 3289350.)

Schilder, E. (1986). *The use of physical restraints in an acute care medical ward (immobilization).* [Doctoral dissertation, University of California, San Francisco.] Dissertation Abstracts International, 47-B, 4826. (University Microfilms No. AAD87-08453.)

Smith Battle, L. (1992). *Caring for teenage mothers and their children: narratives of self and ethics of intergenerational caregiving.* [Doctoral dissertation, University of California, San Francisco.] *Dissertation Abstracts International,* 53-B, 4594. (University Microfilms No. AAD93-03555.)

Spichiger, E. (2004). *Dying patients' and their families' experiences of hospital end-of-life care.* [Doctoral dissertation, University of California, San Francisco.] *Dissertation Abstracts International.* (University Microfilms No. 3136071.)

Stannard, P. (1997). *Reclaiming the house: an interpretive study of nurse-family interactions and activities in critical care.* [Doctoral dissertation, University of California, San Francisco.] *Dissertation Abstracts*

International, 58-B, 4147. (University Microfilms No. AAD98-06902.)

Stevens, M. (1984). *Adolescents coping with hospitalization for surgery.* [Doctoral dissertation, University of California, San Francisco.] *Dissertation Abstracts International,* 45-B, 3977. (University Microfilms No. AAD85-03742.)

Stuhlmiller, C. (1991). *An interpretive study of appraisal and coping of rescue workers in an earthquake disaster: the Cypress collapse.* [Doctoral dissertation, University of California, San Francisco.] *Dissertation Abstracts International,* 52-B, 4671. (University Microfilms No. AAD92-05240.)

Warnian, L. (1987). *A hermeneutical study of group psychotherapy.* [Unpublished doctoral dissertation.] Berkeley, (CA): University of California, Berkeley.

Weiss, S. M. (1996). *Possibility or despair: biographies of aging.* [Doctoral dissertation, University of California, San Francisco.] *Dissertation Abstracts International,* 57-B, 3662. (University Microfilms No. AAD96-34295.)

10장

케리 마틴슨
Kari Martinsen

1943-현재

돌봄의 철학

Philosophy of Caring

Herdis Alvsvåg

"간호는 이웃사랑의 마음으로 삶을 돌보는 것이다. 동시에 간호사는 전문적으로 교육받아야 한다"(Martinsen, 2006, p. 78).

이론가 소개

간호사이자 철학자인 케리 마틴슨Kari Martinsen은 독일이 노르웨이를 지배하던 2차 세계대전(1940-1945) 중이었던 1943년에 노르웨이의 수도인 오슬로에서 태어났다. 부모님 모두 지하 저항운동가였다. 전쟁 후에도 여동생, 누모와 조모2, 3대가 함께 생활하는 환경은 도덕적, 사회정치적 토론이 활발한 가정 환경을 제공하였다. 양쪽 부모님 모두는 오슬로 대학 출신의 경제학자였으며, 어머니는 계속 직장생활을 하는 전문직 여성이었다.

고등학교 졸업 후 마틴슨은 오슬로의 Ulləvål 단과대학에서 간호학을 공부하기 시작하여 1964년에 졸업하였다. 그녀는 종합대학에 입학 준비기간 1년 간 병원에서 임상경험을 쌓

Photo credit: Lars Jakob Løtvedt, Bergen, Norway.
Translators: Vigdis Elisabeth Brekke, Bjørn Follevåg, and Kirsten Costain Schou.

았다. 그러나 학사과정을 시작하기 전, 1966년에 정신과 간호사로서 오슬로 근처에 있는 Dikemark 정신병원에서 2년 동안 근무하였다.

간호사로 일하는 동안 그녀는 광의에서는 사회의 불평등에, 협의에서는 의료서비스 체계에 관심을 가졌다. 건강, 질병, 간호 및 치료는 불평등하게 분배되고 있는 것이 명약관하하였다. 더욱이 그녀는 한편으로는 건강관리이론, 아이디어와 목표에, 또 다른 한편으로는 간호, 의학, 건강서비스의 명료한 실무적 결과 배분에도 관심을 가졌는데, 이들 사이에 분배 불평등이 존재한다는 점을 깨닫게 되었다. 아픈 사람과 무직자들을 지원하고 돕기 위해 사회와 전문가가 어떻게 구성되어야 할지에 대해 질문을 제기하기 시작했다. 그녀가 간호전문직에 대해 제기한 질문 중 한 가지는 가장 연약하고, 가장 많은 도움을 필요로 하는 환자가 낙담하지 않게 하기 위해, 간호는 어떻게 운영되어야 하는가에 관한 것이었다. 다음 질문으로는 의학이 최 일선에서 신체적 측면의 질병을 다룰 때, 간호사는 아픈 사람들을 어떻게 돌볼 수 있는가에 관한 것이었다. 다시 말하면, 마틴슨은 간호가 환자를 쉽사리 객관화시키는 의학과 밀접하게 연관이 있으면서도, 어떻게 하면 간호의 대상을 적절하게 간호할 수 있을까에 대해 질문하였다. 그 외에도 그녀는 간호전문직의 과학적 기초를 강조하는 것이 의학과 유사한 객관화를 초래할 것인가에 대해서도 질문을 제기하였다.

이런 근본적인 질문들은 1968년 오슬로대학에서 심리학 학사과정 중에 있었던 마틴슨의 학구열을 자극하여, 마틴슨이 계속하여 심리학 석사과정에 진학하게 하였다. 이 과정의 입학자격을 얻기 위하여 그녀는 생리학에서의 학위 자격시험과는 별도의 부전공으로 중급 철학을 선택하여 이수하였다. 그녀가 철학과 현상학을 접하게 되면서 그녀의 사고체계는 극적으로 변하게 된다. 그녀는 심리학보다 철학이 그녀가 관심을 지닌 실존적 질문에 답하는데 유용하다는 것을 깨달았다. 그녀는 노르웨이에서 두 번째로 큰 도시인 베르겐 대학에서 현상학을 공부하였다.

1972년부터 1974까지 그녀는 베르겐 대학 철학연구소에 재학했다. 1975년 발행된 그녀의 철학 졸업논문(석사)에서 그녀는 시민, 전문가, 건강관리 종사자로서 혼돈스러웠던 질문들에 대해서 철학적으로 답하려고 노력하였다. 그녀의 학위논문 제목은 *철학과 간호: 막시스트와 현상학적 공헌*(Martinsen, 1975)이었다. 이 논문은 많은 논쟁과 비평을 받았다. 이 때 그녀는 철학적 비판 없이 직업적인 간호직의 특성을 수용하고, 비판 없이 간호의 과학주의적 근거만 받아들였을 경우 초래될 심각한 결과를 직시하고, 이를 거부해야 할 것을 비판적 안목으로 제시하였다. 그런 방향으로 간호가 나아가면, 간호를 가장 필요로 하는 환자들로부터 간호학의 본질이 멀어질 수 있다는 것이다. 이는 노르웨이에서 비판 철학과 사회학적 조망 안에서 간호 학문을 분석하는, 간호사가 작성한 최초의 논문이었다.

1970년대 중반, 노르웨이의 간호대학에는 교수요원이 부족하였다. 베르겐의 세 군데 간호대학 총장은 이러한 문제를 해결하기 위해 현대 간호 교수인력 양성 코스를 설립하였다. 이 코스는 베르겐 대학교와 베르겐 시 주위 세 대학과 협동하여 설립하였고, 프로그램을 지휘할 학사출신의 간호사가 필요하였다. 이때 마틴슨에게 베르겐의 간호 교수 훈련프로그램 학장직이 의뢰되었고, 그녀는 1976년부터 77년까지 이 학장직을 역임하였다.

마틴슨은 철학적 연구와 사회학적 이슈를 통해 간호와 간호교육에 발을 들여놓았지만, 이후 간호역사까지 관심을 확대하였다. 노르웨이의 간호사 교육이 어떻게 시작됐으며, 누가 시작하였으며, 그들이 이루고자 하는 것이 무엇이었는지에 관심을 갖게 되었다. 마틴슨은 이러한 이슈를 좀 더 자세히 연구하기 위하여 1976년 노르웨이 간호협회로부터 연구비를 받았다. 베르겐 대학 소속 위생학과 의료 사회학 연구소에도 소속되어 있었기 때문에, 간호학 교수 훈련 프로그램의 학장직과 강의를 하면서 동시에 의학과 학생에게 의료 사회학을 강의하였다.

당시 노르웨이에서는 간호 교육에 대한 논쟁이 맹렬히 진행되고 있었다. 공립 위원회에서는 전통적으로 유지되어온 3년제 학제를 주장해 왔었으나, 궁극에는 이를 단계별 자격시스템으로 변경하는데 동의하였다. 즉, 1년 과정을 수료한 학생은 간호 보조 자격을 얻게 되며, 이후 추가로 2년 교육을 이수하면, 간호사의 자격을 얻게 된다. 이로써 통합적으로 제공되는 3년제 과정이 폐지되었다. 노르웨이 간호사 협회를 선두로 전국의 간호사들은 3년제를 계속 유지해야 한다고 주장하였다. 이러한 주장은 계속 반대에 부딪혔고, 간호교육에 대한 정책적 논란은 계속 가열되었다. 마틴슨은 이 논쟁에 헌신적으로 참여하였다. 그녀는 간호교육을 4년제 프로그램으로 변경해야 한다고 주장하였지만, 단계의 원리에 기초한 교육에는 찬성하였다. 그녀는 2년 교육과정 이수 후에는 간호 보조사care assistant 자격을 부여하고, 4년 교육과정 이수 후에는 간호사 자격을 수여받는 교육모델을 설계했다(Martinsen, 1976). 당시 간호협회는 3년제 통합과정을 주장하였기 때문에 그녀의 주장은 간호협회의 견해와 크게 차이가 있었다.

1978년 마틴슨은 노르웨이의 종합과학 연구위원회General Science Research Council로부터 연구비를 수혜 받았다. 당시 그녀는 오슬로 대학의 역사학 연구소에 재직 중이었다. 그 곳에서 마틴슨은 석사과정 학생들에게 사회정책사를 강의하면서 최근 시작된 간호의 사회역사 프로젝트를 연구하였다. 1981-1985년 동안 그녀는 베르겐 대학 역사학 연구소의 보조과학연구원scientific assistant이었다. 그 외에도 마틴슨은 페미니스트 역사학과 석사 학생들은 가르치고 지도했으며, 노르웨이의 페미니스트 역사 데이터베이스를 개발하였다.

1976-1986는 마틴슨 연구에 있어서 역사적인 기간이었다(Kirkevold, 2000). 이 기간 동안

그녀는 여러 개의 역사적인 글을 발표하였다(Martinsen, 1977, 1978, 1979a, 1979b). 이 기간 그녀와 가까운 협동연구자는 사회역사학 교수인 Anne Lise Seip와 여성학 교수인 Ida Blom, 그리고 사회학 교수인 Kari Wærness였다. 1979년, 마틴슨과 Wærness는 *돌봄 없는 돌봄(Caring without care?)*(Martinsen & Wærness, 1979)이라는 도발적인 제목의 책을 발간했다. 저자들이 제시한 질문은 다음과 같은 내용이었다.

- 간호사가 병상 곁을 떠나지는 않았는가?
- 기술적 간호와 치료가 발전하면서 아프고 허약한 사람을 위한 간호가 사라지지는 않았는가?
- 간호사들이 돌봄의 실제 업무를 타 직종에게 넘기고, 관리자와 연구자로 변신하고 있지는 않은가?

아프고 돌봄을 필요로 하는 사람들을 돕는 것은 여성들의 일이라는 관념과 습관은 오래된 역사적 뿌리를 갖고 있다. 그러나 노르웨이에서 전문적으로 훈련받은 간호사의 역사는 길지 않으며, 1800년대 후반부터 시작되었다. 독일의 기독교 자선사업소에서 훈련받은 기독교 자선사업 여성회원들(Christian lay sisters)이 노르웨이 최초의 전문 훈련 간호사였다. 마틴슨은 이와 같은 초기 훈련 간호사들이 노르웨이의 간호교육을 어떻게 구축하였는지, 간호를 어떻게 확장시켜 나갔는지, 기관과 가정에서 간호 실무를 어떻게 이끌어 왔는지를 간호교재로 기술하였다. 그들은 노르웨이 공중보건시스템의 선구자였다. 마틴슨은 그녀의 저술서인 *간호역사: 진솔하고 관여하는 여전도사: 돌봄 전문직 등장(Nursing History: Frank and Engaged Deaconesses: A Caring Profession Emerges)* 1860-1905(Martinsen, 1984)에서 이 초창기 개척사를 설명하고 있다. 이 연구에 기초하여 1984년 마틴슨은 베르겐 대학의 철학 박사가 되었다.

학위논문 심사와 연계하여, 그녀는 두 개 강좌를 준비하였다: 한 개는 1969년 병원법에 대한 보건정책 문제와 보건정책 고찰(Martinsen, 1989a)이고, 또 하나는 임신에 관한 의사들의 관심-주산기 간호: 1890-1940(Martinsen, 1989b)이었다. 역사에 남을 만한 연구 기간인 1970년대 중반부터 10년간 그녀는 간호의 사회적 역사, 페미니스트 역사, 및 의료 사회학적 역사에 대해 저술하였다.

그녀는 1986년부터 베르겐 대학의 보건 사회 의료 연구소 부교수로 재직하였다. 그녀는 석사과정 학생을 강의하고 지도하였으며 철학과 역사학 논문을 계속 발표하였다. 1989년 돌봄, 간호, 의학. 역사학-철학적 에세이(Caring, Nursing, Medicine. Historical-Philosophical Essays)(Martinsen, 1989c)를 책으로 발간하였다. 이 책은 마틴슨의 철학적 흐름을 잘 보여주었고, 그녀의 빛나는 철학적 시대를 열어 주었다(Kirkevold, 2000). 이 책은 여러 차례 재판되었다. 2003년도 판에서는 저자와의 긴 인터뷰가 포함되었다(Karlsson & Martinsen, 2003). 1985-1990까지 그녀는 돌봄에 대한 기본 문제와 *분별력discernment* 의미에 대한 해석에 몰두하였다. 1990년 덴마크에서 출판된 논문집에서 그녀는 *"도덕적 실무와 간호실무의 기록Moral Practice and Documentation in Practical Nursing"*란 제목의 논문을 발표했다. 이 글에서 그녀는 다음과 같이 기술하였다:

> *도덕적 실무는 돌봄을 바탕으로 한다. 돌봄은 간호가치의 기초를 형성할 뿐만 아니라 우리의 삶의 기본적인 전제조건이다. ... 분별력(discernment)은 적절한 행동을 선택하기 위해 정서적인 개입과 상황 분석을 필요로 한다. ... 간호에서 도덕적 실무를 배우는 것은 구체적 상황에서 도덕이 어떻게 구축되는지를 배우는 것이다. 그것은 경험적인 객관성 혹은 분별력을 통한 말과 행동으로 설명된다. 두 가지 경우 모두에서 중요한 것은 훌륭한 간호를 배우는 것이다* (Martinsen,1990, PP.60, 64-65).

1990년 마틴슨은 5년 정도 거주하기 위해 덴마크로 이사했다. 석사와 박사 학위 프로그램을 설립하기 위해 Århus대학에 임용되었다. 그녀는 덴마크의 생-철학life-philosophy과 신학을 접하게 되면서 마틴슨의 철학적 기초는 더욱 발전하였다(Martinsen, 2002a). *돌봄, 간호와 의학: 역사-철학적 에세이Caring, Nursing and Medicine: Historical-Philosophical Essays*에서 마틴슨(1989c, 2003b)은 돌봄 개념을 독일의 철학자 마틴 하이데거(1889-1976)와 연결시켰다. 덴마크에 생활하는 동안, 마틴슨은 2차 세계대전 때 하이데거가 나치를 동조했었음을 알게 되었다. 당시에 하이데거가 독일의 국가사회당(나치스)원이었고, 그가 그의 유대인 동료이자 친구인 Emund Husserl(1859-1938)과 Hannah Arendt(1906-1975)를 배신했다는 학문논술들이 연이어 출판되었다. 하이데거는 나치스에 동조했다는 이유로 2차 세계대전 후 여러 해 동안 교직 활동을 금지 당했었다(Lubcke, 1983).

마틴슨은 *막스로부터 로스트롭까지: 간호의 도덕성, 사회적 비판주의 및 심미주의From Marx to Løgstrup: On Morality, Social Criticism and Sensuousness in Nursing*에서 하이데거와 그의 철학에 맞섰다(Martinsen, 1993b). 삶과 배움은 분리될 수 없기 때문에 마틴슨은 돌봄의 기본적인 측면을 설명하기 위해서 하이데거와는 다른 근거를 찾게 되었다. 덴마크의 신학자이자 철학가인 로스트롭Kund E. Løgstrup은 마틴슨과 한번도 직접 만나지는 못했지만 이런 면에서 다른 근거를 제시했다. 마틴슨은 로스트롭을 그의 책과 원래 독일사람인 그의 아내 로스머리 로스트롭Rosemarie Løgstrup을 통해 알게 되었다. 그녀는 독일에서 그녀의 남편을 만나 함께 철학을 공부했고, 후에 그의 책을 독일어로 번역하였다.

마틴슨이 덴마크에서 공부하는 동안, 노르웨이와 덴마크의 공개 토론회에서 패트리시아 베너를 여러 차례 만났고, 1996년 캘리포니아에서 다시 그녀를 만났다. 이 토론 중 하나는 Tromso대학의 학회 발표한 "*윤리와 소명, 문화와 신체Ethics and Vocation, Culture and the Body*" (Martinsen, 1997b)로서, 이후 논문으로 출간되었다.

그녀는 또한 핀란드의 간호학 교수인 케티 에릭슨Katie Eriksson과도 학문적으로 교감하였다. 에릭슨과 마틴슨은 노르웨이, 덴마크, 스웨덴, 핀란드에서 만났다. 초기에는 에릭슨과의 토론이 팽팽히 긴장된 상태로 진행되었으나 오랜 세월이 흐른 뒤에는 훌륭한 계몽적 대화로 발전하여, "*현상학과 돌봄: 세 가지 대화Phenomenology and Caring: Three Dialogues*(Martinsen, 1997b)"라는 책으로 출판되었다. 이 책 첫 장은 "돌봄과 형이상학-여기서 간호과학은 어떤 위치를 차지하는가?", 두 번째 장은 "실무간호에서 신체와 영혼", 그리고 셋째 장, "창조의 현상학-윤리와 힘: Løgstrup의 종교 철학이 간호실무와 만나다"는 매우 인상 깊은 용어로 구성되었다. 이는 마틴슨이 베너와 함께 한 대화와 유사하였는데, 그녀는 이 책의 서문에 다음과 같이 적었다.

> *우리가 말하고 쓴 단어는 열정, 희망, 고통, 통증, 희생, 수치심, 방해, 의심이다. 이것들은 큰 의미를 지닌 단어들이다. 그러나 이 단어들이 우리의 매일의 간호 상황에서 차지하는 위치보다 더 큰 의미를 차지하고 있지는 않다. 덴마크의 성직자이자 철학자인 로스트룹Løgstrup은 자비로움은 삶을 부활시켜주고, 다른 사람을 살게 해주는 것이라 하였다 ... 우리가 삶과 죽음 사이에 있는 생의 주기 가운데에서 환자들이 살아갈 수 있게 해주는 것이 간호 이외에 무엇이 있을까? 우리는 앞서 말한 큰 범주의 단어들이 뜻하는 것을 경험하기 위해서 주변 사람들의 삶 속을 탐험해야 한다* (Martinsen,1996, P. 7).

마틴슨은 Århus에서 가르치면서, 동시에 1994년부터 Tromsø대학에서 간호학과 교수로 재직하였다. 1997년 북쪽으로 이사를 가고, 그곳에서 그녀는 정교수가 되었다. 그러나 그녀는 연구와 논문 쓰는데 시간이 부족하다는 것을 깨닫고 1년 동안만 이 직책을 유지하다가 1998년에는 프리랜서로 독립하였다.

2002년, 마틴슨은 베르겐 대학으로 돌아가서 간호과학의 한 분야인 공중보건 및 일차 보건의료과의 교수로 5년 동안 일했다. 주로 석사와 박사과정의 학생들을 가르치고 지도하는 일이었다. 그녀는 박사과정을 운영하고 있고, 북유럽 국가들로부터 감독지도와 강연자로 활동하였다.

1990년부터 그녀는 철학적 연구에 몰두하였다. 그녀는 근본적, 철학적, 존재론적 질문과 이와 관련된 간호의 의미를 사색하는데 몰두하였다. 그녀는 이 시기에 자신의 책뿐만 아니라 다른 여러 종류의 프로젝트에 참여하였고, 여러 연구 잡지와 연구총서에 논문을 발표하였다. 이 기간 동안 발간된 책은 이미 앞에서 언급한 바 있다(Martinsen, 1993b, 1996). 2000년에는 *The Eye and the Call*이 출판되었다(Martinsen 2000b). 이 책에서 각 장의 제목들은 이전보다 더욱 시적으로 심금을 울렸다: "마음의 눈을 가지고 보기To See With the Eye of the Heart", "윤리학, 문화, 및 신체의 취약점Ethics, Culture and the Vulnerability of the Flesh", "부르심-그것 없이 우리가 살 수 있을까?The Call- Can We Be Without It" 그리고 "사랑의 행동과 부르심The Act of Love and the Call." 마틴슨은 공간과 건축물에 대한 아이디어 또한 가지고 있었다. 공간과 건축물은 인간의 존엄성에 영향을 준다. 이런 아이디어를 처음으로 시적 제목으로 발표한 것은 "집과 노래, 눈물과 부끄러움: 인간존엄성 돌봄자로서의 공간과 건축물"이다(Martinsen, 2001).

마틴슨은 세 개의 간호대학의 재직한 바 있다. 1988년부터 1990년까지 마틴슨은 베르겐 기독교 대학에서 연구자로 근무하였고, 2006년부터는 교수직을 역임하였다. 1999년부터 2004년까지는 오슬로의 Lovisenberg Deconal대학의 교수로 일하였다. 2007년에는 북 노르웨이에 있는 Harstad 대학의 정년보장 교수가 되었다.

마틴슨에게는 새로운 아이디어와 학문적 탐험이 쉽게 싹트고 번성하였으며, 다른 연구자들을 연구과제로 이끌기도 하였다. 마틴슨이 베르겐에 재직하는 동안 여러 간호학과 교수들의 논문들을 모아서 *사려깊은 간호사The Thoughtful Nurse*(Martinsen, 1993a)이란 논문집을 편찬하였다. 오슬로의 Lovisenberg Deconal대학에서는 마틴슨의 도움으로 1877년에 첫 발간된 노르웨이 첫 간호학 교과서를 재발간하기도 하였다(Nissen, 2000). 이 책의 후기에서 마틴슨(2000a)은 이 책이 간호를 학문적으로 기술하였다고 하였다. 오슬로의 동료 한 명과 함께 마틴슨은 *Ethics, Discipline, and Refinement: Elizabeth Hagemann's Ethics Book-New Readings*(Martinsen & Wyller, 2003)라는 또 다른 논문집을 발간하였다. 이 책은 1930년도에 출판되어 1965년까지 교과서로 사용된 간호 윤리에 대한 텍스트를 분석하였다. 윤리학 교재가 2003년도에 재판되었을 때, 독일의 사회학자인 Max Weber(1864-1920)뿐만 아니라, 두 명의 프랑스 철학자 Pierre Bourdieu(1930-2002)와 Michel Foucault(1926-1984)의 관점에서 재해석되었다. 2012년에는 Harstad 대학의 동료들과 함께 간호의 내러티브과 윤리에 대한 책을 출판하였다(Thorsen, Mæhre, & Martinsen, 2012).

마틴슨의 역사적, 철학적 사고들은 서로 다른 시기에 그녀에게 영향을 미쳤고, 그러한 영향은 그녀의 저서에 확연히 나타난다. 2011년에는 그녀의 간호학에서의 학문적 기여와 사고, 그리고 많은 저술의 공로를 인정받아 로얄 노르웨이 성 올라브the Royal Norwegian Order of St. Olav의 최고 영예인 기사Knight직함을 위임받았다.

이론의 배경

마틴슨에게 영향을 준 이론은 무엇인가? 1970년 초기에 간호 전문직에 대한 분석에서 마틴슨은 특히 세 명의 철학자들에게 관심을 보였다: 독일 철학자, 정치가, 사회이론가인 칼 마르크스Karl Marx(1818-1883), 독일의 철학자이자 현상학의 창설자인 에드문드 훗설Edmund Husserl(1859-1938), 그리고 프랑스 철학자이자 신체에 대한 현상학자인 메를로-퐁띠Merleau-Ponty(1908-1961)였다. 이후 마틴슨은 다른 철학자, 신학자, 사회학자까지 포함시켜서 자신의 이론적 배경을 더욱 확장시켰다.

칼 마르크스: 비평 분석-변화시킬 힘이 있는 실무

마틴슨은 간호학문의 실재와 간호가 처한 사회적 위기를 기술하기 위하여 마르크스 주의 철학의 분석 방법을 이용하였다. 이 위기는 간호학문이 돌봄에 관한 총체적 관점을 취하는 것 같으면서도 간호의 본질을 분해하고, 전문화하고, 기술적으로 측정 가능한 것으로만 분석하는 것에 있다고 하였다. 마틴슨은 간호학문이 자유로운 실무를 구축하지 못한 채, 실증주의와 자본주의 체계의 부분이 되었다고 비판하였다. "돌봄에 역행하는 법reversed care-law"에 의해 돌봄을 가장 많이 필요로 하는 사람이 가장 적은 돌봄을 받는 상황을 야기하였다. 마르크스는 개인주의와 가난한 사람들의 희생을 통한 부유층의 욕구 충족을 비판하였다. 마틴슨은 이런 현상이 의료서비스에서도 일어나고 있음을 강조하였다. 이런 현상을 폭로하는 것은 현실 변혁의 원동력이 될 수 있다. 마틴슨은 우리가 간호의 본질, 내용과 내부 구조, 역사적 기원, 및 전문직 발생에 대해 질문을 제기해야 한다고 하였다. 이렇게 함으로써 전문직 간호사가 자신의 직업과 전문직을 역사적이고 사회적인 맥락에서 바라보게 되고, 종국에는 비평적 간호실무를 수행할 수 있다. 마틴슨의 역사적 관심은 비평적이고 변혁적인 의도를 품고 있다.

에드문트 후설: 자연적 태도로서의 현상학

마틴슨의 과학 및 실증주의 비판에는 후설의 현상학이 중요한 영향을 미쳤다. 실증주의적인 관점에서는 자아self를 객관화하고, 비인간화하여 계량화하고자 한다. 후설은 현상학을 하나의 온전한 과학으로 간주하였다. 현상학의 엄격한 방법론적 과정은 과학적 실재에 대해 반성하는 자세를 갖게 해 주며, 이를 통허 당연시 여기고 무의식적인 작업으로 간주했을 구조와 맥락을 밝힐 수 있게 된다. 이러한 방식으로 우리는 그 동안 당연시 여겨왔던 것을 문제화하게 된다. 당연시 여겨왔던 자신의 이해를 문제화함으로써, "사물 자체"를 파악할 기회를 갖게 된다. 현상학은 우리가 어떤 사물에 의미를 부여하여 이해하려는 의도를 가지고 접근하는 과학 이전의 상태prescientific를 연구한다고 말할 수 있다. 현상학은 맥락, 전체, 관여, 개입, 신체 및 삶의 경험을 강조한다. 우리는 상황적 맥락, 시간과 공간 안에서 살아가고 있고, 역사적으로 살고 있다. 신체와 정신soul은 분리될 수 없다; 총체적wholeness인 것은 타인, 세상의 사물 및 자연과 관계되어 있다.

메를로 퐁띠: 자연적 태도로서의 신체

메를로 퐁띠는 후설의 사고를 바탕으로 하였지만, 다른 사상가들에 비해 이 세상에 존재하는 신체에 대한 견해에 좀 더 관심을 기울였다. 후설과 메를로퐁띠는 개인을 그 사람이 다른 사람과 함께 생활하는 세상과 분리하여 바라보는 데카르트(1596-1650)의 사상을 비판하였다. 신체는 세상 안에서 자연적 태도를 반영하고 있다. 전문적인 간호는 모든 면에서 신체와 연관된다. 우리는 우리의 모든 신체를 사용하여 간호, 치료 및 돌봄이 필요한 다른 신체를 돌보고 있다. 우리 신체와 환자들의 신체는 행동, 태도, 단어, 어조 및 몸짓을 통해 스스로를 표현한다. 현상학은 돌봄이 행해지고 있는 전문직 상황을 포함하여, 상호적, 자연적 세계 안에서 타인들과 함께 살아가는 일상생활, 즉 삶의 경험을 해석하고 묘사하고 인지하는 활동을 말한다.

마틴 하이데거: 돌봄으로서 실존적 존재

마틴 하이데거Martin Heidegger(1889-1976)는 독일의 현상학자이면서 후설의 제자 중 한 사람이었다. 그는 실존적 존재가 무엇이며 어떤 것인가에 대하여 연구하였다. 마틴슨은 돌봄 개념을 하이데거와 연결지었는데, 이는 하이데거가 "돌봄을 그의 사상의 중심개념으로 간주하였기 때문이다... 돌봄의 근본적인 특성, 혹은 돌봄이 무엇인지 그리고 무엇을 포함하는 것인지를 확인하고자 하는 것"이라고 하였다(Martinsen, 1989c, p. 68). 마틴슨은 "우리의 실재 생활을 분석하는 것과 돌봄의 본질을 분석하는 것은 서로 분리할 수 없다. 이 중 한 가지를 분석하는 것은 동시에 다른 하나를 분석하는 것과 같다. 두 가지는 서로 분리할 수 없는 하나의 단위를 구성한다. 돌봄은 인간을 이해하는데 있어서 가장 기본적인 개념이다"이라고 하였다(Martinsen, 1989c, p. 69). 마틴슨은 현상학과 하이데거를 기초로 돌봄의 내용과 본질을 다음과 같이 기술하였다: 돌봄이 일어나기 전의 필수 조건으로서 돌봄은 언제나 적어도 다음 두 가지 요소를 포함하고 있다. 하나는 다른 사람에 대한 관심이고 또 다른 하나는 다른 사람을 걱정해 주는 것이다. 돌봄은 우리가 일상생활 속에서 다른 사람과 어떻게 관계하고, 어떻게 관심을 나타내는지를 의미한다. 돌봄은 인간 존재에 대한 가장 자연적이고 근본적 측면을 나타낸다.

앞에서 언급하였듯이, 마틴슨은 하이데거에 대한 그녀의 견해를 수정하였다(Martinsen, 1993b). 동시에 그녀는 하이데거의 독창적이면서 예리한 사고(Martinsen, 1993b, p. 17)를 부정하지는 않았다. 마틴슨이 살아간다는 것에 대해 저술할 때 그녀는 하이데거의 사상으로 돌아갔다. 하이데거는 살아간다는 것dwell에 대한 개념을 엄밀하게 연구하였다. 하이데거에게 삶이란 언제나 다른 사물들 사이에서 사는 것을 말한다(Martinsen, 2001). 여기서 하이데거가 우리를 둘러싼 것들이 우리를 위한 것일 뿐만 아니라 객관적으로 말하면 우리의 삶을 구성하는데 참여하는 것이라고 말한 것은 메를로 퐁띠의 사상으로 이어지고 있다. 우리는 우리 주위에 있는 이러한 사물들 안에서 살아가면서 무엇인가를 남긴다. 환경에 둘러싸여 살아가는 것이 우리의 몸이다.

너드 아일러 로스트롭: 인간 존재의 주요 조건으로서의 윤리

로스트롭K.E. Løgstrup(1905-1981)은 덴마크의 철학자이자 신학자로 하이데거 이후 "공백기" 동안 마틴슨에게 중요한 영향을 주었다. 로스트롭의 사상은 현상학과 창조신학, 이 두 개의 지성으로 요약될 수 있는데 특히 창조신학은 로스트롭의 신학적 철학을 담고 있다(최근 미국에서 창조론creationism과는 구분되는 철학이다). 현상학자로서 로스트롭은 인간 존재의 본질적 현상을 밝히고 분석하였다. 현상학적 연구를 통하여, 로스트롭은 그가 최상위 혹은 자발적 삶의 표현sovereign or spontaneous life utterances이라고 명명한 개념에 이르게 되었다: 신뢰, 희망, 동정심, 및 개방적 대화가 그것이다. 이 개념들은 문화이전 단계의 우리 존재의 특성을 나타내기 때문에 그 중요성을 가진다. 이러한 개념들은 우리의 문화와 존재의 조건을 만들기 때문에 인간 공동체가 형성될 수 있게 해준다(Lubcke, 1983). 하이데거도 같은 맥락에서 돌봄이 이러한 특성을 가진다고 하였다. 로스트룹에 따르면 *자발적 삶의 표현*이란 인간이 *존재*하기 위해 필수적인 특성이다.

마틴슨은 로스트룹의 형이상학과 윤리학이 창조라는 개념 안에 얽혀있다고 말하였다 :

> *다른 이를 돌보는 것은 우리가 창조된 상태로부터 우리를 이끌어온 특징적인 현상이다. 다른 사람을 돌보는 것은 인간관계 안에서 신뢰, 개방적 대화, 희망 및 동정심을 통해 스스로를 드러내는 것이다. 로스트룹도 자발적 삶의 표현이라고 말했던 이런 현상은 그 본질 자체가 윤리적이다. 신뢰, 개방적 대화, 희망, 및 동정심과 같은 것은 옳고 그름을 판단할 필요도 없이 근본적으로 선한 것들이다. 이들을 지배하려고 하면 이들은 붕괴된다. 형이상학과 윤리, 혹은 형이상학적 윤리학은 실천적이다. 이는 인간은 옷을 벗은 신의 삶을 살고 있는가라는 질문과 연결된다*(Martinsen,1993b, pp. 17-18).

우리는 반드시 존재하는 것을 통제하려하지 말고 돌보아야 한다: "서구 문화는 대상을 이해하는 것과 통제하는 것을 동일시한다. 그리고 서구 문화는 우리 문화의 태동으로부터, 구약의 창조 내러티브로 부터 멀어져 왔다. 구약에는 '보호함guarding', '지켜봄watching', 및 '돌봄caring'이 한편에 있고, 다른 한편에는 수련cultivation과 사용using on others이 대립된 합체를 형성한다"(Martinsen, 1996, p. 79). 대립된 합체란 상극에 있는 특성들이 서로 독립적으로 분리되어 있고 상호 극복될 수 없지만, 그것들이 서로 조정되었을 때는 대립이 하나의 전체로 통합된 합체를 만들게 된다. 돌보아 주고, 이끌어 주고, 보호하고, 수련시키고, 활용하는 것은 다시 말하면, 통합된 대립을 지닌 돌봄의 한 방식이며, 수련시키고 활용한다는 것은 자연과 다른 사람에게 횡포를 부리거나 착취하는 것이 아니라 신중하고 사려 깊게 대하는 것을 의미한다.

윤리적 질문은 '사회는 고통을 없애기 위해 어떻게 분투해야 하나', '도움을 필요로 하는 사람을 어떻게 돌볼 수 있는가'와 같은 것이다. 간호 교재에 마틴슨은 이런 식으로 질문을 만들었다. "간호사로서 우리는 어떻게 인간의 영원한 의미, 개인의 끝나지 않는 가치가 그 개인이 어떤 일을 할 수 있는가에 상관없이 성취될 수 있도록 간호할 수 있을까? 나는 나와 근본적으로 다르지 않는 다른 사람을 아직은 나와 근본적으로 다른 사람으로 보고 있는 나를 어떻게 참아낼 수 있을까?"(Martinsen, 1993b, p. 18)

덴마크의 출판사는 *로스트룹 도서관Løgstrup library*을 만들었다. 여기에 마틴슨은 *로스트*

*롭에 대한 논문Løgstrup og sygepleien*을 기고하였고 연이어 이를 노르웨이 언어로 출판하였다 (Martinsen 2012c).

막스 베버:각자의 일을 통해 이웃에게 봉사할 의무로서 천직

막스 베버Max Weber는 독일의 사회학자이고, 사회과학철학 분야에서 위대한 업적을 남겼다. 베버는 인간행위의 의미를 이해하려 노력했다. 산업화가 도래하면서 그가 속한 사회의 변화에 대해 비판적이었다. 마틴슨은 자본주의와 과학주의에 비판적이었던 막스 이론과 더불어 베버이론에서도 그 연계성을 확인하였다. 로스트롭Løgstrup은 종교의 철학자였던 반면 베버는 종교 사회학자였다. 또한 베버는 서구사회의 끊임없는 중재와 소비에 대하여 비판하였다. 과학은 존재하는 모든 것을 객관화시킴으로써 창조된 존재의 의미에 대한 환상을 무너뜨렸다(Martinsen, 2000b, 2001, 2002b).

마틴슨은 천직에 대하여 베버와 생각을 같이 하였다(Martinsen, 2000b). 베버는 다음과 같은 세속적 의미로서의 직업적 소명을 논한 마티 루터Martin Luther(1483-1546)를 주목하였다:

> *천직vocation은 삶을 위한 직업, 또는 한정된 분야의 일, 개인이 자신의 동료에게 부여하는 의미로서 일을 의미한다... 젊은 시절 루터는 소명을 일과 연관 짓고, 이를 이웃사랑 행위로서 이해하였다. 소명은 우리가 일을 통해 다른 사람을 돌보기 위해 창조되었다는 개념을 기초로 이해된다*(Martinsen, 2000b, p. 94-95).

다시 말해서 소명은 하나의 창조적인 봉사이다. 젊은 시절 루터를 인용하여 마틴슨은 소명에 대하여 다음과 같이 기술하였다, "우리는 무엇인가를 우리에게 요청하는 삶의 맥락 안에 위치하고 있음을 소명을 통해 알게 된다. 소명 안에서 나는 내 이웃을 만나고 돌봐야 한다는 사실에 직면한다. 이는 삶의 법칙으로서 존재한다"(Martinsen, 1996, p. 91).

미쉘 푸코: 현상학자의 현상학을 강화한 그의 방법론의 영향

현상학자들은 우리의 경험에 근거한 역사를 강조한다. 마틴슨Martinsen(1975)은 그녀의 철학 학위 논문에서 푸코를 언급한 바 있었지만, 1976년부터 그녀의 역사 연구와 연계하여 푸코에게 가장 많은 관심을 보였다(Martinsen 1978, 1989a, 2001, 2002b, 2003a). 푸코(1926-1984)는 프랑스의 철학자이자 이데아idea를 연구하는 역사학자였다. 그는 연속성과 전후맥락 보다는 분열fracture과 차이difference에 관심을 가졌다. 각 역사적 시기마다 각기 다른 문화 안에서 사회를 형성하는 공통의 구조와 언어체계, 사고의 형식이 존재한다고 생각하였다. 이러한 방식으로 푸코는 개인적이고 독립적인 존재로서의 인간을 강조하는 주관적 철학을 만들어냈다. 예를 들어, 정신이상자 수용소가 만들어진 역사적 기간 동안 형성된 기본적인 정신이상의 조건이 무엇인지를 질문한 뒤, 이후 시대에 정신질환자의 정신이상에 대하여 정의하였다. 이때 새로운 앎이 드러났다; 도대체 무엇에 근거를 두고 정신이상자를 규정하였나? 왜 그런 일이 일어났고, 사회에서 했어야 하는 일은 무엇인가? 어떤 행동이 취해졌나? 힘power과 연결되었는가? 위계와 훈육discipline을 생성해내지는 않았는가? 이러한 방식으로 질문하는 것은 이해의 두꺼운 층을 한 층, 한 층 파헤쳐, 일반적 인식체계를 넘어, 기존의 방식과는 다른 방식으로 역사의 의미를 이해하기 위함이라고 하였다. 푸코는 인간을 특징짓는 기본적인 사회적 특성을 밝히려고 하였다. 무언의 전제조건 속에 갇혔던 인간을 끌어내려고 하였다(Lubcke, 1983). 이와 같은 푸코의 방법은 현상학적 방법론을 강화시키는 결과를 가져왔다. 그는 우리가 살고 있는 시대와 상황적 맥락 안에서 생각해오던 방법과 다른 방식으로 생각할 것을 권유하였다. 그의 시각은 묘사적일 뿐만 아니라 비평적이었다.

마틴슨은 우리가 다른 사람을 돌볼 때 우리는 자연과학과 객관적 의학 안에서 그들을 "분류적 안목classification gaze"과 "검사적 안목examining gaze"을 가지고 바라보기보다 오히려 다른 방식으로 그들을 바라보고 다른 방식으로 관계를 맺는다고 하였다(Martinsen, 1989b, pp. 142-168; Martinsen, 2000a). 그러한 관점을 가지려면 특별한 공간이 필요한데, 다시 말하면 돌봄은 기존과 다른 종류의 지식을 발전시키기 위해 기존과는 다른 공간을 필요로 한다는 것이다. 우리가 의료서비스 안에서 돌봄을 제공할 때 던져야할 질문은 다음과 같다: 오늘날 간호실무를 특별한 공간 안에서 수행할 때, 어떤 간호 학문적 특성 혹은 구조가 영향을 미치고 있나? 현대 시대의 사고와 다른 방식으로 사고한다는 것은 어떤 의미인가? 현대간호에서 비판적 간호를 찾을 수 있다면 그 비판적 간호가 의료서비스와 연구에 어떤 의미가 있을까?

폴 리꾀르: 가교-건설자

폴 리꾀르Ricoeur(1913-2005)는 프랑스의 철학자이다. 그의 견해는 비평적 해석학 혹은 해석학적 현상학으로 명명지어진다. 그는 자연과학과 인간과학, 현상학과 구조주의, 다른 상반된 견해 사이의 가교를 놓으려고 하였다. 예를 들어, 그는 시간과 내러티브narrative, 언어와 역사, 분별력과 과학에 대하여 논하였다. 리꾀르는 사람 사이의 의사소통; 즉, 다른 사람을 이해하는 것에 관심을 지녔다. 그는 과학 언어와 대조를 이루는 일상생활 언어와 그 의미에 관심을 가졌다. 마틴슨은 로스트룹과 리꾀르의 언어에 대한 철학을 평행선에 비유하였다. 마틴슨은 다음과 같이 적었다:

> *의료 문화는 추상적 개념의 언어로 이루어지며, 이런 개념적 용어들은 일상생활과는 다른 분류에 속하기 때문에 구체적인 상황이나 실제의 실무와 항상 일치하는 것은 아니다.... 그러나 전통적으로 일상생활에서의 돌봄의 언어들은 환자와 의료진과의 만남을 전제로 구체적 돌봄의 의미를 그 상황에 맞게 부여하는 특별한 방식manner을 동반한다. 특정 단어가 일상생활의 언어로 말해질 때 표현력과 톤에 의해 상이하게 표현될 수 있다* (Martinsen,1996, p. 103).

주요 개념과 정의

마틴슨은 개념을 폐쇄적으로 이해시키는 경향 때문에 용어를 정의하는 것을 꺼려했다. 그에 반하여 그녀는 개념이 가지고 있는 내용은 표현되어야 한다고 하였다. 용어가 가지고 있는 내용의 한계를 정하고, 단어가 의미하는 바를 설명하는 것이 중요하며, 용어들을 성급히 정의 안에 몰아넣는 것은 피해야 한다고 하였다.

돌봄 Care

돌봄은 "간호학의 기본 가치일 뿐만 아니라 우리 삶의 기본적인 전제조건이다. 돌봄은 선을 통한 인간의 긍정적인 발달이라고 할 수 있다"(Martinsen, 1990, p. 60). 돌봄은 삼위일체를 이룬다: 관계적, 실제적, 도덕적인 돌봄이 동시에 이루어진다(Alvsvåg 2003; Martinsen, 2003b, 2012b). 돌봄은 나 자신을 다른 사람이 처한 상황으로 향하도록 이끈다. 전문직으로서의 간호는 교육과 훈련을 필요로 한다. "전문적 지식 없이 환자에게 관심을 가지는 것은 감성에 불과하다"(Martinsen, 1990, p. 63). 후견인적인 보호guardianship, 무관심, 감성적인 것은 돌봄을 표현하는 것이 아니다.

전문적 판단과 분별 Professional Judgement and Discernment

이 특성은 구체적 상황과 연결된다. 전문적 판단과 분별은 임상적 관찰을 학습하는 실제적이고 살아있는 임상실무 안에서 전문적 판단을 연습함으로 얻을 수 있게 된다.

주요 개념과 정의

"임상적으로 보고, 듣고, 느끼는 것뿐만 아니라 올바른 방법으로 보고, 듣고, 느끼는 것을 훈련해야 한다"(Martinsen, 1993b, p.147). 환자들은 우리에게 인상을 남기고, 우리는 우리의 몸으로 그것에 감동하고, 환자가 남긴 인상은 오감을 만족시키는 간호를 제공하게끔 한다. "왜냐하면 지각perception은 유사체analogue의 특성을 지니고 있어서, 상황의 다양성과 상황적 맥락을 떠오르게 한다"(Martinsen, 1993b, p.146). 한 가지를 보고 다른 것을 떠올리게 되고, 이런 회고는 그 상황에서 받은 인상, 전문적 지식, 이전의 경험들을 연결시켜준다. 우리는 우리의 자유재량discrition에 따라 본능적 감각과 일상 언어를 통해 전문적인 지식을 나타낸다.

도덕적 실무를 바탕으로한 돌봄 Moral Practice is Founded on Care

"도덕적인 실무라 함은 공감과 성찰을 동시에 사용하여 간호의 돌봄이 표현될 때를 말한다"(Martinsen, 1990, p.60). 도덕성은 구체적인 상황으로 나타나며, 이는 반드시 설명될 수 있어야 한다. 우리의 행동은 설명될 필요가 있다; 이는 학습되며, 공감과 성찰이 객관적으로 나타나는 것이기 때문이다. 구체적으로 말하면, 이것은 다른 사람이 어떻게 최선의 돌봄을 받을 수 있을지 알고 있음을 의미하고, 인정recognition과 공감을 기본 조건으로 한다. 진실성sincerity과 판단judgement은 도덕적 실무를 가능하게 해준다(Martinsen, 1990).

인간 중심 전문성 Person-Oriented Professionalism

인간중심 전문성이란 "환자를 고통 받는 인간으로 생각하고, 환자의 통합성integrity을 보호하는 전문적 지식을 필요로 한다. 이는 전문적 역량과 인간애를 필요로 하는데, 이것은 공적으로 인간의 기본욕구에 대한 브호와 삶의 돌봄을 경험하는 것이 모여서 이루어지는 상호간 자애를 기반으로 한다.... 인간중심 전문성은 우리가 하는 일에 우리 스스로를 매이도록 한다. 그래서 우리가 간호대상자와의 만남에 우리의 어떤 것을 투자하고 싶게 되고, 또한 우리는 간호대상자에게 가장 좋은 것으로 돌봐주어야 한다는 의무감을 갖게 된다. 인간중심 전문성이란 우리에게 무엇인가를 필요로 하는 사람들이 있는 삶의 맥락 안에 우리가 놓여있다는 것을 자각하게 하고, 간호 대상자를 중심에 놓고 그

주요 개념과 정의

대상자를 중심으로 돌봄을 펼쳐가게 한다"(Martinsen, 2000b, pp. 12,14).

최상위 삶의 표현 Sovereign Life Utterances

최상위 삶의 표현은 창조물 그 자체에 동반되는 현상이다. 이는 모든 사회의 문화가 형성되기 이전에 이미 나타난 현상이다; 이는 잠재성으로 표현된다. 이는 인간이 통제할 수 없으며, 그렇기 때문에 최상위라고 한다. 인간이 행사할 수 있는 영향력의 범위 너머의 것들은 인간 삶에서 최상위의 삶이 구현된 상태라고 할 수 있다. 최상위 삶의 표현은 관대, 자비로움, 신뢰, 희망과 사랑이다. 이런 것들은 인간에게 시간, 공간, 공기, 물, 음식이 주어진 것과 같은 방식으로 주어진 것이다(Alvsväg, 2003). 우리가 이런 것들을 제공받지 못하면 삶은 붕괴된다. 삶은 그러한 최상위 삶의 자발적 표현을 수용하면서 스스로를 보호하는 것이다(Martinsen, 2000b, 2012b). 최상위 삶의 표현은 돌봄을 위한 선행조건이고, 동시에 돌봄 행위는 실제 삶에서 최상위 삶의 표현을 구현하는 데 필요한 조건이 된다. 우리는 개방성, 신뢰, 희망, 자비, 및 사랑이 간호 대상자와의 상호작용을 통해 실현되도록 행동할 수도 있고, 혹은 이들을 차단시킬 수도 있다. 이런 것들의 표현없이 돌봄은 실현될 수 없다. 동시에 돌봄 행위를 통해 우리는 개인적이고 전문적인 삶 안에서 최상위 삶의 표현에 대해 깨닫게 된다. 돌봄은 환자들에게 사랑과 자비의 의미를 경험하게 해줄 수 있다; 돌봄은 희망을 밝혀주고, 이를 유지시켜준다. 그리고 돌봄은 무엇보다도 간호사와의 관계에서 신뢰와 개방성을 구축할 수 있게 해준다. 이와는 상반되게 돌봄이 결여되면, 다른 사람이 자비를 경험할 수 없게 된다; 즉 건강과 관계된 서비스를 제공하면서 대상자가 불신과 억제하는 듯한 태도를 느끼게 할 수 있다.

침범해서는 안 되는 영역 The Untouchable Zone

이 용어는 우리가 간호대상자나 자연과 마주할 때 절대 침범해서는 안 되는 영역이 있음을 의미한다. 우리가 존중해 주어야하는 경계선을 의미한다. 침범해서는 안 되는 영역은 대인 관계 시 어느 정도의 거리감을 유지하게 한다; 이는 공평성을 보장하고, 논쟁, 이론 및 전문성을 필요로 한다. 돌봄 시 침범해서는 안 되는 영역은 정 반대편의 개방성과 연결되어, 폐쇄, 취약성 및 동기 등이 스스로의 위치를 찾을 수 있게 한다.

주요 개념과 정의

개방성과 침범해서는 안 되는 영역은 돌봄을 제공할 때 발생하는 하나의 모순이다(Martinsen, 1990).

소명 Vocation

소명은 "삶이 만들어낸 의무로서, 나의 간호대상자들을 대할 때, 온전히 인간적으로 대하도록 만든다. 소명은 이웃인 인간에 대해 염려하는 일종의 삶의 법칙이다"(Martinsen, 2000b, p. 87). 이것은 이웃을 돌보게 하는 윤리적인 요청이다. 이러한 이유로 간호사는 전문적인 지식 외에도 인간적인 품격refinement을 갖추어야 한다(Martinsen, 2000).

마음의 눈 The Eye of the Heart

이 개념은 선한 사마리안인의 우화에서 유래된다. 마음heart은 한 인간의 통합적 존재를 대변하며, 다른 사람의 고통이나 그 사람이 처한 상황에 대해 우리의 마음이 움직이고 감동을 받기도 한다. 감각과 지각을 통해 우리는 이해에 앞서 감동이 먼저 일어나고, 이해가 일어난 다음, 또 마음이 쓰이는 것을 경험하기도 한다. 마음의 눈으로 보는 것과 보여 지는 것은 지각과 이해가 통합되어 나타나는 상호반응에 기초를 둔 일종의 참여적 관심이며, 이때 눈을 통한 이해는 감각을 통해 이루어진다(Martinsen, 2000b, 2006).

등록하는 눈 The Registering Eye

등록하는 눈은 객관화하는 것이며, 그 관점은 주로 관찰자의 시각이 주를 이룬다. 연결점을 찾고, 체계화하고, 순위를 매기고, 분류하고, 한 체계 안에 자리를 확인하는 것을 의미한다. 등록하는 눈은 현대 자연과학, 기술, 산업화와 그 맥을 같이 한다. 만약 환자가 이 시각으로 보여지거나 의료인이 이 시각만을 가진다면 공감은 사라지고 삶의 의지 또한 감소하게 될 것이다(Martinsen, 2000b).

경험적 증거

마틴슨의 돌봄 철학에서, 언어와 성찰은 전문적인 판단과 내러티브로 귀결되며 간호사례의 조건, 상황 및 현상을 설득력 있게 설명해주는 방법이 된다(Martinsen, 1997a, 2002c, 2003c, 2004b, 2005). 마틴슨은 명백하게 지각된 것은 설득력 있게 설명되어야 한다고 하였다. 마틴슨은 후설을 근거로, 다양한 유형의 증거들을 제시하였다: 의심할 수 없는 증거(명백한 것), 철저한 증거, 부분적인 증거가 그것이다. 각 유형은 각각 다른 증명할 수 있는 조건들을 필요로 한다. 사실, 주제, 및 상황은 각각 다른 형태의 증거를 제시한다. 예를 들어, 우리는 의심할 수 없는 수학적 증거를 인정하기는 하지만 이를 신체와 인간에게 그대로 적용할 수는 없다. 돌봄 영역에서의 분별력과 내러티브가 그러한 증거들을 참 증거가 되게 하고, 깨달음을 주는 설득력을 갖게 한다(Martinsen, 2003c, 2004b, 2005, 2009, 2012). 분별력을 발휘하는 것은 우리가 환자로부터 얻은 인상impression을 해석하는 것이다. 한 사람이 구축한 전문적 간호지식과 경험은 환자의 개별 상황 안에서 유연성을 발휘할 수 있는 이해의 지평을 열어준다(Martinsen, 1990, 2002c). 내러티브는 행위를 기술하기도 하지만 행동을 지시하는 역할을 하기도 한다(Kjær, 2000; Martinsen, 1997a, 2012). “좋은 네터티브는 실존적 윤리를 실재being로 만들며 실천적 행동을 유발시킨다” (Martinsen,1993b, p. 161).

주요 가정

간호

비록 돌봄은 간호의 영역을 초월한 것이지만, 돌봄은 간호와 그 외에 돌봄을 다루는 전문직에 근간이 된다. 돌봄은 다른 사람들을 배려하고, 돌보고, 그들에게 관심을 갖는 것이다. 돌봄에 대해 말할 때, 다음의 세 가지가 동시에 존재해야 한다; 이들을 돌봄의 삼위일체trinity of caring라고 부른다: 돌봄은 관계적이어야 하고, 실제적이고, 도덕적이어야 한다(Alvsvåge, 2011).

- 돌봄은 적어도 두 사람이 있어야 이루어 질 수 있으므로 관계적 의미를 지닌다. 그러므로 마틴슨은 다음과 같이 서술하였다:

누구나 다른 사람에 대해 염려하고 관심을 갖는다. 한 사람이 고통당할 때, 다른 사람은 “비통”(고통스러운 면에서)해 할 수 있고, 통증을 완화시킬 수 있다... 돌봄은 인간의 가장 자연스럽고 근본적인 존재론적 모습이다. 돌봄이 있을 때, 인간관계는 가장 중요한 성분을 지니게 된다... 인간의 본질은 한 인간이 다른 사람을 위하여-그것이 결국 자신을 위한 것이므로- 창조되었다는 사실에 근거한다. 여기서의 요점은 돌봄은 항상 다른 사람을 전제하고 있다는 점이다. 또한 인간은 다른 사람들로부터 독립하여 혼자서 자신을 이해할 수 없고, 또한 자신을 실현할 수도 없다(Martinsen,1989c, p. 69).

- 돌봄은 실제적이다: 돌봄은 구체적이고 실제적인 행동에 관한 것이다. 돌봄은 연습을 통해 훈련되고 학습된다.
- 돌봄은 도덕적이다: “돌봄이 진심에서 우러나온 것이라면, 다른 사람의 상황에서 그 사람을 인정하는 태도(무드, 민감함(befindlichkeit))를 가지고, 다른 사람을 대해야 한다. [우리가] 그를 돕기 위해서는 그가 스스로를 도울 수 있는 능력을 인정하고 그 능력을 과대평가해서도, 과소평가해서도 안 된다”(Martinsen, 1989c, p. 71).

돌봄을 제공하기 위해서는 상황을 올바르게 이해해야 하며, 이를 위해서는 설정된 목표를 올바르게 평가하는 것이 선행되어야 한다: “본질적으로 간호의 돌봄 업무는 아프고, 돌봄이 필요하나 스스로 돌볼 수 없는 사람들을 위한 것이다. 돌봄의 업무를 통해 아픈 사람을 돌보려면 지식, 기술, 조직력과 같은 전제조건들을 갖추어야 한다”(Martinsen, 1989c, p. 75). 우리는 모든 유형의 돌봄 업무에 대해 훈련 받아야 한다. 우리는 전문적인 판단 능력을 증진시키기 위해 끊임없이 연습하고 성찰해야한다. 돌봄과 전문적 판단이 간호 안에 통합되어 있다(Martinsen, 1990, 1997a, 2003c, 2004b, 2005, 2006, 2012b).

인간

한 개인이 인간이 되도록 만드는 것은 의미를 생각하면서, 전통을 따르는 것이다. 인간은 사회적 환경과 사람들이 모여 사는 사회로부터 따로 떨어져 살 수 없다(Martinsen, 1975). 어떤 면에서, 인간과 신체 사이에는 평행선이 존재한다. 우리가 우리 자신, 다른 사람, 다른 세계와 관계 지을 수 있는 것은 신체를 통해서이다(Alvsvåge, 2000; Martinsen, 1997a). 신체는 영혼과 육신, 혹은 정신과 육신의 합체이다. 인간은 신체적이며, 신체를 통해 인지하고, 이해한다.

건강

건강은 사회역사학적 관점에서 논의되었다. 서로 경쟁적 관계에 있는 고전적 그리스 이념과 현대 이념, 이 두 가지 역사적 건강 이념인 중재와 팽창에 대한 사고가 마틴슨 철학의 배경이 되었다: "건강은 유기체의 상태를 반영할 뿐만 아니라 현대 의학 역량의 수준을 나타낸다. 이를 중점적으로 보면, 현대의 건강개념은 누군가 불필요한 '결함'을 가지거나 특정 장기가 더 좋은 상태로 '될 수 있으면', 완벽하게 건강하지 않은 것으로 보는 경향이 있다"(Martinsen, 1989c, p. 146). 현대 의학의 환원주의적 건강 이념은 분석적이고 개인주의적이다; "완전하게 좋지" 않은 것은 모두 치료해야 하는 것으로 인식하고 있다. 의학의 자율성과 자원을 총동원하여, 의학은 치료 면에서 성공을 거두었다. 마틴슨은 이런 의학적 담론이 비판적 분석에 취약함에 주목하였다. 의학의 해로운 점과 만성질병을 지닌 환자를 위한 충분한 서비스를 제공하지 못하고 있음을 보고 마틴슨은 보수적이고 전통적인 건강 이념으로 전환하게 되었다. 중요한 점은 가끔 치료하고, 자주 돕고, 언제나 안위감을 유지하는 것이다. 이를 위하여 사회는 인간이 가능한 한 최고의 삶을 살고, 분별 있게 살 기회를 제공할 필요가 있다; 두 가지 요구 모두는 환경적 의미를 내포하고 있다. 우리의 지식 기반을 초과할 정도로 빠르게 환경을 변화시켜서는 안 된다; 억제하고 조심할 필요가 있다(Martinsen, 1989c, 2003b).

환경: 공간과 상황

인간은 언제나 특정 장소와 특정 공간에서 특정한 상황에 처해 있다. 공간 안에서 시간, 분위기, 힘을 발견할 수 있다(Martinsen, 2001, 2002b, 2002c). 마틴슨은 시간, 건축, 및 지식이 어떻게 공간의 분위기를 만드는가에 대하여 질문하였다. 건축양식, 다른 사람과의 만남, 사물을 이용하기, 말, 지식, 공간 안에서의 존재being-in-the-room 등이 세트를 이루어 상황과 공간의 분위기와 특색을 빚어낸다. 인간이 우주 공간과 자연 공간 속으로 들어가는 것이지 머물러 살면서 문화적 환경을 만들어지는 것이 아니다. 우리는 방이 있는 집을 세우고, 각 방에서 건강서비스 활동이 이루어진다. "환자 방은 신체적, 물질적, 구성적 공간으로서 중요할 뿐만 아니라, 우리가 다른 사람과 함께 공유하는 공간이기도 하다... 실내장식과 사물을 갖춘 환자 방은 환자와 간호사가 어떻게 그 공간을 해석하는가를 보여준다"(Martinsen, 2001, pp. 175-176). 우리는 이런 공간에서 환자가 각각의 존엄성을 갖게 해주어야 한다. 이를 위하여 필요한 것은, 속도를 늦추고 세심하게 배려된 공간 안에서 쌓여진 사려 깊은 지식이다. "여기서의 공간은 지각하고-냄새 맡고, 듣고, 보고, 돌봄이 이루어지는 곳이다"(Martinsen,

2001, p. 176).

이론적 주장

인간은 의존적이고 관계적으로 창조되었다. 돌봄은 인간 삶에 기본적인 것이다. 인간으로서 우리는 다른 사람과 친분을 맺으며 생활 할 뿐만 아니라, 동물 및 자연과도 관계를 맺으며, 전체를 지배하는 창조적 힘과도 관계를 맺는다. 인간은 기본적으로 공동체와 창조주에 의존한다. 피조물에게 속한 것은 최상위 삶의 표현이다, "우선 우리에게 이런 것이 제공되어야, 그 다음에 그들이 최고sovereign가 된다. 다시 말하면, 인간은 그들의 힘을 피할 수 없다... 이런 것들은 인생살이 안에 존재하는 현상들이다. 이들은 삶을 창조하고, 삶의 가능성을 열어 준다"(Martinsen, 1996, p. 80)

신체는 전체whole로 창조되었다. 다시 말하면, 욕구와 영혼spirit 혹은 신체와 영혼은 자애롭게 상호작용하며, 이때 피할 수 없이 감각과정sensing이 일어난다. 마틴슨(1996)은 다음과 같이 적었다:

> *감각과정은 상호작용이 일어나게 하고, 그 상호작용을 유지시켜 준다. 신체를 돌보는 것이 그러한 감각과정의 중심에 있다. 이런 의미에서, 간호는 신체를 전문적으로 돌봄으로써 환자의 삶의 가능성을 보호해주고, 공간을 마련해 주는, 현세의 소명직secular vocation work이라고 할 수 있다. 소명은 일종의 요청된 삶으로, 우리가 일을 통해 이웃, 여기서는 환자를 돌보도록 요청받은 것으로 볼 수 있다. 이는 인생과정 안에 포함된 일이다. 소명과 신체와 일the body and work은 간호의 새로운(형체가 없는) 정신적 신성함을 유지시켜주는 양쪽 축에 해당한다*(p. 72).

이웃에 대한 사랑은 구체적이고, 실제적이며, 전문적이고, 도덕적인 분별력을 수반한다. 감각적이고 경험에 바탕을 둔 지식은 간호 실무에 있어서 가장 기본적이고, 중요한 요소이다. 돌봄은 전문적이고 숙달된 간호사의 감독 하에 구체적인 상황 안에서 실무 경험을 통해 학습된다(Martinsen, 1993b, 2003b).

형이상학은 우리가 아무것도 알 수 없는 것에 대해 사색하는 것이 아니다. 우리 모두가 감각을 통해 인지할 수 있고, 경험할 수 있는 현상을 해석하는 것이다. 이런 현상은 과학이전(선견지명)의 현상이며, 기초적인 것이다.

논리적 형식

마틴슨의 논리적 형식은 귀납적이고 유추론적이라고 할 수 있다. 인생 경험과 의료 체계 안에서의 경험을 통하여 그녀의 이론적 연구가 시작되었다는 점에서 마틴슨의 사고는 귀납적 측면을 지닌다고 할 수 있다. 마틴슨은 간호의 구체적인 업무와 생생한 삶을 좀 더 잘 이해하고 이에 대하여 통찰하기 위해 철학과 역사에 관심을 두었다. 생의 철학과 창조 현상학을 만나면서 마틴슨은 전통적인 철학 보다는 다른 방식으로 존재론과 형이상학을 접하게 된다. 삶의 표현life utterances, 창조, 시간, 공간은 존재론적이고 형이상학적 사실들이다. 유추론에 의하면, 우리는 실제 생활 속의 구체적인 경험 안에서 이런 사실들을 사고하고 인식할 수 있다. 이런 것들은 사람들과의 만남 속에서, 이야기 속에서, 그리고 분별력을 발휘할 때 표현되어 나타난다. 마틴슨은 로스트룹을 인용하며, "이런 식으로 형이상학이 경험세계에 적용된다"고 적었다(Martinsen, 1996). 더욱이 마틴슨은 다음과 같이 말하고 있다, "내러티브는 시간이 걸리고 느리다. 내러티브는 인식recognition의 유추론적 형태를 통해 전후 맥락을 제공한다. 다시 말하면 우리가 내러티브가 제공하는 현상에 대한 유사점을 우리의 삶에서 알아차릴 때, 그 내러티브는 우리에게 의미가 있다"(Martinsen, 2002b, p. 267).

컬크볼드(Kirkevold 1998)는 다음과 같이 말하고 있다:

> *마틴슨은 논리적으로 구축된 이론을 제시하려고 하지 않았다. 오히려 반대로 그녀는 이론이 용어, 원칙, 및 규칙으로 이루어진 논리적인 구조를 가지고 있어야 한다고 주장하는 입장과 다소 거리를 두고 있다. 마틴슨의 이론은 돌봄에 대한 해석학적 분석으로서, 여러 철학적 조망으로부터의 깨달음을 제시하려고 노력하였다. 이런 현상에 대한 마틴슨의 방법은 실존적이면서도 철저한 작업이었다고 말할 수 있다*(p. 180).

간호학계의 수용

실무

마틴슨은 그녀 스스로 간호 업무의 구체적인 방향을 제공하기를 꺼려했다. 그 대신 마틴슨은 자신의 삶, 자신의 실무 및 경험에 대해 적은 것을 "생각"하고 평가해 보기를 권했으며, 이런 것을 배경으로 하여, 대안적 방식의 행위를 상상해 보라고 하였다. 컬크볼드(Kirkevold 1998)는 이런 견해를 추종하고 있다.

> *마틴슨의 돌봄에 관한 이론은 무엇보다 중요한/일반적 간호 철학으로 실무에 적용하기에 적절하다. 이 이론은 우리가 환자와 간호를 어떻게 이해하고 접근해야 할지를 명확하게 나타내주고 상세하게 지시하였다. 이 이론의 강점은 다양한 상황적 맥락 안에서 간호실무를 성찰하게 하고, 간호가 사려 깊은 돌봄과 도덕적 실무를 제공하기 위해 반드시 존재해야 할 모습을 명료하게 제시하고 있다는 데 있다*(p. 181).

많은 원저에서 그녀는 다음과 같이 더 기술하고 있다:

> *...규범적 특성 그리고 간호 안에서의 반-문화counter-culture를 가동시키고 있다. 즉, 간호학문 분야와 간호실무를 개혁하려 할 뿐만 아니라 돌봄 개념에 반대하려는 사회의 경향에 맞서서 저항하는 입장을 취하고 있는 것이다 .... 최근에는 개인적이고, 고무적이며, 시적인 스타일이 더욱 두드러졌다. 이것은 규범적으로 만들어진 마틴슨의 돌봄 철학을 매력적인 방식으로 전달하고 있으므로, 간호사와 학생들에게 커다란 영향을 주었다*(Kirkevold, 1998, p. 204).

마틴슨은 전문적인 저널인 *Sykepleien*을 통해 실무 간호사들에게 자신의 의견을 전달하고 있다. 컬크볼드는 "*Nursing*이라는 저널에 마틴슨의 학술적 연구가 주로 발표되어 온 것을 보면, 마틴슨은 과학 보다는 실무적 간호에 좀 더 뿌리를 두고 있음을 알 수 있다"(Kirkevold, 1998, p. 203).

교육

덴마크나 노르웨이의 대부분의 간호학과는 마틴슨이 쓴 교재와 연구를 이용하여, 다양한 수준의 교과과정을 운영하고 있다. 그녀의 교재들은 정식 교과서로 저술된 적도 없고, 필독 도서로 책정된 적도 없었지만, 그래도 이 책들은 주기적으로 출판되고 있고, 많은 영향력을 끼치고 있다. 간호학의 여러 지정 교재들은 마틴슨의 사상을 다루고 있다(Alvsåg, 2011; Kirkevold, 1998; Kristoffersen, 2002; Mekki & Tollefsen, 2000; Nielsen, 2011). 게다가, 다른 책들은 마틴슨의 사상을 일반적인 간호와 특정 분야의 전문직 간호 모두에 적절하게 적용하려는 의도를 가지고 저술되었다. 예를 들어, 2000년, 노르웨이와 덴마크의 몇몇 대학 강사들은 마틴슨의 사상을 학생들에게 소개하기 위하여 논문집을 편찬하여 발간하였다(Alvsvåg, & Gjengedal, 2000). '실무에서의 돌봄 철학: 간호에 대한 마틴슨의 사상'이 2002년 출간되었고 2010년에 재출판되었다(Austfard, 2010).

2003년에는 덴마크의 간호사들이 영적 돌봄에 대한 교과서를 썼다. 그 책의 중심 내용은 에릭슨Katie Eriksson과 트래블비Joyce Travelbee와 함께 마틴슨의 사상에 관한 것이었다(Ovegaard, 2003). 2008년, 마틴슨은 돌봄과 판단에 대한 그녀의 사상을 덴마크의 간호 백과사전에 기고하였고, 함께 출판된 다른 여러 논문들도 그녀의 사상을 인용하였다(Jørgensen & Lyngaa, 2008).

연구

실무에서 간호사들이 마틴슨이 기술한 것을 숙고해 보고 사정할 수 있듯이 동일한 방법을 연구에도 적용할 수 있다. 실무와 관련이 있고, 구체적이며, 더욱이 이론적인 탐구에 기초한 셀 수 없이 많은 논문들이 임상적 경험과 마틴슨의 용어와 철학적 관점 간의 관계에 대해 논하고 있다. 2006년의 한 박사논문에서는 노르웨이의 교사인 월스타드Pål Henning Walstad는 마틴슨의 영향력을 *Grundtvig-Løgstrupian* 이라고 하였는데, 이는 '삶을 위한 돌봄care for life' 이라고 명명하고 이 영향력을 실무에서의 업무와 전문직 교육과의 관계에서 논하였다(Walstad, 2006). 또한 간호학 교수인 솔볼Betty-Ann Solvoll은 2007년 간호교육에 대한 현장 연구를 수행한 그녀의 박사논문에서 마틴슨의 성찰에 대한 사상과 자신의 분석을 연관 지어 논하였다. 이후 덴마크의 두 박사 논문에서는 마틴슨의 이론을 죽어가는 환자를 돌보는 상황과 당뇨환자의 상황에 적용하였다(Dahlgard, 2007; Mark, 2008). 같은 맥락에서 마틴슨의 이론은 환자를 목욕시키는 것(Jeanne Boge, 2008), 삶의 종착점과 대면하기(Kari Gran Bøe, 2008), 정신질환 환자를 위한 공간과 건축의 중요성(Inger Beate Larsen, 2009) 등을 다룬 논문에 적용되었다. 유치원 교사였던 포스Else Foss는 유치원에서 아이들이 울음을 터뜨리는 상황을 분석하기 위해 마틴슨의 이론을 적용하였다. 이러한 예들은 마틴슨의 이론이 과학주의를 충실하게 따른 다른 간호이론들보다 도리어 연구에 더 많은 영향을 주었음을 보여준다.

미래의 발전

돌봄은 몇 가지의 수준에서 이해될 수 있다: 존재론적, 구체적, 실무적 혹은 시스템이나 조직 수준에서 이해될 수 있다. 간호 안에서 우리는 전문적이면서 도덕적으로 행동할 것을 요구 받는다. 즉, 돌봄과 최상위 삶의 표현 속에서 간호사와 환자가 만날 때 이런 것들이 등장 할 공간이 마련된다. 매 순간 우리는 이런 것이 일어나는지 아닌지를 비판적으로 심사숙고해야 한다. 이런 모습은 인간중심의 전문직 특성을 나타내며, 전문직 안에서의 거듭 반복되는 자애로운 행동이다(Martinsen, 1993b, 2000b).

더욱이 이는 간호 연구에서 돌봄에 대한 사고의 방식을 발전시켰다는 점에서 중요하다. 과학으로서의 간호는 분명한 한계가 있다. 그 반대로, 간호 실무를 등한시 하지 않으면서, 실무를 통해 유용한 지식과 학문적 깨달음을 증진시키고, 실무를 발전시킬 수 있는 연구를 수행해야한다. 다시말하면, 실무 중심의 연구를 발전시키고, 연구자와 실무자가 협동해야 한다(Martinsen, 1989c, 1993b). 컬크볼드Kirkevold는 다음과 같이 기술하였다:

> *마틴슨의 이론은 특별히 중요하다. 왜냐하면 이것은 몇 안 되는 노르웨이 간호이론 중 하나이며, 현실에 대한 새로운 이해와 이것을 기초한 새로운 간호이론이 필요함을 보여 준 최초의 북유럽 간호이론이기 때문이다* (Kirkevold, 1998, p. 182).

조직과 사회적 수준에서도 역시 돌봄 개념은 매우 유용하다. 의료 서비스 체계와 같은 사회체계와 조직을 인간 중심의 전문직이 뿌리내릴 수 있도록 발전시키는 것이 중요하다. 마틴슨은 자비롭지만 정치적이기도 했던 사마리아인에 대해 기술하였다(Martinsen, 1993b, 2000b, 2003b). 조직과 사회적 수준에서 중요한 것은 정치적 사마리안이 어떻게 인정 많은 사마리안의 일을 용이하게 하는가에 있다.

비평

명확성

마틴슨은 그녀의 이론에서 삶은 창조되었으며 우리에게 주어진 것임을 분명하게 밝히고 있다. 우리는 자연과 이웃에게 의존적이게 창조되었다. 따라서 다른 사람과 자연을 돌보는 것은 우리 삶의 기본 조건이 된다. 간호사로서 우리의 임무는 인간 중심의 전문성을 가지고 간호대상자와 그 가족을 만나 인간중심의 마음으로 간호를 제공하는 것이다.

간결성

처음 보면, 마틴슨의 이론은 복잡해 보인다. 그러나 이론이 복잡해 보이는 이유는 마틴슨이 우리에게 익숙한 가정들을 첫 머리에 떠오르게 하기 때문이 아닌지 자문해보아야 한다. 예를 들면, 우리는 우리가 자유롭고, 독립적이며, 창조물과의 관계와 파괴의 역량 면에서 무한하다고 보는 서구 사회의 개인주의 속에서 살고 있다. 그러나 인본주의humanity에 대한 그녀의 관점은 전제주의적collectivist 관점을 가진다고 말할 수 있다. 마틴슨은 과학적 방식으로 말하기 보다는 철학적이고 시적 방식으로 자신의 생각을 서술하였다. 이는 과학 사회에서 고립된 것 같이 보일 수도 있다. 그녀는 우리 모두에게 적용되는 일상 경험, 개인적 삶, 어떤 직업에서든 쉽게 이해할 수 있는 일반적 현상에 대하여 서술하였다. 이런 점들을 고려할 때, 돌봄 철학이 이해하기 어려운 것이라고 말하기 어렵다. 마틴슨은 그녀가 서술한 관점에서 그녀의 글을 천천히 읽으며 우리 자신의 경험을 비추어 상상해 보라고 권한다(Martinsen, 2000b).

일반성

마틴슨의 간호이론은 삶과 간호의 본질적 현상을 다루고 있고, 이런 현상은 모든 인간에게 존재하는 것이므로, 마틴슨의 이론은 전반적으로 간호대상자에게 적용하기에 적절하다고 볼 수 있다. 돌봄에 대한 그녀의 이론은 "병을 앓고 있거나 도움이나 조언을 필요로 하는 모든 환자들과 연관되어 있어 보인다"(Kirkevold, 1998, p. 181).

접근성

환자와 간호사의 경험 세계는 다양하고 미묘하며, 다면적이다. 다면적인 현실을 다루기 위하여, 그리고 있는 그대로 실재를 동일하게 묘사하기 위하여 미묘하면서 다양한 언어가 필요하다. 그러한 언어는 철학적이기도 하지만 일상적 언어에 가깝기도 하다; 이는 시적 언어이다. 다면성과 상황을 묘사하여 이를 해석 가능하게 해주는 점에서 시적 언어가 가장 적합하다고 말할 수 있다. 전문적인 판단과 전문적인 내러티브를 성찰함으로써 간호 집단의 전후 맥락과 간호의 전통을 창출해 낼 수 있다; 우리는 상황을 인지함으로써, 전문적, 도덕적 통찰력을 가지게 된다. 이는 우리가 상황의존적이면서 우수한 간호라고 할 수 있는 전문적, 도덕적 실무를 수행할 수 있게 해 준다.

중요성

마틴슨의 돌봄이론은 체계에 대한 비판이자, 동시에 구체적인 돌봄 상황 속의 사람들을 고무시켜준다(Gjengedal, 2000). 겐제달Gjengedal은 다음과 같이 서술하였다: 마틴슨이 이론적 작업을 시작하게 된 동기는 "정확히 실무로부터 출발하였고, 간호의 돌봄 측면을 이해하고, 평가 절하되지 않도록 보호하고자 하는 것이었다"(Gjengedal, 2000, p. 38). "과학적 조망은 생생한 삶과 모든 존재 의미를 은폐시키는데", 이를 비판 없이 받아들인다면, 돌봄은 평가절하 될 수 있다고 하였다(Gjengedal, 2000, p. 54).

우리는 인간으로서 그리고 간호사로서 인간관계 즉, 환자나 가족 구성원들과의 관계 시 긍정적인 의미만을 표현하도록 요구받는다. 우리가 간호의 맥락 안에서 이런 것을 어떻게 표현할 지의 구체적인 방식에 대해서는 간호사로서 우리가 결정해야 할 일이지만, 마틴슨의 사상에 기초를 둔 철학은 이러한 구체적 상황 안에서 성찰해야 할 것들을 제시하고 있다. 구체적인 상황들은 가능성뿐만 아니라 제한성도 있다. 인력이나 재정 부족, 침상 부족 등과 같이 공적 측면에서 야기된 구조적 문제는 일상 업무를 많이 제한한다. 이러한 제한점은 정책적으로 이를 인지하고 있는 사람들에 의해 구조화되는 것이 바람직하며 돌봄이 있는 구성체 안에서 돌봄을 위한 기회는 더욱 접근 가능해져야 한다:

> *돌봄 상태는 명령에 의한 것이 아니며 또한 사회에서 수동적으로 도움을 제공하는 것도 아니다. 돌봄 상태는 우리가 돌봄을 위해 노력하는 만큼만 존재한다. 우리는 반드시 우리 스스로 돌봄을 만들어야 한다: 결속을 통하여, 도덕적 책임을 통하여, 질적 향상과 공동체와 사회의 통합을 위해 노력하여 돌봄을 만들어가야 한다. 돌봄은 능동적이며, 근본적인 개념이다*(Martinsen, 1989c, p. 62).

양질의 평등한 건강관리를 위한 조건과 모든 사람을 위한 삶의 표준을 만드는 것이 중요하다. 그러나 재정적 자원에 한계가 있다면, 의료서비스는 가장 약한 사람, 가장 도움이 많이 필요한 사람을 위해 제공되어야 하며, 가장 적게 가진 사람이 가장 많이 혜택 받을 수 있도록 돌봄 법칙을 전환시켜야 한다.

요약

마틴슨은 개인적으로나 정치사회적으로나 아픈 사람에게 관심이 있었고, 그 밖의 이유로 사회에서 소외된 사람들에게 관심을 가졌다. 그녀의 이론적 위치는 비판주의적이며, 현상학적이라고 말할 수 있다. 그녀 사상의 시작점은, 인간은 우리가 관리 책임을 지고 있는 범위 안에 존재하고, 창조된 존재라는 점이다. 우리는 우리의 이웃과 자연과 관계를 맺고, 상호 의지하고 있다. 그러므로 돌봄, 결속solidarity, 도덕적 실천은 우리가 피해 갈수 없는 실재이다.

돌봄이란 주제에 대한 마틴슨의 생각에서, 그녀는 사회, 건강관리 정책 및 의료 종사자들에게 구체적인 정책과 간호 실무를 통하여 이어져 내려온 돌봄의 고유한 가치를 회복할 것을 촉구하고 있다. 마틴슨은 심사숙고하면서도 구체적 행동 지침은 그리 많이 서술하지 않았다. 도리어 그녀는 우리에게 환자와 가족구성원의 입장을 잘 고려하고, 충분히 상황을 이해하고, 전문적 통찰력과 돌봄을 기초로 최상의 행동을 선택할 것을 권하였다.

마틴슨의 사상은 지난 30년간 북유럽의 간호 사회를 자극하고, 관심과 논쟁을 불러일으키고, 간호 전문직을 발전시켜왔다. 그녀의 사상은 우리가 간호, 교육 및 연구 면에서 올바르고, 비판적이며 다른 방식으로 생각하고 행동 할 수 있게 해 주었다. 마틴슨의 "돌봄 사상caring thought"은 역사적, 철학적인 학식과 연구를 기초로 한 그녀의 개념과 통찰력으로 간호와 간호 연구를 계발시키는데 기여하였다.

사례연구

간호사로서 우리는 수많은 다양한 삶의 상황에 처해 있는 환자와 가족들을 만나고 있다. 그들은 그 어떤 연령에 해당 할 수 있으며, 급성 혹은 만성 질환을 가지고 있다가 건강이 회복될 수도 있지만 안타깝게도 죽음을 현실로 받아들여야 하는 경우도 있다. 간호사들은 그들의 가정이나, 병원, 요양시설, 학교의 보건실이나 지역사회의 건강 크리닉 등등의 장소에서 환자들이나 가족을 만난다. 어떤 환자나 가족과의 만남은 다른 사람들과의 만남 보다 우리에게 더 강한 인상을 주기도 하며, 대부분의 만남은 한 가지 이상 배움의 상황을 만든다. 당신의 경험을 간단한 사례로 기술해 보고, 한 가지 사례를 들어 돌봄이 그 상황에서 어떻게 나타나고 있는 지 논의해 보시오.

비판적 사고

1. 관찰자나 적극적 참여자로 경험했던 개인적이고도 구체적 간호 경험에 대해 생각을 집중하시오.
2. 그 상황 안에서 인간 돌봄의 측면은 무엇인지 생각해보시오.
3. 그 상황에서 볼 때, 인간 중심의 전문직과 도덕적 실천이 무엇을 의미하는지 논의하시오.

POINTS FOR FURTHER STUDY

- Martinsen, K. (2006). *Care and vulnerability.* Oslo: Akribe (English original).
- Martinsen, K. (2008). Modernitet, avtrylling og skam. En måte å lese vestens medisin på i det moderne. In K. A. Petersen & M. Høyen (red.), *At sette spor på en vandring fra Aquinas til Bordieu—æresbog til Staf Callewaert.* Forlag@hexis.dk [Modernity, disenchantment and shame. A way of reading Western medicine in the modern. In K. A. Petersen & M. Høyen (Eds.), *Leaving a trail on the way from Aquinas to Bordieu—honorary volume for Staf Callewaert.* Forlag@hexis.dk]

REFERENCES*

Alvsvåg, H. (2000). Menneskesynet—Fra kroppsfenomenologi til skapelsesfenomenologi. I H. Alvsvåg & E. Gjengedal (red.), *Omsorgstenkning. En innføring i Kari Martinsens forfatterskap.* Bergen: Fagbokforlaget. [The view of the person—from the phenomenology of the body to creation phenomenology. In H. Alvsvåg & E. Gjengedal (Eds.), *Caring thought: An introduction to the writings of Kari Martinsen.* Bergen: Fagbokforlaget.]

Alvsvåg, H. (2011). Omsorg—Med utgangspunkt i Kari Martinsens omsorgstenkning. I B. K. Nielsen (red.), *Sygeplejebogen 3. Teori og metode.* 3. opplag. København: Gads Forlag. [Caring—From the starting point of Kari Martinsen's philosophy. In B. K. Nielsen (Ed.), *Nursing textbook 3. Theoretical-methodological basis of clinical nursing.* Copenhagen: Gads Forlag.]

Alvsvåg, H., & Gjengedal, E. (red.) (2000). *Omsorgstenkning. En innføring i Kari Martinsens forfatterskap.* Bergen: Fagbokforlaget. [*Caring thought: An introduction to the writings of Kari Martinsen.* Bergen: Fagbokforlaget.]

Austgard, K. (2010). *Omsorgsfilosofi i praksis. A tenke med Kari Martinsen i sykepleien.* Oslo: Cappelen Akademisk Forlag. [*Philosophy of caring in practice. Thinking with Kari Martinsen in nursing.* Oslo: Cappelen Akademisk Forlag.]

Boge, J. (2008). *Kroppsvask i sjukepleia.* Avhandling for philosophiae doctor (PhD). Universitetet i Bergen. [*Bathing the patient.* Dissertation for the degree of philosophiae doctor (PhD). University of Bergen.]

Bøe, K.G. (2008). Verdige møter mellom helsepersonale og pasienter i livets sluttfase. Avhandling for dr.art.-graden. Universitetet i Oslo.[Dignified encounters between health workers and patients in the final phase of life. Dissertation for the degree of philosophiae doctor (PhD). University of Oslo.

*Norwegian titles are provided with approximate translation into English.

Dalgaard, K.M. (2007). *At leve med uhelbredelig sygdom.* Det samfundsvidenskabelige Fakultet, (PhD). Aalborg Universitet.[Living with incurable disease. PhD. School of Social Sciences University of Aalborg.]

Foss, E. (2009). *Den omsorgsfulle væremåte.* Avhandling for philosophiae doctor (PhD). Universitetet i Bergen. [The caring way of being. Dissertation for the degree of philosophiae doctor (PhD). University of Bergen.]

Gjengedal, E. (2000). Omsorg og sykepleie. I H. Alvsvåg & E. Gjengedal (red.), *Omsorgstenkning: En innføring i Kari Martinsens forfatterskap.*Bergen: Fagbokforlaget. [Caring and nursing. In H. Alvsvåg & E. Gjengedal (Eds.), *Caring thought: an introduction to the writings of Kari Martinsen.* Bergen: Fagbokforlaget.]

Jørgensen, B. B., & Lyngaa, J. (Eds.) (2008). *Sygeplejeleksikon.* København: Munksgaard. [*Encyclopedia of Nursing.* Copenhagen: Munksgaard.]

Karlsson, B., & Martinsen, K. (2003). Prolog. In K. Martinsen, *Omsorg, sykepleie og medisin.* 2. utgave. Oslo: Universitetsforlaget. [Prologue. In K. Martinsen. *Caring, nursing and medicine: historical-philosophical essays* (2nd ed.). Oslo: Universitetsforlaget.]

Kirkevold, M. (1993). Innledning. I M. Kirkevold, F. Nortvedt, & H. Alvsvåg (red.), *Klokskap og kyndighet. Kari Martinsens innflytelse på norsk og dansk sykepleie.* Oslo: ad Notam Gyldendal. [Introduction. In M. Kirkevold, F. Nortvedt, & H. Alvsvåg (Eds.), *Wisdom and skill: Kari Martinsen's influence on Norwegian and Danish nursing.* Oslo: ad Notam Gyldendal.]

Kirkevold, M. (1998). *Sykepleieteorier—Analyse og evaluering.* Oslo: ad Notam Gyldendal. 2. utgave. [*Nursing theories—analysis and evaluation* (2nd ed.). Oslo: ad Notam Gyldendal.]

Kirkevold, M. (2000). Utviklingstrekk i Kari Martinsens forfatterskap. I H. Alvsvåg & E. Gjengedal (red.), *Omsorgstenkning—En innføring i Kari Martinsens forfatterskap.* Bergen: Fagbokforlaget. [Developmental characteristics in the writings of Kari Martinsen. In H. Alvsvåg & E. Gjengedal (Eds.), *Caring thought: an introduction to the writings of Kari Martinsen.* Bergen: Fagbokforlaget.]

Kirkevold, M., Nortvedt, F., & Alvsvåg, H. (red.) (1993). *Klokskap og kyndighet. Kari Martinsens innflytelse på norsk og dansk sykepleie.*Oslo: Gyldendal Academisk. [*Wisdom and skill. Kari Martinsen's influence on Norwegian and Danish nursing.*Oslo: Gyldendal Academisk.]

Kjær, T. (2000). Fænomenologi, etikk og fortælling: I H. Alvsvåg & E. Gjengedal (red.), *Omsorgstenkning—En innføring i Kari Martinsens forfatterskap.* Bergen: Fagbokforlaget. [Phenomenology, ethics and narrative. In H. Alvsvåg & E. Gjengedal (Eds.), *Caring thought: an introduction to the writings of Kari Martinsen.*Bergen:Fagbokforlaget.]

Kristoffersen, N. J. (2002). *Generell sykepleie.* Oslo: Universitetsforlaget. [*Fundamental nursing.* Oslo:Universitetsforlaget.]

Larsen, I. B. (2009). *"Det sitter i veggene" Materialitet og mennesker i distriktspsykiatriske sentra.* Avhandling for philosophiae doctor (PhD). Universitetet i Bergen. [*"It's in the woodwork"—materiality and people in Regional Psychiatric Centers.* Dissertation for the degree of philosophiae doctor (PhD). University of Bergen.]

Lubcke, P. (red.) (1983). *Politikens filosofiske leksikon.* København: Politikens Forlag. [*Politiken's philosophical lexicon.* Copenhagen: Politikens Forlag.]

Malchau, S. (2000). Kaldet. I H. Alvsvåg & E. Gjengedal (red.), *Omsorgstenkning—En innføring i Kari Martinsens forfatterskap.* Bergen: Fagbokforlaget. [The call. In H. Alvsvåg & E. Gjengedal (Eds.), *Caring thought: An introduction to the writings of Kari Martinsen.* Bergen: Fagbokforlaget.]

Mark, E. (2008). *Restriktiv spising i narrativ belysning. En fænomenologisk undersøgelse af børns oplevelser af spisning ved diabetes eller overvægt.* PhD. Det humanistiske fakultet. Aalborg Universitet. [*Restrictive eating in a narrative perspective. A phenomenological study of children's experience of eating in relation to diabetes or obesity.* PhD. School of Humanities, Aalborg University.

Martinsen K. (1975). *Filosofi og sykepleie. Et marxistisk og fenomenologisk bidrag.* Filosofisk institutes stensilserie nr. 34. Bergen: Universitetet i Bergen. [*Philosophy and nursing: a Marxist and phenomenological contribution* (Philosophical Institute's Stencil Series No. 34). Bergen: University of Bergen.]

Martinsen, K. (1976). Historie og sykepleie—Momenter til en utdanningsdebatt. *Kontrast*, *7*, 430-446. [History and nursing—elements of an educational debate. *Contrast*, *7*,430–446.]

Martinsen, K. (1977). Nightingale—Ingen opprører bak myten. *Sykepleien 18*(65), 1022–1025. [Nightingale—no rebel behind the myth. *Nursing*, *18*(65),1022–1025.]

Martinsen, K. (1978). Det 'kliniske blikk' i medisinen og i sykepleien. *Sykepleien*, *20*(66), 1271-1272. [The 'clinical gaze' in medicine and in nursing. *Nursing*, *20*(66),1271–1272.]

Martinsen, K. (1979a). Den engelske sanitation—Bevegelsen, hygiene og synet på sykdom. I Ø. Larsen (red.), *Synet på sykdom.* Oslo: Seksjon for medisinsk historie, Universitetet i Oslo. [The English sanitation movement, hygiene and the view of illness. In Ø. Larsen (Ed.), *The view of illness.* Oslo: University of Oslo (Section for medicalhistory).]

Martinsen, K. (1979b). Diakonissesykepleiens framvekst. Fra vekkelser og kvinneforeninger til moderhus og fattigomsorg. I NAVF's sekretariat for kvinneforskning (red.), *Lønnet* og *ulønnet omsorg. En seminarrapport.* Arbeidsnotat nr. 5/79. Oslo: NAVF. [Development of the professional trained Christian nurses. From revival and woman's charitable groups to the mother house and care of the poor. In NAVF's Secretariat for Feminist Research (Ed.), *Paid and unpaid care: a seminar report.* Working paper no. 5/79. Oslo: NAVE]

Martinsen, K. (1984). *Sykepleiens historie. Freidige og uforsagte diakonisser. Et omsorgsyrke vokser fram 1860–1905.*Oslo: Aschehoug/Tanum-Norli. [*History of nursing: frank and engaged deaconesses: a caring profession emerges 1860–1905* Oslo:Aschehoug/Tanum-Norli.]

Martinsen, K. (1989a). Helsepolitiske problemer og helsepolitisk tenkning bak sykehusloven av 1969. I K. Martinsen, *Omsorg, sykepleie og medisin. Historisk-filosofiske essays.* Oslo: Tano Forlag. [Health policy problems and health policy thinking behind the hospital law of 1969. In K. Martinsen, *Caring, nursing and medicine: historical-philosophical essays.* Oslo: Tano Forlag.]

Martinsen, K. (1989b). Legers interesse for svangerskapet—En del av den perinatale omsorg. Tidsrommet ca. 1890-1940. I K. Martinsen, *Omsorg, sykepleie og medisin. Historisk-filosofiske essays.* Oslo: Tano Forlag. [The doctor's interest in pregnancy—part of perinatal care: The period ca. 1890–1940. In K. Martinsen, *Caring, nursing and medicine: historical-philosophical essays.*Oslo: Tano Forlag.]

Martinsen, K. (1989c). *Omsorg, sykepleie og medisin. Historisk-filosofiske essays.*Oslo: Tano Forlag. [*Caring, nursing and medicine: historical-philosophical essays.* Oslo: Tano Forlag.]

Martinsen, K. (1990). Moralsk praksis og dokumentasjon i praktisk sykepleie. I T. Jensen, L. U. Jensen, & W. C. Kim (red.), *Grundlagsproblemer i sygeplejen. Etik, videnskabsteori, ledelse & samfunn.* Aarhus: Philosophia. [Practice and documentation in practical nursing. In T. Jensen, L. U. Jensen, & W. C. Kim (Eds.), *Foundational problems in nursing: ethics, theories of science, leadership and society.* Aarhus: Philosophia.]

Martinsen, K. (red.) (1993a). *Den omtenksomme sykepleier.* Oslo: Tano. [*The thoughtful nurse.* Oslo: Tano.]

Martinsen, K. (1993b). *Fra Marx til Løgstrup. Om moral, samfunnskritikk og sanselighet i sykepleien.* Oslo: Tano Forlag. [*From Marx to Løgstrup: on morality, social criticism and sensuousness in nursing.* Oslo: Tano Forlag.]

Martinsen, K. (1996). *Fenomenologi og omsorg. Tre dialoger.* Oslo: Tano-Aschehoug. [*Phenomenology and caring: three dialogues.* Oslo:Tano-Aschehoug.]

Martinsen, K. (1997a). De etiske fortellinger. *Omsorg, 1*(14), 58-63. [The ethical narratives. *Caring*, *1*(14), 58–63.]

Martinsen, K. (1997b). Etikk og kall, kultur og kropp—En dialog med Patricia Benner. I M. Sæther (red.), *Sykepleiekonferanse på Nordkalottens tak.* Tromsø: Universitetet i Tromsø. [Ethics and vocation, culture and the body—a dialogue with Patricia Benner. In M. Sæther (Ed.), *Nursing conference on the roof of Nordkalotten.* Tromsø: University of Tromsø.]

Martinsen, K. (2000a). Kjærlighetsgjerningen og kallet. Betraktninger omkring Rikke Nissens "Lærebog i Sygepleje for diakonisser". I R. Nissen, *Lærebog i Sygepleie. Med etterord av Kari Martinsen.* Oslo: Gyldendal Akademisk. [The loving act and the call. Reflections on Rikke Nissen's *textbook of nursing for deaconesses.* In R. Nissen, *Textbook of nursing. With afterword by Kari Martinsen.* Oslo: Gyldendal Akademisk.]

Martinsen, K. (2000b). *Øyet og kallet.* Bergen: Fagbokforlaget. [*The eye and the call.*

Bergen:Fagbokforlaget.]

Martinsen, K. (2001). Huset og sangen, gråten og skammen. Rom og arkitektur som ivaretaker av menneskets verdighet. I T. Wyller (red.), *Skam. Perspektiver på skam, ære og skamløshet i det moderne.* Bergen: Fagbokforlaget. [The house and the song, the tears and the shame: space and architecture as caretakers of human dignity. In T. Wyller (Ed.), *Shame. Perspectives on shame, honor and shamelessness in modernity.* Bergen: Fagbokforlaget]

Martinsen, K. (2002a). Livsfilosofiske betraktninger. *Diakoninytt*, *3*(118), 8–12. [Reflections on the philosophy of life. *Deaconry News*, *3*(118),8–12.]

Martinsen, K. (2002b). Rommets tid, den sykes tid, pleiens tid. I I. T. Bjørk, S. Helseth, & F. Nortvedt (red.), *Møte mellom pasient og sykepleier.*Oslo: Gyldendal Akademisk. [The room's time, the ill person's time, nursing time. In I. T. Bjørk, S. Helseth, & F. Nortvedt (Eds.), *The meeting between patient and nurse.* Oslo: Gyldendal Akademisk.]

Martinsen, K. (2002c). Samtalen, kommunikasjonen og sakligheten i omsorgsyrkene. *Omsorg*, *1*(19), 14–22. [Conversation, communication and professionality in the caring professions. *Caring*, *1*(19), 14–22.]

Martinsen, K. (2003a). Disiplin og rommelighet I K. Martinsen & T. Wyller (red.), *Etikk, disiplin og dannelse. Elisabeth Hagemanns etikkbok—Nye lesinger.* Oslo: Gyldendal Akademisk. [Discipline and spaciousness. In K. Martinsen & T. Wyller (Eds.), *Ethics, discipline and refinement: Elizabeth Hagemann's ethics book—new readings.* Oslo: Gyldendal Akademisk.]

Martinsen, K. (2003b). *Omsorg, sykepleie og medisin. Historisk-filosofiske essays.* 2. utgave. Oslo: Universitetsforlaget. [*Caring, nursing and medicine: historical-philosophical essays* (2nd ed.). Oslo: University Press.]

Martinsen, K. (2003c). Talens åpenhet og evidens—Dialog med Jens Bydam. *Klinisk Sygepleje,* 4(17), 36-46. [The openness of speech and evidence—dialogue with Jens Bydam. *Clinical Nursing*, *4*(17), 36–46.]

Martinsen, K. (2004b). Skjønn—Språk og distanse—Dialog med Jens Bydam. *Klinisk Sygepleje*, *2*(18), 50-56. [Discernment—language and distance—dialogue with Jens Bydam. *Clinical Nursing*, *2*(18), 50–56.]

Martinsen, K. (2005). *Samtalen, skjønnet og evidensen.* Oslo: Akribe. [*Dialog, Discernment and the Evidence.* Oslo: Akribe.]

Martinsen, K. (2006). *Care and Vulnerability.* Oslo: Akribe (English original).

Martinsen, K. (2009). *Å se og å innse—om ulike former for evidens.* Oslo: Akribe. [*To see and to realize—on various forms of evidence.* Oslo: Akribe.].

Martinsen, K. (2012b). *Løgstrup og sykepleien.* Århus: Klim Forlag. [*Løgstrup and Nursing.* Aarhus: Klim.]

Martinsen, K. (2012c). *Løgstrup og sykepleien.* Oslo: Akribe.. [*Løgstrup and Nursing.* Oslo: Akribe.]

Martinsen, K., & Wærness, K. (1979). *Pleie uten omsorg?* Oslo: Pax Forlag A/S. [*Caring without care?* Oslo: Pax Forlag.]

Martinsen, K., & Wyller, T. (ed.) (2003). *Etikk, disiplin og dannelse. Elisabeth Hagemanns etikkbok—Nye lesinger.* Oslo: Gyldendal Akademisk. [*Ethics, discipline and refinement: Elizabeth Hagemann's ethics book—new readings.* Oslo: Gyldendal Akademisk.]

Mekki, T. E., & Tollefsen, S. (2000). *På terskelen. Introduksjon til sykepleie som fag og yrke. Oslo: Akribe. [On the threshold: introduction to nursing as discipline and profession.* Oslo: Akribe.]

Nielsen, B. K. (Ed.) (2011). *Sygeplejebogen 3. Teori og metode.* 3. utg. København: Gads Forlag. [*Nursing textbook 3. Theoretical-methodical basis of clinical nursing.* Copenhagen: Gads.]

Nissen, R. (2000). *Lærebog i Sygepleie. Med etterord av Kari Martinsen.* Oslo: Gyldendal Akademisk. [*Textbook of nursing. With an afterword by Kari Martinsen.* Oslo: Gyldendal Akademisk.]

Olsen, R. H. (1998). *Klok av erfaring? Om sansing og oppmerksomhet, kunnskap og refleksjon i praktisk sykepleie.* Oslo: Tano Aschehoug. [*Wise with experience? On sensation and attention, knowledge and reflection in practical nursing.* Oslo: Tano Aschehoug.]

Overgaard, A. E. (2003). *Åndelig omsorg—En lærebog.* København: Nytt Nordisk Forlag Arnold Busck. [*Spiritual care—Textbook.* Copenhagen: Nyt Nordisk Forlag Arnold Busck.]

Solvoll, B.A. (2007). *Omsorgsferdigheter som pedagogisk prosjekt—en feltstudie i sykepleieutdanningen.* Oslo: Universitetet i Oslo, Det medisinske fakultet, nr. 540. [*Caring skills as pedagogical project—a field study in nursing education.* Oslo: University of Oslo, Faculty of Medicine, Doctoral Dissertation No.540.]

Thorsen, R., Mæhre, K. S., & Martinsen, K. (eds.) (2012). *Fortellinger om etikk.* Bergen: Fagbokforlaget. [Narratives on ethics].

Walstad, P. B. (2006). *Dannelse og Duelighed for livet. Dannelse og yrkesutdanning i den grundtvigske tradisjon.* Trondheim: Norges teknisk-naturvitenskapelige universitet, NTNU Doctoral dissertations 2006:88. [*Education and capability for life. Education and professional training in the Grundtvigian tradition.* Trondheim: Norges teknisk-naturvitenskapelige universitet, NTNU Doctoral Dissertation 2006:88.]

BIBLIOGRAPHY*

Primary Sources

Books

Martinsen K. (1975). *Filosofi og sykepleie. Et marxistisk og fenomenologisk bidrag.* Filosofisk instituts stensilserie nr. 34. Bergen: Universitetet i Bergen. [*Philosophy and nursing: a Marxist and phenomenological contribution.* Philosophical Institute's Stencil Series No. 34. Bergen: University of Bergen.]

Martinsen, K. (1979). *Medisin og sykepleie, historie og samfunn.* Oslo: Norsk Sykepleierforbund. [*Medicine and nursing, history and society.* Oslo: The Norwegian Nursing Association.]

Martinsen, K. (1984). *Sykepleiens historie. Freidige og uforsagte diakonisser. Et omsorgsyrke vokser fram 1860–1905.* Oslo: Aschehoug/Tanum-Norli. [*History of nursing: frank and engaged deaconesses. a caring profession emerges 1860–1905.* Oslo: Aschehoug/Tanum-Norli.]

Martinsen, K. (1989). Omsorg, sykepleie og medisin. Historisk-filosofiske essays. Oslo: Tano Forlag. [*Caring, nursing and medicine. Historical-philosophical essays.* Oslo: Tano Forlag.]

Martinsen, K. (red.) (1993). *Den omtenksomme sykepleier.* Oslo: Tano. [*The thoughtful nurse.* Oslo: Tano.]

Martinsen, K. (1993). *Fra Marx til Løgstrup. Om moral, samfunnskritikk og sanselighet i sykepleien.* Oslo: Tano Forlag. [*From Marx to Løgstrup. On morality, social criticism and sensuousness in nursing.* Oslo: Tano Forlag.]

Martinsen, K. (1996). *Fenomenologi og omsorg. Tre dialoger.* Oslo: Tano-Aschehoug. [*Phenomenology and caring. Three dialogues.* Oslo: Tano-Aschehoug.]

Martinsen, K. (2000). *Øyet og kallet.* Bergen: Fagbokforlaget. [*The eye and the call.* Bergen: Fagbokforlaget.]

Martinsen, K. (2005). *Samtalen, skjønnet og evidensen.* Oslo: Akribe. *Dialog, discernment and evidence.* Oslo: Akribe.

Martinsen, K. (2006). *Care and vulnerability.* Oslo: Akribe (English original).

Martinsen, K. (2008). *Å se og å innse—om ulike former for evidens.* Oslo: Akribe. [*To see and to realize—on various forms of evidence.* Oslo: Akribe.] (In process with Katie Ericsson).

Martinsen, K. (2012). *Løgstrup og sykepleien [Løgstrup and Nursing].* Århus: KLIM Forlag.

Martinsen, K. (2012). *Løgstrup og sykepleien [Løgstrup and Nursing].* Oslo: Akribe.

Martinsen, K., & Wærness, K. (1979). *Pleie uten omsorg?* Oslo: Pax Forlag A/S. [*Caring without care?* Oslo: Pax Forlag.]

Martinsen, K., & Wyller, T. (red.) (2003). *Etikk, disiplin og dannelse. Elisabeth Hagemanns etikkbok—Nye lesinger.* Oslo: Gyldendal Akademisk. [*Ethics, discipline and refinement. Elizabeth Hagemann's ethics book—new readings.* Oslo: Gyldendal Akademisk.]

Thorsen, R., Mæhre, K.S. & Martinsen, K. (red.) (2012). *Fortellinger om etikk. [Narratives on ethics].* Bergen: Fagbokforlaget.

* Norwegian titles are provided with approximate translation into English.

Book Chapters

Martinsen, K. (1972). Samfunnets krise og sykepleiernes oppgave. I I. K. Haugen, T. Malmin, S. Midtgaard, & K. Nicolaysen (red.), *Pedialogen* (s. 3–14). Oslo: Norsk Sykepleierforbund. [The crises of society and the nursing objectives. In I. K. Haugen, T. Malmin, S. Midtgaard, & K. Nicolaysen (Eds.), *Pedialog* (pp. 3–14). Oslo: Norwegian Nursing Association.]

Martinsen, K. (1972). Sykepleie som sosial-moralsk praksis. I I. K. Haugen, T. Malmin, S. Midtgaard, & K. Nicolaysen (red.), *Pedialogen* (s. 15–36). Oslo: Norsk Sykepleierforbund. [Nursing as social and moral practice. In I. K. Haugen, T. Malmin, S. Midtgaard, & K. Nicolaysen (Eds.), *Pedialog* (pp. 15–36). Oslo: Norwegian Nursing Association.]

Martinsen, K. (1978). Fra ufaglært fattigsykepleie til profesjonelt yrke—Konsekvenser for omsorg. I B. Persson, K. Ravn, & R. Truelsen (red.), *Fokus på sygeplejen-79. Årbok* (s. 128–157). København: Munksgaard. [From unskilled nursing the poor to professional occupation—consequences for nursing. In B. Persson, K. Ravn, & R. Truelsen (Eds.), *Focus on nursing* (Annual 79, pp. 128–157). Copenhagen: Munksgaard.]

Martinsen, K. (1979). Den engelske sanitation-bevegelsen, hygiene og synet på sykdom. I Ø. Larsen (red.), *Synet på sykdom* (s. 78–87). Oslo: Seksjon for medisinsk historie, Universitetet i Oslo. [The English sanitation movement: Hygiene and the view of illness. In Ø. Larsen (Ed.), *The view of illness* (pp. 78–87). Oslo: University of Oslo, Section for Medical History.]

Martinsen, K. (1979). Diakonissesykepleiens framvekst. Fra vekkelser og kvinneforeninger til moderhus og fattigomsorg. I NAVF's sekretariat for kvinneforskning (red.), *Lønnet og ulønnet omsorg. En seminarrapport* (Arbeidsnotat nr. 5, s. 135–170). Oslo: NAVF. [Development of the professional trained Christian nurses: From revival and woman's charitable groups to the mother house and care of the poor. In NAVF's Secretariat for Feminist Research (Ed.), *Paid and unpaid care: A seminar report* (Working paper no. 5, pp. 135–170). Oslo: NAVF.]

Martinsen, K. (1979). Diakonissene. I E. Mehlum (red.), *Bak maskinene, under fanene.* Utgitt i forbindelse med "Kristiania-utstillingen" om arbeidsfolk i byen for 100 år siden (s. 54–56). Oslo: Tiden. [Deconesses. In E. Mehlum (Ed.), *Behind the machines and the banners* (pp. 54–56). Oslo: Tiden.] Published in connection with "The Christiania (Oslo) exhibition" on the condition of workers 100 years ago.

Martinsen, K. (1979). Sykepleien, historien og den omvendte omsorgen. I R. Wendt (red.), *Utveckling av omvårdnadsarbete* (s. 90–102). Lund: Studentlitteratur. [Nursing, history and the converse caring. In R. Wendt (Ed.), *Development of health care* (pp. 90–102). Lund: Studentlitteratur.]

Martinsen, K. (1979). Sykepleien i historisk perspektiv: Fra omsorg mot egenomsorg. I M. S. Fagermoen & R. Nord (red.), *Sykepleie: Teori/praksis* (s. 5–23). Oslo: Norwegian Nursing Association. [Nursing in a historical perspective: from care to self caring. In M. S. Fagermoen & R. Nord (Eds.), *Nursing: Theory/practice* (pp. 5–23). Oslo: Norwegian Nursing Association.]

Martinsen, K. (1981). Diakonisser. I H. F. Dahl, J. Elster, I. Iversen, S. Nørve, T. I. Romøren, R. Slagstad, m.fl. (red.), *Pax leksikon.* Oslo: Pax Forlag (s. 89–90). [Deaconessses. In H. F. Dahl, J. Elster, I. Iversen, S. Nørve, T. I. Romøren, R. Slagstad, et al. (Eds.), *Pax lexicon* (pp. 89–90). Oslo: Pax Forlag.]

Martinsen, K. (1981). Guldberg, Cathinka. I H. F. Dahl, J. Elster, I. Iversen, S. Nørve, T. I. Romøren, R. Slagstad, m.fl. (red.), *Pax leksikon* (s. 553-554). Oslo: Pax forlag. [Guldberg, Cathinka. In H. F. Dahl, J. Elster, I. Iversen, S. Nørve, T. I. Romøren, R. Slagstad, et al. (Eds.), *Pax lexicon* (pp. 553–554). Oslo: Pax Forlag.]

Martinsen, K. (1981). Nightingale, Florence. I H. F. Dahl, J. Elster, I. Iversen, S. Nørve, T. I. Romøren, R. Slagstad, m.fl. (red.), *Pax leksikon* (s. 448–449). [Nightingale, Florence. In H. F. Dahl, J. Elster, I. Iversen, S. Nørve, T. I. Romøren, R. Slagstad, et al. (Eds.), *Pax lexicon* (pp. 448–449). Oslo: Pax Forlag.]

Martinsen, K. (1981). Omsorg i sykepleie. I E. Barnes & S. Solbak (red.), *Sykepleielære 1.*Lærebok for hjelpepleiere (Kap. 3). Oslo: Aschehoug. [Care in nursing. In E. Barnes & S. Solbak (Eds.), *Nursing textbook 1. Textbook for licensed practical nurses* (Chapter 3). Oslo:Aschehoug.]

Martinsen, K. (1981). Sykepleier. I H. F. Dahl, J. Elster, I. Iversen, S. Nørve, T. I. Romøren, R. Slagstad, m.fl. (red.), *Pax leksikon* (s. 179–180). [Nurse. In H. F. Dahl, J. Elster, I. Iversen, S. Nørve, T. I. Romøren, R.

Slagstad, et al. (Eds.), *Pax lexicon* (pp. 179–180). Oslo: PaxForlag.]

Martinsen, K. (1981). Sykepleieraksjonen 1972. I H. F. Dahl, J. Elster, I. Iversen, S. Nørve, T. I. Romøren, R. Slagstad, m.fl. (red.), *Pax leksikon* (s. 180–181). Oslo: Pax forlag. [Nurses on strike 1972. In H. F. Dahl, J. Elster, I. Iversen, S. Nørve, T. I. Romøren, R. Slagstad, et al. (Eds.), *Pax lexicon* (pp. 180–181). Oslo: Pax Forlag.]

Martinsen, K. (1981). Sykepleierforbund, Norsk (NSF). I H. F. Dahl, J. Elster, I. Iversen, S. Nørve, T. I. Romøren, R. Slagstad, m.fl. (red.), *Pax leksikon* (s. 181–183). Oslo: Pax Forlag. [Nursing association. In H. F. Dahl, J. Elster, I. Iversen, S. Nørve, T. I. Romøren, R. Slagstad, et al. (Eds.), *Pax lexicon* (pp. 181–183). Oslo: Pax Forlag.]

Martinsen, K. (1981). Trekk av hjelpepleiernes historie. I E. Barnes & S. Solbak (red.), *Sykepleielære 1. Lærebok for hjelpepleiere.* (Kap. 2). Oslo: Aschehoug. [Aspects of licensed practical nurse history. In E. Barnes & S. Solbak (Eds.), *Nursing textbook 1. Textbook for licensed practical nurses* (Chapter 2). Oslo: Aschehoug.]

Martinsen, K. (1985). Organisering av omsorg: diakonisser i Norge. I J. Bjørgum, K. Gundersen, S. Lie, & K. Vogt (red.), *Kvinnenes kulturhistorie* (s. 131–134). Oslo: Universitetsforlaget. [Organization of care: deaconesses in Norway. In J. Bjørgum, K. Gundersen, S. Lie, & K. Vogt (Eds.), *Woman's cultural history* (pp. 131–134). Oslo: Universitetsforlaget.]

Martinsen, K. (1986). Sykepleierne—Helsemisjonerer, oppdragere og profesjonelle yrkeskvinner. I I. Fredriksen & H. Rømer (red.), *Kvinder, Mentalitet og arbejde. Kvindehistorisk forskning i Norden* (s. 151–156). Aarhus: Aarhus universitetsforlag. [Nurses—health missionaries, educators and professional working women. In I. Fredriksen & H. Rømer (Eds.), *Woman, mentality and work: research on feminist history in Nordic countries*(pp. 151–156). Aarhus: Aarhus universitetsforlag.]

Martinsen, K. (1987). Ledelse og omsorgsrasjonalitet—Gir patriarkatbegrepet innsikt? I NAVFs sekretariat for kvinneforskning (red.), *Kjønn og makt: teoretiske perspektiver* (s. 18–26). Arbeidsnotat nr. 2. Oslo: NAVF. [Leadership and rationality of care—does the concept of patriarchy yield insight? In *Gender and power: theoretical perspectives* (Working paper no. 2, pp. 18–26). Oslo: NAVF.]

Martinsen K. (1989). Omsorg i sykepleien—In moralsk utfordring. I B. Persson, J. Petersen, & R. Truelsen (red.), *Fokus på sygeplejen-90* (s. 181–200). København: Munksgaard. [Caring in nursing—a moral challenge. In B. Persson, J. Petersen, & R. Truelsen (Eds.), *Focus on Nursing—90* (pp. 181–200). Copenhagen: Munksgaard.]

Martinsen, K. (1990). Fra resultater til situasjoner: Omsorg, makt og solidaritet. I Samkvind (Center for samfundsvidenskabelig kvindeforskning). *Kvinder og kommuner i Norden* (s. 61–82), København: Samkvind. [From results to situations: Care, power and solidarity. In Samkvind (Center for Feminist Research), *Woman and municipals in Nordic countries* (pp. 61–82). Copenhagen: Samkvind.]

Martinsen, K. (1990). Moralsk praksis og dokumentasjon i praktisk sykepleie. I T. Jensen, L. U. Jensen, & W. C. Kim (red.), *Grundlagsproblemer i sygeplejen. Etik videnskabsteori, ledelse & samfunn* (s. 60–84). Aarhus: Philosophia. [Moral practice and documentation in practical nursing. In T. Jensen, L. U. Jensen, & W. C. Kim, *Foundational problems in nursing: ethics, theories of science, leadership and society*(pp. 60–84). Aarhus: Philosophia.]

Martinsen, K. (1993). Etikk og diakoni. I P. Frølich, J. Midtbø, & A. Tang, *Bergen Diakonissehjem 75 år* (s. 22-26). Bergen: Bergen Diakonissehjem. [Etichs and Diaconi. In P. Frølich, J. Midtbø, & A. Tang, *Bergen Diakonissehjem 75 years* (pp. 22–26). Bergen: Bergen Diakonissehjem.]

Martinsen, K. (1993). Omsorgens filosofi og dens praksis. I H. M. Dahl (red.), *Omsorg og kjærlighet i velfærdsstaten* (Samfundsvidenskabelig kvindeforskning/Cekvina (s. 7–23). Århus: Universitetet i Århus. [Caring philosophy and its practice. In H. M. Dahl (Ed.), *Care and love in the welfare state* (Social scientifically woman studies, pp. 7–23). Århus: The University ofÅrhus.]

Martinsen, K. (1995). Omsorgsfeltet i den kliniske sygepleje. I I. Andersen & M. G. Erikstrup (red.), *Statens sundhedsvidenskabelige forskningsråds sygeplejeforskn-ingsinitiativ. Betydning for sygeplejepraksis* (s. 31–43). Århus: Århus Universitet. [Area for care in clinical nursing. In I. Andersen & M. G. Erikstrup (Eds.), *The state's initiative in nursing science. the significance for nursing practice* (pp. 31–43). Århus: Århus University.]

Martinsen, K. (1997). Etikk og kall, kultur og kropp—En dialog med Patricia Benner. I M. Sæther (red.),

Sykepleiekonferanse på Nordkalottens tak (s. 111–157). Tromsø: Universitetet i Tromsø. [Ethics and vocation, culture and the body—a dialogue with Patricia Benner. In M. Sæther (Ed.), *Nursing conference on the roof of Nordkalotten* (pp. 111–157). Tromsø: University of Tromsø.]

Martinsen, K. (1999). Etikken og kulturen, og kroppens sårbarhet. I K. Christensen & L. J. Syltevik (red.), *Omsorgens forvitring? En antologi om utfordringer i velferdsstaten—Tilegnet Kari Wærness* (s. 241–269). Bergen: Fagbokforlaget. [Ethics and culture, and vulnerability of the body. In K. Christensen & L. J. Syltevik (Eds.), *Weathering of caring? An anthology about challenges in the welfare state—dedicated to Kari Wærness* (pp. 241–269). Bergen:Fagbokforlaget.]

Martinsen, K. (2000). Kjærlighetsgjerningen og kallet. Betraktninger omkring Rikke Nissens "Lærebog i Sygepleje for diakonisser". I R. Nissen, *Lærebog i Sygepleie. Med etterord av Kari Martinsen* (s. 245–300). Oslo: Gyldendal Akademisk. [The loving act and the call. Reflections on Rikke Nissen's *Textbook of nursing for deaconesses.* In R. Nissen, *Textbook of nursing. With afterword by Kari Martinsen* (pp. 245–300). Oslo: Gyldendal Akademisk.]

Martinsen, K. (2001). Huset og sangen, gråten og skammen. Rom og arkitektur som ivaretaker av menneskets verdighet. I T. Wyller (red.), *Skam: Perspektiver på skam, ære og skamløshet i det moderne* (s. 167–190). Bergen: Fagbokforlaget. [The house and the song, the tears and the shame: space and architecture as caretakers of human dignity. In T. Wyller (Ed.), *Shame: perspectives on shame, honor and shamelessness in modernity* (pp. 167–190). Bergen: Fagbokforlaget.]

Martinsen, K. (2002). Rikke Nissen. Kjærlighetsgjerningen og sykestuen. I R. Birkelund (red.), *Omsorg, kald og kamp. Personer og ideer i sygeplejens historie* (s. 305–328). København: Munksgaard forlag. [The loving act and the room for the sick. In R. Birkelund (Ed.), *Care, vocation and love in action and the sick-room. Persons and ideas in nursing history* (pp. 305–328). Copenhagen: Munksgaard.]

Martinsen, K. (2002). Rommets tid, den sykes tid, pleiens tid. I I. T. Bjørk, S. Helseth, & F. Nortvedt (red.), *Møte mellom pasient og sykepleier* (s. 250–271). Oslo: Gyldendal Akademisk. [The room's time, the ill person's time, nursing time. In I. T. Bjørk, S. Helseth, & F. Nortvedt (Eds.), *The meeting between patient and nurse* (pp. 250–271). Oslo: Gyldendal Akademisk.]

Martinsen, K. (2003). Disiplin og rommelighet. I K. Martinsen & T. Wyller (red.), *Etikk, disiplin og dannelse. Elisabeth Hagemanns etikkbok—Nye lesinger* (s. 51–85). Oslo: Gyldendal Akademisk. [Discipline and spaciousness. In K. Martinsen & T. Wyller (Eds.), *Ethics, discipline and refinement. Elizabeth Hagemann's ethics book—new readings* (pp. 51–85). Oslo: Gyldendal Akademisk.]

Martinsen, K. (2005). Å bo på sykehuset og erfare arkitektur. I K. Larsen (red.), *Arkitektur, kropp og løring.* København: Reitzels forlag. [To dwell in hospitals and experience architecture. In K. Larsen (Ed.), *Architecture, body and learning.* Copenhagen: Reitzels forlag.]

Martinsen, K. (2005). Sårbarheten og omveiene. Løgstrup og sykepleien. I D. Bugge, P. Bøvadt and P. Sørensen (red.). *Løgstrups mange ansikter* (s. 255–270). Fredriksberg: Anis. [Vulnerability and detours. Løgstrup and nursing. In D. Bugge, P. Bøvadt, and P. Sørensen (Eds.). *Løgstrup's many faces* (pp. 255–270). Fredriksberg: Anis.]

Martinsen, K. (2007). Angår du meg? Etisk fordring og disiplinert godhet. I H. Alvsvåg & O. Førland (red.). *Engasjement og læring* (s. 315–344). Oslo: Akribe. [Do you concern me? Ethical demand and disciplined goodness. In H. Alvsvåg & O. Førland (Ed.), *Commitment and learning* (pp 315–344) Oslo: Akribe.]

Martinsen, K., Beedholm, K., and Fredriksen, K. (2007). Metadebatten der forsvandt. I K. Fredriksen, K. Lomborg, & U. Zeitler (red.). *Perspektiver på forskning* (s. 43–55). Århus: JCVU udviklingsinitiativet for sygeplejerskeuddannelsen. [The Meta debate that disappeared. In K. Fredriksen, K. Lomborg, and U. Zeitler (Eds.). *Perspectives on research* (pp 43–55). Århus: JCVU udviklingsinitiativet for sygeplejerskeuddannelsen.

Martinsen, K. (2008). Modernitet, avtrylling og skam. En måte å lese vestens medisin på i det moderne. In K. A. Petersen and M. Høyen (red.). *At sette spor på en vandring fra Aquinas til Bordieu—æresbog til Staf Callewaert.* Forlag@hexis.dk [Modernity, disenchantment and shame. A way of reading Western medicine in the modern. In K. A. Petersen and M. Høyen (Eds.), *Leaving a trail on the way from Aquinas to Bordieu—honorary volume for Staf Callewaert.* Forlag@hexis.dk]

Martinsen, K. (2012). Skammens to sider [The two faces of shame]. In Thorsen, R., Mæhre, K. S., & Martinsen, K. (Eds.), (2012). *Fortellinger om etikk [Narratives on ethics]*. Bergen: Fagbokforlaget.

Martinsen, K. (2012). Etikk i sykepleien—mellom spontanitet og ettertanke [Ethics in Nursing—between spontaneity and reflection]. In: M. Pahuus & P.K. Telleus (Eds.), *Antologi—Anvendt etikk—problemer og arbejdsområder [Anthology—Applied Ethics— Problems and areas of application]*. Aalborg: Aalborg Universitetsforlag [Aalborg University Press].

Journal Articles

Martinsen, K. (1976). Historie og sykepleie—Momenter til en utdanningsdebatt. *Kontrast, 7*(12), 430-446. [History and nursing—Elements of an educational debate. *Contrast*, *7*(12), 430–446.]

Martinsen, K. (1977). Nightingale—Ingen opprører bak myten. *Sykepleien*, *18*(65), 1022–1025. [Nightingale—No rebel behind the myth. *Nursing*, *18*(65),1022–1025.]

Martinsen, K. (1978). Det 'kliniske blikk' i medisinen og i sykepleien. *Sykepleien*, *20*(66), 1271–1272. [The "clinical gaze" in medicine and in nursing. *Nursing*, *20*(66), 1271–1272.]

Martinsen, K. (1981). Omsorgens filosofi og omsorg i praksis. *Sykepleien*, *8*(69), 4–10. [The philosophy of caring—And the practice. *Nursing*, *8*(69), 4-10.]

Martinsen, K. (1982). Den tvetydige veldedigheten. *Sosiologi i dag,* temanummer *Kvinner og omsorgsarbeid*, *1*(12), 29-41. [The ambiguity of charity. *Sociology*, *1*(12), 29–41.]

Martinsen, K. (1982). Diakonissene—De første faglærte sykepleiere. *Sykepleien*, *7*(70), 6–9. [The deaconesses—The first professionally trained nurses. *Nursing*, *7*(70), 6–9.]

Martinsen, K. (1985). Kallsarbeidere og yrkeskvinner: Diakonissene—Våre første sykepleiere. *Forskningsnytt,* temanummer: *Kvinner og arbeid*, *1*,18-23. [Women with a calling and a profession: the deaconesses—our first nurses. *News in Science*, *1*,18–23.]

Martinsen, K. (1985). Sykepleiertradisjonen—Et nødvendig korrektiv til dagens sykepleieforskning. *Sykepleien*, *15*(73), 6–14. [The nursing tradition—a necessary corrective to today's nursing science. *Nursing*, *15*(73), 6–14.]

Martinsen, K. (1986). Omsorg og profesjonalisering—Med fagutviklingen i sykepleien som eksempel. *Nytt om kvinneforskning*, *2*(10), 21–32. [Care and professionalism—an example from the development in nursing. *News in Woman Science*, *2*(10), 21–32.]

Martinsen, K. (1987). Arbeidsdeling—Kjønn og makt. *Sykepleien*, *1*(74), 18–23. [Division of labor—gender and power. *Nursing*, *1*(74), 18–23.]

Martinsen, K. (1987). Endret kunnskapsideal og to pleiegrupper. *Sykepleien*, *4*(74), 20–25. [A changing paradigm and two types of nurses. *Nursing*, *4*(74), 20–25.]

Martinsen, K. (1987). Helsepolitiske problemer og helsepolitisk tenkning bak sykehusloven av 1969. *Historisk tidsskrift*, *3*(66), 357–372. [Health policy problems and health policy thinking underlying the new hospital law. *History*, *3*(66), 357–372.]

Martinsen, K. (1987). Ledelse og omsorgsrasjonalitet—Gir patriarkatbegrepet innsikt? *Sykepleien*, *1*(74), 18–23. [Management and caring rationality—Does the concept of patriarchate give insight? *Nursing*, *1*(74), 18–23.]

Martinsen, K. (1987). Legers interesse for svangerskapet—En del av den perinatale omsorg. Tidsrommet ca. 1890-1940. *Historisk tidsskrift*, *3*(66), 373–390. [Doctors' interests in pregnancy—a part of perinatal care. *History*, *3*(66), 373–390.]

Martinsen, K. (1987). Norsk Sykepleierskeforbund på barrikadene for utdanning fra første stund. *Sykepleien*, *3*(74), 6–12. [The Norwegian Nursing Association on the barricades from day one. *Nursing*, *3*(74), 6–12.]

Martinsen, K. (1988). Ansvar og solidaritet. En moralfilosofisk og sosialpolitisk forståelse av omsorg. *Sykepleien*, *12*(75), 17–21. [Responsibility and solidarity. A moral-philosophical and sociopolitical understanding of caring. *Nursing, 12*(75)17–21.]

Martinsen, K. (1988). Etikk og omsorgsmoral. *Sykepleien*, *13*(75), 16–20. [Ethics and the moral practice of caring. *Nursing*, *13*(75), 16–20.]

Martinsen, K. (1990). Diakoni er fellesskap og samhørighet. *Under Ulriken*, *5*(30), 6–10. [Diaconi is community and fellowship. *Under Ulrikken*, *5*(30), 6–10.]

Martinsen, K. (1991). Omsorg og makt, ord og kropp i sykepleien. *Sykepleien*, *2*(78), 2–11, 29. [Caring and power, word and body in nursing profession. *Nurs-*

ing, *2*(78), 2–11,29.]

Martinsen, K. (1991). Under kjærlig forskning. Fenomenologiens åpning for den levde erfaring i sykepleien. *Perspektiv—Sygeplejersken*, *36*(91), 4–15. [Compassionate research. Phenomenology opening up for lived experience in nursing. *Perspective—Nursing* (Danish), *36*(91), 4–15.]

Martinsen, K. (1993). Grunnforskning—Trofast og troløs forskning—Noen fenomenologiske overveielser. *Tidsskrift for Sygeplejeforskning*, *1*(9), 7–28. [Basic research—Faithful and faithless research—Some phenomenological considerations. *Nursing Research* (Danish), *1*(9), 7–28.]

Martinsen, K. (1997). De etiske fortellinger. *Omsorg*, *1*(14), 58–63. [The ethical narratives. *Caring*, *1*(14), 58–63.]

Martinsen, K. (1997). Kallet—Kan vi være det foruten? *Tidsskrift for sygeplejeforskning*, *2*(13), 9–41. [The vocation—Can we do without it? *Nursing Science*, *2*(13), 9–41.]

Martinsen, K. (1998). Det fremmede og vedkommende (I). *Klinisk Sygepleje*, *1*(12), 13–19. [Strangeness and relevance (I). *Clinical Nursing*, *1*(12), 13–19.]

Martinsen, K. (1998). Det fremmede og vedkommende (II). *Klinisk Sygepleje, 1-2*(12), 78–84. [Strangeness and relevance (II). *Clinical Nursing*, *2*(12), 78–84.]

Martinsen, K. (2001). Er det mørketid for filosofien? Et svar til Marit Kirkevold. *Tidsskrift for sygeplejeforskning (dansk)*, *1*(17), 1923. [Is philosophy in shadow? A reply to Marit Kirkevold. *Nursing Science* (Danish), *1*(17), 19–23.]

Martinsen, K. (2002). Livsfilosonske betraktninger. I *Diakoninytt*, *3*(118), 8–12. [Reflections on the philosophy of life. *Deaconry News*, *3*(118), 8–12.]

Martinsen, K. (2002). Samtalen, kommunikasjonen og sakligheten i omsorgsyrkene. *Omsorg*, *1*(19), 14–22. [Conversation, communication and professionality in the caring professions. *Caring*, *1*(19), 14–22.]

Martinsen, K. (2003). Talens åpenhet og evidens—Dialog med Jens Bydam. *Klinisk Sygepleje*, *4*(17), 3–46. [The openness of speech and evidence—Dialogue with Jens Bydam. *Clinical Nursing*, *4*(17), 36–46.]

Martinsen, K. (2004). Skjønn—Språk og distanse: dialog med Jens Bydam. *Klinisk Sygepleje*, *2*(18), 50–56. [Discernment—Language and distance: Dialogue with Jens Bydam. *Clinical Nursing*, *2*(18), 50–56.]

Martinsen, K. (2008). Innfallet—og dets betydning i liv og arbeid. Metafysisk inspirerte overveielser over innfallets natur og måter å vise seg på. *Klinisk Sygepleje*, *1*(22), [The Innfall (impulse)—and its significance in life and work. Metaphysically inspired reflections on the nature of the Innfall and its ways of showing itself. *Clinical Nursing, 1*(22)]

Martinsen, K. (2012).Filosofi og fortellinger om sårbarhet [Philosophy and narratives of vulnerability]. In *Klinisk Sygepleje [Clinical Nursing], 2(26)*, 30–37.

Sviland, R., Martinsen, K., & Råheim, M. (2007).Hvis ikke kropp og psyke—hva da? [If not body, not psyche—what then?] *Fysioterapeuten* [*The Physiotherapeut*] *12*, 23–28.

Sviland, R., Råheim, M. & Martinsen, K. (2009).Å komme til seg selv – i bevegelse, sansingog forståelse [Coming to one's senses—in moving, sensing, understanding]. *Matrix*; *2*, 257–275.

Sviland, R., Råheim, M., & Martinsen, K. (2010). Språk—uttrykk for inntrykk [Language—expressing impressions]. *Matrix*, *2*, 132–156.

Martinsen, K., & Wærness, K. (1976). Sykepleierrollen—En undertrykt kvinnerolle i helsesektoren (I). *Sykepleien*, *4*(64), 220–224. [The nursing role—An oppressed female role in National Health Service. *Nursing*, *4*(64), 220–224.]

Martinsen, K., & Wærness, K. (1976). Sykepleierrollen—En undertrykt kvinnerolle i Helsesektoren (II). *Sykepleien*, *5*(64), 274–275, 281–282. [The nursing role—An oppressed female role in National Health Service. *Nursing*, *5*(64), 274–275, 281–282.]

Martinsen, K., & Wærness, K. (1980). Klientomsorg og profesjonalisering. *Sykepleien*, *4*(68), 12–14. [Client care and the professionalization. *Nursing*, *4*(68), 12–14.]

Publications in Press

Sviland, R., Råheim, M., & Martinsen, K. Touched in sensation—moved by respiration. Embodied narrative identity—a treatment process. *Scandinavian Journal of Caring* Sciences.

Secondary Sources

Alvsvåg, H., & Gjengedal, E. (red.) (2000). *Omsorgstenkning. En innføring i Kari Martinsens forfatterskap. Bergen: Fagbokforlaget.* [*Caring thought:*

An introduction to the writings of Kari Martinsen. Bergen: Fagbokforlaget.]

Austgard, K. (2010). *Omsorgsfilosofi i praksis. Å tenke med filosofen Kari Martinsen i sykepleien. Oslo: Cappelen Akademisk Forlag.* [*Philosophy of caring in practice: Thinking with philosopher Kari Martinsen in nursing.* Oslo: Cappelen Akademisk Forlag.]

Boge, J. (2011). *Kroppsvask i sjukepleie. Eit politisk og historisk perspektiv* [*Bathing the patient. A political and historical perspective*]. Oslo: Akribe.

Jørgensen, B. B., & Lyngaa, J. (red.) (2008). *Sygeplejeleksikon.* København: Munksgaard. [*Encyclopedia of Nursing.* Copenhagen: Munksgaard.]

Mathisen, J. (2006). *Sykepleiehistorie [History of Nursing].* Oslo: Gyldendal Akademisk.

Mekki, T. E., & Tollefsen, S. (2000). *På terskelen. Introduksjon til sykepleie som fag og yrke.* Oslo: Akribe. [*On the threshold: An introduction to nursing as discipline and profession.* Oslo: Akribe.]

Olsen, R. (1998). *Klok av erfaring? Om sansing og opp-merksomhet, kunnskap og refleksjon i praktisk sykepleie.* Oslo: Tano Aschehoug. [*Wise with experience? On sensation and attention, knowledge and reflection in practical nursing.* Oslo: Tano Aschehoug.]

Overgaard, A. E. (2003). *Åndelig omsorg—En lærebog. Kari Martinsen, Katie Eriksson og Joyce Travelbee i nytt lys.* København: Nyt Nordisk Forlag Arnold Busck. [*Spiritual care—A textbook. Kari Martinsen, Katie Eriksson and Joyce Travelbee in a new light.* Copenhagen: Nyt Nordisk Forlag Arnold Busck.]

Walstad, P. B. (2006). *Dannelse og Duelighed for livet. Dannelse og yrkesutdanning i den grundtvigske tradisjon.* Trondheim: Norges teknisk-naturvitenskapelige universitet. Doctoral dissertation 2006:88. [*Education and Capability for life. Education and professional training in the Grundtvigian tradition.* Trondheim: Norges teknisk-naturvitenskapelige universitet, NTNU Doctoral Dissertations 2006:88.]

11 장

케이티 에릭슨
Katie Eriksson

1943-현재

자애로운 돌봄이론

Theory of Caritative Caring

Unni Å. Lindström, Lisbet Lindholm Nyström and Joan E.

"자애로운 돌봄은 우리가 인산을 건강과 고통에서 돌볼 때 "자애"를 고려하여 사용하는 것을 의미한다........자애로운 돌봄은 단지 존재하는 ' 사랑의 증거이며... 돌봄 교재, 진실한 돌봄, 자애의 정신에서 돌보는 사람이 환자의 고통을 경감시킬 때 발생한다 "(Eriksson, 1992c, 99. 204, 207).

이론가 소개

케이티 에릭슨Eriksson은 북유럽 돌봄 과학 선구자 중 한 명이다. 에릭슨이 30년전 이 일을 시작 했을 때 새로운 과학의 길을 열었다. 핀란드에서 에릭슨의 연구업적과 과정을 살펴보면, 학문으로서 돌봄과학을 시작하고 고안해왔을 뿐만 아니라, 동시에 돌봄의 추상적인 본질에 생명을 불어넣었다는 점에서 그녀의 탁월한 능력을 느낄 수 있다.

에릭슨은 1943년 11월 18일 핀란드의 Jakobstad에서 태어났다. 그녀는 핀란드-스웨덴 소수민족에 해당하고, 모국어는 스웨덴어이다. 그녀는 1965년에 헬싱키 스웨덴간호학교를 졸업하였고 1967년에 같은 학교에서 지역사회보건 전문 간호교육과정을 마쳤다. 1970년에는 헬싱키 핀란드 간호학교에서 간호학 강사 교육프로그램을 졸업하였다.

그녀는 헬싱키대학에서 계속 공부하면서 1974년에 철학 석사학위를 받았다. 1976년에는 licentiate학위(유럽의 학사와 박사 사이의 학위)를 취득하였고 1982년에는 교육학 박사학위 논문을 발표하였다(환자 간호과정-간호교육 내 교과과정 구축을 위한 접근. 환자 간호과정을 위한 모델 개발과 환자간호 과정에 기초한 교과과정 개발을 위한 접근)(Eriksson, 1974, 1976, 1981). 1984년에는 Kuopio 대학에서 파트타임으로 돌봄과학 강사Docent로 임용되어, 북유럽에서 돌봄과학을 가르치는 최초의 대학강사가 되었다. 1992년에 그녀는 Åvo Akademi 대학에서 돌봄과학 교수로 임용되었다. 1993년에서 1999년까지 헬싱키대학 의학부에서 돌봄과학 교수직을 역임하였고, 2001년까지 대학강사로 있었다. 1996년 1월 1일 이후, 에릭슨은 헬싱키대학 중앙병원에서 간호과장직을 역임하면서 Åvo Akademi 대학의 교수직을 겸임하며, 돌봄과학을 발전시키고 이에 대한 연구를 하였다.

1960년 말에서 1970년 초까지 에릭슨은 다양한 분야의 간호실무에서 일하며, 연구를 계속하였다. 그러나 그녀의 주된 업무는 교육과 연구이었다. 1970년 초부터 에릭슨은 자애로운 돌봄caritative caring 이론의 기초를 이루는 이상적인 돌봄개념 모델을 개발하고, 일부는 자율적인 인간애를 중심으로 한 돌봄과학을 개발하여 돌봄 사고를 심화시켰다. 에릭슨은 돌봄이론을 발전시킨 북유럽 돌봄과학 연구자 중의 한 명이며, 돌봄과학 연구의 선구자이다.

에릭슨의 과학적 경력과 전문직 경험은 2개 기간으로 구분할 수 있다. 1970년에서 1986년까지 헬싱키 스웨덴 간호학교에서의 기간과 1987년부터 Åvo Akademi 대학에 초빙되어 돌봄과학 학과를 설립한 기간이다.

1972년 에릭슨은 헬싱키 스웨덴 간호학교 간호교육 전공에서 2년간 강의를 한 뒤, 동 대학에서 간호교육자를 위한 교육 프로그램을 시작하고 발전시키는 업무를 위임받았다. 스웨덴어로 가르치는 이러한 프로그램은 핀란드에는 없었다. 초기에 헬싱키 대학의 협조아래 운영된 이 교육프로그램은 돌봄과학 교수법의 효시가 되었다. 에릭슨의 리더십 아래 헬싱키 스웨덴 간호학교의 이 프로그램은 북유럽 돌봄과학과 간호의 선도적 교육프로그램 중 하나로 자리잡게 되었다. 이 프로그램은 돌봄과학에 기초한 교육과 연구를 통합한 선두주자가 되었다. 에릭슨은 1974년 1월에 헬싱키 스웨덴 간호학교 학장이 될 때까지 2년 동안 이 프로그램의 책임을 맡았다. 에릭슨은 Åvo Akademi 대학의 아카데미 교육과 연구를 계획하고 시작하게 된 1986년 가을까지 학장직을 역임하였다.

1980년 말 핀란드 대학에 간호과학이 전공으로 채택되었다. 4개의 핀란드 대학과 핀란드 스웨덴 대학, Åvo Akademi 대학에서 간호과학 교수직이 마련되었다. 1986년에 에릭슨은 핀란드 Vaasa의 Åvo Akademi 대학 돌봄과학 과목의 교육과 연구 프로그램을 계획하도록 교육학부에 초빙되었다. 건강돌봄을 위해 완전하게 개발된 교육프로그램은 3가지 선택과정을 설정하고, 돌봄과학을 위한 연구교육프로그램을 만들었다. 이 계획의 결과로 1987년 돌봄과학 학과가 설립되었다. 이는 1992년 사회학부와 돌봄과학이라는 새로운 학부가 설립될 때까지 Åvo Akademi 대학의 교육학부 내 독립학과였다. 그녀는 돌봄과학 석박사과정을 개설하였는데, 1987년 에릭슨의 지휘아래 박사과정이 시작된 이래 44명의 박사학위논문이 발표되었다.

에릭슨은 그녀 학과의 동료교수 및 연구원들과 함께 자애로운 돌봄이론과 돌봄과학을 더욱 발전시켰다. 현재 이 학과는 북유럽에서 선도적 위치를 차지하며 북유럽 연구자들과 학생들로 구성되어 있다. 교육, 연구 및 감독자로서 에릭슨의 업적 외에도, 그녀는 돌봄과학 학과의 학장이었다. 그녀의 중심 업무 중 하나는 북유럽 국가와 그 외 다른 나라와 국제적 친교를 통해 돌봄과학을 발전시키는 것이었다.

1970년 중반이후로 에릭슨은 핀란드뿐만 아니라 모든 북유럽 국가와 여러 국제회의에서 매우 유명한 초청 인사이자 기조연사였다. 1977년, 에릭슨은 터키 이스탄불에서 열린 의학과 간호학 교육 심포지움의 초청연사였다. 1978년 아이슬랜드 Reykjavik에서 의학교수교육재단에 참여하였고 1982년 스웨덴 Uppsala에서 개최된 제 1회 유럽간호연구자를 위한 오픈 컨퍼런스 워크숍에서 그녀의 간호 교수법 모델을 발표하였다. 여러 해에 걸쳐 노르웨이 오슬로, 간호교수를 위한 연방 교육센터에 참여하여 간호사 교육 및 교육 개선에 기여하였다. 1988년, 노르웨이 Bergen 대학에서 '간호과학의 기초연구'로 개설된 과목을 강의하였고, 스웨덴의 Umeå 대학에서 간호과학의 이론과 연구를 가르쳤다. 스웨덴 교육기관의 컨설턴트로 일했다. 1975년 이후, 스웨덴 Gothenburg에서 북유럽 보건학과의 정규 강사이었다. 1991년, 에릭슨은 뉴욕의 Rochester에서 열린 13차 국제 인간 돌봄 컨퍼런스IAHC의 초청연사였다. 호주 Melbourne에서 열린 제 14차 IAHC에서는 그녀의 이론을 발표하였다. 오레곤주 Protland에서 열린 제 15차 IAHC에서는 '치유로서 돌봄: 희망을 통해 거듭나기'의 기조연설을 하였다(Eriksson, 1994b).

1985년 이후, 에릭슨은 해마다 중간관리자 총회에서 기조연설을 하였고, 1996년 이후에는 매년 핀란드 Helsinki에서 열리는 돌봄과학 심포지엄의 기조연설을 맡았다. 노르웨이의 카리 마티슨교수와의 공개 토론 시 돌봄과 돌봄과학에 관한 기본질문을 논의하였다. 이 중 일부 대화 내용은 발표된 바 있다(Martinsen, 1996).

에릭슨은 많은 심포지움의 리더로서 일해 왔다: 1975년 간호과정에 관한 북유럽 심포지움(최초의 북유럽 간호 심포지움은 핀란드에서 열렸다); 1982년 간호과학 기본연구 심포지움; 1985년 간호과학 북유럽 심포지움; 1989년 인본주의적 돌봄이란 제목의 북유럽 심포지움; 1991년 핀란드 Vaasa에서 개최된 북유럽 간호과학 컨퍼런스: 자애와 열정Caritas & Passio, 1993년 핀란드 Vaasa에서 개최된 북유럽 간호과학 컨퍼런스: 주요 간호질문 돌볼 것인가 돌보지 않을 것인가

1997년, IAHC가 최초로 유럽에서 연구 컨퍼런스를 주최할 때, 에릭슨의 자애로운 돌봄이론이 본격적인 국제적 관심을 얻게 되었다. 1997년 핀란드의 Helsinki에서 "인간돌봄: 사랑의 우수성과 실존적 괴로움"이라는 주제로 IAHC 컨퍼런스가 열렸을 때 돌봄과학학과가 이 컨퍼런스를 주최하는 영광을 갖게 되었다.

에릭슨은 여러 국제적 간호 및 돌봄과학 학술지의 편집위원이다. 핀란드와 다른 북유럽 국가의 많은 대학으로부터 이 분야에 관한 탁월한 자문가 혹은 박사학위 논문 심사위원으로 초청받았다. 또한 그녀가 부교수로 재직했던 헬싱키대학과 Kuopio대학의 연구 학생들의 지도교수이기도 하였다. 에릭슨은 1999년부터 2002년까지 북유럼 돌봄과학 학회장을 역임하였다.

에릭슨은 교과서, 과학적 보고서, 전문 학술지 기고문, 간단한 논문 등의 방대한 량의 저술을 발표하였다. 1970년부터 발표된 그녀의 출판물은 총 400편 정도가 된다. 일부 논문은 다른 언어, 주로 핀란드어로 번역되었다. 돌봄 개념The idea of Caring은 브라질어로 출간되었다. 그녀의 첫 영어 번역작 고통을 견디는 인간The Suffering Human Being 은 2006년 시카고의 *Nordic Studies Press*에서 출간되었다.

에릭슨은 전문적, 학문적인 성과를 이루었고, 덕분에 많은 상을 수상하였다. 이 중 몇 가지만 간추려 소개하면, 1975년 핀란드 3M-ICN 간호학회 상을 수상하였고, 1987년 핀란드에 있는 스웨덴 간호협회로부터 소피마네하임 메달을 수여 받았으며, 1998년 헬싱키 대학중앙병원의 학문적 간호돌봄을 위한 간호과학 골드 마크를 수여받았으며, 1998년 스웨덴 골드베르그에 있는 북유럽보건학교에서 명예 보건학 박사를 수여받았다. 그 외에도 2001년 지역 돌봄과학 활동에 대하여 Åland Island medal을 수여받았고, 2003년, Åbo Akademi 대학에서 Topelius 메달을 받았다. 2003년 핀란드에서 제 1등급 기사 작위의 영예에 해당하는 화이트로즈 훈장을 수여받았다.

이론의 배경

1970년대 중반 이후 에릭슨의 선도적 사고는 돌봄의 본질을 발전시켰을 뿐만 아니라 돌봄과학을 독립적 학문으로 발달시켰다(Eriksson, 1988). 에릭슨은 처음부터 돌봄과학의 학문과

본질을 개발하게 된 영감을 얻었던 고대 그리스의 플라톤, 소크라테스, 아리스토텔레스로 되돌아가기를 원했다(Eriksson, 1987a). 인본주의 과학으로써 돌봄 과학의 기본 개념으로부터 그녀는 "돌봄과학을 위한 과학이론"이라고 언급한 메타 이론을 개발하였다(Eriksson, 1988, 2001).

에릭슨은 하나의 분과학문으로서 돌봄과학을 개발할 때 플라톤과 아리스토텔레스를 가장 중요시 여겼던 것 외에도 스웨덴 신학자 Anders Nygren(1972)와 Hans-Georg Gadamer(1960/1994)로부터도 영감을 얻었다. Nygren(1972)과 후기 Tage Kurten(1987)은 돌봄과학 분야가 체계적인 임상의 돌봄과학으로 발전할 수 있도록 도와주었다. 에릭슨은 동기 연구motive research 의미의 맥락, 기본적 주제 등 Nygren의 연구 개념을 소개하였고 이는 분과학문의 구조를 마련해 주었다. 동기 연구의 목적은 돌봄의 본질적 맥락과 선도적 개념을 발견하는 데 있다. 돌봄과학에 적용된 동기 연구의 개념은 객관적 방식 안에서 돌봄의 특징을 보여주는 것이다(Eriksson, 1992c).

돌봄과학과 돌봄에서 기본적 주제는 자애caritas이며, 이는 돌봄과학을 이끌어주는 개념으로, 다양한 성분을 합친 것이다. 이는 돌봄과학의 본질과 분과학문에 독특한 특징을 갖게 해준다. 기본 주제를 개발할 때, St. Augustine(1957)과 Søren Kierkegaard(1843/1943)도 중요한 이론적 근원을 제공하였다. 분과학문으로 돌봄과학을 심층 발전시키면서 에릭슨의 사고는 Thoma Kuhn(1971)과 Karl Popper(1997)의 과학 이론의 경향을 받았고, 이후, 가치관 없는 과학은 존재할 수 없다는 인문과학 개념을 지지하는 미국의 철학자 Susan Langer(1942), 핀란드 철학자 Eino Kaila(1939) 및 Georg von Wright(1986)의 영향을 받았다.

여러해 동안 에릭슨은 스웨덴 Gothenburg 대학 과학이론 분야의 최초 북유럽 교수직을 역임하였던 Håkan Törnebohm(1978)과 협동하였다-특히 에릭슨이 영감을 얻은 것은 다양한 과학 문화의 발전과 관련된 파라다임의 발전과 이에 대한 Törnebohm의 연구였다.

개념이 가진 의미와 본질에 대한 생각은 에릭슨의 과학업적에서 뛰어난 것이다(Eriksson, 1989; Lindström, 1992). 개념은 의미와 본질을 모두 지닌다는 생각은 에릭슨의 과학적 연구 속에 두드러지게 나타난다. 교육학 교수인 Peep Koort(1975)가 개발한 해석학 개념에 뿌리를 둔 의미론적 분석법의 도움을 받아 기본 개념을 체계적으로 분석하였을 때 이런 개념의 의미와 본질을 밝힐 수 있다. 에릭슨은 Koort의 사사를 받았고 대부분의 과학적 연구는 대부분 Koort로부터 영감을 얻은 것이었다. 이런 방법론을 기초로 에릭슨은 많은 연구자들의 과학적 연구에 크게 기여한 개념 개발 모델을 발전시켰다.

에릭슨이 존재론적 윤리로 구상한 자애로운 돌봄 윤리 개념을 개발하면서 그녀는 존재 보다 윤리가 앞선다는 Emmaunel Lévinas(1988)의 개념을 지침 원리로 삼았다. 섬김의 소명은 대화보다 우선되며, 윤리는 인간관계에서 늘 중요하다는 Lévinas 사상에 에릭슨도 동의하였다. 윤리의 기본적인 본질-자애caritas, 사랑, 자비는 아리스토텔레스(1993), Nygren(1972), Kierkegaard(1843/1943), St. Augustine(1957)등에 의해서도 지지 되었다. 자애로운 윤리 개념을 개발하면서 영원하고 일시적인 것이 합성된 것으로서 인간 내면의 가장 깊은 영혼에 대한 Kierkegaard의 사상으로부터 영감을 얻었다. 윤리적으로 행동하는 것은 절대적이고자 하는 것이며, 영원하고자 하는 것이다(Kierkegaard, 1843/1943). 에릭슨은 전체 영적 문화를 보존시키기 위한 사고가 어떻게 변화해 왔는지 이해 할 필요가 있다고 강조하면서, 러시아 철학자이며 역사가인 Nikolaj Berdâ(1990)에서 자신의 견해를 지지하고 있음을 알게 된다. 영, 육, 신으로서 인간의 기본개념을 강조하면서, 에릭슨은 Gustaf Wingres(1960/ 1996), Antonio Barbosa da Silva(1993), Tage Kurtén(1987)과 같은 몇몇 신학자와 흥미로운 대화를 나누고, 동시에 그녀가 돌봄신학caring theology라고 명명한 하부 분과학문을 발전시켰다.

아마도 가장 두드러진 에릭슨의 공헌은 돌봄과학이란 분과학문과 관련된 존재론적, 인식론적 윤리적 기본 가정을 명료하게 작성하였다는 점을 들 수 있다. 돌봄의 과학 영역 안에서 에릭슨이 돌봄의 본질적 기초에 관한 역사적 기원을 추구할 때, 플라톤, 아리스토텔레스, 소크라테스와 같은 역사적 철학이 그녀를 이끌어 주었다.

주요 개념과 정의

자애 Caritas

자애는 사랑과 자비를 의미한다. 자애에서 에로스와 아가페는 하나로 통합된다. 자애는 자연스러운 무조건적인 사랑이며 돌봄 과학의 기본적 주제가 된다. 또한 모든 돌봄의 주제가 된다. 돌봄은 돌보기, 놀이, 학습을 통한 신념, 희망 및 사랑을 깊이 고려하려는 노력이다.

돌봄 친교 Caring Communion

돌봄 친교는 돌봄 의미의 맥락적 배경을 구성하고, 돌봄 실재를 결정하는 구조이다. 돌봄은 친교를 통해서 특별한 특성을 갖게 된다(Eriksson, 1990). 돌봄 친교는 돌봄의 특징이 되며, 일종의 친밀한 연계를 의미한다. 돌봄 친교는 시간과 공간 면에서 충족되어야 하며, 절대적이고 지속적으로 나타나야한다(Eriksson,1992c). 돌봄친교는 강렬하고, 활기차고, 따뜻하고, 친밀감있고, 편안하고, 존경하고, 정직하고, 참을성 있는 것을 특징으로 한다. 다른 사람들과 함께하려고 의식적으로 노력하는 것을 가정하고 있다. 돌봄 친

주요 개념과 정의

교로부터 돌봄의 힘과 의미를 찾을 수 있다. Eriksson(1990)은 Pro Caritate에서 Lévinas를 언급하면서 다음과 같이 기술하고 있다:

> 친교를 하는 것은 다른 사람과의 기회를 만드는 것이다 - 가두어 두었던 자신의 정체감으로부터 벗어나오는 것을 의미하며, 한 사람에게 속하는 곳에서 부터 그 사람에게 속하지 않지만 결국은 그 사람의 것에 해당하는 것을 향해 걸어 나오는 것을 의미한다-이는 가장 깊이 있는 친교의 형태 중 하나이다(pp. 28-29).

친교에 참여하는 것은 다른 사람과의 가능성을 창출하는 것이다. Lévinas는 다른 사람을 고려하는 것은 그 자신의 아들의 관계를 포함하는 것이다. 이러한 관계는 "다른 사람의 가능성"(1985, p. 71: 1988)을 자신의 개인의 것처럼 받아들이는 것이다. 더 이상 자기 자신이 아닌 것이지만, 자신에게 속하는 무엇인가를 향해 나아가야 한다. 이는 가장 깊이 있는 친교 형태 중 하나에 해당한다(Eriksson,1992a).

돌봄 행위 The act of Caring

돌봄 행위는 돌봄의 성분(신념, 희망, 사랑, 간호, 놀이, 및 학습)을 포함하며 무한함과 영원함과 관련되고 깊은 친교를 필요로 한다. 돌봄 행위는 특별하지 않은 것으로부터 매우 특별한 것을 창출하는 예술이라고 할 수 있다.

자애로운 돌봄 윤리 Caritative Caring Ethics

자애로운 돌봄 윤리는 돌봄 윤리를 구성하며 자애로운 동기로 결정된 것 중 핵심이다. 에릭슨은 돌봄 윤리와 간호윤리를 구분하고 있다. 또한 간호 윤리의 돌봄 안에서 윤리의 기초와 본질을 정의하고 있다. 돌봄 윤리는 환자와 간호사 간의 기본적인 관계를 말해주며 간호사가 윤리적 이해를 가지고 어떻게 환자를 만나야할 지를 알려준다. 간호윤리는 간호실무와 의사결정의 지침이 되는 윤리적 원칙과 규칙을 다룬다. 돌봄 윤리는 간호윤리의 핵심에 해당한다. 자애로운 돌봄윤리의 기초는 역사를 통해서도 찾아볼 수 있지만 신학과 인간윤리로 나눌 수도있다. 에릭슨은 Nygren(1996)의 인간 윤리와

주요 개념과 정의

Emmanuel Lévinas(1985)의 다른 사람들과의 "대면 윤리face ethics"의 영향을 받았다. 윤리적 돌봄은 실무에서 우리가 환자를 위해 행하고 있는 것들과 우리의 접근을 통해 실재적으로 뚜렷이 드러난다. 돌봄 안에서 윤리에 기초를 접근법은 편견 없이 인간을 존경하고 있음을 의미하며, 인간의 절대적 존엄성을 인정하고 있음을 의미한다. 또한 우리가 어느 정도 희생할 수 있음을 의미한다. 자애로운 돌봄 윤리 안에서 기본적으 로 등장하는 윤리적 범주는 인간존엄, 돌봄 친교, 초대, 책임, 선과 악 미덕 및 의무이다. 윤리적 행동 안에서, 윤리적인 방법을 통해 선을 이룩할 수 있다(Eriksson,1995, 2003).

존엄성 Dignity

존엄성은 자애로운 돌봄 윤리의 기본개념중의 하나이다. 인간의 존엄성은 일부는 절대적 존엄하고, 일부는 상대적으로 존엄하다. 절대적 존엄성은 창조를 통해 인간에게 부여되지만 상대적 존엄성은 문화와 외부와의 맥락관계에 따라 달라지고 이를 통해 만들어진다. 인간의 절대적 존엄은 독특한 한 인간으로 인정받을 권리와 관계있다(Eriksson,1998, 1995, 1997a).

초대 Invitation

초대는 영적친교에서 돌보는 사람이 환자를 돌봄친교에 들어오게 된 것을 환대할 때 발생하는 행동이다. 초대 개념은 사람이 쉴 수 있는 장소, 순수한 온정을 느끼는 장소, 환자가 자비를 요청할 때 이에 반응하는 장소를 찾아주는 의미를 포함한다(Eriksson, 1995; Eriksson & Lindström, 2000).

괴로움/고통 Suffering

괴로움은 존재론적인 개념이며, 되어가는 상태 중 인간이 선과 악 사이에서 투쟁하는 것을 의미한다. 어떤 의미에서는 괴로움이란 무엇인가로부터 사라지는 것을 의미하고 화해를 통해 육체, 영, 및 정신의 전체가 재창조되고, 이때 인간의 신성함과 숭고함이 나타난다. 괴로움은 독특하며 전체 경험과 분리된 것이며 통증과 동의어가 아니다(Eriksson,1984, 1993).

주요 개념과 정의

질병, 돌보기 및 생활과 관련된 괴로움 Suffering Related to Illness, to Care, and to Life

3가지 다른 형태의 괴로움이 있다. 질병과 관련된 괴로움은 질병과 치료와 관련되어 경험된다. 돌봄이나 돌보지 않음으로 인하여 환자가 괴로움에 노출 되었을 때 환자는 돌봄과 관련된 괴로움을 경험하며, 이는 언제나 환자의 존엄성을 침해한다. 심각하게 받아들여지지 않음, 환대받지 못함, 비난받음, 권력의 지배받음 등은 돌봄과 관련된 다양한 형태의 괴로움에 해당한다. 환자가 되었을 때의 상황에서 모든 생활은 생활과 관련된 괴로움일 수 있다(Eriksson,1993, 1994a; Lindholm & Eriksson,1993).

고통스런 인간 The Suffering Human Being

고통스런 인간은 에릭슨이 환자를 설명할 때 사용하는 개념이다. 환자는 라틴어로 patiens이며 고통이라는 의미를 지닌다. 환자는 고통스러운 인간, 혹은 고통스러우면서 끈기있게 이를 견뎌내는 인간이다(Eriksson, 1994a; Eriksson & Herberts, 1992).

조정 Reconciliation

조정은 괴로움의 드라마를 의미한다. 괴로운 인간은 자신의 괴로움을 인정받고 싶어하고, 고통을 겪어낼 시간과 공간을 필요르 하며 조정받기를 원한다. 조정이란 새로운 총체성을 형성함으로써, 인간이 괴로움으로 인해 상실한 삶을 변화시키는 것을 의미한다. 조정 시 희생이 중요시된다(Eriksson, 1994a). 성공적 조정은 자신과 다른 사람과 관련지어 불완전한 삶을 살아가는 것이지만, 괴르움 속에서드 앞을 내다보고, 의미를 얻게 되는 것이다. 조정은 자애 caritas의 선행조건이다(Eriksson, 1990).

돌봄 문화 Caring Culture

에릭슨이 환경 대신에 사용한 개념이다. 전체 돌봄 실재를 의미하며, 전통, 의식 및 기본가치와 같은 문화적 요소를 바탕으로 특징이 나타난다. 돌봄문화는 가치의 선호나 사조ethos의 내적 서열을 보여주며, 문화가 다르게 구축되면 사조에 깔린 가치의 변화 안에서 그들의 기초를 갖게 된다. 사조를 바탕으로 친교communion가 이루어지면 문화가 만

주요 개념과 정의

들어진다. 인간, 인간의 존엄성 및 신성함holiness은 '돌봄 문화 안에서 친교의 목적이 형성되고, 참여가 이루어진다. 문화 개념은 존경, 간호, 계발, 돌봄과 같은 차원에서 기원되며, 이런 차원들은 돌봄 문화를 유지, 개발하려는 기본적 중심 주제가 된다(Eriksson, 1987a; Eriksson & Lindström, 2003).

경험적 증거의 이용

에릭슨은 자신의 이론을 처음 개발할 때부터 해석학과 가설적 연역적 접근을 체계적으로 적용하여 경험주의 안에서 자신의 이론을 견고하게 구축하였다. 에릭슨은 해석학적 과학적 방법을 방법과 해석학적 사고방식에 따라, 돌봄과학 개념을 입증시켰다(Eriksson, Nordman, & Myllymäki, 1999). 이와 관련하여 그녀는 자연과학의 근거 개념은 너무 좁아서, 깊고, 복잡한 돌봄 실재에 도달하기 어려움을 지적하였다. 그녀의 근거 개념은 Gadamer(1960/1994)의 진리 개념으로부터 도출되었으며, 이는 진, 선, 미를 포함한다. 그녀는 Gadamer와 의견을 같이 하면서, 방법과 경험적 자료만으로 입증될 수 없음을 지적하고 있다. 인문과학적 조망 안에서 근거란 2가지 측면을 포함하고 있다. 하나는 개념적, 논리적 근거로서 그녀는 이를 존재론적 근거라고 하였다. 또 하나는 경험적 근거이다. 각각은 반대편 것을 전제로 하고 있다. 에릭슨에 의해 개발된 근거 개념은 2가지 포괄적인 경험적 연구에서 검증되었으므로 경험적으로 입증되었다고 볼 수 있다. 여기서 헬싱키와 Uusimaa의 병원의 7개 돌봄 단위에서 근거-기반 돌봄 문화 개념이 개발되었다(Eriksson, & Nordman, 2004). 더 많은 근거의 개발들이 돌봄과학적 근거 개념과 이론을 낳게 되었다(Martinsen & Eriksson, 2009).

1970년대 에릭슨은 최초로 간호과정 모델을 개발하였다(Eriksson, 1974). 이는 후에 그녀의 박사학위논문(1981)에서 이론으로 작성되었다. 이 후 에릭슨은 단계적으로 이론에 등장하는 기본개념과 현상에 대한 그녀의 개념적, 논리적 이해를 심화시켰다. 에릭슨은 경험적 맥락에서 그녀 이론의 타당성을 검증하였다. 이때, 그녀의 개념들은 맥락적이고 실용적인 속성을 지녔다고 가정하고 검증하였다(Kårkkåinen & Eriksson, 2004b). 에릭슨은 그녀의 개념 개발 모델에서 논리적 근거와 경험적 근거 사이를 계속 이동하는 그녀의 논리적 연구방식을 요약하였다(Eriksson, 1997b). 이 모델의 타당성은 1995년 이래로 여러 박사학위 논문에서 입증되었다(Gustafsson, 2008; Hilli, 2007; Kasen, Kasén, 2002; Lassenius, 2005; Lindwall, 2004; Nåden, 1998; Nåsman, 2010; Rundqvist, 2004; Sivonen, 2000; Wallinvirta, 2011; von Post, 1999). 에릭슨은 Åvo Akademi 대학의 돌봄과학 학과장으로 임명 되었을 때, 돌봄에 관한 포괄적이고 체계적일 뿐만 아니라 임상적 연구 프로그램을 시작하였다. 1992년부터 2012년까지 돌봄과학 학과에서 그녀의 다양한 방식으로 그녀의 아이디어와 이론을 검증하고 타당화시킨 박사학위논문이 총 44개이었다.

주요 가정

에릭슨은 주요 가정을 공리axioms와 명제theses의 2가지 유형으로 구분하였다. 에릭슨은 공리를 세상의 개념과 관련지은 기본적 진리라그 생각하였다; 명제는 돌봄과학의 일반적 본질과 관련되는 기본적 진술이고, 이들의 타당성은 기초 연구를 통해서 검증된다. 공리와 명제 모두는 돌봄과학의 존재론을 구성하며, 또한 인식론의 기초가 된다(Ericksson, 1988, 2001). 자애로운 돌봄과학은 다음과 같은 공리와 명제를 근거로 하며, 에릭슨의 허락을 받고 에릭슨의 기본 가정에서 수정하여 명료화 한 것이다(Ericksson, 2002).

공리는 다음과 같다.

- 인간은 기본적으로 영, 육, 혼으로 이루어진 존재이다.
- 인간은 기본적으로 종교적 존재이다.
- 인간은 기본적으로 거룩하다. 인간이 존엄하다는 것은 사랑으로 봉사하고, 남을 위해 존재해야하는 의무를 수용하는 것을 의미한다.
- 친교는 모든 인류애의 기초가 된다. 인간은 기본적으로 추상적이고, 구체적인 다른 사람들과 한다.
- 돌봄은 본래 인간적인 것이고 사랑으로 섬기도록 요청받는 것이다.
- 괴로움은 인생에서 뗄 수 없는 부분이다. 괴로움과 건강은 각 사람들에게 없어서는 안 될 필수 요건이다.
- 건강은 질병이 없는 것 이상의 것이다. 건강은 전체성과 거룩함을 의미한다.
- 인간은 불가사의함, 친밀감, 및 영원함으로 특징지을 수 있는 현실 속에서 살고 있다.

명제는 다음과 같다.

- 에토스ethos는 돌봄 맥락과 관련된 궁극적인 의미를 부여한다.
- 돌봄의 기본적 주제는 자애로운 동기이다.
- 돌봄의 기본 범주는 괴로움이다.
- 돌봄 친교는 돌봄 의미의 맥락을 형성하고, 사랑, 책임, 희생, 즉 자애로운 윤리라 불리는 에토스에서 기원된 것이다.
- 건강은 견딜 수 있는 괴로움에 상당한 의미인 되어감, 존재함, 행함, 전체성과 신성함을 위해 노력하는 것을 의미한다.
- 돌봄은 자비, 사랑, 믿음, 소망으로 괴로움을 감소시키는 것이다. 자연스러운, 기본적 돌봄은 지속적인 돌봄 관계, 원래는 비대칭적인 관계 속에서 보살펴주기, 놀이, 학습을 통해 표현된다.

인간

에릭슨 이론에서 인간 개념은 영, 육, 혼으로 이루어진다는 공리에 기초한다(Ericksson, 1987a, 1988). 에릭슨은 인간은 기본적으로 종교적 존재이지만, 모든 인간이 이런 차원을 인식하지 못하고 있음을 강조한다. 인간은 기본적으로 거룩하며, 이러한 공리는 인간의 존엄성 개념과 관계있으며, 인간은 사랑으로 섬기고, 다른 사람을 위해 존재해야 하는 의무를 수용하고 있음을 의미한다. 에릭슨은 인간의 존재론적 맥락 안에서 인간을 이해할 필요가 있음을 강조하고 있다. 인간을 지속적으로 되어가는 constant becoming 존재로 바라봐야한다; 인간은 끊임없이 변화하므로, 결코 완전한 완성 상태에 도달하지 못한다. 인간 내에 존재하는 이중적 경향과 관련지어 인간을 이해할 수 있다. 즉, 지속적으로 노력하는 것과, 사느냐 죽느냐 사이의 긴장 속에서 살아가는 것을 말한다. 에릭슨은 되어감becoming의 차원으로서 인간의 조건적 자유를 고려하고 있다. 에릭슨은 자신의 사고를 Kierkegaard(1843/1943)의 아이디어에 해당하는 인간의 여러 단계인 미적, 윤리적, 종교적 단계 안에서 자유로운 선택 및 결정과 연결짓고 있다. 그리고 진정한 자유는 인간의 초월 능력을 기초로 하고 있다고 생각하고 있다. 또한 인간은 스스로가 독특해 지려고 노력하면서 동시에 좀 더 큰 친교 단체에 소속되기를 열망할 때에도 인간의 이중적 모습을 엿볼 수 있다.

인간은 기본적으로 친교를 하지 않으면 안 된다; 인간은 타인에게 의존하고 있고, 인간은 구체적인 타인(인간)과 추상적인 타인(신의 형태) 사이의 관계 속에서 자신과 자신의 존재를 구성하고 있다(Eriksson, 1987a). 인간은 사랑을 주고 받을 수 있고, 믿음과 희망을 경험할 수 있고, 자신의 존재를 의식할 수 있고, 현재의 의미를 얻게 되는 친교를 추구한다.

에릭슨(1987b)에 의하면 우리가 돌봄 중에 만나는 인간은 창조적이고 상상력이 풍부하고, 욕망과 소망을 갖고 있으며, 현상을 경험할 수 있다. 그러므로 인간의 요구만을 관련지어 인간을 묘사하는 것은 충분하지 않다. 인간이 돌봄 맥락 안으로 들어오게 되면, 그는 괴로워하는 인간이란 개념의 본래 의미 안에서 환자가 된다(Eriksson, 1994a).

간호

에릭슨의 초기 연구의 주요 사상idea으로서(1987b, 1990, 2001), 사랑과 자비 혹은 자애caritas에서 돌봄의 기본 주제를 발견할 수 있다. 자애 주제는 의미론, 인류학 및 사상의 역사에서 유래된다(Eriksson, 1992c). Nygren(1966)에 의하면, 자애는 인간애와 자비를 의미한다. 인류학에서 볼 때, 인간의 본질은 사랑이다. 사랑을 주는 것은 인간의 특성이다(Lévinas, 1988). 사상ideas의 역사는 세대를 통하여 볼 때, 돌봄 전문직은 괴로움을 겪는 사람을 돕고 보살펴주려는 경향을 바탕으로 하여 왔음을 알 수 있다(Lanara, 1981).

자애는 돌봄의 주제를 구성하고 있으며, 이는 돌봄이 가장 깊이 있게 이론화된 자애를 주제로 하여 이루어진다. 에릭슨에 의하면, 이 주제는 모든 형식의 인간관계 안에서 모든 교육과 성장 도모의 핵을 이룬다. 자애 안에는 2가지 유형의 기본적 사랑이 있는데, 이는 서로 묶여 있다-에로스와 아가페(Nygren, 1966). 이 2가지가 묶여 있으며, 관용이 인간 태도로 삶에 드러나고, 기쁨으로 표현된다. 자애라는 주제는 돌봄 안에서 특수한 윤리적 태도 혹은 에릭슨의 표현에 의하면 자애적 모습carative outlook으로 관찰된다. 에릭슨은 자애로운 돌봄 윤리에서 이를 이론화시키고 구체화시켰다(Eriksson, 1995). 자애는 돌봄 사명감과 연결된 내적인 힘을 구성한다. 사랑 안에서 일하는 돌봄자는 에릭슨이 말하는 자애 즉 아름다움의 힘과 빛을 발산한다.

자애는 인간의 이웃과 신에 대한 사랑, 인간의 스스로에 대한 사랑, 창조된 모든 것에 대한 인간의 사랑, 인간에 대한 신의 사랑 모두를 포함한다. 에릭슨은 사랑의 표현을 자비의 근본적인 가치와 믿음, 소망, 사랑과 같은 신학적 가치를 개발시킨다고 생각하였다(Eriksson, 1987a, 1990). 에릭슨은 자애라는 아이디어를 통하여 그녀의 자애로운 총체적인 돌봄이론을 끌어내었다.

돌봄과학의 기본가정과 일치시키면서, 에릭슨은 돌봄을 존재론과 돌봄의 표현이라고 보았다(Eriksson, 1988). 돌봄은 자연적이면서 원초적인 것이다. 그녀는 돌봄의 본질은 돌봄의 근원을 조사해야만 알 수 있다고 생각한다. 이는 개념이 본래 기원된 것으로부터 그리고 자연적 돌봄 아이디어 속에서 찾을 수 있다. 자연적 돌봄은 어머니다움motherliness이란 개념을 바탕으로 한다. 이는 청결, 양육, 자발적, 무조건적 사랑을 의미한다.

자연적 기본적 돌봄은 믿음, 소망, 사랑의 정신으로 곁에서 돌보기, 놀이, 학습을 통해서 표현된다. 곁에서 돌보기는 온정, 친밀감, 접촉을 특징으로 한다; 놀이는 연습, 시험, 독창성, 상상 및 욕구와 소망으로 표현된다. 반면에 학습은 성장과 변화를 목표로 한다. 곁에서 돌보기, 놀이, 학습은 공유를 의미한다. 에릭슨(1987a)에 의하면, 공유란 "인간, 인생 및 신과 함께 존재하는 것"이다(p. 38). 그러므로 진실한 돌봄은 "행위 형태도 아니고, 느낌이나 상태도 아니다. 그곳에 머무는 것이다- 행해진 것 안의 방법이고, 정신이며, 이런 정신은 자애로운 것이다"(Eriksson, 1988, p. 4). 에릭슨은 세대를 통한 돌봄은 다양한 사랑과 자비의 표현이자 고통을 완화시켜주고 삶과 건강에 기여하는 것이라고 생각할 수 있다고 주장한다. 에릭슨은 후기 교과서에서 돌봄은 진, 선, 미 및 영원함을 추구하며, 돌봄에서 영원한 것과 이를 관찰할 수 있도록 혹은 이를 입증할 수 있도록 노력하는 것이라고 강조하였다(Eriksson, 2002). 그녀는 지속적으로 돌봄이 무엇인지(돌봄의 기본)를 중점적으로 연구하였다. 에릭슨은 자애로운 돌봄은 간호의 가장 깊은 내면의 핵심(심연)과 관련이 있음을 강조하였고, 그녀는 돌봄간호caring nursing와 간호nursing care를 구분 지었다. 에릭슨은 간호는 간호과정에 기초를 두고 있으며, 돌봄의 심연에 근거할 때에만 양질의 간호를 펼칠 수 있다고 말한다. 돌봄간호는 환자와 환자의 괴로움과 욕망을 강조하고 편견없이 돌봄을 전개한다(Eriksson, 1994a).

자애로운 돌봄은 기본 친교와 관련된 돌봄 관계 안에서 고통받는 인간을 만날 때 생긴다(Eriksson, 1998). 에릭슨(1993)이 기술한 간호사와 환자 사이의 핵심적 돌봄 관계는 개방적 초대라고 할 수 있으며, 초대란 다른 사람을 언제나 환대하고 있음을 나타낸다. 지속적인 초대란 요즘 에릭슨(2003)이 돌봄 행위act of caring라고 말한 것과 관련이 있다. 돌봄행위는 심연의 돌봄 정신을 표현하고 있으며, 자애의 기본적 주제를 재창조한다. 돌봄행위는 가장 깊은 곳의 신성한 성분을 표현하며, 개별 환자의 존엄성을 보호하는 것을 의미한다. 돌봄 행위 안에서 기본적 돌봄을 활성화시키기 위하여 환자와 순수하게 공유하고 친교하게 된다(Eriksson, 1987a) (예, 환자에게 적절하게 간호하게 된다). 적절하다는 것은 인간을 회복시키거나 좀 더 진실된 참된 인간이 되게 한 결과를 말한다. 존재론적 의미로 말하면, 에릭슨은 돌봄의 궁극적 목적은 건강만을 고려하지 않고, 더 나아가 인간 삶의 모든 것을 포함하고 있다고 말한다. 인간은 봉사하고 타인을 위해 존재하는 사명감을 지니고 있기 때문에, 돌봄의 궁극적인 목적은 인간이 이런 사명감을 갖게 하는 데 있다(Eriksson, 1994a).

환경

에릭슨은 윤리는 에토스에서 유래되었다고 하는 아리스토텔레스(1935, 1997)의 아이디어와 와 일치하는 에토스 개념을 이용하였다. 에릭슨에게 있어서, 돌봄만 아니라 돌봄 과학의 에토스는 사랑과 자비에 대한 아이디어와 인간의 신성함과 존엄성에 대한 존경과 경외를 포함하고 있다. 에토스는 모든 돌봄이란 악기의 건반이다. 에토스는 돌봄의 목표물로서 내면의 의무적인 것으로서 존재하며, "고유의 언어와 고유의 열쇄를 가지고 있다"(Eriksson, 2003, p. 23). 양질의 돌봄과 진실한 지식은 에토스를 통해 관찰할 수 있게 된다. 원래 에토스는 집 혹은 집과 같이 느끼는 장소를 말한다. 에토스는 인간의 가장 깊숙한 내부에서 옷을 입지 않은 상태를 상징한다(Lévinas, 1989). 에토스와 윤리는 돌봄 문화에 같이 속하고 이 둘은 하나가 된다(Eriksson, 2003). 에릭슨의 생각에 의하면, 에토스는 특정 과제를 봉사하도록 불림 받은 느낌이 드는 것을 의미한다. 에릭슨은 이런 에토스가 돌봄문화의 핵심이라고 생각한다. 돌봄문화 안에서 기본적 힘을 구성하는 에토스는 윤리와 윤리적 행위의 기본적 기초를 내비치는 가치관 중 가장 우선적인 것임을 의미한다.

1990년 초기, 에릭슨은 돌봄의 기본 범주로서 고통을 다시 소개하였을 때, 고통 경감의 기초로서 모든 돌봄과 자비 개념의 기본적 역사적 조건들을 되돌아보았다(Eriksson, 1984, 1993, 1994a, 1997a). 이는 돌봄 실재에 대한 견해를 변경시켜 고통 받는 인간에 집중하게 되었음을 의미한다. 존재론적 의미로 볼 때, 그녀는 모든 고통을 선과 악 사이의 투쟁으로 보고 있다. 그녀는 처음에는 고통이 인간 생활에서 떼어 놓고 생각할 수 없는 부분이라고 생각하였고 특징적인 이유 혹은 정의를 갖지 않았다. 고통은 많은 특징을 지니고 있지만, 이를 상세히 설명할 말이 부족하다. 고통은 아무런 의미를 지니고 있지 않지만, 인간은 고통에 적응하게 됨으로써 고통에 대해 의미를 부여할 수 있게 된다. 에릭슨은 견딜 수 있는 고통과 견딜 수 없는 고통을 구분 지었으며, 견딜 수 없는 고통은 인간을 마비시키고, 성장을 방해하지만, 반면에 견딜만한 고통은 건강에 견줄 정도라고 생각한다. 모든 고통 중 가장 심오한 것은 어떤 의미에서 죽음과 같다고 기술되기도 하지만, 이 또한 재생될 수 있다. 모든 인간의 고통은 고통 드라마 안에서 수행된다. 인간의 고통을 경감시키는 것은 드라마의 조연을 맡고 고통을 인정하는 것을 의미한다. 고통 받는 인간은 고통을 인정받고 싶어 하며, 고통에 적응하게 될 시간과 공간을 제공 받고 싶어 한다. 돌봄의 궁극적인 목적은 고통을 덜어주는 것이다. 에릭슨은 질병과 관련된 고통, 돌봄과 관련된 고통, 삶과 관련된 고통(Eriksson, 1993, 1994a, 1997a) 3가지 유형의 고통을 기술하였다.

건강

초기 에릭슨의 저술을 보면, 에릭슨은 건강을 건전함soundness, 신선함freshness 및 안녕well-being 으로 정의하였다. 주관적 차원 혹은 안녕을 강력히 강조하였다(Eriksson,1976). 건강에 대한 최근 공리에서 그녀는 건강은 질병의 부재 이상의 것이라고 진술하고 있다. 건강은 영, 육, 혼 안에서의 전체를 의미한다. 건강은 순수한 기념으로서 전체성과 신성함을 의미한다(Eriksson, 1984). 에릭슨은 인간존재에 대한 그녀의 견해와 일치시켜서, 건강의 본질과 법칙에 관한 다양한 전제를 개발하였고, 이는 존재론적 건강 모델 안에 모두 집결시켰다. 그녀는 건강을 이동하는 것이면서 통합체로 보았다. 건강은 인간의 적극적 되어감 속에서 실재적인 것과 잠재적인 것 사이를 이동하며, 인간 삶의 통합된 부분이다. 건강의 전제는 여러 가지 부분적 전제를 포함하고 있다. 건강은 이동하며 변화한다. 인간은 형성되어지거나 파괴되지만, 결코 완전하지 않다. 건강은 실재인 것과 잠재적인 것 사이를 이동한다. 건강은 시간과 공간사이를 이동한다. 건강은 활력, 영, 육, 혼의 활기에 따라 변화한다. 이동의 방향은 인간의 요구와 욕구에 따라 결정된다. 의미, 삶 및 사랑을 찾으려는 의지는 이동하는 건강의 에너지원이 된다. 이동하는 건강은 개인의 잠재력을 실현하기 위해 애쓴다(Eriksson, 1984).

존재론적 개념 안에서, 건강은 좀 더 깊이 있는 전체성과 신성함을 향해 되어가고, 이동하는 것으로 인식된다. 인간 내면의 건강 잠재력이 자극되면, 건강의 다른 차원에서 건강이 인간에게 유일한 전체성 안에서 행하고, 존재하고 되어가는 것처럼 이동하는 것이 가시화 된다(Eriksson, Bondas-Salonen, Fagerström, Herberts, & Lindholm, 1990). 행하는 가운데, 건강과 관련된 인간의 사고는 건강한 생활 습관과 질병 회피에 집중하고, 인간은 균형과 조화를 위해 노력한다. 되어감 안에서 인간은 좀 더 높은 수준의 통합을 이룬 전체가 되어간다.

에릭슨(1997a)은 건강과 고통은 함께 속하는 것으로 생각하고 있다. 건강은 고통과 혼합되었을 경우에만 전체로 될 수 있다. 건강과 고통은 같은 움직임 안에서 양쪽 끝에 위치하는 개념이며 이 두 가지는 서로가 통합되며, 인생 속에서 끊임없이 존재하고 있다. 행위의 건강차원 안에서, 인간은 그들의 고통과 익숙하지 않으며, 고통이 멀리 있다고 설명하고 싶어한다. 존재의 건강 차원 안에서 그들은 조화를 이루기를 원하며, 고통으로부터 멀어지고 싶어한다. 되어감 안에서 인간은 고통에 익숙하지 않다. 그 대신 그들은 삶의 환경에 스스로 적응하려고 노력한다. 에릭슨(1994a)은 인간이 건강의 반대 상태와 고통을 의식적으로 인식하게 함으로써, 고통은 건강에 의미를 부여할 수 있다고 생각한다.

이론적 주장

에릭슨의 이론적 주장을 형성할 때, 에릭슨의 기본적 아이디어는 4가지 수준의 지식을 연결한다: 메타-이론적 지식, 이론적 지식, 기술적 지식, 예술로서 돌봄 지식. 이들 수준 사이를 변증법적으로 이동하면서 이론이 생성된다. 그러나 여기서는 연역을 이용하여 기본적인 인식론적 아이디어를 구성하고 있다(Eriksson,1981). 돌봄과학의 이론은 기본적으로 인식론적, 논리적, 윤리적 입장을 취하고 있으며, 이는 메타-이론적 수준에서 형성되었다. 에릭슨(1988)은 Ngren(1972)과 일치하여, 기본적 주제를 모든 수준에서 지식형성을 침투하고, 과학적 지식에 독특한 특성을 제공하는 성분으로 생각하고 있다. 명료하게 작성된 존재학은 자애로운 돌봄이론과 돌봄과학을 하나의 학문분야로서 기초를 만들어주었다. Lévinas(1988)의 생각과 일치하여, 에릭슨도 에토스가 윤리보다 앞선다는 견해를 가졌다. 자애 동기caritas motive, 사랑과 자비에 관한 에토스, 그리고 인간의 거룩함과 신성함에 대한 경외와 존경은 돌봄의 본질을 나타내며, 자애르운 돌봄이른의 특징에 해당한다. 이런 에토스는 돌봄을 과학이자 예술로 감싸주며, 돌봄 문화에 스며들고, 돌봄의 선행조건을 형성한다. 간호과정, 기록, 및 다양한 간호계획 모델에 에토스가 반영되고 있다.

돌봄 친교는 이론 속의 다양한 개념이 이해되어야 하는 의미의 상황적 맥락을 이해할 수 있게 해준다. 인간의 고통은 돌봄의 기본적 범주를 형성하는데, 이는 돌봄자가 진실한 돌봄(예, 사랑과 자비로 봉사하게 함)을 행하게 한다. 돌봄행위 안에서, 고통 받는 인간 혹은 환자는 돌봄 친교에 초대되고, 환대받으며, 이곳에서 환자의 고통은 돌봄 행위를 통해 완화될 수 있다. 즉, 모든 인간마다 독특한 고통의 드라마 안에서 돌봄행위를 통해 환자의 고통은 완화될 수 있다. 고통 완화란 드라마에서 돌봄자가 조연배우 역할을 맡고, 환자의 고통을 확인하고, 조정이 이루어질 때까지 고통을 겪을 시간과 장소를 마련해주는 것이다. 조정은 건강 혹은 존재의 궁극적인 목적에 해당하며, 전체성과 신성함의 재설정을 의미한다(Erikssion, 1997a).

논리적 형식

에릭슨의 사고 안에서 언제나 메타-이론은 기본적 위치를 차지하며, 그녀의 인식론적인 연구 안에서 사고패턴은 아리스토텔레스의 지식이론(Aristotle, 1935)에 근거를 두고 있다.

본질적으로 해석학적이고, 논리 정연한 이론 관점 안에서 일관된 지식을 추구하는 것은 역사적-해석학 전통 안에서 원조 텍스트를 추구하는 것으로 이해되어야 한다. 즉, 오래된 해석학적 의미 안에서 진리가 드러난다고 본다(Gadamer, 1960, 1994). 에릭슨은 깊이있는 지식과 이론을 개발하기 위하여 지속적인 노력을 기울였고, 가설적 연역적 방법과 해석학을 지침 원리로 삼고 다양한 논리적 모델을 사용하여왔다.

에릭슨은 방법을 기초로 한 것이 아니라 돌봄 본질을 기초(예, 자애)로 하여 만들어진 논리적 형식의 중요성을 강조한다. 그러므로 연역적 논리와 귀환적abduction 논리를 혼합하여 지침적 논리를 형성하였다. 언어, 단어, 개념들은 의미의 내용을 전달하는 도구이다. 에릭슨은 인문 과학의 전통에 부합하는 단어, 개념, 언어를 선택할 필요성이 있음을 강조한다.

자연세계와 과학세계 사이의 역동적인 변화 속에서, 진, 선, 미의 근원을 찾아 끊임없이 노력해왔다. 에릭슨(1999)은 여러 다른 수준의 패턴과 축적된 해석 사이를 이동하면서 이를 이론적 조망에 반영시킴으로써 그녀의 과학적 사고를 이론화시켰다. 특히 그녀는 경험적-지각 가능한 지식dóxa과 이성적-개념적 지식episteme과 "무한함the infinite" 사이를 이동하였다. 그러므로 그녀 사고는 지식, 지각 및 개념에 관한 두 가지 기본적 인식론적 범주 사이를 이동하였다. 무한함은 이성적 개념-형성 지식을 뛰어 넘은 것이며, 여기서의 인식론적 범주는 주로 상징과 은유의 형태를 취한다.

에릭슨은 연역, 귀납, 귀환 3가지 유형의 추론을 변함없이 적용하여,(Eriksson & Lindström, 1997) 이는 이론에 논리적 외적 구조를 제공하였다. 그녀의 돌봄이론 본질은 동시에 귀환적 비약을 통해 이동하였고(Peirce,1990; Eriksson & Lindström, 1997), 이는 간혹 혼란을 초래하였지만, 에릭슨의 사고에 새로운 발견을 가져다 주었다. 귀환법을 통하여 자애로운 돌봄의 이상적 모델이 형성되었고, 자명한, 역사적 가정으로부터 진행되었다(Nygren, 1972). 에릭슨은 이런 방법을 통해 그녀의 연구재료로서 자애로운 돌봄을 검증하기 위하여 옛날 원조 텍스트를 이용하였다. 귀납과 연역을 통하여 이론의 타당성은 지속적으로 검증되어 왔다.

에릭슨은 고대 그리스의 이론 개념인 *theoria*과 일치시켜서 이론을 구상하였다. 여기서 그리스어로 *theoria*는 아름다움과 선함을 일상에 참여하고, 타인에게 헌신하는 것으로 보았다(Gadamer, 2000, p. 49). 이론과 실무는 핵심은 같으면서도 다른 측면을 지닌다. 설득력과 전체이론의 잠재성을 생성된 이론의 심연에 해당하는 자애로부터 발견한다. 돌봄 본질은 잠재적인 것과 실재적인 것 사이, 그리고 추상적 일반적인 것과 구체적이고 개인적인 것 사이의 변증법적 이동을 통해 만들어진다. 핵심적 논리(Pascal, 1971)와 결합하여 논리적 추상적 사고의 도움을 얻어 자애로운 돌봄이론은 돌봄의 예술에 걸쳐 인지가능해지고 있다.

간호학계의 수용

실무

에릭슨의 연구 방식의 특징은 임상적 활동의 확실한 전제조건으로서 추상적 사고를 조직하는 방법과 좀 더 심층적 통찰력이 가능해지는 근거 기반 형태의 돌봄에 있다. 에릭슨은 돌봄 개념을 사용하여 독특한 개별적 자애로운 돌봄 행위 안에서 추상적 일반성이 드러나는 실무를 예술처럼 표현하였다.

북유럽에서 여러 간호 단위는 에릭슨의 아이디어와 그녀의 자애로운 돌봄이론을 그들 실무와 돌봄 철학의 근거로 삼았다. 이들은 핀란드의 Helsinki와 Uusimaa의 여러 클리닉, 핀란드 Åland 섬에 있는 Stiftelsen Hemmet 및 스웨덴의 Stora Sköndal이다. 이와 같이 여러 병원에서 에릭슨의 돌봄이론을 적용하는 이유는 에릭슨의 사고와 돌봄과정 모델이 급성 임상적 돌봄과 정신과 돌봄부터 건강증진 및 예방적 돌봄까지 모든 돌봄 맥락에 적용가능한 것이 입증되었기 때문이다.

1970년대 이후, 헬싱키 대학 중앙 병원에서 간호와 기록의 기초로 에릭슨의 간호과정 모델을 체계적으로 사용하고, 검증하고 개발시켰다. 1990년대 초기부터 에릭슨은 "환자의 세계 안에서"라는 임상연구프로그램의 책임자로 일하였다. 이 프로그램은 대학병원 내 다양한 크리닉에서의 수 많은 경험적 연구들을 포괄하고 있다. 여러 연구들 통하여 에릭슨의 이론이 검증되었고, 연구결과는 박사 학위 혹은 석사 학위 논문과 전문학술지에 발표되었다. 현재 진행중인 프로젝트로서'환자의 세계 안에서 Ⅱ: 환자의 고통 경감-윤리와 근거'는 앞으로 환자 돌봄을 위한 중요한 권장사항을 제시해 줄 것이며, 임상 돌봄과학의 핸드북이 될 것이다.

이론적 가정, 주장 및 간호과정 모델은 돌봄 계획과 기록을 개발하는데 기초가 될 것이다. 에릭슨의 모델은 좀 더 학술적인 연구의 주제로 진행되어왔다(Fagerström,1999; Kärkkäinen & Eriksson, 2003, 2004; Lukander, 1995; Turtianinen, 1999). 에릭슨의 사고는 간호 리더쉽과 간호행정에 영향을 주어서, 자애로운 간호이론이 다양한 수준의 간호 조직에서 간호 리더쉽 개발 시 핵심을 제공하였다. 실무에 적용된 돌봄과 에릭슨 간호과정 모델에 관한 그녀의 아이디어는 북유럽 전체에 걸쳐 발표되어진 수많은 에세이, 임상 실구 교육 시험부터 석사학위논문, 학사와 석사 사이 과정lincentiate의 학위 논문, 박사학위 논문을 통해 입증되어 왔다.

교육

1970년대 이후, 북유럽에서 에릭슨의 이론은 다양한 수준의 간호교육에 통합되었고 그녀의 책은 지속적으로 여러 유형의 간호교육 기관의 시험에 포함되었다. Åbo Akademi University의 돌봄과학학과에서 1986년 석사과정과 박사과정 교육이 시작되었고 이 교육과정은 순전히 에릭슨의 아이디어를 바탕으로 설립되었으며, 그녀의 자애로운 돌봄이론은 교육과 연구를 개발하는데 핵심을 마련해주었다.

돌봄과학-중심의 교과과정과 돌봄 교수법의 개발은 돌봄과학 교수법 내 교육과 연구 프로그램 안에서 계속되었다. 간호사 교육 내 교수들을 개발시켜서 석사학위 프로그램의 일부를 운영하였고, 돌봄과학 교수법에서 최초의 박사학위논문이 나왔다(Ekebergh,2001).

에릭슨은 초기에 간호교육 과정에서 아카데믹 과정을 통합하는 것이 중요함을 깨달았다. 그래서 현재 에릭슨의 이론에 근거한 돌봄과학의 아카데미 과정을 임상 실무 근무자들의 계속교육으로 운영하고 있다. 해마다 약 200명의 간호사들이 이런 아카데미 과정을 수강하고 있다.

에릭슨은 돌봄과학을 전문직을 중심으로 보지 않고, "순수" 아카데미 학문으로 간주하였기 때문에, 다른 학문 분야의 학생들이나 교사, 사회사업가, 심리학자 및 신학자와 같은 다른 직업군에게도 관심을 일으켰다. 에릭슨은 의사들도 돌봄과학을 연구할 필요가 있으며, 이렇게 하여 돌봄과학과 의학 사이에 순수한 다학제 간 협동이 달성 될 수 있음을 강조하였다.

연구

에릭슨과 돌봄과학 학부의 교수나 연구 동료들과 함께 돌봄과학 전통에 기초한 연구 프로그램을 디자인하였다. 연구 프로그램은 체계적인 돌봄과학, 임상적 돌봄 과학, 돌봄과학 교수법, 돌봄 행정, 및 다학제간 연구를 포함한다. 에릭슨의 자애로운 돌봄이론은 돌봄과학 학과 자체의 프로젝트와 학과에서 발표된 23개 박사학위 논문을 포함하여 다양한 연구 접근법과 다양한 맥락 안에서 검증되고 더욱 발전되었다.

에릭슨은 언제나 임상연구의 필요성과 함께 기초 연구의 중요성을 강조하였으며, 그녀의 주요 주제는 본질에 따라 연구 방법을 선택해야 한다는 것이다. 그녀의 저서 Pausen[중지](Eriksson,1987b)에서, 에릭슨은 자애로운 돌봄이론부터 시작하여 연구 목표를 어떻게 조직해야 하는지를 기술하고 있고, 저서 Broar[다리](Eriksson,1991)에서 인문 과학 조망을 바탕으로 한 다양한 방법론적 접근과 연구 파라다임에 대하여 기술하였다. 처음 몇 년 동안에릭슨은 이론의 기본 개념과 가정을 개발하는 데 초점을 맞추고, 기본적 역사와 아이디어의 역사를 강조하면서 기초 연구를 강조하였다. 에릭슨의 연구에서 특히 강조하는 것은 생성된 지식에 대해 명확성과 깊이를 더해주는 명료하게 작성된 이론적 조망이다. 이론과 연구의 발전은 언제나 다양한 차원의 이론에 초점을 두고 손에서 손으로 전달되지며, 이러한 연결을 통해 연구의 중심적 결과를 밝히고자 한다.

에릭슨은 언제나 기본개념을 철저하고 체계적으로 분석할 필요가 있음을 강조하였고 자신의 개념모델을 개발하였다(Eriksson, 1991, 1997b), 이는 여러 연구가에 의해 사용되고 의미있음을 입증 받았다. 이에는 돌봄의 예술이란 연구에서의 Någen(1998), 자연적 돌봄 개념에 과한 연구에서의 von Post (1999), 영과 혼 개념에 관한 연구에서 Sivonen(2000), 돌봄관계 개념 연구에서 Kasén을 포함한 연구자들이 있다. 그 외 연구들은 존엄성 개념(Edlund, 2002), 권력과 권위 개념(Rundqvist,2004), 수술 전 상황 안에서의 신체 개념(Lindwall, 2004)에 초점을 맞추었다.

에릭슨의 건강 개념은 1987년부터 1992년까지 진행된 다차원적 건강 연구 프로젝트에서 계속 발전되었고 이 프로젝트의 결과로 존재론적 건강모델이 나왔다(Eriksson, 1994a; Eriksson el al., 1990; Eriksson & Herberts, 1992). 이 프로젝트는 몇 개 연구로 구성되었으며, 이후 많은 석사의 논문주제로 연구되어졌다. 이중 Lindholm의 젊은 사람들의 건강개념 연구(1998; Lindholm & Eriksson, 1998), Bondas의 주산기 동안 여성 건강 연구(2000; Bondas & Eriksson, 2001)가 있고 이는 후에 박사학위 논문으로 이어졌다.

존재론적 건강모델은 이후에도 여러 연구의 기초가 되었다. Wärna(2002)는 근로자의 건강에 관한 그녀 연구에서 아리스토텔레스의 덕virtue에 관한 이론과 에릭슨은 존재론적 건강모델을 연결 지었다. 이 연구결과는 작업장 환경내 예방적 건강 서비스에 관한 새로운 사고를 갖게 하였고, 핀란드 목재 가공 산업의 수많은 공장의 처리과정 면에서 연구와 발전이 계속되고 있다.

1980중반 이후, 돌봄의 기본 범주로서 고통을 에릭슨 이론에 상세히 설명하였을 때, 고통과 관련된 연구가 증가하였다. 그 중 하나는 Wiklund(2000)의 고통에 관한 연구로서, 심장 질환자와 약물 중독 환자 사이의 투쟁과 드라마로서 고통을 연구하였다. 여러 임상연구 중에서 Råholm은 관상동맥우회술을 받은 환자의 고통과 고통완화에 초점을 두었다(Råholm, Lindholm, & Eriksson, 2002; Råholm, 2003). Fredriksson은 정신과적 상황 안에서 고통의 특징을 연구하였는데, 이 때 고통완화 중 돌봄 대화가 가능함을 보여주었다(Arman, 2003; Fredriksson, 2003; Fredriksson & Eriksson, 2003; Fredriksson & Lindström, 2002; Rehnsfeldt, 1999). Nyback(2008)은 중국인 문화에서 고통을 연구하였고 Lindholm(2008)은 가정 폭력과 연관하여 고통에 초점을 맞춘 연구를 진행하였다. 노르웨이의 연구 중 Nilsson(2004)는 정신과적 비기관 단체에서 환자(중증도의 질병과 기본적으로 중요하나 외로움을 경험한)의 고통을 연구하였다. Caspari(2004)는 그녀의 연구를 통해 건강과 고통에 대한 미학이 중요함을 예를 들어 보여주었다.

스웨덴과 핀란드의 협동연구에서 유방암 여성의 고통을 연구하였다. 이 프로젝트는 고통 경감을 위한 다양한 유형의 돌봄이 중요함을 보여준 중재연구를 포함하고 있다(Arman, Rehnsfeldt, Lindholm, & Hamrin, 2002; Arman-Rehnsfeldt & Rehnsfeldt, 2003; Lindholm, Nieminen, Mäkelä & Rantanen-Siljamäki, 2004). Arman- Rehnsfeldt는 그녀의 연구에서 고통의 드라마가 이들 여성에게 어떻게 형성되는 지를 보여주었다(Arman, 2003).

1970년 이후 학술적인 분과학문으로서 돌봄과학을 개발시키려는 관점에서 연구가 계속 수행되어왔고, 돌봄과학이론이 만들어졌다(Eriksson, 1988, 2001; Eriksson & Lindström, 2000, 2003; Lindström, 1992). 에릭슨은 돌봄과학의 하위분과학문을 발전시켰다. 즉, 돌봄과학 연구자와 다른 과학 학문 분야와 대화하고, 연구 분야를 성립시켰음을 의미한다. 예로써 자애로운 돌봄 윤리의 발달을 들 수 있다(Andersson, 1994; Eriksson, 1991, 1995; Fredriksson & Eriksson, 2001; Råholm & Lindholm, 1999; Raholm et al., 2002). 에릭슨이 개발시킨 다른 흥미 있는 하위분과학문으로 돌봄 신학이 있다. 여기서 에릭슨은 주제에 대한 과학적학술집단과 함께 돌봄내의 영적, 교리적 질문을 작성하였고, 이런 측면에서 새로운 사고 방식을 명료하게 해주었다. 돌봄신학은 임상 실무에 있어서 돌봄제공자들 사이에 매우 커다란 관심을 불러일으켰으며, 지금은 정식교육과정에서 학습할 수 있다.

미래의 발전

에릭슨은 끊임없는 에너지를 갖고 자신의 사고와 자애로운 돌봄이론을 계속 발전시키고 있으며, 새로운 방식을 계속 찾고 있다. 에릭슨은 자신의 학과 교수들과 박사 후 과정생과 함께 그녀의 학교 연구프로그램 범위 안에서 돌봄과학 분과학문과 마찬가지로 자애로운 돌봄이론도 체계적으로 연구하고 발전시켜왔다. 박사학위과정의 학위논문주제는 연구 프로그램과 연결되었고, 에릭슨의 사고를 지속적으로 발전시키는 데 중요한 공헌을 하였다. 지난 몇 년간 에릭슨은 임상돌봄 과학에서 기초 연구의 필요성을 강조하였다 특히 연구 목적, 돌봄 실재의 이해를 강조하였다. 에릭슨은 3가지관점에서 연구 목적을 설명하였다: 경험된 세상, 활동으로서praxis, 실재real reality. 여기서의 실재는 경험적 실재를 뛰어 너머, 무한대까지 이른다. 신비한 속성을 전달하는 실재 안에서 돌봄의 가장 깊이 있는 잠재성을 찾을 수 있을 것이며, 이는 Gadamer의 의미 안에서 이해될 수 있다. 고대 그리스의 praxis의 의미는 삶의 방식, 즉 존재론으로 이해될 수 있다(Gadamer, 2000). 들봄 과학 안에서의 지식 발달은 연구의 초점이 되는 지식의 목적에 따라 기본적으로 달라진다(Eriksson, & Lindström, 2003). 오늘날 에릭슨(2003)이 흥미를 갖는 또 다른 중심주제는 자애로운 돌봄 윤리를 발달시키는 것이다(예, 에토스에 대한 질문, 돌봄의 기본적 가치, 돌봄의 윤리적 기초, 돌봄행위의 적절성). 자애로운 돌봄과학 이론은 예전에도 보여준 것처럼 임상적 맥락에 계속 적용되고 검증됨으로써 계속 발전하고 있다.

비평

명확성

에릭슨 이론의 강점은 이론의 전반적인 논리적 구조에 있으며, 매번 새로운 개념이 부분으로 추가되어 좀 더 포괄적인 전체가 되는데 기여하고 있고, 여기서 이론의 본질이 발달함에 따라 내적 논리적 성분이 명료해졌다. 에릭슨은 이론의 전후 맥락적 특성을 발전시키려면 기본적 개념이 명확해져야 한다고 늘 주장해왔다. 에릭슨은 중심 방법으로서 개념 분석과 아이디어 분석을 사용하여왔으며, 이는 어의적, 구조적 명확성을 가져다주었다. 동시에 개념은 이론을 개발하게 된 이론적 조망에 익숙하지 않은 사람들에게 낯설게 여겨질 수 있는 차원을 지닐 수 있다고 가정한다. 여러 해 동안 우리는 에릭슨의 업적을 추적하게 되었는데, 이때 그녀의 사고가 논리적 전체를 구성하고 있음을 알게 되었고, 새로운 이해 안에서 추상적 과학적인 것이 구체적인 것으로 드러난다는 것을 깨닫게 되었다(예, 근거 경험을 마련하고 이론의 설득력을 입증함).

간결성

에릭슨의 이론의 이론적 명확성은 명료하고, 논리적인 개념적 전체로서 이론이 일반적임을 보여줌으로써 드러난다. 해석학적 접근은 본질을 심층 이해할 수 있게 해주어, 이론의 간결성에 기여하였다(Gadamer,1960/1994). 간결성은 또한 이해하기 쉽게 만들어진 Gadamer의 이론개념을 표현함으로써 이해될 수 있다. 즉, Gadamer는 이론과 실무는 함께 속하며, 동일한 실재를 2가지 측면으로 나타내는 것이라고 하였다. 에릭슨은 Gadamer의 생각에 동의한다. 즉, Gadamer는 이해에는 적용이 포함되고 있으며, 이론은 좀 더 깊이 있는 참여와 친교로 가는 길을 열어준다고 하였다. 에릭슨(2003)은 이러한 과정을 이론화시켜서 "관념론은 실재에 도달하고, 실재는 관념론에 도달한다"라고 진술하였다(p. 26).

일반성

에릭슨의 이론은 돌봄의 존재론적, 윤리적 기초를 만드는 것을 목적으로 하고, 동시에 학문의 핵심을 구성하고 또한 인식론과 관련된다고 볼 때, 이 이론을 일반적이라고 할 수 있다. 에릭슨의 이론은 또한 이론적 핵심 개념, 이론적 공리와 전제를 통하여 받아들여지는 폭 넓은 설득력을 지녔기 때문에 일반적이라고 할 수 있다. 너무 일반적인 이론은 다른 돌봄 맥락과 관계 지었을 때 모호해질 위험이 있다. 그러나 에릭슨은 복합적인 돌봄 실재의 모든 것을 포함하기위 해 적절한 수준의 추상성을 가지고 핵심개념을 설명해야하고 동시에 특징을 풍부하게 기술하면, 다양한 돌봄맥락 안에서 이해가 가능해질 수 있음을 강조하고 있다.

접근성

전체로서 에릭슨의 사고는 다른 학문 분야와 전문가들로부터도 이해를 얻었다. 그녀는 인문 과학 분야의 실무가들뿐만 아니라 연구자들에게까지 이해될 수 있는 언어와 수사학을 개발하였다. 에릭슨의 이론은 풍부한 본질과 명확하게 이론화된 에토스를 이론의 명확성, 간결성, 일반성과 결합시킴으로서 경험적 정밀성을 명백하게 확보하였다.

중요성

에릭슨은 30년간 성공적으로 자애로운 돌봄이론을 발달시켰고, 그녀의 사고는 임상적 실무, 연구, 및 교육에 중요한 영향을 미쳤음을 보여주었다. 에릭슨은 자신의 자애로운 돌봄이론을 개발함으로써, 자신의 돌봄 과학 전통을 창출하였고, 이런 전통은 점점 강해졌고, 북 유럽국가의 목소리를 만들어냈다고 해도 과언이 아닐 정도에 이르렀다.

요약

많은 시간에 걸쳐 에릭슨은 이전에 사라져 버린 지침과 환상을 지녀왔고, 이론 발달에서 "새로운 분야를 개척"하였다. 에릭슨의 자애로운 돌봄이론과 돌봄과학은 30여년의 기간을 거쳐 발전시켜왔다. 그녀 사고의 특징을 보면, 그녀는 개념과 이론을 발달시킬 때, 추상적인 수준에서 연구했지만, 그녀의 이론은 임상적인 실재와 교육에 뿌리를 두고 있다. 전체적인 자애로운 돌봄이론과 돌봄은 이론적 핵심을 바탕으로 구축된 것으로서, 전체에 스며드는 자애, 사랑 및 연민으로 된 윤리적 성격(에토스)을 통해 독특한 특성과 깊은 의미를 갖추게 된다. 돌봄의 궁극적인 목적은 고통을 경감시키고 삶과 건강에 기여하는 것이다. 신성함과 존엄성을 지니고, 영, 육, 혼의 실체로서 인간의 개념은 기본적인 공리 중 하나에 해당한다.

에릭슨이 해석학적 나선형으로 보는 지식의 형성과정은 윤리학이 존재론 보다 앞선다는 생각에서 출발한다. 구체적인 의미에서 이것은 인간의 신성함과 존엄성은 모든 단계의 지식 추구에서 항상 살아있음을 의미한다. 실무에서 뿐만 아니라 이론에서도 윤리학이 존재론보다 앞선다.

에릭슨의 돌봄과학 전통과 학문적 훈련은 Åbo Akademi 대학의 돌봄과학 학부 활동의 기초를 형성한다. 에릭슨의 돌봄과학 이론과 훈련은 많은 북유럽 국가를 자극시켜서 이들은 연구, 교육, 임상 실무의 기초로 이를 사용하고 있다. 스웨덴어로 발간된 그녀의 수많은 교재는 핀란드, 노르웨이, 및 덴마크어로 번역되었다.

사례연구

다음 사례연구는 핀란드의 정신과 너싱홈 창설자인 Ulf Donner가 인증된 형식에 따라 기술한 것이다. 이곳은 지난 15년 동안 에릭슨의 자애로운 돌봄이론에 기초하여 실무를 운영하고 있다.

돌봄과학 안에서 서비스를 제공하게 된 초기단계에 있지만, 우리 돌봄 제공자들은 스스로 믿음, 소망, 자비 안에서 환자 곁에서 돌보기, 놀기, 학습하기 등의 형태로 사랑과 온정을 이용한 치유력을 강조하는 돌봄과학 이론 안에 우리가 존재하고 있음을 인식하였다. 자애로운 문화란 의식, 상징, 전통의 도움을 받았을 때 관찰가능하다. 예를 들어, 삼위일체의 빛으로 불타는 돌을 보거나, 날마다의 영적 묵상 시간을 통해서만 이를 확인 할 수 있다. 고통

받는 인간을 날마다 만나면서, 사랑과 자비의 속성을 쏟아 붇고 화해, 용서에 대해 논의하고 돌봄제공자로서 우리가 되어감, 존재 및 행함의 수준에서 먹이고, 닦아주기 등 돌보기를 할 수 있는 지 논의한다. 고통 때문에 친교에 참여하지 못하는 사람에게 손을 내밀어 공통적 지평을 찾게 하고, 사랑과 온정으로 고군분투하면서, 돌봄 제공자는 계속 희생하게 된다.

사랑을 받을 자격이 없다고 생각하고 다양한 방법으로 건강관리자에게 이를 확인시켜주는 사람들과 우리는 자주 일하곤 한다. 우리는 환자의 파괴적 행동으로 인해 환자에게 실망하고, 그와 같은 역동적인 행동으로 인해 흔히 약속을 위반하게 될 수 있다는 것도 잊지 말아야 한다. 때때로 이런 방법으로 추상적 의미로 표현되는 고통이 양보하는 것이 아니라, 되어감으로 움직일 수 있도록 이런 고통 시 쉼터를 마련해 줄 만큼 강한 포용을 원하고 있음을 알아차리기가 쉽지 않다. 나쁜 것과 힘든 것이 무엇인지를 인식할 때, 힘의 장 안에서 수평선이 확장되고, 빛을 발산할 가능성과 희망이 열린다.

돌봄제공자로서 우리는 우리 스스로에게 우리가 사용하는 단어와 언어가 가능성을 보장하는지, 이미지와 상징을 이용하였을 때 공허한 곳에서 어떻게 언어적 발판을 마련할 수 있을지를 끊임없이 질문한다. 우리는 기본적인 돌봄 활동인 영양과 청결을 위해 노력할 때, 흔히 환자들에게 실망하는 것을 서글퍼하고, 화해 안에서 용서가 가능함을 교육하는 것이 중요함을 깨닫게 된다.

또한 우리는 선악에 대한 질문과 영원불멸에 대한 인간적인 질문과 관계된 신화, 전설, 이야기의 도움으로 고통 받는 사람들이 친교 할 수 있도록 노력한다. 일상적 반성 기간을 주면서 큰 소리로 읽으면 돌봄 제공자들이 환자와 너무 밀접하게 접근하지 않고, 환자가 견디고 있는 고통을 들춰내지 않고도 환자들과 가까워 질 수 있다.

돌봄 행위 안에서 우리는 환자의 얼굴에 관하여 개방적으로 살펴보려고 노력하고, 환자의 호소에 반응하여 환자가 우리를 향하고 있음을 인식할 수 있음을 보여주는 긍정적 태도를 갖추려고 노력한다. 돌봄 제공자로서 우리가 자비를 호소하는 환자에게 반응할 때, 우리는 하나의 인간으로서 타인의 신성함을 인정해야 할 과제를 만나게 된다. 우리의 지속적인 노력은 환자가 자신의 존엄성을 재구축하게 해주고, 환자의 인간적 사명감을 성취할 수 있게 해주고 진정한 친교를 갖게 해준다.

비판적 사고

1. 돌봄의 에토스로서 자애(caritas)의 의미를 성찰하시오.

a. 돌봄현장에서 자애로운 문화는 어떻게 형성되나?

b. 돌봄 안에서 자애의 성분은 어떻게 나타나는가?

c. 자애에 기초한 윤리를 이론화 시켜본다.

2. 건강과 고통은 서로 필수조건이다. 환자를 돌볼 때 이것이 무엇을 의미하는지 생각하시오.

3. 당신은 구체적인 돌봄 상황 안에서 돌봄의 성분-신념, 희망, 사랑 및 가까이서 돌보기, 놀이 및 학습-을 어떻게 인식하였는가? 예를 제시하시오.

4. 자애로운 돌봄이 부족하여 나타나는 결과로서 가장 흔한 형태의 고통은 인간의 존엄성을 침해하는 것이다. 어디서 이런 상황이 일어나는 지 생각하고 돌봄과 관련된 고통을 예방하기 위하여 무엇을 할 수 있을지 생각하시오.

POINTS FOR FURTHER STUDY

- Eriksson, K. (2007). Becoming through suffering-The path to health and holiness. *International Journal for Human Caring, 11*(2), 8–16.
- Eriksson, K. (2007). The theory of caritative caring: A vision. *Nursing Science Quarterly, 20*(3), 201–202.
- Eriksson, K. (2006). *The suffering human being.* Chicago: Nordic Studies Press. [English translation of *Den Lidande Människan. Stockholm:* Liber Förlag, 1994.]
- Eriksson, K. (2010). Concept determination as part of the development of knowledge in caring science. *Scandinavian Journal of Caring Sciences, 24,* 2–11.
- Eriksson, K. (2010). Evidence—To see or not to see. *Nursing Science Quarterly, 23*(4), 275–279.
- For further literature and information visit our website at: http://www.abo.fi/institution/vardvetenskap

REFERENCES

Andersson, M. (1994). *Integritet som begrepp och princip. En studie av ett vårdetiskt ideal i utveckling.* Doktorsavhandling, Turku, Finland, Åbo Akademis Förlag, [*Integrity as a concept and as a principle in health care ethics.* Doctoral dissertation, Turku, Finland. Åbo Akademi University Press.]

Aristotle (1935). *Metaphysics, X-XIV oeconomica magna moralia.* (H. Tredennick & G. C. Armstrong, Trans.). Cambridge, (MA): Harvard University Press.

Aristotle. (1993) *Den nikomachiska etiken.* Gothenburg, Sweden Daidalos. [*The nicomachean ethics*

(M. Ringbom, Trans. & Commentary). Gothenburg, Sweden: Daidalos.]

Aristotle. (1997). *Retoriikka*. Helsinki, Finland: Gaudeamus. [*Rhetoric* (P. Hohti, Trans.). Helsinki, Finland: Gaudeamus.]

Arman, M. (2003). *Lidande i existens i patientens värld—Kvinnors upplevelser av att leva med bröstcancer*. Doktorsavhandling, Turku, Finland, Åbo Akademis Förlag. [*Suffering and existence in the patient's world—Women's experiences of living with breast cancer.* Doctoral dissertation, Turku, Finland, Åbo Akademi University Press.]

Arman, M., Rehnsfeldt, A., Lindholm, L., & Hamrin, E. (2002). The face of suffering among women with breast cancer—being in a field of forces. *Cancer Nursing, 25*(2), 96–103.

Arman-Rehnsfeldt, M., & Rehnsfeldt, A. (2003). Vittnesbördet som etisk grund i vårdandet. I K. Eriksson & U. Å. Lindström (red.), *Gryning II. Klinisk vårdvetenskap (s. 109–121), Vaasa, Finland: Institutionen för vårdvetenskap, Åbo Akademi. [Bearing witness as an ethical base in caring. In K. Eriksson & U. Å. Lindström (Eds.), Dawn II. Clinical caring science* (pp. 109–121). Vaasa, Finland: Department of Caring Science, ÅboAkademi.]

Barbosa da Silva, A. (1993). *Vetenskap och människosyn i sjukvården: en introduktion till vetenskapsfilosofi och vårdetik*. Stockholm: Svenska hälso och sjukvårdens tjänstemannaförbund, (SHSTF). [*Science and view of human nature in nursing: an introduction to philosophy of science and caring ethics*. Stockholm: Svenska hälso och sjukvårdens tjänstemannaförbund,(SHSTF).]

Berdâev, N. A. (1990). *Historiens mening: ett försök till en filosofi om det mänskliga ödet*. Skellefteå, Sweden: Artos. [*The meaning of history: an attempt at philosophy of human fate*. Skellefteå, Sweden: Artos.]

Bondas, T. (2000). *Att vara med barn: en vårdvetenskaplig studie av kvinnors upplevelser under perinatal tid*. Doktorsavhandling, Turku, Finland, Åbo Akademis Förlag. [*To be with child: a study of women's lived experiences during the perinatal period from a caring science perspective*. Doctoral dissertation, Turku, Finland, Åbo Akademi University Press.]

Bondas, T., & Eriksson, K. (2001). Women's lived experiences of pregnancy: A tapestry of joy and suffering. *Qualitative Health Research, 11*(6), 824–840.

Caspari, S. (2004). Det Gyldne snitt. Den estetiske dimensjon et etisk anliggende. Doktorsavhandling, Turku, Finland: Åbo Academis Förlag. [The golden section. The aesthetic dimension—a source of health. Doctoral dissertation. Turku, Finland, Åbo Akademi University Press.]

Edlund, M. (2002). Människans värdighet—Ett grundbegrepp inom vårdvetenskapen. Doktorsavhandling, Turku, Finland, Åbo Akademis Förlag. [Human dignity—a basic caring science concept. Doctoral dissertation, Turku, Finland, Åbo Akademi University Press.]

Ekebergh, M. (2001). Tillägnandet av vårdveteskaplig kunskap. Reflexionens betydelse för lärandet. Doktorsavhandling, Turku, Finland, Åbo Akademis Förlag. [Acquiring caring science knowledge—the importance of reflection for learning. Doctoral dissertation, Turku, Finland, Åbo Akademi University Press.]

Eriksson, K. (1974). *Vårdprocessen (kompendium)*. Helsinki, Finland: Helsingfors svenska sjukvårdsinstitut. [*The nursing care process (Compendium)*. Helsinki, Finland: Helsingfors svenska sjukvårdsinstitut.]

Eriksson, K. (1976). Hälsa. En teoretisk och begreppsanalytisk studie om hälsan och dess natur som mål för hälsovårdsedukation. Licentiatavhandling, Helsinki, Finland: Institutionen för pedagogik, Helsingfors universitet. [Health. A conceptual analysis and theoretical study of health and its nature as a goal for health care education. Unpublished Licentiate thesis, Helsinki, Finland: Department of Education, University of Helsinki.]

Eriksson, K. (1981). Vårdprocessen—*En utgångspunkt för läroplanstänkande inom vårdutbildningen. Utvecklande av en vårdprocessmodell samt ett läroplanstänkande utgående från vårdprocessen,* n. 94. Helsinki, Finland: Helsingfors universitet, Pedagogiska Institutionen. [*The nursing care process—an approach to curriculum construction within nursing education. The development of a model for the nursing care process and an approach for curriculum development based on the process of nursing care* (No. 94). Helsinki, Finland: Department of Education, University of Helsinki.]

Eriksson, K. (1984). *Hälsans idé*. Stockholm: Almqvist & Wiksell. [*The idea of health*. Stockholm: Almqvist & Wiksell.]

Eriksson, K. (1985). *Vårddidaktik.* Stockholm: Almqvist & Wiksell, [*Caring didactics.* Stockholm: Almqvist & Wiksell.]

Eriksson, K. (1986). Annual report. Helsingfors: Svenska Sjukvårdsinstitut.

Eriksson, K. (1987a). *Vårdandets idé.* Stockholm: Almqvist & Wiksell. [*The idea of caring.* Stockholm: Almqvist & Wiksell.]

Eriksson, K. (1987b). *Pausen. En beskrivning av vårdvetenskapens kunskapsobjekt.* Stockholm: Almqvist & Wiksell. [*The pause: A description of the knowledge object of caring science.* Stockholm: Almqvist & Wiksell.]

Eriksson, K. (1988). *Vårdvetenskap som disciplin, forsknings—och tillämpningsområde* (Vårdforskningar 1/1988). Vaasa, Finland: Institutionen för vårdvetenskap, Åbo Akademi. [*Caring science as a discipline, field of research and application* (Caring research 1/1988). Vaasa, Finland: Department of Caring Science, Åbo Akademi.]

Eriksson, K. (1989). Caring paradigms. A study of the origins and the development of caring paradigms among nursing students. *Scandinavian Journal of Caring Sciences, 3*(4), 169–176.

Eriksson, K. (1990). *Pro Caritate. En lägesbestämning av caritativ vård.* Vårdforskningar 2/1990. Vaasa, Finland: Institutionen för vårdvetenskap, Åbo Akademi. [*Caritative caring—a positional analysis.* Vaasa, Finland: Department of Caring Science, Åbo Akademi.]

Eriksson, K. (1991). *Broar. Introduktion i vårdvetenskaplig metod. Vaasa, Finland: Institutionen för vårdvetenskap,* Åbo Akademi. [*Bridges. Introduction to the methods of caring science* (test ed.). Vaasa, Finland: Department of Caring Science, Åbo Akademi.]

Eriksson, K. (1992a). The alleviation of suffering—the idea of caring. *Scandinavian Journal of Caring Sciences, 6*(2), 119–123.

Eriksson, K. (1992b). Different forms of caring communion. *Nursing Science Quarterly,* 5,93.

Eriksson, K. (1992c). Nursing: the caring practice "being there." In D. Gaut (Ed.), *The practice of caring in nursing (pp.* 201–210). New York: National League for Nursing Press.

Eriksson, K. (1993). Lidandets idé. I K. Eriksson (red.), *Möten med lidanden. Vårdforskning 4/1993 (s. 1–27). Vaasa, Finland: Institutionen för vårdvetenskap, Åbo Akademi. [The idea of suffering. In K. Eriksson (Ed.), Encounters with suffering* (pp. 1–27). Vaasa, Finland: Department of Caring Science, Åbo Akademi.]

Eriksson, K. (1994a). Den lidande människan. Stockholm: Liber Förlag. [*The suffering human being. Stockholm: Liber Förlag.] [English translation published in 2006 by Nordic Studies Press,* Chicago.]

Eriksson, K. (1994b). Theories of caring as health. In D. Gaut & A. Boykin (Eds.), *Caring as healing: Renewal through hope (pp.* 3–20). New York: National League for Nursing Press.

Eriksson, K., (Ed.). (1995). Mot en caritativ vårdetik (Vårdforskning 5/1995). Vaasa, Finland: Institutionen för vårdvetenskap, Åbo Akademi. [*Toward a caritative caring ethic (Caring research 5/1995). Vaasa, Finland: Department of Caring Science, Åbo Akademi.]*

Eriksson, K. (1997a). Caring, spirituality and suffering. In M. S. Roach (Ed.), *Caring from the heart: the convergence between caring and spirituality (pp.* 68–84). New York: Paulist Press.

Eriksson, K. (1997b). Perustutkimus ja käsiteanalyysi. I M. Paunonen & J. Vehviläinen-Julkunen, *Hoitotieteen tutkimusmetodiikka (s. 50–75). Helsinki Porvoo, Finland: WSOY. [Basic research and concept analysis. In M. Paunonen & J. Vehviläinen-Julkunen, The research methodology of caring science* (pp. 50–75). Helsinki Porvoo, Finland: WSOY.]

Eriksson, K. (1998). Understanding the world of the patient, the suffering human being: the new clinical paradigm from nursing to caring. In C. E. Guzzetta (Ed.), *Essential readings in holistic nursing (pp.* 3–9). Gaithersburg, (MD): Aspen.

Eriksson, (1999, November). *Teoriutveckling inom vårdvetenskapen. Human vetenskaplig angreppspunkt.* Stockholm: Nordisk Akademi för Sykepleievitenskap, Kongress i Stockholm. [*Theory development in caring science. A humanistic approach. Stockholm: Nordisk Akademi för Sykepleievitenskap, Kongress i* Stockholm.]

Eriksson, K. (2001). *Vårdvetenskap som akademisk disciplin* (Vårdforskning 7/2001). Vaasa, Finland: Institutionen för vårdvetenskap, Åbo Akademi. [*Caring science as an academic discipline (Caring research 7/2001). Vaasa, Finland: Department of Caring Science, Åbo Akademi.]*

Eriksson, K. (2002). Caring science in a new key. *Nursing Science Quarterly, 15*(1), 61–65.

Eriksson, K. (2003). Ethos. I K. Eriksson & U. Å. Lindström (red.), *Gryning II. Klinisk vårdvetenskap (s. 21–34). Vaasa, Finland: Institutionen för vårdvetenskap, Åbo Akademi. [Ethos. In K. Eriksson & U. Å. Lindström (Eds.), Dawn II. Clinical caring science* (pp. 21–34). Vaasa, Finland: Department of Caring Science, Åbo Akademi.]

Eriksson, K., Bondas-Salonen, T., Fagerström, L., Herberts, S., & Lindholm, L. (1990). *Den mångdimensionella hälsan—En pilotstudie över uppfattningar bland patienter, skolungdomar och lärare (Projektrapport).* Vaasa, Finland: Vasa Sjukvårdsdistrikt kf. och Institutionen för vårdvetenskap, Åbo Akademi. [*Multidimensional health—A pilot study of how patients, school students, and teachers experience health (Project Rep. 1).* Vaasa, Finland: Vasa Sjukvårdsdistrikt kf. och Institutionen för vårdvetenskap, Åbo Akademi.]

Eriksson, K., & Herberts, S. (1992). *Den mångdimensionella hälsan. En studie av hälsobilden hos sjukvårdsledare och sjukvårdspersonal (Projektrapport 2).* Vaasa, Finland: Vasa sjukvårdsdistrikt kf. och Institutionen för vårdvetenskap, Åbo Akademi. [*The multidimensional health. A study of the view of health among health care leaders and health care personnel (Project Rep. 2).* Vaasa, Finland: Vasa sjukvårdsdistrikt kf. och Institutionen för vårdvetenskap, Åbo Akademi.]

Eriksson, K., & Lindström, U. Å. (1997). Abduction—A way to deeper understanding of the world of caring. *Scandinavian Journal of Caring Sciences, 11*(4), 195–198.

Eriksson, K., & Lindström, U. Å. (2000). Siktet, sökandet, slutandet—Om den vårdvetenskapliga kunskapen. I K. Eriksson & U. Å. Lindström (red.), *Gryning—En vårdvetenskaplig antologi (s. 5–18). Vaasa, Finland: Institutionen för vårdvetenskap, Åbo Akademi. [In the prospect of, searching for, and ending of—The caring science knowledge. In K. Eriksson & U. Å. Lindström (Eds.), Dawn. An anthology of caring science* (pp. 5–18). Vaasa, Finland: Department of Caring Science, Åbo Akademi.]

Eriksson, K., & Lindström, U. Å. (2003). Klinisk vårdvetenskap. I K. Eriksson & U. Å. Lindström (red.), *Gryning II. Klinisk vårdvetenskap (s. 3–20). Vaasa, Finland: Institutionen för vårdvetenskap, Åbo Akademi. [Clinical caring science. In K. Eriksson & U. Å. Lindström (Eds.), Dawn II. Clinical caring science* (pp. 3–20). Vaasa, Finland: Department of Caring Science, Åbo Akademi.]

Eriksson, K., & Nordman, T. (2004). *Trojanska hästen II. Utvecklande av evidensbaserade vårdande kulturer.* Vaasa, Finland: Institutionen för vårdvetenskap, Åbo Akademi. [*Trojan Horse II. The development of evidence-based caring cultures.* Vaasa, Finland; The Department of Caring Science, Åbo Akademi University.]

Eriksson K., Nordman T., & Myllymäki, I., (1999). *Den trojanska hästen. Evidensbaserat vårdande och vårdarbete ur ett vårdvetenskapligt perspektiv* (Rapport 1). Institutionen för vårdvetenskap. Vaasa, Finland: Åbo Akademi; Helsingfors universitetscentralsjukhus & Vasa sjukvårdsdistrikt. [*The Trojan horse. Evidence-based caring and nursing care in a caring science perspective.* (Report). Department of Caring Science. Vaasa, Finland: Åbo Akademi; Helsingfors universitetscentralsjukhus & Vasa sjukvårdsdistrikt.]

Fagerström, L. (1999). *The patients' caring needs. To understand and measure the unmeasurable.* Doctoral dissertation. (Turku, Finland, Åbo Akademi University Press.)

Fredriksson, L. (2003). *Det vårdande samtalet.* Doktorsavhandling, Åbo Akademis Förlag, Turku, Finland. [*The caring conversation.* Doctoral dissertation, Turku, Finland, Åbo Akademi University Press.]

Fredriksson, L., & Eriksson, K. (2001). The patient's narrative of suffering—A path to health? An interpretative research synthesis on narrative understanding. *Scandinavian Journal of Caring Sciences, 15*(1), 3–11.

Fredriksson, L., & Eriksson, K. (2003). The ethics of the caring conversation. *Nursing Ethics, 10*(2), 138–148.

Fredriksson, L., & Lindström, U. Å. (2002). Caring conversations—Psychiatric patients' narratives about suffering. *Journal of Advanced Nursing, 40*(4), 396–404.

Gadamer, H-G. (1994). *Truth and method* (2nd rev. ed., J. Weinsheimer & D. G. Marshall, Trans.). New York: Continuum. [Original work published 1960.]

Gadamer, H-G. (2000). *Teoriens lovprisning*, Århus: Systeme. [*Praise the theory.* New Haven: Yale University Press, 1998.] [German orig: Lob der Theorie, 3. Auflage, 1991.]

Gustafsson, L-K. (2008). *Försoning ur ett vårdvetenskapligt perspektiv*. Doktorsavhandling, Turku, Finland, Åbo Akademis förlag. [*Reconciliation—From a caring perspective*. Doctoral dissertation, Turku, Finland, Åbo Akademi University Press.]

Hilli, Y. (2007). *Hemmet som ethos. En idéhistorisk studie av hur hemmet som ethos blev evident i hälsosysterns vårdande under 1900-talets första hälft*. Doktorsavhandling, Turku, Finland, Åbo Akademis Förlag. [*The home as ethos. A history of ideas study of how the home as ethos became evident in public health nurses' caring during the first half of the 20th century*. Doctoral dissertation, Turku, Finland, Åbo Akademi University Press.]

Kaila, E. (1939). *Den mänskliga kunskapen: vad den är och vad den icke är*. Helsinki, Finland: Söderström. [*Human knowledge: What it is and what it is not* (G. H. von Wright, Trans.). Helsinki, Finland: Söderström.]

Kasén, A. (2002). *Den vårdande relationen*. Doktorsavhandling, Turku, Finland, Åbo Akademis Förlag. [*The caring relationship*. Doctoral dissertation Turku, Finland, Åbo Akademi University Press.]

Kierkegaard, S. (1943). *Antingen—Eller* [Orig. 1843. Enten—Eller.]. Utgiver under pseudonymen Victor Eremita. Köpenhamn: Meyer. [*Either/or*. Princeton, (NJ): Princeton University Press, 1987. [Original work published 1843.]

Koort, P. (1975). *Semantisk analys och konfigurationsanalys*. Lund, Sweden: Studentlitteratur. [*Semantic analysis and analysis of configuration*. Lund, Sweden: Studentlitteratur.]

Kuhn, T. (1971). *The structure of scientific revolutions*. Chicago: University of Chicago Press.

Kurtén, T. (1987). *Grunder för en kontextuell teologi: ett wittgensteinskt sätt att närma sig teologin I diskussion med Anders Jeffner*. Turku, Finland: Åbo Akademis Förlag. [*Bases for a contextual theology: a Wittgensteinian way of approaching theology in a discussion with Anders Jeffner*. Turku, Finland: Åbo Akademi University Press.]

Kärkkäinen, O., & Eriksson, K. (2003). Evaluation of patient records as a part of developing a nursing care classification. *Journal of Clinical Nursing, 12*(2), 198–205.

Kärkkäinen, O., & Eriksson, K. (2004). Structuring the documentation of nursing care on the basis of a theoretical process model. *Scandinavian Journal of Caring Sciences, 18*(2), 229–236.

Lanara, V. (1981). *Heroism as a nursing value*. Athens, Greece: Sisterhood Evniki.

Langer, S. K. (1942). *Filosofi i en ny tonart*. Stockholm: Geber. [*Philosophy in a new key*. Stockholm: Geber.]

Lassenius, E. (2005). *Rummet i vårdandets värld*. Doktorsavhandling, Turku, Finland, Åbo Akademis Förlag. [*The space in the world of caring*. Doctoral dissertation, Turku, Finland, Åbo Akademi University Press.]

Lévinas, E. (1985). *Ethics and infinity*. Pittsburgh: Duquesne University Press.

Lévinas, E. (1988). *Etik och oändlighet*. Stockholm-Lund: Symposion. [*Ethics and infinity*. Stockholm-Lund: Symposium.]

Lévinas, E. (1989). *The Lévinas reader* (S. Hand, Ed.). Oxford: Blackwell.

Lindholm, L. (1998). *Den unga människans hälsa och lidande*. Doktorsavhandling, Vaasa, Finland. Institutionen för vårdvetenskap, Åbo Akademi. [*The young person's health and suffering*. Doctoral dissertation, Vaasa, Finland. Åbo Akademi, Department of Caring Science.]

Lindholm, L., & Eriksson, K. (1993). To understand and to alleviate suffering in a caring culture. *Journal of Advanced Nursing, 18*, 1354–1361.

Lindholm, L., & Eriksson, K. (1998). The dialectic of health and suffering: An ontological perspective on young people's health. *Qualitative Health Research, 8*(4), 513–525.Lindholm, L., Nieminen, A-L., Mäkelä, C., & Rantanen-Siljamäki, S. (2004). *Significant others—A source of strength in the care of women with breast cancer*. Manuscript submitted for publication.

Lindholm, T (2008). *Kaikki se kärsii? Parisuhdeväkivalta, kärsimys ja sen lievittäminen naisten ja miesten näkökulmasta*. Doktorsavhandling, Turku, Finland, Åbo Akademis förlag. [*Love endures all things? Violence between spouses, suffering and alleviation of suffering from the viewpoint of women and men*. Doctoral dissertation, Turku, Finland, Åbo Akademi University Press.]

Lindström, U. Å. (1992). *De psykiatriska specialsjukskötarnas yrkesparadigm*. Doktorsavhandling,

Turku, Finland. Åbo Akademis Förlag. [*The professional paradigm of the qualified psychiatric nurses.* Doctoral dissertation, Turku, Finland, Åbo Akademi University Press.]

Lindwall, L. (2004). *Kroppen som bärare av hälsa och lidande.* Doktorsavhandling, Turku, Finland, Åbo Akademis Förlag. [*The body as a carrier of health and suffering.* Doctoral dissertation, Turku, Finland, Åbo Akademi University Press.]

Lukander, E. (1995). *Developing and testing a method: Nursing audit, for evaluation of nursing care.* Licentiate thesis, Kuopion yliopisto, Kuopio, Finland.

Martinsen, K., (Ed.). (1996). *Fenomenologi og omsorg.* Oslo, Norway: TANO. [*Phenomenology and care.* Oslo, Norway: TANO.]

Martinsen, K., & Eriksson, K. (2009). *Å se og Å innse.* Oslo: Akribi.

Nilsson, B. (2004). *Savnets tone i ensomhetens melodi. Ensomhet hos aleneboende personer med alvorlig psykisk lidelse.* Doktorsavhandling, Turku, Finland, Åbo Akademis Förlag. [*The tune of want in the loneliness melody.* Doctoral dissertation, Turku, Finland, Åbo Akademi University Press.]

Nyback, M-H. (2008). *Generic and professional caring in a Chinese setting—an ethnographic study.* Doctoral dissertation, Turku, Finland, Åbo Akademi University Press.

Nygren, A. (1966). *Eros och agapé.* Stockholm: Aldus Bonniers. [*Eros and agapé.* Stockholm: Aldus Bonniers.]

Nygren, A. (1972). *Meaning and method: prolegomena to a scientific philosophy of religion and a scientific theology.* London: Epworth Press.

Nåden, D. (1998). *Når sykepleie er kunstutøvelse. En undersøkelse av noen nødvendige forutsetninger for sykepleie som kunst.* Doktorsavhandling, Vaasa, Finland. Institutionen för vårdvetenskap, Åbo Akademi. [*When caring is an exercise of art. An examination of some necessary preconditions of nursing as art.* Doctoral dissertation, Department of Caring Science, Åbo Akademi, Vaasa, Finland.]

Näsman, Y. (2010). *Hjärtats vanor, tankens välvilja och handens gärning—dygd som vårdetiskt grundbegrepp.*Doktorsavhandling, Turku, Finland, Åbo Akademis förlag. [*Habits of the heart, benevolence of the mind, and deeds of the hand—Virtue as a basic concept in caring ethics.* Doctoral dissertation, Turku, Finland, Åbo Akademi University Press.]

Pascal, B. (1971). *Tankar.* Uddevalla, Sweden: Bohusläningens AB. [*Thoughts.* Uddevalla, Sweden: Bohusläningens AB.]

Peirce, C. S. (1990). *Pragmatism och kosmologi. Valda uppsatser.* Gothenburg, Sweden: Daidalos. [*Pragmatism and cosmology (Chosen essays).* Gothenburg, Sweden: Daidalos.]

Popper, K. R. (1997). *Popper i urval av Miller. Kunskapsteori, vetenskapsteori.* Stockholm: Thales. [*Popper in selection of Miller. Theory of knowledge and theory of science.* Stockholm: Thales.]

Råholm, M-B. (2003). *I kampens och modets dialektik.* Doktorsavhandling, Åbo Akademis Förlag, Turku, Finland. [*In the dialectic of struggle and courage.* Dissertation, Åbo Akademi University Press, Turku, Finland.]

Råholm, M-B., & Lindholm, L. (1999). Being in the world of the suffering patient: A challenge to nursing ethics. *Nursing Ethics, 6*, 528–539.

Råholm, M-B., Lindholm, L., & Eriksson, K. (2002). Grasping the essence of the spiritual dimension reflected through the horizon of suffering—An interpretative research synthesis. *Australian Journal of Holistic Nursing, 9*, 4–12.

Rundqvist, E. (2004). *Makt som fullmakt. Ett vårdvetenskapligt perspektiv.* Doktorsavhandling, Åbo Akademis Förlag, Turku, Finland. [*Power as authority. A caring science perspective.* Doctoral dissertation, Åbo Akademi University Press, Turku, Finland.]

Sivonen, K. (2000). *Vården och det andliga. En bestämning av begreppet 'andlig' ur ett vårdvetenskapligt perspektiv.* Doktorsavhandling, Turku, Finland, Åbo Akademis Förlag. [*Care and the spiritual dimension. A definition of the concept of "spiritual" in a caring science perspective.* Doctoral dissertation, Turku, Finland, Åbo Akademi University Press.]

St. Augustine, A. (1957). *Bekännelser.* Stockholm: Söderström. [*Confessions. Stockholm:* Söderström.]

Törnebohm, H. (1978). *Paradigm i vetenskapsteorin (Del 2. Rapport nr. 100).* Gothenburg, Sweden: Institutionen för vetenskapsteori, Göteborgs universitet. [*Paradigms in the theory of science (Part 2 Report nr. 100).* Gothenburg, Sweden: Institutionen för vetenskapsteori, Göteborgs universitet.]

Turtiainen, A-M. (1999). *Hoitotyön käytännön ku-*

vaamisen yhtenäistäminen: Belgialaisen hoitotyön minimitiedoston (BeNMDS) kulttuurinen adaptio Suomeen. Doktorsavhandling, Väitöskirja, Kuopion yliopisto, Kuopio, Finland. [*Methods to describe nursing with uniform language: The cross-cultural adaptation process of the Belgium Nursing Minimum Data Set in Finland.* Doctoral dissertation, Kuopio University, Kuopio, Finland.]

von Post, I. (1999). *Professionell naturlig vård ur anestesi och operationassjuksköterskors perspektiv.* Doktorsavhandling, Åbo Akademis Förlag, Turku, Finland. [*Professional natural care from the perspective of nurse anesthetists and operating room nurses. Doctoral dissertation, Turku, Finland, Åbo Akademi University Press.*]

von Wright, G. H. (1986). *Vetenskapen och förnuftet.* Helsinki, Finland: Söderström. [*Science and reason.* Helsinki, Finland: Söderström.]

Wallinvirta, E. (2011). *Ansvar som klangbotten i vårdandets meningssammanhang.* Doktorsavhandling, Turku, Finland, Åbo Akademis förlag. [*Responsibility as sounding board in the caring's context of meaning.* Doctoral dissertation, Turku, Finland, Åbo Akademi University Press.]

Wiklund, L. (2000). *Lidandet som kamp och drama.* Doktorsavhandling, Turku, Finland, Åbo Akademis Förlag. [*Suffering as struggle and as drama.* Doctoral dissertation, Turku, Finland, Åbo Akademi University Press.]

Wingren, G. (1996). *Predikan: en principiell studie.* Lund, Sweden: Gleerup. [*The sermon: a study based on principles.* Lund, Sweden: Gleerup.] [Original work published 1960.]

Wärnå, C. (2002). *Dygd och hälsa.* Doktorsavhandling, Turku, Finland, Åbo Akademis Förlag. [*Virtue and health.* Doctoral dissertation, Turku, Finland, Åbo Akademi University Press.]

BIBLIOGRAPHY

Primary Sources

Articles in Scientific Journals with Referee Practice

Arman, M., Rehnsfeldt, A., Lindholm, L., Hamrin, E., & Eriksson, K. (2004). Suffering related to health care: A study of breast cancer patients' experiences. *International Journal of Nursing Practice, 10(6),* 248–256.

Bondas, T., & Eriksson, K. (2001). Women's lived experiences of pregnancy: A tapestry of joy and suffering. *Qualitative Health Research, 11*(6), 824–840.

Caspari, S., Eriksson, K., & Nåden, D. (2011). The importance of aesthetic surroundings: A study interviewing experts within different aesthetic fields. *Scandinavian Journal of Caring Sciences, 25*(1), 134–142.

Caspari, S., Nåden, D., & Eriksson, K. (2006). The aesthetic dimension in hospitals—An investigation into strategic plans. *International Journal of Nursing Studies, 43*, 851–859.

Caspari, S., Nåden, D., & Eriksson, K. (2007). Why not ask the patient? An evaluation of the aesthetic surroundings in hospital by patients. *Quality Management in Health Care, 16*(3), 280–292.

Eriksson, K. (1976). Nursing—Skilled work or a profession? *International Nursing Review, 23*(4), 118–120.

Eriksson, K. (1979). *Semantiska och kulturella aspekter på hälsobegreppet.* Finska Läkaresällskapets handlingar, 74–81. [*Semantic and cultural aspects of the concept of health.* Finska Läkaresällskapets handlingar, 74–81.]

Eriksson, K. (1980). Hoitotieteen loogiset ja tieteenteoreettiset perusteet. *Sosiaalinen aikakauskirja, 14*(5), 6–10. [The theory of science and logical basics of caring science. *Sosiaalinen aikakauskirja, 14(*5), 6–10.

Eriksson, K. (1980). Hoitotieteen teoreettisista malleista, käsitejärjestelmistä ja niiden merkityksestä alan kehittämisessä. *Sosiaalilääketieteellinen aikakauslehti, 17*(2), 66–70. [The importance of caring scientific theoretical models and concept systems for the development of the science. *Sosiaalilääketieteellinen aikakauslehti, 17(*2), 66–70.]

Eriksson, K. (1982). Sjukskötarnas strävan efter högskoleutbildning. *Kasvatus, 13*(3), 192–194. [The nurses strive for a university education. *Kasvatus, 13(*3), 192–194.]

Eriksson, K. (1989). Caring paradigms. A study of the origins and the development of caring paradigms among nursing students. *Scandinavian Journal of Caring Sciences, 3*(4), 169–176.

Eriksson, K. (1989). Det finns en gemensam substans i allt vårdandet. *Vård i Norden, 15(2), 27–28. [There is a common substance in all caring. Nordic Journal of Nursing Research and Clinical Studies, 15*(2), 27–28.]

Eriksson, K. (1989). Motivforskning inom vårdvetenskapen. En beskrivning av vårdvetenskapens grundmotiv. *Hoitotiede, 1*(2), 61–67. [Motive research within caring science. A description of the basic motive in caring science. *Journal of Nursing Science, 1(*2), 61–67.]

Eriksson, K. (1990). Nursing science in a Nordic perspective. Systematic and contextual caring science. A study of the basic motive of caring and context. *Scandinavian Journal of Caring Sciences, 4*(1), 3–5.

Eriksson, K. (1992). Different forms of caring communion. *Nursing Science Quarterly, 5*, 93.

Eriksson, K. (1992). The alleviation of suffering—The idea of caring. *Scandinavian Journal of Caring Sciences, 6*(2), 119–123.

Eriksson, K. (1994). Hälsovårdskandidatutbildningen vid Helsingfors universitet—Historisk tillbakablick och visioner. *Hoitotiede, 3*, 122–126. [The bachelor's degree in health care at Helsinki University—A historical retrospect and visions. *Journal of Nursing Science, 3*, 122–126.]

Eriksson, K. (1995). Ars moriendi är ars vivendi. *Finsk tidskrift, 10*, 641–645. [Ars moriendi is ars vivendi. *Finsk tidskrift, 10*, 641–645.]

Eriksson, K. (1995). Teologi og bioetik. *Vård i Norden, 1*, 33. [Theology and bio-ethics. *Nordic Journal of Nursing Research and Clinical Studies, 1*, 33.]

Eriksson, K. (1997). Understanding the world of the patient, the suffering human being—The new clinical paradigm from nursing to caring. *Advanced Practice Nursing Quarterly, 3*(1), 8–13.

Eriksson, K. (1998). Hälsans tragedy. *Finsk tidskrift, 10*, 590–599. [The tragedy of health. Finsk tidskrift, 10, 590–599.]

Eriksson, K. (2002). Caring science in a new key. *Nursing Science Quarterly, 15*(1), 61–65.

Eriksson, K. (2007a). Becoming through suffering—The path to health and holiness. *International Journal for Human Caring, 11*(2), 8–16.

Eriksson, K. (2007b). The theory of caritative caring: A vision. *Nursing Science Quarterly, 20*(3), 201–202.

Eriksson, K. (2010). Concept determination as part of the development of knowledge in caring science. *Scandinavian Journal of Caring Sciences, 24*, 2–11.

Eriksson, K. (2010). Evidence – To see or not to see. *Nursing Science Quarterly, 23*(4), 275–279.

Eriksson, K., Bondas, T., Lindholm, L., Kasén, A., & Matilainen, D. (2002). Den vårdvetenskapliga forskningstraditionen vid Institutionen för vårdvetenskap, Åbo Akademi. *Hoitotiede, 14*(6), 307–315. [The tradition of research at the Department of Caring Science, Åbo Akademi University. *Journal of Nursing Science, 14(*6), 307–315.]

Eriksson, K., Herberts, S., & Lindholm, L. (1994). Bilder av lidande—Lidande i belysning av aktuell vårdvetenskaplig forskning. Hoitotiede, 4, 155–162. [Views of suffering—Suffering in the light of current research within caring science. *Journal of Nursing Science, 4*, 155–162.]

Eriksson, K., Leino-Kilpi, H., & Vehviläinen-Julkunen, K. (2008). Hoitotiede ja tiede-etiikka. *Hoitotiede, 20*(6), 295–303.

Eriksson, K., & Lindström, U. Å. (1997). Abduction—A way to deeper understanding of the world of caring. *Scandinavian Journal of Caring Sciences, 11*(4), 195–198.

Eriksson, K., & Lindström, U. Å. (1999). Abduktion och pragmatism—Två vägar till framsteg inom vårdvetenskapen. *Hoitotiede, 11*(5), 292–299. [Abduction and pragmatism—Two ways to progress within caring science. *Journal of Nursing Science, 11(*5), 292–299.]

Eriksson, K., & Lindström, U. Å. (1999). En vetenskapsteori för vårdvetenskapen. *Hoitotiede, 11(6), 358–364. [A theory of science for caring science. Journal of Nursing Science, 11(*6), 358–364.]

Eriksson, K., & Lindström, U. Å. (1999). The fundamental idea of quality assurance. *International Journal for Human Caring, 3*(3), 21–27.

Eriksson, K., & von Post, I. (1999). A hermeneutic

textual analysis of suffering and caring in the perioperative context. *Journal of Advanced Nursing, 30*(4), 983–989.

Fagerström, L., Eriksson, K., & Bergbom Engberg, I. (1998). The patient's perceived caring needs as a message of suffering. *Journal of Advanced Nursing, 28*(5), 978–987.

Fagerström, L., Eriksson, K., & Bergbom Engberg, I. (1999). The patient's perceived caring needs—Measuring the unmeasurable. *International Journal of Nursing Practice, 5*(4), 199–208.

Fredriksson, L., & Eriksson, K. (2001). The patient's narrative of suffering—A path to health? An interpretative research synthesis on narrative understanding. *Scandinavian Journal of Caring Sciences, 15*(1), 3–11.

Fredriksson, L., & Eriksson, K. (2003). The ethics of the caring conversation. Nursing Ethics, 10(2),138–148.

Herberts, S., & Eriksson, K. (1995). Nursing leaders' and nurses' view of health. *Journal of Advanced Nursing, 22,* 868–878.

Kärkkäinen, O., Bondas, T., & Eriksson, K. (2005). Documentation of individualized patient care: a qualitative metasynthesis. *Nursing Ethics, 12*(2), 123–132.

Kärkkäinen, O., & Eriksson, K. (2003). Evaluation of patient records as a part of developing a nursing care classification. *Journal of Clinical Nursing, 12*(2), 198–205.

Kärkkäinen, O., & Eriksson, K. (2004a). A theoretical approach to documentation of care. *Nursing Science Quarterly, 17*(3), 2–6.

Kärkkäinen, O., & Eriksson, K. (2004b). Structuring the documentation on nursing care on the basis of a theoretical caring process model. *Scandinavian Journal of Caring Sciences, 18*(2), 229–236.

Kärkkäinen, O., & Eriksson, K. (2005). Recording the content of the caring process. *Journal of Nursing Management, 13*, 202–208.

Levy-Malmberg, R., & Eriksson, K. (2010). Legitimizing basic research by evaluating quality. *Nursing Ethics, 17*(1), 107–116.

Levy-Malmberg, R., Eriksson, K., & Lindholm, L. (2008). Caritas—Caring as an ethical conduct. *Scandinavian Journal of Caring Sciences, 22*(4), 662–667.

Lindholm, L., & Eriksson, K. (1993). To understand and to alleviate suffering in a caring culture. *Journal of Advanced Nursing, 18*, 1354–1361.

Lindholm, L., & Eriksson, K. (1998). The dialectic of health and suffering: An ontological perspective on young people's health. *Qualitative Health Research, 8*(4), 513–525.

Lindholm, T., & Eriksson, K. (2011). Caring of the patients suffering from violence between spouses – Intersectional encounters. *International Journal for Human Caring, 15*(3), 72.

Lindwall, I., von Post, I., & Eriksson, K. (2010). Clinical research with a hermeneutical design and an element of application. *International Journal of Qualitative methods, 9*(2), 172–186.

Nordman, T., Santavirta, N., & Eriksson, K. (2008). Developing an instrument to evaluate suffering related to care. *Scandinavian Journal of Caring Sciences, 22*(4), 608–615.

Nåden, D., & Eriksson, K. (2000). The phenomenon of confirmation—An aspect of nursing as an art. *International Journal for Human Caring, 4*(3), 23–28.

Nåden, D., & Eriksson, K. (2002). Encounter: A fundamental category of nursing as an art. *International Journal for Human Caring, 6*(1), 34–40.

Nåden, D., & Eriksson, K. (2003). Semantisk begrepsanalyse—Et grunnleggende aspekt i en disiplins teoriutvikling. Vård i Norden, 23(1), 21–26. [Semantic concept analysis—A fundamental aspect in the theory development of a discipline. *Nordic Journal of Nursing Research and Clinical Studies, 23*(1), 21–26]

Nåden, D., & Eriksson, K. (2004a). Understanding the importance of values and moral attitudes in nursing care in preserving human dignity. *Nursing Science Quarterly, 17*(1), 86–91.

Nåden, D., & Eriksson, K. (2004b). Values and moral attitudes in nursing care. Understanding the patient perspective. *Norsk Tidskrift for Sygepleieforskning, 6*(1), 3–17.

Näsman, Y., Nyström, L., & Eriksson, K.(2011). Virtue, ethics and quality of care. *International Journal for Human Caring, 15*(3), 74.

Rehnsfeldt, A., & Eriksson, K. (2004). The progression of suffering implies alleviated suffering. *Scandina-*

vian Journal of Caring Sciences, 18(3), 264–272.

Roxberg, Å., Rehnsfeldt, A., Fridlund, B., & Eriksson, K. (2008). The meaning of consolation as experienced by nurses in a home-care setting. *Journal of Clinical Nursing, 17*(8), 1079–1087.

Rudolfsson, G., von Post, I., & Eriksson, K. (2007). The development of caring in the perioperative culture—Nurse leaders' perspective on the struggle to retain sight of the patient. *Nursing Administration Quarterly, 31*(4), 312–324.

Rudolfsson, G., von Post, I., & Eriksson, K. (2007). The expression of caring within the perioperative dialogue: a hermeneutic study. *International Journal of Nursing Studies, 44*, 905–915.

Rykkje, L., Eriksson, K., & Råholm, M-B. (2011). A qualitative metasynthesis of spirituality from a caring science perspective. *International Journal for Human Caring, 15*(4), 40–53.

Råholm, M-B., & Eriksson, K. (2001). Call to life: Exploring the spiritual dimension as a dialectic between suffering and desire experienced by coronary bypass patients. *International Journal for Human Caring, 5*(1), 14–20.

Råholm, M-B., Lindholm, L., & Eriksson, K. (2002). Grasping the essence of the spiritual dimension reflected through the horizon of suffering: An interpretative research synthesis. *The Australian Journal of Holistic Nursing, 9*(1), 4–13.

Sivonen, K., Kasén, A., & Eriksson, K. (2010). Semantic analysis according to Peep Koort—A substance-oriented research methodology. *Scandinavian Journal of Caring Sciences, 24*, 12–20.

von Post, I., & Eriksson, K. (2000). The ideal and practice concepts of "professional nursing care." *International Journal for Human Caring, 4*(1), 14–22.

Wikberg, A., & Eriksson, K. (2008). Intercultural caring—An abductive model. *Scandinavian Journal of Caring Sciences, 22*(3), 485–496.

Wiklund-Gustin, L., & Eriksson, K. (2009). The drama of suffering as narrated by patients who have undergone coronary bypass surgery. *International Journal for Human Caring, 13*(4), 17–25.

Wikström-Grotell, C., Lindholm, L., & Eriksson, K. (2002). Det mångdimensionella rörelsebegreppet i fysioterapin—En kontextuell analys. *Nordisk Fysioterapi, 6, 146–184. [The multidimensional concept of movement in physiotherapy—A contextual analysis. Nordisk Fysioterapi, 6,* 146–184.]

Wärnå, C., Lindholm, L., & Eriksson, K. (2007). Virtue and health—finding meaning and joy in working life. *Scandinavian Journal of Caring Sciences, 21*(2), 191–198.

Wärnå, C., Lindholm, L., & Eriksson, K. (2008). Virtue and health—Describing virtue as a path to the inner domain of health. *International Journal for Human Caring, 12*(1), 17–24.

Articles in Compilation Works and Proceedings with Referee Practice

Compilation Works

Eriksson, K. (1971). En analys av sjuksköterskeutbildningen utgående från en utbildningsteknologisk model. I *Sairaanhoidon vuosikirja VIII (s. 54–77). Helsinki, Finland: Sairaanhoitajien Koulutussäätiö. [An analysis of nursing education from an educational-technological model. In Health care yearbook VIII* (pp. 54–77). Helsinki, Finland: Sairaanhoitajien Koulutussäätiö.]

Eriksson, K. (1974). Sairaanhoidon kehittäminen oppiaineena. I *Sairaanhoidon vuosikirja XI (s. 9–21). Helsinki, Finland: Sairaanhoitajien Koulutussäätiö. [The development of health care as a subject. In Health care yearbook XI* (pp. 9–21). Helsinki, Finland: Sairaanhoitajien Koulutussäätiö.]

Eriksson, K. (1977). Hälsa—En teoretisk och begreppsanalytisk studie om hälsa och dess nature. I *Sairaanhoidon vuosikirja XIV (s. 55–195). [Health—A conceptual analysis and theoretical study of health and its nature. In Health care yearbook XIV* (pp. 155–195). Helsinki, Finland: Sairaanhoitajien Koulutussäätiö.]

Eriksson, K. (1978). Modellen—Ett sätt att beskriva vårdskeendet. I *Sairaanhoidon vuosikirja XV (s. 189–225). Helsinki, Finland: Sairaanhoitajien Koulutussäätiö. [The model—A way of describing the act of nursing care. In Health care yearbook XV* (pp. 189–225). Helsinki, Finland: Sairaanhoitajien Koulutussäätiö.]

Eriksson, K. (1982). Den vårdvetenskapscentrerade läroplanen—Ett alternativ för dagens vårdutbildning. I *Sairaanhoidon vuosikirja XIX (s. 173–187). Helsinki, Finland: Sairaanhoitajien Koulutussäätiö. [The caring science centered curriculum—An alternative for health education today. In Health care yearbook XIX* (pp. 173–187). Helsinki, Finland: Sairaanhoitajien Koulutussäätiö.]

Eriksson, K. (1983). Den fullvuxna insulindiabetikern i hälsovårdens vårdprocess. I *Sairaanhoidon vuosikirja XIX (s. 428–430). Helsinki, Finland: Sairaanhoitajien Koulutussäätiö. [The adult insulin-dependent diabetic in the health care nursing process. In Health care yearbook XIX* (pp. 428–430). Helsinki, Finland: Sairaanhoitajien Koulutussäätiö.]

Eriksson, K. (1983). Vårdområdet finner sin profil—Den vårdvetenskapliga eran har inlets. I *Epione, Jubileumsskrift 1898–1983 (s. 12–17). [The area of caring finds its profile—The caring science era has begun. In Epione, Jubilee-script 1898–1983* (pp. 12–17). Helsinki, Finland: SSY-Sjuksköterskeföreningen i Finland.]

Eriksson, K. (1986). Hoito, Caring—Hoitotyön primaari substanssi. Puheenvuoro 2. I T. Martikainen & K. Manninen (red.), *Hoitotyö ja koulutus (s. 17–41). Hämeenlinna, Finland: Sairaanhoitajien Koulutussäätiö. [Caring—The primary substance of nursing. Speech 2. In T. Martikainen & K. Manninen (Eds.), Nursing and education* (pp. 17–41). Hämeenlinna, Finland: Sairaanhoitajien Koulutussäätiö.]

Eriksson, K. (1987). Vårdvetenskapen som humanistisk vetenskap. I *Hoitotiede vuosikirja (s. 68–77) [Caring science as a humanistic science. Journal of Nursing Science Yearbook,* 68–77.]

Eriksson, K. (1988). Vårdandets idé och ursprung. I *Panakeia. Vårdvetenskaplig årsbok (s. 17–35). Stockholm: Almqvist & Wiksell. [The origin and idea of caring. In Panakeia. Caring science yearbook* (pp. 17–35). Stockholm: Almqvist & Wiksell.]

Eriksson, K. (1989). Ammatillisuus hoitamisessa. I *Hoitoopin perusteet (2: 2 yppl., s. 125–129). Vaasa, Finland: Sairaanhoitajien Koulutussäätiö. [Professionalism in caring. In The basics of nursing science* (2nd ed., pp. 125–129). Vaasa, Finland: Sairaanhoitajien Koulutussäätiö.]

Eriksson, K. (1990). Framtidsvisioner—om utvecklingen av sjukskötarens arbete. I *Epione, Jubileumsskrift 1898–1988 (s. 28–38). Helsinki, Finland: SSY-sjuksköterskeföreningen i Finland r.f. [Future visions of the development of the nurse's work. In Epione, Jubilee-script 1898–1988* (pp. 28–38). Helsinki, Finland: SSY-sjuksköterske-föreningen i Finlandr.f.]

Eriksson, K. (1991). Hälsa är mera än frånvaro av sjukdom. I *Centrum för vårdvetenskap, Vård—Utbildning—Utveckling—Forskning (s. 1–2, 29–35). Stockholm: Karolinska Institutet. [Health is more than the absence of illness. In Centrum för vårdvetenskap, Vård—Utbildning—Utveckling—Forskning* (pp. 1–2, 29–35). Stockholm: Karolinska Institute.]

Eriksson, K. (1992). Nursing: The caring practice "being there." In D. Gaut (Ed.), *The practice of caring in nursing (pp. 201–210). New York: National League for Nursing Press.*

Eriksson, K. (1993). De första åren—Några reflektioner kring den vårdvetenskapliga eran. I *Epione, Jubileumsskrift 1898–1993 (s. 7–15). Helsinki, Finland: SSY-Sjuksköterskeföreningen. [The first years—Reflections upon the era of caring science. In Epione, Jubilee-script 1898–1993* (pp. 7–15). Helsinki, Finland: SSY-Sjuksköterskeföreningen.]

Eriksson, K. (1994). Theories of caring as health. In D. Gaut & A. Boykin (Eds.), *Caring as healing: Renewal through hope (pp. 3–20). New York: National League for Nursing Press.*

Eriksson, K. (1994). Vårdvetenskapen som autonom discipline. I H. Willman (red.), *Hygieia. Hoitotyön vuosikirja 1994 (s. 87–91).). Helsinki, Finland: Kirjayhtymä. [Caring science as an autonomous discipline. In H. Willman (Ed.), Hygieia. Nursing yearbook 1994* (pp. 87–91). Helsinki, Finland: Kirjayhtymä.]

Eriksson, K. (1996). Efterskrift—Om vårdvetenskapens möjligheter och gränser. I K. Martinsen (red.), *Fenomenologi og omsorg (s. 140–150). Oslo, Norway: TANO. [Postscript—About the possibilities and boundaries of caring science. In K. Martinsen (Ed.), Phenomenology and caring* (pp. 140–150). Oslo, Norway TANO.]

Eriksson, K. (1996). Om dokumentation—Vad den är och inte är. I K. Dahlberg (red.), *Konsten att dokumentera omvårdnad (s. 9–13). Lund, Sweden: Studentlitteratur. [On documentation—What it is and what it is not. In K. Dahlberg (Ed.), The art of documenting care*(pp. 9–13). Lund, Sweden: Studentlitteratur.]

Eriksson, K. (1996). Om människans värdighet. I T. Bjerkreim, J. Mathinsen, & R. Nord (red.), *Visjon, viten og virke. Festskrift till sykepleieren Kjellaug Lerheim, 70 år (s. 79–86). Oslo, Norway: Universitetsförlaget. [On human dignity. In T. Bjerkreim,*

J. Mathinsen, & R. Nord (Eds.), Vision, knowledge and influence. Jubilee-script for the nurse Kjellaug Lerheim, 70 years (pp. 79–86). Oslo, Norway: Universitetsförlaget.]

Eriksson, K. (1997). Caring, spirituality and suffering. In M. S. Roach (Ed.), *Caring from the heart: The convergence between caring and spirituality (pp. 68–84). New York: Paulist Press.*

Eriksson, K. (1997). Mot en vårdetisk teori. I *Hoitotyön vuosikirja 1997. Pro Nursing RY:n vuosikirja, Hygieia* (s. 9–23). Helsinki, Finland: Kirjayhtymä. [Toward an ethical caring theory. In *Nursing yearbook 1997. Pro Nursing RY:s yearbook, Hygieia* (pp. 9–23). Helsinki, Finland: Kirjayhtymä.]

Eriksson, K. (1997). Perustutkimus ja käsiteanalyysi. I M. Paunonen & K. Vehviläinen-Julkunen (red.), *Hoitotieteen tutkimusmetodiikka (s. 50–75). Helsinki, Finland: WSOY. [Basic research and conceptual analysis. In M. Paunonen & K. Vehviläinen-Julkunen (Eds.), The research methodology of caring science* (pp. 50–75). Helsinki, Finland: WSOY.]

Eriksson, K. (1998). Epione—Vårdandets ethos. I *Epione, Jubileumsskrift 1898–1998. Helsinki, Finland: SSY-Sjuksköterskeföreningen. [Epione—The ethos of caring. In Epione, Jubilee-script 1898–1998.* Helsinki, Finland: SSY-Sjuksköterskeföreningen.]

Eriksson, K. (1998). Människans värdighet, lidande och lidandets ethos. I *Suomen Mielenterveysseura, Tuhkaa ja linnunrata. Henkisyys mielenterveystyössä (s. 67–82). Helsinki: Suomen Mielenterveysseura, SMS-julkaisut. [Human dignity, suffering and the ethos of suffering. In Ashes and the Milky Way: Spirituality in mental health care nursing* (pp. 67–82). Helsinki: Suomen Mielenterveysseura, SMS-julkaisut.]

Eriksson, K. (1998). Understanding the world of the patient, the suffering human being: The new clinical paradigm from nursing to caring. In C. E. Guzzetta (Ed.), *Essential readings in holistic nursing (pp. 3–9). Gaithersburg, (MD):* Aspen.

Eriksson, K. (1999). Tillbaka till Popper och Kuhn—En evolutionär epistemologi för vårdvetenskapen. I J. Kinnunen, P. Meriläinen, K. Vehviläinen-Julkunen, & T. Nyberg (red.), *Terveystieteiden monialainen tutkimus ja yliopistokoulutus. Suunnistuspoluilta tiedon valtatielle. Professor Sirkka Sinkkoselle omistettu juhlakirja (s. 21–35). Kuopio, Finland: Kuopion yliopiston julkaisuja E, Yhteiskuntatieteet 74. [Back to Popper and Kuhn—An evolutionary epistemology for caring science. In J. Kinnunen, P. Meriläinen, K. Vehviläinen-Julkunen, & T. Nyberg (Eds.), The multiscientific health science university education and research. Paths to the highway of science. A jubilee book dedicated to Professor Sirkka Sikkonen* (pp. 21–35). Kuopio, Finland: Kuopion yliopiston julkaisuja E, Yhteiskuntatieteet 74.]

Eriksson, K. (1999). Vårdvetenskapen—En akademisk disciplin. I S. Janhonen, I. Lepola, M. Nikkonen, & M. Toljamo (red.), *Suomalainen hoitotiede uudelle vuosituhannelle. Professori Maija Hentisen juhlakirja (s. 59–64). Oulu, Finland: Oulun yliopiston hoitotieteen ja terveyshallinnon laitoksen julkaisuja 2. [Caring science—An academic discipline. In S. Janhonen, I. Lepola, M. Nikkonen, & M. Toljamo (Eds.), The Finnish caring science in the new millennium. A jubilee-script dedicated to Professor Maija Hentinen* (pp. 59–64). Oulu, Finland: Oulun yliopiston hoitotieteen ja terveyshallinnon laitoksen julkaisuja 2.]

Eriksson, K. (2000). Caritas et passio—Liebe und leiden—Als grundkategorien der pflegewissenschaft. I T. Strom, *Diakonie an der Schwelle zum neuen Jahrtausend. Heidelberg, Germany: Diakoniewissenschaftlichen Instituts, Universität Heidelberg. [Caritas et passio—Love and suffering as basic categories in caring science. In T. Strom, The diaconate on the threshold of the new millennium.* Heidelberg, Germany: Diakoniewissenschaftlichen Instituts, Universität Heidelberg.]

Eriksson, K. (2002). Rakkaus—Diakoniatieteen ydin ja ethos? I M. Lahtinen & T. Toikkanen (red.), *Anno Domini. Diakoniatieteen vuosikirja 2002 (s. 155–164). Tampere, Finland: Tammerpaino. [Love—The core and ethos of deacony? In M. Lahtinen & T. Toikkanen (Eds.), Anno Domini. Diakonic yearbook 2002* (pp. 155–164). Tampere, Finland: Tammerpaino.]

Eriksson, K. (2003). Diakonian erityisyys hoitotyössä. I M. Lahtinen & T. Toikkanen (red.), *Anno domini. Diakoniatieteen vuosikirja 2003 (s. 120–126). Tampere, Finland: Tammerpaino. [The uniqueness of deacony in nursing. In M. Lahtinen & T. Toikkanen (Eds.), Anno Domini. Diakonic yearbook 2003* (pp. 120–126). Tampere, Finland: Tammerpaino.]

Eriksson, K. (2009). Evidens – Det sanna, det sköna, det goda och det eviga. I Martinsen, K., & Eriksson, K. *Å se og innse. Om ulike former for evidens (s.*

35–80). Oslo, Norge, Akribe. [Evidence – The true, the beautiful, the good and the eternal. In Martinsen, K., & Eriksson, K. To see and to understand. About different forms of evidence (pp. 35–80). Oslo, Norway, Akribe.]

Eriksson, K., & Hamrin, E. (1988). Vårdvetenskapen formas—En tillbakablick och ett framtidsperspektiv. I *Panakeia, vårdvetenskaplig årsbok (s. 9–16). Stockholm: Almqvist & Wiksell. [Caring science is formed—A historical and futuristic perspective. In Panakeia, caring science yearbook* (pp. 9–16). Stockholm: Almqvist & Wiksell.]

Eriksson, K., & Lindholm T. (2010). "Love Endures All Things?" Violence Between Spouses, Suffering, and Alleviation of Suffering—Developing a Theory Model. *International Journal for Human Caring, 14*(3), 72.

Eriksson, K., Nordman, T., & Kasén, A. (1998). Reflective practice: A way to the patient's world and caring, the core of nursing. In C. Johns & D. Freshwater (Eds.), *Transforming nursing through reflective practice. Oxford: Blackwell* Science.

Eriksson, K., & Willman, H. (1972). Kohti parempaa ohjausta. I *Sairaanhoidon vuosikirja IX (s. 131–139). Helsinki, Finland: Sairaanhoitajien Koulutussäätiö. [Toward a better counseling. In Health care yearbook IX* (pp. 131–139). Helsinki, Finland: Sairaanhoitajien Koulutussäätiö.]

Nielsen, G.B., Matilainen, D., & Eriksson, K. (2010). Caring science, clinical supervision and discourse analysis – A route forward? *Nordic College of Caring Sciences conference 14–16.4.2010, Vasa, Finland. Abstract book pp.* 28.

Salmela, S., Eriksson, K., & Fagerström, L. (2011). A three dimensional model of leading innovation and change. *International Nursing Management Conference 17–19.11.2011, Antalya, Turkey. Abstract book pp.* 43–44.

Wikberg, A., Bondas, T., & Eriksson, K. (2010). Interpreting empirical studies by using meta ethnography. *Nordic College of Caring Sciences conference 14–16.4.2010, Vasa, Finland. Abstract book pp.* 26.

Books and Monographs

Eriksson, K. (1974). *Sjuksköterskeyrket—Hantverk eller profession*? Sjuksköterskors samarbete i Norden. Rapport från SSN: s expertgrupp för klargörande av vårdfunktionsområdet. Helsinki, Finland: SSN. [*The nursing profession—Skill or profession?* Collaboration of nurses in the Nordic countries. Report from SSN's expert group for the clarification of nursing. Helsinki, Finland SSN.]

Eriksson, K. (1975). *Den teoretiska utgångspunkten för vårdprocessen*. Rapport från SSN: s symposium i Helsingfors. Helsinki, Finland: SSN. [The theoretical starting point of the nursing care process. A report from SSN: s symposium in Helsinki. Helsinki, Finland: SSN.]

Eriksson, K. (1976). *Hoitotapahtuma. Hoito-oppi 2.* Helsinki, Finland: Sairaanhoitajien Koulutussäätiö. [*The nursing care process. Nursing science 2.* Helsinki, Finland: Sairaanhoitajien Koulutussäätiö.]

Eriksson, K. (1976). *Hälsa. En teoretisk och begreppsanalytisk studie om hälsan och dess natur som mål för hälsovårdsedukation.* Licentiatavhandling, Helsinki, Finland: Institutionen för pedagogik, Helsingfors universitet. [*Health. A conceptual analysis and theoretical study of health and its nature as a goal for health care education.* Unpublished licentiate thesis, Helsinki, Finland: Department of Education University of Helsinki.]

Eriksson, K. (1979). *Vårdprocessen*. Stockholm: Almqvist & Wiksell. [The nursing care process. Stockholm: Almqvist & Wiksell.]

Eriksson, K. (1981). *Vårdprocessen—En utgångspunkt för läroplanstänkande inom vårdutbildningen. Utvecklande av en vårdprocessmodell samt ett läroplanstänkande utgående från vårdprocessen* (Nr. 94). Helsinki, Finland: Helsingfors universitet, Pedagogiska Institutionen. [*The nursing care process—An approach to curriculum construction within nursing education. The development of a model for the nursing care process and an approach for curriculum development based on the process of nursing care (No. 94). Helsinki, Finland: Department of Education University of* Helsinki.]

Eriksson, K. (1982). *Vårdprocessen* (2:a uppl.). Stockholm: Almqvist & Wiksell. [*The nursing care process* (2nd ed.). Stockholm: Almqvist & Wiksell.]

Eriksson, K. (1983). *Introduktion till vårdvetenskap*. Stockholm: Almqvist & Wiksell. [*An introduction to caring science.* Stockholm: Almqvist & Wiksell.]

Eriksson, K. (1984). *Hälsans idé*. Stockholm: Almqvist & Wiksell. [*The idea of health.* Stockholm: Almqvist & Wiksell.]

Eriksson, K. (1985). *Johdatus hoitotieteeseen*. Helsinki, Finland: Sairaanhoitajien Koulutussäätiö. [*An introduction to caring science*. Helsinki, Finland: Sairaanhoitajien Koulutussäätiö.]

Eriksson, K. (1985). *Vårddidaktik*. Stockholm: Almqvist & Wiksell. [*Caring didactics. Stockholm: Almqvist &* Wiksell.]

Eriksson, K. (1985). *Vårdprocessen* (3: e uppl.). Stockholm: Almqvist & Wiksell. [*The nursing care process* (3rd ed.). Stockholm: Almqvist & Wiksell.]

Eriksson, K. (1986). *Hoito-opin didaktiikka*. Helsinki, Finland: Sairaanhoitajien Koulutussäätiö. [*The didactics of caring science*. Helsinki, Finland: Sairaanhoitajien Koulutussäätiö.]

Eriksson, K. (1986). *Introduktion till vårdvetenskap* (2:a uppl.). Stockholm: Almqvist & Wiksell. [*An introduction to caring science* (2nd ed.). Stockholm: Almqvist & Wiksell.]

Eriksson, K. (1987). *Hoitamisen idea*. Forssa, Finland: Sairaanhoitajien Koulutussäätiö. [*The idea of caring*. Forssa, Finland: Sairaanhoitajien Koulutussäätiö.]

Eriksson, K. (1987). *Pausen. En beskrivning av vårdvetenskapens kunskapsobjekt*. Stockholm: Almqvist & Wiksell. [*The pause. A description of the knowledge object of caring science*. Stockholm: Almqvist & Wiksell.]

Eriksson, K. (1987). *Vårdandets idé*. Stockholm: Almqvist & Wiksell. [*The idea of caring*.Stockholm: Almqvist & Wiksell.]

Eriksson, K. (1988). *Hoito tieteenä*. Forssa, Sweden: Sairaanhoitajien Koulutussäätiö. [*Caring as a science*. Forssa, Sweden: Sairaanhoitajien Koulutussäätiö.]

Eriksson, K. (1989). *Caritas-idea*. Helsinki, Finland: Sairaanhoitajien Koulutussäätiö. [*The idea of caritas*. Helsinki, Finland: Sairaanhoitajien Koulutussäätiö.]

Eriksson, K. (1989). *Hälsans idé*. (2:a uppl.). Stockholm: Almqvist & Wiksell. [*The idea of health* (2nd ed.). Stockholm: Almqvist & Wiksell.]

Eriksson, K. (1989). *Terveyden idea*. Helsinki, Finland: Sairaanhoitajien Koulutussäätiö. [*The idea of health*. Helsinki, Finland: Sairaanhoitajien Koulutussäätiö.]

Eriksson, K. (1992). *Broar. Introduktion i vårdvetenskaplig metod*. Vaasa, Finland: Institutionen för vårdvetenskap, Åbo Akademi. [*Bridges. Introduction to the methods of caring science*. Vaasa, Finland: Department of Caring Science, Åbo Akademi.]

Eriksson, K. (1994). *Den lidande människan*. Stockholm: Liber Förlag. [*The suffering human being*. Stockholm: Liber Förlag.]

Eriksson, K. (1995). *Det lidende menneske* (Danish translation). Copenhagen: Munksgaard. [*The suffering human being* (Danish translation). Copenhagen: Munksgaard.]

Eriksson, K. (1995). *Den lidende menneske* (Norwegian translation). Oslo: TANO. [*The suffering human being* (Norwegian translation). Oslo: TANO.]

Eriksson, K. (1996). *Omsorgens idé* (Danish translation). Copenhagen: Munksgaard. [*The idea of caring* (Danish translation). Copenhagen: Munksgaard.]

Eriksson, K. (1997). *Vårdandets idé (Kassettband). Talboksoch punktskriftsbiblioteket*. Stockholm: Almqvist & Wiksell. [*The idea of caring (Audiotape). Talboksoch punktskriftsbiblioteket*. Stockholm: Almqvist & Wiksell.]

Eriksson, K. (2001). *Gesundheit. Ein Schlüsselbegriff der Pflegetheorie. (German translation). Bern, Germany: Verlag Hans Huber. [The idea of health* (German translation). Bern, Germany: Verlag Hans Huber.]

Eriksson, K. (2006). *The suffering human being*. Chicago: Nordic Studies Press. [English translation of: *Den lidande människan*. Stockholm, Sweden: Liber Förlag.1994.]

Eriksson, K., & Barbosa da Silva, A. (Eds.). (1994). *Usko ja terveys—johdatus hoitoteologiaan*.(Finnish translation). Helsinki, Finland: Sairaanhoitajien Koulutussäätiö. [*Caring theology* (Finnish translation). Helsinki, Finland: Sairaanhoitajien Koulutussäätiö.]

Eriksson, K., Byfält, H., Leijonqvist, G-B., Nyberg, K., & Uuspää, B. (1986). *Vårdteknologi*. Stockholm: Almqvist & Wiksell. [*Caring technology*. Stockholm: Almqvist & Wiksell.]

University and Department Publications

Eriksson, K. (1988). *Vårdvetenskap som disciplin, forsknings-och tillämpningsområde*. Vårdforskningar 1/1988. Vaasa, Finland: Institutionen för vårdvetenskap, Åbo Akademi. [*Caring science as a discipline, field of research and application*. Vaasa, Finland:

Department of Caring Science, Åbo Akademi.]

Eriksson, K. (1990). *Pro Caritate. En lägesbestämning av caritativ vård. Vårdforskningar 2/1990.* Vaasa, Finland: Institutionen för vårdvetenskap, Åbo Akademi. [*Pro Caritate. Caritative caring—A positional analysis.* Vaasa, Finland: Department of Caring Science, ÅboAkademi.]

Eriksson, K. (1991). Att lindra lidande. I K. Eriksson & A. Barbosa da Silva (red.), *Vårdteologi. Vårdforskningar 3/1991 (s. 204–221). Vaasa, Finland: Institutionen för vårdvetenskap, Åbo Akademi. [To alleviate suffering. In K. Eriksson & A. Barbosa da Silva (Eds.), Caring theology* (pp. 204–221). Vaasa, Finland: Department of Caring Science, Åbo Akademi.]

Eriksson, K. (1991). Vårdteologins framväxt. I K. Eriksson & A. Barbosa da Silva (red.), *Vårdteologi. Vårdforskningar 3/1991 (s. 1–25). [The growth of caring theology. In K. Eriksson & A. Barbosa da Silva (Eds.), Caring theology* (pp. 1–25). Vaasa, Finland: Department of Caring Science, Åbo Akademi.]

Eriksson, K. (1993). Lidandets idé. I K. Eriksson (red.), Möten med lidanden. *Vårdforskningar 4/1993 (s. 1–27). Vaasa, Finland: Institutionen för vårdvetenskap, Åbo Akademi. [The idea of suffering. In K. Eriksson (Ed.), Encounters with suffering* (pp. 1–27). Vaasa, Finland: Department of Caring Science, Åbo Akademi.]

Eriksson, K. (red.). (1993). *Möten med lidanden.*Vårdforskning 4/1993. Vaasa, Finland: Institutionen för vårdvetenskap, Åbo Akademi. [*Encounters with suffering.* Vaasa, Finland: Department of Caring Science, Åbo Akademi.]

Eriksson, K. (red.). (1995). *Den mångdimensionella hälsan—Verklighet och visioner.* Slutrapport. Vaasa, Finland: Vasa sjukvårdsdistrikt kf. och Institutionen för vårdvetenskap, Åbo Akademi. [*Multidimensional health—Visions and reality. Final report.* Vaasa, Finland: Vasa sjukvårdsdistrikt kf. och Institutionen för vårdvetenskap, Åbo Akademi.]

Eriksson, K. (1995). Mot en caritativ vårdetik. I K. Eriksson (red.), *Mot en caritativ vårdetik. Vårdforskning 5/1995 (s. 9–40). Vaasa, Finland: Institutionen för vårdvetenskap, Åbo Akademi. [Toward a caritative caring ethic. In K. Eriksson (Ed.), Toward a caritative caring ethic.* Caring research 5/1995. (pp. 9–40). Vaasa, Finland: Department of Caring Science, Åbo Akademi.]

Eriksson, K. (1995). Vad är vårdetik? I K. Eriksson (red.), *Mot en caritativ vårdetik. Vårdforskning 5/1995 (s. 1–8). Vaasa, Finland: Institutionen för vårdvetenskap, Åbo Akademi. [What is caring ethic? In K. Eriksson (Ed.), Toward a caritative caring ethic* (pp. 1–8). Vaasa, Finland: Department of Caring Science, Åbo Akademi.]. Caring research 5/1995.

Eriksson, K. (1997). Att insjukna i demens—Ett tungt lidande för patient och anhöriga. I B. Beck-Friis & G. Grahn (red.), *Leva med demenshandikapp. Lund, Sweden: Lunds universitet: Stiftelsen Silviahemmet. [Becoming ill with dementia—A burdensome suffering for the patient and his/her family. In B. Beck-Friis & G. Grahn (Eds.), Living with the handicap of dementia (Action in favor of people suffering from neurodegenerative diseases).* Lund, Sweden: Lunds universitet, Stiftelsen Silviahemmet.]

Eriksson, K. (1998). Vårdvetenskapens framväxt som akademisk disciplin—Ett finlandssvenskt perspektiv. I K. Eriksson (red.), *Jubileumsskrift 1987–1997 (s. 1–7). Vaasa, Finland: Institutionen för vårdvetenskap, Åbo Akademi. [The growth of caring science as an academic discipline—A Finland-Swedish perspective. In K. Eriksson (Ed.), Jubilee-script 1987–1997* (pp. 1–7). Vaasa, Finland: Department of Caring Science, Åbo Akademi.]

Eriksson, K. (2001). Vårdvetenskap som akademisk disciplin. *Vårdforskning 7/2001. Vaasa, Finland: Institutionen för vårdvetenskap, Åbo Akademi. [Caring science as an academic discipline. Caring research* 7/2001. Vaasa, Finland: Department of Caring Science, Åbo Akademi.]

Eriksson, K. (2002). *Den trojanske hest. Evidensbasering og sygepleje.* (Danish translation). Copenhagen: Gads Förlag. [*The Trojan horse. Evidence-based nursing and caring through a caring science perspective* (Danish translation). Copenhagen: Gads Förlag.]

Eriksson, K. (2002). Idéhistoria som deldisciplin inom vårdvetenskapen. I K. Eriksson & D. Matilainen (red.), *Vårdandets och vårdvetenskapens idéhistoria. Strövtåg i spårandet av "caritas originalis." Vårdforskning 8/2002 (s. 1–14). Vaasa, Finland: Institutionen för vårdvetenskap, Åbo Akademi. [The history of ideas as a sub-discipline within caring science. In K. Eriksson & D. Matilainen (Eds.), The history of ideas of caring and caring science. Wan-*

derings in search of "caritas originalis." Caring research 8/2002 (pp. 1–14). Vaasa, Finland: Department of Caring Science, Åbo Akademi.]

Eriksson, K. (2002). Vårdandets idéhistoria. I K. Eriksson & D. Matilainen (red.), Vårdandets och vårdvetenskapens idéhistoria. Strövtåg i spårandet av "caritas originalis." Vårdforskning 8/2002 (s. 15–34). Vaasa, Finland: Institutionen för vårdvetenskap, Åbo Akademi. [The history of ideas of caring. In K. Eriksson & D. Matilainen (Eds.), *The history of ideas of caring and caring science. Wanderings in search of "caritas originalis." Caring research 8/2002 (pp. 15–34). Vaasa, Finland: Department of Caring Science, Åbo Akademi.]*

Eriksson, K. (2003). Ethos. I K. Eriksson & U. Å. Lindström (red.), *Gryning II. Klinisk vårdvetenskap (s. 21–34). Vaasa, Finland: Institutionen för vårdvetenskap, Åbo Akademi. [Ethos. In K. Eriksson & U. Å. Lindström (Eds.), Dawn II. Clinical caring science* (pp. 21–34). Vaasa, Finland: Department of Caring Science, Åbo Akademi.]

Eriksson, K., & Barbosa da Silva, A. (1991). Vårdteologi som vårdvetenskapens deldisciplin. I K. Eriksson & A. Barbosa da Silva (red.), *Vårdteologi. Vårdforskningar 3/1991 (s. 26–64). Vaasa, Finland: Institutionen för vårdvetenskap, Åbo Akademi. [Caring theology as a sub-discipline of caring science. In K. Eriksson & A. Barbosa da Silva (Eds.), Caring theology.* Caring research 3/1991 (pp. 26–64). Vaasa, Finland: Department of Caring Science, Åbo Akademi.]

Eriksson, K., Bondas-Salonen, T., Fagerström, L., Herberts, S., & Lindholm, L. (red.). (1990). *Den mångdimensionella hälsan. En pilotstudie över uppfattningar bland patienter, skolungdomar och lärare (Projektrapport 1).* Vaasa, Finland: Vasa sjukvårdsdistrikt kf. och Institutionen för vårdvetenskap, Åbo Akademi. [*Multidimensional health. A pilot study of understanding health among patients, students and teachers (Project Rep. 1).* Vaasa, Finland: Vasa sjukvårdsdistrikt kf. och Institutionen för vårdvetenskap, Åbo Akademi.]

Eriksson, K., & Herberts, S. (1991). Tron i hälsans tjänst. I K. Eriksson & A. Barbosa da Silva (red.), *Vårdteologi. Vårdforskningar 3/1991 (s. 222–258). Vaasa Finland: Institutionen för vårdvetenskap, Åbo Akademi. [Faith in the service of health. In K. Eriksson & A. Barbosa da Silva (Eds.), Caring theology. Caring research 3/1991* (pp. 222–258). Vaasa Finland: Department of Caring Science, Åbo Akademi.

Eriksson, K., & Herberts, S. (1992). *Den mångdimensionella hälsan. En studie av hälsobilden hos sjukvårdsledare och sjukvårdspersonal* (Projektrapport 2). Vaasa, Finland: Vasa sjukvårdsdistrikt kf och Institutionen för vårdvetenskap, Åbo Akademi. [*Multidimensional health. A study of the views of health among health care leaders and health care personnel* (Project Rep. 2). Vaasa, Finland: Vasa sjukvårdsdistrikt kf och Institutionen för vårdvetenskap, Åbo Akademi.]

Eriksson, K., & Herberts, S. (1993). Lidande—En begreppsanalytisk studie. I K. Eriksson (red.), *Möten med lidanden. Vårdforskningar 4/1993 (s. 29–54). Vaasa, Finland: Institutionen för vårdvetenskap, Åbo Akademi. [A study of suffering—A concept analysis. In K. Eriksson (Ed.), Encounters with suffering. Caring research 4/1993* (pp. 29–54). Vaasa, Finland: Department of Caring Science, Åbo Akademi.]

Eriksson, K., Herberts, S., & Lindholm, L. (1993). Bilder av lidande—Lidande i belysning av aktuell vårdvetenskaplig forskning. I K. Eriksson (red.*), Möten med lidanden. Vårdforskningar 4/1993 suffering (s. 55–78). Vaasa, Finland: Institutionen för vårdvetenskap, Åbo Akademi. [Views of suffering—Suffering in the light of current caring science research. In K. Eriksson (Ed.), Encounters with suffering. Caring research 4/1993* (pp. 55–78). Vaasa, Finland: Department of Caring Science, Åbo Akademi.]

Eriksson, K., & Koort, P. (1973). Sjukvårdspedagogik (Kompendium). Helsinki, Finland: Helsingfors svenska sjukvårdsinstitut. [*The pedagogy of nursing care (Compendium). Helsinki, Finland: Helsingfors svenska* sjukvårdsinstitut.]

Eriksson, K., & Lindholm, L. (1993). Lidande och kärlek ur ett psykiatriskt vårdperspektiv—En casestudie av mötet mellan mänskligt lidande och kärlek. I K. Eriksson (red.), *Möten med lidanden. Vårdforskningar 4/1993 suffering (s. 79–137). Vaasa, Finland: Institutionen för vårdvetenskap, Åbo Akademi. [Love and suffering through a psychiatric caring perspective—A case study of the encounters with human love and suffering. In K. Eriksson (Ed.), Encounters with suffering. Caring research 4/1993* (pp. 79–137). Vaasa, Finland: Department of Caring Science, Åbo Akademi.]

Eriksson, K., & Lindström, U. Å. (2000). *Gryning. En vårdvetenskaplig antologi.* Vaasa, Finland: Institutionen för vårdvetenskap, Åbo Akademi. [*Dawn. An anthology of caring science.* Vaasa, Finland: Department of Caring Science, Åbo Akademi.]

Eriksson, K., & Lindström, U. Å. (2000). Siktet, Sökandet, slutandet. I K. Eriksson & U. Å. Lindstöm (red.), *Gryning. En vårdvetenskaplig antologi (s. 5–18). Vaasa, Finland: Institutionen för vårdvetenskap, Åbo Akademi. [Envisioning, seeking and ending. In K. Eriksson & U. Å. Lindström (eds.), Dawn. An anthology of caring science* (pp. 5–18). Vaasa, Finland: Department of Caring Science, Åbo Akademi.]

Eriksson, K., & Lindström, U. Å. (2003). Klinisk vårdvetenskap. I K. Eriksson & U. Å. Lindström (red.), *Gryning II. Klinisk vårdvetenskap (s. 3–20). Vaasa, Finland: Institutionen för vårdvetenskap, Åbo Akademi. [Clinical caring science. In K. Eriksson & U. Å. Lindström (Eds.), Dawn II. Clinical caring science* (pp. 3–20). Vaasa, Finland: Department of Caring Science, Åbo Akademi.

Eriksson, K., & Lindström, U. Å. (2007). Vårdvetenskapens vetenskapsteori på hermeneutisk grund—några grunddrag. I K. Eriksson, U. Å. Lindström, D. Matilainen & L. Lindholm (red.), *Gryning III. Vårdvetenskap och hermeneutik (s. 5–20). Vaasa, Finland: Enheten för vårdvetenskap, Åbo Akademi. [The theory of science for caring science on a hermeneutic foundation—some basic features. In K. Eriksson, U. Å. Lindström, D. Matilainen & L. Lindholm (Eds.), Dawn III. Caring science and hermeneutics* (pp. 5–20). Vaasa, Finland: Department of Caring Science, Åbo Akademi.]

Eriksson, K., & Matilainen, D. (red.). (2002). *Vårdandets och vårdvetenskapens idéhistoria. Strövtåg i spårandet av "caritas originalis". Vårdforskning 8/2002.* Vaasa, Finland: Institutionen för vårdvetenskap, Åbo Akademi. [Eriksson, K., & Matilainen, D. (eds.). *The history of ideas of caring and caring science. Wanderings in search of "caritas originalis." Caring research 8/2002.* Vaasa, Finland: Department of Caring Science, Åbo Akademi.]

Eriksson, K., & Matilainen, D. (red.). (2004). *Vårdvetenskapens didaktik. Caritativ didaktik i vårdandets tjänst. Vårdforskningar 9/2004.* Vaasa, Finland: Institutionen för vårdvetenskap, Åbo Akademi. [*The didactics of caring science. Caritative didactics in the service of caring.* Vaasa, Finland: Department of Caring Science, Åbo Akademi.]

Eriksson, K., & Nordman, T. (2004). Den trojanska hästen II—Utvecklande av evidensbaserade vårdande kulturer. Vaasa, Finland: Institutionen för vårdvetenskap, Åbo Akademi. [*The Trojan horse II—Development of evidence-based caring cultures. Vaasa, Finland: Department of Caring Science, Åbo Akademi.]*

Eriksson K., Nordman T., & Myllymäki I. (1999). *Den trojanska hästen. Evidensbaserat vårdande och vårdarbete ur ett vårdvetenskapligt perspektiv cultures (Rap 1).* Vaasa, Finland: Institutionen för vårdvetenskap, Åbo Akademi; Helsingfors universitetscentralsjukhus & Vasa sjukvårdsdistrikt. [*The Trojan horse II—Development of evidence-based caring cultures (Rep. 1).* Vaasa, Finland: Institutionen för vårdvetenskap, Åbo Akademi; Helsingfors universitetscentralsjukhus & Vasa sjukvårdsdistrikt.

Herberts, S., & Eriksson, K. (1995). Vårdarnas etiska profil. I K. Eriksson (red.), *Mot en caritativ vårdetik. Vårdforskning 5/1995 (s. 41–62). Vaasa, Finland: Institutionen för vårdvetenskap, Åbo Akademi. [The ethical profile of the carers. In K. Eriksson (Ed.), Toward a caritative caring ethic. Caring research 5/1995* (pp. 41–62). Vaasa, Finland: Department of Caring Science, Åbo Akademi.]

Secondary Sources

Doctoral Dissertations

Andersson, M. (1994). Integritet som begrepp och princip. En studie av ett vårdetiskt ideal i utveckling. Doktorsavhandling, Turku, Finland, Åbo Akademis Förlag. [Integrity as a concept and as a principle in health care ethics. Doctoral dissertation, Turku, Finland, Åbo Akademi University Press.]

Arman, M. (2003). Lidande och existens i patientens värld. Kvinnors upplevelser av att leva med bröstcancer. Doktorsavhandling, Turku, Finland, Åbo Akademis Förlag. [Suffering and existence in the patient's world. Women's experiences of living with breast cancer. Doctoral dissertation, Turku, Finland, Åbo Akademi University Press.]

Bondas, T. (2000). Att vara med barn: en vårdvetenskaplig studie av kvinnors upplevelser under perinatal tid. Doktorsavhandling, Turku, Finland, Åbo Akademis Förlag. [To be with child: a study of women's lived experiences during the perinatal period from a caring science perspective. Doctoral dissertation, Turku, Finland, Åbo Akademi University Press.]

Caspari, S. (2004). Det gyldne snitt. Den estetiske dimensjon, en kilde til helse og et etisk anliggende. Doktorsavhandling, Turku, Finland, Åbo Akademis Förlag. [The golden section. The aesthethic dimension—a source of health. Doctoral dissertation, Turku, Finland, Åbo Akademi University Press.]

Edlund, M. (2002). Människans värdighet-ett grundbegrepp inom vårdvetenskapen. Doktorsavhandling, Turku, Finland, Åbo Akademis Förlag. [Human dignity—A basic caring science concept. Doctoral dissertation, Turku, Finland, Åbo Akademi University Press.]

Ekebergh, M. (2001). Tillägnandet av vårdvetenskaplig kunskap. Reflexionens betydelse för lärandet. Doktorsavhandling, Turku, Finland, Åbo Akademis Förlag. [Acquiring caring science knowledge—The importance of reflection for learning. Doctoral dissertation, Turku, Finland, Åbo Akademi University Press.]

Fagerström, L. (1999). The patient's caring needs. To understand and to measure the unmeasurable. Doctoral dissertation, Turku, Finland, Åbo Akademi University Press.

Foss, B. (2012). Ledelse—en bevegelse i ansvar og kjærlighet. Doktorsavhandling, Turku, Finland, Åbo Akademis förlag. [Leadership—A movement in responsibility and love. Doctoral dissertation, Turku, Finland, Åbo Akademi University Press.]

Fredriksson, L. (2003). Det vårdande samtalet. Doktorsavhandling, Turku, Finland, Åbo Akademis Förlag. [The caring conversation. Doctoral dissertation, Turku, Finland, Åbo Akademi University Press.

Gustafsson, L-K. (2008). Försoning ur ett vårdvetenskapligt perspektiv. Doktorsavhandling, Turku, Finland, Åbo Akademis förlag. [Reconciliation—From a caring perspective. Doctoral dissertation, Turku, Finland, Åbo Akademi University Press.]

Helin, K. (2011). Den vårdande och helande bilden—möten med bildkonst i vårdandets värld. Doktorsavhandling, Turku, Finland, Åbo Akademis förlag. [The caring and healing image—Encountering works of visual art in the caring context. Doctoral dissertation, Turku, Finland, Åbo Akademi University Press.]

Hilli, Y. (2007). Hemmet som ethos. En idéhistorisk studie av hur hemmet som ethos blev evident i hälsosysterns vårdande under 1900-talets första hälft. Doktorsavhandling, Turku, Finland, Åbo Akademis Förlag. [The home as ethos. A history of ideas study of how the home as ethos became evident in public health nurses' caring during the first half of the 20th century. Doctoral dissertation, Turku, Finland, Åbo Akademi University Press.]

Karterud, D. (2006). Den etiske akten—Den caritative etikken når pasientens fordringer er av eksistensiell art. Doktorsavhandling, Turku, Finland, Åbo Akademis Förlag. [The ethical act—caring ethics when the patients' demands are existential. Doctoral dissertation, Turku, Finland, Åbo Akademi University Press.]

Kasén, A. (2002). Den vårdande relationen. Doktorsavhandling, Turku, Finland, Åbo Akademis Förlag. [The caring relationship. Doctoral dissertation, Turku, Finland, Åbo Akademi University Press.]

Koskinen, C. (2011). Lyssnande—en vårdvetenskaplig betraktelse. Doktorsavhandlin, Turku, Finland, Åbo Akademis förlag. [Listening—A caring science reflection. Doctoral dissertation, Turku, Finland, Åbo Akademi University Press.]

Koslander, T. (2011). Ljusets gemenskap—en gestaltning av den andliga dimensionen i vårdandet. Doktorsavhandling, Turku, Finland, Åbo Akademis förlag. [The Communion of the Light—Shaping of spiritual dimension in the caritative caring. Doctoral dissertation, Turku, Finland, Åbo Akademi University Press.]

Kärkkäinen, O. (2005). Documentation of Patient Care as Evidence of Caring Substance. Doctoral dissertation, Vaasa, Finland: Department of Caring Science, Åbo Akademi University.

Lassenius, E. (2005). Rummet i vårdandets värld. Doktorsavhandling, Turku, Finland, Åbo Akademis Förlag. [The space in the world of caring. Doctoral dissertation, Turku, Finland, Åbo Akademi University Press.]

Levy-Malmberg, R. (2010). Interpretive dialogical evaluation. Evaluating caring science basic research. Doctoral dissertation, Turku, Finland, Åbo Akademi University Press.

Lindholm, L. (1998). Den unga människans hälsa och lidande. Doktorsavhandling, Vaasa, Finland: Institutionen för vårdvetenskap, Åbo Akademi. [The young person's health and suffering. Doctoral dissertation, Vaasa, Finland: Department of Caring Science, Åbo Akademi University.]

Lindholm, T. (2008). Kaikki se kärsii? Parisuhdeväkivalta, kärsimys ja sen lievittäminen naisten ja miesten näkökulmasta. Doktorsavhandling, Turku, Finland, Åbo Akademis förlag. [Love endures all things? Violence between spouses, suffering and alleviation of suffering from the viewpoint of women and men. Doctoral dissertation, Turku, Finland, Åbo Akademi University Press.]

Lindström, U. Å. (1992). De psykiatriska specialsjuksköterskornas yrkesparadigm. Doktorsavhandling, Turku, Finland, Åbo Akademis Förlag. [The professional paradigm of the qualified psychiatric nurses. Doctoral dissertation, Turku, Finland, Åbo Akademi University Press.]

Lindwall, L. (2004). Kroppen som bärare av hälsa och lidande. Doktorsavhandling, Turku, Finland, Åbo Akademis Förlag. [The body as a carrier of health and suffering. Doctoral dissertation, Turku, Finland, Åbo Akademi University Press.]

Matilainen, D. (1997). Idémönster i Karin Neuman-Rahns livsgärning och författarskap—En idéhistorisk-biografisk studie i psykiatrisk vård i Finland under 1900-talets första hälft. Doktorsavhandling, Turku, Finland, Åbo Akademis Förlag. [Patterns of ideas in Karin Neuman-Rahns' life-work and writings—A study of psychiatric care in Finland in the former part of the twentieth century, based on biography and the history of ideas. Doctoral dissertation, Turku, Finland, Åbo Akademi University Press.]

Nilsson, B. (2004). Savnets tone i ensomhetens melodi. Ensomhet hos aleneboende personer med alvorlig psykisk lidelse. Doktorsavhandling, Turku, Finland, Åbo Akademis Förlag. [The tune of want in the loneliness melody. Doctoral dissertation, Turku, Finland, Åbo Akademi University Press.]

Nordman, T. (2006). Människan som patient i en vårdande kultur. Doktorsavhandling, Vaasa, Finland: Enheten för vårdvetenskap, Åbo Akademi. [A human being as a patient in a caring culture. Doctoral dissertation, Vaasa, Finland: Department of Caring Science, Åbo Akademi University.]

Nurminen, M. (2009). Tid och det tidlösa i tiden. En frambrytande vårdvetenskaplig teorigestaltning. Doktorsavhandlin, Turku, Finland, Åbo Akademis förlag. [Time and the timeless within time—An emerging foundation for the theory of caring science. Doctoral dissertation, Turku, Finland, Åbo Akademi University Press.]

Nyback, M-H. (2008). Generic and professional caring in a Chinese setting—an ethnographic study. Doctoral dissertation, Turku, Finland, Åbo Akademi University Press

Nåden, D. (1998). När sykepleie er kunstutøvelse. En undersøkelse av noen nødvendige forutsetninger for sykepleie som kunst. Doktorsavhandling, Vaasa, Finland: Institutionen för vårdvetenskap, Åbo Akademi. [When caring is an exercise of art. An examination of some necessary preconditions of nursing as an art. Doctoral dissertation, Vaasa, Finland: Department of Caring Science, Åbo Akademi University.]

Näsman, Y. (2010). Hjärtats vanor, tankens välvilja och handens gärning—dygd som vårdetiskt grundbegrepp. Doktorsavhandling, Turku, Finland, Åbo Akademis förlag. [Habits of the heart, benevolence of the mind, and deeds of the hand—Virtue as a basic concept in caring ethics. Doctoral dissertation, Turku, Finland, Åbo Akademi University Press.]

Rehnsfeldt, A. (1999). Mötet med patienten i ett livsavgörande skede. Doktorsavhandling, Turku, Finland, Åbo Akademi. [The encounter with the patient in a life-changing process. Doctoral dissertation, Turku, Finland, Åbo Akademi University Press.]

Rosengren, A-L. (2009). Hälsans grund kan bara hjärtat förstå. Ett sökande efter kunskap om hälsa i ljuset av Blaise Pascals tänkande. Doktorsavhandling, Turku, Finland, Åbo Akademis förlag. [The foundation of health can be understood by the heart only—In pursuit of knowledge about health in the light of Blaise Pascal's thinking. Doctoral dissertation, Turku, Finland, Åbo Akademi University Press.]

Roxberg, Å. (2005). Vårdande och icke-vårdande tröst. Doktorsavhandling, Turku, Finland: Åbo Akademis Förlag. [Caring and non-caring consolation. Doctoral dissertation, Turku, Finland, Åbo Akademi University Press.]

Rudolfsson, G. (2007). Den perioperativa dialogen—en gemensam värld. Doktorsavhandling, Vaasa, Finland: Enheten för vårdvetenskap, Åbo Akademi. [The perioperative dialogue—a common world. Doctoral dissertation, Vaasa, Finland: Department of Caring Science, Åbo Akademi University.]

Rundqvist, E. (2004). Makt som fullmakt. Ett vårdvetenskapligt perspektiv. Doktorsavhandling, Turku,

Finland, Åbo Akademis Förlag. [Power as authority. A caring science perspective. Doctoral dissertation, Turku, Finland, Åbo Akademi University Press.]

Rydenlund, K. (2012). Vårdandets imperativ i de yttersta livsrummen. Hermeneutiska vårdande samtal inom den rättspsykiatriska vården. Doktorsavhandling, Turku, Finland, Åbo Akademis förlag. [The imperative of caring in extreme living-spaces—Hermeneutical caring conversations in forensic psychiatric care. Doctoral dissertation, Turku, Finland, Åbo Akademi University Press.]

Råholm, M-B. (2003). I kampens och modets dialektik. Doktorsavhandling, Turku, Finland, Åbo Akademis Förlag. [In the dialectic of struggle and courage. Doctoral dissertation, Turku, Finland, Åbo Akademi University Press.]

Sæteren, B. (2006). Kampen for livet i vemodets slør. Å leve i spenningsfeltet mellom livets mulighet og dødens nødvendighet. Doktorsavhandling, Turku, Finland, Åbo Akademis Förlag. [Struggling for life in the veil of pensiveness. A life between the pressure created by the possibility of life and the necessity of death. Doctoral dissertation, Turku, Finland, Åbo Akademi University Press.]

Sivonen, K. (2000). Vården och det andliga. En bestämning av begreppet 'andlig' ur ett vårdvetenskapligt perspektiv. Doktorsavhandling, Turku, Finland, Åbo Akademis Förlag. [Features of spirituality in caring. Doctoral dissertation, Turku, Finland, Åbo Akademi University Press.]

Söderlund, M. (2004). Som drabbad av en orkan. Anhörigas tillvaro när en närstående drabbas av demens. Doktorsavhandling, Turku, Finland, Åbo Akademis Förlag. [As if struck by a hurricane: The situation of the relatives of someone suffering from dementia. Doctoral dissertation, Turku, Finland, Åbo Akademi University Press.]

von Post, I. (1999). Professionell naturlig vård ur anestesoch operationssjuksköterskors perspektiv. Doktorsavhandling, Turku, Finland, Åbo Akademis Förlag. [Professional natural care from the perspective of nurse anesthetists and operating room nurses. Doctoral dissertation, Turku, Finland, Åbo Akademi University Press.]

Wallinvirta, E. (2011). Ansvar som klangbotten i vårdandets meningssammanhang. Doktorsavhandling, Turku, Finland, Åbo Akademis förlag. [Responsibility as sounding board in the caring's context of meaning. Doctoral dissertation, Turku, Finland, Åbo Akademi University Press.]

Wiklund, L. (2000). Lidandet som kamp och drama. Doktorsavhandling, Turku, Finland, Åbo Akademis Förlag. [Suffering as struggle and as drama. Doctoral dissertation, Turku, Finland, Åbo Akademi University Press.]

Wärnå, C. (2002). Dygd och hälsa. Doktorsavhandling, Turku, Finland, Åbo Akademis Förlag. [Virtue and health. Doctoral dissertation, Turku, Finland, Åbo Akademi University Press.]

Ⅲ 간호개념모델

Nursing Concdptual Models

- 간호개념모델은 학문 고유의 현상 간의 관점을 구체화하고 근거를 생성하는 개념과 개념간의 관계이다.
- 개념모델은 특정한 개념틀과 간호학문의 맥락 내에서 핵심적인 의미를 갖는 광범위한 메타파라다임 개념(인간, 건강, 간호, 환경)을 강조한다.
- 간호개념모델은 사람, 가족, 지역사회에 대한 비판적 사고와 지식에 근거한 간호결정을 위하여 다양한 초점에서의 관점을 제공한다.

12장

마이라 에스트린 레빈
Myra Estrin Levine

1921-1996

보존모델

The Conservation Model

Karen Moore Schaefer Zetterlund

"간호는 인간 상호작용이다"(Levine, 1973, p. 1).

이론가 소개*

마이라 에스트린 레빈Myra Estrin Levine은 다양한 경력을 가지고 있다. 개인 간호사(1944), 미군 민간간호사(1945), 쿡 카운티 병원 재활의학과 임상 전 실습강사(1947~1950), 시카고의 Drexel Home에서 간호부서장(1950~1951), 시카고클리닉(1951~ 1952)과 디트로이트의 헨리포드병원(1956~1962)에서 외과계 감독을 역임하였다. 또한 네브라스카주 링컨에 소재한 Bryan Memorial 병원(1951), 쿡 카운티 간호학교(1963~1967), 로욜라대학교(1967~1973), 러쉬대학교(1974~1977), 일리노이대학교(1962~1963, 1977~1987)에서 근무함으로써 학문적 수준을 높이기도 하였다. 쿡 카운티 간호대학의 임상 간호학 학과장을 하였고(1963~1967), 러쉬대학교에서 종

* The information in this section is informed by Levine's autobiographical chapter (1988a), her curriculum vitae, and the program from the Mid-Year Convocation, Loyola University, Chicago (1992).
이전 저자: Karen Moore Schaefer, Gloria S. Artigue, Karen J. Foil, Tamara Johnson, Ann Marriner Tomey, Mary Carolyn Poat, LaDema Poppa, Roberta Woeste, and Susan T. Zoretich.

양간호 석사과정을 주관하여 운영하였다(1974~1977). 레빈은 Evanston병원의 보수교육 담당 부서장을 하였고(1974년 3월~6월), 부서의 자문역할을 하였다(1974년 7월~1976). 일리노이대학교에서 인문학 겸임 부교수였다(1981~1987). 1987년에 시카고 일리노이대학교의 내외과 간호학 명예교수가 되었다. 레빈은 1974년 이스라엘의 텔 아비브대학교에 방문 부교수로 갔고 1982년에 방문 교수로 돌아왔다. 또한 이스라엘 브엘세바의 네게브대학교 Recanati 간호학과에서 방문교수를 하였다(1982년 3~4월).

레빈은 미국간호학회 charter fellow(1973), 대 이스라엘 미국정신건강지원 명예회원(1976), 일리노이 간호협회로부터 명예표창(1977) 등 무수한 상을 받았다. 또한 Sigma Theta Tau가 우수 교수에게 수여하는 Elizabeth Russel Belford상의 첫 번째 수상자였다(1977). 레빈의 저서 "*Introduction to Clinical Nursing*"(1969a: 1973)의 초판과 재판 모두 American Journal of Nursing에서 주관하는 올해의 책으로 선정 되었고, "*Renewal for Nursing*"은 히브리어로 번역되었다(Levine, 1971a). 레빈은 Who's Who in American Women(1977~1988)과 Who's Who in American Nursing(1987)에 등재 되었다. 또한 Institute of Medicine of Chicago의 명예회원으로 선출되었다(1987~1991). 1990년에는 Alpha Lambda Chapter of Sigma Theta Tau가 간호에 대한 탁월한 공헌을 인정하였다. 1992년 1월 시카고 로욜라대학교로부터 인문학 명예박사학위를 수여하였다(Mid-Year Convocation, Loyola University, 1992). 레빈은 미국간호협회와 일리노이 간호협회의 적극적인 리더였다. 1987년에 은퇴한 후, 적극적으로 이론을 개발하였고 지속적으로 자신의 이론에 대한 연구와 탐구를 장려하였다(Levine, 1996).

역동적인 연자인 레빈은 프로그램, 워크샵, 세미나, 패널 등에 많은 발표를 하였고, 간호와 교육에 관한 다양한 저술활동을 하였다. 또한 병원과 간호학과에 자문 역할을 하였다. 비록 이론개발을 주도하지는 않았지만 내외과 간호교육의 조직구조와 이론개발에 자극을 주는 역할을 하였다(Stafford,1966). "*The Four Principles of Nursing*"은 보존원리에 관한 첫 번째 저술이다(Levine,1967a). 그밖에도 "*Adaption and Assessment Rationale for Nursing Intervention*", "*Lack of Love Alone*"과 "*The Pursuit of Wholeness*"가 있다(Levine,1966b, 1967b, 1969b). 자신의 보존 원리를 이용한 첫 번째 저서 "*Introduction to Clinical Nursing*"이 1969년에 발행되었다(Levine,1969a). "*Holistic Nursing*"에서 4가지 보존원리의 결과를 강조하였다(Levine, 1971b). "*Introduction to Clinical Nursing*" 재판이 1973년에 발행되었다(Levine,1973). 이어서 보존원리를 Allentown College of St. Francis de Sales(현재 DeSales 대학) 학회의 이론학회에서 발표하였다.

레빈은 1989년 자신의 이론을 수정하여 "*The Four Conservation Principles : Twenty Years Later*"를 발간하였다. 또한 질병상태에서 안정성에 위협을 받을 때 잉여성redundancy이 적응

반응의 유용함을 어떻게 결정하는지에 대하여 이론을 확고히 하였다. 적응과정은 개인의 안정성을 방어하기 위하여 신체의 조화를 설정한다. 적응의 성과는 보존이다.

레빈은 건강이 보존모델 필수 요소 중 하나임을 주장하기 위하여 건강은 보존과정과 명백하게 연계되었다고 하였다(Levine, 1991). 치료를 통한 보존은 통합성과 총체적 인간의 조화에 초점을 두었다.

레빈은 1996년 3월 20일 75세 나이로 생을 마감하였다. 우리는 레빈을 행정가, 교육자, 친구, 어머니, 간호사, 학자, 인문학자, 아내로 기억한다(Pond, 1996). 로욜라대학의 총장인 Baumhart박사(Mid- Year Convocation, Loyola University, 1992)는 레빈에 대하여 다음과 같이 진술하였다.

> "레빈 여사는 근대 간호에 의하여 충족될 수 있는 인간의 건강요구의 비전을 확장하기 위하여 여러 학문으로부터의 지식을 활용한 르네상스 여성입니다. 자신의 조상의 탈무드 전통 내에서 실로 사회적 정의와 신의 자손으로서 승계받은 인간의 존엄성을 솔직하게 진술한 대변인입니다(p.6)."

이론의 배경

Beland(1971)의 특정 인과관계와 복합 요인 이론 발표에서 레빈은 질병에 관한 역사적 견해를 알게 되었고 사람들이 시간 경과에 따라 질병 변화에 대해 생각하는 방식을 배웠다. Beland는 레빈에게 그녀의 사고에 영향을 미친 Goldstein(1963), Hall(1966), Sherrington(1906), Dubos(1961, 1965) 등의 수많은 저자들을 소개해 주었다. 레빈은 Gibson(1966)의 지각체계의 정의, Erikson(1964)의 합total과 총체whole간의 구별, Selye(1956)의 스트레스 이론, Bates(1967)의 외적환경 모델을 활용하였다. 레빈은 Rogers(1970)가 자신의 첫 번째 편집자인 것을 매우 자랑스럽게 생각하였다. 또한 간호사들이 "생명을 구하고 건강과 안위를 증진시키기 위하여" 사용한 "보호자 활동 관찰"에 관한 생각에 기여한 Nightingale에 대하여도 감사의 뜻을 표하였다(Levine, 1992, p.42).

주요 개념과 정의

보존모델의 3가지 주요 개념은 1) 총체성, 2) 적응, 3) 보존이다.

총체성 Wholeness [Holism]

전체Whole의, 건강health, 건장한hale은 모두 앵글로 색슨어 "hal"에서 유래되었다(Levine, 1973, p. 11).

레빈의 총체성은 에릭슨(1964, 1968)의 개방체계로서의 총체성에 관한 기술에 근간을 두었다. 레빈은 에릭슨의 "총체성은 건전하고, 유기적이고, 진보적인 다양한 기능과 전체, 즉 개방적이고 유연한 경계선 내에서 부분들간의 상호작용임을 강조한다" 라는 문구를 인용하였다(1969a에 인용, p. 94). 레빈(1996)은 에릭슨의 총체에 대한 정의가 총체를 이해하기 위하여 총체의 부분을 탐구하는 것을 전제로 하였다고 생각하였다. 통합성은 환경의 도전에 대하여 개인이 통합적이고 단일한 방법으로 반응하는 것을 강조한 개인의 조화를 의미한다.

적응 Adaptation

"적응은 내적, 외적 환경 현실 내에서 개인이 자신의 통합성을 보존하는 변화 과정이다(Levine, 1973, p. 11). 보존은 성과이다. 적응은 성공적이거나 그렇지 않을 수도 있다. 적응은 되느냐 안되느냐의 과정이 아니라 정도의 문제이다. 부적응은 없다. 레빈(1991)은 적응의 세 가지 특징을 아래와 같이 말하였다.

1. 역사성Historicity
2. 특이성Specificity
3. 잉여성Redundancy

레빈은 "...모든 종족은 기본적인 생활 활동을 성공하기 위해 특수하게 설계된 일정한 반응패턴을 가지며 적응은 역사적, 특이적 특성을 갖는다"(P. 5). 게다가 적응 패턴은 개인의 유전 코드에 숨겨져 있을 수 있다. 잉여성은 개인이 확고하게 적응할 수 있도록 실패로부터 안정적 선택을 할 수 있는 여지를 설명한다. 상해, 연령, 질병, 환경적 조건 등으로 인한 잉여성의 선택여지를 상실하는 것은 개인이 생명을 유지하기 어렵게 한다. 레빈(1991)은 "노화 자체가 생리적 심리적 과정에서 잉여성이 실패한 결과일 가능성이 있다"고 하였다(p. 6).

주요 개념과 정의

환경 Environment

레빈(1973)은 누구든 자기 자신의 내적, 외적 환경을 개별적으로 가지고 있다고 보았다. 간호사는 내적 환경을 환자의 생리적, 병태생리적 관점에서 연관지을 수 있다. 레빈은 Bate(1967)의 외적 환경의 정의를 사용해서 다음의 세 가지 수준을 제시하였다.

1. 지각적Perceptual
2. 조작적Operational
3. 개념적Conceptual

이 세 가지 수준은 개인과 그들의 환경간의 상호작용에 차원을 부여한다. 지각적 수준은 개인이 육감으로 차단하고 해석할 수 있는 세계관을 포함한다. 조작적 수준은 직접적으로 지각할 수는 없지만 개인이 신체적으로 영향을 미칠 수 있는 것, 예를 들어 미생물 같은 것을 포함한다. 개념적 수준에서 환경은 영적 존재에 의해 특징지워지고 언어, 생각과 역사의 상징에 의해 연결되는 문화적 패턴으로 구성된다(Levine, 1973).

유기체 반응 Organic Response

환경 조건에 대한 개인의 적응능력을 유기체 반응이라고 부른다. 유기체 반응은 다음 4가지 수준의 통합으로 구분된다.

1. 투쟁 도주 반응Fight or flight
2. 염증 반응Inflammatory response
3. 스트레스 반응Response to stress
4. 지각적 인식Perceptual awareness

치료는 질병과 질환에 대한 반응의 관리에 초점을 둔다(Levine,1969).

투쟁 도주 반응: 투쟁 도주는 가장 기본적인 반응이다. 개인은 위협이 실제로 존재하건 안하건 자신이 위협을 받는 것으로 지각한다. 입원, 질병, 새로운 경험은 반응을 유도한다. 개인은 더 많은 정보를 얻으려고 노력하고 자신들의 안전과 안녕을 지킨다(Levine, 1973).

주요 개념과 정의

염증 반응: 이 방어기전은 자신을 적대적 환경의 상해로부터 보호한다. 치유의 수단이다. 반응을 유용한 에너지를 원치 않는 자극이나 병원체를 제거하거나 저지하기 위해 사용한다. 그것은 개인의 에너지 보유량을 고갈시키므로 일정시간 내에서는 제한적이다. 환경적 조절이 중요하다(Levine, 1973).

스트레스 반응: Selye(1956)는 스트레스 반응 증후군을 예측 가능한, 비 특이적 유기체 변화라고 설명하였다. 삶의 손상은 조직에 기록되고 삶의 경험에 구조적 변화를 일으키는 장기 호르몬 반응에 반영된다. 비가역적인 특성을 가지고 환자가 간호에 반응하는 방법에 영향을 미친다.

지각 인식: 이 반응은 개인의 지각 인식에 근거한다. 이것은 자신을 둘러싼 세상에 대한 개인적 경험으로만 나타난다. 개인은 이 반응을 안전을 추구하고 유지하는데 사용한다. 이를 위해 정보를 찾는다(Levine, 1967a; 1969b).

영양상태 진단: 레빈(1966a)은 간호진단에서 영양상태 진단을 대체 간호진단으로 추천하였다. 그것은 간호 판단을 위한 과학적 방법이다.

보존 Conservation

보존은 라틴어 "한데 모으다"를 의미하는 'conservatio'에서 유래되었다(Levine,1973). "보존은 심하게 공격을 받는 상황에서도 복잡한 체계가 기능을 계속할 수 있는 방법을 설명한다."(Levine, 1990, p. 192). 보존을 통하여 개인은 장애에 대항하고, 적절히 적응하며, 고유성을 유지한다. "보존의 목표는 건강과 장애에 대응할 체력"이므로 "보존원리와 통합성의 유지"는 어느 상황에서든 간호에 필수적 사항이다(Levine, 1973,p. 193~195). 보존의 일차적인 초점은 개인의 총체성을 유지하는 것이다. 간호사는 간호중재가 어떤 한 가지 특수한 보존원리와 연관된 것이라도 또 다른 보존원리로부터 받는 영향을 인식해야 한다(Levine, 1990).

레빈(1973)의 모델은 간호 상호작용과 적응을 추구하고 총체성을 유지하고자 하는 중재를 강조한다. 이러한 상호작용은 보존원리의 과학적 배경에 근거한다. 보존은 개인

주요 개념과 정의

에게 특수한 생물학적 현실 내에서 에너지 공급과 수요의 균형을 유지하는 것에 초점을 둔다. 간호는 과학적 지식과 간호실무 능력에 근거한다. 네 가지 보존원리가 있다.

보존원리 Conservation Principles

보존모델의 목표는 보존원리에 근거한 중재를 통하여 달성된다.

에너지 보존 Conservation of Energy: 개인은 생명활동을 유지하기 위하여 에너지의 균형과 지속적인 에너지의 회복이 필요하다. 치유와 노화 등의 과정은 그러한 에너지에 도전한다. 이러한 제2열 역학법칙은 인간을 포함하는 우주의 모든 것에 적용된다.

에너지 보존은 가장 기본적인 과정까지도 포함하여 간호실무에 오랫동안 이용되어 왔다. 간호중재는 "개인의 능력을 향상시키는 간호중재는 추가적인 요구를 최소화 하는 간호를 제공하는가로 평가된다"(Levine, 1990, pp.197~198).

구조적 통합성 보존 Conservation of Structural Integrity: 치유는 총체성을 방어하기 위해 보존을 통하여 구조적 기능 통합성을 회복하는 과정이다(Levine, 1991). 장애는 새로운 수준에서 적응하도록 유도한다(Levine, 1996). 간호사는 기능 변화를 조기에 인식하고 간호중재를 제공함으로써 질병에 노출된 조직의 범위를 제한시킬 수 있다.

개인적 통합성 보존 Conservation of Personal Integrity: 자기 가치와 정체성은 중요하다. 이것에 취약한 경우에 환자가 된다. 이것은 사생활 침해와 불안 발생과 함께 일어난다. 간호사는 환자의 이름을 불러주고 그들이 원하는 것, 개인적 소유에 대한 가치 부여, 치료시 프라이버시 보호, 방어를 지지해 주고 교육함으로써 환자를 존중해야 한다. "간호사의 목표는 더 이상 환자이거나 의존적 대상이 아닌 개인으로서 사생활을 회복할 수 있도록 지식과 힘을 부여하는 것이다"(Levine, 1990, p.199). 생명의 신성함은 모든 사람에게 해당된다. "개인적 통합성의 보존은 각 개인의 신성함을 인정하는 것이다"(Levine, 1996, p. 40).

주요 개념과 정의

사회적 통합성 보존 *Conservation of Social Integrity:* 삶은 사회 공동체를 통하여 의미를 부여받고 건강은 사회적으로 결정된다. 간호사는 사회적 통합성을 보존하기 위하여 전문가적 역할에 충실하고, 가족구성원에게 제공하고, 종교적 요구를 돕고, 대인관계 기술을 사용한다(Levine, 1967b, 1969a).

경험적 증거의 이용

레빈(1973)은 특정한 간호행위는 과학적 원리로부터 도출되어야 한다고 생각하였다. 과학적 이론의 근거에 대해서는 이미 많은 연구들이 진행되어왔다. 레빈의 연구들은 수용된 과학 원리에 근거를 두고 있다.

주요 가정

'*Introduction to Clinical Nursing*'은 보존원리를 구조적 개념틀로 사용한 간호학과 신입생 교과서로 사용되었다(Levine, 1969a, 1973). 레빈(1973)은 보존원리를 "건강하거나 아픈 사람 모두에게 가능한 전인적 접근"(p. 151) 이라는 점에 가치를 두었다. 다음은 레빈이 각 개인의 개인적 특성을 존중한 진술이다.

> 궁극적으로, 환자 개인의 고유한 행동에 기초를 두고 간호중재를 결정해야 한다. 환자 중심 간호는 개별화된 간호를 의미하며, 환자를 위하여 고유하게 계획한 기능, 기술, 아이디어를 요구한다(1973, p. 6).

Schaefer(1996)는 모델에 관하여 다음의 가정진술을 도출하였다:

- 인간은 그들이 속한 환경적 맥락 내에서만 이해가 가능하다(Levine, 1973).
- "모든 자기-유지 체계는 그들 고유의 주체성 확립에 필요한 자원의 사용을 보존함으로써 그들 자신의 행동을 모니터 한다"(Levine, 1991, p. 4).

■ 인간은 개인적이지만 통합하는 방식으로 반응한다(Levine, 1971a).

간호

레빈(1973)은 간호에 대하여 다음과 같이 진술하였다.

> 간호는 인간의 상호작용이다(p. 1). 전문적 간호는 다른 분야 학문과 마찬가지로 대학원을 졸업한 자만이 할 수 있어야 한다. ...고로 전문적 간호사의 수는 제한적일 것이다(Levine, 1965, p. 214).

간호실무는 간호의 고유한 지식과 간호와 접목된 다른 학문의 과학적 지식에 근거해야 한다(Levine, 1988b).

> 의사결정이 필요할 때 환자와 과학적 원리를 나눌 수 있는 상황으로 만드는 것은 간호사의 과제이다. 민감한 관찰과 적절한 데이터의 선택은 간호 요구 사정에 기반이 된다.
>
> 간호사는 환자의 환경에 적극적으로 참여하고 이는 질병상태가 악화되었을 때 환자가 적응할 수 있도록 돕는다(Levine, 1966b, p. 2452).

레빈 이론의 본질은 다음과 같다:

> ...간호 중재가 적응에 긍정적으로 영향을 미치거나, 사회적 웰빙 개선에 영향을 미친다면, 간호사는 치료적으로 의미있는 간호를 제공한 것이다. 반응이 부정적이면 지지적 간호를 제공한다(1966b, p. 2450). 간호의 목표는 적응을 도모하고 총체성을 유지하는 것이다(1971b, p. 258).

인간

인간은 전인적 존재로 설명된다: 총체성은 통합성이다(Levine, 1991). 통합성은 인간이 선택과 이동의 자유가 있음을 의미한다. 인간은 정체성과 자기가치를 갖는다. 레빈은 또한 인간을 "체계들 안에서의 체계, 그리고 총체성은 해당되는 모든 부분의 구성을 표현한다"(pp. 8~9)라고 설명하였다. 인간은 보존이 목표인 적응을 통하여 삶의 변화를 경험한다. 레빈은 "삶의 과정은 변화의 과정"이라고 하였다(1989, p. 326).

건강

건강은 합리적이고 정상적인 방법에 따라 수행하는 능력에 의하여 사회적으로 결정된다(Levine, 1969b). 사회적 그룹은 건강을 미리 결정한다. 건강이란 단지 병적 상태가 없는 것만을 의미하는 것은 아니다. 건강은 자신에게 돌아오는 것이다; 개인은 자신의 자원 환경 내에서 자유롭고 관심이 있는 일을 추구할 수 있다. 레빈은 다음과 같이 강조하였다.

> 건강 역시 문화적으로 결정됨을 기억해야 한다. 건강은 그 자체만의 실체가 아니라 개인이 속한 그룹의 기질과 신념에 의해 결정된다(Levine, personal communication, February 21, 1995).

건강의 정의는 개인에게 있어서도 시간이 경과하면서 변화할 것이다.

환경

환경은 개인들이 자신의 삶을 살아가는 맥락으로서 개념화한다. 이는 수동적인 배경이 아니다. "개인이 환경에 개인적으로 적극 참여하는 것이다(Levine,1973, p. 443). 레빈은 적응을 촉진하는 간호 중재의 결정요소로 내적, 외적 환경의 중요성을 거론하였다. "모든 적응은 내·외적 환경 사이에서 일어나는 조정을 의미한다"(p. 12).

이론적 주장

레빈의 연구에 의한 많은 이론적 주장들 중 4가지 주요한 주장은 다음과 같다.

1. 간호중재는 환자 개인의 에너지 보존에 근거한다(Levine, 1697a. p. 49).
2. 간호중재는 환자 개인의 구조적 통합성 보존에 근거한다(Levine, 1697a, p. 56).
3. 간호중재는 환자 개인의 개인적 통합성 보존에 근거한다(Levine, 1697a, p. 56).
4. 간호중재는 환자 개인의 사회적 통합성 보존에 근거한다(Levine, 1697a, p. 57).

레빈(1991)은 초기 개발단계의 두가지 이론에 대하여 견해를 제시하였다. 치료적 의도 이론은 환자의 생물학적 현실에 초점을 맞춘 간호중재의 기본을 제공하고자 하였다. 계획된 것은 아니지만 이론은 보존원리로부터 자연스럽게 시작되었다. 잉여 이론은 노화와 심부전에 대한 생리적 적응 등과 같이 적응의 잉여 영역관련 이론을 확장하고 잉여 옵션을 설명한다.

논리적 형식

레빈은 주로 연역적 논리를 사용한다. 그녀는 자신의 모델을 개발할 때, 간호학, 생리학, 심리학과 사회학으로부터 나온 이론들과 개념을 통합하였다. 또한 간호실무 상황을 분석하고 간호 기술과 활동을 설명하는데 정보를 사용하였다. 학생들과 동료 및 자신의 간호활동 중에 만난 사람들을 통해서 보존모델과 그 원리를 실무에 적용할 수 있었다.

간호학계의 수용

실무

레빈은 간호란 간호가 포함하는 활동을 규명하고 배후의 과학적 원리를 부여하는 것이라고 정의 내렸다. 개념틀로서의 보존원리는 단지 병원내의 간호에 국한되지 않고 모든 환경, 병원, 사회 속에서 사용되고 일반화 될 수 있다(Levine, 1990, 1991). 보존원리, 통합수준, 그 외 개념들은 다양한 맥락에서 사용 할 수 있다(Fawcett, 2000; Levine, 1990, 1991). Hirschfeld(1976)는 노인 간호에 보존의 원리를 사용하였다. Savage와 Culbert(1989)는 유아 치료 계획을 세우는데 보존모델을 사용하였다. Dever(1991)는 보존모델을 기본으로 어린이들을 치료하였다. Roberts, Fleming과 Yeates-Giese(1991)는 보존모델을 근간으로 분만진통을 겪는 여성을 대상으로 중재를 설계하였다. Mefford(2000; Mefford & Alligood, 2011a, 2011b)는 레빈의 간호 보존모델을 이용하여 미숙아 대상 중범위 건강증진이론을 검증한 결과, 보호자의 일관성과 유아가 건강을 회복하는 시기 간에 유의한 역상관 관계가 있음을 확인하였고 미숙아의 초기 입원기간동안 자원 활용 정도와 간호제공자의 일관성 간에 역상관 관계가 있음을 확인하였다. Cooper(1990)는 모든 통합성을 통합하는 구조적 통합에 중점을 두는 상처간호에 관한 기틀을 개발하였다. Leach(2007)는 상처간호 실무 가이드를 제공하기 위하여 보존모델 백서를 제작하였다. Webb(1993)은 암 치료를 받고 있는 환자들을 치료하는데 보존모델을 사용하였다. Roberts, Brittin과 deClifford(1995)와 Roberts, Brittin, Cook과 deClifford(1994)는 호흡능력에 대한 부메랑 베개 기술효과the boomerang pillow technique effect 연구에 보존모델을 사용하였다. Jost(2000)는 변화 경험을 하는 동안의 직원 요구도 평가를 개발하는데 모델을 사용하였다.

보존 원리는 심장내과, 산과, 노인과, 급성 치료(신경과), 소아과, 장기 치료, 응급치료, 일차 진료, 신생아학, 중환자실, 노숙자 집단 등의 다양한 실무환경에서 개념틀로 사용되어 왔다.

교육

레빈(1973)은 신입생을 위한 교재로 사용하기 위하여 *Introduction to Clinical Nursing*을 썼다. 이 책은 교과과정을 개발하기 위한 새로운 자료를 소개하였다. 죽음과 죽어감에 대한 초기 견해를 소개했고 여성은 유방 조직검사 후 의식을 회복하고 다음 치료단계에 대해 상담해야 한다고 했다.

*Introduction to Clinical Nursing*은 신입생을 위한 내외과 간호 교육의 조직적 구조를 제공한다(Levine, 1969a, 1973). 1969년과 1973년에 출판된 두 권의 교재에, 레빈은 처음 9개 단원의 끝부분에 모델을 소개하였다. 각 모델은 간호사들에게 간호활동의 기초를 제공하는 목표, 필수 과학적 개념, 그리고 간호과정을 포함하고 있다. 이 모델들은 보존모델이 아니다. 보존모델은 서론과 10장의 서론 부분에 소개 되었다. 부록인 교육자를 위한 매뉴얼은 신임교수나 기존 교수 모두가 시의 적절하게 교육의 원리를 참고할 수 있도록 하였다(Levine, 1971c).

비록 이 교재의 내용은 개론 수준이지만 신입생들이 보존모델을 활용하기 위해서는 자연과학과 사회과학의 배경 지식이 요구된다(Canadian Nurse, 1970). 이를 보정하기 위하여 2판에서는 과학적 원리를 강조하였다. 모델을 지지하는 근거가 학부와 대학원 과정에 성공적으로 통합되었다(Grindley & Paradowski, 1991; Schaefer, 1991a).

연구

레빈의 모델은 간호지식 개발에 성공적으로 활용되었다(Schaefer & Pond, 1991). 그러나 Fawcett(1995)은 "모델을 사용하기 위하여는 보존모델에서 직접 도출되거나 다양한 임상 상황에서 보존모델과 연계되는 개념적-이론적-경험적 구조를 검증하는 연구를 하는 등 좀 더 체계적인 평가가 필요하다"고 하였다(p. 208). 레빈의 모델에 관해서는 많은 연구 질문이 제기될 수 있다(Radwin & Fawcett, 2002; Schaefer, 1991b). 대학원생과 임상 연구가는 연구 개념틀로 보존원리를 사용해 왔다(Ballard, Robley, Barrett, et al., 2006; Cox, 1988; Gagner-Tjellesen, Yurkovich, & Gragert, 2001; Mefford, 2000; Mefford & Alligood, 2011a, 2011b; Moch, St. Ou, Hall, et al., 2007). Ballard와 등은 하반신불수 환자의 재활 과정에서의 삶의 경험에 대한 현상학적 연구 기틀을 마련하기 위하여 모델을 사용하였다. 그들은 연구를 통하여 그들의 새로운 삶을 규정하기 위한 기본요소로 다른 모든 통합과 더불어 구조적 통합이 사용되었음을 확인하였다.

모델에 대한 가장 중요한 질문 중 하나는 "모델로 설명할 수 없는 인간 경험은 어떤 것들인가?" 이다. 이 질문은 간호 실무에서 모델 적용에 대한 지속적인 검증의 지침을 제시한다. 예를 들어, 의료인이 인간 게놈 프로젝트의 정보를 사용하는 것 같이, 간호연구자들은 유전자 상담을 받는 대상자에게 포괄적인 간호를 수행하기 위해 모델의 능력을 검증하고자 할 것이다. 이러한 검증의 결과를 바탕으로, 가설이 개발되고 이 가설은 모델에서 개발된 이론에 근거한 처방을 지지하기 위하여 검증될 수 있다.

미래의 발전

레빈과 다른 학자들은 보존 모델을 간호진단 분류를 위한 토대로 사용하기 위하여 연구하였다(Stafford, 1996; Talyor, 1989). 행정과 노인을 대상으로 한 연구에서도 레빈의 이론을 적용하였다. 또한 이 모델은 미숙아 건강증진이론 개발에 사용되고 검증되었으며(Mefford, 2000; Mefford & Alligood, 2011a, 2011b), 수면장애 연구와 협동 및 일차 진료 개발에도 큰 가능성을 시사한다(Fawcett, 2000). 모델에 대한 철학적, 윤리적, 영적 적용과 관련된 연구 가능성에 대한 도전을 제시하고 있다(Stafford, 1996).

비평

명확성

레빈의 모델은 명료하다. Fawcett(2000)은 "...레빈의 보존모델은 간호가 인간의 전체론적 관점에서 논리적으로 일치한다는 것을 보여준다"고 하였다(p. 189). George(2002)는 "이 이론은 간호행위를 긍정적인 성과로 유도할 수 있도록 방향을 제시한다"고 긍정적으로 평가하였다. 그녀는 모델에 수많은 용어를 사용했지만 적절히 정의함으로써 명확성을 유지하였다.

간결성

네가지 보존이론은 초기에는 간결하였지만, 하부 개념들과 복합적 변수를 포함한다. 그럼에도 불구하고 이 모델은 개발된 모델 중 간결한 것에 속한다.

일반성

네가지 보존원리는 모든 간호 환경에서 사용될 수 있다.

접근성

레빈은 모델 개발에서 연역적 논리를 사용했으며 이는 연구 질문들을 생성하는데 사용가능하다. 레빈은 보존모델을 유지하여 이론을 발전시키고 모델을 소개하면서 자신의 모델에 귀납적 추론도 사용하였음을 강조하였다(M. Levine, personal communication, May 17, 1989).

중요성

레빈이 정의하는 네 가지 보존원리는 간호실무의 요소를 조직화하고 명확하게 하기 위하여 사용된 초기 간호모델로 인정받고 있다. 또한 보존모델은 간호실무 및 연구에서 활용되고 있다는 근거를 지속적으로 제시하고 있으며 그에 대한 인지도는 21세기에도 지속되고 있다.

요약

레빈은 간호학과 신입생 교육을 위한 틀을 제공하기 위하여 보존모델을 개발하였다. 자신의 저서 제1장에 총체성의 가정과 환자간호에 전인적 접근을 지지하는 보존원리를 소개하였다(Levine, 1969a, 1973). 모델은 논리적으로 일관성이 있고, 내적 외적으로 일치하며 깊이 뿐 아니라 너비도 있으며, 의료 전문가와 소비자가 거의 예외 없이 잘 이해할 수 있다. 보존모델을 사용하는 간호사들은 환자를 예상, 설명, 예언하면서 간호를 수행할 수 있다. 그러나 성과를 예견하는 능력은 더 검증할 필요가 있다. 레빈(1990)은 "...간호가 기본인 어느 곳에든지 보존과 통합의 법칙이 존재한다" 고 진술하였다(p. 195).

사례연구*

55세의 기혼여성이고 아프리카계 미국인이며 두 장성한 자녀의 어머니인 Yolanda는 유방암 병력이 있고, 수년간 관절염이라고 생각하는 원인 모를 근육통으로 고생하던 중 2년전 섬유근육통으로 진단 받았다. 진단을 받은 후 병에 대해 스스로 정보를 얻고 관리하는 법을 알 수 있었기 때문에 다소 위안이 되었다. 2달 전부터 다른 의사에게 진료를 받기 시작하면서 Yolanda는 치료를 원점에서 시작하고 싶어서 그동안 복용해 오던 모든 약의 복용을 중단하였다. 가족에 대한 의무를 다하면서 대학을 다니며 영어학을 전공하고 있다. 병원에 왔을 때 최악의 상태의 통증을 호소하였다.

Nurse practitioner는 레빈의 보존 모델을 사용하여 의사와 치료계획을 세우기 위한 준비로 포괄적인 사정을 수행하였다. 개인이 내적, 외적 환경에 어떻게 적응하는지를 고려하면서 보존원리에 따라 간호계획을 구성하였다. Yolanda에게 통증, 피로, 수면장애의 여러 증상을 보이는 다른 질환들(예: 전신 홍반성 낭창증, 다발성 경화증)을 배제하면서 섬유근육통으로 진단 내렸다. 다른 질환에 대한 검사결과는 정상이었다.

외적 환경은 지각적, 조작적, 개념적 요인을 포함한다. 지각적 요인은 감각을 통해 감지하는 것이다. Yolanda는 수년동안 설명할 수 없는 피로와 통증을 겪어 왔다고 하였다. 최근에 "몸을 깨끗히 하기위해" 약물치료를 중단하였다. 그러나 통증이 너무 심해 수면이 어렵다고 하였다. 그녀는 밤에 6시간 정도만 자고 일어나면 통증이 경감한다고 하였다. 현재는 불면으로 통증이 매우 심하였다.

조작적 요인은 대상자가 지각을 통하여 지각하지 못하는 환경에 대한 위협이다. Yolanda는 추운 날씨나 기압상의 변화로 심각한 통증을 느낀다고 하였다.

개념적 요인은 건강관리에 대한 문화적, 개인적 가치, 건강과 질병의 의미, 건강관리에 대

*This case study is based on raw data from a completed study (Schaefer, 2005). Yolanda is a fictitious name used to protect the privacy and anonymity of the participant.

한 지식, 교육, 언어, 영적 믿음 등을 포함한다. 유방암으로 인하여 Yolanda는 기도와 성경 읽기를 통하여 영성을 성장시켰다. 이렇게 함으로써 현재의 고통스런 질병을 이겨나갈 수 있다고 생각하였다.

에너지 보존은 지나친 피로를 예방하기 위하여 에너지의 공급과 수요의 균형에 초점을 둔다. Yolanda는 갑자기 피로가 몰려 온다고 불평하였다. 집안일을 하는데 어려움을 겪고 있다. 극심한 피로로 인하여 하루 일하면 하루를 침상에서 보낸다. 헤모글로빈 수치와 헤마토크릿은 정상이다. 동맥혈 가스 결과는 항상 정상 범위 내에 있다. 섬유근육통 환자들의 대부분의 진단적 검사 결과는 정상 범위 내에 있다.

구조적 통합성 보존은 회복을 증진시키기 위한 신체의 구조를 유지하는 것이다. 섬유근육통 치료는 원인이 규명되지 않았기 때문에 증상 완화에 초점을 둔다. Yolanda의 통증과 피로는 지속 되었지만 어떠한 생리적, 구조적 이상도 발견할 수 없었다. Nurse practitioner는 만약 일상 활동이 질병 양상을 변화시킨다면 대상자와 함께 증상과 일 사이의 현실적인 한계를 결정하는 것이 중요하다고 생각하였다. 게다가 폐경이 겹쳐서 증상의 원인이 섬유근육통으로 인한 것인지 폐경증상으로 인한 것인지 확인하기가 어려웠다.

문진이 계속되는 동안 전문간호사는 Yolanda가 수년 전에 과민성대장증후군 진단을 받았음을 알게 되었다. 변비 보다는 갑작스런 설사를 걱정하였다. 갑작스레 설사를 하게 되는 당황스런 상황이 걱정되어 학교 가는 것이 두려웠다. Yolanda는 불편감 때문에 여러 가지 약을 복용하였다. 이 중 하나는 부작용이 너무 심해 2주후에 복용을 중단하였다. 숙면을 위해 항우울제인 아미트리프틸린이 처방 되었다. 그것은 6시간동안 숙면을 취할 수 있도록 해주는 유일한 약이었다.

개인적 통합성은 개인의 가치와 자존감을 유지하는 것이다. Yolanda는 유방암을 진단 받았을 때 통제력을 잃었다고 하였다. 절친한 친구가 교회에 가서 기도하도록 도와주었다. 그래서 비참한 생각이 들면 침실에 가서 성경을 읽고, 혼자 울며 기도하였다. 기도와 성경읽기가 회복시켜 줄 것이라고 믿었다. 현재의 질병과 함께 살아가기 위한 힘을 얻기 위해 계속적으로 기도하고 성경을 읽었다. 또한 웃어야 하며 유머가 기분 좋게 해 준다고 생각하였다. 섬유근육통의 새로운 진단에 대해서 알기 위해서 적극적으로 건강정보를 탐색하였다. 하지만 예전처럼 걷지 못하는 것이 가장 속상했다. 가장 즐겨하던 소일거리는 쇼핑몰에 가서 구두를 사는 것이었는데 이제는 하기 어렵게 되었다.

사회적 통합성은 환자가 사회적 존재임을 인정하는 것이다. Yolanda는 세명의 장성한 자녀의 어머니이다. 자녀들보다는 남편과 대화를 많이 한다. 주로 남편으로부터 지지를 받는다. 그녀의 남편은 쇼핑을 해주고 진료예약에 늦지 않도록 챙겨준다. 그녀의 생일에 피크닉을 가고 싶었지만, 손주들에게 할아버지를 도와 마당 청소를 하라고 부탁한 것이 고작이었다고 한탄하였다.

Yolanda는 심한 통증, 수면장애, 피로의 병력이 있는 중년 여성이다. 진단적 검사 결과, 다양한 압통 부위를 보이는 것 외에는 특이 사항을 발견할 수 없었다. 통증 병력과 압통 부위로 보아 섬유근육통이라고 진단 내렸다. 모든 약물의 복용을 중단하였고 폐경으로 가고 있는 것 같다고 하였다. 또한 심한 통증과 피로로 인하여 잠들기 힘들고 가사 일도 어렵다고 하였다. 남편과 손자들로부터 가사 일에 도움 받을 수 있고 고통을 이기기 위하여 성경읽기와 기도의 힘을 빈다. 또한 유머를 통하여 기분전환을 하려고 노력한다.

초기 간호 계획은 (1) 병력을 확인하고, (2) 기도, 성경읽기와 기분전환을 위한 유머를 지속적으로 할 것을 격려, (3) 약 처방과 숙면을 위한 방법에 대한 상담, (4) 호르몬 수치 검사 의뢰, (5) 증상 구별을 위한 도움(예: 폐경증상과 섬유근육통)을 포함한다. Yolanda는 6시간 동안 계속해서 수면을 취하면 통증이 완화되고 기분이 좋다고 하였다. 약 복용과 더불어 보완적 방법으로 수면을 증진시키는 것을 우선순위로 세웠다.

간호실무가는 유기체적 반응에 근거한 간호의 성과를 사정할 것이다. 다음의 반응이 예측되면 적응되었음을 기대한다.

- 기도, 성경읽기, 유머로부터 안위를 얻었음을 보고한다.
- 섬유근육통의 증상과 폐경 증상을 감별 진단한다.
- 6시간의 연속적인 숙면 후에 편안함을 보고한다.
- 통증과 피로가 경감하였음을 보고한다.
- 폐경 증상을 관리하기 위하여 건강관리 제공자의 도움을 구한다.

비판적 사고

1. 개인 건강이나 질병 경험, 이에 매우 근접한 것에 관한 비관적 학술지를 읽어보시오. 보존 모델의 맥락을 설명하기 위해서 모델과의 일치성-어떻게 수정, 확장, 한계를 정했는지 비판하시오.

2. 레빈은 "건강은 문화적으로 결정 된다, 건강 자체의 실체가 아니라, 각 개인에게 속한 민족적 정신이나 신념에 의해 정의 내리는 것이다."(M. Levine, personal communication. February, 21, 1995)

3. 가까운 박물관에 가서 다른 민족들이 신앙을 어떻게 예술적으로 표현했는지 평가하시

오. 그리고는 이러한 신념들이 건강과 질병을 어떻게 정의하고 있는지 탐구하시오. 레빈의 보존모델을 적용하여 이들 민족의 건강에 대한 정의에 적합한 중재를 제시하시오.

4. '*City of Joy, Soul Food, The Secret Garden, Cooorageous*, 또는 *Descendents*' 영화를 관람하시오. 레빈의 명제 진술을 지지하거나 반박할 수 있는 예를 영화로부터 활용해 보시오.

5. 보존모델을 Molly Haskell의 *Love and Other Infectious Disease*와 같은 질병 연대기에 적용하고 질병을 동반한 삶을 설명하시오.

6. 본 간호모델의 관점에서 볼 때 모의 경험에서 충족하지 못한 간호실무가 있다면 어떤 것인지 규명해 보시오. 이러한 전반적인 간호를 개선하기 위해서 당신의 간호실무를 어떻게 발전시킬 수 있을지 방안을 제시하시오.

POINTS FOR FURTHER STUDY

- Cardinal Stitch University Library; Nursing Theorist: Myra Levine at: http://library.stitch.edu/research/subjects/nursingtheorists/levine.htm
- Hahn School of Nursing and Health Science, University of San Diego at: http://www.sandiego.edu/nursing/theory/
- Karen Schaefer's chapter, "Levine's Conservation Nursing Model in Nursing Practice" (Chapter 10) in a companion Elsevier text, Alligood (2010). *Nursing theory: Utilization & application,* 4th edition.
- Leach, M. J. Using Levine's conservation model to guide practice (white paper) at: http://www.om.com/article/6024
- Mayo Clinic—Nursing Theorist—Myra Levine at: http://www.mayo.edu/education/nursing-research/levine.html
- Nursing for Nurses—Levine Conservation Model (Blog) at: http://allnurses.com/forums/f76/levine-conservation-model-48040-print.html
- Nursing Theories Group E-Levine's Conservation Model Concept at: http://nursingtheories.blogspot.com2011/07/group-e-levines-
- *The nursing theorist: Portraits of excellence.* Myra Levine (video, CD, or electronically), by Oakland: Studio III, Oakland, CA. Now available at Fitne, Inc., 5 Depot Street, Athens, Ohio 45701

REFERENCES

Ballard, N., Robley, L., Barrett, D., Fraser, D., & Mendoza, I. (2006). Patients' recollections of therapeutic paralysis in the intensive care unit. *American Journal of Critical Care*, *15*(1), 86–94.

Bates, M. (1967). A naturalist at large. *Natural History*, *76*(6), 8–16.

Beland, I. (1971). *Clinical nursing: Pathophysiological and psychosocial implications* (2nd ed.). New York: Macmillan.

Cooper, D. H. (1990). Optimizing wound healing: A practice within nursing domains. *Nursing Clinics of North America*, *25*(1), 165–180.

Cox, B. (1988). Pregnancy, anxiety, and time perception (Doctoral dissertation, University of Illinois at Chicago, Health Science Center, 1988). *Dissertation Abstracts International*, *48*, 2260B. (University

Microfilms No. AA18724993)

Dever, M. (1991). Care of children. In K. M. Schaefer & J. B. Pond (Eds.), *The Conservation Model: A framework for nursing practice* (pp. 71–82). Philadelphia: F. A. Davis.

Dubos, R. (1961). *Mirage of health*. Garden City, (NY): Doubleday.

Dubos, R. (1965). *Man adapting*. New Haven, (CT): Yale University Press.

Erikson, E. H. (1964). *Insight and responsibility*. New York: W. W. Norton.

Erikson, E. H. (1968). *Identity: Youth and crisis*. New York: W. W. Norton.

Fawcett, J. (1995). Levine's Conservation Model. In J. Fawcett (Ed.), *Analysis and evaluation of conceptual models of nursing* (pp. 165–215). Philadelphia: F. A. Davis.

Fawcett J. (2000). Levine's Conservation Model. In J. Fawcett (Ed.), *Analysis and evaluation of contemporary nursing knowledge: Nursing models and theories* (pp. 151–193). Philadelphia: F. A. Davis.

Gagner-Tjellesen, D., Yurkovich, E. E., & Gragert, M. (2001). Use of music therapy and other ITNIs in acute care. *Journal of Psychosocial Nursing and Mental Health Services, 39*(10), 26–37.

George, J. B. (2002). The Conservation Principles: A model for health. In J. George (Ed.) *Nursing theories: The base for professional nursing practice* (225–240). Upper Saddle River, (NJ): Prentice Hall.

Gibson, J. E. (1966). *The senses considered as perceptual systems*. Boston: Houghton Mifflin.

Goldstein, K. (1963). *The organism*. Boston: Beacon Press.

Grindley, J., & Paradowski, M. B. (1991). Developing an undergraduate program using Levine's model. In K. M. Schaefer & J. B. Pond (Eds.), *Levine's Conservation Model: A framework for nursing practice* (pp. 199–208). Philadelphia: F. A. Davis.

Hall, E. T. (1966). *The hidden dimension*. Garden City, (NY): Doubleday.

Hirschfeld, M. J. (1976). The cognitively impaired older adult. *American Journal of Nursing, 76*, 1981–1984.

Jost, S. G. (2000). An assessment and intervention strategy for managing. *Journal of Nursing Administration, 30*(1), 34–40.

Leach, M. J. *Using Levine's Conservation Model to Guide Practice* (white paper). Available at: http://www.o-m.com/article/6024.

Levine, M. E. (1965, June). The professional nurse and graduate education. *Nursing Science, 3*, 206.

Levine, M. E. (1966a). Trophicognosis: An alternative to nursing diagnosis. *American Nurses Association Regional Clinical Conferences, 2*, 55–70.

Levine, M. E. (1966b). Adaptation and assessment: A rationale for nursing intervention. *American Journal of Nursing, 66*, 2450–2454.

Levine, M. E. (1967a). The four conservation principles of nursing. *Nursing Forum, 6*, 45–59.

Levine, M. E. (1967b, Dec.). For lack of love alone. *Minnesota Nursing Accent, 39*, 179.

Levine, M. E. (1969a). *Introduction to clinical nursing*. Philadelphia: F. A. Davis.

Levine, M. E. (1969b). The pursuit of wholeness, *American Journal of Nursing, 69*, 93.

Levine, M. E. (1971a). *Renewal for nursing*. Philadelphia: F. A. Davis.

Levine, M. E. (1971b). Holistic nursing. *Nursing Clinics of North America, 6*, 253–263.

Levine, M. E. (1971c). *Instructor's guide to introduction to clinical nursing*. Philadelphia: F. A. Davis.

Levine, M. E. (1973). *Introduction to clinical nursing* (2nd ed.). Philadelphia: F. A. Davis.

Levine, M. E. (1984, April). *A conceptual model for nursing: The four conservation principles.* Proceedings from Allentown College of St. Francis Conference, Philadelphia.

Levine, M. E. (1988a). Myra Levine. In T. M. Schoor & A. Zimmerman (Eds.), *Making choices, taking chances: Nurse leaders tell their stories* (pp. 215–228). St. Louis: Mosby.

Levine, M. E. (1988b). Antecedents from adjunctive disciplines: Creation of nursing theory. *Nursing Science Quarterly, 1*(1), 16–21.

Levine, M. E. (1989). The four conservation principles: Twenty years later. In J. Riehl (Ed.), *Conceptual models for nursing practice* (3rd ed., pp. 325–337). New York: Appleton-Century-Crofts.

Levine, M. E. (1990). Conservation and integrity. In

M. Parker (Ed.), *Nursing theories in practice* (pp. 189–201). New York: National League for Nursing.

Levine, M. E. (1991). The conservation principles: A model for health. In K. Schaefer & J. Pond (Eds.), *Levine's Conservation Model: A framework for nursing practice* (pp. 1–11). Philadelphia: F. A. Davis.

Levine, M. E. (1992). Nightingale redux. In B. S. Barnum (Ed.), *Nightingale's notes on nursing* (pp. 39–43). Philadelphia: Lippincott.

Levine, M. E. (1996). The conservation principles: A retrospective. *Nursing Science Quarterly*, *9*(1), 38–41.

Mefford, L. C. (2000). *The relationships of nursing care to health outcomes of preterm infants: Testing a theory of health promotion for preterm infants based on Levine's Conservation Model*. Unpublished doctoral dissertation, University of Tennessee, Knoxville.

Mefford, L. C., & Alligood, M. R. (2011a). Testing a theory of health promotion for preterm infants based on Levine's Conservation Model of Nursing. *Journal of Theory Construction and Testing*, *15*(2), 41–47.

Mefford, L. C., & Alligood, M. R. (2011b). Evaluating nurse staffing patterns and neonatal intensive care unit outcomes using Levine's Conservation Model of Nursing. *Journal of Nursing Management*, *19*, 998–1011.

Mid-Year Convocation: Loyola University, Chicago. (1992). The Conferring of Honorary Degrees by R. C. Baumhart, Candidate for the degree of Doctor and Humane Letters, p. 6.

Moch, V., St. Ours, C., Hall, S., Bositis, A., Tillery, M., Belcher, A., et al. (2007). Using a conceptual model in nursing research—mitigating fatigue in cancer patients. *Journal of Advanced Nursing*, *58*(5), 503–512.

Nagley, S. J. (1984). Prevention of confusion in hospitalized elderly persons (Doctoral dissertation). *Dissertation Abstracts International*, *48*, 1732B. (University Microfilms No. AA18420848) Case Western Reserve University.

Pond, J. B. (1996). Myra Levine, nurse educator and scholar dies. *Nursing Spectrum*, *5*(8), 8.

Radwin, L., & Fawcett, J. (2002). A conceptual model based programme of nursing research: Retrospective and prospective applications. *Journal of Advanced Nursing*, *40*(3), 355–360.

Roberts, J. E., Fleming, N., & Yeates-Giese, D. (1991). Perineal integrity. In K. M. Schaefer & J. B. Pond (Eds.), *The Conservation Model: A framework for nursing practice* (pp. 61–70). Philadelphia: F. A. Davis.

Roberts, K. L., Brittin, M., Cook, M., & deClifford, J. (1994). Boomerang pillows and respiratory capacity. *Clinical Nursing Research*, *3*(2), 157–165.

Roberts, K. L., Brittin, M., & deClifford, J. (1995). Boomerang pillows and respiratory capacity in frail elderly women. *Clinical Nursing Research*, *4*(4), 465–471.

Rogers, M. E. (1970). *An introduction to the theoretical basis of nursing*. Philadelphia: F. A. Davis.

Savage, T. A., & Culbert, C. (1989). Early intervention: The unique role of nursing. *Journal of Pediatric Nursing*, *4*(5), 339–345.

Schaefer, K. M. (1991a). Developing a graduate program in nursing: Integrating Levine's philosophy. In K. M. Schaefer & J. B. Pond (Eds.), *Levine's Conservation Model: A framework for nursing practice* (pp. 209–218). Philadelphia: F. A. Davis.

Schaefer, K. M. (1991b). Levine's conservation principles and research. In K. M. Schaefer & J. B. Pond (Eds.), *Levine's Conservation Model: A framework for nursing practice* (pp. 45–60). Philadelphia: F. A. Davis.

Schaefer, K. M. (1996). Levine's Conservation Model: Caring for women with chronic illness. In P. H. Walker & B. Neuman (Eds.), *Blueprint for use of nursing models: Education, research, practice and administration*. New York: National League for Nursing.

Schaefer, K. M. (2005). The lived experience of fibromyalgia in African American women. *Holistic Journal of Nursing*, *19*(1), 17–25.

Schaefer, K. M., & Pond, J. B. (Eds.) (1991). *Levine's Conservation Model: A framework for nursing practice*.Philadelphia: F. A. Davis.

Selye, H. (1956). *The stress of life*. New York: McGraw-Hill.

Sherrington, A. (1906). *Integrative function of the nervous system*. New York: Charles Scribner's Sons.

Stafford, M. J. (1996). In tribute: Myra Estrin Levine,

Professor Emerita, MSN, RN, FAAN. *Chart*, *93*(3), 5–6.

Taylor, J. W. (1974). Measuring the outcomes of nursing care. *Nursing Clinics of North America*, *9*, 337–348.

Taylor, J. W. (1989). Levine's conservation principles: Using the model for nursing diagnosis in a neurological setting. In J. P. Riehl-Sisca (Ed.), *Conceptual models for nursing practice* (3rd ed., pp. 349–358). Norwalk, (CT): Appleton & Lange.

Taylor, J. W., & Ballenger, S. (1980). *Neurological dysfunction and nursing interventions*. New York: McGraw-Hill.

Webb, H. (1993). Holistic care following a palliative Hartmann's procedure. *British Journal of Nursing*, *2*(2), 128–132.

BIBLIOGRAPHY

Primary Sources

Books

Levine, M. E. (1969). *Introduction to clinical nursing*. Philadelphia: F. A. Davis.

Levine, M. E. (1971). *Renewal for nursing*. Philadelphia: F. A. Davis. [Translated into Hebrew, Am Oved, Jerusalem, 1978.]

Levine, M. E. (1973). *Introduction to clinical nursing* (2nd ed.). Philadelphia: F. A. Davis.

Book Chapters

Levine, M. E. (1964). Nursing service. In M. Leeds & H. Shore (Eds.), *Geriatric institutional management*. New York: Putnam.

Levine, M. E. (1973). Adaptation and assessment: A rationale for nursing intervention. In M. E. Hardy (Ed.), *Theoretical foundations for nursing*. New York: Irvington.

Levine, M. E. (1988). Myra Levine. In T. M. Schorr & A. Zimmerman (Eds.), *Making choices, taking chances: Nursing leaders tell their stories*. St. Louis: Mosby.

Levine, M. E. (1989). The four conservation principles: Twenty years later. In J. Riehl (Ed.), *Conceptual models for nursing practice* (3rd ed.). New York: Appleton-Century-Crofts.

Levine, M. E. (1990). Conservation and integrity. In M. Parker (Ed.), *Nursing theories in practice* (pp. 189–201). New York: National League for Nursing.

Levine, M. E. (1991). The conservation principles: A model for health. In K. Schaefer & J. Pond (Eds.), *Levine's Conservation Model: A framework for nursing practice* (pp. 1–11). Philadelphia: F. A. Davis.

Levine, M. E. (1992). Nightingale redux. In B. S. Barnum (Ed.), *Nightingale's notes on nursing: Commemorative edition with commentaries by nursing theorists*. Philadelphia: Lippincott.

Levine, M. E. (1994). Some further thoughts on nursing rhetoric. In J. F. Kikuchi & H. Simmons (Eds.), *Developing a philosophy of nursing* (pp. 104–109). Thousand Oaks, CA: Sage.

Journal Articles

Levine, M. E. (1963). Florence Nightingale: The legend that lives. *Nursing Forum*, *2*(4), 24–35.

Levine, M. E. (1964). Not to startle, though the way were steep. *Nursing Science*, *2*, 58–67.

Levine, M. E. (1964). There need be no anonymity. *First*, *18*(9), 4.

Levine, M. E. (1965). The professional nurse and graduate education. *Nursing Science*, *3*, 206–214.

Levine, M. E. (1965). Trophicognosis: An alternative to nursing diagnosis. *ANA Regional Clinical Conferences*, *2*, 55–70.

Levine, M. E. (1966). Adaptation and assessment: A rationale for nursing intervention. *American Journal of Nursing*, *66*(11), 2450–2453.

Levine, M. E. (1967). For lack of love alone. *Minnesota Nursing Accent*, *39*(7), 179–202.

Levine, M. E. (1967). Medicine-nursing dialogue belongs at patient's bedside. *Chart*, *64*(5), 136–137.

Levine, M. E. (1967). The four conservation principles of nursing. *Nursing Forum*, *6*, 45–59.

Levine, M. E. (1967). This I believe: About patient-centered care. *Nursing Outlook*, *15*, 53–55.

Levine, M. E. (1968). Knock before entering personal space bubbles (part 1). *Chart*, *65*(2), 58–62.

Levine, M. E. (1968). Knock before entering personal space bubbles (part 2). *Chart*, *65*(3), 82–84.

Levine, M. E. (1968). The pharmacist in the clinical setting: A nurse's viewpoint. *American Journal of Hospital Pharmacy*, *25*(4), 168–171. [Also translated into Japanese and published in *Kyushu National Hospital Magazine* for Western Japan.]

Levine, M. E. (1969, Feb.). Constructive student power. *Chart*, *66*(2), 42FF.

Levine, M. E. (1969). Small hospital—Big nursing. *Chart*, *66*(10), 265–269.

Levine, M. E. (1969). Small hospital—Big nursing. *Chart*, *66*(11), 310–315.

Levine, M. E. (1969). The pursuit of wholeness. *American Journal of Nursing*, *69*, 93–98.

Levine, M. E. (1970). Dilemma. *ANA Clinical Conferences,* 338–342.

Levine, M. E. (1970). Breaking through the medications mystique. *American Journal of Hospital Pharmacy*, *27*(4), 294–299; *American Journal of Nursing*, *70*(4), 799–803.

Levine, M. E. (1970). Symposium on a drug compendium: View of a nursing educator. *Drug Information Journal*, *4*, 133–135.

Levine, M. E. (1970). The intransigent patient. *American Journal of Nursing*, *70*, 2106–2111.

Levine, M. E. (1971). Consider implications for nursing in the use of physician's assistant. *Hospital Topics*, *49*, 60–63.

Levine, M. E. (1971). Holistic nursing. *Nursing Clinics of North America*, *6*, 253–264.

Levine, M. E. (1971). The time has come to speak of health care. *AORN Journal*, *13*, 37–43.

Levine, M. E. (1972). Benoni. *American Journal of Nursing 72,*(3), 466–468.

Levine, M. E. (1972). Nursing educators—An alienating elite? *Chart*, *69*(2), 56–61.

Levine, M. E. (1973). On creativity in nursing. *Image: The Journal of Nursing Scholarship*, *3*(3), 15–19.

Levine, M. E. (1974). The pharmacist's clinical role in interdisciplinary care: A nurse's viewpoint. *Hospital Formulary Management*, *9*, 47.

Levine, M. E. (1975). On creativity in nursing. *Nursing Digest*, *3*, 38–40.

Levine, M. E. (1977). Nursing ethics and the ethical nurse. *American Journal of Nursing*, *77*, 845–849.

Levine, M. E. (1978). Cancer chemotherapy: A nursing model. *Nursing Clinics of North America*, *13*(2), 271–280.

Levine, M. E. (1978). Does continuing education improve nursing practice? *Hospitals*, *52*(21), 138–140.

Levine, M. E. (1978). Kapklavoo and nursing, too (Editorial). *Research in Nursing and Health*, *1*(2), 51.

Levine, M. E. (1979). Knowledge base required by generalized and specialized nursing practice. *ANA Publications, (G-127),* 57–69.

Levine, M. E. (1980). The ethics of computer technology in health care. *Nursing Forum*, *19*(2), 193–198.

Levine, M. E. (1982). Bioethics of cancer nursing. *Rehabilitation Nursing*, *7*, 27–31, 41.

Levine, M. E. (1982). The bioethics of cancer nursing. *Journal of Enterostomal Therapy*, *9*, 11–13.

Levine, M. E. (1988). Antecedents from adjunctive disciplines: Creation of nursing theory. *Nursing Science Quarterly*, *1*(1), 16–21.

Levine, M. E. (1988). What does the future hold for nursing? 25th Anniversary Address, 18th District. *Illinois Nurses Association Newsletter, XXIV*(6), 1–4.

Levine, M. E. (1989). Beyond dilemma. *Seminars in Oncology Nursing*, *5*, 124–128.

Levine, M. E. (1989). Ration or rescue: The elderly in critical care. *Critical Care Nursing*, *12*(1), 82–89.

Levine, M. E. (1989). The ethics of nursing rhetoric. *Image: The Journal of Nursing Scholarship*, *21*(1), 4–5.

Levine, M. E. (1995). The rhetoric of nursing theory. *Image: The Journal of Nursing Scholarship*, *27*(1), 11–14.

Levine, M. E. (1996). On the humanities in nursing. *Canadian Journal of Nursing Research*, *27*(2), 19–23.

Levine, M. E. (1996). The conservation principles: A retrospective. *Nursing Science Quarterly*, *9*(1), 38–41.

Levine, M. E. (1997). On creativity in nursing. *Image: The Journal of Nursing Scholarship*, *29*(3), 216–217.

Levine, M. E., Hallberg, C., Kathrein, M., & Cox, R. (1972). Nursing grand rounds: Congestive failure. *Nursing '72*, *2*(10), 18–23.

Levine, M. E., Line, L., Boyle, A., & Kopacewski, E. (1972). Nursing grand rounds: Insulin reactions in a brittle diabetic. *Nursing '72*, *2*(5), 6–11.

Levine, M. E., Moschel, P., Taylor, J., & Ferguson, G. (1972). Nursing grand rounds: Complicated case of CVA. *Nursing '72*, *2*(3), 3–34.

Levine, M. E., Scanlon, M., Gregor, P., King, R., & Martin, N. (1972). Issues in rehabilitation: The quadriplegic adolescent. *Nursing '72*, *2*, 6.

Levine, M. E., Zoellner, J., Ozmon, B., & Simunek, E. (1972). Nursing grand rounds: Severe trauma. *Nursing '72*, *2*(9); 33–38.

Secondary Sources

Book Reviews

Review of *Introduction to clinical nursing*]. (1969, Sept/Oct.). *Bedside Nurse*, *2*, 4.

[Review of *Introduction to clinical nursing*]. (1970, Feb.). *Nursing Outlook*, *18*, 20.

[Review of *Introduction to clinical nursing*]. (1970, Jan.). *American Journal of Nursing*, *70*, 99.

[Review of *Introduction to clinical nursing*]. (1970, Oct.). *American Journal of Nursing*, *70*, 2220.

[Review of *Introduction to clinical nursing*]. (1971, April). *Nursing Mirror*, *132*, 43.

[Review of *Introduction to clinical nursing*]. (1971, Dec.). *Nursing Mirror*, *133*, 16.

[Review of *Introduction to clinical nursing*]. (1974, Feb.). *American Journal of Nursing*, *74*, 347.

[Review of *Introduction to clinical nursing*]. (1974, May). *Nursing Outlook*, *22*, 301.

[Review of *Introduction to clinical nursing*]. (1971, Nov.). *Bedside Nurse*, *4*, 2.

[Review of *Renewal for nursing*]. (1971, Aug.). *Supervisor Nurse*, *2*, 68.

[Review of *Renewal for nursing*]. (1971, Dec.). *AANA Journal*, *49*, 495.

[Review of *Renewal for nursing*]. (1971, Dec.). *Nursing Mirror*, *133*, 16.

Book Chapters

Leonard, M. K. (1990). Myra Estrin Levine. In J. B. George (Ed.), *Nursing theories: The base for professional nursing practice* (pp. 181–192). Englewood Cliffs, (NJ): Prentice Hall.

Meleis, A. I. (1985). Myra Levine. In A. I. Meleis (Ed.), *Theoretical nursing: Development and progress* (pp. 275–283). Philadelphia: Lippincott.

Peiper, B. A. (1983). Levine's nursing model. In J. J. Fitzpatrick & A. L. Whall (Eds.), *Conceptual models of nursing: Analysis and application* (pp. 101–115). Bowie, (MD): Robert J. Brady.

Pond, J. B. (1990). Application of Levine's Conservation Model to nursing the homeless community. In M. E. Parker (Ed.), *Nursing theories in practice* (pp. 203–215). New York: National League for Nursing.

Schaefer, K. M. (1990). A description of fatigue associated with congestive heart failure: Use of Levine's Conservation Model. In M. E. Parker (Ed.), *Nursing theories in practice* (pp. 217–237). New York: National League for Nursing.

Schaefer, K. M. (1996). Levine's Conservation Model: Caring for women with chronic illness. In P. H. Walker & B. Neuman (Eds.), *Blueprint for use of nursing models: Education, research, practice and administration* (pp. 187–228). New York: National League for Nursing Press.

Schaefer, K. M. (2001). Levine's Conservation Model: A model for the future of nursing. In Parker, M. E. (Ed.), *Nursing theories and nursing practice* (pp. 103–124). Philadelphia: F. A. Davis.

Schaefer, K. M. (2001). Levine's Conservation Model: Use of the model in nursing practice. In M. R. Alligood & A. Marriner-Tomey (Eds.), *Nursing theory: Utilization & application* (Taiwanese ed.; pp. 89–108). St. Louis: Mosby.

Schaefer, K. M. (2002). Levine's Conservation Model in nursing practice. In M. R. Alligood & A. M. Tomey (Eds.), *Nursing theory: Utilization & appli-*

cation (2nd ed., pp. 197–217). St. Louis: Mosby.

Taylor, J. W. (1989). Levine's conservation principles: Using the model for nursing diagnosis in a neurological setting. In J. P. Riehl-Sisca (Ed.), *Conceptual models for nursing practice* (3rd ed., pp. 349–358). Norwalk, (CT): Appleton & Lange.

Journal Articles

Ballard, N., Robley, L., Barrett, D., Fraser, D., & Mendoza, I. (2006). Patients' recollections of therapeutic paralysis in the intensive care unit. *American Journal of Critical Care,* 15(1), 86–94.

Brunner, M. (1985). A conceptual approach to critical care nursing using Levine's model. *Focus on Critical Care*, *12*(2), 39–40.

Cooper, D. M. (1990). Optimizing wound healing: A practice within nursing's domain. *Nursing Clinics of North America*, *25*(1), 165–180.

Crawford-Gamble, P. E. (1986). An application of Levine's conceptual model. *Perioperative Nursing Quarterly*, *2*(1), 64–70.

Fawcett, J., Brophy, S. F., Rather, M. L., & Roos, J. (1997). Commentary about Levine's on creativity in nursing. *Image: The Journal of Nursing Scholarship*, *29*(3), 218–219.

Fawcett, J., Tulman, L., & Samarel, N. (1995). Enhancing function in life transitions and serious illness. *Advanced Practice Nursing Quarterly*, *1*, 50–57.

Falk, K., Swedberg, K., Gaston-Johansson, F., & Ekman, I. (2007). Fatigue is a prevalent and severe symptom associated with uncertainty and sense of coherence in patients with chronic heart failure. *European Journal of Cardiovascular Nursing*, *6*, 99–104.

Foreman, M. D. (1989). Confusion in the hospitalized elderly: Incidence, onset, and associated factors. *Research in Nursing and Health*, *12*(1), 21–29.

Gagner-Tjellesen, D., Yurkovich, E. E., & Gragert, M. (2001). Use of music therapy and other ITNIs in acute care. *Journal of Psychosocial Nursing and Mental Health Services*, *39*(10), 26–37.

Hall, K. V. (1979). Current trends in the use of conceptual frameworks in nursing education. *Journal of Nursing Education*, *18*(4), 26–29.

Happ, M. B., Williams, C. C., Strumpf, N. E., & Burger, S. G. (1996). Individualized care for frail elderly: Theory and practice. *Journal of Gerontological Nursing*, *22*(3), 6–14.

Hirschfeld, M. J. (1976). The cognitively impaired older adult. *American Journal of Nursing*, *76*, 1981–1984.

Jost, S. G. (2000). An assessment and intervention strategy for managing staff needs during change. *Journal of Nursing Administration*, *30*(1), 34–40.

Langer, V. S. (1990). Minimal handling protocol for the intensive care nursery. *Neonatal Network*, *9*(3), 23–27.

Lynn-McHale, D. J., & Smith, A. (1991). Comprehensive assessment of families of the critically ill. *AACN Clinical Issues in Critical Care Nursing*, *2*(2), 195–209.

Moch, V., St. Ours, C., Hall, S., Bositis, A., Tillery, M., Belcher, A., et al. (2007). Using a conceptual model in nursing research—mitigating fatigue in cancer patients. *Journal of Advanced Nursing*, *58*(5), 503–512.

Molchany, C. B. (1992). Ventricular septal and free wall rupture complicating acute MI. *Journal of Cardiovascular Nursing*, *6*(4), 38–45.

Newport, M. A. (1984). Conserving thermal energy and social integrity in the newborn. *Western Journal of Nursing Research*, *6*(2), 175–197.

O'Laughlin, K. M. (1986). Change in bladder function in the woman undergoing radical hysterectomy for cervical cancer. *Journal of Obstetrical, Gynecological and Neonatal Nursing, 15*(5), 380–385.

Piccoli, M., & Galvao, C. M. (2001). Perioperative nursing: Identification of the nursing diagnosis infection risk based on Levine's conceptual model (English abstract). *Revista Latino-Americana de Enfermagem*, *9*(4), 37–43.

Roberts, K. L., Brittin, M., Cook, M., & deClifford, J. (1994). Boomerang pillows and respiratory capacity. *Clinical Nursing Research*, *3*(2), 157–165.

Roberts, K. L., Brittin, M., & deClifford, J. (1995). Boomerang pillows and respiratory capacity in frail elderly women. *Clinical Nursing Research*, *4*(4), 465–471.

Savage, T. V., & Culbert, C. (1989). Early intervention: The unique role of nursing. *Journal of Pediatric Nursing*, *4*(5), 339–345.

Schaefer, K. M. (1997). Levine's Conservation Model

in nursing practice. In M. R. Alligood & A. Marriner Tomey (Eds.), *Nursing theory: Utilization & application* (pp. 89–107). St. Louis: Mosby.

Schaefer, K. M., & Pond, J. (1994). Levine's Conservation Model as a guide to nursing practice. *Nursing Science Quarterly*, *7*(2), 53–54.

Schaefer, K. M., & Shober-Potylycki, M. J. (1993). Fatigue in congestive heart failure: Use of Levine's Conservation Model. *Journal of Advanced Nursing*, *18*, 260–268.

Schaefer, K. M., Swavely, D., Rothenberger, C., Hess, S., & Willistin, D. (1996). Sleep disturbances post coronary artery bypass surgery. *Progress in Cardiovascular Nursing*, *11*(1), 5–14.

Stafford, M. J. (1996). In tribute: Myra Estrin Levine, Professor Emerita, MSN, RN, FAAN. *Chart*, *93*(3), 5–6.

Tompkins, E. S. (1980). Effect of restricted mobility and dominance on perceived duration. *Nursing Research*, *29*(6), 333–338.

Trebotti, S. (1990). Admission to the neonatal intensive care unit: Reducing the risks. *Neonatal Network*, *8*(4), 17–22.

Webb, H. (1993) Holistic care following a palliative Hartmann's procedure. *British Journal of Nursing*, *2*(2), 128–132.

13장

마사 로저스
Martha E. Rogers

1914-1994

인간 일원성이론

Unitary Human Being

Mary E. Gunther

"전문직 간호실무는 인간과 환경사이의 조화로운 상호작용을 증진시키고자 하며, 인간장의 응집력과 통합성을 강화하고 최대한의 건강잠재력의 실현을 위하여 인간과 환경장의 형태화를 재방향지우고자 한다"(Rogers, 1970, p. 122).

이론가 소개

마사 엘리자베스 로저스Martha Elizabeth Rogers는 텍사스 달라스에서 Bruce Taylor Rogers와 Lucy Mulholland Keener Rogers사이 4명의 자녀 중 장녀로 1914년 5월 12일에 태어났다. 로저스가 태어난 직후 가족들은 테네시에 있는 녹시빌로 이사를 갔다. 로저스는 테네시 대학교에서 과학을 공부하기 시작하였다(1931-1933). Knoxville General Hospital School of Nursing에서 간호학 학위를 받고(1936), 테네시 네쉬빌에 있는 George Peabody College

---

Photo credit: Kathleen Leininger, Shiner, TX.
Previous authors: Kaye Bultemeier, Mary Gunther, Joann Sebastian Daily, Judy Sporleder Maupin, Cathy A. Murray, Martha Carole Satterly, Denise L. Schnell, and Therese L. Wallace. Earlier editions of this chapter were critiqued by Dr. Lois Meier and Dr. Martha Rogers.

에서 학사학위를 받았다(1937). 이후 뉴욕 콜롬비아 대학교 사범대학에서 공중보건간호학 Public health nursing supervision으로 석사(M.A.:Master of Arts, 1945), 발티모어에 있는 Johns Hopkins University에서 철학석사(M.P.H.:Master of Philosophy, 1952), 과학박사(Sc. D.:Doctor of Science, 1954)를 받았다.

간호실무 초기에 로저스는 미시간에서 공중보건 간호사로 일하였고, 코네티컷에서 방문간호, 교육 및 실무에 종사하였다. 애리조나의 피닉스에서는 방문간호사업Visiting Nurse Service을 설립하였다. 1954년에서 1975년까지 21년 동안 뉴욕 대학교에서 교수로서 간호대학장을 지냈다. 1975년에서 1979년 명예교수가 될 때까지 교수직으로 있었다. 1994년 3월 13일 79세의 나이로 사망할 때까지 이 지위를 지니고 있었다.

로저스는 세 권의 책을 포함하여 200편이 넘는 논문을 출판하였다. 그리고 46개 주와, 콜롬비아, 푸에리토리코, 멕시코, 네덜란드, 중국, 뉴펀드란드, 콜롬비아, 브라질 및 여러 나라에서 강의를 하였다(M. Rogers, personal communication, 1988, 3월). 로저스는 Duquesne대학교, San Diego대학교, Iona대학교, Fairfield대학교, Emory대학교, Adelphi대학교, Mercy대학, Washburn University of Topeka 등에서 명예 박사학위를 받았다. Field of Intergroup Relations by Chi Eta Phi Sorority에서 Inspiring Leadership을 비롯하여 뉴욕 대학교에서 In Recognition of Your Outstanding Contribution to Nursing, 사범대학에서 For Distinguished Service to Nursing 등의 상을 수여받았다. 더욱이 뉴욕대학교는 the Martha E. Rogers Center for the Study of Nursing Science를 설치하였다. 1996년 사후에 미국간호협회 명예의 전당American Nurses Association Hall of Fame에 입회되었다.

1988년, 동료와 학생들이 the Society of Rogerian Scholars(SRS)를 만들어 로저스와 함께 하였으며, 회원들의 뉴스레터인 *Rogerian Nursing Science News*를 출판하기 시작하면서 이론발달과 연구조사를 유포하기 시작하였다(Malinski 2009). 1993년에 SRS는 연간서 저널인 비전: *로저리안 간호과학의 저널 Visions: The Journal of Rogerian Nursing Science*를 출판하기 시작하였다. 학회는 마사 로저스 기금을 유지하고 관리하고 있다. 1995년에는 뉴욕대학교에서 로저스 학파 연구와 실무의 연속선을 위한 조직을 제공하기 위하여 마사 로저스 센터를 설립하였다.

로저스를 묘사하는 말로는 *고무적, 개혁적, 논쟁을 즐기는, 이상적, 환상적, 예언자적, 철학적, 학구적, 솔직한, 유머가 있는, 무뚝뚝한,* 그리고 *도덕적인* 등의 기술적인 용어로 설명하고 있다. 로저스는 간호학에 대한 기여와 리더십으로 가장 널리 알려진 학자로 남아 있다. Butcher(1999)는 "나이팅게일처럼 로저스는, 회의적 임에도 불구하고 자신의 비전을 신봉한 가장 독립적이고, 단호한 완전론자였다."고 기록하였다(p. 114). 동료들은 로저스가

지식을 "전체적으로 새로운 사고의 체계"로 합성하고 재합성함으로써 간호학계에 가장 독창적인 사상가 중의 한 명이었다고 생각하였다(Butcher, 1999, p. 111). 오늘날 로저스는 지금 시대에서 시대를 앞서 있었다고 여겨진다(Ireland, 2000, p. 59).

이론의 배경

로저스가 인문학과 자연과학에 근거를 두었다는 것은 1970년에 출판된 「*간호의 이론적 근거에 대한 개론*」 *An Introduction to the Theoretical Basis of Nursing*에서 자신의 개념적 모델에 대한 기원과 발달에 대해 기록하였다(Rogers, 1970). 지식의 상호연관성을 인식한 로저스는 일원적 인간 과학The Science of Unitary Human Beings의 발달에 경향을 준 다른 분야의 과학자들을 신뢰하였다. 로저스학파Rogerian science는 인류학, 심리학, 사회학, 천문학, 종교학, 철학, 역사학, 생물학, 물리학, 수학 및 문학에 근거한 지식으로부터 일원적 인간과 환경에 대한 모델을 삶의 과정과 통합하는 에너지장으로 새롭게 만들었다. 간호학 내에서의 로저스학파의 근원은 인간을 자연세계의 틀 안에 존재하게 한 나이팅게일의 계획서와 통계적 자료로 거슬러 올라갈 수 있다. 이러한 "현대 간호의 영역을 위한 근거"는 인간과 환경 사이의 관계에 대한 탐구에서 시작되었다(Rogers, 1970, p. 30). Newman(1977)은 일원적 인간의 과학을 "봉사하고 있는 사람들과 더불어 상호적 과정에 있는 간호사들의 감동적이고 직관적인 경험에 대한 연구"라고 기술하였다(p. 9).

주요 개념과 정의

1970년대에, 로저스의 간호에 대한 개념적 모델은 인간의 삶의 과정을 기술했던 일련의 기본 가정에 기초를 두었다. 총체성wholeness, 개방성openness, 일방향성unidirectionality, 패턴과 조직pattern and organization, 지각력sentience 및 사고thought가 삶의 과정을 특징짓는다(Rogers, 1970).

로저스는 인간human beings을 환경장과 통합하는 역동적인 에너지장으로 설정하였다.

인간human과 환경장 모두는 패턴에 의하여 확인되고 개방체계인 우주에 의하여 특징지워진다. 1983년의 패러다임에서 로저스는 자신의 모델을 위한 네 개의 기초 반석을 설정하였다.: *에너지장energy field*, *개방체계로서의 우주a universe of open systems*, *패턴pattern* 및 *4차원성four dimensionality*.

주요 개념과 정의

로저스는 평형역동homeodynamics 원리를 수정하여 개념적 모델을 계속해서 개정하였다. 그러한 변화들은 과학과 기술의 진전에 부합한 것이었다. 1983년에 로저스는 일원적 *인간a unitary man*에서 *일원적 인간a unitary human being*으로 성별의 개념을 바꾸어서 단어들을 교체하였다. *총체적인holistic*이라는 용어와 구분하여 인간에 대한 명확성을 더 하기 위하여 건강관리에서의 간호의 유일한unique 기여를 강조하였다. 1992년에 *4차원성은 범차원성pandimensionality*으로 개편하였다. 로저스의 기본적인 가정은 소개된 이후 일관성있게 유지되고 있다; 로저스의 계속적인 저술들은 초기의 아이디어를 명확하게 해주고 있다.

에너지장 Energy Field

에너지장은 생물체와 무생물체 모두에서 기본적인 단위를 구성하고 있다. 장field은 통합된 개념이고 에너지는 장의 역동적인 특성을 보여준다. 에너지장은 무한하고 범차원적이며, 두 개의 장으로 확인된다.: 인간장과 환경장(Rogers, 1983). "특별하게 인간과 환경은 에너지장이다."(Rogers, 1986b, p. 2). 일원적 인간(인간장)은 패턴에 의해서 규명되는 환원불가irreducible, 분리불가indivisible, 범차원적인 장으로 정의되고, 총체적으로 특별하며, 부분에 대한 지식으로 예측될 수 없는 특징으로 표현된다. 에너지장은 패턴에 의해 규명되고 인간과 통합하는 환원불가, 범차원적인 에너지장으로 정의된다. 각 에너지장은 주어진 인간장에 대해 특별하다. 정량화는 필요하지 않지만 에너지장은 변화를 만들 수 있는 내재적 능력이 있다(Todaro-Franceschi, 2008). 이 경우에 인간과 환경 모두는 지속적이고 창조적이고 통합적으로 변화한다(Rogers, 1994a).

개방체계로서의 우주 Universe of open Systems

개방체계로서의 우주의 개념은 에너지장은 무한하고, 개방적이고 더불어 통합적이라는 것이다(Rogers,1983). 인간장과 환경장은 지속적인 과정에 있으며 개방체계이다.

주요 개념과 정의

패턴 Pattern

패턴은 에너지장으로 규명된다. 그것은 에너지장의 특징적인 특성이며, 단일한 파동 a single wave으로 지각된다. 패턴의 특성은 지속적으로, 혁신적으로 변화하며, 이러한 변화들은 에너지장에 정체성을 부여한다. 각 인간장의 패턴은 독특하며, 에너지장과 통합한다(Rogers, 1983). 인간-환경 상호 과정으로 표현된다. 패턴은 추상적이다; 표현되는 그 자체로 보인다. 자아 판단a sense of self은 하나의 장의 표현이고, 그의 특성은 각 인간에게 고유하다. 패턴 표현은 긴 리듬 대 짧은 리듬, 실용적 대 상상적, 빠르거나 느리게 경험하는 시간과 같은 구절로 약간의 다양성들이 기술되었다.

패턴은 지속적으로 변화하고 질병, 아픔, 드는 안녕으로 표현되기도 한다. 패턴 변화는 지속적이고, 혁신적이고, 관계적이다.

범차원성 Pandimensionality

로저스는 *범차원성*을 공간이나 시간적인 속성이 없는 비선형적인 영역으로 정의하는데, 이를 Phillips(2010)는 "본질적으로 공간이나 시간의 속성이 없는 실재"라고 한다. 범차원성이라는 용어는 제한이 없는 무한한 영역을 의미한다. 그것은 일원적 총체성을 가장 잘 표현한다.

경험적 증거의 이용

일원적 인간 과학은 추상적인 개념적 체계이며, 검증가능한 실증적 지표를 직접적으로 규명하지 못한다. 차라리 그것은 간호학문의 관심 현상을 구명하기 위하여 사용하는 세계관과 철학을 구체화한다. 전에도 언급했듯이 로저스의 모델은 다양한 분야의 지식으로부터 도출되었다.; 이러한 것 중에 가장 두드러진 것은 양자역학의 비선형적 역동과 일반체계이론이다. 로저스의 모델에서 보면 아인슈타인(1961)의 시간과 공간과 관련한 상대성 원리와 Burr와 Northrop(1935)의 전기장과 관련한 전기역동 이론electrodynamic theory의 영향을 많이 받았다. von Bertalanffy(1960)가 일반체계이론을 소개한 시점에 개방체계로서의 우주와 관련된 이론들은 모든 분과학문의 지식발달에 영향을 주기 시작하였다. 일반체계이론과 함께 *negentrophy*라는 용어가 우주가 서서히 진정되고 있다는 이전에 가지고 있던 신념과 비교하여 증가하는 질서, 복잡성 및 비균질성heterogeneity을 의미하는 것으로 사용되기 시작하였다. 그러나 로저스는 계층적인 하부체계, 즉 단순한 인과의 개념, 부분들에 대한 조사를 통한 체계의 행동에 대한 예측성을 거부하면서 일반체계이론을 재정련하였다.

양자이론, 상대성 이론 및 확률이론을 도입하면서 널리 행해지고 있던 *절대론*absolutism을 기본적으로 변화시켰다. 새로운 지식이 첨가되면서, *항상성homeostasis*, *안정상태steady state*, *적응*adaptation, *평형상태*equilibrium와 같은 고전적인 의미에 대해 심각한 의문을 가지게 되었다. 폐쇄체계 우주에 대한 엔트로피 모델은 현상을 설명하기에 더 이상 적합하지 않았고, 개방체계로서의 우주를 지지하는 증거가 축적되었다(Rogers, 1994b). 다른 학문에서의 발달은 삶에 대한 비인과적, 비선형적 역동에 대한 로저스의 모델을 타당화하였다. 이러한 발달로는 혼돈이론chaos theory과 복잡성(또는 총체성)의 과학에 대한 양자 물리학의 기여 등이 가장 괄목할 만한 것이며, 분과학문 사이의 경계들이 희미해졌고, 인간 경험에 대한 전체성totality에 대한 이해를 깊게 해주었다.

주요 가정

간호

간호는 과학과 기술 모두에서 학습된 전문직learned profession이다. 다른 과학처럼 초점이 중심 현상에 있는 경험 과학empirical science이다. 로저스 학파 간호학은 사람들에 대한 관심과 사람들이 살고 있는 세계, 사람들과 그들의 환경을 둘러싸고 있는 것과 같은 간호중재에 자연스런 적합함에 초점을 둔다. 개방체계로서의 범차원적인 우주에서 작용하는, 사람과 그들의 환경의 통합성이 새로운 패러다임을 지향하며, 간호학의 정체성을 하나의 과학으로 이끌어 간다. 간호의 목적은 모든 사람들에게 건강과 안녕을 증진시키는 것이다. 간호의 기술art은 인간의 개선betterment을 위하여 간호과학을 창조적으로 사용하는 것이다(Rogers, 1994b). "간호학에서 전문적인 실무는 인간장과 환경장 사이에 교향악과 같은 상호작용을 증진시키고, 인간장의 통합성을 강화시키며, 최고도의 잠재적인 건강을 위하여 인간장과 환경장의 패턴화를 지시하고 재지시하는 것을 찾는 것이다."(Rogers, 1970, p. 122). 간호는 사람들people의 간호와 인간humans의 삶의 과정을 위하여 존재한다.

인간

로저스는 *인간*person을 환경인 개방체계와 함께 지속적인 과정에 있는 개방체계로 정의한다(통합성). *일원적 인간*unitary human being은 "환원불가하고, 분리불가하며, 패턴에 의해 규명되는 범차원적인 에너지장 및 전체에게 특유한 특성을 표현하는 것"으로 정의한다(Rogers, 1992, p. 29). 인간human beings은 "분리된disembodied 실재entities도 아닐 뿐만 아니라, 기계적인 집합도 아니다...인간Man은 그 자신의 통합성을 가지고 있고, 그의 부분들의 총합sum 이상이며 또한 총합과는 다른 특별한 특성을 표현하는 하나의 일원적 총체이다."(Rogers, 1970, pp. 46-47). 간호학 분야에 특수한 개념적 모델에서는 사람들과 환경은 상호간에 통합된 환원불가한 에너지장으로 그리고 그들의 발전을 지속적으로 창조해나가는 것으로 지각한다.

건강

초기 저서에서 로저스는 *건강*health이라는 단어를 명확하게 정의하지 않고 사용하였다. Wellness와 질병이나 주요 질환이 없는 상태를 상징하는 *수동적 건강*passive health이라는 용어를 사용하였다(Rogers, 1970). 로저스의 긍정적인 건강 증진은 사람들이 율동적 일관성rhythmic consistency의 기회를 갖도록 도와주는 방향direction을 의미한다(Rogers, 1970). 이후에 로저스는 wellness가 "훨씬 더 좋은 용어이다... *건강*이라는 용어가 아매모호하기 때문에"라고 썼다(Rogers, 1994b. p. 34).

로저스는 *건강*은 문화나 개인에 의해 정의되는 가치 용어value term로 사용하였다. 건강과 질병은 패턴의 표현이고 "높은 가치 및 낮은 가치인 행위들을 나타내는 것으로 여겨진다."(Rogers, 1980). 삶의 과정에서 표현된 결과들은 인간이 어떤 가치체계에 따라 최대한의 건강을 성취하는 정도로 나타난다. 로저스 학파에서 간호학의 개념적 체계의 핵심적인 현상은 인간 삶의 과정이다. 삶의 과정은 그 자체가 역동적이고 창조적인 통일성을 가지며, 환경과 분리될 수 없고, 총체에 의하여 특징지어진다(Rogers, 1970). Gueldner와 동료들(1970)은 자신들의 연구의 기초로서 이 정의를 사용하였는데, 그들은 인간의 안녕감(sense of wellbeing)은 높은 진동으로 나타나며 패턴 다양성을 증가시킨다라고 가정하였다.

"Dimensions of Health: A View from Space' 에서 Rogers(1986b)는 원래의 이론적 주장을 재차 단언하였고, 건강에 대한 일반적인 인식에 철학적인 도전을 추가하였다. 사람들과 환경에 초점을 두는 새로운 세계관을 강조하면서, 미국에서의 주요 건강문제로서 의원성iatrogenesis, 병원내 상황nosocomial conditions 및 건강염려증hypochondriasis를 열거하였다. 로저스(1986b)는 "이 행성이든 또는 다른 외부 영역의 공간에서든 가장 진보적인 지식에 부합되는 새로운 세계관이 인간의 건강을 연구하고 건강증진을 위한 양식을 조사하는 필요한 전주곡이다"라고 썼다(p. 2).

환경

로저스(1994b)는 환경을 "환원불가하며 패턴에 의하여 규명되는 범차원적인 에너지장이고, 부분들의 총합과는 다른 특성을 보인다. 각 환경장은 주어진 인간장에 대해 고유하다. 두 에너지장 모두는 지속적으로 창조적으로 변화한다."고 정의하였다(p. 3). 환경장은 무한하고, 변화는 지속적으로 혁신적이며 예측 불가능하고 증가하는 다양성으로 특징된다. 환경장과 인간장은 지속적인 상호작용을 나타내는 웨이브 패턴에 의하여 규명된다.

이론적 주장

평형역동의 원리는 일원적 인간을 지각하는 방법을 가정한다. 1970년부터 1994년까지 이러한 원리의 발전과정을 표 13-1에 설명하였다. 로저스(1970)는 "삶의 과정은 평형역동적이다. 이러한 원리는 삶의 과정의 길을 가정하고, 그 자체 진화의 특성을 예측한다."라고 썼다(p. 96). 로저스는 변화의 원리를 *나선성helicy*, *공명성resonancy* 및 *통합성integrality*으로 설정하였다. 나선성 원리는 지속적이고, 반복적이지 않고, 혁신적인 패턴을 갖는 나선형 발달로 기술하였다. 변화의 특성을 기술하는 나선성의 원리에 대한 로저스의 표현은 확률적인 것에서부터 예측할 수 없는 것으로 발전하였는데, 지속적인 것과 혁신적인 것은 그대로 남아있다. 공명성의 원리에 따르면 패턴화는 낮은 파동에서 높은 파동으로 발달되어 가는데, 즉 강도의 정도가 변화한다는 것이다. 공명성은 파동의 빈도와 에너지장 패턴 변화를 의미한다. 통합성은 평형역동 원리의 세 번째 원리로, 인간과 환경의 지속적인 상호 과정을 강조한다. 평형역동의 원리(본질, 과정과 변화의 맥락)는 "세계는 변화하고 지속적인 파동 진동을 통하여 항상 보다 다양해지는 에너지"라는 주장을 지지하고, 전형적인 예가 된다(Phillips, 2010, p. 57). 더하여 Torado-Franceschi(2008)은 이 변화하는 본질은 장의 *바깥*이 아니라 *안*에 있다는 것을 상기시킨다.

1970년대에 로저스는 다음의 다섯 개의 가정을 확인하였는데, 이는 인간, 물리학, 수학 및 행동과학에 대한 문헌으로부터 도출된 자신의 모델을 지지하는 이론적 주장들이다 :

표 13-1 평형역동원리의 전개: 1970, 1983, 1986, 1992

간호의 이론적 근거에 대한 개론, 1970	간호: 일원적 인간의 과학, 1980	일원적 인간의 과학: 간호를 위한 패러다임, 1983	건강의 차원: 공간으로부터의 관점, 1986	간호과학과 공간 연령, 1992
공명성 RESONANCY				
인간man과 환경 사이에 지속적으로 전파하고 있는 연속적인 파동	인간human과 환경장에서 저주파에서 고주파 패턴으로의 지속적인 변화	인간human과 환경장에서 저주파에서 고주파 패턴으로의 지속적인 변화	인간human과 환경장에서 저주파에서 고주파 패턴으로의 지속적인 변화	인간human과 환경장에서 저주파에서 고주파 패턴으로의 지속적인 변화
나선성 HELICY				
시간-공간이 묶여진 나선형 종축을 따라 인간man과 환경의 상호작용으로 성장하는 지속적이고 혁신적인 변화	인간human과 환경장사이의 변화의 본성은 지속적, 혁신적, 및 확률적이며, 점차적으로 다양하고 명백한 비반복적인 리듬성rhythmicities이다.	인간과 환경장 패턴의 지속적, 혁신적, 및 확률적으로 증가하는 다양성이며, 비반복적인 리듬성으로 특징된다.	비반복적인 리듬성에 의해 특징지워지는 인간과 환경의 지속적, 혁신적, 확률적 다양성	인간과 환경장 패턴의 지속적, 혁신적, 및 비예측적으로 증가하는 다양성
상호성 RECIPROCY				
인간장과 환경장 사이의 지속적, 상호적인 상호작용	–	–	–	–
동시성 SYNCHRONY				
시간-공간의 어떤 주어진 시점에서 환경장에 대한 인간장과 동시적인 상태에서의 변화	인간과 환경장 사이의 지속적이고, 상호적인 동시적 상호 작용	지속적이고 상호적인 인간장과 환경장 과정	지속적이고 상호적인 인간장과 환경장 과정	지속적이고 상호적인 인간장과 환경장 과정

Conceptualized by J. S. Daily; revised by D. Schnell & T. Wallace; updated by C. Murray.

1. "인간Man은 그 자신의 통합성을 가진 일원화된 총체이며, 부분들의 총합 이상이고, 총합과는 다르다"(에너지장)(p. 47).
2. "인간Man과 환경은 지속적으로 상호간의 물질과 에너지를 교환하고 있다(개방성)(p. 54).
3. "삶의 과정은 시간-공간 연속체를 따라 비가역적, 일방향적으로 진화한다"(나선성helicy)(p. 59).
4. "패턴과 조직은 인간을 규명하고 혁신적인 전체성을 반영한다"(패턴pattern과 조직

organization)(p. 65).

5. "인간은 추상, 심상, 언어, 사고, 감각 및 감정에 대한 능력을 가지고 있다"(감각적인 sentient, 생각하는 존재thinking being)(p. 73).

논리적 형식

로저스는 논리적이고 문제가 많거나 또는 조작적 방법에 반대되는 변증법적인 방법을 사용하였다; 즉 로저스는 인간을 설명하는 좀 더 광범위한 원리를 언급함으로써 간호를 설명하였다. 우주를 특징짓는 원리들을 통하여 인간을 설명하였다. 이 방법은 부분들을 구성하는 하나의 총체에 대한 관점에 근거한 것이다.

일원적 인간에 대한 로저스의 모델은 연역적이고 논리적이다. 상대성 이론, 일반 체계이론, 삶의 전기역학 이론, 그리고 많은 다른 이론들이 로저스의 모델에 아이디어가 되었다. 일원적 인간과 환경은 모델의 핵심적인 구성요소이고, 서로 통합한다. 로저스 모델의 기본적인 반석은 에너지장, 개방성, 패턴 및 새로운 세계관을 제공하는 범차원성이다. 이러한 개념들은 간호와 건강을 정의하는 추상적인 개념 체계에 근거가 된다. 추상적인 개념체계로부터 로저스는 평형역동 원리를 도출하였는데, 그것은 인간의 진화의 방향과 자연을 가정한다. 로저스가 평형역동학homeodynamics(변화와 성장과 비슷한 상태), 나선성(진화), 공명성(변화의 강도) 및 통합성(총체성)이라는 단어를 만들었지만, 모든 정의는 어원론적으로 일관성있고 논리적이다.

간호학계의 수용

실무

로저스 학파 모델은 간호실무에 접근하려는 추상적인 사고 체계이다. 로저스 모델은 경험과 존재의 전체성을 강조하면서, 일시적인 질환이나 입원보다는 연속적인 간호가 더 중요하다는 오늘날의 건강체계와 관련이 있다. 모델은 일원적 인간-환경장 현상을 고찰하는 것으로부터 추상적인 철학적 체계를 제공한다. 로저스 학파 틀 내에서, 간호는 간호실무를 이끄는 이론적 지식에 기반을 둔다. 간호의 전문적 실무는 창조적이고 이상적이며 사람들에게 서비스하기 위해 존재한다. 그것은 지적인 판단, 추상적 지식 및 인간을 불쌍히 여기는 것에 근거한다.

역사적으로 간호는 실무를 실용적인 것과 동일시하였고, 이론은 비실용적이라고 여겼다. 즉, 이론과 실무는 통일된 간호 실무에서 두 개의 관련된 요소들이다. Alligood(1994)는 이론과 실무가 간호지식을 확장하고 증대될 때 서로를 어떻게 이끌어갔는지를 설명하였다. 간호지식은 간호중재의 기술적인 적용을 위한 틀을 제공한다.

로저스 모델 안에서는, 실무를 지시하는 비판적 사고과정이 세 개의 요소로 구분될 수 있다: 패턴 사정pattern appraisal, 상호 패턴화mutual patterning 및 평가. Cowling(2000)은 패턴 사정은 물리적, 영적, 정서적, 문화적 및 사회적 사정 틀의 환원적인 범주를 능가하는 것이 아니라면, 피하는 것을 의미한다고 진술하였다. 참여와 관찰을 통하여 간호사들은 성찰reflection, 경험, 그리고 환자의 프로파일을 형성하는 인식에 대한 인간의 표현에 초점을 둔다. 드러난 패턴을 상호 탐구하는 것이 범차원적인 인간-환경장 과정에서 특별히 일원적 주제를 인식하게 해준다. 상호 이해mutual understanding는 참여함을 아는 것을 의미하지만 간호사가 변화를 지시하거나 결과를 예측하며 이끌고 가는 것은 아니다. Crowling(2000)은 일원적 패턴의 평가 과정과, 그리고 또한 총체성 평가를 통한 치유에 대한 중요한 특성은 변화를 기대하지 않는 과학자나 실무자의 편에서 보면 의도적인 것이다라고 설명하였다(p. 31). 평가는 상호 패턴화를 하면서 떠오르는 지각에 중심을 둔다

로저스 학파 실무에서 사용한 비침습적인 패턴화 양식들은 제한된 것은 아니지만, 침, 아로마요법, 치료적 접촉, 마사지, 지시적 심상요법, 명상, 자기-반추, 지시적 회상, 유머, 최면, 식이조정, 음악 등을 포함한다(Alligood, 1991a; Jonas-Simpson, 2010; Larkin,2007; Levin, 2006; Lewandowski, et al., 2005; Malinski & Todaro-Franceschi, 2011; Siedliecki & Good, 2006; Smith, Kemp, Hemphill, & Vojir, 2002; Smith & Kyle, 2008; Walling, 2006; Yarcheski, Mahon, 8c Yarcheski, 2002). Barrett(1998)은 이러한 양식의 통합은 의미있는 담론, 집중화centering 및 범차원적인 확실성(순수성, 신뢰성, 수용 및 총명한 돌봄)이라고 기록하였다(p. 138). 간호사들은 다양성을 수용하고, 패턴을 인식하고, 변화를 긍정적으로 여기고, 삶의 연결성을 받아들임으로서 촉진자, 교육자, 옹호자, 평가자, 계획자, 조정자 및 협력자를 포함한 다수의 역할로 건강에 대한 생생한 경험에 참여하게 된다(Malinski, 1986, p. 27). 이러한 역할은 간호사에게 시간, 공간 및 결과와 같은 전통적인 생각을 버릴 것을 요구하기도 한다.(Malinski, 1997, p. 115)

로저스 학파 모델은 간호실무를 계획하고 중재하는 것을 통해 개혁적이고 혁신적인 틀을 제공하며, Barrett(1998)은 이것을 간호사가 대상자들의 안녕에 참여하는 방법을 인식하고 대상자들이 자유롭게 선택하도록 돕는 지속적인 과정(자발적인 상호 패턴화)이라고 정의하였다(p. 136).

교육

로저스는 일원적 인간의 과학 내에서 간호사들을 교육하는 지침을 명확하게 명시하였다. 로저스는 간호를 과학으로서 그리고 학문적인 전문직으로서 가르치기 위하여 간호교육을 구조화할 것을 주장하였다. Barrett(1990b)은 로저스를 반교육적인 것과 의존성에 대항하며 시종일관 부르짖는 목소리라고 불렀다(p. 306). 로저스 모델은 인간, 건강, 간호 및 교육과정에 대한 가치와 신념을 명확히 하였다. 이처럼 모든 수준의 간호교육 교과과정 개발을 이끌어 가는데 사용되었다(Barrett, 1990b; DeSimone, 2006; Hellwig, Ferrante, 1993; Mathwig, Young, & Pepper, 1990). 로저스는(1990) 간호사들이 일생동안 학습을 해야 한다고 주장하면서,간호 실무의 특성The nature of the practice of nursing(인간 개선을 위한 지식의 사용)을 기록하였다(p. 111).

로저스는 준학사학위와 학사학위 간호사들을 위한 면허를 분리할 것을 주장하였는데, 이는 기술적인 것이 중심인 간호사와 전문적인 간호사 사이에 차이점이 있다는 것을 인식한 것이었다. 로저스의 관점에서 전문적인 간호사는 인간성, 과학 및 간호에 대하여 교육을 잘 받아야한다. 그러한 프로그램으로는 언어, 수학, 논리학, 철학, 심리학, 사회학, 음악, 예술, 생물학, 미생물학, 물리학 및 화학에서의 기본적인 교육을 포함한다; 선택과정으로는 경제학, 윤리학, 정치학, 인류학 및 컴퓨터 과학을 포함할 수 있다(Barrett, 1990b). 교과과정에 대한 연구와 관련하여 로저스(1994b)는 다음과 같이 주장하였다.

> *학부학생들은 문제를 인식할 수 있어야 하고, 탐구도구를 가지고 있어야 하며, 실무 개선을 위하여 지식을 사용할 수 있는 연구를 할 수 있어야 하며, 또한 지적으로 문헌을 읽을 수 있어야 한다. 석사학위를 하는 학생들은 응용 연구를 할 수 있어야 한다....이론적인 연구, 기초적인 기본 연구는 간호를 학문적으로 노력하는 분야에 중점을 둘 수 있는 수준의 박사과정 프로그램에서 진행될 것이다* (p. 34).

Barrett(1990b)은 기술적인 사용이 증가하고 입원한 환자의 질병의 심각성으로 인해 학생들이 이러한 기관에서 관찰할 수 있는 경험에 제한을 받기도 한다고 언급하였다. 그러므로 조작적인 기술적 숙련을 위한 습득이 실무 실험실과 다른 장소, 예를 들면 클리닉과 건강 에이전시와 같은 장소에서 수행되어야만 한다. 교육을 위한 다른 장소로는 건강증진 프로그램, 메네지드 관리의료 프로그램, 노숙자 쉼터, 및 노인센터 등이다.

연구

로저스의 개념적 모델은 간호과학의 이론 발달과 연구를 위한 방향을 제시하고 자극한다. Fawcett(2000)은 추상적 수준이 직접적인 경험적 관찰과 검증에 영향을 준다고 주장하면서, 일원적 인간의 과학을 거대 이론이라기보다는 개념적 모델이라고 분류하였다. 그녀는 작업의 목적은 그것의 범주를 결정한다고 분명하게 주장하였다. 개념틀은 간호의 목적과 범위를 규명하고 간호의 효과를 객관적으로 기록하기 위한 틀을 제공한다(Fawcett, 2005, p. 18).

로저스 모델로부터 인간 현상을 설명하고 간호 실무를 이끄는 이론들이 나타났다. 함축적인 가정을 가진 로저스 학파 모델은 개념적으로 이론 발달을 이끄는 광범위한 원리들을 제공한다. 개념적 모델은 과학 활동을 위한 동기와 방향을 제공한다. 규명된 현상들 사이의 관계는 거대(모델의 하나의 양상에 대한 추가적인 발달)와 중범위(구체적인 양상에 대한 기술, 설명, 또는 예측)이론 모두를 생성한다(Fawcett,1995).

로저스 모델에 근거한 두 개의 뛰어난 거대이론은 Newman의 확장된 의식으로서의 건강Health asexpanding consciousness과 Parse의 인간 되어감Human Becoming이 있다(Fawcett, 2005). 수많은 중범위이론들이 로저스의 세 개의 평형역동 원리로부터 도출되었다: (1) 나선성, (2) 공

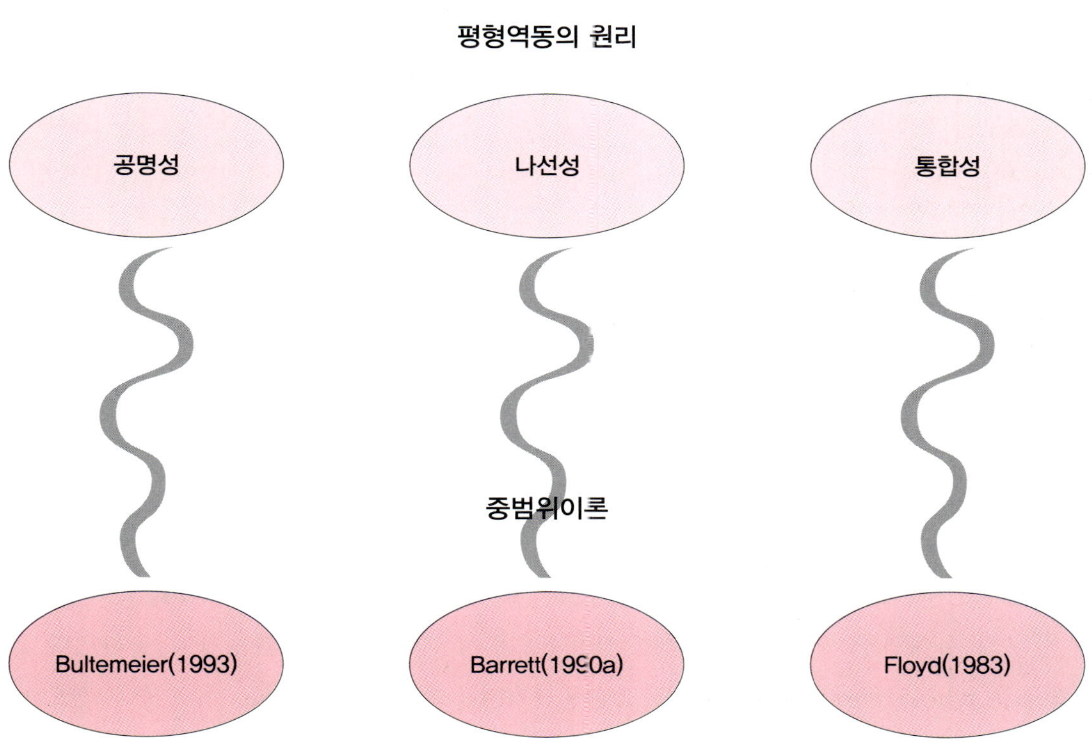

그림 13-1. 일원적 인간에 대한 과학내에서 이론개발

명성, (3) 통합성(그림 13-1). 평형역동원리로부터 도출된 중범위이론의 예로는 변화 속에서 참여를 앎으로서의 힘power-as-knowing-participation-in-change(나선성)(Barrett, 2010), 지각된 부로저스 모델에 근거한 두 개의 뛰어난 거대이론은 Newman의 확장된 의식으로서의 건강Health asexpanding consciousness과 Parse의 인간 되어감Human Becoming이 있다(Fawcett, 2005). 수많은 중범위이론들이 로저스의 세 개의 평형역동 원리로부터 도출되었다: (1) 나선성, (2) 공조화 이론theory of perceived dissonance(공명성)(Bultemeier, 2002), 상호적 리듬 이론theory of interactive rhythms(통합성)(Floyd, 1983)이 있다. 로저스 과학 기반 이론에 대한 개관에서 Malinski(2009)는 다음과 같은 특정한 개념을 규명하였다; (1) 자기초월(Reed, 2003), 깨우침(Hills & Hanchett, 2001), 영성(Malinski, 1994; Smith, 1994); (2) 동요(Butcher, 1993)와 불화(Bultemeier, 2002); (3) 노화(Alligood & McGuire, 2000; Butcher, 2003); (4) 의도성(Ugarizza, 2002; Zahourek, 2005); (5) 통합된 돌봄(Watson & Smith, 2002). 다른 중간 범위이론으로는 인간장 동작의 현상the phenomena of human field motion(Ference, 1986b); 창조성, 실현 및 감정이입creativity, actualization, and empathy(Alligood, 1991b)등이 포함된다.

로저스(1986a)는 간호 연구는 그들의 환경과 통합되는 일원적 인간에 대하여 연구해야만 한다고 주장하였다. 그러므로 간호연구의 의도는 현상을 조사하고 이해하는 것이며, 이러한 이해로부터 치유를 촉진하는 활동을 패턴화하는 것을 설계해야 한다. 생생한 경험, 그 사람의 지각 및 발생한 것에 대한 감각적 인식을 좀 더 명확히 이해하는 것이 필수적이다. 인간 현상과 연결되는 다양한 사건들이 역동적이고 항시 변화하는 인간 삶의 경험을 파악하는 연구를 위한 경험적 자료를 제공한다. 건강-관련 현상으로 인간과 환경을 조사하는 올바른 방법을 선택하는 것이 로저스 학파 연구자들의 도전이다. 질적 및 양적 연구방법 모두가 적당하다고 모든 연구자들이 동의하지 않았다고 하더라도, 일원적 인간의 과학 연구에서 사용되어졌다. 연구자들은 모델과 접근 사이에 존재론 및 인식론적 일관성을 고려해야 하고 연구문제를 통해 반영되어야 한다는 것에 동의한다(Barrett, Cowling, Carboni, & Butcher, 1997). 양적인 실험 및 유사실험 설계는 적당하지 않은데, 왜냐하면 그것의 목적이 인과관계를 밝히는 것이기 때문이다. 기술적, 설명적 및 상관적 설계가 좀 더 적절한데, 왜냐하면 그것들은 다양성, 보편성, 패턴화된 변화를 받아들이기 때문이다.

로저스 학파 모델에 근거한 중범위이론으로부터 산출된 특수한 연구 방법론들이 인간-환경 현상을 파악하게 한다. 일원적 인간을 파악하는 수단으로써 Cowling(1998)은 연구와 실무의 사례연구 방법을 통합하여 사용함으로서 패턴 인식의 과정을 기술하였다. 사례연구는 whole person을 수행하였고(환원불가성), 핵심을 이해하는 목적을 가졌으며(패턴), 그리고 현상의 일원적 상호연관성을 고려하였다. 패턴 프로파일은 자료의 대조와 합성을 통하여 구성하였다(Barrett et al, 1997). 인간-환경장의 현상을 기록하고 시작한 다른 혁신적인 방법으로는 사진현상photodisclosure(Bultemeier, 1997), 해석학적 텍스트 해석hermeneutic text interpretation(Alligood & Fawcett, 1999), 비침습적인 양식을 혼합한 담론 효과의 측정(Leddy & Fawcett, 1997) 등이 있다.

로저스 학파는 도구 개발을 확대하고 계속 발전하고 있다. 인간-환경장의 현상을 측정하는 광범위한 도구들이 생겨났다(표 13-2). 중범위이론, 방법론, 및 도구에 대한 지속적인 산출은 간호에 대한 로저스 학파의 중요성을 인식시켜 준다.

표 13-2 로저스의 일원적 인간의 과학으로부터 도출된 연구도구와 실무도구들

Human Field Motion Test (HFMT) (Ference, 1986)	My motor is running and my field expansion이라는 개념의 어의판별측정을 사용하여 인간장 움직임을 측정
Perceived Field Motion Scale (PFM) (Yarcheski & Mahon, 1991)	my field motion의 개념의 어의판별측정을 사용하여 움직임에 대한 지각된 경험을 측정
Human Field Rhythms (HFR) (Yarcheski & Mahon, 1991)	한 문항의 시각적 상사척도를 사용하여 인간-환경장 상호 과정안에서 리듬의 진동을 측정
The Well-being Picture Scale (Gueldner et al., 2005) (Terwilliger, Gueldner, & Bronstein. 2012)	성인의 에너지장(일반적인 안녕)의 진동, 자각, 행동, 힘의 개념을 비언어적 그림 척도로 측정(어린이는 2012년에 평가)
Power as Koowing Participation in Change Tool (PKPCT) (Barrett, 1990a, 2010)	자각, 선택, 의도적으로 행동할 자유, 변화를 창조하는데 개입함의 개념을 어의판별척도를 사용하여 변화에 대한 개인 참여의 능력으로 측정
Diversity of Human Field Pattern Scale (DHFPS) (Hastings-Tolsma, 1993)	16항목의 라디커트 척도를 사용하여 생의 과정에서 인간장 패턴의 다양함, 인간 잠재력의 진화에서 변화의 정도를 측정
Human Field Image Metaphor Scale (HFIMS) (Johnston, 1993, 1994)	지각된 잠재력을 나타내는 14항목의 은유와 지각된 장 통합성을 나타내는 11항목의 은유를 라이커트 척도로 측정하는 인간의 무한한 전체성에 대한 개인의 지각을 측정
Temporal Experience Scale (TES) (Paletta, 1990)	시간끌기, 시간이 빨리감, 영원함의 요소를 나타내는 24항목의 은유를 라디커트 척도로 측정하여 시간에 대한 주관적 경험을 측정
Assessment of Dream Experience (ADE) (Watson, 1999)	지난 2주동안의 개인별 꿈이 어떠하였는지를 20개 항목의 라이커트 척도로 측정하여 깨어있는 경험을 넘어서는 것으로서의 꿈을 측정
Person-Environment Participation Scale (PEPS) (Leddy, 1995, 1999)	안위, 영향, 지속성, 쉬움, 에너지 영역을 나타내는 15개의 이분형 형용사에 대한 어의단별 척도로 지속적인 인간과 환경의 상호작용에 대한 인간의 경험을 측정

Leddy Heartiness Scale (LHS) (Leddy, 1996)	의미충만, 마침, 선택, 도전, 신뢰, 조절, 기능, 연결을 나타내는 26항목의 라이커트 척도로 개인의 목표를 달성하는 힘과 지각된 목적을 측정
McCanse Readiness for Death Instument (MRDI) (McCanse, 1995)	26항목의 구조적 면담지를 사용하여 죽음이 발달적으로 접근이 이루어지는 것과 같이 건강한 장 패턴의 생리학적, 심리적, 사회적 그리고 영적인 측면을 측정
Mutual Exploration of the Healing Human-Environmental Field Relationship (Carboni, 1992)	반구조적 그리고 개방형 항목을 사용하여 인간-장 영역 관계에서 힐링의 에너지장 패턴의 변화하는 모습에 대한 간호사와 환자의 경험과 표현을 측정

실무 도구와 인용	서 술
Nursing Process Format (Falco & Lobo, 1995)	로저스의 간호과정을 이용한 가이드로 통합성, 공명성, 나선의 원리에 의한 평형역동성에 의한 간호사정, 간호진단, 간호계획과 수행 및 간호평가 포함
Assessment Tool (Smith et al., 1991)	개방형 질문지를 사용하여 중환자실의 환자와 가족을 위한 로저스의 간호과정을 이용한 가이드로 통합성, 공명성, 나선의 원리에 의한 평형역동성에 의한 간호사정, 간호진단, 간호계획과 수행 및 간호평가 포함
Critical Thinking for Pattern Appraisal, Mutual Patterning, and Evaluation Tool (Bultemeier, 2002)	환자의 자기 성찰, 패터화 활동, 개인적 평가와 마찬가지로 패턴 평가, 상호 패턴화, 평가에 대한 간호사의 적용에 가이드를 제공
Nursing Assessment of Patterns Indicative of Health (Madrid & Winstead-Fry, 1986)	상대적인 현존, 의사소통, 리듬감, 환경과의 연결성, 개인적 믿음, 체계의 통합성을 포함하여 패턴 사정을 가이드,
Assessment Criteria for Nursing Evaluation of the Older Adult (Decker, 1989)	산욕기에 첫째 아이의 도전에 대한 경험을 사정하는 가이드
Assessment Criteria for Nursing Evaluation of the Older Adult (Decker, 1989)	인구학적 자료, 문제의 우선순위, 일련의 패턴화(가족의 원래 문화, 과거의 질병), 율동적 패턴화(의료사용, 약물 사용, 사회적 접촉, 급성 질환), 횡단적 패턴화(현재의 일상적 배열, 건강관심, 인지적 정서적 상태)등을 포함하여 집에 거주하는 노인의 기능적 상태에 대한 사정 가이드
Holistic Assessment of the Chronic Pain Client (Garon, 1991)	환경장, 지역사회, 환자, 가정 환경, 환자의 요구와 기대, 환자와 가족의 강점, 환자의 통증 경험-위치, 강도, 원인, 의미, 활동에 미치는 영향, 생활, 관계, 완화방법, 목표, 환자와 가족의 질병과 통증에 대한 느낌을 포함하여 집에서 살면서 만성 통증이 있는 환자에 대한 총체적 사정 가이드

Human Energy Field Assessment Form (Wright, 1991)	신체 다이어그램에서 장 혼동의 위치와 시각적 상사척도로 전체 장의 강점과 장 혼동의 강도를 포함하여 치료적 접촉에서 인간 에너지장 사정과 관련된 기록 결과로 사용
Family Assessment Too (Whall, 1981)	개인적 하부체계 고려사항들, 상호작용적인 형태들, 전체 가족체계의 독특한 특성들과 환경적 접점 동시성에 대한 가족 사정 가이드
An Assessment Guideline for Work with Families (Johnston, 1986)	개인가족원의 건강자료, 발달적 요소, 구성원간 상호작용, 관계를 포함하여 가족의 개념, 가족 조직, 신념체계, 가족 발달적 요구, 경제적 요인들 가족장과 환경장의 보완성, 의사소통 패턴, 부가적인 자료의 사정을 가이드
Nursing Process Format for Families (Reed, 1986)	가족의 발달을 지향하는 간호과정의 사용을 가이드
Community Health Assessment (Hanchett, 1988)	다양성의 영역에서 지역역사의 사정을 가이드; 색의 빈도, 빛의 율동, 소리의 패턴, 움직임, 시간의 경험, 실용적이고-상상적이며, 시각적인 세계관과 각성 리듬을 넘어서서 수면-각성을 포함한 율동

Adapted from Fawcett, J. (2005). Contemporary nursing knowledge: Analysis and evaluation of nursing models and theories (pp. 337-339). Philadelphia: F. A. Davis. Used with permission.

미래의 발전

로저스(1986b)는 자신의 모델 내에서의 지식 발달은 수많은 자원으로부터 다수의 지식을 사용하는 끝이 없는 과정이며, 가능성이 있는 만화경을 만드는 것이라고 믿었다(p. 4). 로저스 학파가 초월성과 보편성으로 들어가는 탐색은 통일된 전체성에서 이런 신념을 예증하는 것이다(Phillips, 2010)

Fawcett(2005)는 일원적 인간의 과학으로부터 로저스에 의해 개발된 다음의 세 가지 미숙한 이론들을 제시하였다.

1. 변화 촉진이론theory of accelerating evolution
2. 율동적 변화 관련 이론theory of rhythmical correlates of change
3. 과학적으로 알 수 없는 현상 이론theory of paranormal phenomena

이러한 이론과 평형역동 원리에 대한 추후의 검증이 간호과학 지식에 기여할 것이다.

비평

명확성

이해하기 어려운 원리, 조작적 정의의 부족, 측정하기에 부적절한 도구 등과 같은 모델 내의 요소들에 대해 초기부터 비판이 있어왔다(Butterfield, 1983). 그러나 모델은 간호가 과학으로서 성숙해가면서 간호과학의 발달을 위한 검증시간을 통과하였다. 로저스의 아이디어는 모든 연령층의 인간에 대한 간호연구를 위하여 명료성을 보이는 것을 지속하고 있다(Terwilliger, Gueldner, & Bronstein, 2012)

간결성

모델 내에서 진행되고 있는 연구와 저술은 몇 개의 개념들과 관계를 간결하고 명확하게 하고 있다. 그러나 모델을 전체적인 관점에서 살펴보면, 아직도 약간은 복잡한 것으로 분류된다. 실무, 연구, 교육에서 계속 사용할 때, 간호사들은 모델의 간결성이 훌륭하다고 평가할 것이다. Whall(1987)은 단지 세 개의 원리, 몇 개의 개념 그리고 다섯 개의 가정으로 로저스는 인간과 삶의 과정의 특성을 설명하였다고 기록하였다(p. 154).

일반성

로저스의 개념적 모델은 추상적이고, 그러므로 일반적이고 강력하다. 영역이 광범위하며, 거대이론과 중범위이론의 생성을 통하여 간호지식 발달을 위한 틀을 제공하고 있다.

접근성

여러 과학 분야에서 지식을 끌어 오면서 로저스의 모델은 연역적이어서 즉각적인 경험적 지지가 부족한 논리이다(Barrett, 1990b). Fawcett(1995)는 이론이 상당한 오해와 부적절한 기대로 이끈다기보다는 개념적 모델로써 작업을 적절히 범주화하는 것에 실패한 것이며(p. 29), 부적절하게 명명된 작업에 기인하는 것이라고 지적하였다. 전에 언급했듯이 로저스 학파 과학자들에 의한 모델의 발달은 측정 도구가 동반된 검증가능한 이론들 생성에 기여하였다.

중요성

로저스 과학은 인간 진화와 그것의 잠재성을 이해하려는 근본적인 의도를 가지고 있다. 그것은 새로운 패러다임에 대한 초점을 인식하는 개방체계인 우주를 조정하고, 간호학의 정체성을 과학으로 인도하였다(Rogers, 1989, p. 182).

모든 메타패러다임 개념을 탐색하더라도 인간-환경장 현상의 통합이 강조점이다. 로저스(Ference, 1986b)는 미래의 연구에 대하여 많은 아이디어를 제안하였다; 이것과 다른 사람들의 연구에 근거하여, 개념적 모델이 유용하다고 말할 수 있다. 그러한 유용성은 실무, 교육 및 연구의 영역에서 증명되었다.

요약

로저스 학파 모델은 광범위한 역사적 근거에서 발생했으며 과학적 지식이 발전함에 따라 여론의 중심으로 나아가고 있다. 일원적 인간의 과학에 대한 개념과 원리를 이해하려면 일반적인 교육의 기반, 전통적인 것을 탈피하려는 의지, 세계를 새롭고 창조적인 방식으로 지각할 수 있는 능력이 필요하다. 강력한 교육적 기반에서 이루어진 모델은 간호중재를 제공하는 데에 도전적인 틀을 제공하고 있다. 추상적인 아이디어들을 로저스 학파 모델에서 설명하였으며, 현대 과학적 지식과 부합하여 일원적 인간을 좀 더 이해하는 새롭고도 도전적인 이론에 박차를 가하고 있다.

사례연구

Charlie Dee는 30년 동안 하루에 두 갑의 흡연을 해온 56세 남성이다. 그는 만성 폐색성 폐질환 진단을 받은 후에 처음으로 간호사인 Sandra Gee를 만나고 있다. 자신의 경험에 대한 대상자의 지각, 자신의 건강에 대한 지각 및 질환을 어떻게 표현하는지(증상) 등에 대한 지각을 이끌어 내는 것으로 패턴의 평가를 시작하였다. Dee씨는 아침이면 점점 더 심해지는 가래가 나오는 기침을 하며, 신체적 운동을 할 때에는 숨이 가빠지고, 늘 피곤을 느꼈다. 간호사는 특별한 질문을 통하여 Dee씨가 수면양상과 영양섭취에서 변화가 있다는 것을 알게 되었다. 그는 수면시간이 적으며, 음식 섭취도 적게 하였다. 그녀는 Dee 씨의 부인도 흡연을 하며, 집안에서 고양이를 기른다는 것도 알았다. Dee 씨는 그의 부인이 습관을 바꾸거나 고양

이를 버릴 거라고는 생각하지 않았다. 이러한 평가를 하면서 간호사는 Dee 씨에게 중요한 것과 *건강함*을 어떻게 정의하는지를 알아내었다.

상호 패턴화는 지식을 공유하고 선택을 제공하는 것을 포함한다. 평가를 완료한 후 간호사는 그녀가 말해야 할 것과 그녀가 그것을 어떻게 이해하는 지를 종합하였다. 이러한 방법으로 간호사와 대상자는 어떠한 활동이 Dee 씨에게 수용가능한 것인지에 대하여 공감하게 되었다. Gee 부인은 질환에 대한 정보와 그의 편안함을 증가시킬 제안들을 알려주었다. 비침습적인 중재로 호흡 재훈련, 고단백-고열량 음식의 권유, 소량씩 자주 식사하기, 머리를 상승시킨 상태로 잠자기, 취침 시에 점진적인 이완운동 하기 등을 포함하였다. 간호사는 Dee 씨에게 환경의 먼지를 제거하고 집 안에 적당한 습기를 유지하는데 도움이 되는 가습기와 HEPA 필터를 사도록 권고하였다.

Dee 씨가 금연을 하려는 희망을 표현하였기 때문에, 간호사는 그의 의사가 처방한 니코틴 패치에 추가하여 지시적 심상요법이나 명상과 같은 집중화centering 형태를 사용하도록 제안하였다. 그녀는 또한 그가 그의 부인과 함께 공유할 수 있도록 질환에 대한 유인물을 제공하였다. 방문을 마칠 무렵에 Dee 씨는 자신의 삶에 대하여 몇 가지를 바꿀 힘을 가지게 된 것을 알게 되었다고 진술하였다.

비판적 사고

1. 로저스 학파 과학에 근거한 두 개의 연구를 고찰하고, 연구과정을 이끌어 간 중범위이론을 규명하시오.
2. 문제1번에서 비판적 사고활동에서 중범위 연구에 의해 일반화된 근거의 본질은 무엇인가?
3. 로저스 학파 모델의 발달에 근거가 된 나이팅게일의 철학적 제안서는 무엇인가?
4. 세가지의 저서를 찾아서 간호교육에서 로저스 과학을 사용한 방법을 논의하시오.
5. 당신의 임상실무를 분석하고 로저스 학파 과학에 근거한 실무가 간호를 개선시킬 수 있는 영역을 확인하시오.

POINTS FOR FURTHER STUDY

Publications

- *Visions: The Journal of Rogerian Nursing Science*

Websites

- American Nurses Association Hall of Fame Inductee Page at: http://nursingworld.org/Functional/MenuCategoAboutANA
- Foundation of New York State Nurses at: http://foundationnysnurses.org/giftshop/Rogers.php
- Martha E. Rogers Gravesite at: http://www.aahn.org/gravesites/rogers.html
- New York University, Martha E. Rogers Center at: http://www.foundationnysnurses.org/media/courier/Fall2007-MERogers.pdf
- Rogerian Nursing Science Wiki at: http://rogerian-nursingscience.wikispaces.com/ . Created by H. K. Butcher, RN, PhD, University of Iowa College of Nursing. The intended purpose is twofold: 1) to bring together a collaborative participative community to co-create a definitive comprehensive explication of the SUHB; 2) to create an online resource that anyone can access to learn how Rogerian nursing science serves as a foundation for nursing research, practice, education, and administration.
- Society of Rogerian Scholars at: http://www.societyofrogerianscholars.org/
- SRS Newsletter at: http://www.societyofrogerian-scholars.org/vol_1_2.html
- YouTube playlist created by Dr. Elizabeth Barrett at: http://www.youtube.com/playlist?list=PL617DDD4F13F4EAE6

REFERENCES

Alligood, M. R. (1991a). Guided reminiscence: A Rogerian based intervention. *Rogerian Nursing Science News*, *3*(3), 1–3.

Alligood, M. R. (1991b). Testing Rogers' theory of accelerating change: The relationship among creativity, actualization, and empathy in persons 18 to 92 years of age. *Western Journal of Nursing Research*, *13*, 84–96.

Alligood, M. R. (1994). Toward a unitary view of nursing practice. In M. Madrid & E. A. M. Barrett (Eds.), *Rogers' scientific art of nursing practice* (pp. 223–240). New York: National League for Nursing.

Alligood, M. R., & Fawcett, J. (1999). Acceptance of an invitation to dialogue: Examination of an interpretive approach for the science of unitary human beings. *Visions: Journal of Rogerian Nursing Science*, *7*(1), 5–13.

Alligood, M. R., & McGuire, S. L. (2000). Perception of time, sleep patterns and activity in senior citizens: A test of the Rogerian theory of aging. *Visions: The Journal of Rogerian Nursing Science*, *8*, 6–14.

Barrett, E. A. M. (1990a). An instrument to measure power-as-knowing-participation-in-change. In O. Strickland & C. Waltz (Eds.), *The measurement of nursing outcomes: Measuring client self-care and coping skills* (Vol. 4, pp. 159–180). New York: Springer.

Barrett, E. A. M. (1990b). *Visions of Rogers' science-based nursing*. New York: National League for Nursing.

Barrett, E. A. M. (1998). A Rogerian practice methodology for health patterning. *Nursing Science Quarterly*, *11*(4), 136–138.

Barrett, E. A. M. (2010). Power as knowing participation in change: What's new and what's next. *Nursing Science Quarterly*, *23*(1), 47–54.

Barrett, E. A. M., Cowling, W. R., Carboni, J. T., & Butcher, H. K. (1997). Unitary perspectives on methodological practices. In M. Madrid (Ed.), *Patterns of Rogerian knowing* (pp. 47–62). New York: National League for Nursing.

Bultemeier, K. (1997). Photo-disclosure: A research

methodology for investigating the unitary human being. In M. Madrid (Ed.), *Patterns of Rogerian knowing*. New York: National League for Nursing.

Bultemeier, K. (2002). Rogers' science of unitary human beings in nursing practice. In M. R. Alligood & A. Marriner Tomey (Eds.), *Nursing theory: Utilization and application* (2nd ed., pp. 267–288). St. Louis: Mosby.

Burr, H. S., & Northrup, F. S. C. (1935). The electrodynamic theory of life. *Quarterly Review of Biology*, *10*, 322–323.

Butcher, H. K. (1993). Kaleidoscoping in life's turbulence: From Seurat's art to Rogers' nursing science. In M. E. Parker (Ed.), *Patterns of nursing theories in practice* (pp. 183–198). New York: National League for Nursing.

Butcher, H. K. (1999). Rogerian ethics: An ethical inquiry into Rogers' life and science. *Nursing Science Quarterly*, *5*, 111–118.

Butcher, H. K. (2003). Aging as emerging brilliance: Advancing Rogers' unitary theory of aging. *Visions: The Journal of Rogerian Nursing Science*, *11*, 55–66.

Butterfield, S. E. (1983). In search of commonalties: Analysis of two theoretical frameworks. *International Journal of Nursing Studies*, *20*(1), 15–22.

Carboni, J. T. (1992). Instrument development and the measurement of unitary constructs. *Nursing Science Quarterly*, *5*, 134–142.

Cowling, W. R. (1998). Unitary case inquiry. *Nursing Science Quarterly*, *11*(4), 139–141.

Cowling, W. R. (2000). Healing as appreciating wholeness. *Advances in Nursing Science*, *22*(3), 16–32.

Decker, K. (1989). Theory in action: The geriatric assessment team. *Journal of Gerontological Nursing*, *15*(10), 25–28.

DeSimone, B. B. (2006). Curriculum design to promote the critical thinking of accelerated bachelor's degree nursing students. *Nurse Educator*, *31*(5), 213–217.

Einstein, A. (1961). *Relativity*. New York: Crown.

Falco, S. M., & Lobo, M. L. (1995). Martha E. Rogers. In J. B. George (Ed.), *Nursing theories. The base for professional nursing practice* (4th ed., pp. 229–248). Norwalk, (CT): Appleton & Lange.

Fawcett, J. (1995). *Analysis and evaluation of conceptual models of nursing* (3rd ed.). Philadelphia: F. A. Davis.

Fawcett, J. (2000). *Analysis and evaluation of contemporary nursing knowledge: Nursing models and theories*. Philadelphia: F. A. Davis.

Fawcett, J. (2005). *Contemporary nursing knowledge: Analysis and evaluation of nursing models and theories*. Philadelphia: F. A. Davis.

Ference, H. M. (1986). The relationship of time experience, creativity traits, differentiation, and human field motion. In V. M. Malinski (Ed.), *Explorations in Martha Rogers' science of unitary human beings* (pp. 95–106). Norwalk, (CT): Appleton-Century-Crofts.

Floyd, J. A. (1983). Research using Rogers' conceptual system: Development of a testable theorem. *Advances in Nursing Science*, *5*(2), 37–48.

Garon, M. (1991). Assessment and management of pain in the home care setting: Application of Rogers' science of unitary human beings. *Holistic Nursing Practice*, *6*(1), 47–57.

Gueldner, S. H., Michel, Y., Bramlett, M. H., Liu, C., Johnston, L. W., Endo, E., et al. (2005). The Well-Being Picture Scale: A revision of the Index of Field Energy. *Nursing Science Quarterly*, *18*(1), 42–50.

Hanchett, E. S. (1988). *Nursing frameworks and community as client: Bridging the gap*. Norwalk, CT: Appleton & Lange.

Hastings-Tolsma, M. T. (1993). The relationship of diversity of human field pattern to risk-taking and time experience: An investigation of Rogers' principles of homeodynamics (Doctoral dissertation, New York University, 1992). *Dissertation Abstracts International*, *53*, 4029B.

Hellwig, S. D., & Ferrante, S. (1993). Martha Rogers' model in associate degree education. *Nurse Educator*, *18*(5), 25–27.

Hills, R. G. S., & Hanchett, E. (2001). Human change and individuation in pivotal life situations: Development and testing the theory of enlightenment. *Visions: The Journal of Rogerian Nursing Science*, *9*(1), 6–19.

Ireland, M. (2000). Martha Rogers' odyssey. *American Journal of Nursing*, *100*(10),59.

Johnston, L. W. (1993). The development of the human field image metaphor scale. *Visions: The Journal of*

Rogerian Nursing Science, 1, 55–56.

Johnston, L. W. (1994). Psychometric analysis of Johnston's human field image metaphor scale. *Visions: The Journal of Rogerian Nursing Science, 2(1),* 7–11.

Johnston, R. L. (1986). Approaching family intervention through Rogers' conceptual model. In A. L. Whall (Ed.), *Family therapy theory for nursing. Four approaches* (pp. 11–32). Norwalk, (CT): Appleton-Century-Crofts.

Jonas-Simpson, C. (2010). Awakening to space consciousness and timeless transcendent presence. *Nursing Science Quarterly*, *23*(3), 195–200.

Larkin, D. M. (2007). Ericksonian hypnosis in chronic care support groups: A Rogerian exploration of power and self-defined health-promoting goals. *Nursing Science Quarterly*, *20*(4), 357–369.

Leddy, S. K. (1995). Measuring mutual process: Development and psychometric testing of the person-environment participation scale. *Visions: The Journal of Rogerian Nursing Science*, *3*(1), 20–31.

Leddy, S. K. (1996). Development and psychometric testing of the Leddy healthiness scale. *Research in Nursing and Health*, *19*(5), 431–440.

Leddy, S. K. (1999). Further exploration of the psychometric properties of the Person-Environment Participation Scale: Differentiating instrument reliability and construct validity. *Visions: The Journal of Rogerian Nursing Science*, *7*, 55–57.

Leddy, S. K., & Fawcett, J. (1997). Testing the theory of healthiness: Conceptual and methodological issues. In M. Madrid (Ed), *Patterns of Rogerian knowing* (pp. 75–86). New York: National League for Nursing.

Levin, J. D. (2006). Unitary transformative practice: Using metaphor and imagery for self-reflection and theory informed practice. *Visions: The Journal of Rogerian Nursing Science*, *14*(1), 27–35.

Lewandowski, W., Good, M., & Drauker, C. B. (2005). Changes in the meaning of pain with the use of guided imagery. *Pain Management Nursing*, *6*(2), 58–67.

Madrid, M., & Winstead-Fry, P. (1986). Rogers' conceptual model. In P. Winstead-Fry (Ed.), *Case studies in nursing theory* (pp. 73–102). New York: National League for Nursing.

Malinski, V. M. (Ed.) (1986). *Explorations on Martha Rogers' science of unitary human beings*. New York: Appleton-Century-Crofts.

Malinski, V. M. (1994). Spirituality: A pattern manifestation of the human/environment mutual process. *Visions: The Journal of Rogerian Nursing Science*, *2*, 12–18.

Malinski, V. M. (1997). Rogerian health patterning: Evolving into the 21st century. *Nursing Science Quarterly*, *10*(3), 115–116.

Malinski, V. M. (2009). Evolving paths of transformative change in Rogerian nursing science. *Visions: The Journal of Rogerian Nursing Science*, *9*, 8–18.

Malinski, V. M. & Todaro-Franceschi, V. (2011). Exploring co-meditation as a means of reducing anxiety and facilitating relaxation in a nursing school setting. *Journal of Holistic Nursing*, *29*(4), 242–248.

Mathwig, G. M., Young, A. A., & Pepper, J. M. (1990). Using Rogerian science in undergraduate and graduate nursing education. In E. A. M. Barrett (Ed.), *Visions of Rogers' science-based nursing* (pp. 319–334). New York: National League for Nursing.

McCanse, R. L. (1995). The McCanse Readiness for Death Instrument (MRDI): A reliable and valid measure for hospice care. *Hospice Journal: Physical, Psychosocial, and Pastoral Care of the Dying, 10*(1), 15–26.

Newman, M. A. (1997). A dialogue with Martha Rogers and David Bohm about the science of unitary human beings. In M. Madrid (Ed.), *Patterns of Rogerian knowing* (pp. 3–10). New York: National League for Nursing.

Paletta, J. L. (1990). The relationship of temporal experience to human time. In E. A. M. Barrett (Ed.), *Visions of Rogers' science-based nursing* (pp. 239–254). New York: National League for Nursing.

Phillips, J. R. (2010). The universality of Rogers' science of unitary human beings. *Nursing Science Quarterly*, *23*(1), 55–59.

Reed, P. G. (1986). The developmental conceptual framework: Nursing reformulations and applications for family therapy. In A. L. Whall (Ed.), *Family therapy for nursing. Four approaches* (pp. 69–91). Norwalk, (CT): Appleton-Century-Crofts.

Reed, P. G. (2003). The theory of self-transcendence. In M. J. Smith & P. R. Liehr (Eds.), *Middle range theory for nursing* (pp. 145–166). New York:

Springer.

Rogers, M. E. (1970). *An introduction to the theoretical basis of nursing*. Philadelphia: F. A. Davis.

Rogers, M. E. (1980). *The science of unitary man. Tape V: Health and illness* (Audiotape). New York: Media for Nursing.

Rogers, M. E. (1983). Science of unitary human beings: A paradigm for nursing. In I. W. Clements & F. B. Roberts, *Family health: A theoretical approach to nursing care* (pp. 219–227). New York: Wiley.

Rogers, M. E. (1986a). Science of unitary human beings. In V. M. Malinski (Ed.), *Explorations in Martha Rogers' science of unitary human beings* (pp. 3–8). Norwalk, (CT): Appleton-Century-Crofts.

Rogers, M. E. (1986b). Dimensions of health: A view from space. Paper presented at the conference on "Law and Life in Space," September 12, 1986. Center for Aerospace Sciences, University of North Dakota.

Rogers, M. E. (1989). Nursing: A science of unitary human beings. In J. P. Riehl-Sisca (Ed.), *Conceptual models for nursing practice* (3rd ed., pp. 181–188). Norwalk, (CT): Appleton-Century-Crofts.

Rogers, M. E. (1990). Space-age paradigm for new frontiers in nursing. In M. E. Parker (Ed.), *Nursing theories in practice* (pp. 105–114). New York: National League for Nursing.

Rogers, M. E. (1992). Nursing science and the space age. *Nursing Science Quarterly*, *5*(1), 27–34.

Rogers, M. E. (1994a). Nursing science evolves. In M. Madrid & E. A. M. Barrett (Eds.), *Rogers' scientific art of nursing practice* (pp. 3–9). New York: National League for Nursing.

Rogers, M. E. (1994b). The science of unitary human beings: Current perspectives. *Nursing Science Quarterly*, *7*(1), 33–35.

Siedliecki, S. L., & Good, M. (2006). Effect of music on power, pain, depression and disability. *Journal of Advanced Nursing*, *54*(5), 553–562.

Smith, D. W. (1994). Toward developing a theory of spirituality. *Visions: The Journal of Rogerian Nursing Science*, *2*, 35–43.

Smith, K., Kupferschmid, B. J., Dawson, C., & Briones, T. L. (1991). A family-centered critical care unit. *AACN Clinical Issues*, *2*, 258–268.

Smith, M. C., Kemp, J., Hemphill, L., & Vojir, C. P. (2002). Outcomes of therapeutic massage for hospitalized cancer patients. *Journal of Nursing Scholarship*, *34*(3), 257–262.

Smith, M. C., & Kyle, L. (2008). Holistic foundations of aromatherapy for nursing. *Holistic Nursing Practice*, *22*(1), 3–11.

Terwilliger, S., Gueldner, S., & Bronstein, L. (2012). A preliminary evaluation of the Well-being Picture Scale–Children's Version (WBPS-CV) in a sample of fourth and fifth graders. *Nursing Science Quarterly*, *25*(2), 160–166.

Tettero, I., Jackson, S., & Wilson, S. (1993). Theory to practice: Developing a Rogerian-based assessment tool. *Journal of Advanced Nursing*, *18*, 776–782.

Todaro-Franceschi, V. (2008). Clarifying the enigma of energy, philosophically speaking. *Nursing Science Quarterly*, *21*(4), 285–290.

Ugarizza, D. N. (2002). Intentionality: Applications within selected theories of nursing. *Holistic Nursing Practice*, *16*(4), 41–50.

von Bertalanffy, L. (1960). *General system theory: Foundations*, developments, application. New York: George Braziller.

Walling, A. (2006). Therapeutic modulation of the psychoneuroimmune system by medical acupuncture creates enhanced feelings of well-being. *Journal of the American Academy of Nurse Practitioners*, *18*(4), 135–143.

Watson, J. (1999). Measuring dreaming as a beyond waking experience in Rogers' conceptual model. *Nursing Science Quarterly*, *12*, 245–250.

Watson, J., & Smith, M. C. (2002). Caring science and the science of unitary human beings: A transtheoretical discourse for nursing knowledge development. *Journal of Advanced Nursing*, *37*(5), 452–461.

Whall, A. L. (1981). Nursing theory and the assessment of families. *Journal of Psychiatric Nursing and Mental Health Services*, *19*(1), 30–36.

Whall, A. L. (1987). A critique of Rogers' framework. In R. R. Parse (Ed.), *Nursing science: Major paradigms, theories, and critiques* (pp. 147–158). Philadelphia: Saunders.

Willis, D. G. & Griffith, C.A. (2010). Healing patterns revealed in middle school boys' experiences of being bullied using Roger's [sic] science of unitary human beings (SUHB). *Journal of Child and Adolescent Psychiatric Nursing,23*(3), 125–132.

Wright, S.M. (1991). Validity of the human energy field assessment form. *Western Journal of Nursing Research*, *13*, 635–647.

Yarcheski, A., & Mahon, N. E. (1991). An empirical test of Rogers' original and revised theory of correlates in adolescents. *Research in Nursing and Health*, *14*, 447–455.

Yarcheski, A., Mahon, N. E., & Yarcheski, T. J. (2002). Humor and health in early adolescents: Perceived field motion as a mediating variable. *Nursing Science Quarterly*, *15*(2), 150–155.

Zahourek, R. P. (2005). Intentionality: Evolutionary development in healing: A grounded theory study for holistic nursing. *Journal of Holistic Nursing*, *23*, 89–109.

BIBLIOGRAPHY

Primary Sources

Books

Rogers, M. E. (1961). *Educational revolution in nursing*. New York: Macmillan.

Rogers, M. E. (1964). *Reveille in nursing*. Philadelphia: F. A. Davis.

Rogers, M. E. (1970). *An introduction to the theoretical basis of nursing*. Philadelphia: F. A. Davis.

Book Chapters

Rogers, M. E. (1977). Nursing: To be or not to be. In B. Bullough & V. Bullough (Eds.), *Expanding horizons for nursing*. New York: Springer.

Rogers, M. E. (1978). Emerging patterns in nursing education. In *Current perspectives in nursing education* (Vol. II, pp. 1–8). St. Louis: Mosby.

Rogers, M. E. (1980). Nursing: A science of unitary man. In J. P. Riehl & C. Roy, *Conceptual models for nursing practice* (2nd ed., pp. 329–337). New York: Appleton-Century-Crofts.

Rogers, M. E. (1981). Science of unitary man: A paradigm for nursing. In G. E. Laskar, *Applied systems and cybernetics* (Vol. IV, pp. 1719–1722). New York: Pergamon.

Rogers, M. E. (1983). Beyond the horizon. In N. L. Chaska, *The nursing profession: A time to speak.* New York: McGraw-Hill.

Rogers, M. E. (1983). The family coping with a surgical crisis: Analysis and application of Rogers' theory to nursing care. (Rogers' response). In I. W. Clements & F. B. Roberts, *Family health: A theoretical approach to nursing care.* New York: Wiley.

Rogers, M. E. (1985). High touch in a high-tech future. In National League for Nursing, *Perspectives in nursing—1985–1987* (pp. 25–31). New York: National League for Nursing.

Rogers, M. E. (1985). Nursing education: Preparing for the future. In National League for Nursing, *Patterns of education: The unfolding of nursing* (pp. 11–14). New York: National League for Nursing.

Rogers, M. E. (1985). Science of unitary human beings: A paradigm for nursing. In R. Wood & J. Kekhababh, *Examining the cultural implications of Martha E. Rogers' science of unitary human beings* (pp. 13–23). Lecompton, (KS): Wood-Kekhababh.

Rogers, M. E. (1986). Science of unitary human beings. In V. M. Malinski, *Explorations on Martha Rogers: Science of unitary human beings* (pp. 3–8). Norwalk, (CT): Appleton-Century-Crofts.

Rogers, M. E. (1987). Nursing research in the future. In J. Roode (Ed.), *Changing patterns in nursing education* (pp. 121–123). New York: National League for Nursing.

Rogers, M. E. (1987). Rogers' science of unitary human beings. In R. R. Parse, *Nursing science: Major paradigms, theories, and critiques* (pp. 139–146). Philadelphia: Saunders.

Rogers, M. E. (1989). Nursing: A science of unitary human beings. In J. P. Riehl-Sisca (Ed.), *Conceptual models for nursing practice* (3rd. ed., pp. 181–188). Norwalk, (CT): Appleton & Lange.

Rogers, M. E. (1990). Nursing: Science of unitary, irreducible, human beings: Update 1990. In E. A. M. Barrett, *Visions of Rogers' science-based nursing.* New York: National League for Nursing.

Rogers, M. E. (1992). Nightingale's notes on nursing: Prelude to the 21st century. In F. Nightingale, *Notes on nursing; What it is and what it is not* (Commemorative edition, pp. 58–62). Philadelphia: Lippincott.

Rogers, M. E., Doyle, M. B., Racolin, A., & Walsh, P. C. (1990). A conversation with Martha Rogers on nursing in space. In E. A. M. Barrett (Ed.), *Visions of Rogers' science-based nursing* (pp. 375–386). New York: National League for Nursing.

Journal Articles

Rogers, M. E. (1963). Building a strong educational foundation. *American Journal of Nursing, 63*, 94–95.

Rogers, M. E. (1963). Some comments on the theoretical basis of nursing practice. *Nursing Science, 1*, 11–13, 60–61.

Rogers, M. E. (1963). The clarion call. *Nursing Science, 1*, 134–135.

Rogers, M. E. (1964). Professional standards: Whose responsibility? *Nursing Science, 2*, 71–73.

Rogers, M. E. (1965). Collegiate education in nursing (Editorial). *Nursing Science, 3*(5), 362–365.

Rogers, M. E. (1965). Higher education in nursing (Editorial). *Nursing Science, 3*(6), 443–445.

Rogers, M. E. (1965). Legislative and licensing problems in health care. *Nursing Administration Quarterly, 2*, 71–78.

Rogers, M. E. (1965). What the public demands of nursing today. *RN, 28*.80.

Rogers, M. E. (1966). Doctoral education in nursing. *Nursing Forum, 5*(2), 75–82.

Rogers, M. E. (1968). Nursing science: Research and researchers. *Teachers College Record, 69*.469.

Rogers, M. E. (1969). Nursing education for professional practice. *Catholic Nurse, 18*(1), 28–37, 63–64.

Rogers, M. E. (1969). Preparation of the baccalaureate degree graduate. *New Jersey State Nurses Association Newsletter, 25*(5), 32–37.

Rogers, M. E. (1970). Yesterday a nurse, tomorrow a manager: What now? *Journal of New York State Nurses Association, 1*(1), 15–21.

Rogers, M. E. (1972). Nursing's expanded role . . . and other euphemisms. *Journal of New York State Nurses Association, 3*(4), 5–10.

Rogers, M. E. (1972). Nursing: To be or not to be? *Nursing Outlook, 20*(1), 42–46.

Rogers, M. E. (1975). Euphemisms and nursing's future. *Image: The Journal of Nursing Scholarship, 7*(2), 3–9.

Rogers, M. E. (1975). Forum: Professional commitment in nursing. *Image: The Journal of Nursing Scholarship, 2*, 12–13.

Rogers, M. E. (1975). Nursing is coming of age. *American Journal of Nursing, 75*(10), 1834–1843,1859.

Rogers, M. E. (1975). Reactions to the two foregoing presentations. *Nursing Outlook, 20*, 436.

Rogers, M. E. (1975). Research is a growing word. *Nursing Science, 31*, 283–294.

Rogers, M. E. (1975). Yesterday a nurse, today a manager: What now? *Image: The Journal of Nursing Scholarship 2,* 12–13.

Rogers, M. E. (1977). Legislative and licensing problems in health care. *Nursing Administration Quarterly, 2*(3), 71–78.

Rogers, M. E. (1978). A 1985 dissent (Peer review). *Health/PAC Bulletin, 80*, 32–35.

Rogers, M. E. (1979). Contemporary American leaders in nursing: An oral history. An interview with Martha E. Rogers. *Kango Tenbo, 4*(12), 1126–1138.

Rogers, M. E. (1985). The nature and characteristics of professional education for nursing. *Journal of Professional Nursing, 1*(6), 381–383.

Rogers, M. E. (1985). The need for legislation for licensure to practice professional nursing. *Journal of Professional Nursing, 1*(6),384.

Rogers, M. E. (1988). Nursing science and art: A prospective. *Nursing Science Quarterly, 1*(3), 99–102.

Rogers, M. E. (1989). Creating a climate for the implementation of a nursing conceptual framework. *Journal of Continuing Education in Nursing, 20*(3), 112–116.

Rogers, M. E. (1990). AIDS: Reason for optimism.

Philippine Journal of Nursing, *60*(2), 2–3.

Rogers, M. E. (1994). The science of unitary human beings: Current perspectives. *Nursing Science Quarterly*, *7*(1), 33–35.

Rogers, M. E., & Malinski, V. (1989). Vital signs in the science of unitary human beings. *Rogerian Nursing Science News*, *1*(3),6.

Audiotapes

Rogers, M. E. (1980). *The science of unitary man. Tape I: Unitary man and his world: A paradigm for nursing* (Audiotape). New York: Media for Nursing.

Rogers, M. E. (1980). *The science of unitary man. Tape II: Developing an organized abstract system* (Audiotape). New York: Media for Nursing.

Rogers, M. E. (1980). *The science of unitary man. Tape III: Principles and theories* (Audiotape). New York: Media for Nursing.

Rogers, M. E. (1980). *The science of unitary man. Tape IV: Theories of accelerating change, paranormal phenomenon, and other events* (Audiotape). New York: Media for Nursing.

Rogers, M. E. (1980). *The science of unitary man. Tape V: Health and illness* (Audiotape). New York: Media for Nursing.

Rogers, M. E. (1980). *The science of unitary man. Tape VI: Interventive modalities: Translating theories into practice* (Audiotape). New York: Media for Nursing.

Rogers, M. E. (1984). *Paper presented at Nurses Theorist Conference, Edmonton, Alberta, Canada* (Audiotape). Available through Kennedy Recordings, R. R. 5, *Edmonton, Alberta, Canada* TSP 4B7 (Tel: 403–470–0013).

Rogers, M. E. (1987). *Rogers' framework* (Audiotape). Nurse Theorist Conference held in Pittsburgh, PA. Available through Meetings International, 1200 Delor Avenue, Louisville, KY 40217.

Videotapes

Distinguished leaders in nursing—Martha Rogers (Videotape). (1982). Capitol Heights, (MD): The National Audiovisual Center. Available from the National Institutes of Health, National Library of Medicine, Bethesda, MD 20894, and from Sigma Theta Tau International, 550 West North Street, Indianapolis, IN46202.

The nurse theorist: Portraits of excellence—Martha Rogers (Videotape/DVD). (1988). Produced by Fuld Video Project, Oakland, (CA): Studio III, available from Fitne, Inc., Athens, Ohio.

Dissertation

Rogers, M. E. (1954). *The association of maternal and fetal factors with the development of behavior problems among elementary school children.* (Doctoral dissertation, Baltimore: Johns Hopkins University, 1954).

Secondary Sources

Books

Barrett, E. A. M. (1990). *Visions of Rogers' science-based nursing*. New York: National League for Nursing.

Barrett, E. A. M., & Malinski, V. M. (1994). *Martha E. Rogers: 80 years of excellence.* New York: Society of Rogerian Scholars.

Madrid, M. (1997). *Patterns of Rogerian knowing*. New York: National League for Nursing.

Madrid, M., & Barrett, E. A. M. (1994). *Rogers' scientific art of nursing practice*. New York: National League for Nursing.

Malinski, V. M. (Ed.). (1986). *Explorations on Martha Rogers' science of unitary human beings*. Norwalk, (CT): Appleton-Century-Crofts.

Malinski, V. M., & Barrett, E. A. M. (1994). *Martha E. Rogers: Her life and her work.* Philadelphia: F. A. Davis.

Sarter, B. (1988). *The stream of becoming: A study of Martha Rogers' theory*. New York: National League for Nursing.

Book Chapters

Garon, M. (2010). Science of Unitary Human Beings: Martha E. Rogers. In J. B. George (Ed.), *Nursing theories: The base for professional practice* (6th ed.). Upper Saddle River, (NJ): Prentice Hall.

Gunther, M. (2010a). Martha E. Rogers: Unitary Human Beings. In A. Marriner Tomey & M. R. Alligood (Eds.), *Nursing theorists and their work* (7th ed., pp. 242–264). St. Louis: Mosby Elsevier.

Gunther, M. (2010b). Rogers' Science of Unitary Human Beings in nursing practice. In M. R. Alligood

& A. Marriner Tomey (Eds.), *Nursing theory: Utilization and application* (4th ed., pp. 287–308). St. Louis: Mosby Elsevier.

Hemphill, J. C., & Quillen, S. I. (2005). Martha Rogers' model: Science of unitary beings. In J. J. Fitzpatrick & A. L. Whall (Eds.), *Conceptual models of nursing: Analysis and application* (4th ed.). Upper Saddle River, (NJ): Pearson Prentice Hall.

Lutjens, L. R. (1995). Martha Rogers: The Science of Unitary Human Beings. In C. M. McQuiston & A. A. Webb (Eds.), *Foundations of nursing theory: Contributions of 12 key theorists* (pp. 3–28). Thousand Oaks, (CA): Sage.

Wills, E. (2007). Grand nursing theories based on unitary process. In M. McEwen & E. M. Wills (Eds.), *Theoretical basis for nursing* (2nd ed., pp. 201–223). Philadelphia: Lippincott.

Sitzman, K., & Eichenberger, L. W. (2011). Martha Rogers' Unitary Human Beings. In K. Sitzman & L. W. Eichenberger, *Understanding the work of nurse theorists: A creative beginning* (2nd ed., pp. 179–186). Boston: Jones & Bartlett.

Journal Articles

Alligood, M. R. (2002). A theory of the art of nursing discovered in Rogers' science of unitary human beings. *International Journal of Human Caring*, *6*(2), 55–60.

Alligood, M. R. & Fawcett, J. (2004). An interpretive study of Martha Rogers' conception of pattern. *Visions: The Journal of Rogerian Science*, *12*(1), 8–13.

Barrett, E. A. M. (2006). The theoretical matrix for a Rogerian nursing practice. *Theoria: Journal of Nursing Theory*, *15*(4), 11–15.

Biley, F. C. (2000). Nursing for the new millennium: Martha Rogers and the science of unitary human beings. *Theoria: Journal of Nursing Theory*, *9*(3), 19–22.

Biley, A., & Biley, F. C. (2006). Nursing models and theories: More than just passing fads. *Theoria: Journal of Nursing Theory*, *15*(4), 16–22.

Blumenschein, L. (2009). Analysis and application of Rogers' science of unitary human beings. *Visions: The Journal of Rogerian Science*, *16*(1), 55–61.

Butcher, H. K. (2000). Rogerian-praxis: A synthesis of Rogerian practice models and theories. *Rogerian Nursing Science News*, *12*(1),2.

Butcher, H. K. (2005). The unitary field pattern portrait research method: facets, processes, and findings. *Nursing Science Quarterly*, *18*(4), 293–297.

Butcher, H. K. (2006). Unitary pattern-based praxis: A nexus of Rogerian cosmology, philosophy, and science. *Visions: The Journal of Rogerian Science*, *14*(2), 8–33.

Caroselli, C. (2010). Evolutionary emergent: Chief nurse executive as chief vision officer. *Nursing Science Quarterly*, *23*(1), 72–76.

Cowling, W. R. (2001). Unitary appreciative inquiry. *Advances in Nursing Science*, *23*(4), 32–48.

Cowling, W. R. (2004). Pattern, participation, praxis, and power in unitary appreciative inquiry. *Advances in Nursing Science*, *27*(3), 202–214.

Cowling, W. R. (2007). A unitary participatory vision of nursing knowledge. *Advances in Nursing Science*, *30*(1), 61–70.

Cowling, W. R., & Taliaferro, D. (2004). Emergence of a healing-caring perspective: Contemporary conceptual and theoretical directions. *Journal of Theory Construction & Testing*, *8*(2), 54–59.

Dunn, D. J. (2009). A way of knowing, being, valuing and living with compassion energy: A unitary science and nursing as caring perspective. *Visions: The Journal of Rogerian Science*, *16*(1), 40–47.

Fawcett, J. (2003). The science of unitary human beings: Analysis of qualitative research approaches. *Visions: The Journal of Rogerian Science*, *11*(1), 7–20.

Fawcett, J., & Alligood, M. R. (2001). SUHB instruments: An overview of research instruments and clinical tools derived from the science of unitary human beings. *Theoria: Journal of Nursing Theory*, *10*(3), 5–12.

Hastings-Tolsma, M. (2006). Toward a theory of diversity of human field pattern. *Visions: The Journal of Rogerian Science*, *14*(2), 34–47.

Kim, T. S. (2008). Science of unitary human beings: An update on research. *Nursing Science Quarterly*, *21*(4), 294–299.

Kim, T. S. (2009). The theory of power as knowing participation in change: A literature review update. *Visions: The Journal of Rogerian Science*, *16*(1), 19–25.

Kim, T. S., Kim, C., Park, K. M., Park, Y. S., & Lee,

B. S. (2008). The relation of power and well-being in Korean adults. *Nursing Science Quarterly*, *21*(3), 247–254.

Kim, T. S., Park, J. S., Kim, M.A. (2008). The relation of meditation to power and well being. *Nursing Science Quarterly*, *21*(1), 49–58.

Love, K. L. (2008). Interconnectedness in nursing: A concept analysis. *Journal of Holistic Nursing*, *26*(4), 255–265.

Malinski, V. M. (2008). Research diversity from the perspective of the science of unitary human beings. *Nursing Science Quarterly*, *21*(4), 291–293.

Repede, E. J. (2009). Participatory dreaming: A conceptual exploration from a unitary appreciative inquiry perspective. *Nursing Science Quarterly*, *22*(4), 360–368.

Ring, M. E. (2009). An exploration of the perception of time from the perspective of the science of unitary human beings. *Nursing Science Quarterly*, *22*(1), 8–12.

Ring, M. E. (2009). Reiki and changes in pattern manifestations. *Nursing Science Quarterly*, *22*(3), 250–258.

Shearer, N. B. C., & Reed, P. G. (2009). The rhythm of health in older women with chronic illness. *Research and Theory for Nursing Practice: An International Journal*, *23*(2), 148–160.

Todaro-Franceschi, V. (2001). Energy: A bridging concept for nursing science. *Nursing Science Quarterly*, *14*(2), 132–140.

Wright, B. W. (2010). Power, trust, and science of unitary human beings influence political leadership. *Nursing Science Quarterly*, *23*(1), 60–62.

Doctoral Dissertations

Alligood, R. R. (2007). *The life pattern of people with spinal cord injury*. Unpublished doctoral dissertation, Virginia Commonwealth University, Richmond,VA.

England, T. P. (2008). *Feeling overwhelmed: the lived experience of nurse managers*. Unpublished doctoral dissertation, East Tennessee State University, Johnson City, TN.

Fuller, J. M. (2011). *A family unitary field pattern portrait of power as knowing participation in change among adult substance users in rehabilitation*. Unpublished doctoral dissertation, Hampton University, Hampton,VA.

Grantham, C. A. (2005). *Individual and maternal factors influential with male adolescent physical sexual intimacy*. Unpublished doctoral dissertation, University of Michigan, Ann Arbor, MI.

Larson, K. M. (2008). *Understanding the lived experience of patients who suffer from medically unexplained physical symptoms using a Rogerian perspective*. Unpublished doctoral dissertation, Boston College, Boston, MA.

Musker, K. M. (2005). *Life patterns of women transitioning through menopause*. Unpublished doctoral dissertation, Loyola University, Chicago, IL.

Nelson, P. T. (2008). *Sound as a gateway to a personal relationship with nature*. Unpublished doctoral dissertation, Pacifica Graduate Institute, Carpinteria, CA.

Reis, P. J. (2011). *Prenatal yoga practice in late pregnancy and patterning of change in optimism, power, and well-being*. Unpublished doctoral dissertation, East Carolina University, Greeneville, NC.

Repede, E.J. (2009). *Women abused as children and participatory dreaming: A study of unitary healing*. Unpublished doctoral dissertation University of North Carolina, Greensboro, NC.

Ring, M. E. (2006). *Reiki and changes in pattern manifestations: A Unitary Field Pattern Portrait research study*. Unpublished doctoral dissertation, The Catholic University of America, Washington, D.C.

Rushing, A. M. (2005). *The unitary life pattern of a group of people experiencing serenity in recovery from addiction to alcohol/drugs in 12-step programs*. Unpublished doctoral dissertation, Virginia Commonwealth University, Richmond, VA.

Sarno, L. (2010). *Incidence of advance directives for the elderly admitted to the hospital*. Unpublished doctoral dissertation, Northern Kentucky University, Highland Heights, KY.

Scroggs, N. H. (2010). *Life patterning of women experiencing midlife transition*. Unpublished doctoral dissertation, University of North Carolina, Greensboro, N.C.

Siedlecki, S. L. (2005). *The effect of music on power, pain, depression, and disability: A clinical trial*. Unpublished doctoral dissertation, Case Western Reserve University, Cleveland, OH.

Stiles, K. A. (2007). *Complex holism: New worldview for nursing as lived in nursing practice*. Unpublished doctoral dissertation, California Institute of Integral Studies, San Francisco, CA.

Waters, P. J. (2008). *Characteristics of a healing environment as described by expert nurses who practice within the conceptual framework of Rogers' Science of Unitary Human Beings: A qualitative study*. Unpublished doctoral dissertation, University of Texas Medical Branch Graduate School of Biomedical Sciences

14장

도로시아 오렘
Dorothea E. Orem
1914-2007

자가간호결핍 간호이론
Self-Care Deficit Theory of Nursing

Violeta A. Berbiglia, Barbara Banfield

"간호는 실무를 수행하는 노력으로 이는 전문적이고 이론적인 간호지식을 갖추고, 이 지식을 간호 실무의 구체적인 상황에 활용하는 능력을 잘 갖춘 사람에 의해 행해지는 실무노력이다"(Orem, 2001, p. 161).

이론가 소개

도로시아 엘리자베스 오렘Dorothea Elizabeth Orem은 미국의 가장 뛰어난 간호이론가 중 한 사람으로 1914년에 메릴랜드주 볼티모어에서 태어났다. 오렘은 워싱턴Washington DC의 Providence Hospital School of Nursing을 1930년 초에 졸업하였다. 1939년 Catholic University of America(CUA)에서 간호교육학으로 학사를, 1946년 동 대학에서 간호교육학 석사학위를 받았다.

Photo credit: Gerd Bekel Archives, Cloppenburg, Germany.
Previous authors: Susan G. Taylor, Angela Compton, Jeanne Donohue Eben, Sarah Emerson, Nergess N. Gashti, Ann Marriner Tomey, Margaret J. Nation, and Sherry B. Nordmeyer. Sang-arun Isaramalai is acknowledged for research and editorial assistance in a previous edition.

오렘은 초기에 수술실 간호사로, 가정과 병원에서 개인간호사private duty nurse로 일했고, 소아과와 내-외과 병동 간호사와 응급실 초번감독을 지냈으며, 생물학을 가르쳤다. 1940년부터 1949년까지 디트로이트에서 Providance Hospital 간호부와 간호학과 두 곳에서 과장을 역임하였다. 디트로이트를 떠난 후에 오렘은 8년간(1949-1957) 인디애나주 보건성Indiana state board of health의 병원 · 기관 서비스 부서Division of hospital and Institutional Services에서 근무하였다. 오렘의 목표는 종합병원 간호의 질을 향상시키는 것이었고 이 시기에 간호 실무에 대하여 실무가 무엇인지 정의하였다(Orem, 1956).

1957년에 워싱턴 D.C로 옮겨 미국 보건교육복지부Department of Health, Education, and Welfare의 교육국에서 교육과정 자문관으로 일하였다. 1958-1960년 실무 간호사 훈련을 향상시키는 프로젝트를 수행하면서 "간호의 주제subject matter는 무엇인가?"에 대하여 생각하게 되었다. 결과적으로 실무 간호사의 교육과정 개발 지침Guides for developing curricula for the education of Practical Nurses(Orem, 1959)을 만들었다. 다음해 CUA 간호대학의 조교수가 되었으며 간호대학의 학장 직무대리, 부교수를 역임하였다. CUA에서 자신의 간호 개념과 자가간호를 계속적으로 개발하였다. 혼자, 때로는 동료들과 함께 개념을 형성하였다.

CUA의 간호모델위원회와 간호향상그룹Improvement in Nursing Group이 후에 간호발전 집담회Nursing Development Conference Group(NDCG)가 되었고 이들 모두가 이론개발에 기여하였다. 오렘은 이러한 작업을 하면서 지적리더십을 발휘하였다. 1970년 오렘은 CUA를 퇴직하고 간호컨설팅 회사를 시작하였다. 1971년 첫 번째 저술인 *Nursing: Concepts of Practice*를 발간하였다. 오렘은 NDCG 편집장으로 *Concept Formalization in Nursing: Process and Product*(NDCG, 1973, 1979)를 개정하였다. 2004년 IOS(International Orem Society for Nursing Science and Scholarship)에서 2판을 재인쇄하여 판매하였다. *Nursing: Concepts of Practice* 개정판은 1980, 1985, 1991, 1995, 2001년 출판되었다. 1984년 퇴직 후에도 혼자 또는 동료와 함께 자가간호결핍 간호이론Self-Care Deficit Nursing Theory(SCDNT)을 계속 발전시켰다.

죠지타운Georgetown 대학교에서 1979년 명예 박사학위를 받았으며 1980년 간호이론 개발로 CUA 동문상을 수상하였다. 1980년 Incarnate Word College에서 명예박사학위, 1988 Illinois Wesleyan University에서 문학박사Doctor of Humane letter, 1991년 미국간호연맹National League for Nursing에서 Linda Richards Award를 수상하였고, 1992년 미국간호학회 명예펠로우Honorary Fellow of the American Academy of Nursing(HFAAN), 1998년 University of Missouri에서 간호학 명예박사학위Doctor of Nursing Honoris Causae를 받았다.

92세에 오렘은 얼마간 침상에서 누워 지냈고, 2007.6.22. 금요일 Skidaway Island, Georgia 자택에서 사망하였다. 오렘의 가까운 동료가 IOS의 저널인 *Self-Care,*

Dependent-Care & Nursing(SCDCN)에 애도의 찬사를 게재하였다.

오렘은 많은 논문과 발표자료를 통하여 간호실무, 간호교육, 간호과학에 대한 통찰력을 제공하였다. 논문 중 일부는 Renpenning & Taylor(2003)가 편집한 책에 실려있어, 간호학자들이 이용할 수 있다. 오렘과 함께 이론을 개발한 학자들의 논문은 죤스홉킨스 의과대학 Alan Mason Chesney Medical Archives에 있는 오렘문서고 Orem Archives에 소장되어 있다.

이론의 배경

간호는 건강상태나 건강간호요구의 특성에 따라 직접 간호요구가 필요한 인간에게 직접 간호를 제공하는 조직된 건강서비스에 속한다(Orem, 2001). 다른 직접건강서비스와 마찬가지로 간호는 사회적인 특성과 대인간 특성을 가지는데, 이러한 특성은 간호가 필요한 인간과 필요한 간호를 제공하는 인간 사이에 이루어지는 돕는 관계 helping relations가 특징적이다. 이와 같은 건강서비스를 구별 짓는 것은 각자가 제공하는 도움서비스에 따라 달라진다. 오렘의 SCDNT는 간호가 제공하는 도움서비스에 대한 개념화를 제공하고 있다.

오렘은 간호가 지식적인 측면 뿐 아니라 실무측면으로 발전되고자 한다면 잘 조직화된 간호지식체가 필요하다는 것을 일찍이 인식하였다. 1950년대 중반 간호에 대한 정의를 처음으로 내린 때부터 2007년 사망 바로전까지 오렘은 지식체를 위한 틀(framework)을 만들려는 이론구조의 발전에 노력하였다.

오렘의 간호에 대한 아이디어의 일차근원은 간호실무경험이었다. 간호실무상황에 대한 반추(reflection)을 통해 간호의 대상(object)과 초점(focus)을 정확하게 규명하였다. 오렘은 '간호사가 간호상황에서 판단을 내릴 때 대상자는 어떤 상태인가?'에 대한 질문을 가지고 있었다(Orem, 2001, p. 20). 간호도움요구가 필요한 상태는 인간이 자신의 건강상태로 인해 자가간호요구의 양과 질을 스스로 지속적으로 제공하지 못하는 무능력이다(Orem, 2001, p. 20). 이것이 지식체영역과 실무영역 모두에서 간호의 영역domain과 경계boundary를 결정짓는 올바른 대상과 초점이다. 정확한 간호대상의 특성은 오렘의 이론작업의 시작을 나타낸다. 오렘 혼자 또한 동료와의 노력으로 SCDNT를 개발하고 발전시켰다. SCDNT는 일반이론으로(general theory) 많은 개념과 개념사이의 관계를 나타낸 이론이다. 근본적으로는 세 개의 이론인 간호체계이론, 자가간호결핍이론, 자가간호이론으로 구성되었다. 이에 더하여 의존적간호이론이 만들어졌고, 이 이론은 자가간호이론에 대응되는 것으로 SCDNT가 계속 발전되고 있음을 보여주는 이론이다.

자신의 간호실무경험에 더해 오렘은 많은 문헌과 사고를 통해 간호에 대해 조예가 깊었다. 수년간 간호사와 함께 관계를 맺으면서 많은 교육 경험을 갖게 된 오렘은 대학원생과 동료들과 함께 한 작업을 매우 가치있다고 생각하였다. 오렘은 많은 간호사, 간호이론가의 이론을 인용하였는데 그들은 Abdellah, Henderson, Johnson, King, Levine, Nightingale, Orlando, Peplau, Riehl, Rogers, Roy, Travelbee, Wiedenbach 등이다.

오렘은 간호문헌에 국한되지 않고 많은 문헌과 친숙하였으며, 간호와 연관된 많은 주제에 대한 토론에서 다른 학문의 많은 저자를 인용하였다. 이에는 Allport(1995), Arnold(1960a, b), Barnard(1962), Fromm(1962), Harre(1970), Macmurray(1957, 1961), Maritain(1959), Parsons(1949, 1951), Plattel(1965), Wallace(1979, 1996) 등이 있다. 오렘 이론에 대해 충분히 이해하기 위해서는 이들 이론을 아는 것이 필요하다.

오렘 SCDNT의 철학적 기초는 온건한 실재론moderate realism(실재론은 인식에 있어 그 대상이 인식주관 밖에 독립하여 객관적으로 존재한다고 주장하는 이론)이다. Banfield(1998, 2008, 2011)는 오렘이론의 형이상학적이고 인식론적 근거를 규명하기 위하여 철학적 탐구를 하였다. 탐구를 통해 실재, 인간, 환경, 과학으로서의 간호의 특성에 관한 오렘의 관점과 온건한 실재론의 아이디어와 주장이 일치됨을 규명하였다. Talor, Geden, Isaramalai와 Wongvatanyu(2000) 역시 SCDNT의 철학적 기초를 탐구하였다.

온건한 실재론에 따르면 세상은 지식인의 사고와 관계없이 존재한다는 것이다. 세상의 특성이 지식인의 사고에 의해 결정되지는 않지만 세상에 관한 지식을 획득하는 것은 가능하다. 오렘은 실제reality의 특성을 특별히 설명하지는 않았다. 그러나 문장이나 구에 온건한 실재론의 주장이 반영되었다(Orem, 2001, p1 41). 네 개의 범주가 SCDNT의 존재론을 나타내고 있다. 이는 (1) 국한된 시 · 공간의 인간 (2) 인간의 특성attribute 또는 속성property (3) 움직임 또는 변화 (4) 실존being의 산물들

인간의 특성인 '환경내에 존재하고, 되어가는 과정 안에 있으며, 필수적인 인간의 다른 특성과 함께 자유의지를 소유하고 있는 역동적이고 유일한 존재인 인간에 대한 관점'이 자가간호결핍 간호이론(SCDNT)의 근본이다(Banfield, 1998, p. 204). 온건한 실재론의 철학을 반영하는 이러한 주장은 오렘의 이론에 나타나 있다.

SCDNT의 개념구성과 간호체계의 대인관계적 사회학적 측면을 이해하는데 필요한 다섯 가지 인간에 대한 광범위한 관점이 있다(Orem, 1977, p. 28). 이는 인간person, 수행자agent, 상징사용자user of symbols, 유기체organism, 대상object이다. 인간에 대한 관점은 온건한 실재론의 철학적 주장을 반영하고 있으며 인간의 특성에 관한 주장이 오렘이론의 기초가 된다. 오렘이 몇몇의 실무목적purpose에 관해 특수한 관점을 취하는 것이 인간을 단위체 인간으로 보고자 하

는 주장을 부정하는 것은 아니다(Orem, 1997, p3 1).

수행자로서 인간person-as-agent에 대한 관점이 SCDNT의 중심이다. 자가간호는 삶, 건강, 안녕을 유지·증진하려는 목적으로 인간이 행할 수 있는 활동으로 의도적 활동(deliberate action)의 한 형태로 개념화된다.

"의도적 활동은 인간개인이 수행하는 활동을 말하는데, 그 활동을 통해 현재와는 다른 조건이나 상태로 만들 수 있으리라는 의도를 가지고 행하는 헝동이다(Orem, 2001, p.62-63). 인간은 의도적 활동을 할 때 수행자로서 행동한다. 수행자로서 인간 역시 SCDNT의 개념이며, 수행자로서 인간과 의도적 활동에 관하여 오렘은 Alnold, Parsons, Wallace를 인용하였다. 의도적 활동을 지속하는 인간에 관한 일곱 개 가정을 제시하였다(Orem 2001, p.65). 이런 명백한explicit 가정은 인간이 자유의지를 가진다는 함축적implicit 가정하에 제시되었다.

SCDNT는 지식분야와 동시에 실무분야가 간호의 본질임을 나타낸 오렘의 이론이다. 그녀는 또한 간호를 과학이며, 실무과학이라고 주장하였다. 간호과학에 관한 주장에서 오렘은 Martini(1959), Wallace(1979), 온건한 실재론의 철학자를 인용하였다. 실무과학에서 지식은 수행하여야 할 일work을 위해 발전된다. 간호학의 경우 지식이 간호실무를 위해 발전된다.

두 요소인 이론적인 것과 실무적인 것이 실무과학을 만드는데, 이론적인 실무요소 speculatively practical component는 본질이 이론적이고, 이에 비해 실천적인 실무요소practically practical component는 행동의 방향을 나타낸다. SCDNT는 이론적인 실무지식을 나타내고 실천적인 간호과학은 실무모델, 실무표준, 실무기술로 이루어진다.

오렘은 이론적인 실무 간호과학을 간호실무과학과 기본간호과학의 두 세트라고 하였다(Orem, 2001). 간호실무과학은 (1) 전체보상체계 간호 (2) 부분보상체계 간호 (3) 지지-교육체계 간호를 포함한다. 기본간호과학은 (1) 자가간호과학 (2) 의도적활동에 제한이 있거나 없는 자가간호 수행자의 역량발달과 연마practice 과학 (3) 건강관련 자가간호결핍이 있는 인간을 위한 인간도움과학이다. 이러한 간호과학의 구조와 관련하여 오렘은 다음과 같이 표현하였다. '두 세트의 과학을 분리하고 명명하고 기술하는 것이 (1) 실무과학의 특성에 대한 나의 이해 (2) 다른 실무 분야의 주제를 조직할 수 있는 나의 지식 (3) 전문가를 위한 교육과정에 대한 나의 이해에 기본이었다'(p. 174-175).

실무과학의 두 요소와 형태 이외에 간호실무에 필요한 과학적 지식은 응용과학과 기초비간호과학이 포함된다. 응용과학 발전에서 다른 학문에서 온 이론이 실무분야의 문제해결에 이용되기도 한다. 이런 응용과학을 규명하고 발전시켜야 한다. 박스 14-1에 간호과학의 구조를 제시하였다.

Box 14-1 이론적 실무간호과학

간호실무과학

전체보상체계 간호

부분보상체계 간호

지지-교육체계 간호

기본간호과학

자가간호과학

의도적 활동의 제한 유.무에 따라 자가간호역량을 발달시키고 연마하는 과학

건강관련 자가간호결핍을 가진 인간을 위한 도움 과학

응용간호학 / 기초비 간호학

기초 비간호과학

생물학

의학

인간

출처:Orem, D. E. (2001). Nursing: Concepts of practice (6th ed.). St. Louis: Mosby.

간호과학에 대한 오렘의 주장은 간호교육을 위한 지식체 발전을 위한 틀과 간호실무의 구체적 상황에서의 간호수행에 대한 틀을 제공한다. 개념요소와 네 개의 이론을 가진 SCDNT는 간호과학의 본질과 내용을 규명하였다.

주요 개념과 정의

오렘은 자신의 일반이론을 자가간호결핍간호이론Self-Care Deficit Nursing Theory; SCDNT 이라 명명하고 이 이론은 다음의 네 가지 관련이론으로 구성된다고 하였다.

1. 자가간호이론:인간이 왜, 어떻게 스스로 자신을 간호하는가를 나타내는 이론
2. 의존적간호이론:사회적으로 의존적인 인간을 위해 가족이나 친구가 어떻게 의존적간호를 제공하는가를 설명하는 이론
3. 자가간호결핍이론:인간이 왜 간호를 통해 도움을 받을 수 있는 가를 묘사하고 설명하는 이론
4. 간호체계이론:결과가 나타나기 위하여 어떻게 간호가 시작되고 유지되어야 하는가를 기술하고 설명하는 이론

주요 개념과 정의

이 이론들의 주요 개념은 오렘의 2001년 책에 자세히 나와 있다(그림 14-1).

자가간호 Self-Care

자가간호는 성숙중인, 또 성숙한 인간이 어떤 일정 시간대time frame에서 기능적, 발달적 측면의 요구를 충족시킴으로서, 자신의 삶과 기능을 건강하게 유지하고 계속적으로 개인의 발달과 안녕상태를 지속시키기 위하여 자신이 주도하고 수행하는 활동으로 이루어진다(Orem, 2001 p. 520).

의존적간호 Dependent Care

의존적간호는 생활, 건강관련 기능, 지속적 개인 발달과 안녕을 유지하기 위해 요구되는 자가간호를 연령이나 다른 요인들 때문에 수행할 수 없는 인간에게 제공하는 간호를 말한다.

자가간호 요구 Self-Care Requisities

자가간호 요구는 인간의 기능과 발달, 어떠한 상태나 상황을 조절하기 위하여 필요하다고 알려졌거나, 필요할 것이라고 가정하여 수행해야 하는 활동에 관한 것이다.

자가간호 요구는 다음의 두 요소로 이루어진다.

1. 개인의 삶, 건강, 안녕 상태를 양립할 수 있는 규범 내에서 인간의 기능과 발달적인 면을 조절하고 유지하기 위한 요인
2. 요구되는 활동 특성:공식적으로 표현된 자가간호요구는 자가간호의 목표를 구성한다.

이것은 자가간호를 수행해야 하는 이유이고, 자가간호 곡표들이다(Orem 2001, p. 520).

보편적 자가간호 요구 Universal Self-Care Requisites

보편적 자가간호 요구는 자가간호 또는 의존적간호를 통하여 충족될 수 있다.

주요 개념과 정의

다양한 생애주기의 모든 단계에서 구조적이고 기능적인 통합성에 대하여 알려진 것, 검증된 것, 검증과정에 있는 것 들이다. 다음의 여덟가지 자가간호요구는 남자, 여자, 어린이에게 모두 공통적이다.

1. 충분한 공기 공급의 유지
2. 충분한 음식섭취의 유지
3. 충분한 수분섭취의 유지
4. 배설과정과 배설물과 관련된 간호제공
5. 활동과 휴식의 균형 유지
6. 고립과 사회적 상호작용의 균형 유지
7. 삶, 기능, 안녕에 위험이 되는 것을 예방
8. 인간의 잠재력, 한계, 정상적이고 싶어하는 인간의 욕망과 조화를 이루는 사회그룹내에서의 기능 및 발달 증진. 정상적이라 함은 근본적으로 인간적인 것이고, 유전적, 제도적 특성과 개인의 능력에 대한 것이다(Orem 2001 p. 225).

발달적 자가간호 요구 Developmental Self-Care Requisites

발달적 자가간호 요구는 보편적 자가간호 요구에 속해 있었는데 제 2판(Orem, 1980)에서 분리하였다. 다음의 세 가지로 이루어진다.

1. 발달을 촉진하는 상황 제공
2. 자기발달에 관여 또는 개입
3. 인간의 발달에 부정적인 영향을 미치는 상태나 상황을 대비하거나 극복하는 것 (Orem, 1980, p. 231)

건강이탈적 자가간호 요구 Health Deviation Self-Care Requisites

이것은 질병이나 상해를 입은 인간, 특정한 질병 상태나 손상disorders 결함defects이나 기능장애disability가 있는 인간, 의학적 진단과 치료를 받고 있는 인간이 갖게 되는 자가간호 요구이다. 건강이탈의 특성은 시간이 지나면서 변화되는 상태이므로 질병상태와

주요 개념과 정의

질병기간에 따라 자가간호 요구가 결정된다. 질병이나 상해는 특정한 구조와 생리, 심리적 기전 뿐만 아니라 통합적 인간 기능에도 영향을 미친다. 통합기능이 심각하게 영향을 받으면(심한 정신지체, 혼수상태, 자폐증) 개인의 발달과 발달 능력은 일시적 또는 영구적으로 손상을 받는다.

비정상적 건강상태에서는 질병상태와 진단, 치료 과정 모두에서 자가간호 요구가 발생한다. 현존하는 건강이탈적 자가간호 요구가 충족되도록 간호가 행해져야 하며, 이 요구가 개인의 자가간호 또는 의존적간호체계의 중요한 요소가 되어야 한다. 특정한 시간 내에 충족되어야 하는 건강이탈적 자가간호 요구가 증가할수록 자가간호체계 또는 의존적간호체계는 더욱 복잡해진다.

치료적 자가간호 요구 Therapeutic Self-Care Demand

치료적 자가간호 요구는 특정한 기간에 필요한 간호 또는 일정기간 동안 개인의 자가간호요구를 모두 충족시키기 위하여 현재의 상태나 상황을 조절하는 간호의 총합으로 이루어진다.

조절요인 또는 중재요인-인간의 기능을 조절하는 요인으로 충분한 공기, 물, 음식 등이 있다.

활동증진요인-유지, 증진, 예방, 예비provision에 필요한 요인(Orem, 2001, p.523)

치료적 자가간호 요구는 다음과 같이 나타낼 수 있다.

(1) 환자의 생명유지, 건강, 안녕을 위한 범위 내에서 또는 어떤 가치관의 범위 내에서 꾸준히 수행되어야하는 환자나 환경 내의 요인

(2) 환자나 환경을 조절하거나 적절한 기술과 방법을 선택하여 수행하는 요인

의존적간호 요구 Dependent-Care Demand

의존적인 인간의 자가간호 능력이 적절하지 못할 때 한 순간 또는 일정한 시간동안 그의 치료적 자가간호 요구를 충족시키기 위하여 필요한 간호의 총합

주요 개념과 정의

자가간호 능력 Self-Care Agency

자가간호 능력은 성숙된 또는 성숙중인 인간이 자신의 기능과 발달을 조절하기 위한 의도적이고 목적적인 활동을 수행하는데 필요한 요구를 알고 그 요구를 충족시키는 복합적이고 습득된 능력이다(Orem, 2001 p. 522).

의존적간호 능력 Dependent-Care Agency

의존적간호 능력은 의존적인 인간의 치료적 자가간호 요구를 알고 충족시켜주는 사람의 습득적 능력, 또한 의존적인 인간의 자가간호 능력의 발달과 훈련을 조절하는 사람의 습득된 능력이다.

자가간호 결핍 Self-Care Deficit

자가간호 결핍은 개인의 치료적 자가간호 요구와 자가간호 능력간의 관계를 나타내는 것으로, 요구가 능력보다 클 때 결핍이 나타난다. 자가간호 능력이 전혀 없거나 치료적 자가간호 요구를 충족시키기에 자가간호 능력이 적절하지 않은 경우 결핍이라고 한다(Orem, 2001 p. 522).

의존적간호 결핍 Dependent-Care Deficit

의존적간호 결핍은 의존적간호를 받고 있는 인간의 치료적 자가간호 요구를 충족시키기에 의존적간호 제공자의 능력이 적절하지 않은 경우를 말한다.

간호능력 Nursing Agency

간호능력은 자신을 간호사라고 나타낼 수 있고, 간호사 교육을 받은 사람의 발달된 능력을 말한다. 이것은 간호사가 합법적인 대인관계에서 대상자들의 치료적 자가간호

주요 개념과 정의

요구를 충족시키고 자가간호 능력을 실행하고 발전시킬 수 있도록 활동하고, 알고, 도와주는 것이다(Orem, 2001 p. 518). 또한 간호능력은 의존적간호 능력을 발달시키고 훈련시키는 즉, 의존적간호를 제공하는 사람을 도와주는 간호사의 능력도 포함하고 있다.

간호디자인 Nursing Design

간호디자인은 간호사가 간호진단과 간호처방 전·후에 수행하는 전문직 기능으로, 현재상태를 종합하여 우선순위에 맞추어 구조를 조작적으로 설계하고 수행하는 것이다. 간호디자인의 목적은 간호목표를 달성하기 위하여 지침을 제공하고, 요구되거나 예측한 간호결과를 성취하는 것이다(Orem, 2001 p. 519).

간호체계 Nursing Systems

간호체계는 간호사가 수행하는 일련의 연속적인 실무활동으로, 자신의 환자가 치료적 자가간호요구를 알고 그 요구를 충족하도록 환자자신의 자가간호 능력을 사용하고 발달시켜 주는 활동이다(Orem, 2001, p. 519).

돕는 방법 Helping Methods

간호과정에서 돕는 방법은 일련의 연속적인 활동으로서 이러한 활동을 통하여 인간이 자신의 기능, 발달, 조절을 위한 활동을 수행할 때 건강과 연관된 한계를 극복하고 보상해 줄 수 있다. 간호사는 상황에 맞추어 적절한 방법을 선택하게 되는데 한번에 여러 방법을 이용하기도 한다. 다음과 같은 방법이 있다.

직접적 활동이나 행위 Acting for or Doing for Another

안내와 지시 guiding and directing

신체적 · 심리적 지지 제공 providing physical or psychological support

개인의 발달을 지지하는 환경 제공과 유지 providing and maintaining environment that supports personal development

교육 teaching(Orem, p. 55-56)

주요 개념과 정의

기본적 조절요인 Basic Conditioning Factors

기본적 조절요인은 특정한 시간이나 상황하에 치료적 자가간호 요구와 개인의 자가간호능력에 영향을 미치는 것으로 다음의 열가지로 이루어진다.

- 연령
- 성별
- 발달단계
- 건강상태
- 삶의 형태
- 의료전달체계 요인
- 가족체계 요인
- 사회-문화적 요인
- 자원동원력
- 외적 환경 요인

경험적 증거의 이용

실무과학으로써 간호지식은 간호실무를 안내하기 위해 발전되었다. '간호는 실무이다. 그러나 단순히 실무만이 아니라 특수한 이론적 간호지식을 가지고, 간호실무의 구체적 상황에서 이 지식을 이용할 수 있는 능력을 발전시킨 사람에 의해 행해지는 실무이다(p. 161). 간호는 구체적 상황에서 이루어진다. 간호사가 간호실무상황에 들어가므로써 그들은 간호과학지식을 이용하여 그 상황의 특성에 의미를 부여하고 무엇을 할 것인지를 판단하게 되며 간호체계를 디자인하고 수행하게 된다. SCDNT관점에서 바람직한 간호결과는 환자의 치료적 자가간호 요구를 충족시키고 자가간호 수행자를 조정하고 발전시키는 것이다.

SCDNT의 개념과 특수 이론은 모든 간호실무상황의 일반적인 특성에 관한 요약이다. SCDNT는 간호실무상황에 초점을 맞춘 지적과정을 이용하여 개발되고 발전되었다. 예로 오렘은 자신의 간호실무경험을 반영하여 간호의 올바른 목적을 규명하였다. SCDNT와 연관된 작업에서 간호발전컨퍼런스그룹(1979)은 간호사례를 분석하고 추론과정을 수행하였다. Allison(2008)은 오렘을 기리는 이 컨퍼런스그룹이 자신들이 느꼈던 간호에 관해 생각하는 방법을 개발하기 위하여 간호상황을 조사하고자 하는 간호사들이 기꺼이 함께 모였으며, 그들은 간호를 기술하였고 간호지식에 기여하게 되었다고 하였다(p. 50). SCDNT가 첫 출판 이래 광범위한 경험적 증거가 확보되었고 이것은 이론적 지식을 발전시키는데 기여하였다. 경험적 증거를 통해 계속적으로 이론을 발전시키고 있으나 이론의 근간basic은 변하지 않은 채 그대로 남아 있다. 의존적간호이론은 SCDNT가 발전되었음을 보여준다. 사회에서 의존적간호의 요구가 증가되면 의존적간호와 의존적간호 수행자와의 관계를 이해하는데 간호사가 중요함을 나타낸다.

주요 가정

일반이론(일반이론이란 자가간호결핍 간호이론(SCDNT)을 말하며, 일반이론, 간호일반이론 등으로 표현하고 있다)에 대한 기본가정을 1970년대에 형성하여 1973년 Marquette 간호대학에서 최초로 발표하였다. 오렘은 일반이론의 전제premise로 다음의 다섯 가지를 들고 있다(Orem, 2001).

1. 인간은 생명을 유지하고, 자연적인 인간의 특성과 연관된 기능을 하도록 자신과 환경에 계속적이고 의도적인 투입input을 필요로 한다.
2. 인간능력human agency은 의도적으로 활동할 수 있는 힘으로서, 요구를 규명하고 필요한 투입이 이루어지도록 자신과 타인을 위한 돌봄care의 형태로 나타난다.
3. 성숙한 인간은 생명을 유지하고 기능을 조절하는 투입이 이루어지도록 자신과 타인을 돌볼 때 결핍privation을 경험한다.
4. 인간능력은 자신과 타인의 요구를 알고 투입하는 수단과 방법을 발견하고, 계발하고, 변화시키는 것이다.
5. 구조적 관계에 있는 인간 집단은 자신과 타인에게 필요한 의도적 투입을 위해서 한계를 경험하는 구성원들에게 간호를 제공하기 위해서 업무를 분류하고 책임을 분배한다.

오렘은 간호체계이론, 자가간호결핍이론, 자가간호이론의 전제presupposition와 명제preposition를 다음과 같이 나타내었다.

이론적 주장

간호일반이론SCDNT은 간호를 나타내는 완전한 전체로서 다음의 세 이론으로 구성된다.

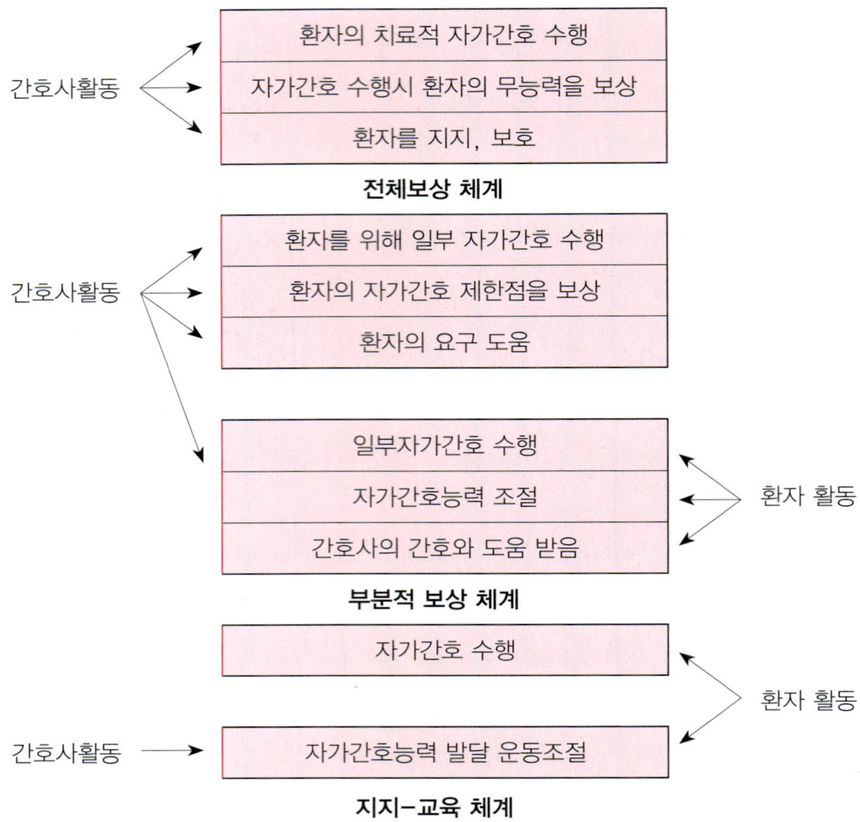

그림 14-1 기본 간호 체계

출처:Orem, D. E. [2001]. *Nursing: Concepts of practice* [6th ed., p. 351]. St. Louis: Mosby.

1. 간호체계이론
2. 자가간호결핍이론
3. 자가간호이론

이 세 이론이 SCDNT를 이루고 있으며 간호체계이론은 통합된 이론이고 모든 필수요소를 포함할 뿐 아니라 자가간호결핍이론과 자가간호이론을 포함한다. 자가간호결핍이론은 인간이 간호로부터 이익을 얻을 수 있는 이유는 무엇인가를 나타내는 것이고, 자가간호이론은 다른 두 이론에 기본이 되며 자가간호의 목적, 방법, 결과를 나타내고 있다.

간호체계이론

간호체계이론의 명제는 다음과 같다. [간호는 인간 활동이다; 간호체계는 간호사가 형성하고 디자인하고 만들어내는 활동체계로서 대상자들이 자가간호 또는 의존적간호를 수행할 때 건강에서 파생되고 건강상 제한이 있는 사람들을 위해 간호능력을 사용하는 것이다.] 간호능력은 의도적 활동, 목적적 활동을 포함하고 간호진단, 간호처방, 간호조정regulation을 포함한다. 그림 14-1은 환자와 간호사 활동 간의 관계에 다라 세 범주로 나눈 기본적인 간호체계를 나타낸다. 간호체계는 개인, 의존적간호가 요구되는 병동의 환자, 유사한 치료적 자가간호 요구를 가진 그룹들, 자가간호 또는 의존적간호 수행에 유사한 제한을 가진 그룹들, 가족, 다수의 사람들로 이루어진 그룹에 의해 결정된다.

자가간호결핍이론

자가간호결핍이론의 중심사상은 간호를 요구하는 인간의 요구는 성숙한 인간 또는 성숙중인 인간이 건강관련 또는 간호관련 행동에 제한을 받는 것과 연관 된다. 이러한 제한점으로 인간은 자신이나 자기에게 의지하고 있는 사람들의 간호에 필요한 요구(현재요구, 미래요구)를 부분적으로 또는 완전히 알지 못하게 된다. 또한 지속적으로 간호를 수행할 수 있는 능력, 자신이나 자신에게 의존적인 사람들의 기능과 발달을 조절할 수 있는 요인들을 통제하고 관리하는 능력이 제한된다. 자가간호 결핍은 개인의 간호능력과 간호요구 사이의 관계를 나타내는 용어이다. 자가간호 결핍은 활동제한으로 표현될 때에는 추상적 용어로서, 자가간호에서 환자 역할을 이해하고, 돕는 방법을 선택할 수 있는 지침을 제공한다.

자가간호이론

자가간호는 개인이 생명, 건강, 발달, 안녕을 유지하기 위해 의도적으로 자신에게 수행해야만 하는 인간의 조절기능이다. 자가간호는 활동체계이그, 자가간호, 자가간호 요구, 자가간호 능력이란 개념은 간호를 통해 이득을 얻을 수 있는 인간의 활동요구, 활동한계에 대한 기초적인 이해를 제공한다. 인간 조절기능으로서의 자가간호는 신경계나 내분비계의 기능과 발달을 조절하는 것과는 다르다. 자가간호는 학습되어야만 하고 개인의 조절요구가 있는 그 시간에 의도적이고 지속적으로 수행되어야만 한다. 이러한 요구는 성장발달단계, 건강상태, 에너지이용정도, 환경적 요인과 관계가 있다. 자가간호이론은 의존적간호이론theory of dependent-care으로 확장된다.

의존적간호이론

의존적간호이론은 사회적으로 의존적이고, 자신의 자가간호요구 충족시 도움이 필요한 인간에게 자가간호체계가 어떻게 수정되는가를 설명해준다(Taylor & Renpenning, 2011, p.24) 사회적으로 의존적이고 자신의 치료적 자가간호 요구를 충족시킬 수 없는 인간에게는 다른 사람의 도움이 필요하다. 많은 방법에서 자가간호와 의존적간호는 평행이며 주요한 차이점은 의존적간호를 제공해야만 자가간호 요구가 충족된다는 것이다. 의존적간호 수행자 측면에서 보면 의존적간호 요구는 의존적간호 수행자의 치료적 자가간호 요구와 자가간호 능력에 영향을 미칠 수 있다. 의존적간호 요구는 노인이나 만성질환자, 장애인에서 증가된다.

논리적 형식

오렘 자신의 통찰력을 이용하여 초기 이론을 형성하고 간호에 대한 일반 개념을 표현하였다. 이러한 일반화로 간호에 대한 귀납적, 연역적 사고가 가능하게 되었다. 이론은 오

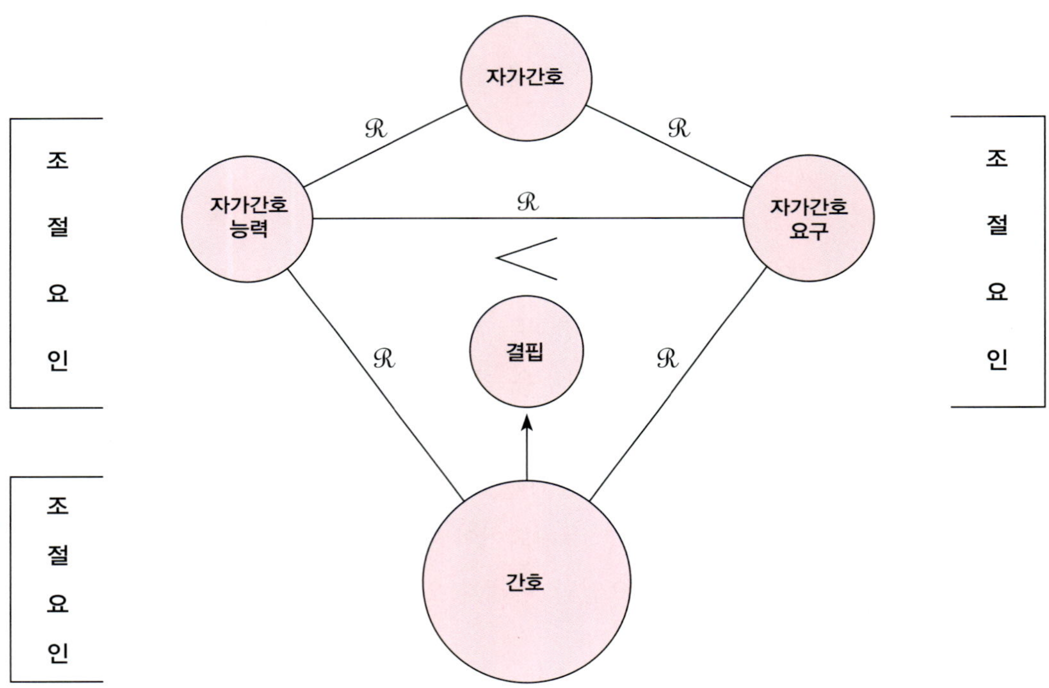

그림 14-2 간호에 대한 개념틀. R, 관계있음 ; < , 결핍관계. 현재 또는 예상한 상태

출처:Orem, D. E. [2001]. *Nursing: Concepts of practice* [6th ed., p. 491]. St. Louis: Mosby.

렘과 다른 사람들이 개발한 많은 모델에 인용되었으며 그림 14-1, 14-2와 같다. 오렘은 이론을 발전시키고 이해하기 위해 모델을 개발하였고 모델이 중요하다고 하였다. 오렘의 모델은 간호사가 일하는 간호체계, 개인 간호체계 또는 의존적간호체계 병동에서 수행되는 과정의 구조에 대한 지식이다(Orem, 1997, p. 31). 전반적으로 이론이 논리적으로 일관성이 있다.

간호학계의 수용

오렘의 SCDNT는 간호계에서 국제적으로 중요하게 받아들여지고 있는데 이는 많은 저술이 이루어지고 있으며, 2008, 2011, 2012년의 IOS(International Orem Society) World Congress에서 많은 논문이 발표된 것으로 입증되었다. Biggs(2008)는 SCDNT 또는 이론의 일부분을 이용한 연구를 800개 이상 검색하였다. 현재는 실무와 연구에서 SCDNT를 이용한 문헌을 고찰하여 21세기를 위한 국제적인 SCDNT 실무모델을 선정하여 출판 중에 있다.

독일에서 포괄수가제diagnosis-related group 수행시 간호관리를 위한 기본구조로 SCDNT가 소개되었다. 독일의 SCDNT기반 간호관리운동은 Bekel이 주도하였다. SCDNT의 국제적 적용을 모두 조사하는 것은 어려운 일이지만, 독일, 태국이 최근의 SCDNT 이용의 랜드마크가 되었다(Bekel, 2002; Harnucharunkul, 2012). 12차 IOS세계대회 공동 스폰서인 룩셈부르크 사회안전건강부가 SCDNT를 룩셈부르크의 보건의료의 틀 중 하나로 삼았다. 다음은 SCDNT 교육과정틀을 사용한 미국의 대학이다(Berbiglia, 2011, 2012).

Illinois Wesleyan University, University of Tennessee at Chattanooga, College of St. Benedict, Anderson College, University of Toledo, Alcon State University, Southern University Baton Rouge

오렘의 SCDNT 영향은 국제적으로 계속되고 있는데 이런 현상은 *Nursing Concepts of Practice* 책이 여러 언어로(스페인어 1993, 독일어 2002, 일본어 2005) 번역되었고 또한 SCDNT 기반 실무, 교육, 연구가 증가되는 것을 통해 알 수 있다.

미래의 발전

*Nursing:Concepts of Practice*가 1971년 초판 발행된 이래 오렘은 혼자 때로는 동료들과 함께 자신의 개념화를 계속적으로 발전시켜 왔다. 제6판이 2001년에 출판되었고 그 이

후에도 학자들과 오렘연구그룹Orem Study Group을 만들어 계속 다양한 개념을 개발하고 이론의 요소를 이용하여 간호지식구조를 발전시켰다. 이를 통해 의존적간호이론Theory of dependent-care(Taylor et al, 2001), 자가간호의 기본과학foundational science of S/C(Denyes, Orem, & Bekel, 2001)이 이루어졌다.

Nursing:Concepts of Practice(Orem, 2001)는 두 개의 중심으로 이루어졌다. 하나는 고유한 지식분야로서의 간호, 다른 하나는 실천과학으로서의 간호이다. 이전의 책보다 간호과학의 내용, 간호체계이론을 확장하였다. 인간의 특성과 간호의 대인관계의 특성에 대한 중요한 부분이 다루어졌다. 오렘은 이론 개발단계를 설명하면서 많은 영역에서 발전이 이루어졌다고 하였다. 또한 자가간호과학의 발전을 묘사하였는데 이것은 여러 개념을 포함하며 한 예로 자가간호능력의 조작적 기능은 감각, 지각, 평가, 동기, 신중한 행동에의 기초능력과 소질의 적절성을 규명하는 것 등의 여러 요소로 이루어진다. 상황에 직면한 인간, 행동, 자가관리능력을 강조할 필요가 있다. 이러한 내용은 자가간호의 기본간호과학에 대한 설명에 덧붙여 있다(Denyer et al, 2001).

IOS가 1993년에 설립되었다. IOS는 비영리단체로서 그 목적은 오렘의 간호개념화를 간호교육, 실무, 연구에 이용하는 학자에게 장학금을 지급하고 간호학문을 발전시켜 나가는 것이다. IOS에서는 *Self-Care, Dependent-Care & Nursing*을 출간하였고, 홈페이지(http://www.orem-society.com/)에서 온라인으로 볼 수 있다. 학회지의 창간이래 국제컨퍼런스를 지원하고 컨퍼런스의 내용을 출판하고 있다.

비평

명확성

오렘이 사용한 용어들은 명확하게 정의되어 있다. 이론의 용어들이 행동이론action theory과 행동철학에 사용된 용어와 일치하며, 전체적으로 용어가 일관성 있다. 「*자가간호*」란 용어는 학문에 따라 다양한 의미를 지닌다. 오렘은 용어를 정의하고 개념의 본질적인 구조를 독특하고 일관성 있게 잘 나타내었다. 오렘의 어려운 용어를 위한 참고문헌이 잘 만들어져 있으나 행동과학과 실천과학에 익숙하지 않은 독자들에게는 제한점으로 남아있다. SCDNT 용어와 친숙해지면 오렘의 책을 더 많이 읽고 공부하게 되어 간호를 지식분야와 실무분야로 생각하고 있는 오렘의 관점을 완전히 이해하게 된다.

간결성

오렘이론의 용어는 많지 않으며 그 용어들은 정의되어 있고 일관성 있게 이용되었다. 오렘의 일반이론인 SCDNT는 다음의 네 이론으로 구성된다: 자가간호이론, 의존적간호이론, 자가간호결핍이론, 간호체계이론. 이 이론은 8가지 개념인 자가간호, 의존적간호, 자가간호 능력, 의존적간호 능력, 치료적 자가간호 요구, 자가간호결핍, 간호능력, 간호체계에 대한 지식의 총합으로 구성되었다. 이 개념들간의 관계는 간단한 도식으로 나타낼 수 있다. 이론의 개념이 더 깊이 있게 발전되면서 인간의 실천학문을 묘사하고 이해하기 위하여 복잡해지고 있다.

일반성

Orem(1995)은 이론의 일반성과 보편성을 다음과 같이 언급하였다. 자가간호결핍간호이론은 특수하고 구체적인 간호실무상황 하나하나를 설명하는 것이 아니고 간호의 모든 상황에서 볼 수 있는 일반적인 특성을 하나의 조합으로 표현하는 것이다. 그것은 간호사가 간호실무와 간호지식 발전과 검증에, 간호의 교수-학습에 적극적으로 참여하도록 도와준다(pp. 166-167). 다른 연구와 문헌을 고찰하여 이론의 일반성을 증명하였다.

접근성

SCDNT는 일반이론으로서 왜 인간이 간호를 요구하게 되는지, 요구된 간호제공에 필요한 과정이 무엇인지를 설명해준다. 이론개념은 구체적인 간호실무상황에서 간호사의 올바른 목표를 나타내는 추상적 실체이다. 자가간호, 의존적간호, 간호 모두 특수한 목적을 달성하기 위해 수행하는 의도적 활동이다. 치료적 자가간호 요구, 자가간호능력, 의존적간호능력, 간호능력은 인간의 특성에 대한 것이다. 자가간호결핍과 의존적간호결핍은 인간의 특성 사이의 관계를 나타낸다. 자가간호체계, 의존적간호체계, 간호체계는 바람직한 결과를 달성하기 위하여 디자인되고 수행되는 간호체계를 나타낸다. 기본적 조절요인은 인간의 변수에 영향을 미치는 요인들이다. 이러한 요인에는 인간내적인 것(예로 발달단계)과 인간외적인 것(예로 가용자원)이 있다. 간호실무에서 간호사가 수집한 자료를 SCDNT 개념에 따라 범주화할 수 있다.

연구목적으로는 질적, 양적 방법론이 SCDNT와 관련된 지식발달에 적합하다. 특수한 연구방법론은 연구질문에 기초하여 선택될 수 있다. 다양한 접근법의 예가 최근의 SCDNT 기반연구의 요약부분에 나와 있다(Berbiglia, 출판중). SCDNT 개념이 실재에 관해 언급하는 것이지만 이것은 특성상 복합적이다. 이러한 개념의 조작화에는 오렘 이론에 대한 완전한 이해가 요구된다. 몇몇 개념을 측정하는 도구가 개발되었다.

SCDNT는 최근에 이론 검증연구보다는 간호실무관련 지식체 구축을 강조하고 있다. 도구개발은 간호지식체 구축과 학문적 작업 모두에서 중요하다. 실무과학과 오렘이 규명한 기본간호과학의 실제 지식체 구성과 관련된 많은 작업들이 요구된다. 그러므로 자가간호요구, 자가간호 실무측면에서 많은 대상자에 대한 철저한 기술적 연구가 요구된다. 기술적 연구를 통한 실제지식과 결과가 SCDNT 개념 측정도구개발을 위한 견고한 기초를 만들어 줄 것이다.

중요성

SCDNT는 간호의 초점을 다른 학문과 구별한다. 자가간호이론은 다른 학문발전에도 유용하다고 하였지만, 간호체계이론은 간호학만의 독특한 초점을 제공하고 있다. 오렘 업적의 중요성은 SCDNT 개발 그 이상이다. 간호과학은 이론개발단계에서 간호지식체를 지속적으로 발전시켜야 하는 실천과학이라고 표현하였다. 오렘은 일반이론을 통하여 간호실무, 간호교육, 간호지식발전에 대한 통찰력있는 관점을 보여주었다.

요약

인간이 간호를 필요로 하고 있음을 나타내주는 상황은 무엇인가? 라는 비평적 질문critical question이 자가간호결핍간호이론 개발의 시작이었다. 오렘은 인간의 능력이 부족하기 때문에 자기 스스로의 간호와 의존적인 간호가 계속 된다는 것에 주목하였다. 이것으로부터 인간이 건강과 안녕을 유지하기 위해 스스로 행한 것은 무엇이고 해야 할 필요가 있는 것은 무엇인가에 대한 지식형성과정을 시작하였다. 인간에게 도움이 필요할 때 그 때 적절한 간호활동은 무엇인가? 자가간호이론은 인간에게 무엇이 요구되고, 이러한 요구를 충족시키기 위해 수행되어야 할 활동은 무엇인가를 나타낸다. 의존적간호이론은 복잡하고 자가간호이론과 평행하다. 자가간호결핍이론은 지속적인 간호요구를 충족시키는데 제한점은 무엇인가, 이것이 건강과 안녕에 어떤 영향을 미치는 가를 나타낸다. 간호체계이론은 인간을 도와주는데 필요한 선행지식과 활동을 알아내는 구조를 제공한다. 이러한 이론들은 개인뿐 아니라 가족과 지역사회에도 적용된다.

간호를 실무과학이라 보고 세 분야의 실무과학과 세 분야의 기본간호과학을 규명한 오렘의 업적은 간호과학발전을 위한 방향을 제공하였다. 이것은 또한 현재의 간호지식구성과 새로운 지식생성을 위한 구조를 제시한 것이다.

오렘은 간호과학발달을 위한 필수적 요소를 규명하였다(Fεwcett, 2001, 인터뷰). 이는 (1) 실무과학모델 (2) 가치있고 믿을만한 일반 간호이론 (3) 간호실두의 조작적 모델(operational model) (4) 일반이론의 개념구조 발달 (5) 실무수행이론의 개념요소의 통합(p. 36)이다. 간호과학을 실무과학이라고 주장한 오렘의 SCDNT 관련 업적은 지식체발달에 기초를 제공하였다. 간호학자와 간호연구자가 이러한 기초를 구축하려는 노력으로 간호가 요구되는 인간에게 간호를 제공하기 위한 지식체를 형성하게 될 것이다.

사례연구

의존적간호이론

이 사례는 주택단지의 넓은 집에서 살고 있는 부인과 남편 사이의 계속적인 상호작용을 보여준다. Dan(80세)과 Jane(65세)이 15년전 만나기 시작할 때 둘은 새로운 삶을 시작하고자 하였다. 교육수준이 높고 경제적으로도 안정이 되었으며 둘은 공통점이 많았다. 댄은 목사였고 제인의 사별한 남편도 목사였는데 심한 뇌동맥류를 2년간 앓았다. 댄은 제인의 남편 장례식을 주관하였다. 댄의 부인은 1년전 말기암으로 사망하였다. 댄은 학교 상담사였고 제인은 교사였다. 둘은 대학생 자녀가 있었다. 둘은 여행을 하면서 사랑을 나누었다. 댄은 은퇴후 파트타임으로 일하고 있었고 제인은 계속 교직에 있고자 계획하였다. 둘은 건강상태도 좋았고 결혼한 해에는 여름휴가를 하와이에서 즐겁게 보냈다. 삶이 충만했고 생산적이었다.

7년 후 댄이 건강을 잃어 4개의 관상동맥 우회수술, 췌장암수술을 받았다. 제인은 댄이 회복되도록 도와주고 함께 여행하고 여생을 함께 보내고자, 교직생활을 계속하려던 계획을 포기하였다. 댄은 회복되었으나 알츠하이머병의 초기 증상과 징후가 나타나기 시작하였다. 초기 징후 중 하나는 지난 크리스마스에 문밖에 전등을 매달 때 나타났다. 댄이 제인의 지시를 따라하지 못하는 것을 보고 제인은 깜짝 놀랐다. 시간이 지나면서 다른 징후가 나타났는데 기억상실과 혼동, 좋아하는 말을 자주 반복하고 갑자기 화를 내며 사회활동이 감소된 것이 그것이다. 초기에 알츠하이머로 진단을 받았고 약을 먹기 시작하였다. 제인은 결혼생활의 새로운 단계를 직면하기 위하여 준비를 시작했다. 그녀는 알츠하이머 관련 문헌을 찾아보고

집을 신체적으로나 정신적으로 안전하게 바꾸었다. 부엌에 칠판을 두고 전화번호와 매일의 일과를 적어놓았으며, 차열쇠 놓는 자리를 만들었다. 자신의 시간을 댄과 함께 보내기 시작하여 둘이 소파에 가만히 앉아 있는 시간을 갖고 댄이 더 많이 기억할 수 있도록 노력하였다. 함께 교회도 가고 수영도 하였으나, 댄이 어느날 벌거벗은 채로 드레스 룸에 남아 있어 그 뒤로는 수영을 그만두었다. 그해 제인의 은퇴한 동생과 제부가 집 가까이 이사왔고, 제인이 도움이 필요할 때 전화를 할 수 있게 되었다. 댄과 제인 자녀들은 가까이 살지 않아 가끔씩만 도와줄 수 있었다. 댄의 증상은 악화되었고 이웃인 헬렌은 매주 몇시간씩 제인이 쉴 수 있게 도와주었다. 이 당시 제인은 의존적간호 수행자였다. 제인은 부부가 함께 샤워할 수 있음에 자랑스러워했다. 댄을 의자에 앉게하여 샤워를 시키고 그 다음 자신이 샤워하는 동안에는 댄에게 의자에 앉아서 물기를 말리게 하였다. 친구가 댄의 주의 집중을 위하여 홈비디오를 보도록 제안하였다. 가끔 가까운 테니스장에서 친구와 게임을 하였고 자신의 정원에서 시간을 보내곤 하였다. 이럴 때는 제인은 문을 잠그고 댄이 쥬스를 마시면서 텔레비전을 보도록 하였다. 제인은 시간을 계산해가면서 곧 돌아오곤 하였다. 어느 날 문 잠그는 것을 잊고 정원 손질을 하고 있었는데, 댄은 집 밖으로 나가 균형을 잃고 꽃밭에 얼굴을 부딪치며 넘어졌고, 이웃이 그를 발견하였다. 이때부터 제인은 저녁에 나가는 것을 포기하고 집에서 독서시간을 늘려나갔다. 그녀의 하루는 온통 댄을 도와주는 것이었다. 밤에는 댄이 집을 배회하여 잠에서 깨곤 하였다. 어느 날 댄이 전화가 오자 받아서는 제인이 집에 없다고 대답하였다. 그러나 제인은 옆방에 있었고 거기 있다고 분명히 알려주었는데 말이다. 친구는 제인이 점점 힘겨워하고 댄의 의존을 모두 감당하기에는 한계가 있고 부담이 너무 크다는 것을 알고 슬퍼하였다.

비판적 사고

사례분석

우리는 이번 사례분석 시 두 개의 개념모델을 이용한다. 의존사이클(그림 14-3)은 의존의 발생방법을 보여준다. 밖의 화살표는 독립적인 인간이 어떻게 의존적이 되는가를 나타내는데 상호의존성의 과정, 다시 독립적으로 되는 과정을 보여준다.

그림 14-4는 기본적인 의존적간호 체계로 댄과 제인의 상호작용을 보여준다.

1. 그림 14-3의 의존사이클을 통해 이 사례를 살펴보자. 밖의 화살표로 다양한 의존적 단계로 나아가는 것을 알 수 있다. 안의 화살표는 의존사이클에 놓여있는 사람을 나타낸

다. 제인과 댄은 이 사이클의 어디에 있는가?

2. 기본적인 의존적간호체계모델(그림 14-4)을 이용하여 댄과 제인을 사정하시오. 둘의 기본적 조절요인을 규명하시오. 댄의 기본적조절요인이 자가간호능력에 미치는 영향이 무엇인가? 그는 자신의 치료적 자가간호요구를 충족시킬 수 있는가? 댄의 자가간호결핍과 의존적간호결핍을 진단하시오. 다음으로 제인의 자가간호체계를 사정하시오.

3. 의존적간호 수행자로서의 제인의 역할이 증가하면서 제인의 자가간호체계를 사정하는 간호체계를 디자인하시오.

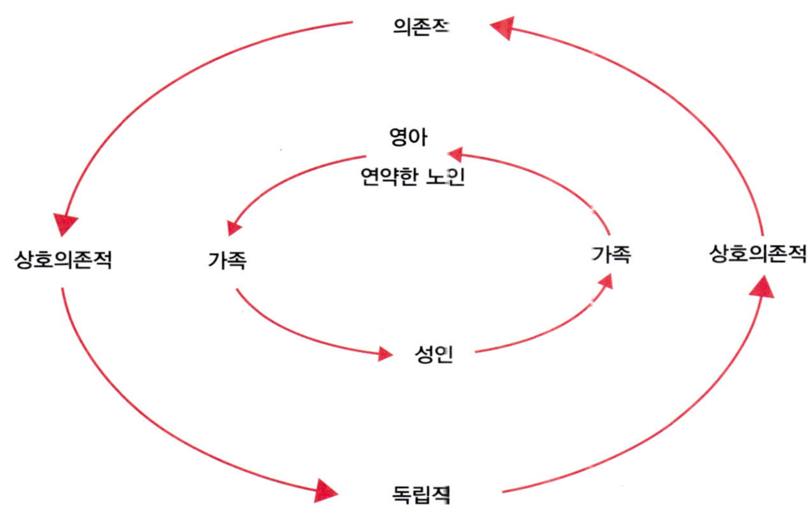

그림 14-3 의존 사이클

출처:Taylor, S. G., Renpenning, K. E., Geden, E. A., Neuman, B. M., & Hart, M. A. (2001). The theory of dependent care: A corollary to Orem's theory of self-care. *Nursing Science Quarterly* 14(1), 39-47.)

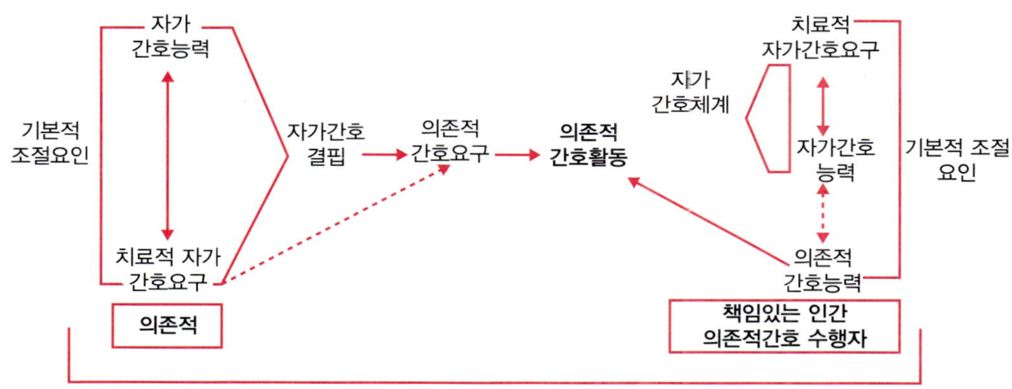

그림 14-4 기본적인 의존적 간호체계

출처:Taylor, S. G., Renpenning, K. E., Geden, E. A., Neuman, B. M., & Hart, M. A (2001). The theory of dependent care: A corollary to Orem's theory of self-care. *Nursing Science Quarterly*, 14(1), 39-47.)

POINTS FOR FURTHER STUDY

- Fawcett, J. (1988). *The nurse theorists. Portraits of excellence: Dorothea Orem* (Video/DVD). Athens, (OH): Fitne, Inc.
- Fawcett, J. (1992). *Excellence in Action: Dorothea Orem* (Video/DVD). Athens, (OH): FITNE, Inc.
- The companion text for *Nursing Theorists and Their Work* includes Berbiglia, V. A. (in press). Orem's self-care deficit nursing theory in practice. In M. R. Alligood (Ed.). *Nursing theory: Utilization & application* (5th ed., Ch. 12). St. Louis: Mosby Elsevier.
- The International Orem Society (IOS) website at: http://scdnt.com/.
- The Johns Hopkins Archives house the Dorothea Orem Collection at: http://www.medicalarchives.jhmi.edu.
- The official online IOS journal, *Self-Care, Dependent-Care & Nursing,* is archived on the IOS website.

REFERENCES

Allison, S. E. (2008). Some early efforts to conceptualize nursing: A tribute to Dorothea E. Orem (Electronic version). *Self-care, Dependent-Care & Nursing, 16*(1), 49–50.

Allport, G. W. (1955). *Becoming*. New Haven: Yale University Press.

Arnold, M. B. (1960a). *Emotion and personality* (Vol. 1). New York: Columbia University Press.

Arnold, M. B. (1960b). *Emotion and personality* (Vol. 2). New York: Columbia University Press.

Banfield, B. E. (1998). *A philosophical inquiry of Orem's self-care deficit nursing theory*. (Unpublished doctoral dissertation). Wayne State University, Detroit, MI.

Banfield, B. E. (2008). Philosophic position on nature of human beings foundational to Orem's self-care deficit nursing theory. *Self-Care, Dependent-Care, & Nursing, 16*(1), 33–40.

Banfield, B. E. (2011). Environment: A perspective of the self-care deficit nursing theory. *Nursing Science Quarterly*, *24*(2), 96–100.

Barnard, C. I. (1962). *The functions of the executive.* Cambridge: Harvard University Press.

Bekel, G. (1999). Statements on the object of science: A discussion paper. *International Orem Society Newsletter*, *7*(1), 1–3.

Bekel, G. (2002). Development of therapeutic self-care demand for nursing practice situations (Abstract). 7th International Self-Care Deficit Nursing Theory Conference (Abstract 18). MU Sinclair School of Nursing.

Berbiglia, V. A. (in press). Orem's self-care deficit theory in nursing practice. In M. R. Alligood (Ed.), *Nursing theory: Utilization & application* (5th ed.) (Ch. 12). St. Louis: Mosby.

Berbiglia, V. A. (2012). 2012 update on the self-care deficit nursing theory as a curriculum conceptual framework in baccalaureate education. (Abstract). 12th IOS World Congress. Luxembourg.

Berbiglia, V. A. (2011). The self-care deficit nursing theory as a curriculum conceptual framework in baccalaureate education. *Nursing Science Quarterly*, *24*(2), 137–145.

Biggs, A. (2008). Orem's Self-Care Deficit Nursing theory: Update on the state of the art and science. *Nursing Science Quarterly*, *21*(3), 200–206.

Denyes, M. J., Orem, D. E., & Bekel, G. (2001). Self-care: A foundational science. *Nursing Science Quarterly*, *14*(1), 48–54.

Fawcett, J. (2001). The nurse theorists: 21st-century updates—Dorothea E. Orem 2001. *Nursing Science Quarterly*, *14*(1), 34–38.

Fromm, E. (1962). *The art of loving*. New York: Harper Colophon Books.

Harnucharunkul, S. (2012). Keynote. 12th IOS World Congress. Luxembourg.

Harre, R. (1970). *The principles of scientific thinking*. Chicago: University of Chicago Press. Illinois Wesleyan University School of Nursing Curriculum. Retrieved from: http://www2.iwu.edu/nursing/curriculum/index.shtml

Macmurray, J. (1957). *The self as agent*. London: Faber and Faber.

Macmurray, J. (1961). *Persons in relation*. New York: Harper.

Maritain, J. (1959). *The degrees of knowledge*.New York: Charles Scribner's Sons.

Nursing Development Conference Group, Orem, D. E. (Ed.). (1973). *Concept formalization in nursing: Process and product*. Boston: Little, Brown.

Nursing Development Conference Group, Orem, D. E. (Ed.). (1979). *Concept formalization in nursing: Process and product* (2nd ed.). Boston: Little, Brown.

Orem, D. E. (1956). *Hospital nursing service: An analysis*. Report to the Division of Hospital and Institutional Services of the Indiana State Board of Health. Indianapolis: Division of Hospital and Institutional Services.

Orem, D. E. (1959). *Guides for developing curricula for the education of practical nurses*. Washington, DC: U.S. Department of Health, Education, and Welfare.

Orem, D. E. (1971). *Nursing: Concepts of practice*. New York: McGraw-Hill.

Orem, D. E. (1980). *Nursing: Concepts of practice* (2nd ed.). New York: McGraw-Hill.

Orem, D. E. (1985). *Nursing: Concepts of practice* (3rd ed.). New York: McGraw-Hill.

Orem, D. E. (1991). *Nursing: Concepts of practice* (4th ed.). St. Louis: Mosby.

Orem, D. E. (1995). *Nursing: Concepts of practice* (5th ed.). St. Louis: Mosby.

Orem, D. E. (1997). Views of human beings specific to nursing. *Nursing Science Quarterly*, *10*(1), 26–31.

Orem, D. E. (2001). *Nursing: Concepts of practice* (6th ed.). St. Louis: Mosby.

Parsons, T. (1949). *Essays in sociological theory*. New York: Free Press.

Parsons, T. (1951). *The social system*. New York: Free Press.

Plattel, M. G. (1965). *Social philosophy*. Pittsburgh: Duquesne University Press. *13*(3), 158–163.

Renpenning, K., & Taylor, S. G. (Eds.). (2003). *Self-care theory in nursing: Selected papers of Dorothea Orem*. New York: Springer.

Taylor, S. G. (1998). The development of self-care deficit nursing theory: An historical analysis. *International Orem Society Newsletter*, *6*(2), 7–10.

Taylor, S., Geden, E., Isaramalai, S., & Wongvatunyu, S. (2000). Orem's self-care deficit nursing theory: Its philosophical foundation and the state of the science. *Nursing Science Quarterly*, *13*(2), 104–109.

Taylor, S. G., & Godfrey, N. S. (1999). Ethical issues. The ethics of Orem's theory—third in a series of articles. *Nursing Science Quarterly*, *12*(3), 202–207.

Taylor, S. G., & Renpenning, K. (2011). *Self-care science, nursing theory and evidence based practice.* New York: Springer.

Taylor, S. G., Renpenning, K., Geden, E., Neuman, B., & Hart, M. (2001). A theory of dependent care. *Nursing Science Quarterly*, *14*(3), 39–47.

Wallace, W. A. (1979). *From a realist point of view*. Washington, DC: University Press of America.

Wallace, W. A. (1996). *The modeling of nature, philosophy of science and philosophy of nature in synthesis*. Washington, DC: Catholic University of America Press.

BIBLIOGRAPHY

Primary Sources

Books

Nursing Development Conference Group, Orem, D. E. (Ed.). (1972). *Concept formalization in nursing: Process and product*. Boston: Little, Brown.

Nursing Development Conference Group, Orem, D. E. (Ed.). (1979). *Concept formalization in nursing: Process and product*(2nd ed.). Boston: Little, Brown.

Orem, D. E. (Ed.). (1959). *Guides for developing curricula for the education of practical nurses*. Vocational Division #274. Trade and Industrial Education #68. Washington, DC: U.S. Department of Health, Education, and Welfare.

Orem, D. E. (1971). *Nursing: Concepts of practice*. New York: McGraw-Hill.

Orem, D. E. (1980). *Nursing: Concepts of practice* (2nd ed.). New York: McGraw-Hill.

Orem, D. E. (1985). *Nursing: Concepts of practice* (3rd ed.). New York: McGraw-Hill.

Orem, D. E. (1991). *Nursing: Concepts of practice* (4th ed.). St. Louis: Mosby.

Orem, D. E. (1995). *Nursing: Concepts of practice* (5th ed.). St. Louis: Mosby.

Orem, D. E. (2001). *Nursing: Concepts of practice* (6th ed.). St. Louis: Mosby.

Orem, D. E., & Parker, K. S. (Eds.). (1963). *Nurse practice education workshop proceedings*. Washington, DC: The Catholic University of America.

Orem, D. E., & Parker, K. S. (Eds.). (1964). *Nursing content in preservice nursing curriculum*. Washington, DC: The Catholic University of America Press.

Book Chapters

Orem, D. E. (1966). Discussion of paper—Another view of nursing care and quality. In K. M. Straub & K. S. Parker (Eds.), *Continuity of patient care: The role of nursing*. Washington, DC: The Catholic University of America Press.

Orem, D. E. (1969). Inservice education and nursing practice forces effecting nursing practice. In D. K. Petrowski & K. M. Staub (Eds.), *School of nursing education*. Washington, DC: The Catholic University of America Press.

Orem, D. E. (1981). Nursing: A triad of action systems. In G. E. Lasker (Ed.), *Applied systems and cybernetics. Systems research in health care, biocybernetics, and ecology* (Vol. IV). New York: Pergamon Press.

Orem, D. E. (1982). Nursing: A dilemma for higher education. In Sr. A. Power (Ed.), *Words commemorated: Essays celebrating the centennial of Incarnate Word College*. San Antonio, TX: Incarnate Word College.

Orem, D. E. (1983). The self-care deficit theory of nursing: A general theory. In I. Clements & F. Roberts (Eds.), *Family health: A theoretical approach to nursing care*. New York: Wiley Medical.

Orem, D. E. (1984). Orem's conceptual model and community health nursing. In M. K. Asay & C. C. Ossler (Eds.), *Proceedings of the Eighth Annual Community Health Nursing Conference: Conceptual models of nursing applications in community health nursing*. Chapel Hill, NC: University of North Carolina, Department of Public Health Nursing, School of Public Health.

Orem, D. E. (1988). Nursing administration: A theoretical approach. In B. Henry, C. Arndt, M. DiVincenti, & A. M. Tomey (Eds.), *Dimensions of nursing administration*. Boston: Blackwell Scientific.

Orem, D. E. (1990). A nursing practice theory in three parts, 1956–1989. In M. E. Parker (Ed.), *Nursing theories in practice*. New York: National League for Nursing.

Orem, D. E., & Taylor, S. (1986). Orem's general theory of nursing. In P. Winstead-Fry (Ed.), *Case studies in nursing theory* (pp. 37–71; Pub. No. 15–2152). New York: National League for Nursing.

Journal Articles

Denyes, M. J., Orem, D. E., & Bekel, G. (2001). Self-care: A foundational science. *Nursing Science Quarterly*, *14*(1), 48–54.

Orem, D. E. (1962). The hope of nursing. *Journal of Nursing Education*, *1*, 5.

Orem, D. E. (1979). Levels of nursing education and

practice. *Alumnae Magazine*, *68*, 2–6.

Orem, D. E. (1985). Concepts of self-care for the rehabilitation client. *Rehabilitation Nursing*, *10*(3), 33–36.

Orem, D. E. (1988, May). The form of nursing science. *Nursing Science Quarterly*, *1*(2), 75–79.

Orem, D. E. (1997). Views of human beings specific to nursing. *Nursing Science Quarterly*, *10*(1), 26–31.

Orem, D. E., & O'Malley, M. (1952). Diagnosis of hospital nursing problems. *Hospitals*, *26*, 63.

Orem, D. E., & Vardiman, E. (1995). Orem's nursing theory and positive mental health: Practical considerations. *Nursing Science Quarterly*, *8*(4), 165–173.

15장

이모진 킹
Imogene M. King
1923-2007

개념체계와 중범위 목표달성이론

Conceptual System and Middle-Range theory of Goal Attainment

Christina L. Sieloff and Patricia R. Messmer

"이론은 연구에 근거하여 예측할 수 있게 하는 추상적 개념이다. 연구에 기초하지 않은 이론이나 이론적 근거가 없는 연구는 학문에 필요한 과학적 지식을 생성할 수 없다" (King, 1977, p. 23).

이론가 소개

나이팅게일 헌정

이모진 킹은 1923년 1월 30일 아이오와주 웨스트 포인드에서 태어났다. 2007년 12월 24일 플로리다주 피터스버그에서 생을 마감하고 아이오와주 포트 매디슨에 묻혔다. 킹은 1945년에 미주리주 세인트 루이스에 소재한 세인트존 병원의 간호고등학교를 졸업하였다. 다양한 분야에서 간호사로 재직하면서 간호교육학 학사 과정을 수강하여 1948년에 세인트 루이스대학교에서 간호교육학 학사학위를 받았고 1957년에 세인트 루이스대학교에서 간호학 석사학위를 받았다. 킹은 1947년쿠터 1958년까지 세인트존병원 간호학과의 내외과간호학 강사와 부 부서장을 역임하였다. 그리고 1961년 뉴욕 콜럼비아대학교 교육대학에서 Mildred Montag 교수 지도하에 교육학 박사학위를 받았다.

1961년부터 1966년까지 시카고 로욜라대학교 간호학과의 부교수였으며 재직기간 동안 간호 개념틀을 기본으로 하는 간호학 석사과정을 개설하였다. 킹의 첫 번째 이론 논문은 1964년 간호이론가 Martha Rogers가 편집하는 Nursing Science에 실렸다.

1966년부터 1968년까지는 Jessie Scott이 부서장인 미국 보건교육복지부 간호국의 연구비 승인 부서의 부 부서장으로 근무하였다. 그녀가 워싱턴 D.C.에 근무하는 동안 1968년에 "*A Conceptual Frame of Reference for Nursing*"이 *Nursing Research*에 게재되었다(1968).

킹은 1968년부터 1972년까지 콜럼버스의 오하이오주립대학교의 간호학과장으로 재직하였다. 오하이오주립대학교에 있는 동안 "*Toward a Theory for Nursing: General Concept of Human Behavior*" 저서를 발간하였다(1971). 초기 연구에서 "일상의 간호 세계를 일세기 이상 지속하는 기술로서의 과학으로 정립하기 위해서는 궁극적으로 간호에 대한 체계적 기술이 필요하다"(1971, p.129)고 결론지었다. 킹의 저서는 *American Journal of Nursing*에서 1973년도 올해의 책으로 선정되었다(King, 1995a).

킹은 1972년에 시카고 로욜라대학교의 대학원 교수로 돌아왔다. 또한 1978년부터 1980년까지는 로욜라 메디컬센터 간호부의 임상간호연구 코디네이터로 근무하였다. 1980년에 남일리노이대학교에서 명예 박사학위를 수여하였다(Messmer, 2000). 1998년 5월, 그녀의 "Nursing Collection"이 소장된 로욜라대학교에서 명예박사학위를 받았다. 1972년부터 1975년까지 미국방부의 여성국방자문위원회 위원을 역임하였고, 1975년부터 1979년까지 4년간 일리노이주 우드대일시의 시의원으로 선출되어 재임하였다.

킹은 1980년에 플로리다주 탬파로 이주하여 남플로리다대학교 간호학과 교수로 근무하였다. 1981년에 집필한 두 번째 저서 "*A Theory for Nursing: Systems, Concepts, Process*"를 출간하였다. 두 권의 저서에 이어 여러 권의 책을 공저하였고 유명 전문 잡지에 논문을 발표하였으며 1986년에는 세 번째 저서인 "*Curriculum and Instruction in Nursing: Concept and Process*"를 출간하였다. 킹은 1990년에 은퇴하여 남플로리다대학교의 명예교수 지위를 수여했다.

킹은 Tampa General Hospital을 비롯하여 다양한 보건의료단체에서 자신의 체계틀과 이론을 이용한 간호계획 수립을 돕는 일을 통하여 지역사회 봉사를 계속하였다. 킹은 실제로는 은퇴하지 않았다고 할 만큼 그녀의 이론을 적용하고자 하는 학생과 동료를 위하여 지속적으로 일하고 Tampa General Hospital에서 그녀의 이론을 적용하기 위하여 정규 근무를 하기도 하였다. 또한 Tampa 대학교에서 자문위원 역할을 했고 객원교수로 강의하였다.

킹은 미주리주, 일리노이주, 오하이오주 지회 간호사협회에 소속한 미국간호사협회(ANA)

의 장기 회원이었다. 프로리다주 Tampa로 이주하면서 플로리다간호사협회(FNA) 회원이 되었다. 그녀는 플로리다 간호사협회 회원으로서 플로리다주 간호재단의 회장의 자격으로 미국간호사협회의 임원을 맡았다. 킹은 1997년에 플로리다주의 간호학 발전에 기여한 공을 인정받아 Chiles 주지사로부터 금메달을 수여하였고 2004년에 FNA와 ANA 명예의 전당에 올랐다. 1994년에는 미국간호학회(American Acacemy of Nursing, AAN)에 영입되어 AAN 이론 전문가 패널 역할을 하였고 2005년에는 "Living Legend"로 초대되었다. 1996년에는 미국간호사협회 총회에서 Jessie M. Scott상을 수상하였다.

2000년 킹은 39회 콜럼비아대학교 교육대학의 37회 Isabel Matland Stewart Conference에서 기조강연을 하였고 그곳에 지드교수 Mildred Montag이 참석하는 영광을 가졌다. 1999년에는 콜럼비아대학교 교육대학의 명예의 전당에 올랐다. 킹의 체계틀, 목표달성 이론 및 관련 이론의 확산과 활용을 활성화 하기 위하여 King International Nursing Group(K.I.N.G)을 설립하여 개인 회원을 대상으로 그녀의 이론과 관련된 자문을 제공하고 현재도 그 역할을 계속하고 있다(www.kingnursing.org).

킹은 Sigma Theta Tau(STTI) Verginia Henderson Fellows의 원년 멤버로서 교육의 탁월성을 인정받아 1989년에 STTI Elizabeth Rissel Belford Founders Award를 수여한 바 있다(Messmer, 2007). 킹은 1992년 Sigma Theta Tau의 이론학회에서 기조강연을 2회 하였고 여러 지방, 국내, 국제학회에서 그녀의 이론 적용에 관하여 발표하였다. 또한 상호작용 체계틀을 이용하여 이론을 배우고자 하는 학생들과 정기적으로 소통하였다.

킹은 일본어, 스페인어, 독일어로 번역된 그녀의 발표 논문을 통하여 초기 간호이론가로 인정 받고 있다. 그녀는 수많은 논문을 게재하였고 *Nursing Science Quarterly*의 편집위원을 역할을 하였다. 그 외에도 Frey & Sieloff의 *Advancing King's Systems Framework and Theory of Nursing*(1995), *Sieloff and Frey의 Middle Range theories for Nursing Practice Using King's Conceptual System*(2007) 등 다른 저자들이 그녀의 이론을 조명한 수많은 저서에 저자로 참여하였다.

이론의 배경

킹은 자신의 첫 번째 저서의 목적을 다음과 같이 기술하였다(1971).

...간호를 위한 개념틀을 제공하고자 한다. 특별히 간호학생과 교수들이 활용할

수 있도록 하였고 연구자와 실무가들이 특수한 간호상황 내에서 일어나는 사건을 규명하고 분석할 수 있도록 고안하였다. 개념 체계는 간호의 본질적인 특성이 환경의 변화에도 불구하고 변하지 않는 속성이 있음을 제시하고 있다(p. ix). 이는 간호 실제 상황에 대한 사고 체계이다;... 전문적 간호실무의 근간이 되는 개념을 선택하기 위한 접근이다; 또한 신체적, 정신적, 사회적 간호 환경 내에서 경험을 상징화하는 개념의 개발 과정을 제시한다(p. 125).

킹의 개념(1981)은 주요 개념과 정의 표에 제시하였다.

주요 개념과 정의

"개념은 사람, 대상, 사물에 대한 인간의 지각에 의미를 부여하며 일반화가 가능하게 한다."(King, 1995a, p. 16) 시스템 틀에 의한 몇 가지 개념만 아래에 나열하였다. King의 나머지 정의들은 1981년도 저서 *A theory for nursing: Systems, concepts, process*에서 참고할 수 있다.

건강 Health

"건강은 인간이 개인에게 주어진 자원을 최적으로 활용하여 일상생활에서의 잠재능력을 최대한 달성함으로써 내적, 외적 환경 내에서의 자극원(stressor)에 대하여 지속적으로 적응해 나가는 인간의 역동적인 생활 경험이다."(King, 1981, p. 5)

간호 Nursing

"간호는 간호 상황에서 간호사와 대상자의 지각에 관한 정보를 서로 공유하는 행동, 반응, 상호작용의 과정이다."(King, 1981, p. 2)

자아 Self

"자아는 인간의 자신에 대한 존재 인식, 즉 나는 누구인가에 대한 개념을 구성하는 생각과 감정으로 이루어진다. 개인의 자아는 자신의 것이라 할 수 있는 모든 것의 총합이다. 자아에는 무엇보다도 다른 사물간의 아이디어, 태도, 가치, 약속의 체계가 포함된다. 자아는 개인의 총체적 주관적 환경이다. 개인 고유의 경험과 의미의 장이다.

> **주요 개념과 정의**
>
> 자아는 모든 다른 사람과 사물로 이루어진 외부 세계와 구별되도록 개인의 내적 세계를 만들어낸다. 자아는 개인이 지각하는 개인이다. 우리가 '나' 라고 말하는 바로 그것이다"(Jersild, 1952, p. 10)

경험적 증거의 이용

킹(1971)은 개념을 "우리의 지각에 의미를 부여하고, 일반화를 가능케하고, 후에 새롭고 다른 상황에서 회상하여 사용할 수 있도록 우리의 기억 속에 저장되는 추상적인 생각들"이라고 하였다(pp. 11-12). 킹(1984)은 이론을 "간호실무 세계에서 상호연관성이 있고 관찰 가능한 개념 세트"라고 정의하였다(p. 11). 이론은 "간호의 과학적 지식"을 형성하는 역할을 한다(King, 1995b, p. 24).

킹(1975a)은 이론개발을 위하여 두 가지 방법을 다음과 같이 규명하였다: (1) 이론을 개발한 후 연구를 통해 검증할 수 있다, (2) 연구는 이론 개발에 필요한 자료를 제공할 수 있다. 킹(1978)은 간호와 같이 복합적인 전문직을 위한 지식체를 형성하기 위해서는 이 두 가지 전략이 요구된다고 하였다.

킹은 1981년도에 출간한 *A Theory for Nursing: Systems, Concepts, Process*에서는 수많은 선행 연구들을 인용하였다. 개인적 체계 내에서 킹은 Allport(1955), Kelly와 Hammond(1964), Ittleson과 Catril(1954) 등의 인식과 관련된 연구를 검증하였다. 그녀는 공간에 대한 정의를 내리기 위하여 Sommer(1969), Ardrey(1966), Minckley(1968)의 연구를 인용하였다. 시간에 대한 개념은 Orem(1969)의 연구를 기반으로 했다.

대인관계적 체계는 Watzlawick, Beavin과 Jackson(1967), Krieger(1975)의 논문을 인용하였다. 상호작용은 Whiting(1977), Orlando(1961), Diers와 Schmidt(1977)의 연구를 검증함으로써 정립하였다. 또한 교류작용에는 Dewey와 Bentley(1949)가 *Knowing and the Known, and Kuhn's*(1975)에서 자기행동self-action, 상호작용interaction, 교류작용transaction을 강조한 지식이론을 참조하였다.

킹(1975b)은 특히 환자간호 관련 경영 연구 논평에서 "...대부분의 연구는 직접적인 환자 측면 보다는 환자간호의 기술적 측면과 건강관리 체계에 초점을 두었다.... 환자의 상태가 무엇을 요구하는지, 환자가 무엇을 원하는지로 연구문제를 시작하는 연구는 거의 없었다"(p. 9) 라고 기록하였다. 1981년 저서에서 킹은 "대인관계와 간호과정에 대한 여러 가지 이론적 공식이 간호 상황에서 서술되었다"(p. 151-152) 고 하고, 그녀의 목표달성이론 중 교류작용을 지지하는 Peplau(1952), Orlando(1961), Paterson과 Zderad(1976), Yura와 Walsh(1978)의 연구를 인용하였다.

개념체계 개발

킹은 1971년에 출간한 저서 *Toward a theory for nursing: General Concepts of Human Behavior*를 준비하면서 다음의 의문을 제기하였다:

- 간호의 목표는 무엇인가?
- 간호사의 기능은 무엇인가?
- 질적인 간호 제공을 위하여 간호사가 지속적으로 지식을 확장시킬 수 있는 방법은 무엇인가?(pp. 30, 39)

그림 15-1은 "인간은 분리된 체계의 부분이 아닌 총체로 학습체계에 접근한다"(King, 1995a, p. 18)는 개념체계를 설명한다. 또한 "간호사들이 조직화된 총체 내에서 실무를 수행함을 설명한다"(1995b, p. 23)

킹(1981)은 개념체계와 그녀의 중범위 목표달성이론 개발을 위하여 체계접근을 이용하였다. 그녀는 "체계를 탐구하는 여러 과학자들이 인간과 환경의 상호작용을 이해하기 위한 유일한 방법은 상호 의존적 변수와 상호 연관적인 개념에 관한 개념적 기틀을 고안하는 것이다"(King, 1981, p. 10) 라고 하였다. 킹(1995a)은 "자신의 틀이 인간을 환경과 분리하지 않고 여러 종류의 환경과 인간의 교류작용을 다루었다는 점에서 다른 개념적 도해와 다르다"(p. 21) 고 생각했다.

"간호상황에서 인간행동의 복잡한 역동에 대한

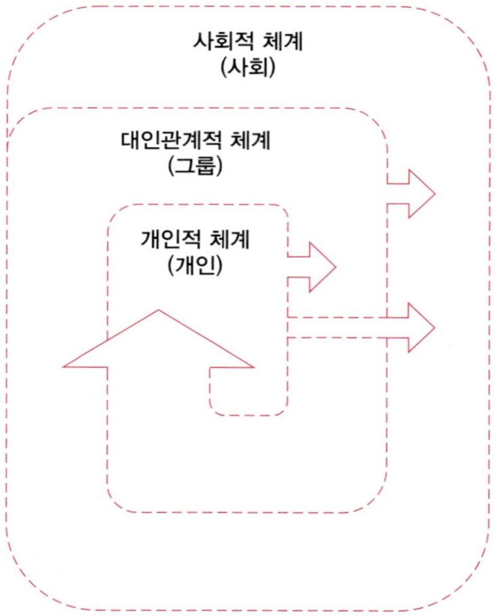

그림 15-1. 역동적 개념 체계.

출처: King, I.[1981]. A theory for nursing: Systems, concepts, process[p. 11]. New York:Delmar. Used with permission from I. King.

이해는 킹의 간호 영역domain인 개인적, 대인관계적, 사회적 체계를 설명하는 개념적 기틀을 구성하는 계기가 되었다"(King, 1981, p. 130). 각각의 체계는 인간을 체계 내에서 기본 요소로 인식한다. 따라서 "다양한 사회 환경 내에서의 인간 행동이 기틀 내에서의 분석 단위가 된다"(King, 1995a, p. 18). 킹은 환자나 간호사로서 개인적 체계의 사례를 제시하였다. 킹은 인간을 개인으로 이해하기 위하여 신체상, 성장과 발달, 인지, 자기, 공간, 그리고 시간의 개념을 명시하였다.

대인관계적 체계는 두 명 이상의 개인이 상호작용할 때 양자관계dyads(두명) 또는 삼자관계triads(세명)를 구성하며 이루어진다. 간호사와 환자 사이의 양자관계가 대인관계적 체계의 한 예이다. 가족도 소그룹 역할을 할 때 대인관계적 체계에 포함될 수 있다. 대인관계적 체계를 이해하기 위해서는 의사소통, 상호관계, 역할 스트레스, 교류작용의 개념이 필요하다.

총체적 상호작용 체계는 사회를 구성하는 그룹으로 구성되며 사회적 체계로 나타난다. 사회적 체계의 예로는 종교, 교육, 건강관리 체계 등이 있다. 개인의 성장과 발달에 영향을 미치는 확대가족의 영향을 받는 행동도 사회적 체계의 한 예로 들 수 있다. 사회적 체계 내에서 권위, 의사결정, 조직, 권력, 지위 등은 체계를 이해하는데 필요한 개념이다. 따라서, 틀에서 제시하는 개념들은 세 가지 체계 간의 상호작용을 이해하는데 필요한 차원을 정하고 지식을 제공한다(King, 1995a). "기틀에서 나타난 개념들은 체계를 구성하는 차원을 나타내며, 세 가지 체계간의 상호작용을 이해하는 데 필수적인 정보를 제공한다"(King, 1995a).

킹의 중범위 목표달성이론

킹은 1981년에 자신의 상호작용 개념체계토부터 중범위 목표달성이론을 도출했다. King이 목표달성이론을 개발할 수 있는 계기가 된 것은 "간호의 본질은 무엇인가?" 라는 질문 때문이었다(King, 1995b, p. 25). 그에 대한 답은 "간호사가 개인들과 함께, 개인들을 위하여 자신의 역할을 수행함에 있어서 간호를 다른 의료직과 차별화 하는 것" 이라고 하였다. 이러한 생각은 그녀가 목표달성이론을 개발하는데 가이드가 되었고 다음의 과정을 이용하였다:

- 철학적 가정은 무엇인가?
- 개념들은 명확하게 규정하고 정의내렸나?
- 개념들은 명제 진술이나 모델과 관련이 있는가?
- 이론은 새로운 지식을 제공하고 이론을 견고히 하기 위해서 답해야 할 질문, 또는 연구를 통해 검증해야할 가설을 생성하는가?

"인간의 상호작용 과정은 간호사가 개인과 그룹으로 하여금 목표를 달성할 수 있도록 돕는데 필요한 이론적 지식을 설명하는 교류작용모델 설계의 근간이 되었다"(King, 1995b, p. 27)(그림 15-2).

킹(1995b)은 다음과 같이 설명하였다:

> 간호사와 대상자 간의 상호 목표 설정은 (a) 대상자의 관심사, 문제, 건강 문제와 관련된 간호사의 사정; (b) 간호사와 대상자 간 방해 요소에 대한 지각; (c) 각각의 기능이 대상자가 설정한 목표를 달성할 수 있도록 도움을 주는 정보의 공유 등을 기본으로 해야 한다. 또한, 간호사는 목표 설정 시 대상자가 언어적 의사 표현이 어려울 때 가족 구성원과 의사소통해야 한다(p. 28).

킹(1981)은 자신의 이론을 검증하는 연구를 통하여 자신의 연구가 "목표달성을 유도하는 간호사-환자간의 상호작용 과정에 관하여 설명하였다" 는 점에서 기존 연구들과 차별화됨을 확인하고(p. 153) 간호사가 교류작용을 이루어 냈음을 밝혔다. 킹은 병원의 한 입원병동에서 연구 참여에 자원한 간호사와 환자를 대상으로 비참여적 관찰 방법을 이용한 간호사-환자 상호작용에 관한 정보를 수집하였다. 킹은 자료수집을 위하여 대학원생들에게 비참여적 관찰 기법을 훈련시켰다. 그리고 언어적, 비언어적 행동을 기록하게 하고, 다양한 상호작용을 분석했다. 킹은 또한 매릴랜드대학교의 간호성과 측정 사업을 통하여 환자의 기능 능력 및 목표달성 측정 도구 Criterion-Reference Measure of Goal Attainment Tool을 검증하였다. 그 결과 환자의 목표설정 위한 의사결정 기능 능력과 목표달성 측정도구는 CVI .88, 신뢰도 .99로 나타났다 (King, 1988, 2003)

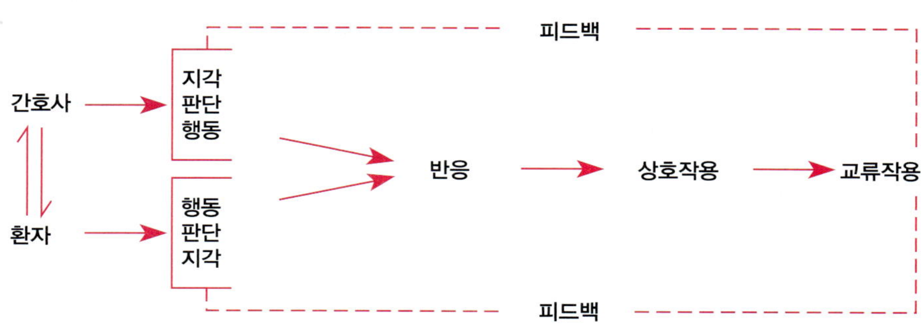

그림 15-2. 교류작용을 유도하는 인간상호작용 과정:교류작용 모델

출처:King, I.[1981]. A theory for nursing:Systems, concept, process[p. 61]. New York:Delmar. Use with permission from I. King.

주요 가정

인간과 삶에 관한 킹의 개인적 철학은 환경, 건강, 간호, 개인, 간호사-환자 상호작용 등과 관련된 가정들에 영향을 주었다. 킹의 개념체계와 목표달성이론은 "간호의 초점은 개개인을 건강한 상태로 이끌어 내는 인간과 환경간의 상호작용 즉, 사회적 역할 기능을 할 수 있는 능력이라는 전반적인 가정에 기반을 두고 있다"(King, 1981, p. 143)

간호

"간호는 사회 건강관리 체계에서 확인할 수 있는 관찰 가능한 행동이다"(King, 1971, p. 125). 간호의 목표는 "개인이 자신의 건강을 유지함으로써 자신의 역할을 수행할 수 있도록 돕는 것이다"(King, 1981, pp. 3-4). 간호는 행동, 반응, 상호작용, 교류작용의 대인관계적 과정이다. 간호사와 환자의 지각 역시 대인관계적 과정에 영향을 준다.

인간

킹은 1981년과 후속 연구에서 인간과 관련된 특정한 가정을 자세히 설명하였다:

- 개인은 영적인 존재이다(I. King, personal communication, July 11, 1996).
- 개인은 그들의 언어와 부호를 이용하여 자신의 역사를 기록하고 자신의 문화를 보존하는 역량이 있다(King, 1986).
- 개인은 독특하고, 총체적이며, 내재적 가치를 가지고, 대부분의 상황에서 이성적으로 생각하고 의사결정을 할 수 있다(King, 1995b).
- 개인은 각기 다른 욕구, 요구, 목표를 갖는다(King, 1995b).

건강

건강은 생애 주기 가운데 역동적인 상태인 반면, 질병은 이 과정을 방해하는 것이다. 건강이란 "인간이 최적의 일상생활 잠재력을 얻기 위하여 유용한 자원을 최대한 활용함으로써 내적, 외적 환경 내의 스트레스에 지속적으로 적응하는 것을 의미한다"(King, 1981, p. 5).

환경

King(1981)은 "간호사는 인간이 건강을 유지하기 위해 자신의 환경과 상호작용하는 방식을 반드시 이해해야 한다(p.2)"고 믿었다. 개방 체계는 체계와 그 체계의 환경 간에 끊임없이 상호작용이 일어남을 시사한다. "삶과 건강에 대한 적응은 환경과 개인의 상호작용에 의해 영향을 받는다. ...각 인간은 세상을 환경 내의 개인 및 사물들과 교류 작용하는 총체적 인간으로 지각한다."(King, 1981, p.141)

이론적 주장

킹의 목표달성이론(1981)은 개인 간, 특히 간호사-환자 관계에서 나타나는 대인관계적 체계 및 상호작용에 초점을 두고 있다. 간호 과정에서, 양자관계 중 개인은 상대방을 인지하고 평가한 후 행동을 취한다. 동시에 이 행동은 반응을 유발한다. 결과적으로 상호작용이 일어나며, 만약 지각의 일치가 일어나고 장애가 극복된다면 교류가 일어난다. 행동의 각 단계가 지각에 잠재적으로 영향을 주기 때문에 체계에 대한 피드백이 가능하다.

킹(1981)은 목표 달성이론에서 여덟 가지 명제를 개발하였다. 이 명제들은 Box 15-1에 자세히 기술하였고, 개념들 간의 관계에 대해 설명하였다. 각 명제에 연산 도표를 제시하였다. 명제를 분석한 결과 23개의 관계는 규명되지 않았고, 22개의 관계는 긍정적이었으며 부정적 관계는 나타나지 않았다(Austin & Champion, 1983)(그림 15-3). 또한, 킹(1981)은 목표달성이론에서 7개의 가설을 도출하였다.

Box 15-1 킹의 목표달성이론에 나타나는 명제들

1. 간호사-대상자 간 상호작용(I, interaction)에서 지각의 일치(PC, perceptual congruence)가 있으면 교류작용(T, transaction)이 발생한다.

   $PC(I) \xrightarrow{+} T$

2. 간호사와 대상자가 교류작용(T, transaction)을 이루어내면 목표가 달성된다(GA, goals attained).

   $T \xrightarrow{+} GA$

3. 목표가 달성되면(GA, goal attained) 만족(S, satisfaction)하게 된다.

   $GA \xrightarrow{+} S$

4. 목표가 달성되면(GA, goal attained) 효과적인 간호(NCe, nursing care)가 이루어진다.

   $GA \xrightarrow{+} NC_e$

5. 간호사-대상자 상호작용(I, interaction)에서 교류작용(T, transaction)이 이루어지면 성장과 발달(GD, growth and development)이 강화된다.

   $(I)T \xrightarrow{+} GD$

6. 간호사와 대상자가 지각하는 역할 기대와 역할 수행이 일치하면(RCN, role congruent) 교류작용(T, transaction)이 일어난다.

   $RCN \xrightarrow{+} T$

7. 간호사와 다상자간에 상호 역할 갈등(RC, role conflict)이 있으면 간호사-대상자 상호작용에 스트레스(ST, stress)가 발생한다.

   $RC(I) \xrightarrow{+} ST$

8. 전문 지식과 실무능력을 갖춘 간호사가 적절한 정보를 대상자에게 전달하면(CM, communicate) 상호간의 목표설정(T)과 목표달성(GA, goal attainment)이 이루어진다. [상호간의 목표 설정은 교류작용(transaction)의 단계이므로 다이어그램 상에 교류작용으로 나타냈다.]

   $GM \xrightarrow{+} T \xrightarrow{+} GA$

출처: Austin, J. K., & Champion, V. L. (1983). King's theory of nursing: Explication and evaluation. In P. L. Chinn (Ed.), Advances in nursing theory development (p. 55). Rockville, (MD): Aspen.

	PA	T	GA	S	NC_e	GD	RCN	RC	ST	CM
PA		1	1	1	1	1	?	?	?	?
T			1	1	1	1	1	?	?	?
GA				1	1	1	1	?	?	1
S					?	?	1	?	?	1
NC_e						?	1	?	?	1
GD							1	?	?	1
RCN								?	?	?
RC									1	?
ST										?
CM										

그림 15-3. 관계 테이블 Relationship table.

CM 의사소통; GA 목표달성; GD 성장과 발달; NCe 효과적인 간호; PC 지각의 일치; RC 역할 갈등; RCN 역할 일치; S 만족; ST 스트레스; T 교류작용. 출처 : Austin, J. K., & Champion, V. L. [1983]. King's theory for nursing: Explication and evaluation. In P. L. Chinn [Ed.], Advances in theory development [p. 58]. Rockville, MD: Aspen.

논리적 형식

1968년에 발표한 논문에서 킹은 인간에 중점을 둔 네 가지의 포괄적인 개념을 설명하는 첫 번째 개념틀을 설정하였다.

1. 건강
2. 대인관계
3. 지각
4. 사회적 체계

킹의 초기 틀은 추상적이었고 "몇 가지 요소만 구체적인 상황"(King, 1981, p. 128)이었지만, 네 가지"보편적인 개념(사회적 체계, 건강, 지각, 대인관계)은 모든 간호 상황과 관련되어 있다"(King, 1981, p. 128)고 확신하였다. 킹(1981)은 이후 "목표달성을 이루기 위한 간호사-대상자 상호작용의 본질"을 설명하기 위하여 개념체계를 개발하고 중범위 목표달성이론을 제시하였다.

> *간호사는 상호 목표를 설정하고, 그것을 이루기 위한 방법을 모색하고 서로 동의하고자 의도적으로 대상자와 상호작용한다. 상호 목표 설정은 대상자의 우려, 문제, 건강문제에 대한 간호사의 사정, 문제에 대한 간호사와 대상자의 지각, 목표달성을 위한 간호사와 대상자 간의 정보 공유 등에 기반을 둔다*(pp. 142-143).

킹은 개념체계로부터 중범위 목표달성이론을 도출하면서, 1971년에서 1981년까지 개념체계에 관한 논리적 발전을 도모하였다. 목표달성이론은 "간호사-대상자간의 상호작용 과정 결과 획득한 성과 즉, 목표달성의 요소들을 조직화하는 것"(King, 1981, p. 143)이라고 하였다.

킹(1971)은 초기에는 다음과 같이 진술하였다.

> *... 간호사들이 자신에게 주어진 역할과 책임을 맡으려면 ... 발견된 지식을 자신의 실무에서 활용할 수 있는 방식으로 널리 확산해야 한다 ... 체계적으로 수집한 서술적 자료들은 간호 상황에서 인간 행동 연구를 위한 가설을 생성하는 단서를 제공한다*(p. 128).

킹은 1981년에 질병을 생애주기 내에서 일어나는 장애로 설명하면서 건강과 질병간의 이분법이 성립하지 않음을 주장하였다. 이와 같은 조정을 통해 킹은 사람과 환경 사이의 좀 더 개방된 체계를 제시하였다. 킹은 또한 자신의 용어를 개정하여 적응adaption 대신 조절adjustment, 인간man 대신 사람person, 인간human being, 개인individual이라는 용어를 사용하였다.

간호학계의 수용

실무

킹(1971)의 초기 논문은 오하이오주립대학교와 다른 대학교들의 간호 교육과정 개발과 실습에 적용되었다. 대부분의 간호 전문 분야에서 전문가들은 간호실무에 킹(1981)의 목표달성이론 개념을 사용해왔다. 간호사는 일차적으로 환경 내에서 개인과 집단과의 상호작용을 통해 기능하므로 실무와의 관계는 명백하다. 킹은(1984) "목표달성이론의 개념에 관한 지식을 가진 간호사들은 환자와 가족 구성원에게 일어나는 일이 무엇인지 정확하게 감지할 수 있고 상황대처를 위한 방법을 제시할 수 있다" 고 주장하였다(p. 12).

킹은 중범위 목표달성이론에 맞게 목표와 성과를 기록하기 위하여 목표심 간호기록시스템Goal Oriented Nursing Record(GONR)을 개발하였다. GONR은 환자 환경에서 효과적으로 자료를 수집하고, 문제를 확인하고, 수행하고 평가하는 방법이다. 간호사는 간호효과를 기록하기 위하여 GONR 기록법을 사용할 수 있다. "이 기록 시스템의 주요 요소는 (a) 데이터 베이스, (b) 간호진단, (c) 목표 리스트, (d) 간호 처방, (e) 점검표, (f) 경과기록, (g) 퇴원요약이다"(King,1995b, pp. 30~31).

의료 전문가들은 킹(1981)의 개념체계와 중범위 목표달성이론을 다양한 국가적, 국제적 실무 환경에서 적용해왔다(King, 2006, 2007). 의료 환경에서 적용, 또는 참고한 예를 보면, Jolly와 Winker(1995)는 간호 행정 상황에서 목표달성이론을 적용하였다. Coker와 그의 동료(1995)는 캐나다 지역사회 병원에서 간호진단에 적용하였고, Fawcett, Vaillancourt, Watson(1995)은 대형 병원에 개념체계를 적용하였다. Williams(2001)는 킹의 결과를 응급간호와 지방 간호에 적용하였다. Elberson(1989)은 킹의 개념체계를 간호행정 실무에 적용하였다. Sieloff(1995)는 사회적 체계 내의 건강에 대한 정의를 내렸다. Olsson과 Forsdahl(1996)은 노르웨이에서 신규간호사의 역할을 검증하였다. 킹(2007)은 건강 관리 기관 내에서 개념체계 적용을 명확히 했다. Abraham(2009)은 환경 건강 내 계획 교육 프로그램을 개발하였다. D'Souza, Somayaji와 Subrahmanya Nairy(2011)는 "인도 탄광 지역 여성의 생식건강 관련 삶의 질 결정요인"을 검증하였다(p. 1963).

Frey, Sieloff와 Norris(2002)는 킹의 과거, 현재, 미래 업적의 성과에 대한 개요를 제시하였다. 킹(2000)은 근거기반 간호 실무에 대하여 논의하고, 2007년에는 21세기의 목표달성이론과 교류작용 과정을 설명하였다. Khowaja(2006)는 킹의 개념체계와 목표달성이론을 임상경로clinical pathway 개발에 적용할 것을 시사하였다. Lane-Tillerson(2007)은 2050년도 간호 실무를 조망하면서 "이모진 킹(1981)의 개념체계 개념을 지속적으로 발전시켜 나가야 함의 중요성"을 강조하였다(p. 141). Killeen과 King(2007)은 국제적 의사소통을 위하여 간호정보와 간호분류 체계에 킹의 개념체계을 적용할 것을 지지하고 강조하였다. Clarke, Killeen, Messmer와 Sieloff(2009)는 간호과학에 미친 킹의 영향력을 서술하였다. Bond 등(2011)은 5년 간 출간된 킹의 목표달성이론의 적용한 논문을 분석하였다. Messmer와 Cooper(2011)는 소아 낙상 예방과 낙상 상해 위험 프로그램의 이해에 킹의 목표달성이론을 적용할 수 있음을 시사하였다.

교육

오하이오주립대학교 King과 Daubenmire(1973), 로욜라대학교 Gold, Haas, King(2000), 남플로리다대학교 Gulitz와 King(1988) 등 많은 교수들이 간호교과과정 설계에 킹의 개념을 도입하였다. 1980년에 Brown과 Lee는 킹의 개념은 "간호교육, 간호실무, 연구 가설 생성...킹의 작업들은 간호전문직에 대한 조망, 간호 지식체의 조작화, 간호를 학문으로 명확화 하는 일"(p. 468) 등을 위한 기틀 개발에 유용하다고 보고하였다. 또 다른 연구는 교육전략 개선을 위하여 킹의 개념체계를 적용하였다(Ward, 2010).

킹의 개념체계와 이론은 국제적으로도 전파되어 스웨덴의 간호교육 환경에 적용되었다(Rooke, 1995b). Bello(2000)는 포르투갈 학부생을 대상으로 연구를 수행하였다. Palmer(2006)는 간호사가 노인 환자교육에 적용할 수 있음을 확인하였다. Costa와 동료들(2007)은 위기 가족 간호모델에 적용하였다.

연구

킹의 작업은 많은 연구에 이론적 기초로 사용되었다. 몇 편의 논문은 다음에 언급하였고 나머지는 참고문헌 목록에 제시하였다.

Longford(2008)는 "간호 실무가Nurse Practitioner와 청소년의 체중감소"에 교류작용 개념을 적용하였다. Firmino, deFatmina, Cavalcant와 Celia(2010)는 개인적, 대인관계적 개념을 고

혈압 환자 대상 연구에 적용하였다. 다음은 킹(1981)의 개념체계를 적용한 연구들이다:

- Khowaja(2006) 임상경로clinical pathway 개발에 킹의 개념체계와 목표달성이론을 적용
- Frey, Ellis, Naar-King(2007) 킹의 개념체계와 다체계적 치료 간의 일치성 검증
- Taha(2009) "중증 뇌손상 상해 환아의 기질 상태 관련 영향요인" 규명을 위해 킹의 개념체계 활용
- Talbott(2009) "전문 건강관리를 받는 학생의 특성" 연구에 킹의 개념체계 활용
- George, Roach, Andrade(2011) 소비자, 외과의사, 간호사의 관점에서 본 간호 연구

연구가들은 킹의 개념체계를 이용하여 많은 중범위이론을 개발하였다(King, 1978; Sieloff & Frey, 2007). 이 이론들은 Frey의 가족, 아동과 만성질환 이론(Frey, 1995), Killeen의 전문적 간호에 대한 환자만족이론(2007), Sieloff의 조직 내 그룹 역량/임파워먼트 이론(2010, sieloff & Bulrazic, 2011; Sieloff & Dunn, 2008), Wicks의 가족건강이론(Wicks, Rice, & Tally, 2007), Doornbos(2007)의 가족건강이론, Goodwin, Kiehl, Peterson(2002)의 사전 지시적 의사결정모델 등이다. Fairfax(2007)는 뇌졸중 생존자의 삶의 질 모델을 개발하였다. Nwinee(2011)는 Nwinee 사회행동 자가간호 관리 간호사 모델을 개발에 킹의 연구를 적용하였다.

Maloni(2007)는 2형 당뇨 환자를 대상으로 인지적 상호작용 간호 중재와 건강성과를 검증하였다. Ritter(2008)는 학문적 위기에 처한 학생을 대상으로 멘토/튜터 프로그램 참여 효과를 검증하였다. Sivaramalingam(2008)은 수술환자가 본 수술실 간호사의 지각에 대한 연구를 하였다. Stevens(2009)는 구조적 임파워먼트, 의사와의 공조, 팀워크와 환자안전 문화 간의 관련성을 검증하였다. Alligood(2010)은 킹에 근거한 가족건강관리 연구 사례를 분석하였다. Bond 등(2011)은 "5년간 게재 논문에 대한 일변량 서술적 분석"을 하였다(p. 404).

미래의 발전

킹은 수년 동안 목표달성이론의 추가 검증의 필요성에 대한 신념을 지속적으로 주장해왔다. "사회서비스 전달을 일차적 사명으로 여기는 직업은 실무 향상 적용을 위한 새로운 지식 발굴을 위하여 지속적인 연구가 요구된다"(King, 1971, p. 112).

Fawcett과 Whall은 1995년에 킹의 후속 작업에 유용한 5가지 영역을 제시하였다.

1. 환경의 개념은 추가적인 정의와 명료화를 위해 유용할 것이다.
2. 킹의 질병, 건강, 안녕에 관한 견해는 추가적인 확인과 논의를 위해 유용할 것이다.

3. 킹의 개념체계와 현존하는 다른 중범위이론과의 연계는 개념체계와 특정한 중범위이론과의 일치성을 확인하는 방식으로 지속적으로 이루어져야 할 것이다.
4. 목표달성이론(King, 1981)과 킹의 개념체계 내에서 개발된 다른 중범위이론은 경험적 검증이 지속적으로 이루어져야 할 것이다(Fawcett & Whall, 1995) (e.g., Sieloff & Dunn, 2008; sieloff & Bularzik, 2011).
5. Rooke(1995b)와 같이 명시적이기 보다는 암시적인 중범위이론은 원칙적인 이론 개발에 유용할 것이다(e.g., Nwinee, 2011).

Sieloff와 Frey는 2007년에 킹의 개념체계 내에서 개발한 중범위이론의 상황을 발표하였다. Fawcett(2007)은 킹의 개념체계를 중범위이론 개발에 적용하는 것을 다시 한 번 검증하고 다음과 같이 추천하였다.

a) 킹의 개념체계에 대한 신뢰성은 "중범위이론 명제들의 경험적 검증으로부터 나온 결과에 대한 메타분석이나 다른 통합적 고찰" 등을 통해 추후에도 더 지지될 것이다(Fawcett, 2007, p. 301).
b) "개인적, 대인관계적 체계와 사회적 체계 내의 개념 간의 관계를 확인하기 위해서는 추가적인 메타이론적 연구가 요구된다"(Fawcett, 2007, p. 301).
c) 중범위이론에 대한 지속적인 경험적 검증이 필요하다.
d) 중범위이론을 검증하기 위한 새로운 연구도구가 개발되어야 할 것이다. 또한 이러한 도구가 실무에 활용 가능한지도 평가해야 할 것이다(Fawcett, 2007).

13명의 석사과정 학생(Zimmerman, 2007; Bialachowski, 2008; Ritter, 2008; Sivaramalingam, 2008; Talbert, 2008; Egbert, 2009; Weg, 2009; Boyd-Jones, 2011; Colchin, 2011; Draaistra, 2011; Karlin, 2011; Mardis, 2007; Wolf, 2011)과 15명의 박사과정 학생(Jewell, 2007; Maloni, 2007; Crump, 2008; Woo, 2008; Bularzik, 2009; Davidson, 2009; Esquibel, 2009; Stevens, 2009; Taha, 2009; Aboshaiqah, 2010; Smithgall, 2010; Talbott, 2010; Jones-Zeigler, 2011; Lewis, 2011; Reck, 2011)들은 그들의 연구에 킹의 개념체계와 목표달성이론을 지속적으로 사용하고 있다.

비평

명료성

킹의 개념체계와 목표달성이론의 주요 강점은 간호사들이 이해하기 쉽게 고안되었다는 점이다. 개념을 구체적으로 정의 내리고 도해를 제시했다.

간결성

킹의 정의는 명확하고 문헌에서 개념적으로 추출한 것이다. 킹(1978)의 목표달성이론은 10가지 주요 개념을 포함하고, 개념들은 쉽게 이해할 수 있으며 문헌에서 파생되었다.

일반성

킹(1981)의 목표달성이론은 환자가 간호사와 상호작용을 하기에 부족한 간호 상황에서 적용하기에는 제한이 있다는 비판을 받아 왔다. 킹은 대부분의 간호 상황에서 그의 이론을 널리 사용할 수 있도록 하였다. 킹의 관점을 옹호하여 건강관리 전문가들은 당뇨 환자(Maloni, 2007)와 수술 환자(Sivaramalingam, 2008; Bruns, Norwood, Bosworth, & Hill, 2009)를 대상으로 목표달성이론을 적용하였다. Kameoka, Funashima와 Sugimori(2007)는 이론의 명제를 검증하고 "목표달성 수준과 환자와의 상호작용에 대한 만족도가 모두 높은 간호사의 특성"을 탐색하였다. Abraham(2009)은 목표달성이론을 산업장 내 연구에 적용하였다. Langford(2008)는 체중 문제가 있는 여성 대상 연구에 이론을 적용하였다. Alligood(2010)는 가족 연구에 이론을 적용하였다. Smithgall(2010)은 1인실과 신생아중환자실 개방병실을 비교하여 모성 스트레스 지각과 신생아 환자의 성과 간의 관계를 검증하였다.

접근성

킹은 목표달성을 유도하는 간호사–환자 상호작용에 관한 경험적 자료를 수집하였다. 교류작용의 특성과 간호사가 환자와 교류작용을 하는지 확인하기 위하여 서술적 연구를 수행하였다. 17명의 환자로 이루어진 표본에서 12명(70%)이 목표를 달성하였다. 킹(1981)은 간호학생에게 목표달성이론의 교류작용 과정을 가르쳐 실무에 적용하게 하면, 목표달성은 측정 가능하고 간호 효과의 근거를 입증할 수 있을 것이라 생각하였다.

목표달성이론은 Jewell(2007)의 박사논문 "호흡곤란 비만여성이 느끼는 신체적 감각과 그것이 기능에 미치는 영향", Sivaramalingam(2008)의 "간호사 역할과 책임에 대한 수술 환자의 인식" 연구, Alligood(2010)의 가족 건강관리 관련 사례 연구자 보고, Karlin(2011)의 산전 간호사의 목표달성이론에 대한 관점 연구 등의 지침이 되었다.

중요성

킹(1981)의 중범위 목표달성이론은 사정, 계획, 수행, 평가를 포함하는 간호과정의 모든 측면에 초점을 두고 있다. 다수의 문헌에서 킹의 연구가 간호 학문 지식 정립을 위하여 매우 중요한 연구임을 인정하고 있다.

미국, 카나다 뿐 아니라 아시아(Chugh, 2005; Li, Li, & Xu, 2010), 호주(Khowaja, 2006), 브라질(Marziale & de Jesus, 2008), 중국(Cheng, 2006), 인도(Abraham, 2009; George, Roach, & Andrade, 2011), 일본(Kameoka, Funashima, & Sugimori, 2007), 포르투갈(Chaves & de Araujo, 2006; Costa, Santos, Martinho, et al., 2007; Firmino, de Fatima, Cavalcante & Celia, 2010), 슬로베니아(Harih & Pajnkihar, 2009), 스웨덴(Rooke, 1995a, 1995b), 서아프리카(Nwinee, 2011) 등의 세계 각국의 건강관리 전문가들이 이론에 근거한 실무를 실현하기 위해서 킹의 개념체계와 중범위 목표달성이론을 적용했고 지속적으로 적용하고 있다. 킹의 연구는 다양한 수준의 교육에서 교과과정 개발을 위한 구조화된 기틀을 제공하였다.

요약

이모진 킹은 개념체계와 중범위 목표달성이론의 계발을 통해서 간호지식 발전에 기여하였다. 간호사-환자 간의 동반관계에 의한 목표달성이나 성과에 초점을 둠으로써 킹은 간호사들에게 유용한 개념체계와 중범위이론을 제공하였다. 다양한 간호환경에서 각기 다른 배경을 가진 환자를 대상으로 근무하는 간호사들은 간호의 질을 향상시키기 위하여 지속적으로 킹의 업적을 이용하고 있다.

사례연구

Colin Jennings 간호사는 근무 시작과 함께 환자 배정을 받아 첫 번째 라운딩을 하였다. 이전 근무조 간호사에게 보고받은 대로 Amed Kyzeel은 감당하기 힘든 환자였고 근무시간 내내 일에 대한 요구가 많았다.

Mr. Jennings는 Mr. Kyzeel에게 좀 더 많은 시간을 할애하여 사정하기 위하여 환자 라운딩시 Mr. Kyzeel을 마지막으로 하기로 결정하였다. Mr. Kyzeel의 방에 들어가면서 Mr. Jennings는 어떠냐고 물었다. Mr. Kyzeel은 대부분의 간호사들이 대수롭지 않게 여길 수 있는 여러 가지 걱정을 호소하였다. Mr. Jennings는 Mr. Kyzeel의 지각이 특이하고 의미

있다고 생각되어 몇 분을 할애해서 그냥 들어 주기만 하였다.

그는 Mr. Kyzeel이 오늘 퇴원 예정임을 알기 대문에 환자데게 퇴원에 대해 알고있는 내용과 계획을 물었다. Mr. Kyzeel은 집에 가서 처음 24시간 동안 일어날 상황을 알지 못하기 때문에 퇴원하는 것이 걱정된다고 하였다. Mr. Jennings는 티원에 대해 환자와 얘기하고 병원에 있을 때와 집에 돌아가서 어떤 목표를 가지고 있는지 둗었다. Mr. Kyzeel은 병원에서 하고자 하는 2~3가지 목표를 확인하였고, 집에 가서 최소 하룻밤 동안 함께 있을 사람을 구하고 싶다고 하였다.

Mr.Jennings와 Mr.Kyzeel은 확인한 목표 중 어떤 것이 가장 중요하고 어떤 순서로 목표를 달성하기를 원하는지 확인하였다. 그 다음에 Mr.Jennings와 Mr.Kyzeel은 목표를 달성하기 위하여 환자와 간호사가 해야 할 행동들을 규명하였다. 병원을 떠나기 전에 Mr.Jennings와 Mr.Kyzeel은 목표, 우선순위, 그리고 그것을 달성하기 위한 특정 행동에 대하여 서로 동의하였다.

정해놓은 시간이 지난 후에 Mr. Jennings와 Mr. Kyzeel이 목표달성에 대하여 평가하기로 하고 Mr. Jennings는 병실을 떠났고 Mr. Kyzeel은 해야 할 활동을 시작하였다.

비판적 사고

1. 최근에 당신이 환자와 함께 나눈 상호작용을 분석하시오. 교류작용을 달성했나요? 달성했다면 어떻게 성공하였는지, 그렇지 않다면 왜 그런 결과가 나왔는지 분석해 보시오.

2. 당신이 재직하는 기관은 간호 제공 시에 환자 참여를 권장하는 철학을 가지고 있는지요? 그렇다면 공동의 목표 설정을 하고 있는지요?

3. 환자가 그들의 간호에 적극적으로 참여해야 하는 것이 왜, 그리고 어떻게 중요한지 킹의 목표달성이론을 적용하여 설명하시오.

4. 당신이 속한 건강관리 기관에서 환자간호를 제공하는 간호사와 간호행정가 간의 목표설정 과정을 분석하시오.

POINTS FOR FURTHER STUDY

Publications

- King, I. (2007). King's structure, process, and outcomes in the 21st century. In C. L. Sieloff, & M. A. Frey (Eds.), *Middle range theory development using King's conceptual system* (pp. 3–11). New York: Springer.
- King, I. M. (1988). Measuring health goal attainment in patients. In C. F. Waltz & O. L. Strickland, *Measurement of Nursing Outcomes: Volume One: Measuring Client Outcomes.* New York: Springer, pp. 108 –127.
- King, I. M. (2006). A system approach in nursing administration: Structure, process, and outcome. *JONA 30*(2), 100–104.
- King, I. M. (2007). King's conceptual system, theory of goal attainment, and transaction process in the 21st century. *Nursing Science Quarterly 20*(2), 109–116.
- King, I. M.,(2003).Assessment of functional abilities and goal attainment scales: A criterion-referenced measure. In O. L. Strickland & C. Dilorio (Eds.), *Measurement of Nursing Outcomes: Volume 2: Client Outcomes and Quality of Care (*2nd ed., pp. 3–20). New York: Springer.
- Sieloff, C. L., & Frey, M. A. (Eds.). (2007). *Middle range theory development using King's conceptual system.* New York: Springer.

Websites

- Imogene King at: http://nursing-theory.org/nursing-theorists/Imogene-King.php.
- Imogene King's Theory of Goal Attainment at: http://currentnursing.com/nursing_theory/goal_attainment_theory.html.
- Reflections on Nursing Leadership at: http://www.reflectionsonnursingleadership.org/Pages/Vol34_1_Messmer_Palmer.aspx

Videos

- *Imogene King* (Portuguese) at: http://www.youtube.com/watch?v=twOJ8y8I9j0&feature=related.
- *Imogene King* (Spanish) at: http://www.youtube.com/watch?v=X5qrvhQ9kQQ&feature=related.
- *Interview of Imogene King* at: http://www.youtube.com/watch?v=1sZPaj-RioE&feature=related.
- *King International Nursing Group* at: www.king-nursing.org.
- *Nurses.info* at: http://www.nurses.info/nursing_theory_person_king_imogene.htm.
- *Theory of Goal Attainment* at: http://www.youtube.com/watch?v=3FOgJHNS80o.
- *Theory of Group Empowerment within Organizations* (middle range theory) at: http://sites.google.com/site/theoryofnursinggrouppower/

REFERENCES

Aboshaiqah, A. E. (2010). *Patients safety culture: A baseline assessment of nurses' perceptions in a Saudi Arabia hospital.* (Wayne State University). ProQuest Dissertations and Theses. Retrieved from: http://digitalcommons.wayne.edu/dissertations/AAI3397818/.

Abraham, L. (2009). Planned teaching programme on environmental health. *Nursing Journal Of India, 100(6),*(2p).

Alligood, M. R. (2010). Family healthcare with King's theory of goal attainment. *Nursing Science Quarterly, 23*(2), 99–104.

Allport, F. H. (1955). *Theories of perception and the concept of structure.* New York: Wiley.

Ardrey, R. (1966). *The territorial imperative.* New York: Atheneum.

Austin, J. K., & Champion, V. L. (1983). King's theory for nursing: Explication and evaluation. In P. Chinn

(Ed.), *Advances in nursing theory development* (pp. 49–61). Rockville, (MD): Aspen.

Bello, I. T. R. (2000). Imogene King's theory as the foundation for the set of a teaching-learning process with undergraduation [sic] students [Portuguese]. *Texto & Contexto Enfermagem, 9*(2 Part 2), 646–657.

Bialachowski, E. A. (2008). *Long term care registered nurses perceived barriers and facilitators to implementing infection prevention and control best practices.* (D'Youville College). ProQuest Dissertations and Theses. Retrieved from: http://search.proquest.com/docview/304321000?accountid=28148

Bond, A.E, Eshah, N.F, Bani-Khaled, M., Hamad, A.O., Habashneh, S., Kataua', H., et al. (2011). Who uses nursing theory? A univariate descriptive analysis of five years' research articles. *Scandinavian Journal of Caring Sciences*, *25*(2), 404–409. doi: 10.1111/j.1471–6712.2010.00835.x

Boyd-Jones, E. (2011). *Practicing registered nurses perception of change of shift report.* (Gardner-Webb University). ProQuest Dissertations and Theses. Retrieved from: http://search.proquest.com/docview/895062597?accountid=28148.

Brown, S. T., & Lee, B. T. (1980). Imogene King's conceptual framework: A proposed model for continuing nursing education. *Journal of Advanced Nursing*, *5*(5), 467–473.

Bruns, A., Norwood, B., Bosworth, G., & Hill, L. (2009). The cerebral oximeter: what is the efficacy? *AANA Journal*, *77*(2), 137–144.

Bularzik, A. M. H. (2009). *Nurses' preceptions of their group goal attainment capability and professional autonomy*.Retrieved from: OCLC FirstSearch database. (Accession No.528676931).

Chaves, E. S., & de Araujo, T. L. (2006). Nursing care for an adolescent with cardiovascular risk [Portuguese]. *Ciencia*, Cuidado e Saude, *5*(1), 82–87.

Cheng, M. (2006). Using King's goal attainment theory to facilitate drug compliance in a psychiatric patient [Chinese]. *Journal of Nursing*, *53*(3), 90–97.

Chugh, D. (2005). Care analysis using goal attainment model. *Asian Journal of Cardiovascular Nursing*, *13*(2), 2–6.

Clarke, P., Killeen, M., Messmer, P., & Sieloff, C. (2009). Imogene M. King's scholars reflect on her wisdom and influence on nursing science. *Nursing Science Quarterly*, *22*(2), 128–133. Retrieved from CINAHL with Full Text database.

Clements, I. W., & Roberts, F. B. (1983). *Family health: A theoretical approach to nursing care*. New York: Wiley.

Coker, E., Fridley, T., Harris, J., Tomarchio, D., Chan, V., & Caron, C. (1995). Implementing nursing diagnoses within the context of King's conceptual framework. In M. A. Frey & C. L. Sieloff (Eds.), *Advancing King's systems framework and theory of nursing* (pp. 161–175). Thousand Oaks, (CA): Sage.

Colchin, S. A. (2011). *Timely referrals to hospice and family satisfaction* (Master's thesis).

Retrieved from OCLC FirstSearch database. (Accession No: 741849002).

Costa, M., Santos, M., Martinho, N., Barroso, M., & Vieira, N. (2007). Family at-risk situation: model of care emphasizing health education [Portuguese]. *Revista Gaucha De Enfermagem*, *28*(1), 45–51.

Crump, L. V. (2008). *Exploratory study of retention and emotional intelligence in public health: The case of the coastal health district*, GA. (Capella University). ProQuest Dissertations and Theses, n/a. Retrieved from: http://search.proquest.com/docview/304815623?accountid=28148.

Davidson, C. L. (2009). *The relationships of workforce, leadership, empowerment and role preparation to intent-to-stay in the organization among traditional and accelerated BSN graduates.* (Widener University School of Nursing). ProQuest Dissertations and Theses. Retrieved from: http://search.proquest.com/docview/305144405?accountid=28148.

Dewey, J., & Bentley, A. (1949). *Knowing and the known*. Boston: Beacon Press.

Diers, D., & Schmidt, R. (1977). Interaction analysis in nursing research. In P. Verhonick (Ed.), *Nursing research II* (pp. 77–132). Boston: Little. Brown.

Doornbos, M. M. (2007). King's conceptual system and family health theory in the families of adults with persistent mental illness—An evolving conceptualization. In C. L. Sieloff & M. A. Frey (Eds.). *Middle range theory development using King's conceptual system* (pp. 31–49). New York: Springer.

Draaistra, H. (2011). Patients' perceptions of their roles in goal setting in a spinal cord injury regional rehabilitation program. (York University; Canada). ProQuest Dissertations and Theses. Retrieved from:

http://search.proquest.com/docview/900732462?accountid=28148.

D'Souza, M. S., Somayaji, G., Subrahmanya Nairy, K. (2011). Determinants of reproductive health and related quality of life among Indian women in mining communities. *Journal of Advanced Nursing*, *67*(9), 1963–1975. doi: 10.1111/j.1365–2648.2011.05641.x.

Egbert, A. J. (2009). *Parent/guardian perception of nursing uniforms*. (Northern Kentucky University). ProQuest Dissertations and Theses. Retrieved from: http://search.proquest.com/docview/305156213?accountid=28148.

Elberson, K. (1989). Applying King's model to nursing administration. In Henry, B., DiVicenti, M., Arndt, C., & Marriner, A. (Eds.), *Dimensions of nursing administration: Theory, research, education and practice* (pp. 47–53). Boston: Blackwell Scientific.

Esquibel, K. S. (2009). *Registered nurses perceptions of working with chemically impaired registered nurse colleagues*. (Capella University). ProQuest Dissertations and Theses. Retrieved from: http://search.proquest.com/docview/305165644?accountid=28148.

Fairfax, J. (2007). Development of a middle range theory of quality of life of stroke survivors derived from King's conceptual system. In C. L. Sieloff & M. A. Frey (Eds.), *Middle range theory development using King's conceptual system* (pp. 124–137). New York: Springer.

Fawcett, J. (2007). Development of middle range theories based on King's conceptual system: A commentary on progress and future directions. In C. L. Sieloff & M. A. Frey (Eds.), *Middle range theory development using King's conceptual system* (pp. 297–307). New York: Springer.

Fawcett, J. M., Vaillancourt, V. M., & Watson, C. A. (1995). Integration of King's framework into nursing practice. In M. A. Frey & C. L. Sieloff (Eds.), *Advancing King's systems framework and theory of nursing* (pp. 176–191). Thousand Oaks, CA: Sage.

Fawcett, J. M., & Whall, A. L. (1995). State of the science and future directions. In M. A. Frey & C. L. Sieloff (Eds.), *Advancing King's systems framework and theory of nursing* (pp. 327–334). Thousand Oaks, CA: Sage.

Firmino, de Fatima, L., Cavalcante, & Celia. (2010). Perceptions of people about hypertension and concepts of Imogene King [Portuguese]. *Revista Gaucha De Enfermagem*, *31*(3), 499–507. doi:10.1590/S1983–1447201000030001.

Frey, M. A. (1995). Toward a theory of families, children, and chronic illness. In M. A. Frey & C. L. Sieloff (Eds.), *Advancing King's systems framework and theory of nursing* (pp. 109–125). Thousand Oaks, (CA): Sage.

Frey, M. A., Ellis, D. A., & Naar-King, S. (2007). Testing nursing theory with intervention research: The congruency between King's conceptual system and multisystemic therapy. In C. L. Sieloff & M. A. Frey (Eds.). *Middle range theory development using King's conceptual system* (pp. 273–286). New York: Springer.

Frey, M. A., & Sieloff, C. L. (Eds.). (1995). *Advancing King's framework and theory for nursing*. Thousand Oaks, CA: Sage.

Frey, M. A., Sieloff, C. L., & Norris, D. M. (2002). King's conceptual system and theory of goal attainment: Past, present, and future. *Nursing Science Quarterly*, *15*(2), 107–112.

George, A., Roach, E. J., & Andrade, M. (2011). Nursing education: opportunities and challenges. *Nursing Journal Of India*, *102*(6), 136–139.

Gold, C., Haas, S., & King, I. (2000). Conceptual frameworks: Putting the nursing focus into core curricula. *Nurse Educator*, *25*(2), 95–98.

Goodwin, Z., Kiehl, E. M., & Peterson, J. Z. (2002). King's theory as foundation for an advance directive decision-making model. *Nursing Science Quarterly*, *15*(3), 237–241.

Gulitz, E., & King, I. (1988). King's general system model: Application to curriculum development. *Nursing Science Quarterly 3*(2), 128–132.

Harih, M., & Pajnkihar, M. (2009). Application of Imogene M. King's nursing model in the treatment of elderly diabetes patients. *Slovenian Nursing Review*, *43*(3), 201–208.

Houser, B. P., & Player, K. N. (2007). Imogene King. In *Pivotal Moments in Nursing* (Vol. 2). Sigma Theta Tau International. Indianapolis, (IN), 106–131.

Ittleson, W., & Cantril, H. (1954). *Perception: A transactional approach*. Garden City, (NY): Doubleday.

Jersild, A. T. (1952). *In search of self*. New York: Teachers College Press.

Jewell, D. A. (2007). *Perceptions of dyspnea, physical activity, and functional status in obese women.* (University of Missouri—Saint Louis). ProQuest Dissertations and Theses. Retrieved from: http://search.proquest.com/docview/304762313?accountid=28148.

Jolly, M. L., & Winker, C. K. (1995). Theory of goal attainment in the context of organizational structure. In M. A. Frey & C. L. Sieloff (Eds.), *Advancing King's systems framework and theory of nursing* (pp. 305–316). Thousand Oaks, (CA): Sage.

Jones-Zeigler, C. (2011). *Computerization in practice: The lived experience of experienced nurses*. (Capella University). ProQuest Dissertations and Theses. Retrieved from: http://search.proquest.com/docview/908437918?accountid=28148

Kameoka, T., Funashima, N., & Sugimori, M. (2007). If goals are attained, satisfaction will occur in nurse-patient interaction: An empirical test. In C. L. Sieloff & M. A. Frey (Eds.). *Middle range theory development using King's conceptual system* (pp. 261–272). New York: Springer.

Karlin, J. L. (2011). *King's theory of goal attainment: The intrapartum nurse's perspective*. (Master's clinical paper). Retrieved from OCLC FirstSearch database. (Accession No.745472545).

Kelley, K. J., & Hammond, K. R. (1964). An approach to the study of clinical inference. *Nursing Research*, *13*(4), 314–322.

Khowaja, D. (2006). Utilization of King's interacting systems framework and theory of goal attainment with new multidisciplinary model: Clinical pathway. *Australian Journal of Advanced Nursing*, *24*(2), 44–50.

Killeen, M. B. (1996). *Patient-consumer perceptions and responses to professional nursing care: Instrument development*. Unpublished doctoral dissertation, Wayne State University, Detroit.

Killeen, M. B. (2007). Development and initial testing of a theory of patient satisfaction with nursing care. In C. L. Sieloff & M. A. Frey (Eds.). *Middle range theory development using King's conceptual system* (pp. 138–163). New York: Springer.

Killeen, M. B., & King, I. M. (2007). Use of King's conceptual system, nursing informatics, and nursing classification systems for global communication. *International Journal of Nursing Terminologies and Classifications*, *18*(2), 51–57.

King, I. M. (1968). A conceptual frame of reference for nursing. *Nursing Research*, *17*(1), 27–31.

King, I. M. (1971). *Toward a theory for nursing: General concepts of human behavior*. New York: Wiley.

King, I. M. (1975a). A process for developing concepts for nursing through research. In P. Verhonick (Ed.), *Nursing research.* Boston: Little, Brown.

King, I. M. (1975b). Patient aspects. In L. J. Schumann, R. D. Spears, Jr., & J. P. Young (Eds.), *Operations research in health care: A critical analysis.* Baltimore: Johns Hopkins University.

King, I. M. (1977). Knowledge development in nursing: A process. In I. M. King, & J. Fawcett (Eds.). *The language of nursing theory and metatheory.* (pp. 19–25). Indianapolis: Sigma Theta Tau International.

King, I. M. (Speaker). (1978). *Speech presented at 2nd Annual Nurse Educators' Conference*. Chicago: Teach 'Em.

King, I. M. (1981). *A theory for nursing: Systems, concepts, process.* New York: Wiley.

King, I. M. (1984). Effectiveness of nursing care: Use of a goal oriented nursing record in end stage renal disease. *American Association of Nephrology Nurses and Technicians Journal*, *11*(2), 11–17, 60.

King, I. M. (1986). *Curriculum and instruction in nursing: Concepts and process*. Norwalk, CT: Appleton-Century-Crofts.

King, I. M. (1988). Measuring health goal attainment in patients. In C. F. Waltz & O. L. Strickland (Eds.), *Measurement of nursing outcomes Volume one: Measuring client outcomes* (pp. 109–127). New York: Springer.

King, I. M. (1995a). A systems framework for nursing. In M. A. Frey & C. L. Sieloff (Eds.), *Advancing King's systems framework and theory of nursing* (pp. 14–22). Thousand Oaks, (CA): Sage.

King, I. M. (1995b). The theory of goal attainment. In M. A. Frey & C. L. Sieloff (Eds.), *Advancing King's systems framework and theory of nursing* (pp. 23–32). Thousand Oaks, (CA): Sage.

King, I. M. (2000). Evidence-based nursing practice. *Theoria: Journal of Nursing Theory*, *9*(2), 4–9.

King, I. M. (2003).Assessment of functional abilities

and goal attainment scales: A criterion- reference measure. In O. L. Strickland & C. Dilorio (Eds.), *Measurement of nursing outcomes: Client outcomes and quality of care* (2nd ed., pp. 3–20). New York: Springer.

King, I. M. (2006). A system approach in nursing administration: structure, process and outcome. *JONA*, *30*(2), 100–104.

King, I. M. (2007). King's conceptual system, theory of goal attainment, and transaction process in the 21st century. *Nursing Science Quarterly*, *20*(2), 109–116.

King, I., & Daubenmire, J. (1973). Nursing process models: A systems approach. *Nursing Outlook*, *13*(19), 50–51.

Krieger, D. (1975). Therapeutic touch: The imprimatur of nursing. *American Journal of Nursing*, *75*(5), 784–787.

Kuhn, A. (1975). *Unified social science*. Homewood, (IL): Dorsey.

Lane-Tillerson, C. (2007). Imaging practice in 2050. King's conceptual framework. *Nursing Science Quarterly*, *20*(2), 140–143.

Lane-Tillerson, C., Davis, B. L., Killion, C. M., & Baker, S. (2005). Evaluating nursing outcomes: A mixed-methods approach. *Journal of National Black Nurses Association*, *16*(2), 20–26.

Langford, R. (2008). Perceptions of transactions with nurse practitioners and weight loss in obese adolescents. *Southern Online Journal of Nursing Research, 8*(2). (1p)

Lewis, K. L. (2011). *Effective nurse leader characteristics: Recommendations for leadership success of the DNP*. (North Dakota State University). ProQuest Dissertations and Theses. Retrieved from: http://search.proquest.com/docview/871227271?accountid=28148.

Li, H., Li, C., & Xu, C. (2010). Review of the development of the concept of holistic nursing. *Zhonghua Yi Shi Za Zhi*, *40*(1), 33–37.

Maloni, H. W. (2007). *An intervention to effect hypertension, glycemic control, diabetes self- management, self-efficacy, and satisfaction with care in type 2 diabetic VA health care users with inadequate functional health literacy skills.* (The Catholic University of America). ProQuest Dissertations and Theses. Retrieved from: http://search.proquest.com/docview/304885625?accountid=28148.

Mardis, S. (2007). *Patients' perceptions of minimal lift equipment*. (Northern Kentucky University). Retrieved from Dissertations & Theses: Full Text. (Publication No. AAT1475132).

Marziale, M., & de Jesus, L. (2008). Explanative and intervention models in workers' health promotion. *Acta Paulista De Enfermagem*, *21*(4), 654–659.

Messmer, P. R. (1995). Implementation of theory-based nursing practice. In M. A. Frey & C. L. Sieloff (Eds.), *Advancing King's systems framework and theory of nursing* (pp. 294–304). Thousand Oaks, (CA): Sage.

Messmer, P. R. (2000). Imogene M. King. In V. L. Bullough & L. Sentz (Eds.), *American nursing: A biographical dictionary* (Vol. 3; pp. 164–166). New York: Springer.

Messmer, P. R. (2007). Tribute to the Theorists: Imogene M. King Over the Years. *Nursing Science Quarterly*, *20*(3),198.

Messmer, P. R., & Cooper, C. (2011).*Symposium: Pediatric falls based on King's theory of goal attainment.*King's Theory Conference, Bozeman, Montana, April 7–8,2011.

Messmer, P. R., & Fawcett, J. (2008). In memoriam: Imogene M. King 1923–2007. *Nursing Science Quarterly*, *21*(2), 102–103.

Messmer, P (2008). Worldview 2008. A global nursing perspective: In honor of Imogene M. King. *Reflections,* 1st quarter.

Minckley, B. B. (1968). Space and place in patient care. *American Journal of Nursing*, *68*(3), 510–516.

Nwinee, J. (2011). Nwinee Socio-Behavioural Self-Care Management Nursing Model. *West African Journal of Nursing*, *22*(1), 91–98.

Olsson, H., & Forsdahl, T. (1996). Expectations and opportunities of newly employed nurses at the University Hospital, Tromso, Norway. *Social Sciences in Health: International Journal of Research and Practice*, *2*(1), 14–22.

Orlando, I. J. (1961). *The dynamic nurse-patient relationship: Functions*, process, principles. New York: Putnam.

Orme, J. E. (1969). *Time*, experience and behavior. New York: American Elsevier.

Palmer, J. A. (2006). Nursing implications for older adult patient education. *Plastic Surgical Nursing, 26*(4), 189–194.

Paterson, J., & Zderad, L. (1976). *Humanistic nursing*. New York: Wiley.

Peplau, H. E. (1952). *Interpersonal relations in nursing*. New York: Putnam.

Reck, D. (2011). *Patients' expectations and satisfaction with nursing care, and their nurses' awareness of their expectations.* (The Pennsylvania State University). Retrieved from Dissertations & Theses: Full Text. (Publication No. AAT3436184).

Ritter, K. W. (2008). *The benefits of a peer-based mentor/tutor program for undergraduate students in a four-year traditional baccalaureate in nursing program.* (Northern Kentucky University). ProQuest Dissertations and Theses. Retrieved from: http://search.proquest.com/docview/304829420?accountid=28148.

Rooke, L. (1995a). The concept of space in King's systems framework: Its implications for nursing. In M. A. Frey & C. L. Sieloff (Eds.), *Advancing King's systems framework and theory of nursing* (pp. 79–96). Thousand Oaks, (CA): Sage.

Rooke, L. (1995b). Focusing on King's theory and systems framework in education by using an experiential learning model: A challenge to improve the quality of nursing care. In M. A. Frey & C. L. Sieloff (Eds.), *Advancing King's systems framework and theory of nursing* (pp. 278–293). Thousand Oaks, CA: Sage.

Sieloff, C. L. (1995). Development of a theory of departmental power. In M. A. Frey & C. L. Sieloff (Eds.), *Advancing King's systems framework and theory of nursing* (pp. 46–65). Thousand Oaks, CA: Sage.

Sieloff, C. L. (1996). *Development of an instrument to estimate the actualized power of a nursing department*. Unpublished doctoral dissertation, Wayne State University, Detroit.

Sieloff, C. L. (2003). Measuring nursing power within organizations. *Journal of Nursing Scholarship, 35*(2), 183–187.

Sieloff, C. L. (2007). The theory of group power within organizations—Evolving conceptualization within King's conceptual system. In C. L. Sieloff & M. A. Frey (Eds.). *Middle range theory development using King's conceptual system* (pp. 196–214). New York: Springer.

Sieloff, C. L. (2010). Improving the work environment through the use of research instruments: An example. *Nursing Administration Quarterly, 34*(1), 56–60.

Sieloff, C. L., & Bularzik, A. M. (2011). Group power through the lens of the 21st century and beyond: further validation of the Sieloff-King Assessment of Group Power within Organizations. *Journal of Nursing Management, 19*(8), 1020–1027. doi:10.1111/j.1365-2834.2011.01314.x.

Sieloff, C., & Dunn, K. (2008). Factor validation of an instrument measuring group power. *Journal of Nursing Measurement, 16*(2), 113–124. Retrieved from CINAHL with Full Textdatabase.

Sieloff, C. L., & Frey, M. (2007). *Middle range theories for nursing practice using King's conceptual system*. New York: Springer.

Sivaramalingam, S. (2008). *Surgical patients perceptions of nurses roles and responsibilities*. (D'Youville College). ProQuest Dissertations and Theses. Retrieved from: http://search.proquest.com/docview/304324687?accountid=28148.

Smithgall, L. M. (2010). *Perceptions of maternal stress and neonatal patient outcomes in a single private room versus open room neonatal intensive care unit environment*. (East Tennessee State University). ProQuest Dissertations and Theses. Retrieved from: http://search.proquest.com/docview/848429604?accountid=28148.

Sommer, R. (1969). *Personal space*. Englewood Cliffs, (NJ): Prentice-Hall.

Stevens, D. A (2009). *The impact of empowerment, collaboration, and teamwork on patient safety culture in the perioperative setting*. (Azusa Pacific University) ProQuest Dissertations and Theses. Retrieved from: http://search.proquest.com/docview/276316405?accountid=28148.

Taha, A. (2009). Factors relating to disposition status in children with severe traumatic brain injury. *Communicating Nursing Research, 42*, 417.

Talbert, M. L. (2008). *Public awareness and perception of the nurse anesthesia profession*. (Mountain State University). ProQuest Dissertations and Theses. Retrieved from: http://search.proquest.com/docview/230541570?accountid=28148.

Talbott, S. Z. (2010). *Perceptions of health-related quality of life, teasing, and school connectedness in students with disabilities.* (Azusa Pacific University). ProQuest Dissertations and Theses. Retrieved from: http://search.proquest.com/docview/814800562?accountid=28148.

Talbott, S. Z. (2009). Characteristics of students requiring specialized physical health care services. *Communicating Nursing Research,* 418.

Ward, D. (2010). Infection control in clinical placements: experiences of nursing and midwifery students. *Journal of Advanced Nursing*, *66*(7), 1533–1542. doi:10.1111/j.1365-2648.2010.05332.x.

Watzlawick, P., Beavin, J. W., & Jackson, D. D. (1967). *Pragmatics of human communication*. New York: Norton.

Weg, J. (2009). *The effects of mutual goal setting on patient satisfaction among adult patients at a rural community hospital*. (South Dakota State University). ProQuest Dissertations and Theses Retrieved from: http://search.proquest.com/docview/739060528?accountid=28148.

Whiting, J. F. (1955). Q-sort technique for evaluating perceptions of interpersonal relationship. *Nursing Research*, *4*, 71–73.

Wicks, M. N. (1995). Family health as derived from King's framework. In M. A. Frey & C. L. Sieloff (Eds.), *Advancing King's systems framework and theory of nursing* (pp. 97–108). Thousand Oaks, (CA): Sage.

Wicks, M. N., Rice, M. C., & Talley, C. H. (2007). Further exploration of family health within the context of chronic obstructive pulmonary disease. In C. L. Sieloff & M. A. Frey (Eds.), *Middle range theory development using King's conceptual system* (pp. 215–236). New York: Springer.

Williams, L. A. (2001). Imogene King's interacting systems theory—Application in emergency and rural nursing. *Online Journal of Rural Nursing and Health Care, 2*(1). Retrieved from CINAHL.

Wolf, C. (2011). *Reasons why critical care telemetry nurses do not utilize the recommendation stage of SBAR with cardiologists*. (Northern Kentucky University). ProQuest Dissertations and Theses Retrieved from: http://search.proquest.com/docview/873812311?accountid=28148

Woo, T. M. (2008). *Weight bias in pediatric healthcare providers: An exploratory study using photo elicitation with focus groups*. (University of Colorado Health Sciences Center). ProQuest Dissertations and Theses. Retrieved from: http://search.proquest.com/docview/304341650?accountid=28148.

Yura, H., & Walsh, M. (1978). *The nursing process*. New York: Appleton-Century-Crofts.

Zimmerman, B. I. (2007). *Comparing functional and team nursing models of care delivery on patient outcomes*.(Mountain State University). ProQuest Dissertations and Theses. Retrieved from: http://search.proquest.com/docview/194014958?accountid=28148.

BIBLIOGRAPHY

Additional Primary Sources

Books

Fawcett, J., & King, I. (Eds.). (1997). *The language of nursing theory and metatheory*. Indianapolis: Sigma Theta Tau International.

King, I. M. (1964). Nursing theory: Problems and prospects. *Nursing Science*, *1*(3), 394–403.

King, I. M. (1976). *Toward a theory of nursing: General concepts of human behavior* (Sugimori, M., Trans.). Tokyo: Igaku-Shoin.

King, I. M. (1985). *A theory for nursing: Systems*, concepts, process (Sugimori, M., Trans.). Tokyo: Igaku-Shoin.

King, I. M., & Fawcett, J. (1997). *The language of nursing theory and metatheory*. Indianapolis: Sigma Theta Tau International.

Additional Book Chapters

King, I. M. (2007). King's structure, process and outcomes in the 21st century. In C. L. Sieloff & M. A. Frey (Eds.). *Middle range theory development using*

King's conceptual system (pp. 12–28). New York: Springer.

Journal Articles

Daubenmire, M. J., & King, I. M. (1973). Nursing process models: A systems approach. *Nursing Outlook, 21*(8), 512–517.

King, I. M. (1964). Nursing theory—Problems and prospect. *Nursing Science, 2*(5), 394–403.

King, I. M. (1970). A conceptual frame of reference for nursing. *Japanese Journal of Nursing Research, 3*, 199–204.

King, I. M. (1987). Translating nursing research into practice. *Journal of Neuroscience Nursing, 19*(1), 44–48.

King, I. M. (1990). Health as the goal for nursing. *Nursing Science Quarterly, 3*(3), 123–128.

King, I. M. (1992). King's theory of goal attainment. *Nursing Science Quarterly, 5*(1), 19–26.

King, I. M. (1994). Quality of life and goal attainment. *Nursing Science Quarterly, 7*(1), 29–32.

King, I. M. (1996). The theory of goal attainment in research and practice. *Nursing Science Quarterly, 9*(2), 61–66.

King, I. M. (1997). King's theory of goal attainment in practice. *Nursing Science Quarterly, 70*(4), 180–185.

King, I. M. (1997). Reflections on the past and a vision for the future. *Nursing Science Quarterly, 10*(1), 15–17.

King, I. M. (1998). Nursing informatics: A universal nursing language. *Florida Nurse*, 46(1), 1–3, 5, 9.

King, I. M. (1998). The Bioethics Focus Group Report. *Florida Nurse, 46*(8), 24.

King, I. M. (1999). A theory of goal attainment: Philosophical and ethical implications. *Nursing Science Quarterly, 12*(4), 292–296.

King, I. M. (2000). Evidence-based nursing practice. *Theoria: Journal of Nursing Theory, 9*(2), 4–9.

Quigley, P., Janzen, S. K., King, I, M., & Goucher, E. (1999). Nurse staffing patient outcomes from one acute care setting within the Department of Veteran's Affairs. *Florida Nurse, 47*(2), 34.

Secondary Sources

Books

Chinn, P. L., & Kramer, M. K. (1995). *Theory and nursing: A systematic approach* (3rd ed.). St. Louis: Mosby.

Fitzpatrick, J. J., & Whall, A. L. (1995). *Conceptual models of nursing: Analysis and application.*Bowie, MD: Robert J. Brady.

George, J. B. (1995). *Nursing theories: The base for professional nursing practice*. Englewood Cliffs, NJ: Prentice-Hall.

Polit, D., & Hungler, B. (1995). *Nursing research: Principles and methods* (5th ed.). Philadelphia: Lippincott.

Walker, L. O., & Avant, K. C. (1995). *Strategies for theory construction in nursing*. Norwalk, CT: Appleton-Century-Crofts.

Book Chapters

Alligood, M. R. (1995). Theory of goal attainment: Application to adult orthopedic nursing. In M. A. Frey & C. L. Sieloff (Eds.), *Advancing King's systems framework and theory of nursing* (pp. 209–222). Thousand Oaks, (CA): Sage.

Alligood, M. R. (2007). Rethinking empathy in nursing education: Shifting to a developmental view. In C. L. Sieloff & M. A. Frey (Eds.). *Middle range theory development using King's conceptual system* (pp. 287–296). New York: Springer.

Alligood, M. R., Evans, G. W., & Wilt, D. L. (1995). King's interacting system and empathy. In M. A. Frey & C. L. Sieloff (Eds.), *Advancing King's systems framework and theory of nursing* (pp. 66–78). Thousand Oaks, (CA): Sage.

Benedict, M., & Frey, M. A. (1995). Theory-based practice in the emergency department. In M. A. Frey & C. L. Sieloff (Eds.), *Advancing King's systems framework and theory of nursing* (pp. 317–324). Thousand Oaks, (CA): Sage.

Doornbos, M. M. (1995). Using King's systems framework to explore family health in the families of the young chronically mentally ill. In M. A. Frey & C. L. Sieloff (Eds.), *Advancing King's systems framework and theory of nursing* (pp. 192–205). Thousand Oaks, (CA): Sage.

duMont, P. (2007). A theory of asynchronous development: A midlevel theory derived from a synthesis of King and Peplau. In C. L. Sieloff & M. A. Frey (Eds.). *Middle range theory development using King's conceptual system* (pp. 50–74). New York: Springer.

Ehrenberger, H. E., Alligood, M. R., Thomas, S. P., Wallace, D. C., & Licavoli, C. M. (2007). Testing a theory of decision making derived from King's systems framework in women eligible for a cancer clinical trial. In C. L. Sieloff & M. A. Frey (Eds.). *Middle range theory development using King's conceptual system* (pp. 75–91). New York: Springer.

Fawcett, J. (1995). King's open systems model. In *Analysis and evaluation of conceptual models of nursing* (3rd ed., pp. 109–163). Philadelphia: F. A. Davis.

Frey, M. A. (1995). From conceptual framework to nursing knowledge. In M. A. Frey & C. L. Sieloff (Eds.), *Advancing King's system framework and theory of nursing* (pp. 3–13). Thousand Oaks, (CA): Sage.

Frey, M. A., & Norris, D. (1997). King's systems framework and theory in nursing practice. In M. R. Alligood & A. Marriner Tomey (Eds.), *Nursing theory: Utilization & application* (pp. 71–88). St. Louis: Mosby.

Froman, D. (1995). Perceptual congruency between clients and nurses: Testing King's theory of goal attainment. In M. A. Frey & C. L. Sieloff (Eds.), *Advancing King's systems framework and theory of nursing* (pp. 223–238). Thousand Oaks, (CA): Sage.

Hanna, K. M. (1995). Use of King's theory of goal attainment to promote adolescents' health behavior. In M. A. Frey & C. L. Sieloff (Eds.), *Advancing King's systems framework and theory of nursing* (pp. 239–250). Thousand Oaks, (CA): Sage.

Hernandez, C. A. (2007). The theory of integration: Congruency with King's conceptual system. In C. L. Sieloff & M. A. Frey (Eds.). *Middle range theory development using King's conceptual system* (pp. 105–124). New York: Springer.

Hobdell, E. F. (1995). Using King's interacting systems framework for research on parents of children with neural tube defects. In M. A. Frey & C. L. Sieloff (Eds.), *Advancing King's systems framework and theory of nursing* (pp. 126–136). Thousand Oaks, (CA): Sage.

Kameoka, T. (1995). Analyzing nurse-patient interactions in Japan. In M. A. Frey & C. L. Sieloff (Eds.), *Advancing King's systems framework and theory of nursing* (pp. 251–260). Thousand Oaks, (CA): Sage.

Killeen, M. B. (2007). Development and initial testing of a theory of patient satisfaction with nursing care. In C. L. Sieloff & M. A. Frey (Eds.), *Middle range theory development using King's conceptual system* (pp. 164–177). New York: Springer.

Laben, J. K., Sneed, L. D., & Seidel, S. L. (1995). Goal attainment in short-term group psychotherapy settings: Clinical implications for practice. In M. A. Frey & C. L. Sieloff (Eds.), *Advancing King's systems framework and theory of nursing* (pp. 261–277). Thousand Oaks, (CA): Sage.

May, B. A. (2007). Relationships among basic empathy, self-awareness, and learning styles of baccalaureate pre-nursing students within King's personal system. *Dissertation Abstracts International, 61–06b,* 2991.

Reed, J. E. F. (2007). Social support and health of older adults. In C. L. Sieloff & M. A. Frey (Eds.). *Middle range theory development using King's conceptual system* (pp. 92–104). New York: Springer.

Sharts-Hopko, N. C. (1995). Using health, personal, and interpersonal system concepts within the King's systems framework to explore perceived health status during the menopause transition. In M. A. Frey & C. L. Sieloff (Eds.), *Advancing King's systems framework and theory of nursing* (pp. 147–160). Thousand Oaks, (CA): Sage.

Sharts-Hopko, N. C. (2007). A theory of health perception: Understanding the menopause transition. In C. L. Sieloff & M. A. Frey (Eds.). *Middle range theory development using King's conceptual system* (pp. 178–195). New York: Springer.

Sieloff, C. L. (1995a). Defining the health of a social system within Imogene King's framework. In M. A. Frey & C. L. Sieloff (Eds.), *Advancing King's systems framework and theory of nursing* (pp. 137–146). Thousand Oaks, CA: Sage.

Sieloff, C. L. (1995b). Imogene King: A conceptual framework for nursing. In C. Metzger McQuiston & A. Webb (Eds.), *Foundations of nursing theory: Contributions of 12 key theorists* (pp. 37–87). Thousand Oaks, (CA): Sage.

Sieloff, C. L. (1998). Imogene King: Systems framework and theory of goal attainment. In A. Marriner-

Tomey and M. R. Alligood (Eds.), *Nursing theorists and their work* (4th ed.) (pp. 300–319). St. Louis: Mosby.

Sieloff, C. L., (2002). Imogene King: Systems framework and theory of goal attainment. In A. Marriner-Tomey and M. R. Alligood (Eds.), *Nursing theorists and their work* (5th ed.) (pp. 336–360). St. Louis: Mosby.

Sieloff, C. L., (2006). Imogene King: Systems framework and theory of goal attainment. In A. Marriner-Tomey and M. R. Alligood (Eds.), *Nursing theorists and their work* (6th ed.) (pp. 336–360). St. Louis: Mosby.

Sieloff, C. L., Frey, M., & Killeen, M. (2001). Application of King's interacting systems framework. In M. Parker (Ed.), *Nursing theorists and their application in practice.* Philadelphia: F. A. Davis.

Sieloff, C. L., Frey, M., & Killeen, M. (2006). Application of King's Interacting Systems Framework. In M. Parker (Ed.), *Nursing theorists and their application in practice* (2nd ed., pp. 244–267). Philadelphia: F. A. Davis.

Whelton, B. J. B. (2007). The nursing act is an excellent human act: A philosophical analysis derived from classical philosophy and the conceptual system and theory of Imogene King. In C. L. Sieloff & M. A. Frey (Eds.). *Middle range theory development using King's conceptual system* (pp. 12–28). New York: Springer.

Wicks, M. N. (1995). Family health as derived from King's framework. In M. A. Frey & C. L. Sieloff (Eds.), *Advancing King's systems framework and theory of nursing* (pp. 97–108). Thousand Oaks, (CA): Sage.

Winker, C. K. (1995). A systems view of health. In M. A. Frey & C. L. Sieloff (Eds.), *Advancing King's systems framework and theory of nursing* (pp. 35–45). Thousand Oaks, (CA): Sage.

Zurakowski, T. L. (2007). Theory of social and interpersonal influences on health. In C. L. Sieloff & M. A. Frey (Eds.). *Middle range theory development using King's conceptual system* (pp. 237–257). New York: Springer.

Journal Articles

Alligood, M. R., & May, B. A. (2000). A nursing theory of personal system empathy: Interpreting a conceptualization of empathy in King's interacting systems. *Nursing Science Quarterly*, *13*(3), 243–247.

Baumann, S. L. (2000). Research issues: Family nursing: Theory-anemic, nursing theory-deprived. *Nursing Science Quarterly*, *13*(4), 285–290.

Brooks, E. M., & Thomas, S. (1997). The perception and judgment of senior baccalaureate student nurses in clinical decision making. *Advances in Nursing Science*, *19*(3), 50–69.

Calladine, M. L. (1996). Nursing process for health promotion using King's theory. *Journal of Community Health Nursing*, *13*(1), 51–57.

Campbell-Begg, T. (2000). A case study using animal-assisted therapy to promote abstinence in a group of individuals who are recovering from chemical addictions. *Journal of Addictions Nursing*, *12*(1), 31–35.

Caris-Verhallen, W. M., Kerkstra, A., van der Heijden, P. G., & Bensing, J. M. (1998). Nurse-elderly patient communication in home care and institutional care: An explorative study. *International Journal of Nursing Studies, 35*(1–2), 95–108.

Carter, K. F., & Dufour, L. T. (1994). King's theory: A critique of the critiques. *Nursing Science Quarterly*, *7*(3), 128–133.

Crossan, F., & Robb, A. (1998). Role of the nurse: Introducing theories and concepts. *British Journal of Nursing*, *7*(10), 608–612.

Daniel, J. M. (2002). Young adults' perceptions of living with chronic inflammatory bowel disease. *Gastroenterology Nursing*, *25*(3), 83–94.

David, G. L. E. (2000). Ethics in the relationship between nursing and AIDS-afflicted families [Portuguese]. *Texto & Contexto Enfermagem*, *9*(2), 590–599.

Doornbos, M. M. (2000). King's systems framework and family health: The derivation and testing of a theory. *Journal of Theory Construction & Testing*, *4*(1), 20–26.

Doornbos, M. M. (2002). Predicting family health in families with young adults with severe mental illness. *Journal of Family Nursing*, *8*(3), 241–263.

Fawcett, J. (2001). Scholarly dialogue. The nurse theorists: 21st-century updates—Imogene M. King. *Nursing Science Quarterly*, *14*(4), 311–315.

Frey, M. A. (1996). Behavioral correlates of health and illness in youths with chronic illness. *Advanced*

Nursing Research, *9*(4), 167–176.

Frey, M. A. (1997). Health promotion in youth with chronic illness: Are we on the right track? *Quality Nursing*, *3*(5), 13–18.

Frey, M., Rooke. L. Sieloff, C, Messmer, P., Kameoka, T. (1995). Implementing King's conceptual framework and theory of goal attainment in Japan, Sweden and United States. *Image 27*(2), 127–130.

Gill, J., Hopwood-Jones, L., Tyndall, J., Gregoroff, S., LeBlanc, P., Lovett, C., et al. (1995). Incorporating nursing diagnosis and King's theory in the O. R. documentation. *Canadian Operating Room Nursing Journal*, *13*(1), 10–14.

Hanucharurnkui, S., & Vinya-nguag, P. (1991). Effects of promoting patients' participation in self-care on postoperative recovery and satisfaction with care. *Nursing Science* Quarterly, *4*(1), 14–20.

Husting, P. M. (1997). A transcultural critique of Imogene King's theory of goal attainment. *Journal of Multicultural Nursing & Health*, *3*(3), 15–20.

Jones, S., Clark, V. B., Merker, A., & Palau, D. (1995). Changing behaviors: Nurse educators and clinical nurse specialists design a discharge planning program. *Journal of Nursing Staff Development*, *11*(6), 291–295.

Kemppainen, J. K. (1990). Imogene King's theory: A nursing case study of a psychotic client with human immunodeficiency virus infection. *Archives of Psychiatric Nursing*, *4*(6), 384–388.

Kline, K. S., Scott, L. D., & Britton, A. S. (2007). The use of supportive-educative and mutual goal setting strategies to improve self-management for patients with heart failure. *Home Healthcare News*, *25*(8), 502–510.

Kobayashi, F. T. (1970). A conceptual frame of reference for nursing. *Japanese Journal of Nursing Research*, *3*(3), 199–204.

Kusaka, T. (1991). Application to the King's goal attainment theory in Japanese clinical setting. *Journal of the Japanese Academy of Nursing Education*, *1*(1), 30–31.

Laramee, A. (1999). The building blocks of successful relationships. *Journal of Care Management*, *5*(4), 40, 42, 44–45.

Lawler, J., Dowswell, G., Hearn, J., Forster, A., & Young, J. (1999). Recovering from stroke: A qualitative investigation of the role of goal setting in late stroke recovery. *Journal of Advanced Nursing*, *30*(2), 401–409.

Lewinson, S. B. (2000). Professionally speaking: Interview with Imogene King. *Nursing Leadership Forum*, *4*(3), 91–95.

Lockhart, J. S. (2000). Nurses' perceptions of head and neck oncology patients after surgery: Severity of facial disfigurement and patient gender. *Plastic Surgical Nursing*, *20*(2), 68–80.

Long, J. M., Kee, C. C., Graham, M. V., Saethan, T. B., & Dames, F. D. (1998). Medication compliance and the older hemodialysis patient. *American Nephrology Nurses Association Journal*, *25*(1), 43–49.

Mayer, B. W. (2000). Female domestic violence victims: Perspectives on emergency care. *Nursing Science Quarterly*, *13*(4), 340–346.

McKinney, N., & Frank, D. I. (1998). Nursing assessment of adult females who are alcohol dependent and victims of sexual abuse. *Clinical Excellence for Nurse Practitioners*, *2*(3), 152–158.

McKinney, N. L., & Dean, P. R. (2000). Application of King's theory of dynamic interacting systems to the study of child abuse and the development of alcohol use/dependence in adult females. *Journal of Addictions Nursing*, *12*(2), 73–82.

Messmer, P. R & Cooper, C. (2011).Symposium: Pediatric falls based on King's theory of goal attainment. King's Theory Conference, Bozeman, Montana, April 7–8, 2011.

Messmer, P. R. (2006). Professional model of care: Using King's theory of goal attainment. *Nursing Science Quarterly*, *19*(3), 227–228.

Milne, J. (2000). The impact of information on health behaviors of older adults with urinary incontinence. *Clinical Nursing Research*, *9*(2), 161–176.

Moreira, T. M. M., & Arajo, T. L. (2002). The conceptual model of interactive open systems and the theory of goal attainment by Imogene King [Portuguese]. *Revista Latino-Americana deEnfermagem*, *10*(1), 97–103.

Murray, R. L. E., & Baier, M. (1996). King's conceptual framework applied to a transitional living program. *Perspectives in Psychiatric Care*, *32*(1), 15–19.

Nagano, M., & Funashima, N. (1995). Analysis of

nursing situations in Japan: Using King's goal attainment theory. *Quality Nursing*, *1*(1), 74–78.

Ng, B. F. L., & Tsang, H. W. H. (2002). A program to assist people with severe mental illness in formulating realistic life goals. *Journal of Rehabilitation*, *68*(4), 59–66.

Norgan, G. H., Ettipio, A. M., & Lasome, C. E. M. (1995). A program plan addressing carpal tunnel syndrome: The utility of King's goal attainment theory. *American Association of Occupational Health Nurses Journal*, *43*(8), 407–411.

Petrich, B. (2000). Medical and nursing students' perceptions of obesity. *Journal of Addictions Nursing*, *12*(10), 3–16.

Richard-Hughes, S. (1997). Attitudes and beliefs of Afro-Americans related to organ and tissue donation. *International Journal of Trauma Nursing*, *3*(4), 119–123.

Riggs, C. J. (2001). A model of staff support to improve retention in long-term care. *Nursing Administration Quarterly*, *25*(2), 43–54.

Scott, L. D. (1998). Perceived needs of parents of critically ill children. *Journal of the Society of Pediatric Nurses*, *3*(1), 4–12.

Secrest, J., Iorio, D. H., & Martz, W. (2005). The meaning of work for nursing assistants who stay in long-term care. *International Journal of Older People Nursing*, *14*(8b), 90–97.

Sieloff, C. L. (2003). Measuring nursing power within organizations. *Journal of Nursing Scholarship*, *35*(2), 183–187.

Sredl, D. (2006). The triangle technique: A new evidence-based educational tool for pediatric medication calculations. *Nursing Education Perspectives*, *27*(2), 84–88.

Stevens, K. R. & Messmer, P. R. (2008). In remembrance of Imogene M. King. January 30, 1923–December 24, 2007: Imogene, a pioneer and dear colleague. *Nursing Outlook*, *56*(3), 100–101.

Suslick, D., Secrest, J., Holweger, J., & Myhan, G. (2007). The perianesthesia experience from the patient's perspective. *Journal of PeriAnesthesia Nursing*, *22*(1), 10–20.

Tripp-Reimer, T., Woodworth, G., McCloskey, J. C., & Bulechek, G. (1996). The dimensional structure of nursing interventions. *Nursing Research*, *45*(1), 10–17.

Tritsch, J. M. (1996). Application of King's theory of goal attainment and the Carondelet St. Mary's case management model. *Nursing Science Quarterly*, *11*(2), 69–73.

Ugarriza, D. N. (2002). Intentionality: Applications within selected theories of nursing. *Holistic Nursing Practice*, *16*(4), 41–50.

Viera, C. S., & Rossi, L. (2000). Nursing diagnoses from NANDA's taxonomy in women with a hospitalized preterm child and King's Conceptual System [Portuguese] *Revista Latin-Americana de Enfermagem*, *8*(6), 110–116.

Wadensten, B., & Carlsson, M. (2003). Nursing theory views on how to support the process of aging. *Journal of Advanced Nursing*, *42*(2), 118–124.

Walker, K. M., & Alligood, M. R. (2001). Empathy from a nursing perspective: Moving beyond borrowed theory. *Archives of Psychiatric Nursing*, *15*(3), 140–147.

Wilkinson, C. R., & Williams, M. (2002). Strengthening patient-provider relationships. *Lippincott's Case Management*, *7*(3), 86–102.

Zurakowski, T. L. (2000). The social environment of nursing homes and the health of older residents. *Holistic Nursing Practice*, *14*(4), 12–23.

Master's Theses

Allan, N. J. (1995). Goal attainment and life satisfaction among frail elderly. *Masters Abstracts International, 35–05,* 1486.

Anderson, K. G. (2000). Perceptions of family centered care of parents of children with cleft lip and/or palate. *Masters Abstracts International, 38–06,* 1580.

Aramburu-Drury, C. M. (1996). Exploring the association between body weight and health care avoidance. *Masters Abstracts International, 35–03,* 0725.

Arbeiter, N. A. (1998). The effect of a formal class on advance directives on nurses' perceptions. *Masters Abstracts International, 36–04,* 1059.

Bailey, A. A. (2005). Public health nurses' perceptions of role change. *Masters Abstracts International, 43–04,* 1693.

Bowman, A. M. (2004). Parents' perceptions of quality family-centered nursing care in pediatrics. *Masters Abstracts International, 42–05,* 1679.

Brennan, K. M. (2000). Parents' perceptions of their roles during the treatment of their child's thermal injury. *Masters Abstracts International, 38–06,* 1581.

Dawson, B. W. (1996). The relationship between functional social support, social network and the adequacy of prenatal care. *Masters Abstracts International, 35–01,* 0361.

Federowicz, M. L. (2002). An investigation of clients' perceptions of what constitutes quality nursing care: A phenomenological approach. *Masters Abstracts International, 40–06,* 1501.

Genzel, M. C. (1998). Job satisfaction of the nursing staff development educator. *Masters Abstracts International, 36–04,* 1063.

Johnson, T. (2005). Job satisfaction recruitment and retention of public health nurses. *Masters Abstracts International, 43–05,* 1701.

Kahn, R. (1997). The number and types of interventions developed and employed for a population of ADHD students by an advanced nurse practitioner in a middle-sized urban school district in Michigan Title I Health Program during the 1995–1996 school year. *Masters Abstracts International, 36–01,* 0158.

Kaminski, L. A. (1999). Perceptions of home care nurses as facilitators of discussions and advance directives. *Masters Abstracts International, 37–04,* 1179.

King-Jones, M. J. (2004). Horizontal violence experienced by nursing students. *Masters Abstracts International, 43–05,* 1702.

Leonard, B. M. (1996). Team building using group and peer initiating processes within Imogene King's systems to facilitate CQI (Continuous Quality Improvement). *Masters Abstracts International, 34–06,* 2346.

Luke, J. (2005). Registered nurses' perceptions towards individuals experiencing pain during sickle cell crisis. *Masters Abstracts International, 43–06,* 2196.

McCartan, D. P. (2000). Measurement of the quality of life perceptions of in-home hospice patients: A descriptive/exploratory study. *Masters Abstracts International, 38–06,* 1586.

McGonigle, S. M. (1998). Evaluating outcomes: Client satisfaction with primary nursing in tertiary care. *Masters Abstracts International, 36–04,* 1066.

Mang, A. M. (2001). Parish nursing. *Masters Abstracts International, 40–03,* 674.

Peladeau, N. M. (2006). An empirical study of the stress-coping responses of nurses during the severe acute respiratory syndrome (SARS) outbreak. *Masters Abstract International, 44–05,* 2278.

Phillips, E. L. (1995). Diploma nursing students' attitudes toward poverty. *Masters Abstracts International, 33–06,* 1846.

Pinnock-Philp, B. E. (1998). Attitudes toward restricting food in labor: Differences between caregivers in a tertiary care perinatal center and a birthing center. *Masters Abstracts International, 36–06,* 1600.

Prince, S. G. (2005). Comparing two different teaching strategies within a practical nursing diploma program. *Masters Abstracts International, 43–06,* 2199.

Ranta, M. (2000). The effect of mutual goal setting on the self-efficacy to manage heart failure in adults. *Masters Abstracts International, 39–01,* 196.

Rexford, D. S. (2001). Quality of life in a heart failure population. *Masters Abstracts International, 40–01,* 152.

Russo-Meck, P. A. (2004). Career preferences of undergraduate nursing students. *Masters Abstracts International, 43–05,* 1703.

Six, D. M. (1998). Patient satisfaction with prenatal care services in a rural setting: Time. *Masters Abstracts International, 36–06,* 1591.

Skariah, R. A. (1999). Analysis of first nation children's drawings of their perceptions of health. *Masters Abstracts International, 37–04,* 1184.

Sperry, E. J. (1999). Physician perceptions of behaviors associated with the nurse practitioner role. *Masters Abstracts International, 37–06,* 1821.

Stanley, J. M. (2000). Nurses' perceptions of hypnosis. *Masters Abstracts International, 38–03,* 685.

Stover, D. C. (1999). A change in patient satisfaction in the endoscopy laboratory. *Masters Abstracts International, 38–02,* 416.

Tinglin, S. A. (2006). The perceptions of stress in mature female nurses returning to school for graduate studies. *Masters Abstracts International, 44–06,* 2765.

Villanueva-Noble, N. S. (1998). Cross-cultural analysis

of perceptions of health in children's drawings: A replicate study (Philippines, Canada). *Masters Abstracts International, 36–04,* 1070.

Doctoral Dissertations

Bigony, M. D. (2007). Perceptions of the nurse-caregiver relationship and its influence on the utilization of respite care services by spousal caregivers of patients diagnosed with dementia. *Dissertation Abstracts International, 68–04B,* 2243.

Brooks, E. (1995). Exploring the perception and judgment of senior baccalaureate student nurses in clinical decision-making from a nursing theoretical perspective. *Dissertation Abstracts International, 56–12B,* 6667.

duMont, P. (1998). The effects of early menarche on health risk behaviors. *Dissertation Abstracts International, 60–07B,* 3200.

Ehrenberger, H. E. (1998). Testing a theory of decision making derived from King's systems framework in women eligible for a cancer clinical trial. *Dissertation Abstracts International, 60–07B,* 3201.

Gerstle, D. S. (2001). Relationships among registered nurses' moral judgment and their perception and judgment of pain, and selected nurse factors (Imogene King). *Dissertation Abstracts International, 62–04B,* 1803.

Gunther, M. E. (2001). The meaning of high quality nursing care derived from King's interacting systems (Imogene King). *Dissertation Abstracts International, 62–04B,* 1804.

Killeen, M. (1996). Patient-consumer perceptions and responses to professional nursing care: Instrument development. *Dissertation Abstracts International, 57–04B,* 2479.

Mahon, P. Y. (2001). Bridging the gap in patient satisfaction: Congruency of patient-nurse expectation and perception *Dissertation Abstracts International, 61–10B,* 5237.

Maloni, H. W. (2007). An intervention to effect hypertension, glycemic control, diabetes self-management, self-efficacy, and satisfaction with care in type 2 diabetic VA health care users with inadequate functional health literacy skills. *Dissertation Abstracts International, 68–04B,* 2253.

May, B. A. (2000) Relationships among basic empathy, self-awareness, and learning styles of baccalaureate prenursing students within King's personal system. *Dissertation Abstracts International, 61–06b,* 2991.

McKay, T. (1999). An examination of case management nurses' role strain, participative decision making, and their relationships to patient satisfaction: Utilization of King's theory of goal attainment in a managed care environment. *Dissertation Abstracts International, 60–09B,* 4522.

Sieloff, C. L. (1996). Development of an instrument to estimate the actualized power of a nursing department. *Dissertation Abstracts International, 57–04B,* 2484.

Sink, K. K. (2001). Perceptions, informational needs, and feelings of competency of new parents. *Dissertation Abstracts International, 62–01B,* 166.

Whelton, B. T. B. (1996). A philosophy of nursing practice: An application of the Thomistic-Aristotelian concept of nature to the science of nursing. *Dissertation Abstracts International, 57–03A,* 1176.

Winker, C. (1996). A descriptive study of the relationship of interaction disturbance to the organizational health of a metropolitan general hospital. *Dissertation Abstracts International, 57–07B,* 4306.

16장

베티 뉴만

Betty Neuman

1924-현재

체계모델

Systems model

Thewrsa G. Lawson

"나는 이론이 자율적이고 책임있는 간호전문직 개발에 필수적이라고 믿는다..... 나는 이 델이 가지고 있는 역동성과 체계성, 이 개념들과 명제들이 시대를 초월하는 것이므로 관련성이 높을 것이라고 믿는다"(Neuman, 2011, p. 318).

이론가 소개

베티 뉴만Betty Neuman은 1924년에 태어나 미국 오하이오의 한 농장에서 성장하였다. 시골에서 어린 시절을 보낸 뉴만은 어려움을 겪고 있는 사람들에 대한 동정심을 갖게 되었고 이러한 특성이 전 생애 동안 그런 마음이 분명하게 나타났다. 뉴만은 1947년 오하이오주 Akron에 있는 Peoples Hospital School of Nursing(현 General Hospital)을 우수한 성적으로 졸업하였다. 초기에 캘리포니아에서 임상간호사, 보건교사, 산업간호사, University of Southern California Medical Center의 임상 강사 같은 여러 역할을 경험하였다. 1957

이전 저자: Barbara T. Freese, Sarah J. Beckman, Sanna Boxley-Harges, Chery Bruick-Sorge, Susan Matthews Harris, Mary E. Hermiz, Mary Meininger, and Sandra E. Steinkeler.

년 공중보건학과 심리학에 대한 학사 학위를 우수한 성적으로 취득하였고, 1966년 UCLA에서 정신보건과 공중보건상담public health consultation에 대한 석사학위를 취득했으며, 1985년 Pacific Western University에서 임상심리학 박사 학위를 취득하였다(B. Neuman, personal communications, 1986.6.3).

뉴만은 정신 보건 분야에 간호학을 연결시킨 선구자였다. Donna Aquilina와 함께 LA 지역사회 위기 관리센터community crisis centers에서 상담간호사nurse counselor 역할을 처음으로 수행하였다(B. Neuman, personal communications,1992.6.21). UCLA에서, 석사과정을 마친 간호사를 대상으로 지역사회 정신보건 프로그램을 개발하고 다듬어 가르쳤다. 체계모델을 고안하기 전인 1960년대 후반, 정신건강 상담mental health consultation을 위한 교육 및 실천 모델을 처음으로 개발하였다. 이 교육 및 실천 모델은 첫 번째 저서인 '*Consultation and Community Organization in Community Mental Health Nursing*'에 실려 있다(Neuman, Deloughery, & Gebbie, 1971). 1970년, 뉴만은 UCLA 간호학과 학생을 위해 간호개념 모델을 고안하였다. 이는 다양한 대상자를 더욱 폭넓게 이해하기 위한 것으로(Neuman & Young, 1972) 의학모델을 넘어서는 것이었다. 뉴만 모델에는 문제 확인problem identification과 예방 같은 행동과학 개념들이 포함되어 있다. 1970년대 초반, 뉴만은 자신의 모델을 처음으로 출판하였다(Neuman & Young, 1972; & 1974). 이후 10년 동안 뉴만 체계모델의 초판인 '*Application to Nursing Education and Practice*'를 준비하면서, 기존 모델을 다양한 측면에서 다듬고 분명하게 규정하였다(Neuman, 1982). 뒤이은 개정판에서, 모델을 수정하여 더욱 발전시켜 나갔다(Neuman, 1989, 1995, 2002b, 2011b).

뉴만 체계모델을 개발한 이후, 체계모델의 적용과 활용에 대한 회의, 강연, 상담, 논문, 다수의 책 저술 같은 광범위한 전문적 활동을 펼쳐오고 있다. 뉴만은 폭넓은 전문적 교육경험을 갖고 있으며, UCLA와 지역사회 기관에서 14년 동안 간호사 보수교육을 담당해왔다. 현재'미국 결혼 및 가족 치료 연합American Association of Marriage and Family Therapy'의 특별회원이다. 결혼과 가족 상담에 있어 면허를 갖춘 임상 치료사로서 의욕적이고 개인적인 활동을 지속하고 있으며, 특히 목회 상담pastoral counseling에 중점을 두고 있다. 뉴만은 오하이오에 살고 있으며, 뉴만 체계모델 운영단체Neuman Systems Model Trustees Group에서 여전히 주도적 역할을 하고 있다. 뉴만 체계모델이 임상 기관과 간호 교육 프로그램에 적용될 수 있도록 국내 및 국외에서 자문역할도 하고 있다.

이론의 배경

뉴만 체계모델은 일반체계이론에 기초를 두며, 서로 상호작용하고 더불어 환경과도 상호작용 한다는 점에서 개방 체계(Bertalanffy, 1968)인 생물 유기체의 특성을 반영한다(Neuman, 1982). 뉴만은 체계모델에 몇 가지 다른 분야의 지식을 종합하였고, 자신의 철학적 신념과 함께 임상간호의 전문 경험 특히 정신건강 간호경험을 반영하였다.

체계모델은 Gestalt 이론에서 도출되었다(Perls, 1973). 이 이론은, 유기체가 평형상태를 유지한 결과 다양한 주위환경 속에서 자신의 건강을 지키는 과정을 항상성homeostasis이라 표현한다. 뉴만은 유기체가 자신의 요구를 충족시키는 과정을 적응이라고 설명한다. 많은 요구가 존재하며, 각각의 요구는 대상자의 균형 혹은 안정성stability을 혼란시킬 수 있다. 따라서 적응 과정은 역동적이고 지속적으로 이루어진다. 모든 생명은 유기체 내부의 이런 균형과 불균형 사이에서 지속적으로 상호작용하는 특징을 갖고 있다. 안정화 과정이 일정 수준에 도달하지 못했거나 유기체가 너무 오랫동안 부조화 상태로 있게 되면, 결국 유기체는 자신의 요구를 충족시킬 수 없어 질병을 일으키게 된다. 이런 질병의 보상과정이 완전히 실패하면, 유기체는 사망할 수 있다(Neuman & Young, 1972).

체계모델은 또한 de Chardin과 Marx의 철학적 관점에서 시작한다(Neuman, 1982). Marxist 철학에서는 완전하게 조직된 체계 내에서 한 부분의 성질은 큰 전체에 의해 어느 정도 결정된다고 본다. 이런 관점과 함께, 뉴만(1982)은 전체가 부분에 총체적 패턴으로 영향을 미친다고 하였는데, 이는 생명의 총체성wholeness에 대한 de Chardin의 철학에서 기인한 것이다.

뉴만은 Selye의 스트레스 정의를 사용하였다. Selye에 따르면, 스트레스란 신체에 가해지는 어떤 요구에 대한 신체의 비특이적nonspecific 반응이다. 스트레스는 재적응에 대한 요구를 증가시킨다. 이런 요구는 비특이적이다. 즉, 맞닥뜨린 문제의 내용에 상관없이 그 문제 자체에 대한 적응이 필요한 것이다. 그러므로 스트레스의 본질은 활동에 대한 비특이적 요구이다(Selye, 1974). 스트레스원stressor은 긴장을 유발하여 결국 스트레스를 일으키는 자극을 말하며, 긍정적인 것도 있고 부정적인 것도 있다.

뉴만은 Caplan 개념 모델(1964)의 '예방수준levels of prevention'을 도입하여 간호와 연결시켰다. 일차예방primary prevention은 유기체가 해로운 스트레스원에 노출되기 전 단계에서 유기체를 보호하는 것이다. 일차예방에는 스트레스원에 노출될 가능성을 줄여준다든가 혹은 스트레스원에 대한 반응이 줄어들도록 대상자의 유연 방어선을 강화시키는 활동이 포함된다. 이차예방과 삼차예방은 대상자가 해로운 스트레스원을 만난 이후에 이루어진다. 이차예방은 질병 증상을 조기에 진단하고 효과적으로 처치하여 스트레스원의 영향력을 감소시키는 노력이다. 뉴만은 이것을 내적 저항선internal lines of resistance을 강화시키는 단계라고 설명한다. 삼차예방은 처치 과정 이후에 남아있는 스트레스원의 영향력을 감소시키고 대상자를 건강한 상태로 되돌리는 과정이다(Capers, 1996, Neuman, 2002b).

주요 개념과 정의

주요 개념과 정의베티 뉴만(2011b)은 뉴만 체계모델을 다음과 같이 설명한다 :

> 뉴만 체계모델은 간호학이 건강하거나 아픈 사람을 하나의 완전한 체계로 바라보며, 환경이 건강에 미치는 영향을 중요하게 여긴다는 사실을 반영한다. 스트레스원과 자원resources에 대한 대상자와 간호사의 인지를 강조하며, 대상자는 간호사와 협력하여 목적을 설정하고 적절한 예방법을 찾아낸다. 대상자 체계란 개인, 가족, 다른 형태의 집단, 지역사회, 사회 문제 등이 모두 해당되며, 또한 생리적, 심리적, 사회문화적, 발달적, 영적 변수들이 서로 상호작용하는 혼합체라고 볼 수 있다(p. 3).

체계모델의 주요 개념[그림 16-1]은 총체적 접근wholistic approach, 개방 체계(기능, 투입과 산출, 피드백, 네겐트로피negentropy, 엔트로피entropy, 안정성stability), 환경, 창조된 환경, 건강과 질병, 대상자 체계(대상자 5대 변수, 기본 구조, 저항선, 정상 방어선, 유연 방어선), 스트레스원stressor, 반응도degree of reaction, 예방중재prevention as intervention, 복구reconstitution 등이다(Neuman, 2011c, pp. 327-29; 또는 Neuman, 1982, 1989, 1995, 2002b).

총체적 접근 Wholistic Approach

뉴만 체계모델은 대상자 간호에 대한 역동적이고 열린 방식의 체계적 접근법이다. 원래, 간호 문제를 설명하고 또 환경과 상호작용하는 대상자를 가장 잘 이해할 수 있는 일관된 시각을 제공하려고 개발하였다. 체계로서의 대상자는 개인, 가족, 집단, 지역사회, 사회적 문제 등으로 정의할 수 있다(Neuman, 2011c).

대상자를 전체wholes로 간주하며, 전체의 각 부분은 역동적으로 상호작용한다. 체계모델은 모든 변수들(생리적, 심리적, 사회문화적, 발달적, 영적)이 동시에 대상자 체계에 영향을 미친다고 간주한다. 뉴만은 두 번째 개정판부터 영적 변수를 포함시켰다(1989). 또한, 이때부터 전인 개념을 더욱 강조하기 위해 holistic의 철자를 wholistic으로 바꾸었다(B. Neuman, 1988. 6. 20).

주요 개념과 정의

개방 체계 Open System

복합적인 조직의 체계 구성요소들이 끊임없이 정보와 에너지를 교환하고 있는 상태를 개방 체계라고 한다. 스트레스와 그 스트레스에 대한 반응은 개방 체계를 이루는 기본 요소이다(Neuman, 2011, p. 328; 또는 Neuman, 1982, 1989, 1995, 2002b).

기능 혹은 과정 Function or Process

체계로서의 대상자는 에너지, 정보, 물질matter 등을 환경과 교환하고 안정성과 총체성wholeness을 확보하기 위하여 유용한 에너지 자원을 이용한다(Neuman, 2011c, p. 328, 또는 Neuman, 1982, 1989, 1995, 2002b).

투입과 산출 Input and Output

체계로서의 투입과 산출은 대상자와 환경이 서로 교환하는 물질, 에너지, 정보 등을 말한다(Neuman, 2011c, p. 328).

피드백 Feedback

물질, 에너지, 정보 형태로 배출되는 체계 산출system cutput은 체계를 바꾸거나 또는 강화시키거나 안정시키는 개선 작용을 할 수 있도록 미래의 투입input으로 피드백 된다(Neuman, 2011c, p. 327).

네겐트로피 Negentropy

뉴만은 네겐트로피를 "에너지를 보존하고 활용하는 과정으로, 체계가 안정성 또는 건강을 향해 나아갈 수 있도록 도와주는 것"이라고 정의했다(Neuman , 2002c, p. 323, Neuman, 1982, 1989, 1995, 2002b).

엔트로피 Entropy

엔트로피는 "에너지를 소모하고 분해하는 과정으로, 체계를 질병 또는 죽음으로 나아가게 하는 것"이라고 정의했다(Neuman , 1982, p. 8; Perls, 1973).

주요 개념과 정의

안정성 Stability

뉴만에 따르면, 안정성이란 "체계가 스트레스원에 잘 적응하여 적절한 수준의 건강과 통합성을 유지하고 있는 이상적 균형 상태"이다(Neuman, 2002c, p.324, 또는 Neuman, 1982, 1989, 1995, 2002b).

환경 Environment

뉴만은 "환경이란 대상자에게 영향을 미치는 내부 및 외부의 힘"이라고 정의했다(Neuman, 2011c, p. 327, Neuman, 1982, 1989, 1995, 2002b).

창조된 환경 Created Environment

창조된 환경은 대상자가 체계의 총체성system wholeness이라는 상징을 표현하기 위해 무의식적으로 만든 것이다. 이것의 목적은 대상자 체계가 잘 기능할 수 있는 안전한 영역을 제공하고, 대상자를 스트레스원에서 격리시키기 위함이다(Neuman, 2011c, p. 327, Neuman, 1982, 1989, 1995, 2002a).

대상자 체계 Client System

생리적, 심리적, 사회문화적, 발달적, 영적 변수로 구성된 대상자는 하나의 체계를 이루어 환경과 상호작용한다. 생리적 변수는 신체 구조와 기능을 말하며, 심리적 변수는 환경과 상호작용하는 정신 과정을 말한다. 사회문화적 변수는 사회문화적 조건이 미치는 효과와 영향력을 말하며, 발달적 변수는 연령에 따른 과정과 활동을 말한다. 영적 변수는 영적 신념과 작용을 말한다(Neuman, 2011c, p. 327, Neuman, 1982, 1989, 1995, 2002a).

기본 구조 Basic Structure

체계로서의 대상자는 중앙에 핵이 있고 그 주위를 동심원들이 둘러싸는 구조로 되어 있다. 그림 16-1에서 안쪽 원은 대상자가 갖고 있는 에너지 자원 또는 기본 생존 요인basic survival factors을 나타낸다. 이 핵심 구조는 본질적 혹은 유전적 특징과 마찬가지로 "모든 종이 공통적으로 갖고 있는 기본 생존 요인으로 이루어져 있다"

주요 개념과 정의

(Neuman, 2011c, p. 327, Neuman, 1982, 1989, 1995, 2002a).

저항선 Lines of Resistance

기본 핵 구조를 둘러싸는, 몇 개의 점선 원을 저항선이라 한다. 이 원들은 대상자가 스트레스원에 저항하여 자신을 지킬 수 있도록 돕는 자원resource factors을 나타낸다. 저항선은 정상 방어선을 뚫고 침투하는 스트레스원에 의해 활성화되는 보호 요인으로서 작용한다(Neuman, 2011c, p. 328).

정상 방어선 Normal Line of Defense

모델 바깥쪽에 있는 실선으로 된 원이 정상 방어선이다. 개인 혹은 체계가 안정되어 있는 상태를 나타낸다. 이것은 장기간에 걸쳐 유지되며, 대상자가 평소 건강상태에서 얼마나 벗어나 있는지를 평가하는 기준이 된다. 여기에는 개인의 일상적 적응 양식, 생활방식, 발달단계 같은 체계 변수와 행동들이 포함되어 있다(Neuman, 2002c, p. 323, Neuman, 1982, 1989, 1995b). 정상 방어선이 확장되는 것은 건강상태가 좋아짐을 의미하고, 정상 방어선이 축소되는 것은 건강상태가 나빠짐을 의미한다(Neumar, 2001, p. 322).

유연 방어선 Flexible Line of Defense

모델 바깥쪽에 있는 점선으로 된 원을 유연 방어선이라 한다(Fig 16-1). 이는 역동적이기 때문에 짧은 시간 안에 빠르게 변할 수 있다. 평소 건강상태를 의미하는 정상 방어선을 스트레스원이 파괴하지 않도록 막아주는 방어적 완충지대로 이해할 수 있다. 상황적 요인들이 유연방어선에 의해 보호정도에 긍정적, 부정적으로 영향을 줄 수 있다(Neuman,2011c, p. 327, Neuman, 1982, 1989, 1995, 2002a).

뉴만은 유연 방어선을 대상자 체계의 첫 번째 방어 기전이라고 설명한다. "유연 방어선이 확장하면 스트레스원 침입에 대항하는 단기 보호가 증가할 것이고, 유연 방어선이 축소되면 보호기전이 감소할 것이다"(Neuman, 2011c, p. 322).

주요 개념과 정의

건강 Health

건강은 자연상태에서 역동적으로 움직이는 안녕과 질병의 연속선상에 있는 것이다. 전체 체계 요구가 완전하게 충족되고 있을 때 최적의 안녕상태가 존재한다 (Neuman, 2011c, p. 328).

안녕 Wellness

안녕wellness은 대상자 체계의 부분들이 전체 체계와 조화를 이루며 상호작용하는 안정된 상태로 체계의 요구가 모두 충족된 상태이다(Neuman , 2011c, p. 329, Neuman, 1982, 1989, 1995, 2002b).

질병 Illness

질병은 연속선상에서 안녕으로부터 반대편에 존재하며 불안정한 상태와 에너지 고갈 상태를 나타낸다(Neuman, 2011c, p. 329, Neuman, 1982, 1989, 1995, 2002b).

스트레스원 Stressors

스트레스원은 긴장을 유발하는 자극으로 체계의 안정성을 교란시킬 수 있다. 다음과 같은 것들이 스트레스원으로 작용할 수 있다.

- 인간내적intrapersonal 스트레스원: 조건 반응conditioned response
- 역할 기대 같은 대인관계interpersonal 스트레스원
- 재정 상황 같은 인간외적extrapersonal 스트레스원(Neuman, 2002c, p. 324, Neuman, 1982, 1989, 1995b).

반응도 Degree of Reaction

이 정상 방어선을 침범했을 때 발생하는 체계의 불안정성을 말한다(Neuman, 2011c, p. 327, Neuman, 1982, 1989, 1995, 2002a).

주요 개념과 정의

예방 중재 Prevention As Intervention

중재는 대상자가 체계 안정성을 유지하고 획득하며 지속할 수 있도록 돕는 활동이다. 이 활동은 반응과 복구reconstitution가 방어선과 저항선을 관통하여 발생하는 시점 전후에도 투입할 수 있다. 뉴만은 스트레스원의 존재가 의심되거나 확인되는 초기부터 중재해야한다고 생각한다. 중재는 반응, 자원, 목적, 기대결과 등이 실재로 어느 정도 가능한지에 따라 그 단계를 결정한다. 뉴만은 중재 단계를 일차, 이차, 삼차로 구분한다(Neuman, 2011, p. 328, Neuman, 1982, 1989, 1995).

일차 예방 Primary Prevention

일차 예방은 스트레스원의 존재가 의심되거나 확인될 때 이루어진다. 반응은 아직 발생하지 않았지만, 위험이 확인된 상태이다. 뉴만(1982)은 이 단계를 다음과 같이 설명한다.

중재자는 개인이 스트레스원과 만나지 않도록 하거나, 또는 다른 방법을 이용해 스트레스원에 대항하는 개인의 힘을 강화시키려 하거나, 또는 반응이 발생할 가능성을 줄이기 위해 개인의 유연 방어선을 강화시키려 할 것이다(Neuman, 1982, p. 15.; Neuman, 2011c, p. 328).

이차 예방 Secondary Prevention

이차 예방은 스트레스로 인해 어떤 징후가 발생한 이후에 시작하는 중재나 처치를 말한다. 대상자의 내적 저항선internal line of resistance을 강화하고 반응을 감소시키며 저항 요인resistance factors을 증가시켜 체계 안정성을 유지할 수 있도록 대상자 안팎의 자원들을 이용한다(Neuman, 1982, p. 15 Neuman, 2011c, p. 328).

삼차 예방 Tertiary Prevention

삼차 예방은 이차 예방 단계나 적극적 처치 단계 이후에 이루어진다. 대상자 체계가 적정상태의 안정성을 유지할 수 있도록 재적응하는 것에 중점을 둔다. 주된 목적은 반응이나 퇴행이 재발하지 않도록, 스트레스원에 대한 저항력을 강화시키는 것이다. 이 과정은 순환하여 일차 예방으로 되돌아간다. 예를 들면, 대상자에게 해로운 것으로 밝혀진 스트레스원을 피하도록 하는 것이다(Neuman 1982;, Neuman, 2011c, p. 328).

주요 개념과 정의

복구 Reconstitution

복구는 스트레스원에 대한 반응을 처리한 이후에 이루어진다. 이 단계는 체계가 안정된 상태로 되돌아가는 것을 의미하며, 이때의 안정성은 스트레스원이 침범하기 전의 건강상태보다 높아질 수도 있고 낮아질 수도 있다(Neuman, 2011c, p. 328).

경험적 증거의 이용

뉴만은 간호 연구로부터가 아니라 이론으로부터 자신의 모델을 개념화하였다. 처음에 UCLA에서 간호학 석사과정을 시작하는 학생들에게 자신의 모델을 하나의 도구tool로 제시하여 모델의 유용성을 평가하였다. 그 결과와 자료는 *Nursing Research*에 실려 있다(Neuman & Young, 1972). 이 도구는 통계결과를 얻기 위함이 아니라 학생들이 활용할 목적으로 개발되었기 때문에, 처음 형태의 체계모델은 경험적 증거가 부족한 이론이었다. 하지만, 뒤이은 간호학 연구들은 뉴만 체계모델(그림 16-1)을 지지할 수 있는 충분한 경험적 증거를 제시하였다.

주요 가정

간호

뉴만(1982)은 간호란 인간의 총체성whole person에 관심을 갖는 것이라고 믿었다. 뉴만은 간호가 " 한 개인의 스트레스 반응에 영향을 미치는 모든 변수에 관심을 갖는다는 점에서 독특하다" 고 보았다(p. 14). 간호사의 지각perception은 간호 대상자에게 영향을 미치게 된다. 따라서 간호제공자와 대상자가 지각하는 영역perceptual field을 반드시 평가해야 한다고 뉴만(1995b)은 말하였다. 그리고 이런 작업이 잘 이루어질 수 있도록 사정 도구와 중재 도구를 개발하였다.

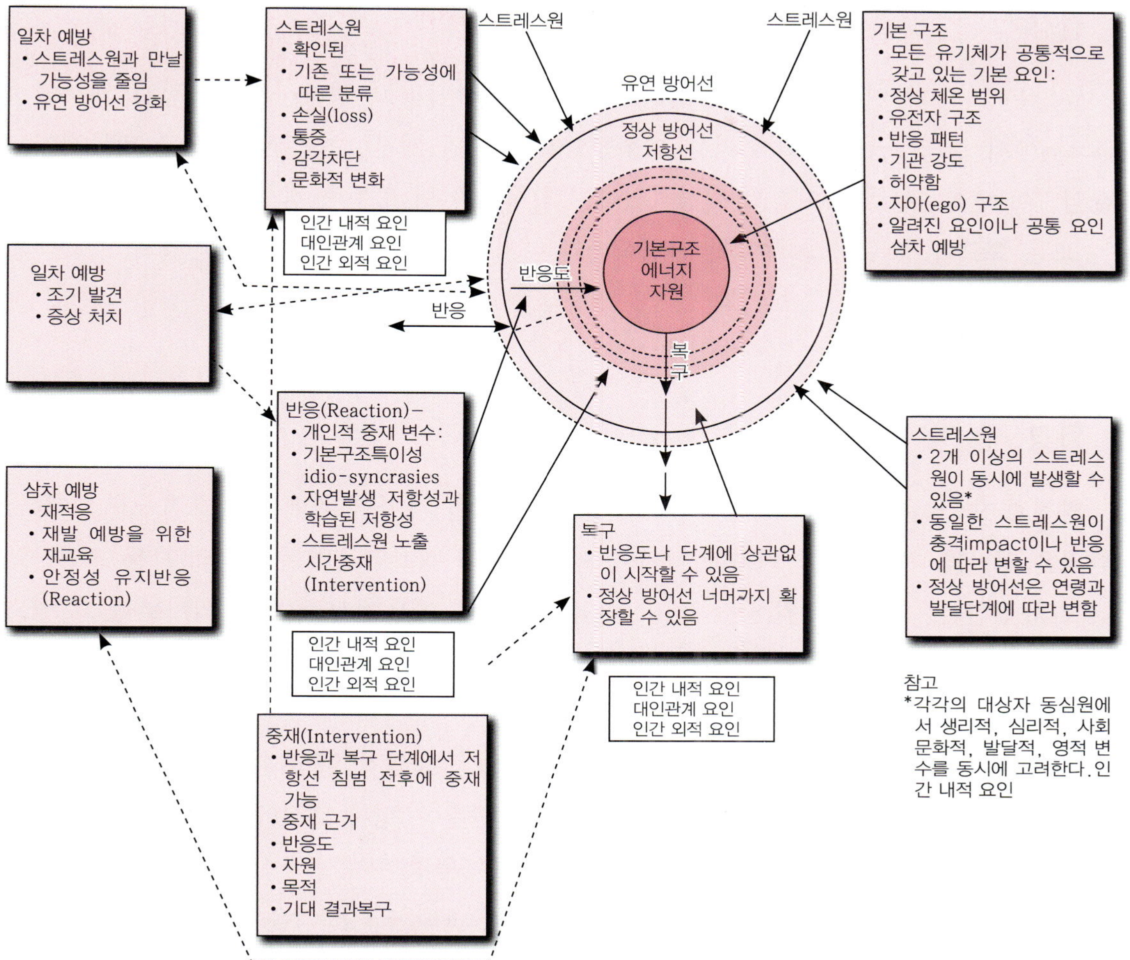

그림 16-1. 뉴만 체계모델

베티 뉴만의 1970년판 원본, 저자의 승인을 받음

인간

뉴만 체계모델은 대상자를 하나의 체계로 보는 개념인데, 체계에는 개인, 가족, 집단, 지역사회, 사회적 문제 등이 모두 해당될 수 있다. 대상자 체계는 생리적, 심리적, 사회문화적, 발달적, 영적 요인들 사이에서 발생하는 역동적 상호작용의 혼합체이다. 대상자 체계는 끊임없이 변하거나 움직이며, 환경과 상호 관계를 유지하는 개방 체계이다(Neuman, 2011b, p. 15).

건강

뉴만은 자신의 연구를 건강 모델wellness model의 하나라고 생각하였다. 건강이란 안녕wellness에서 질병illness까지 이어지는 연속선continuum상의 개념이며, 본질적으로 역동적이고 끊임없이 변화하는 대상이라고 설명하였다. "적정한 안녕 또는 안정성은 체계가 필요로 하는 모든 요구가 충족된 상태이다. 안녕상태가 나빠지는 것은 체계가 원하는 요구가 충족되지 않은 결과이다"(2011c, p. 328)

환경

환경과 인간은 뉴만 체계모델의 기본 현상이며, 둘 사이의 관계는 상호적reciprocal이다. 환경은 인간과 대상자를 둘러싸고 있거나 혹은 그들과 상호작용하는 안팎의 모든 요인들이라고 규정한다. 스트레스원(인간내, 인간외, 인간 사이)은 환경 개념에서 중요한 의미를 갖고 있으며, 체계와 상호작용하면서 체계의 안정성을 변화시킬 수 있는 외부적 영향력forces으로 설명한다(2011c, p. 327).

뉴만(1995b)은 환경을 (1) 내적 환경internal environment, (2) 외적 환경external environment, (3) 창조된 환경created environment으로 구분하였다. 내부 환경은 대상자 내부에서 발생하는 모든 상호 작용으로 인간 내적intrapersonal 성격을 띤다. 외부 환경은 대상자 외부에서 발생하는 모든 상호작용으로 대외관계interpersonal 혹은 인간 외적extrapersonal 성격을 갖는다. 창조된 환경은 무의식적으로 형성되며, 대상자가 보호적 적응기전protective coping을 발휘할 수 있도록 돕는다. 이것은 근본적으로 인간 내적 성격을 갖는다. 창조된 환경은 본질적으로 역동적 특성을 갖고 있으며, 주위 스트레스원이 대상자를 위협하는 상황에서 대상자가 자신 혹은 상황을 변화시켜 여기에 적응할 수 있도록 모든 체계 변수들을 동원하여 스트레스원을 단절한다. 이런 예로, 부정이라는 방어기전(심리적 변수)과, 생존 패턴의 생의 주기 연속성(life cycle continuation of survival patterns, 발달적 변수)을 들 수 있다. 창조된 환경은 끊임없이 영향을 미치며, 창조된 환경과 안녕wellness에 대한 대상자의 인지 상태는 서로 영향을 주고 받는다(Neuman, 1995, 2011b)

이론적 주장

이론적 주장은 한 모델의 필수 개념들 사이의 관계를 설명한 것이다(Torres, 1986). 뉴만 모델은 간호사를 대상자와 함께 하는 적극적인 참여자로 설명하며, "한 개인의 스트레스 반응에 영향을 미치는 모든 변수에 관심을 갖는 사람"으로 묘사한다(Neuman, 1982, p. 14). "대상자는 환경에 맞춰 자신을 적응시키거나 또는 환경을 자신에게 맞춰 변화시킴으로서 환경과 상호작용한다(Neuman, 1982, p. 14)."는 점에서 대상자는 환경과 상호reciprocal 관계를 갖는 것으로 볼 수 있다. 뉴만은 일차, 이차, 삼차 예방에 관해 설명하면서 4대 핵심 개념인'인간, 환경, 건강, 간호'를 서로 연결시켰다. 뉴만의 초기 저서에서는 모델의 기본 개념들에 연결시켰던 기본 가정들을 기술하였다. 이러한 진술들은 명제로서 인식되어 왔으며, 정의를 내리고 기술하며 모델의 개념과 연결시키는 기능을 하였다. 다양한 이론적 가정들이 제안되고 검증되며 출판되어 왔다(Neuman & Fawcett, 2011).

논리적 형식

뉴만은 연역적 논리와 귀납적 논리를 모두 사용해 체계모델을 개발하였다. 앞서 설명했듯이, 뉴만은 여러 이론과 법칙들을 응용하여 자신의 모델을 만들었다. 또한 체계모델은 자신의 철학적 산물이며, 정신건강 간호와 임상 상담을 가르치면서 얻게 된 관찰의 산물이다(Fawcett, Carpenito, et al., 1982).

간호학계의 수용

Alligood(2010)에 따르면, 광범위 이론grand theory은 검증할 수 있는 일련의 사실들을 제시하는 반면, 개념 모델conceptual model은 실무를 위해 참고할 수 있는 틀을 제공한다. 뉴만의 모델은 개념 모델이면서 동시에 거대 이론이다. 개념 모델인 체계모델은 간호실무, 연구, 교육을 위한 개념 틀을 제공한다(Freese, Neuman, & Fawcett, 2011; Louis, Neuman, & Fawcett, 2011; Neuman, Neuman, & Fawcett, 2011; Louis, Neuman, Gigliotti, et al., 2011; Newman, Lowry, & Fawcett, 2011). 거대 이론인 체계모델은 기본 가정의 형식을 통해 간호 현상을 다양한 관점에서 관찰하는 방식을 제시한다(Neuman,, 2002b). 체계모델은 미국과 캐나다, 그리고 전 세계 여러 나라에서 광범위하게 활용되고 있다(호주, 브라질, 코스타리카, 덴마크, 이집트, 영국, 핀란드, 가나, 네덜란드, 홍콩, 아이슬란드, 일본, 한국, 뉴질랜드, 포르투갈, 푸에르토리코, 중국, 스페인, 스웨덴, 대만, 웨일즈, 유고슬라비아). 예를 들면, 유고슬라비아(슬로베니아) Maribor에서 일차 보건 간호를 위한 WHO 협력 센터를 구축하면서 체계모델을 활용하였다(Neuman, 2002a).

체계모델은 모든 수준의 간호 교육영역과 광범위한 실무 영역에서 고르게 잘 적용되어 왔다. 다양한 문화권에도 잘 적용되기 때문에 다른 나라의 공중보건분야에도 폭넓게 활용되고 있다. 체계모델은 미국과 캐나다, 네덜란드에서 지역사회 보건간호를 위해 가장 널리 활용되고 있는 모델이다. 이 모델은 세계적으로도 많이 활용되어왔다(호주, 브라질, 코스타리카, 덴마크, 이집트, 영국, 핀란드, 가나, 네덜란드, 홍콩, 아이슬란다, 일본, 한국, 중국, 쿠웨이트, 뉴질랜드, 쿠웨이트, 푸에르투라코, 스페인, 스웨덴, 대만, 웨일즈위고, 슬로비아).

체계모델이 보편적 매력을 갖춤과 동시에 계속 발전하고 있기 때문에, 국제적인 뉴만 체계모델 심포지엄이 2년마다 열리고 있다. 심포지엄에서는 다양한 문화권에서 온 실무자, 교육자, 연구자, 학생들이 체계모델의 활용에 관한 정보를 토론회forum를 통해 서로 나눈다. 첫 번째 심포지엄은 Pennsylvania 주 Aston에 있는 Neuman College에서 열렸다. 그 후에는 Missouri주 Kansas City(1988), Ohio주 Dayton(1990), New York주 Rochester(1993), Orlando(1995), Boston(1997), British Columbia의 Vancouver(1999), Utah주 Salt Lake City(2001), Pennsylvania주 Willow Grove(2003), Ohio주 Akron (2005), 플로리다 주 Ft. Lauderdale(2007), 네바다주 Las Vegas(2009), 펜실바니아주 Allentown(2011)등에서 개최되었다. 모든 심포지엄에 전 세계의 많은 나라들이 참석하였으며, 간호학 뿐만 아니라 다른 학문 분야에서도 참여하였다.

실무

뉴만 체계모델은 간호실무와 폭넓게 관련되어 있다. 간호사가 체계모델을 활용하여 대상자를 돌보면, 목표 지향적이고 일관되며 전인적 접근을 쉽게 할 수 있다. 또한, 대상자 간호가 분산fragmentation되는 것을 막기 위해 여러 분야가 협력할 때도 적합하다. 체계모델은 모든 보건의료 팀원들이 이해하고 활용할 수 있도록 대상자 체계와 스트레스원 분류에 대해 설명해 놓았다(Nirenda, 1986). 체계모델을 활용할 수 있도록, 임상 간호실무 가이드라인(Freese, et al., 2011)과 보건의료 서비스 행정(Shambaugh, Neuman, & Fawcett, 2011) 가이드라인이 출판되었다.

뉴만은 체계모델의 활용을 촉진할 수 있는 몇 가지 도구를 개발하였다. 여기에는 간호사가 대상자 자료를 수집하여 종합할 수 있도록 도와주는 사정 도구와 중재 도구, 예방 중재를 위한 서식, 뉴만 체계모델의 틀 안에서 간호과정을 적용하는 서식 등이 있다(Neuman, 2002a; Russell, 2002).

뉴만 간호과정 서식은 (1) 간호진단, (2) 간호 목표, (3) 간호 결과 3단계로 구성되어 있다. 간호 진단은 안녕wellness에서 이탈한 변화에 대한 광범우한 데이터베이스를 담고 있다. 그런 다음, 안녕에서 이탈한 상태를 교정하기 위해 간호 처방을 바꾸는 것prescriptive change에 대해 대상자와 협상하여 간호 목표를 수립한다. 간호 결과는 (3가지의 예방 중) 한 개 혹은 여러 개의 예방 중재방법을 통해 수행한 간호 중재에 의해 결정된다. 그 다음, 평가하여 기대하던 목적이 달성되었는지 확인하고, 달성되지 못했다면 간호 목표를 재수립한다. 뉴만(2011a)은 자신의 간호과정 형식을 제시하며 부록 C(pp. 338-350)에 있는 자신의모델을 사용하기 위한 간호과정에서의 단계를 명확히 하였다. Russell(2002)은 개인, 가족, 지역사회, 조직 등을 대상으로 한 간호실무 방법을 안내하기 위해 체계므델을 이용한 임상 도구를 재검토하였다.

뉴만 모델은 그 폭이 넓기 때문에 개인, 가족, 집단, 지역사회 등의 다양한 간호실무 현장에 적절하게 적용되어왔다. 뉴만의 저서(1982, 1989, 1995b, 2002b, 2011)에 많은 예가 실려 있다. 체계모델은 병원, 요양시설nursing homes, 재활 센터, 호스피스 기관, 분만 센터 등 많은 현장에서 대상자들에게 성공적으로 활용되고 있다. 체계모델의 총체적 접근방식은 복합적인 스트레스원에 노출되어 여러 변수의 영향을 한꺼번에 받고 있는 대상자에게 특히 잘 맞는다. 다른 나라에서도 간호실무를 안내하기 위해 체계모델을 활용하고 있다. 예를 들어, 네덜란드는 어린이, 청소년, 성인, 노인을 위해 정신과 치료, 약물중독 치료, 사회 서비스 등을 제공하는 포괄적 정신보건 프로그램이인 Emergis프로그램을 위한 지침으로 체계모델을 활용하였다(Merks,, van Tilburg, & Lowry, 2011; Munck & Merks, 2002).

뉴만 모델은 간호사가 가족을 사정하고 간호할 때, 가족을 하나의 대상자로 보게 하고, 집단을 대상으로 하는 지역사회 실무community-based practice와 공중보건간호에서 근거기반 실무를 통해 양질의 간호를 제공하는 것을 도울 수 있는 총체적인 원칙으로서 체계 시각systems perspective을 제공한다(Ume-Nwagbo, Dewan, & Lowry, 2006). Anderson, McFarland과 Helton(1986)은 지역사회 보건 요구를 사정하기 위해 체계모델을 처음으로 적용했고, 그 결과 중요한 지역사회 보건문제로 여성에 대한 폭력을 발견하였다. 또한 이 모델은 소아간호실무의 지침으로 사용되어 왔고(Spurr, Bally, Ogenbhuk, et al., 2011), 정신전문간호실무의 틀로서 이용되어 왔다(Groesbeck, 2011).

이 모델은 급성기 병원에서도 이용된다. 예를 들어 미시간주의 Allegiance Health에서 기관의 간호개념모델으로 뉴만의 체계 모델을 채택하였다. 수행과정의 한 부분으로 이 모델의 개념을 사용하여 간호를 조명하는 다양한 문서가 고안되거나 새로이 만들어졌다. 예를 들어 "뉴만 체계 모델의 6가지 질문"과 같은 것이 입원사정에 포함되기도 하였다(Burnett & Crisanti, 2011).

이 모델은 다학제적 접근에도 잘 사용된다. 예를 들어, 고관절 골절 후 노인 환자를 총체적으로 간호사기 위한 팀 접근의 가이드가 되기도 하였다(Kain, 2000). 또한 캔사스의 몇몇 병원에서 병원 기반 사례 관리를 위해 사회복지사나 다른 간호직원들간의 사례 관리 팀 개발에 유용함이 증명되었다(Wetta-Hall, Berry, Ablah, et al., 2004). 이 모델의 간호계 및 간호밖의 분야에서 적용가능성이 계속 검증될 것이다.

교육

학계에서도 체계모델을 수용해 교육과정 지침으로 널리 활용하고 있다. 미국 전역과 다른 국가들(호주, 캐나다, 덴마크, 영국, 한국, 쿠웨이트, 포르투갈, 대만, 네덜란드, 일본 포함)도 모든 수준의 간호교육에 활용하고 있다(Beckman et al., 1994; Lowry, 2002). 모든 수준의 교육 프로그램에 체계모델을 활용하는 현실을 통합적으로 평가한 Lowry(2002)는 "오늘날 간호학이 절충주의eclecticism로 나아가는 경향을 보이긴 하지만, 그렇다 하더라도 뉴만 체계모델은 많은 프로그램에 훌륭하게 기여하였고"다른 국가들도 학생들의 학습을 촉진하기 위해 체계모델을 자주 선택하고 있다고 보고하였다(p. 231). 체계모델을 활용한 건강 전문가 교육 지침서가 출판되었다(Neuman, Lowry, & Fawvett., 2011).

체계모델의 총체적 시각은 모든 수준의 간호 교육에 효과적 틀을 제공한다. *Community College of Baltimore County*는 간호실무 프로그램을 위해 체계모델을 사용하고 있으며, *Central Florida Community College*도 간호학 준학사associate degree, 2년제 교육을 위해 체계모델을 사용하고 있다. Lowry과 Newsome(1995)은 교육과정 개발을 위한 개념틀로 체계모델을 사용한 준학사 프로그램이 12개에 달한다는 연구결과를 보고하였다. 대학원생들도 교사와 간호제공자의 역할을 할 때 체계모델을 가장 자주 사용하였으며, 졸업 후에도 뉴만 체계모델 시각에서 간호실무를 지속하는 경향을 보인다고 보고하였다. 최근에는 간호학 교육에 활용하기 위해 체계모델을 아랍어로 번역하려는 움직임도 있다(B. Neuman, personal communications,2005.2.23). 학사과정도 총체적 교육과정을 위해 뉴만 모델의 이론적 시각과 포괄적 시각을 바탕으로 체계모델을 선택해 왔다. 이런 선택이 가능한 이유는 체계모델이 개인, 가족, 소집단, 지역사회 등을 대상으로 활용할 수 있기 때문이다. 1976년 대상자 간호를 위한 접근방법과 교육과정을 위해 뉴만 체계모델의 개념적 기본원리를 최초로 채택한 학교는 *Neuman College Division of Nursing*이었다. *Neuman, Lowry, Fawcett*(2011)은 뉴만의 체계 모델이 세계적으로 25개 이상의 간호교육프로그램에서 개념적 기틀로 사용되어 오고 있다고 보고하였다. 이 교육기관에는 Loma Linda 대학(Burns, 2011), Anna Maria College(Cammuso, Audrey Silveri, & Remijan, 2011), 인디애가 대학/퍼듀 대학 포트 웨인(Beckman, Lowry, &

Boxley-Harges, 2011), 더글라스 대학(Tarko & Helewka 2011)등이다.

모델은 임상 학습의 지침으로도 잘 이용된다. 예를 들어 지역사회 간호센터에서 간호대학생들에게 사용되었으며(Newamn, 2005), 간호대 학생들이 지역사회 건강 증진을 도모하도록 교육하는데 사용되기도 하였다(Falk-Rafael, Ward-Griffin, Laforet-Fliesser, et al., 2004). 남플로리다 대학의 학부생들에게 모성 환자를 대상으로 자료를 수집하는 통합적인 틀로 사용되기도 하였으며(Lowry, 2002), Bruick-Sorge(2007)는 비판적 사고 기술을 증진시키기 위한 임상시뮬레이션 교육에서도 이 모델의 개념을 이용하였다.

뉴만 체계모델은 전 세계에 분포하고 있는 다양한 수준의 건강 관련 교육과정과 간호학 교육과정에 개념적 틀을 제공하고 있다. 체계모델이 간호 교육계에 수용되고 있음은 의심할 여지없이 분명하다. 온라인 간호교육이 증가함에 따라 간호교육자들은 모든 수준의 학생들에게 이 정보를 제공하기 위한 새로운 접근방법을 찾도록 해야할 것이다.

연구

지난 수십년간 이 모델의 구성 요소에 대한 많은 연구가 수행되어 간호학 이론을 생성하고 과학적 학문분야로서 간호학의 발전을 위한 개념적 틀로서 이 모델이 사용되어 왔다. Rules for Neuman Systems Model-Based Nursing Research와 Neuman 모델 운영인 trustee인 Fawcett는 모델의 내용과 관련 문헌들에 기초하였다(Fawcett & Gigliotti, 2001). 간호 연구에 이 모델을 사용하기 위한 지침이 출판되어 있다(Louis, Gigliotti, Neuman, et al., 2011)

뉴만 체계모델의 제4판에서, Fawcett와 Gian-grande(2002)는 1997년까지 발행된 보고서들 가운데 체계모델을 활용한 연구 보고서가 200편이라는 종합 결과를 제시하였다. Skalski, DiGerolamo, Gigliotti(2006)는 대상자 체계 스트레스원을 규명하고 구분하기 위해 뉴만 체계 모델을 사용한 연구 87개를 고찰하여 보고하였다. 뉴만의 체계 모델은 양적 연구, 질적 연구 모두에서 개념적 기틀로 간호연구자들에 의해 자주 사용된다. 질적연구의 최근 예로는 응급실간호사의 외상후스트레스 장애 연구(Lavoie, Talbot, & Marhieu, 2011), 유방절제술 후 환자의 경험(Alves, Mourao, Galvao, et al., 2010) 등이 있다. 양적 연구의 예는 등마사지가 이완에 미치는 효과(Walton, 2009), 중환자 가족의 심리간호에서 간호사 촉진 프로그램의 효과(Black, Boore, & Parahoo, 2011), 초기 성인기의 지각된 안녕감과 스트레스(Yarcheski, Mahon, Yarcheski, et al., 2010), 간호사들의 소진 감소를 위한 지지그룹과 대처의 효과(Gunusen & Ustun, 2010)등이 있다.

학위논문을 준비하는 대학원생은 개념적 틀을 짜기 위해 체계모델을 자주 사용한다. 최근 예를 살펴보면, 네바다주의 간호학생들을 위해 만들어진 환경에 대한 연구(Elmore, 2010),

멕시코인과 멕시코계 미국인 여성의 문화변용과 분만 결과(Chaponniere, 2010), 간호학생 스트레스와 임상간호교육자 돌봄과의 관계(Roe, 2009), PICC로 인한 신생아 패혈증(Clem, 2010), 메타돈 유지 치료를 받는 사람의 다양한 요인간의 연관성(Paicentine, 2010) 등이 있다.

뉴만 체계모델을 이용한 초기 연구들은 초판의 이 장(chapter)에 제시되어 있다. 체계모델을 이용한 그 밖의 연구들은 이 장의 참고문헌에 제시되어 있다.

2년마다 개최되는 뉴만 체계모델 심포지엄은 완결되었거나 진행 중인 연구의 발표 풍성한 토론회forum가 된다. 12회(2009)와 13회(2011) 심포지엄에서 미국, 캐나다, 네덜란드, 태국, 중국에서 온 간호사들이 체계모델을 이용한 수많은 연구 결과들을 보고하였다. 12회 심포지움에서 발표된 연구에는 산욕전후 심근병증 여성의 온라인 지지그룹 참여에 대한 연구(Weinland & Hass, 2009), 척추측만증 수술 교정 전후 성인의 스트레스와 대처전략(Zhou, Ye, Zhang, et al., 2009), 네덜란드의 정신간호실무지침으로서 뉴만 체계 모델의 유용성(Merks, van Tilburg, & Lowry, 2009), 성인 우울 영향 요인(Sinsiri, 2009)등이 있다. 13회 심포지움에서 발표된 연구에는 남부 캐롤나이나 간호학 학사과정의 영적 간호와 영성 탐색(South, 2011), 성직자의 역할 스트레스와 식이 장애(Kavanagh-Mannister, 2011), 간호사의 교대근무, 수면의 질, 체질량지수와의 관계(Huth, 2011), 대장암 임식(Boxer, 2011) 등이 있었다.

1993년부터 2007년 사이의 심포지움에서 발표된 연구과제들은 이 장의 예전 판에 인용되어 있다.

미국과 많은 나라들이 연구 프로젝트의 개념 틀로 뉴만 체계모델을 광범위하게 이용하고 있다. 체계모델이 간호 연구계에 수용되고 있음은 의심할 여지없이 분명하다.

미래의 발전

이론 발달의 초기 단계에서는 뉴만 체계모델이 초기 이론 상태에 있었다(Walker & Avant, 1983). 그다이어그램 자체는 변하지 않았지만 모델은 계속 발전되고 일련의 출판물에서 정제되어왔다(Fawvett, 2001). 2000년 이후 적어도 두 개의 요소가 지원되었고 더 발전하였다. 주요한 발전 요인에는 영적 변수(Beckman, Bozley-Harges, Bruick-Sorge, et al., 2007; DeJoseph & Cavendish, 2005; Lee, 2005; Lowry, 2002)과 창조된 환경 개념(Hemphill, 2006)이 포함된다.

체계모델이 완전하게 신뢰성을 확립하는 것은 이론 발달의 확장과 함께 체계모델에서 나온 중범위이론middle range theory의 평가에 달려 있다. 뉴만과 Koertvelyessy는 (1) 적정한 대상자 체계 안정성optimal client system stability 이론과 (2) 예방 중재이론이 체계모델에서 도출된 2

가지 이론이라고 확인하였다(Fawcett, 1995b). Gigliotti(2011)는 계속적으로 부가적인 중범위이론들이 뉴만 체계모델로부터 나오고 있다고 하였으며 여기에는 위험 행위에 대한 성인 취약성 이론, Well-being 이론, 모성 역할 스트레스 이론, 투석 의사결정 이론 등이 포함된다. 모델 개념과 연구 결과간의 관계를 검증하기 위해 뉴만 체계모델에 기초한 더 많은 연구가 필요하다(Fawvett & Giangrande, 2002; Gigliotti, 2011).

뉴만 체계 모델 운영단체Neuman Systems Model Trustee Group는 간호학의 미래를 위해 체계모델의 통합성integrity을 보존하고 보호하며 지속시키기 위해 1988년에 설립되었다(Neuman, 2011d). 이 단체의 국제 회원들은 뉴만이 직접 선택한 사람들로 구성된 헌신적인 전문가들이다. 체계모델을 체계적으로 연구하기 위해 뉴만체계모델 연구소가 조직되었고 중범위이론을 만들고 검증하는 일을 해오고 있다. 자료를 수집하고, 개념과 관계들을 확인하며, 뉴만 체계모델 개념에 근거한 연구들을 종합하는 준비 작업이 완결되었다(Gigliotti, 2003). 연구소에서는 이 모델의 사용을 도모하고 모델로부터 중범위이론을 생성하는 연구자를 위한 연구비를 제공하며 간호연구에서 이 모델의 사용에 대한 자문 서비스를 제공하고 있다(Gigliotti, 2011).

비평

뉴만은 폭넓은 간호 현상에 잘 맞으면서도 체계 개념을 조작할 수 있는 포괄적 간호개념모델을 개발하였다. 체계모델은 미래의 간호사들과 다른 보건 전문가들이 사용할 수 있도록 적절하게 보존해야 한다. 체계모델은 총체적 관점을 갖기 때문에 광범위하게 독창적으로 이해하는 것이 가능하다. 체계모델은 간호학 뿐 아니라 미래의 다른 보건의료 전문직에서도 관련성을 갖게 될 것이다.

명확성

뉴만은 간호사에게 친숙한 추상적 개념들을 제시한다. 체계모델의 핵심 개념인 대상자, 환경, 건강, 간호 등은 간호계 내에서 전통적으로 이해하고 있는 개념과 일치한다. 뉴만이 정의한 개념과 다른 학문 분야에서 빌려온 개념이 체계모델 전체에 걸쳐 끊임없이 사용되고 있다. 그러나, 모델의 명확성은 개념들이 더 완전하게 정의될 필요가 있다는 점에서 비판받아 오고 있다(August-Brady, 2000; Heyman & Wolfe, 2000).

간결성

체계모델을 구성하는 개념들은 복잡하지만 논리적으로 체계화되어 있다. 개념들 사이에 존재하는 복잡한 상호관계와 변수들은 어느 정도 서로 겹치는 경향을 보인다. 몇 가지 항목에서 개념들 사이의 구분이 명확하지 못한 경향이 있다. 그러나 그것들을 완전하게 분리한다면, 이론적 의미를 상실하게 될 것이다. 뉴만은 분석, 구체적 목적 설정, 중재 등을 위해 개념을 분리할 수 있다고 말한다(Neuman, personal communications, 1992. 6. 21). 다른 보건의료 분야뿐만 아니라 간호학도 체계 이론의 활용을 늘리기 위해 체계모델을 사용할 수 있다. 평형상태를 유지하고 있는 대상자의 역동적 상태와, 스트레스원이 발생하거나 발생할 수 있는 반응을 설명하기 위해 체계모델을 사용할 수 있다. 간호 현상을 예측하거나 설명하기 위해 예방중재 개념을 사용할 수 있다. 체계모델은 본질적으로 복잡하다. 그러므로 간단한 틀로 설명할 수 없다. 하지만, 체계모델을 사용하는 간호사들은 그것을 이해하기 쉽게 설명하고, 다양한 문화권에 걸쳐 활용하며, 다양하고 광범위한 간호 현장에서 활용하고 있다.

일반성

뉴만 체계모델은 광범위한 간호 상황에서 활용되고 있다. 체계모델은 포괄적이면서 동시에 융통성을 갖고 있다. 몇 가지 개념은 폭이 넓어서, "대상자"란 현상은 한 개인을 말하거나 아니면 더 큰 체계를 가리킬 수 있다. 어떤 개념은 아주 분명해서, "일차 예방"처럼 행동 양식을 구체적으로 밝히기도 한다. 체계모델의 범위는 매우 넓기 때문에, 간호사나 다른 보건의료인이 모든 보건의료 환경에서 개인, 가족, 집단, 지역사회 등을 대상으로 일하기 쉽도록 해준다.

간호학 이외의 보건 전문분야도 치료를 위한 틀로 체계모델을 이용할 수 있는데, 이는 체계모델의 총체적 관점이 대상자 평가와 치료에 대한 다양한 접근방식과 조화를 이룰 수 있기 때문이다. 체계모델은 대상자를 적극적으로 참여시키면서 동시에 체계적 접근방식을 갖고 있기 때문에, 현 시대의 보건의료 가치(예, 대상자 중심의 치료, 예방, 통합적 치료 관리)와 잘 맞아 떨어진다.

접근성

아직까지 완전하게 검증되지 않았음에도 불구하고, 간호과학자들은 체계모델에 지대한 관심을 보이며, 간호학 연구에 이를 활용하고 있다. Hoffman(1982)은 초기 연구에서 체계모델에서 이끌어낸 일부 조작적 정의와 변수들의 목록을 기술하였다. 체계모델을 이용한 간호학 연구에 관한 Louis와 Koertvelyessy의 조사(1989)와 연이은 연구 보고서들을 보면, 체계모델의 경험주의적 방법의 사용이 증가함을 보여주는 문헌이 많아지고 있음을 알 수 있다. 연구를 계속하고 다양한 연구 결과를 종합해 감에 따라, 실험과 정련이 계속되어 체계모델의 실험적 정밀성은 더욱 증가할 것이다(Gigliotti, 1999, 2003, 2011; Skalski, DiGerolamo, & Gigliotti, 2006).

중요성

뉴만 개념 모델의 도출된 결과는 전문직 간호사professional nurse가 대상자 체계를 사정하고 간호과정을 이용하며 예방적 중재를 실행할 때 나타난다. 일차 예방과 학제간 간호interdisciplinary care에 집중하는 것은 시대를 앞서나가는 경향이며, 간호의 질을 향상시키는데 기여한다. 뉴만 간호 과정을 간호 목적을 협의할 때 대상자를 적극 참여시킴으로써 현 시대의 건강 요구를 충족시킨다(Neuman, 2002a).

또 다른 도출된 결과는, '적정한 대상자 안정성 이론'과 '예방 중재 이론' 같은 간호이론을 생성해낼 수 있는 잠재력이다(Fawcett, 1995a). 체계모델의 개념은 21세기 보건전문직 추세에 적합하다. 체계모델을 통한 연구와 이론 개발을 지속함으로써, 간호직은 자신의 과학적 지식기반을 확장할 수 있을 것이다. Fawcett(1989, 1995b)에 따르면, 체계모델은 일치성, 중요성significance, 유용성 같은 사회적 가치를 충족시킨다. 체계모델은 폭이 넓으며 체계적 기반을 갖추고 있다. 체계모델은 빠르게 변모하고 있는 세계적 보건의료 요구에 간호학이 부응할 수 있도록 포괄적 견해를 훌륭하게 뒷받침하고 있다.

요약

뉴만 체계모델은 일반체계이론에서 파생되었다. 이것은 체계인 대상자(개인, 가족, 집단, 지역사회 모두 가능)와, 스트레스원에 대한 대상자의 반응에 초점을 맞춘다. 대상자 체계는 5대 변수들(생리적, 심리적, 사회문화적, 발달적, 영적)을 갖고 있으며, 내부 중심핵(기본 에너지 자원)을 저항선, 정상 방어선, 유연 방어선 등의 동심원이 둘러싸고 있는 구조로 개념화되어 있다. 모든 5대 변수는 각 동심원들의 일부로 간주한다. 스트레스원은 긴장을 유발하는 자극이며, 그 특성에 따라 인간내적intrapersonal, 대인관계interpersonal, 인간외적extrapersonal 스트레스원으로 각각 구분한다.

체계모델은 3단계의 간호중재(일차 예방, 이차 예방, 삼차 예방)를 제안하는데, 이는 Caplan의 예방단계 개념을 기초로 한 것이다(1964). 예방 중재의 목적은 최대한 가능한 수준으로 대상자 체계의 안정성을 획득하는 것이다. 뉴만이 제안한 간호과정 서식을 보면, 간호 수혜자인 대상자가 간호제공자인 간호사와 함께 목적을 설정하고 중재법을 선택하는 과정에 적극적으로 참여한다.

체계모델은 간호계에서 잘 수용하여 행정, 실무, 교육, 연구 등의 분야에서 활용하고 있다. 뉴만 체계모델 운영 단체는 체계모델의 통합성을 지키고, 발전을 촉진하는 활동에 적극 관여하고 있다. 뉴만 체계모델 연구소는 체계모델을 바탕으로 한 중범위이론들을 찾아내 검증하는 작업을 시작하였다.

사례연구

가족 대상자 Family as Client

Elizabeth Jefferies는 46세 이혼 여성으로 두 아이와 부모를 모시고 살고 있다. 그녀와 아이들은 부모를 모시기 위해 도시에서 시골 외곽으로 최근 이사하였다. 이사로 인해 Elizabeth는 직장을 옮겨야 했고, 아이들은 전학을 해야 했으며 아이들의 아버지와 물리적 거리가 멀어졌다. 아버지 Robert는 72세의 감리교 목사로 최근 뇌졸중 진단을 받아 고생하고 있으며 왼쪽 기능이 점차 안 좋아지고 있고 연하 곤란도 나타나고 있다. 어머니 Susan 은 68세이며 근섬유신경통으로 고생하고 있어 남편의 일상생활을 돕는데 제한이 있다. 그녀는 남편의 뇌졸중 발생 이후 전신 통증이 심해지는 것을 경험해 오고 있으며 수면 장애, 피로감 악화를 호소하고 있다.

뉴만 체계모델을 개념적 틀로 사용하여 다음 질문에 답하시오.

- 대상자 체계로서 Jefferies 가족을 5개의 변수를 이용하여 설명하시오.
- 이 가족을 위협하는 실제적이고 잠재적인 스트레스원은 무엇인가? 어떠한 실제적 및 잠재적 스트레스가 가족의 개인 구성원을 위협하고 있는가? 이 스트레스원은 긍정적인가? 부정적인가?
- Robert의 의학 진단을 고려할 때 필요한 간호사정자료는 무엇이 있는가? 어떤 부가적 자료가 Susan의 의학진단을 위해 도움이 될 것인가?

- 이 가족을 돕기 위해 필요한 예방 중재는 몇 단계인가? 어떤 수준의 예방적 중재가 각 가족 구성원에게 적절한가?

비판적 사고

지역사회 대상자 Community as Client

당신에게 친숙하면서 하나의 지역사회로 간주할 수 있는 조직을 한개 선택하되, 면대면 face-to-face 상호작용이 가능하고 관심사나 흥밋거리를 공유할 수 있는 집단으로 한다. 교회, 직장, 시민단체 등이 될 수 있다. 뉴만 체계모델의 개념 틀을 사용해 지역사회-대상자인 해당 조직을 분석하고, 아래와 같은 조직적 계획을 수립하시오.

1. 기본 구조(핵심)는 무엇인가? 어떤 요인들이 저항선의 현상유지를 지탱하고 있는가? 어떤 요인들이 방어선의 건강한 조직 기능을 지탱하고 있는가?
2. 조직에 충격을 주어 체계를 혼란시키고 그 결과 변화를 가져올 수 있는, 실재적 잠재적 스트레스원은 무엇인가?
3. 조직 구성원들과 지도자가 목적을 어떻게 지각perception하야 이런 변화에 적절히 대처하겠는가?이 지각이 서로 다르다면, 조직에게 유익한 공통 목적을 설정하기 위해 그 차이를 어떻게 해소할 수 있겠는가?
4. 조직을 성공적으로 변화시키는데 도움이 되는 예방중재 전략은 무엇인가?

POINTS FOR FURTHER STUDY

- Geib, K. (2010). Neuman System's Model in nursing practice. In M. R. Alligood, (Ed.), *Nursing theory: Utilization and application* (4th ed., pp. 235–260). Maryland Heights, (MO): Mosby-Elsevier at: www.neumansystemsmodel.org
- Neuman, B., & Fawcett, J. (2011). *The Neuman systems model* (5th ed.). Upper Saddle River, (NJ): Pearson.
- Neuman, B., & Reed, K. S. (2007). A Neuman systems model perspective on nursing in 2050. *Nursing Science Quarterly,* 20(2), 111–113.
- Lists of Neuman research publications at: www.neumann.edu/academics/undergrad/nursing/model
- The Neuman Archives that preserve and protect works related to the model are housed in the Neumann College Library in Aston, (PA).

REFERENCES

Alligood, M. R. (2010). Introduction to nursing theory: History, terminology and analysis. In M. R. Alligood & A. M. Tomey (Eds.). *Nursing theorists and their work* (7th ed., pp. 3–15). Maryland Heights, (MO): Mosby.

Alves, P.C., Mourão, C.M.L., Galvão, M.T.G., Fernandes, A.F.C., & Caetano, J.A. (2010). Application of Neuman nursing process after mastectomy: A qualitative study. *Online Brazilian Journal of Nursing*, *9*(1), 19.

Anderson, E., McFarland, J., & Helton, A. (1986). Community-as-client: A model for practice. *Nursing Outlook*, *34*(5), 220–224.

August-Brady, M. (2000). Prevention as intervention. *Journal of Advanced Nursing*, *31*(6), 1304–1308.

Beckman, S. J., Boxley-Harges, S., Bruick-Sorge, C., Harris, S. M., Hermiz, M. E., Meininger, M., et al. (1994). Betty Neuman systems model. In A. Marriner Tomey (Ed.), *Nursing theorists and their work* (3rd ed., pp. 269–304). St. Louis: Mosby.

Beckman, S., Boxley-Harges, S., Bruick-Sorge, C., & Salmon, B. (2007). Five strategies that heighten nurses' awareness of spirituality to impact client care. *Holistic Nursing Practice, 21*(3), 135–139.

Beckman, S., Lowry, L., & Boxley-Harges, S. (2011). Nursing education at Indiana University/Purdue University Fort Wayne. In B. Neuman & J. Fawcett (Eds.), *The Neuman systems model* (pp. 194–215). Upper Saddle River, (NJ): Pearson.

Bertalanffy, L. (1968). *General system theory*. New York: George Braziller.

Black, P., Boore, J., & Parahoo, K. (2011). The effect of nurse-facilitated family participation in the physiological care of the critically ill patient. *Journal of Advanced Nursing*, *67*(5), 1091–1101.

Boxer, B. A. (2011). *Early detection could save lives-Colon cancer awareness*.Poster presented at the Thirteenth Biennial Neuman Systems Model Symposium, Allentown, (PA).

Bruick-Sorge, C. (2007). *Using simulations to improve students' critical thinking skills in a Neuman-based undergraduate program*. Paper presented at the Eleventh Biennial Neuman Systems Model Symposium, Ft. Lauderdale, (FL).

Burnett, H.M., & Crisanti, K.J. (2011). Nursing services at Allegiance Health. In B. Neuman & J. Fawcett (Eds.). *The Neuman systems model* (pp. 267–275). Upper Saddle River, (NJ): Pearson.

Burns, M.A. (2011). Nursing education at Loma Linda University. In B. Neuman & J. Fawcett (Eds.), *The Neuman systems model* (pp. 177–181). Upper Saddle River, (NJ): Pearson.

Capers, C. F. (1996). The Neuman systems model: A culturally relevant perspective. *ABNF Journal*, *7*(5), 113–117.

Caplan, G. (1964). *Principles of preventive psychiatry*. New York: Basic Books.

Cammuso, B., Audrey Silveri, A., & Remijan, P. (2011). Nursing education at Anna Maria College. In B. Neuman & J. Fawcett (Eds.), *The Neuman systems model* (pp. 182–193). Upper Saddle River, NJ: Pearson.

Chaponniere, P. A. (2010). Acculturation, pregnancy-related stress and birth outcomes in Mexican and Mexican-American women. *Dissertation Abstracts International, 71B*(04).

Clem, D.M. (2010). Peripherally inserted cental [sic] catheters (PICCs) and neonatal sepsis. *Masters Abstracts International, 48*(04).

DiJoseph, J., & Cavendish, R. (2005). Expanding the dialog on prayer relevant to holistic care. *Holistic Nursing Practice*, *19*(4), 147–154.

Dittman, P. W. (2007). *"Mountains to climb": The lived experience of chemically dependent nurses pilot study using the Neuman Systems Model*. Paper presented at the Eleventh Biennial Neuman Systems Model Symposium, Ft. Lauderdale, (FL).

Elmore, D. H. (2010). Empirical testing of the Neuman Systems Nursing Education Model: Exploring the created environment of registered nursing students in Nevada's colleges and universities. *Dissertation Abstracts International,* UMI 3412367.

Falk-Rafael, A. R., Ward-Griffin, C., Laforet-Fliesser, Y., & Beynon, C. (2004). Teaching nursing students to promote the health of communities; a partnership approach. *Nurse Educator*, *29*(2), 63–67.

Fawcett, J. (1989). *Analysis and evaluation of con-*

ceptual models of nursing (2nd ed., pp. 172–177). Philadelphia: F.A. Davis.

Fawcett, J. (1995). Constructing conceptual-theoretical-empirical structures for research. In B. Neuman (Ed.), *The Neuman systems model* (3rd ed., pp. 459–471). Norwalk, (CT): Appleton & Lange.

Fawcett, J. (1995). *Neuman's systems model: Analysis and evaluation of conceptual models of nursing* (3rd ed., pp. 217–275). Philadelphia: F. A. Davis.

Fawcett, J. (2001). Scholarly dialogue. The nurse theorists: 21st-century updates—Betty Neuman. *Nursing Science Quarterly*, *14*(3), 211–214.

Fawcett, J., Carpenito, L. J., Efinger, J., Goldblum-Graff, D., Groesbeck, M., Lowry, L. W., et al. (1982). A framework for analysis and evaluation of conceptual models of nursing with an analysis of the Neuman systems model. In B. Neuman (Ed.), *The Neuman systems model: Application to nursing education and practice* (pp. 30–43). Norwalk, (CT): Appleton-Century-Crofts.

Fawcett, J., & Giangrande, S. (2002). The Neuman systems model and research: An integrative review. In B. Neuman & J. Fawcett, (Eds.), *The Neuman systems model* (4th ed., pp. 120–149). Upper Saddle River, (NJ): Pearson.

Fawcett, J., & Gigliotti, E. (2001). Using conceptual models to guide nursing research: The case of the Neuman systems' model. *Nursing Science Quarterly*, *14*, 339–345.

Freese, B.T., Russell, J., Neuman, B., & Fawcett, J. (2011). Neuman Systems Model-based practice: Guidelines and practice tools. In B. Neuman & J. Fawcett (Eds.), *The Neuman systems model* (pp. 136–152). Upper Saddle River, (NJ): Pearson.

Gigliotti, E. (1999). Women's multiple role stress: Testing Neuman's flexible line of defense. *Nursing Science Quarterly*, *12*(1), 36–44.

Gigliotti, E. (2003). The Neuman systems model institute: Testing middle-range theories. *Nursing Science Quarterly*, *16*(3), 201–206.

Gigliotti, E. (2004). Etiology of maternal-student role stress. *Nursing Science Quarterly*, *17*(2), 156–164.

Gigliotti, E. (2007). Improving external and internal validity of a model of midlife women's maternal-student role stress. *Nursing Science Quarterly*, *20*(2), 161–170.

Gigliotti, E. (2011). Deriving middle-range theories from the Neuman Systems Model. In B. Neuman & J. Fawcett (Eds.), *The Neuman systems model* (pp. 283–298). Upper Saddle River, (NJ): Pearson.

Groesbeck, M.J. (2011). Reflections on Neuman Systems Model-based advanced psychiatric nursing practice. In B. Neuman & J. Fawcett (Eds.), *The Neuman systems model* (pp. 237- 244). Upper Saddle River, (NJ): Pearson.

Günüşen, N.P., & Üstün, B. (2010). An RCT of coping and support groups to reduce burnout among nurses. *International Nursing Review*, *57*, 485–492.

Hemphill, J.C. (2006). Discovering strengths of homeless abused women. *Dissertation Abstracts International*, 66(7),3635B. (UMI No. 3180908)

Heyman, P., & Wolfe, S. (2000). Neuman systems model. University of Florida. Retrieved from http://www.patheyman.com/essays/neuman/criticisms.htm.

Hoffman, M. K. (1982). From model to theory construction: An analysis of the Neuman health-care system model. In B. Neuman (Ed.), *The Neuman systems model: Application to nursing education and practice* (pp. 44–54). Norwalk, (CT): Appleton-Century-Crofts.

Huth, J. (2011, June). *Shift worked, quality of sleep, and evaluated body mass index in nurses.* Paper presented at Thirteenth Biennial Neuman Systems Model Symposium, Allentown, (PA).

Hsuan, C. (2009). Hospice care nursing experience related to a patient with terminal stage liver cancer. *Journal of Nursing*, *56*(5), 98–104.

Kain, H. B. (2000). Care of the older adult following hip fracture. *Holistic Nursing Practice*, *14*(4), 24–39.

Kavanagh-Mannister, N. (2011, June). *Role stress and eating behaviors among clergy.* Paper presented at the Thirteenth Annual Neuman Systems Model Symposium, Allentown, (PA).

Lavoie, S., Talbot, L. R., & Mathieu, L. (2011). Posttraumatic stress disorder symptoms among emergency nurses: Their perspective and a "tailor-made" solution. *Journal of Advanced Nursing, 67*(7), 1514–1522.

Lee, F-P. (2005). The relationship of comfort and spirituality to quality of life among long-term care facility residents in southern Taiwan. *Dissertation*

Abstracts International, *66*(2), 815B. (UMI No. 3163392).

Louis, M., Gigliotti, E., Neuman, B., & Fawcett, J. (2011). Neuman Systems Model-based research: Guidelines and research instruments. In B. Neuman & J. Fawcett (Eds.), *The Neuman systems model* (pp. 160–174). Upper Saddle River, (NJ): Pearson.

Louis, M. & Koertvelyessy, A. (1989). The Neuman model in research. In B. Neuman, *The Neuman systems model* (2nd ed., pp. 93–114). Norwalk, (CT): Appleton & Lange.

Lowry, L. W. (2002). The Neuman systems model and education: An integrative review. In B. Neuman & J. Fawcett (Eds.), *The Neuman systems model* (4th ed., pp. 216–237). Upper Saddle River, (NJ): Pearson.

Lowry, L W., & Newsome, G. G. (1995). Neuman-based associate degree programs: Past, present, and future. In B. Neuman (Ed.), *The Neuman systems model* (3rd ed., pp. 197–214). Norwalk, (CT): Appleton & Lange.

Merks, A., van Tilburg, C., & Lowry, L. (2009, June). *Evaluation of the NSM as a guide for nursing psychiatric practice in Holland: A longitudinal study.* Paper presented at the Twelfth Biennial Neuman Systems Model Symposium, Las Vegas.

Merks, A., van Tilburg, C., & Lowry, L. (2011). Excellence in practice. In B. Neuman & J. Fawcett (Eds.), The Neuman systems model (pp. 253–264). Upper Saddle River, (NJ): Pearson.

Mirenda, R. M. (1986). The Neuman systems model: Description and application. In P. Winstead-Fry (Ed.), *Case studies in nursing theory* (pp. 127–167). New York: National League for Nursing.

Munck, C. K., & Merks, A. (2002). Using the Neuman systems model to guide administration of nursing services in Holland: The case of Emergis, institute for mental health care. In B. Neuman & J. Fawcett (Eds.), *The Neuman systems model* (4th ed., pp. 300–316). Upper Saddle River, (NJ): Prentice-Hall.

Neuman, B. (1974). The Betty Neuman health care systems model: A total person approach to patient problems. In J. P. Riehl & C. Roy (Eds.), *Conceptual models for nursing practice* (2nd ed., pp. 119–134). New York: Appleton-Century-Crofts.

Neuman, B. (1982). *The Neuman systems model: Application to nursing education and practice*. Norwalk, (CT): Appleton-Century-Crofts.

Neuman, B. (1989). *The Neuman systems model* (2nd ed.). Norwalk, (CT): Appleton & Lange.

Neuman, B. (1995). *The Neuman systems model* (3rd ed.). Norwalk, (CT): Appleton & Lange.

Neuman, B. (2002a). The Neuman systems model. In B. Neuman & J. Fawcett (Eds.), *The Neuman systems model* (4th ed., pp. 3–34). Upper Saddle River, (NJ): Prentice-Hall.

Neuman, B. (2002b). The Neuman systems model definitions. In B. Neuman & J. Fawcett (Eds.), *The Neuman systems model* (4th ed., pp. 322–324). Upper Saddle River, (NJ): Prentice-Hall.

Neuman, B. (2011a). Assessment and intervention based on the Neuman Systems Model. In B. Neuman & J. Fawcett (Eds.), *The Neuman systems model* (pp. 338–350). Upper Saddle River, (NJ): Pearson.

Neuman, B. (2011b). The Neuman systems model. In B. Neuman & J. Fawcett (Eds.), *The Neuman systems model* (pp. 1–33). Upper Saddle River, (NJ): Pearson.

Neuman, B. (2011c). The Neuman systems model definitions. In B. Neuman & J. Fawcett (Eds.), *The Neuman systems model* (pp. 327–329). Upper Saddle River, (NJ): Pearson.

Neuman, B. (2011d). Trustees of Neuman Systems Model International. In B. Neuman & J. Fawcett (Eds.), *The Neuman systems model* (pp. 355–358). Upper Saddle River, (NJ): Pearson.

Neuman, B. & Fawcett, J. (2002). *The Neuman Systems Model*. (4th ed.). Upper Saddle River, (NJ): Prentice Hall.

Neuman, B., & Fawcett, J. (2011). *The Neuman Systems Model* (5th ed.). Upper Saddle River, (NJ): Pearson.

Neuman, B., Deloughery, G. W., & Gebbie, M. (1971). *Consultation and community organization in community mental health nursing.* Baltimore: Williams & Wilkins.

Neuman, B., Lowry, L., & Fawcett, J. (2011). Use of the Neuman Systems Model as a guide for nursing education. In B. Neuman & J. Fawcett (Eds.), *The Neuman systems model* (pp. 359–369). Upper Saddle River, (NJ): Pearson.

Neuman, B. M., & Young, R. J. (1972). A model for teaching total person approach to patient problems.

Nursing Research, *21*(3), 264–269.

Newman, D. M. L. (2005). A community nursing center for the health promotion of senior citizens based on the Neuman Systems Model. *Nursing Education Perspectives*, *26*(4), 221–223.

Newman, D. M. L., Gehrling, K. R., Lowry, L., Taylor, R., Neuman, B., & Fawcett, J. (2011). Neuman Systems Model-based education for the health professions: Guidelines and educational tools. In B. Neuman & J. Fawcett (Eds.), *The Neuman systems model* (5th ed., pp. 117–135). Upper Saddle River, (NJ): Pearson.

Paicentine, L. B. (2010). The association of spirituality, religiosity, depression, anxiety, and drug use among persons undergoing methadone maintenance therapy. *Dissertation Abstracts International,* UMI AAI3432366.

Perls, F. (1973). *The gestalt approach: Eye witness to therapy*. Palo Alto, (CA): Science and Behavior Books.

Roe, D.C. (2009). The relationship between prelicensure baccalaureate nursing students' stress and their perceptions of clinical nurse educator caring. *Dissertation Abstracts International, 70*B(03).

Russell, J. (2002). The Neuman systems model and clinical tools. In B. Neuman & J. Fawcett (Eds.), *The Neuman systems model* (4th ed., pp. 61–73). Upper Saddle River, (NJ): Prentice-Hall.

Selye, H. (1974). *Stress without distress*. Philadelphia: Lippincott.

Shambaugh, B.F., Neuman, B., & Fawcett, J. (2011). Guidelines for Neuman Systems Model-Based administration of health care services. In B. Neuman & J. Fawcett (Eds.), *The Neuman systems model* (pp. 153–159). Upper Saddle River, (NJ): Pearson.

Sinsiri, C. (2009). *Factors influencing adolescent depression*. Paper presented at Twelfth Biennial Neuman Systems Model Symposium, Las Vegas.

Skalski, C. A., DiGerolamo, L, Gigliotti, E. (2006). Stressors in five client populations: Neuman systems model-based literature review. *Journal of Advanced Nursing*, *56*(1), 69–78.

South, R. M. (2011, June). *Exploring spirituality and spiritual care in a baccalaureate nursing program.* Paper presented at the Thirteenth Biennial Neuman Systems Model Symposium, Allentown, (PA).

Spurr, S., Bally, J., Ogenchuk, M., & Paternelj-Taylor, C. (2011). A wellness framework for pediatric clinical nursing practice. *Holistic Nursing Practice, 25*(6), 298–308.

Tarko, M., & Helewka, A. (2011). Psychiatric nursing education at Douglas College. In B. Neuman & J. Fawcett (Eds.), *The Neuman systems model* (pp. 216–220). Upper Saddle River, (NJ): Pearson.

Torres, G. (1986). *Theoretical foundations of nursing*. Norwalk, (CT): Appleton-Century-Crofts.

Ume-Nwagbo, P. N., Dewan, S. A., & Lowry, L.W. (2006). Using the Neuman systems model for best practices. *Nursing Science Quarterly*, *19*(1), 31–35.

Walker, L. O., & Avant, K. (1983). *Strategies for theory construction in nursing*. Norwalk, (CT): Appleton-Century-Crofts.

Walton, M. (2009). Immediate effects of effleurage back massage on physiological and psychological relaxation. *Nursing Journal of India*, *100*, 230–232.

Weinland, J., & Hess, R. F. (2009, June). *Study of women with peripartum cardiomyopathy (PPCM) as participants in a PPCM on-line support group (OSG)*. Paper presented at Twelfth Biennial Neuman Systems Model Symposium, Las Vegas.

Wetta-Hall, R., Berry, M., Ablah, E., Gillispie, J. M., Stepp-Cornelius, L. K. (2004). Community case management: a strategy to improve access to medical care in uninsured populations. *Care Management Journals*, *5*(2), 87–93.

Yarcheski, T.J., Mahon, N.E., Yarcheski, A., & Hanks, M. M. (2010). Perceived stress and wellness in early adolescents using the Neuman Systems Model. *Journal of School Nursing*, *26*, 230–237.

Zhou, L., Ye, E., Zhang, X., Xu, Y., & Lu, W. (2009, June). *Stressors and coping strategies of adolescents with scoliosis: Before and after surgical correction.* Paper presented at Twelfth Biennial Neuman Systems Model Symposium, Las Vegas.

BIBLIOGRAPHY

Primary Sources

Books

Hinton Walker, P., & Neuman, B. (Eds.). (1996). *Blueprint for use of nursing models*. New York: National League for Nursing.

Neuman, B. (1982). *The Neuman systems model: Application to nursing education and practice*. Norwalk, (CT): Appleton-Century-Crofts.

Neuman, B. (1989). *The Neuman systems model* (2nd ed.). Norwalk, (CT): Appleton & Lange.

Neuman, B. (1995). *The Neuman systems model* (3rd ed.). Norwalk, (CT): Appleton & Lange.

Neuman, B., Deloughery, G. W., & Gebbie, M. (1971). *Consultation and community organization in community mental health nursing*. Baltimore: Williams & Wilkins.

Neuman, B., & Fawcett, J. (2002). *The Neuman systems model* (4th ed.). Upper Saddle River, (NJ): Pearson.

Neuman, B., & Fawcett, J. (2011). *The Neuman systems model* (5th ed.). Upper Saddle River, (NJ): Pearson.

Neuman, B. M., & Walker, P. H. (1996). *Blueprint for use of nursing models: Education, research, practice, and administration*. New York: National League for Nursing.

Book Chapters

Freese, B. T., Neuman, B., & Fawcett, J. (2002). Guidelines for Neuman systems model-based clinical practice. In B. Neuman & J. Fawcett (Eds.), *The Neuman systems model* (4th ed., pp. 37–42). Upper Saddle River, (NJ): Pearson.

Louis, M., Gigliotti, E., Neuman, B., & Fawcett, J. (2011). Neuman Systems Model-based research: Guidelines and research instruments. In B. Neuman & J. Fawcett (Eds.), *The Neuman systems model* (pp. 160–174). Upper Saddle River, (NJ): Pearson.

Louis, M., Neuman, B., & Fawcett, J. (2002). Guidelines for Neuman systems model-based nursing research. In B. Neuman & J. Fawcett (Eds.), *The Neuman systems model* (4th ed., pp. 113–119). Upper Saddle River, (NJ): Pearson.

Neuman, B. (1974). The Betty Neuman health care systems model: A total person approach to patient problems. In J. P. Riehl & C. Roy (Eds.), *Conceptual models for nursing practice* (pp. 94–104). New York: Appleton-Century-Crofts.

Neuman, B. (1980). The Betty Neuman health care systems model: A total person approach to patient problems. In J. P. Riehl & C. Roy (Eds.), *Conceptual models for nursing practice*(2nd ed., pp. 119–134). New York: Appleton-Century-Crofts.

Neuman, B. (1983). Analysis and application of Neuman's health care model. In I. W. Clements & F. B. Roberts (Eds.), *Family health: A theoretical approach to nursing care* (pp. 239–254, 353–367). New York: Wiley.

Neuman, B. (1986). The Neuman systems model explanation: Its relevance to emerging trends toward wholism in nursing. In I. B. Engberg & K. Kuld (Eds.), *Omvårdnad 1986* [Nursing care book]. Mullsjö: Sweden: Omvårdnad's Forum HB.

Neuman, B. (1989). The Neuman nursing process format adapted to a family case study. In J. P. Riehl & C. Roy (Eds.), *Conceptual models for nursing practice* (pp. 49–62). Norwalk, (CT): Appleton & Lange.

Neuman, B. (1990). The Neuman systems model: A theory for practice. In M. E. Parker (Ed.), *Nursing theories in practice* (pp. 24–26). New York: National League for Nursing.

Neuman, B. (1995). In conclusion—Toward new beginnings. In B. Neuman (Ed.), *The Neuman systems model* (3rd ed., pp. 671–703). Norwalk, (CT): Appleton & Lange.

Neuman, B. (1995). The Neuman systems model. In B. Neuman (Ed.), *The Neuman systems model* (3rd ed., pp. 3–62). Norwalk, (CT): Appleton & Lange.

Neuman, B. (2001). The Neuman systems model: A futuristic care perspective. In N. L Chaska, (Ed.), *The nursing profession: Tomorrow and beyond*(pp. 321–329). Thousand Oaks, (CA): Sage.

Neuman, B. (2002). Assessment and intervention based on the Neuman systems model. In B. Neuman & J. Fawcett (Eds.), *The Neuman systems model* (4th ed., pp. 347–359). Upper Saddle River, (NJ): Pearson.

Neuman, B. (2002). Betty Neuman's autobiography

and chronology of the development and utilization of the Neuman systems model. In B. Neuman & J. Fawcett (Eds.), *The Neuman systems model* (4th ed., pp. 325–346). Upper Saddle River, (NJ): Pearson.

Neuman, B. (2002). The future and the Neuman systems model. In B. Neuman & J. Fawcett (Eds.), *The Neuman systems model* (4th ed., pp. 319–321). Upper Saddle River, (NJ): Pearson.

Neuman, B. (2002). The Neuman systems model definitions. In B. Neuman & J. Fawcett (Eds.), *The Neuman systems model* (4th ed., pp. 322–324). Upper Saddle River, (NJ): Pearson.

Neuman, B. (2002). The Neuman systems model. In B. Neuman & J. Fawcett (Eds.), *The Neuman systems model* (4th ed., pp. 3–33). Upper Saddle River, (NJ): Pearson.

Neuman, B. (2011). The Neuman systems model. In B. Neuman & J. Fawcett (Eds.), *The Neuman systems model* (pp. 1–33). Upper Saddle River, (NJ): Pearson.

Neuman, B. (2002). The Neuman Systems Model Trustees Group. In B. Neuman & J. Fawcett (Eds.), *The Neuman systems model* (4th ed., pp. 360–363). Upper Saddle River, (NJ): Pearson.

Neuman, B., & Lowry, L. (2011). The Neuman Systems Model and the future. In B. Neuman & J. Fawcett (Eds.), *The Neuman systems model* (pp. 317–324). Upper Saddle River, (NJ): Pearson.

Neuman, B., & Wyatt, M. (1980). The Neuman stress/adaptation systems approach to education for nurse administrators. In J. P. Riehl & C. Roy (Eds.), *Conceptual models for nursing practice* (2nd ed., pp. 142–150). New York: Appleton-Century-Crofts.

Newman, D. M. L., Gehring, K.R., Lowry, L., Taylor, R., Neuman, B., & Fawcett, J. (2011). Neuman Systems Model-based education for the health professions: Guidelines and educational tools. In B. Neuman & J. Fawcett (Eds.), *The Neuman systems model* (pp. 117–135). Upper Saddle River, (NJ): Pearson.

Newman, D. M. L., Neuman, B., & Fawcett, J. (2002). Guidelines for Neuman systems model-based education for the health professions. In B. Neuman & J. Fawcett (Eds.), *The Neuman systems model* (4th ed., pp. 193–215). Upper Saddle River, (NJ): Pearson.

Shambaugh, B. F., Neuman, B., & Fawcett, J. (2011). Guidelines for Neuman Systems Model-Based administration of health care services. In B. Neuman & J. Fawcett (Eds.), The Neuman systems model (pp. 153–159). Upper Saddle River, (NJ): Pearson.

Journal Articles

Deloughery, G. W., Neuman, B. M., & Gebbie, K. M. (1971, Oct). Nurses in community mental health: An informative interpretation for employees of professional nurses. *Public Personnel Review*, *32*(4), 215–218.

Neuman, B. (1985, Sept). The Neuman systems model: Its importance for nursing. *Senior Nurse, 3*(3).

Neuman, B. (1990). Health: A continuum based on the Neuman systems model. *Nursing Science Quarterly, 3(3),* 129–135.

Neuman, B. (1996). The Neuman systems model in research and practice. *Nursing Science Quarterly*, *9*(2), 67–70.

Neuman, B. (1998). NDs should be future coordinators of health care (Letter to the Editor). *Image: The Journal of Nursing Scholarship*, *30*, 106.

Neuman, B. (2000). Leadership-scholarship integration: Using the Neuman systems model for 21st century professional nursing practice. *Nursing Science Quarterly*, *13*(1), 60–63.

Neuman, B., Chadwick, P. L., Beynon, C. E., Craig, D. M., Fawcett, J., Chang, N. J., et al. (1997). The Neuman systems model: Reflections and projections. *Nursing Science Quarterly*, *10*(1), 18–21.

Neuman, B., Deloughery, G. W., & Gebbie, K. M. (1974). Teaching organizational concepts to nurses in community mental health. *Journal of Nursing Education, 13*(1), 8–14.

Neuman, B. M., Deloughery, G. W., & Gebbie, K. M. (1970). Changes in problem solving ability among nurses receiving mental health consultation: A pilot study. *Communicating Nursing Research*, *3*, 41–52.

Neuman, B. M., Deloughery, G. W., & Gebbie, K. M. (1970). Levels of utilization: Nursing specialists in community mental health. *Journal of Psychiatric Nursing and Mental Health Services*, *8*(1), 37–39.

Neuman, B. M., Deloughery, G. W., & Gebbie, K. M. (1972). Mental health consultation as a means of improving problem solving ability in work groups: A pilot study. *Comparative Group Studies*, *3*(1), 81–97.

Neuman, B. M., & Martin, K. S. (1998). Neuman systems model and the Omaha system. *Image: The Journal of Nursing Scholarship*, *30*(1), 8.

Neuman, B. M., & Young, R. J. (1972). A model for teaching total person approach to patient problems. *Nursing Research*, *21*, 264–269.

Neuman, B., Newman, D. M. L., & Holder, P. (2000). Leadership-scholarship integration: Using the Neuman systems model for 21st-century professional nursing practice. *Nursing Science Quarterly*, *13*(1), 60–63.

Neuman, B., & Reed, K. S. (2007). A Neuman systems model perspective on nursing in 2050. *Nursing Science Quarterly*, *20*(2), 111–113.

Neuman, B., & Wyatt, M. A. (1981). Prospects for change: Some evaluative reflections by faculty members from one articulated baccalaureate program. *Journal of Nursing Education*, *20*, 40–46.

Secondary Sources

Books

Bertalanffy, L. (1968). *General system theory*. New York: George Braziller.

Caplan, G. (1964). *Principles of preventive psychiatry*. New York: Basic Books.

Fawcett, J. (1989). *Analysis and evaluation of conceptual models of nursing*. Philadelphia: F. A. Davis.

Fawcett, J. (1999). *The relationship of theory and research* (3rd ed.). Philadelphia: F. A. Davis.

Fawcett, J. (2000). *Analysis and evaluation of contemporary nursing knowledge: Nursing models and theories*. Philadelphia: F. A. Davis.

Lowry, Lois W. (1998). *The Neuman systems model and nursing education: Teaching strategies and outcomes*. Indianapolis: Sigma Theta Tau International.

Meleis, A. I. (1997). *Theoretical nursing: Development and progress* (3rd ed.). Philadelphia: Lippincott.

Perls, F. (1973). *The gestalt approach: Eye witness to therapy*. Palo Alto, CA: Science and Behavior Books.

Reed, K. S. (1993). *Betty Neuman: The Neuman systems model*. Newbury Park, CA: Sage.

Selye, H. (1974). *Stress without distress*. Philadelphia: Lippincott.

Torres, G. (1986). *Theoretical foundations of nursing*. Norwalk, CT: Appleton-Century-Crofts.

Walker, L. O., & Avant, K. (1983). *Strategies for theory construction in nursing*. Norwalk, CT: Appleton-Century-Crofts.

Book Chapters

Alligood, M. R. (2010). Introduction to nursing theory: History, terminology and analysis. In M. R. Alligood & A. M. Tomey (Eds.), *Nursing theorists and their work* (7th ed., pp. 3–15). Maryland Heights, (MO): Mosby.

Alyward, P.D. (2010). Betty Neuman's systems model. In M. E. Parker & M.C. Smith, *Nursing theories and nursing practice* (3rd ed., pp. 182–201). Philadelphia: F.A. Davis.

Amaya, M. A. (2002). The Neuman systems model and clinical practice: An integrative review 1974–2000. In B. Neuman & J. Fawcett (Eds.), *The Neuman systems model* (4th ed., pp. 43–60). Upper Saddle River, (NJ): Pearson.

Beckman, S. J., Boxley-Harges, S., Bruick-Sorge, C., & Eichenaur, J. (1998). Critical thinking, the Neuman systems model, and associate degree education. In L. Lowry (Ed.), *The Neuman systems model and nursing education: Teaching strategies and outcomes* (pp. 53–58). Indianapolis: Center Nursing Press.

Beckman, S. J., Boxley-Harges, S., Bruick-Sorge, C, & Eichenaur, J. (1998). Evaluation modalities for assessing student and program outcomes. In L. Lowry (Ed.), *The Neuman systems model and nursing education: Teaching strategies and outcomes* (pp. 149–160). Indianapolis: Center Nursing Press.

Beckman, S., Lowry, L., & Boxley-Harges, S. (2011). Nursing education at Indiana University/Purdue University Fort Wayne. In B. Neuman & J. Fawcett (Eds.), *The Neuman systems model* (pp. 194–215). Upper Saddle River, (NJ): Pearson.

Breckenridge, D.M. (2011). The Neuman Systems Model and evidence-based nursing practice. In B. Neuman & J. Fawcett (Eds.), *The Neuman systems model* (pp. 245–252). Upper Saddle River, (NJ): Pearson.

Breckenridge, D. M. (2002). Using the Neuman systems model to guide nursing research in the United States. In B. Neuman & J. Fawcett (Eds.), *The Neuman systems model* (4th ed., pp. 176–182). Upper

Saddle River, (NJ): Pearson.

Burnett, H. M., & Crisanti, K. J. (2011). Nursing services at Allegiance Health. In B. Neuman & J. Fawcett (Eds.), *The Neuman systems model* (pp. 267–275). Upper Saddle River, (NJ): Pearson.

Burns, M.A. (2011). Nursing education at Loma Linda University. In B. Neuman & J. Fawcett (Eds.), *The Neuman systems model* (pp. 177–181). Upper Saddle River, (NJ): Pearson.

Busch, P., & Lynch, M. (1998). Creative teaching strategies in a Neuman-based baccalaureate curriculum. In L. Lowry (Ed.), *The Neuman systems model and nursing education: Teaching strategies and outcomes* (pp. 59–70). Indianapolis: Center Nursing Press.

Cammuso, B., Audrey Silveri, A., & Remijan, P. (2011). Nursing education at Anna Maria College. In B. Neuman & J. Fawcett (Eds.), *The Neuman systems model* (pp. 182–193). Upper Saddle River, (NJ): Pearson.

Cammuso, B. S., & Wallen, A. J. (2002). Using the Neuman systems model to guide nursing education in the United States. In B. Neuman & J. Fawcett (Eds.), *The Neuman systems model*(4th ed., pp. 244–253). Upper Saddle River, (NJ): Pearson.

Chang, N. J., & Freese, B. T. (1998). Teaching culturally competent care: A Korean-American experience. In L. Lowry (Ed.), *The Neuman systems model and nursing education: Teaching strategies and outcomes* (pp. 85–90). Indianapolis: Center Nursing Press.

Chaponniere, P. A. (2010). Acculturation, pregnancy-related stress and birth outcomes in Mexican and Mexican-American women. *Dissertation Abstracts International, 71B*(04).

Crawford, J. A., & Tarko, M. (2002). Using the Neuman systems model to guide nursing practice in Canada. In B. Neuman & J. Fawcett (Eds.), *The Neuman systems model* (4th ed., pp. 90–110). Upper Saddle River, (NJ): Pearson.

de Kuiper, M. (2002). Using the Neuman systems model to guide nursing education in Holland. In B. Neuman & J. Fawcett (Eds.), *The Neuman systems model* (4th ed., pp. 254–262). Upper Saddle River, (NJ): Pearson.

DeKuiper, M. (2011). The created environment. In B. Neuman & J. Fawcett (Eds.), The Neuman systems model (pp. 100–104). Upper Saddle River, (NJ): Pearson.

Evans, B. (1998). Fourth-generation evaluation and the Neuman systems model. In L. Lowry (Ed.), *The Neuman systems model and nursing education: Teaching strategies and outcomes* (pp. 117–128). Indianapolis: Center Nursing Press.

Fashinpaur, D. (2002). Using the Neuman systems model to guide nursing practice in the United States: Nursing prevention interventions for postpartum mood disorders. In B. Neuman & J. Fawcett (Eds.), *The Neuman systems model* (4th ed., pp. 74–89). Upper Saddle River, (NJ): Pearson.

Fawcett, J. (1998). Conceptual models and therapeutic modalities in advanced psychiatric nursing practice. In A. W. Burgess (Ed.), *Advanced practice psychiatric nursing* (pp. 41–48). Stamford, (CT): Appleton & Lange.

Fawcett, J. (2002). Neuman systems model bibliography. In B. Neuman & J. Fawcett (Eds.), *The Neuman systems model* (4th ed., pp. 364–400). Upper Saddle River, (NJ): Pearson.

Fawcett, J., & Giangrande, S. K. (2002). The Neuman systems model and research: An integrative review. In B. Neuman & J. Fawcett (Eds.), *The Neuman systems model* (4th ed., pp. 120–149). Upper Saddle River, (NJ): Pearson.

Freese, B., Beckman, S. J., Boxley-Harges, S., Bruick-Sorge, C, Harris, S. M., Hermiz, M. E., et al. (1998). Betty Neuman: Systems model. In A. M. Tomey & M. R. Alligood (Eds.), *Nursing theorists and their work* (4th ed., pp. 267–299). St. Louis: Mosby.

Freese, B.T., & Lawson, T.G. (2011). Betty Neuman: Systems model. In M.R. Alligood & A. Marriner Tomey, *Nursing theorists and their work* (7th ed., pp. 309–334). St. Louis: Mosby Elsevier.

Freese, B. T., Russell, J., Neuman, B., & Fawcett, J. (2011). Neuman Systems Model–based practice: Guidelines and practice tools. In B. Neuman & J. Fawcett (Eds.), *The Neuman systems model* (pp. 136–152). Upper Saddle River, (NJ): Pearson.

Freese, B. T., & Scales, C. J. (1998). NSM-based care as an NLN program evaluation outcome. In L. Lowry (Ed.), *The Neuman systems model and nursing education: Teaching strategies and outcomes* (pp. 135–139). Indianapolis: Center Nursing Press.

Frieburger, O. A. (1998). Overview of strategies that

integrate the Neuman systems model, critical thinking, and cooperative learning. In L. Lowry (Ed.), *The Neuman systems model and nursing education: teaching strategies and outcomes* (pp. 79–84). Indianapolis: Center Nursing Press.

Frieburger, O. A. (1998). The Neuman systems model, critical thinking, and cooperative learning in a nursing issues course. In L. Lowry (Ed.), *The Neuman systems model and nursing education: Teaching strategies and outcomes*(pp. 79–84). Indianapolis: Center Nursing Press.

Freiburger, O. A. (2011). Critical thinking. In B. Neuman & J. Fawcett (Eds.), *The Neuman systems model* (pp. 105–114). Upper Saddle River, (NJ): Pearson.

Gehrling, K. R. (2011). Reconstitution. In B. Neuman & J. Fawcett (Eds.), *The Neuman systems model* (pp. 89–99). Upper Saddle River, (NJ): Pearson.

Geib, K. (2010). Neuman System's Model in nursing practice. In M. R. Alligood (Ed.), *Nursing theory: Utilization & application* (4th ed., pp. 235–260). Maryland Heights, (MO): Mosby-Elsevier.

Gigliotti, E., & Fawcett, J. (2002). The Neuman systems model and research instruments. In B. Neuman & J. Fawcett (Eds.), *The Neuman systems model* (4th ed., pp. 150–175). Upper Saddle River, (NJ): Pearson.

Gigliotti, E. (2011). Deriving middle-range theories from the Neuman Systems Model. In B. Neuman & J. Fawcett (Eds.), *The Neuman systems model* (pp. 283–298). Upper Saddle River, (NJ): Pearson.

Groesbeck, M.J. (2011). Reflections on Neuman Systems Model-based advanced psychiatric nursing practice. In B. Neuman & J. Fawcett (Eds.), The Neuman systems model (pp. 237–244). Upper Saddle River, (NJ): Pearson.

Hassell, J. S. (1998). Critical thinking strategies for family and community client systems. In L. Lowry (Ed.), *The Neuman systems model and nursing education: Teaching strategies and outcomes* (pp. 71–78). Indianapolis: Center Nursing Press.

Jajic, A., Andrews, H., & Winson Jones, C., (2011). The client system as family, group, or community. In B. Neuman & J. Fawcett (Eds.), *The Neuman systems model* (pp. 70–88). Upper Saddle River, (NJ): Pearson.

Kinder, L., Napier, D., Rubertino, M., Surace, A., & Burkholder, J. (2011). Utilizing the Neuman Systems Model to maintain and enhance the health of a nursing service: Riverside Methodist Hospital. In B. Neuman & J. Fawcett (Eds.), The Neuman systems model (pp. 276–280). Upper Saddle River, (NJ): Pearson.

Kolcaba, K., & Kolcaba, R. (2011). Linking middle-range theories with the Neuman Systems Model. In B. Neuman & J. Fawcett (Eds.), *The Neuman systems model* (pp. 299–313). Upper Saddle River, (NJ): Pearson.

Lowry, L. W. (1998). Creative teaching and effective evaluation. In L. Lowry (Ed.), *The Neuman systems model and nursing education: Teaching strategies and outcomes* (pp. 17–30). Indianapolis: Center Nursing Press.

Lowry, L. W. (1998). Efficacy of the Neuman systems model as a curriculum framework: A longitudinal study. In L. Lowry (Ed.), *The Neuman systems model and nursing education: Teaching strategies and outcomes* (pp. 139–148). Indianapolis: Center Nursing Press.

Lowry, L. W. (1998). Vision, values, and verities. In L. Lowry (Ed.), *The Neuman systems model and nursing education: Teaching strategies and outcomes* (pp. 167–174). Indianapolis: Center Nursing Press.

Lowry, L. W. (2002). The Neuman systems model and education: An integrative review. In B. Neuman & J. Fawcett (Eds.), *The Neuman systems model* (4th ed., pp. 216–237). Upper Saddle River, (NJ): Pearson.

Lowry, L. W., Bruick-Sorge, C., Freese, B. T., & Sutherland, R. (1998). Development and renewal of faculty for Neuman-based teaching. In L. Lowry (Ed.), *The Neuman systems model and nursing education: Teaching strategies and outcomes* (pp. 161–166). Indianapolis: Center Nursing Press.

McDowell, B. (2011). Using the Neuman Systems Model to Guide pediatric nursing practice. In B. Neuman & J. Fawcett (Eds.), *The Neuman systems model* (pp. 223–236). Upper Saddle River, (NJ): Pearson.

Merks, A., van Tilburg, C., & Lowry, L. (2011). Excellence in practice. In B. Neuman & J. Fawcett (Eds.), *The Neuman systems model* (pp. 253–264). Upper Saddle River, (NJ): Pearson.

Munck, C. K., & Merks, A. (2002). Using the Neuman systems model to guide administration of nursing services in Holland: The case of Emergis, institute for mental health care. In B. Neuman & J. Fawcett (Eds.), *The Neuman systems model* (4th ed., pp. 300–316). Upper Saddle River, (NJ): Pearson.

Newsome, G. G., & Lowry, L. W. (1998). Evaluation in nursing: History, models, and Neuman's framework. In L. Lowry (Ed.), *The Neuman systems model and nursing education: Teaching strategies and outcomes* (pp. 37–52). Indianapolis: Center Nursing Press.

Nuttall, P. R., Stittich, E. M., & Flores, F. C. (1998). The Neuman systems model in advanced practice nursing. In L. Lowry (Ed.), *The Neuman systems model and nursing education: Teaching strategies and outcomes* (pp. 109–116). Indianapolis: Center Nursing Press.

Pothiban, L. (2002). Using the Neuman systems model to guide nursing research in Thailand. In B. Neuman & J. Fawcett (Eds.), *The Neuman systems model* (4th ed., pp. 183–190). Upper Saddle River, (NJ): Pearson.

Reed, K. S. (2002). The Neuman systems model and educational tools. In B. Neuman & J. Fawcett (Eds.), *The Neuman systems model* (4th ed., pp. 238–243). Upper Saddle River, (NJ): Pearson.

Russell, J. (2002). The Neuman systems model and clinical tools. In B. Neuman & J. Fawcett (Eds.), *The Neuman systems model* (4th ed., pp. 61–73). Upper Saddle River, (NJ): Pearson.

Sanders, N. F., & Kelley, J. A. (2002). The Neuman systems model and administration of nursing services: An integrative review. In B. Neuman & J. Fawcett (Eds.), *The Neuman systems model* (4th ed., pp. 271–287). Upper Saddle River, (NJ): Pearson.

Seng, V. S. (1998). Clinical evaluation: The heart of clinical performance. In L. Lowry (Ed.), *The Neuman systems model and nursing education: Teaching strategies and outcomes* (pp. 129–134). Indianapolis: Center Nursing Press.

Shambaugh, B.F., Neuman, B., & Fawcett, J. (2011). Guidelines for Neuman Systems Model–Based administration of health care services. In B. Neuman & J. Fawcett (Eds.), *The Neuman systems model* (pp. 153–159). Upper Saddle River, (NJ): Pearson.

Strickland-Seng, V. (1998). Clinical evaluation: The heart of clinical performance. In L. Lowry (Ed.), *The Neuman systems model and nursing education: Teaching strategies and outcomes* (pp. 129–134). Indianapolis: Sigma Theta Tau International.

Sutherland, R., & Forrest, D. L. (1998). Primary prevention in an associate of science curriculum. In L. Lowry (Ed.), *The Neuman systems model and nursing education: Teaching strategies and outcomes* (pp. 99–108). Indianapolis: Center Nursing Press.

Tarko, M., & Helewka, A. (2011). Psychiatric nursing education at Douglas College. In B.

Neuman & J. Fawcett (Eds.), *The Neuman systems model* (pp. 216–220). Upper Saddle River, (NJ): Pearson.

Tarko, M., & Helewka, A. (2011). The client system as an individual. In B. Neuman & J. Fawcett (Eds.), *The Neuman systems model* (pp. 37–69). Upper Saddle River, (NJ): Pearson.

Torakis, M. L. (2002). Using the Neuman systems model to guide administration of nursing services in the United States: Redirecting nursing practice in a freestanding pediatric hospital. In B. Neuman & J. Fawcett (Eds.), *The Neuman systems model* (4th ed., pp. 288–299). Upper Saddle River, (NJ): Pearson.

Weitzel, A. R., & Wood, K. C. (1998). Community health nursing: Keystone of baccalaureate education. In L. Lowry (Ed.), *The Neuman systems model and nursing education: Teaching strategies and outcomes* (pp. 91–98). Indianapolis: Center Nursing Press.

Journal Articles

Alves, P. C., Mourão, C. M. L., Galvão, M. T. G., Fernandes, A. F. C., & Caetano, J. A. (2010). Application of Neuman nursing process after mastectomy: A qualitative study. *Online Brazilian Journal of Nursing*, *9*(1), 19.

Black, P., Boore, J., & Parahoo, K. (2011). The effect of nurse-facilitated family participation in the physiological care of the critically ill patient. *Journal of Advanced Nursing*, *67*(5), 1091–1101.

Cazzell, M. (2008). Linking theory, evidence, and practice in assessment of adolescent inhalant use. *Journal of Addictions Nursing*, *19*, 17–25.

Das, R., Nayak, B. S., & Margaret, B. (2011). Acupressure and physical stress among high school students. *Holistic Nursing Practice*, *25*(2), 97–104.

deSouza-Martins, T. S., & Silvino, Z. R. (2010). A conceptual framework for hospitalized children care in light of Neuman's theory. *Cogitare Enfermagem*, *15*(2), 340–344.

Fawcett, J., McDowell, B., & Newman, D. M. L. (2010). JAN Forum: A context and structure for clinical reasoning. *Journal of Advanced Nursing*, *66*, 2839–2840.

Günüşen, N. P., & Üstün, B. (2010). An RCT of coping and support groups to reduce burnout among nurses. *International Nursing Review*, *57*, 485–492.

Günüşen, N. P., Üstün, B., & Gigliotti, E. (2009). Conceptualization of burnout from the perspective of the Neuman systems model. *Nursing Science Quarterly*, *22*(3), 200–204.

Hernandez, J. F., Secrest, J. A., Hill, L., & McClarty, S. J. (2009). Scientific advances in the genetic understanding and diagnosis of malignant hyperthermia. *Journal of PeriAnesthesia Nursing*, *24*, 19–34.

Hsuan, C. (2009). Hospice care nursing experience related to a patient with terminal stage liver cancer. *Journal of Nursing*, *56*(5), 98–104.

Kubsch, S., Linton, S. M., Handerson, C., & Wichowski, H. (2008). Holistic interventions protocol for interstitial cystitis symptom control: A case study. *Holistic Nursing Practice*, *22*, 183–192.

Kuar, S., & Kuar, B. (2012). A descriptive study to assess the awareness of the women regarding cervical cancer. *International Journal of Nursing Education*, *4*(1), 66–68.

Lavoie, S., Talbot, L. R, & Mathieu, L. (2011). Posttraumatic stress disorder symptoms among emergency nurses: Their perspective and a "tailor-made" solution. *Journal of Advanced Nursing*, *67*(7), 1514–1522.

Lowry, L., Beckman, S., Gehrling K. R., & Fawcett, J. (2007). Imagining nursing practice: The Neuman Systems Model in 2050. *Nursing Science Quarterly*, *20*(3), 226–229.

Mahan, P. L., Mahan, M. P., Park, N., Shelton, C., Brown, K. C., & Weaver, M. T. (2010). Work environment stressors, social support, anxiety, and depression among secondary school teachers. *AAOHN Journal*, *58*, 197–205.

Moorman, S. (2010). Surviving life-threatening illness: Keys to optimal nursing care. *Journal of Christian Nursing*, *27*, 18–26.

Moscaritolo, L. M. (2009). Interventional strategies to decrease nursing student anxiety in the clinical learning environment. *Journal of Nursing Education*, *48*(1), 17–23.

Murphy, F., Williams, A., & Pridmore, J. A. (2010). Nursing models and contemporary nursing 1: Their development, uses, and limitations. *Nursing Times*, *106*(23), 18–20.

Racher, F. E., & Annis, R. C. (2008). Community health action model: Health promotion by the community. *Research and Theory for Nursing Practice*, *22*, 182–191.

Salmon, B., Bruick-Sorge, C., Beckman, S. J., & Boxley-Harges, S. (2010). The evolution of student nurses' concepts of spirituality. *Holistic Nursing Practice*, *24*(2), 73–76.

Schulte, S. J. (2008). Integrating information literacy into an online undergraduate nursing informatics course: The librarian's role in the design and teaching of the course. *Medical Reference Services Quarterly*, *27*, 158–172.

Spurr, S., Bally, J., Ogenchuk, M., & Paternelj-Taylor, C. (2011). A wellness framework for pediatric clinical nursing practice. *Holistic Nursing Practice*, *25*(6), 298–308.

Thygesen, K. H., & Esbensen, B. A. (2008). A rehabilitation trajectory for patients with lung cancer: Part II. *Klinisk Sygeplege*, *22*(2), 64–77.

Toto, D. L., Peters. A. B., Blackman, B. J., & Hoch, C. R. (2009). Bridging the gap: Answering the need for nursing faculty. *Teaching and Learning in Nursing*, *4*, 109–114.

Ustün, B., & Gigliotti, E. (2009). Nursing research in Turkey. *Nursing Science Quarterly*, *22*(3), 206–208.

Walton, M. (2009). Immediate effects of effleurage back massage on physiological and psychological relaxation. Nursing Journal of India, *100*, 230–232.

Wang, S., & Lai, C. (2010). Applying Neuman's systems model to a neuroleptic malignant syndrome psychiatric patient and his caregiver. *Journal of Nursing*, *57*(2, Supplement), 9–15.

Yarcheski, T. J., Mahon, N. E., Yarcheski, A., & Hanks, M. M. (2010). Perceived stress and wellness in early adolescents using the Neuman Systems Model. *Journal of School Nursing*, *26*, 230–237.

Dissertation and Thesis

Alleyne, J. L. (2008). The lived experience: How man and their female partners cope with the impact of localized prostate cancer. *Masters Abstracts International*, *47*, 951.

Bolton, J. H. (2009). The experience of persons diagnosed with tuberculosis in a developing country. *Masters Abstracts International, 47*(05).

Chaponniere, P.A. (2010). Acculturation, pregnancy-related stress and birth outcomes in Mexican and Mexican-American women. *Dissertation Abstracts International, 71B*(04).

Clem, D. M. (2010). Peripherally inserted cental [sic] catheters (PICCs) and neonatal sepsis. *Masters Abstracts International, 48*(04)

Cobb, R. K. (2008). How well does spirituality predict health status in people living with HIV-disease? *Dissertation Abstracts International*, *69*, 2904B.

Elmore, D. H. (2010). Empirical testing of the Neuman Systems Nursing Education Model: Exploring the created environment of registered nursing students in Nevada's colleges and universities. *Dissertation Abstracts International,* UMI 3412367.

Johns, J. R. (2008). Anesthetic use prior to intravenous catheter insertion. *Masters Abstracts International, 46*, 3 236.

Maloney, L. R. (2009). Loneliness, self-esteem, cognition, physical functioning, and nursing home satisfaction as predictors of depression. *Dissertation Abstracts International*, *70*, 2835B.

Paicentine, L. B. (2010). The association of spirituality, religiosity, depression, anxiety, and drug use among persons undergoing methadone maintenance therapy. *Dissertation Abstracts International,* UMI AAI3432366

Roe, D. C. (2009). The relationship between prelicensure baccalaureate nursing students' stress and their perceptions of clinical nurse educator caring. *Dissertation Abstracts International, 70B*(03).

Short, K. (2009). Occupational attitudes in anesthesia. *Masters Abstracts International, 47*(06).

17 장

칼리스타 로이
Sister Callister Roy

1939-현재

적응모델

Adaptation model

Kenneth D. Philips

"신은 창조의 다양성속에서 친밀하게 드러나고, 창조의 공통적인 운명이다. 사람은 인식, 계몽, 신념에 대한 인간의 창조적 능력을 사용한다. 그리고 사람에게는 우주를 변화, 지속, 유도하는 과정에 대한 책임이 있다"(Roy, 2000, p. 127).

이론가 소개

캘리포니아 로스앤젤레스에서 1939년 10월 14일에 태어난 칼리스타 로이는 케론델리트Carondelet 성 요셉 수녀원the Sisters of Saint Joseph of Carondelet의 수녀이다. 로이는 1963년에 로스앤젤레스에 있는 Mount Saint Mary's College에서 간호학 학사학위를 받았으며, 1966년 University of California at Los Angeles(UCLA)에서 간호학 석사학위를 받았다. 학위를 받은 이후 로이는 사회학을 공부하기 시작하여, 1973년 사회학 석사학위를 받았고, 1977

이전 저자: Kenneth D. Phillips, Carolyn L. Blue, Karen M. Brubaker, Julia M. B. Fine, Martha J. Kirsch, Katherine R. Papazian, Cynthia M. Riester, and Mary Ann Sobiech. The author wishes to express appreciation to Sister Callista Roy for critiquing the chapter.

년 캘리포니아 대학교에서 사회학 박사학위를 받았다.

석사학위를 받기 위하여 연구하는 동안 로이는 도로시 존슨Dorothy E. Johnson과 함께 세미나에서 간호학의 개념적 모델을 개발하기 위한 도전을 받았다. 소아과 간호사로 근무하면서 로이는 어린이들이 주요한 신체적 심리학적 변화에 대해 적응하는 능력에 상당한 탄력성이 있음을 알게 되었다. 로이는 적응이 간호를 위한 적당한 개념 틀이라는 인상을 받았다. 로이는 1964년에서 1966년까지 UCLA에서 석사학위를 하는 동안 모델의 기본적인 개념들을 개발하였다. 로이는 마운트 세인트 매리 컬리지에서 간호학 교과과정의 철학적 근간으로 적응모델을 채택했을 때인 1968년에 자신의 모델을 운용하기 시작하였다. 로이 적응모델은 1970년 *Nursing Outlook*에 "적응:간호를 위한 개념적 틀Adaptation:A Conceptual Framework for Nursing"이라는 제목으로 출판됨으로써 처음으로 문헌에 제시되었다(Roy, 1970).

로이는 1982년까지 마운트 세인트 매리 컬리지에서 부교수와 간호학과장을 지냈다. 1983년에 동 대학과 포틀랜드 대학교에서 교수로 승진하였고 포틀랜드 대학교에서 여름학기 석사학위 과정을 가르쳤다. 1983년에서 1985년까지 University of California at San Francisco(UCSF)에서 신경과학 분야에서 임상간호학자로 Robert Wood Johnson 박사 후 과정 강사로 있었다. 이 시기 동안에 두부손상 시 인지적 회복에 관한 간호중재 연구와 임상 의사결정 간호 모델의 영향에 관한 연구를 수행하였다. 1987년에 로이는 보스턴 간호학교에서 새로 제정한 직위에 올라 간호이론가로서의 업무를 시작하였다.

로이는 많은 저서와 정기간행물 논설들을 출판하였고, 간호 적응이론에 중점을 두는 수많은 강의와 워크숍을 진행하였다(Roy & Andrews, 1991). 로이 적응모델은 1999년 「*로이 적응모델*」The Roy Adaptation Model을 출판하면서 개정하였다(Roy & Andrews, 1999).

로이는 Sigma Theta Tau의 회원이고, 1981년에 전문간호 표준 촉진위Fostering Professional Nursing Standards에서 National Founder's Award for Excellence를 받았다. 로이의 업적은 Aberno College의 Honorary Doctorate of Humane Letters(1984), Eastern Michigan University(1985)와 메인에 있는 St. Joseph's College로부터 명예박사학위(1985)를 받았고, 「*로이 적응모델의 핵심*」Essentials of the Roy Adaptation Model이 American Journal of Nursing의 올해의 책Book of the Year이 되었다(Andrews & Roy, 1986). 로이는 the World Who's Who of Women(1979), Personalities of America(1978), American Academy of Nursing의 연구원(1978)으로 선정되었으며, the Austrailian-American Educational Foundations로부터 Fulbright Senior Scholar Award를, the National League for Nurses로부터 the Martha Rogers Award for Advancing Nursing Science(1991)를 수여받았다. 로이의 모교인 Mount Saint Mary's College로부터 *the Outstanding Alumna award*와 *the prestigious*

*Carondelet Medal*을 받았다.

이론의 배경

간호를 위한 로이 적응모델은 사회학과 행동과학으로 확대된 정신물리학에서의 Harry Helson의 연구를 인용한 것에서 시작되었다(로이, 1984). 헬슨의 적응이론에서 적응반응은 자극과 적응수준의 함수이다(로이, 1984). 자극은 반응을 불러일으키는 어떤 요소이다. 자극은 내적 또는 외적 환경 중에 어느 것에서나 발생한다. 적응수준은 다음의 세 가지 자극이 합쳐진 효과로 구성된다.

1. 초점 자극focal stimuli, 개인이 즉각적으로 직면하는 자극
2. 상황관련 자극contextual stimuli, 초점 자극에 영향을 주는 모든 다른 자극
3. 잔여 자극residual stimuli, 주어진 상황 하에서 결과가 명확하지 않은 환경적 자극

헬슨의 연구는 적응수준 영역의 개념을 개발한 것으로, 자극이 긍정적이거나 부정적인 반응을 이끌어내는 것의 여부에 따라서 결정된다. 헬슨의 이론에 따르면 적응은 환경적인 변화에 대하여 긍정적으로 반응하는 과정이다(Roy & Roberts, 1981).

로이는 헬슨의 연구에 인간을 적응체계로 간주하는 Rapoport의 체계에 대한 정의를 합성하였다(Roy & Roberts, 1981). 로이(1970)는 이론적 근거로 헬슨의 적응이론과 함께 Dohrenwend, Lazarus, Mechanic과 Selye로부터의 이론 및 개념들로 모델을 정교화하였다. 로이는 공동저자 중 Driever를 자아-통합성self-integrity에 대한 세부 분류를 명확히 하였다는 이유로, 그리고 기전에 영향을 주는 일반적이고 일차적인 자극을 규명한 Martinez와 Sato를 특별히 신뢰하였다. 다른 공동 연구자들도 개념들을 상세히 다듬어 설명하였다. Poush-Tedrow와 Van Landingham은 상호의존 기전에 기여하였고, Randell은 역할기능 기전에 공헌하였다.

로이는 모델을 개발한 이후에 간호실무, 연구와 교육을 위한 하나의 개념적 틀로써 제시하였다(Walker & Avant, 1983). 로이(1973)에 의하면, 1500명 이상의 교수와 학생들이 적응모델의 이론 개발에 기여하였다. 1987년까지 미국과 캐나다에 있는 십만 명 이상의 간호사들이 로이모델을 이용하는 연습을 했다고 추정되었다.

간호학 개론: 적응모델Introduction to Nursing: An Adaptation Model에서 로이(1976)는 자아개념과 그룹 정체성에 대하여 기술하였다. 로이와 동료들은 자아-개념self-concept에 주요 영향 요소와

자아-일관성self-consistency과 관련된 Coombs와 Snygg의 작업을 인용하였다. 이론적 근거로 사회적 상호작용이론social interaction theory을 인용하였다. 예를 들어 로이(1984)는 자아-지각self perception은 다른 사람의 반응에 영향을 받는다는 Cooley가 이집트 판에서 지적한 것을 기술하고 있다. 그녀는 또한 자아-평가self-appraisal는 일반화된 다른 사람을 사용한다고 가설화함으로써 Mead의 사상을 확대한 것이라고 밝혔다. 자아는 사회적 상호작용에서 발생하는 것이라는 Sullivan의 제시도 받아들이고 있다(Roy, 1984). 생리-신체적, 역할기능 그리고 상호의존적 양식들은 인간을 이해하는 데 있어서 생물학과 행동과학으로부터 유사하게 도출한 것이다.

1900년대 후반, 21세기 초반에 모델에 대한 추가적인 발달이 이루어졌다. 이러한 발달에는 최근의 과학과 철학적 가정들이 포함되었다.; 적응과 적응수준에 대한 재정의; 그룹 수준의 지식개발에 대한 적응기전의 확장; 로이 적응모델에 근거하여 이루어진 25년간의 연구들에 대한 분석, 비평 및 합성. 로이는 지구의 인간-환경체계에서의 변화가 너무 광범위하여 한 시대가 끝나가고 있다고 믿는 다른 이론가들에 동의한다(Davies. 1988; Chardin, 1966). 신생대의 포유동물과 위대한 창조물의 시대 6천7백만 년 동안 인류는 우주에 아무런 영향을 주지 못하였다(Roy, 1977). "세기가 끝나고 있는 즈음, 인류는 지구의 생명체계에 광범위한 통제를 가했다. 우리가 살아야하는 우주는 어떠한 종류여야 하는 것인가를 결정해야 할 시점에 있다고 로이는 주장한다(Roy, 1977, p. 42)." 로이는 "21세기 상호 복잡한 인간과 환경의 자아-구성self-organization에 대한 가정과 그리고 우주와 인간, 그리고 무상의 존재 또는 신으로 여겨질 수 있는 환경과 의미있는 운명적인 수렴에 대한 가정의 초점들을 만들었다"(Roy & Andrews, 1999, p. 395). "인간은 그들의 물리적 그리고 사회적 환경과 함께 존재한다"(p. 34). 그리고 "그들은 우주와 운명을 공유하며 상호 변형transformation에 대하여 책임이 있다(Roy & Andrews, 1999, p. 395). 인간과 환경간의 통합적인 관계와 관련된 모델의 발달은 Pierre Teilhard de Char-din(1959, 1965, 1966, 1969)의 점진적 복잡성progressive complexity 및 의식의 증가increasing consciousness에 대한 법칙과 Swimme과 Berry(1992)의 연구에 영향을 받았다.

미국간호학회(American Academy of Nursing)는 로이의 뛰어난 업적을 인정하여 살아있는 전설상(Living Legend)을 수여하였다(2007).

주요 개념과 정의

체계 System

체계란 "어떤 목적을 위하여 총체적으로 기능하는 연결된 부분들의 집합이며, 각 부분들의 상호의존성에 의하여 이루어진다"(Roy & Andrews, 1999, p. 32). 총체성과 관련된 부분을 갖는 것 외에, "체계는 또한 투입, 산출, 그리고 조정과 피드백 과정이 있다"(Roy & Andrews, 1999, p. 7).

적응 수준 Adaptation Level

"적응 수준은 통합되고integrated, 보상적이고compensatory, 타협적compromised인 세 가지 수준으로 기술되는 삶의 과정의 상태를 나타낸다"(Roy & Andrews, 1999, p. 30). 한 사람의 적응 수준은 "끊임없는 변화점으로, 초점 자극, 상황관련 자극, 잔여 자극에 의해서 만들어지며, 사람이 일상적인 적응 반응으로 반응할 수 있는 자극의 범위에 대한 그 사람 자신의 기준을 나타낸다"(Roy, 1984, pp. 27-28).

적응 문제 Adaptation Problem

적응 문제는 "적응과 관련된 광범위한 영역의 관심사이다. 이것은 긍정적인 적응의 지표들과 관련된 어려움으로 설명된다"(Roy & Andrews 1999, p.65). 로이는 다음과 같이 기술하였다.

> 적응 문제와 간호진단 사이에 만들어진 구분은 두 분야에서 개발된 연구에 근거한다고 말할 수 있다. 이러한 점에서 적응 문제는 간호진단으로 보이지 않지만, 적응하는 개인이나 그룹과 관련된 간호사들에겐 관심영역이다(각 적응기전 내에서)(pp. 89-90).

초점 자극 Focal Stimulus

초점 자극은 "인간체계에 가장 즉각적으로 직면하는 내적 또는 외적 자극이다"(Roy & Andrews, 1999, p. 31).

주요 개념과 정의

상황관련 자극 Contextual Stimuli

상황관련 자극은 "초점 자극의 결과에 영향을 주는 상황에서 나타나는 모든 다른 자극들이다(Roy & Andrews, 1999, p. 31). 즉, "상황관련 자극은 내부나 외부로부터 사람에게 존재하는 모든 환경적 요소이지만 사람의 주의력 그리고/또는 에너지의 중심은 아니다"(Roy & Andrews, 1991. p. 9).

잔여 자극 Residual Stimuli

잔여 자극은 "명확하지 않은 현재 상황에서 결과와 함께 인간체계 내부 또는 외부에 있는 환경적 요소들이다"(Roy & Andrews, 1999, p. 32).

대처 과정 Coping Processes

대처 과정은 "변화하는 환경에 상호작용하는 선천적이거나 획득된 방식이다"(Roy & Andrews, 1999, p. 31).

선천적 대처기전 Innate Coping Mechanism

선천적 대처기전은 "유전적으로 결정되거나 또는 종에 따라서 공통적이며, 일반적으로는 자율적인 과정으로 보여진다.; 인간은 이 기전에 대해서는 생각할 필요가 없다" (Roy & Andrews, 1999, p. 46).

후천적 대처기전 Acquired Coping Mechanism

후천적 대처기전은 "학습과 같은 전략을 통하여 개발된다. 삶의 전체에 걸쳐서 일어난 경험은 특별한 자극에 대하여 관례적인 반응을 일으킨다"(Roy & Andrews, 1999, p. 46).

주요 개념과 정의

조절 하부체계 Regulator Subsystem

조절은 "신경학적, 화학적 및 내분비체계를 포함하는 주요한 대처 과정이다"(Roy & Andrews, 1999, p. 32).

인지 하부체계 Cognator Subsystem

인지는 "네 개의 인지적-정서적 채널을 포함하는 주요한 대처 과정이며, 이에는 지각과 정보처리, 학습, 판단 및 정서가 포함된다"(Roy & Andrews, 1999, p. 31).

적응 반응 Adaptive Response

적응 반응은 "인간체계의 목표라는 점에서 통합성을 증진시키는 것들이다"(Roy&Andrews, 1999, p. 31).

비효율적인 반응 Ineffective Responses

비효율적인 반응이란 "인간체계의 목표라는 점에서 통합성에 기여하지 못하는 것들이다"(Roy & Andrews,1999, p. 31).

통합된 삶의 과정 Integrated Life Process

통합된 삶의 과정이란 "삶의 과정의 구조와 기능이 총체적으로 인간 욕구를 충족시키도록 작용하고 있는 적응 수준을 말한다"(Roy & Andrews, 1999, p. 31).

생리-신체적 양식 Physiological-Physical Mode

생리적 기전은 "생명체의 기능과 활동에 있어서 포함되는 신체적 화학적 과정과 관련된 것이다"(Roy & Andrews, 1999, p. 102). 생리적 통합성의 기본적인 욕구와 관련된 생리-신체

주요 개념과 정의

적 양식에서는 5가지 욕구들이 규명되었다.:(1) 산소투여, (2) 영양, (3) 배설, (4) 활동과 휴식, (5) 보호. 감각은 복잡한 과정을 포함한다.; 액체, 전해질, 그리고 산-염기 균형; 신경학적 기능; 그리고 생리학적 기능에 기여하는 내분비 기능. 생리적 양식의 기본적인 욕구는 생리적 통합성이다(Roy & Andrews, 1999). 생리적인 양식은 "인간의 공동의 적응체계가, 기본적인 운영 자원들, 관계자들, 신체적인 재능 그리고 재정적인 자원들과 관련한 적응을 나타내는 방식이다"(Roy & Andrews, 1999, p. 104). 신체적 양식의 기본적인 욕구는 통합성을 성취하는 것이다.

자아개념-그룹 정체성 양식 Self Concept-Group Identity Mode

자아개념-그룹 정체성 양식은 세 가지 심리사회적인 양식 중의 하나이며, "인간체계의 심리학적 영적 특성에 특별히 초점을 두는 것이다. 개인적인 자아개념 양식의 기본적인 욕구는 정신적 영적 통합성으로 규명되고, 또는 우주에 있는 유일성sense of unity, 의미meaning, 그리고 목적성purposefulness과 함께 존재한다"(Roy & Andrews, 1999, p. 107).

"자아개념은 정해진 시간에서 자신에 대한 신념과 느낌의 합성물composite이라고 정의되며, 다른 사람들의 반응에 대한 내적인 지각과 선입견으로부터 형성된다"(Roy & Andrews, 1999, p. 107). 자아개념은 (1) 감각과 신체상을 포함하는 신체적 자아physical self, (2) 자아일관성, 자아이상 또는 기대, 그리고 도덕적-윤리적-영적 자아로 구성되는 개인적 자아personal self로 구성된다. 그룹 정체성 양식은 "그룹에 있는 사람들이 환경의 피드백에 근거하여 그들 자신을 반영하는 방식이다. 그룹 정체성 양식은 대인관계, 그룹의 자아상self image, 사회적 환경social milieu, 그리고 문화로 구성된다"(Roy & Andrews, 1999, p. 108).그룹 정체성 양식의 기본적인 욕구는 정체성 통합identity integrity이다(Roy & Andrews, 1999).

역할기능 양식 Role Function Mode

역할기능 양식은 "두 가지 사회적 양식 중의 하나이고, 사람이 사회에서 종사하고 있는 역할에 중점을 두는 것이다. 사회의 기능 단위로서의 역할은 하나의 지위에 종사하고 있는 한 사람이 다른 지위에 종사하고 있는 다른 사람에 대해서 어떻게 행동하는 가

주요 개념과 정의

에 대한 기대감의 세트라고 정의된다. 역할기능 양식의 기본적 욕구는 사회적 통합성으로 정의된다.-어떤 사람이 누구인지를 알고자 하는 욕구는 그 사람을 행동할 수 있게 한 다른 사람과의 관계 속에 있다(Hill & Roberts, 1981, pp. 109-110)."사람은 일차적, 이차적 그리고 삼차적인 역할을 수행한다. 이러한 역할은 도구적이고 표현적인 행위로 이루어진다. 도구적인 행위instrumental behavior는 "행위의 실제적인 물리적 수행이다"(Andrews, 1991, p. 348). 표현적 행위expressive behavior는 "역할에 대해서나 또는 역할수행에 대해서 한 사람이 가지고 있는 느낌, 태도, 선호 또는 반감과 같은 행위이다"(Andrews, 1991, p. 348).

> 일차적인 역할은 특별한 생의 기간 동안에 어떤 사람과 관계된 다수의 행위로 결정짓는다. 그것은 연령, 성별, 그리고 발달단계에 의해서 결정된다(Andrew, 1991, p. 349).
> 이차적 역할은 한 사람이 발달단계와 일차적인 역할과 관련된 과업을 수행하는 것으로 인정되는 것들이다(Andrews, 1991, p. 349).
> 삼차적인 역할은 일차적 역할 및 이차적 역할과 관련되며, 개인들이 그들의 역할과 연관된 의무를 충족하는 방식으로 표현된다(Andrews, 1991, p. 349).

한 사람이 행할 수 있는 주요한 역할은 나무의 형태를 상상함으로써 분석될 수 있다. 나무의 줄기는 그 사람의 일차적인 역할로 예를 들면 발달단계가 가임기의 여성성인을 들 수 있다. 이차적인 역할은 줄기로부터 나온 가지인데, 예를 들면, 부인, 어머니와 선생님과 같은 것이다. 마지막으로 삼차적인 역할은 이차적인 역할에서 나온 가지인데, 예를 들면 어머니 역할이 어떤 시기에 부모-선생님 협회의 의장 역할을 할 수도 있는 것이다. 이러한 각 역할은 두 사람간의 관계에서 나타나고, 상호적인 역할과 함께 나타난다(Roy & Andrews, 1981).

상호의존 양식 Interdependence Mode

> "상호의존 양식은 사람들의 밀접한 관계와(개인적으로나 집단적으로), 그들의 목적, 구조 그리고 발달에 중점을 둔다... 상호의존 관계는 사랑, 존경, 가치, 양

주요 개념과 정의

양육, 지식, 숙련, 몰입, 물질적인 소유, 시간 그리고 재능과 같은 한 사람이 제공해야만 하는 모든 것들의 특성을 다른 사람들로부터 받아들이며 자발적으로 주려는 그리고 줄 수 있는 능력을 포함한다"(Roy & Andrews, 1999, p. 111).

이 양식의 기본적인 욕구는 관계적 통합성relational integrity이다(Roy & Andrews, 1999). 두 가지 구체적 관계가 개인에게 적용되는 상호의존 양식의 초점이다. 첫 번째는 의미있는 다른 사람, 그 개인에게 가장 중요한 사람과의 관계이다. 두 번째는 지지체계를 가진 사람과의 관계인데, 즉, 상호의존양식을 충족시키는 데에 기여한 다른 사람과의 관계이다(Roy & Andrews, 1999, p. 112).

상호의존 행위의 두 가지의 주요한 영역을 정의하였는데, 수용하는 행위receptive behavior와 기여하는 행위contributive behavior이다. 이러한 행위들은 "상호의존적 관계에서 사랑, 존경 그리고 가치를 주고받는"데에 각각 적용된다(Roy & Andrews, 1999, p. 112).

지각 Perception

"지각은 자극에 대한 해석이고 의식적인 평가이다"(Pollock, 1993, p. 169). 지각은 조절기전을 인지기전과 연결시키고, 적응양식과도 관련된다(Rambo, 1983).

경험적 증거의 이용

이것을 시작으로 로이 적응모델은 실무와 교육에서의 연구를 통하여 지지를 받았다(Brower & Baker, 1976; Farkas, 1981; Mastal & Hammond, 1980; Meleis, 1986; Roy & Obloy, 1978, Wagner, 1976). 1999년에(Roy & Andrews, 1999), 로이와 함께 일하는 7명의 학자 그룹은 5개 대륙에서 영어로 된 44개 잡지에 출판되었거나 미국에서 발표한 학위논문들 중에서 로이 적응모델에 근거한 163개 연구를 분석하고 비평함으로써 종합하였다. 163개 연구 중에서 116개가 모델의 명제들을 검증하는 기준을 충족시켰다. 로이의 초기 연구에 근거하여 12개의 일반적인 명제들이 도출되었다. 연구들을 종합하기 위하여 각 연구의 결과들이 보조적이거나 경험적인 명제들을 진술하는데 사용하였고, 명제들에 대한 지지도를 조사하였다. 검증된 265개 명제 중에서 216(82 %)개가 지지를 받았다. 로이(2011a)는 최근 25년간의 적응 모델 연구를 기초로 계간 간호과학(Nursing Science Quarterly, 24;24)에 포괄적인 연구 고찰을 제시하였다. 잡지의 완결판은 칼리스타 로이와 그의 필생의 업적을 기리는 데 헌정되었다.

주요 가정

체계이론으로부터의 가정과 적응-수준이론으로부터의 가정들이 하나의 과학적인 가정으로 통합되었다. 체계이론에서 인간 적응체계는 어떠한 목적을 위하여 일치하여 행위하는 상호작용하는 부분으로 간주한다. 인간적응체계는 복잡하고 다면적이며 적응하기 위하여 무수한 환경적 자극에 반응한다. 인간은 환경적 자극에 적응하는 그들의 능력과 함께 환경을 변화시키는 능력을 가지고 있다(Roy & Andrews, 1999). Swimme과 Berry(1992)의 영적 창조물의 특성을 이용하여 로이는 인본주의와 진실성veritivity에 대한 가정을 철학적 가정으로 통합하였다. 인본주의는 인간과 그의 경험이 지식과 가치화에 중요하며 창조적인 힘을 공유한다고 주장한다. 진실성은 모든 인간 생활에서 목적, 가치와 의미에 대한 신념을 지지한다.

Box 17-1 21세기를 위한 개념들에 대한 기본적인 비전

과학적 가정

- 물질과 에너지 체계는 더 높은 수준의 복잡한 자아구성self-organization으로 진행한다.
- 의식과 의미는 인간과 환경의 통합을 구성한다.
- 자신과 환경에 대한 인식은 사고와 느낌에 뿌리를 둔다.
- 인간은 자신들의 결정으로 창조된 과정의 통합에 대해 책임이 있다.
- 사고와 느낌은 인간 행위를 중재한다.
- 체계 관계는 상호의존의 수용, 보호 그리고 양육을 포함한다.
- 사람과 지구는 공통적인 패턴과 통합적인 관계를 가지고 있다.
- 사람과 환경의 변형은 인간의식 안에서 창조된다.
- 인간과 환경의 통합은 적응을 의미한다.

철학적 가정

- 사람은 세계와 신과 함께 상호적인 관계를 갖는다.
- 인간의미human meaning는 우주의 수렴점인 오메가 점에 근거한다.
- 신은 다양한 창조물 안에서 나타나고, 창조물의 공통적인 운명이다.
- 사람은 인식, 계몽, 그리고 믿음의 인간적인 능력을 사용한다.
- 사람은 우주의 시작deriving, 지속sustaining, 변형transforming의 과정에 책임이 있다.

출처:Roy, C., and Andrew, H.(1999). The Roy Adaptation Model(2nd ed., p. 35). Upper Saddle River, NJ:Person

이러한 과학적이고 철학적인 가정들은 21세기에 모델을 사용하기 위하여 다듬어지게 되었다(Box 17-1).

적응

로이는 적응을 21세기에 사용하기 위하여 좀 더 정의하였다(Roy & Andrews, 1999). 로이에 의하면, 적응은 "개인으로써 또는 그룹 안에서 사람을 생각하고 느끼게 하는 과정과 결과이며, 인간과 환경의 통합을 창조하기 위하여 의식적인 인식과 선택을 사용한다"(Roy & Andrews, 1999, p. 30). 하나의 체계가 통합성을 유지하기 위하여 환경적인 자극에 단순히 반응하는 것이라기보다는, 모든 인간의 삶은 창조적인 우주 안에서 목적적이며, 사람은 그들의 환경으로부터 분리될 수 없다.

간호

로이는 간호를 "인간 삶의 과정과 패턴에 초점을 두는 건강관리 전문직health care profession이라고 포괄적으로 정의하며, 하나의 총체로서 개인, 가족, 그룹 및 사회의 건강증진을 강조한다"(Roy & Andrews, 1999, p. 4). 특별히 로이는 자신의 모델에 의거하여 간호를 사람과 환경의 변형을 강화하고 적응능력을 확대시키는 과학 및 실무라고 정의하고 있다. 로이는 간호활동을 적응에 영향을 주는 행위와 자극을 사정하는 것으로 인식하였다. 간호판단은 사정에 근거하고, 중재는 자극을 조정하기 위하여 계획된다(Roy & Andrews, 1999). 로이는 간호를 실무학문practice discipline과 과학으로서의 간호로 구분한다. 간호과학은 "사람들이 자신들의 건강상태에 긍정적으로 영향을 받는 과정을 관찰하고, 분류하고 그리고 관련된 사람들에 관한 지식의 발달체계이다"(Roy, 1984, pp. 3-4). 실무학문으로서의 간호학은 "사람들에게 중요한 서비스를 제공하려는 목적으로, 즉 건강에 긍정적으로 영향을 주는 능력을 증진시키려는 목적으로 사용되는 간호의 과학적인 지식체이다"(Roy, 1984, pp. 3-4). "간호는 사람이 환경과의 관계를 향상시키기 위하여-적응을 증진시키기 위하여 활동한다"(Andrews & Roy, 1991, p. 20).

로이의 간호의 목표는 "개인과 그룹이 4가지 적응양식으로 적응을 증진시키는 것이며, 이는 건강, 삶의 질 그리고 존엄한 죽음에 기여하게 된다"(Roy & Andrews, 1999, p. 19). 간호는 적응에 영향을 주는 요소와 이러한 4가지 적응양식으로 행동을 사정하고 적응능력을 증진시키기 위하여 그리고 환경과의 상호작용을 강화시키기 위하여 중재함으로써 적응의 촉진자로 독특한 역할을 이행한다.

인간

로이에 따르면 인간은 총체적인holistc 적응체계이다. "적응체계로서 인간체계는 어떠한 목적을 위한 통일체unity로써 기능하는 부분들을 가진 하나의 총체로 기술된다. 인간체계는 개인으로서 사람 또는 가족, 조직, 지역사회와 사회를 포함하는 그룹에 있는 사람을 하나의 총체whole로서 포함한다"(Roy & Andrews, 1999, p. 31). "인간체계는 의식과 의미에 뿌리를 둔 사고와 감정의 능력을 가지고 있으며, 그들은 환경 안에서 변화에 효과적으로 대처하고, 그 다음에는 환경에 영향을 준다"(Roy & Andrews, 1999, p. 36). 사람과 지구는 관계와 의미에 대한 공통적인 패턴과 상호의존을 가지고 있다(Roy & Andrews, 1999). 로이(Roy & Andrews, 1999)는 사람을 간호의 주요 초점, 간호 돌봄의 수혜자, 살아있는 복합체, 네 가지 양식(생리적, 자아개념, 역할기능, 및 상호의존)으로 적응을 유지하기 위하여 작용하는 내적인 과정(인지기전과 조절기전)을 가진 적응체계로 정의하였다.

건강

"건강은 하나의 상태이고, 하나의 총체적인 인간whole person으로 통합되었거나 통합되어가는 하나의 과정이다, 건강은 적응, 즉, 인간과 환경과의 상호작용의 반영이다"(Roy & Andrews, 1999, p. 21). 로이(1984)는 적응은 생리적, 심리적, 및 사회적 통합성을 증진시키는 과정이며, 통합성은 완전성completeness이나 통일체로 이끄는 손상되지 않은 상태를 의미한다는 사고로부터 이러한 정의를 도출하였다. 자신의 초기 작업에서 로이는 건강을 죽음과 극단적인 빈약한 건강상태에서 높은 수준 또는 최고조의 안녕까지의 연속선이라고 보았다(Brower & Baker, 1976). 1990년대 말기에 로이의 저서들은 건강과 질병이 공존할 수 있는 과정으로서의 건강에 좀 더 초점을 두었다(Roy & Andrews, 1999). Illich(1974, 1976)의 저술로부터 로이는 "건강은 죽음, 질병, 불행, 그리고 스트레스의 불가피성으로부터 자유가 아니라, 적당한 방법으로 그들과 함께 대처해나가는 능력이다"라고 기술하였다(Roy & Andrews, 1999, p. 52).

건강과 질병은 인간의 전체적인 삶의 경험에서 불가피하게 공존하고 있는 영역이다(Riehl & Roy, 1980). 간호는 이러한 영역에 관심을 갖는다. 대처기전이 비효과적일 때 질병이 야기된다. 건강은 인간이 지속적으로 적응할 때 결과로서 일어난다. 사람이 자극에 적응하면, 그들은 다른 자극에 반응하는데 구애되지 않는다. 비효과적인 대처에 대한 걱정이 없는 자유로운 에너지는 치유를 증진시킬 수 있고, 건강을 강화시킬 수 있다(Roy, 1984).

환경

로이에 의하면, 환경은 "모든 상황이고 상태이며, 초점, 상황관련 및 잔여자극을 포함하는 지구 자원과 사람의 상호성을 특별히 고려하면서, 사람이나 그룹의 발달과 행동에 영향을 주고 주변에 영향을 미친다"(Roy & Andrews, 1999, p. 81). "사람에게 적응반응을 하도록 자극하는 것이 변화하는 환경이다"(Roy & Andrews, 1999, p. 18). 환경은 내적 및 외적 요소들 모두를 포함하는 적응체계인 인간 속으로의 투입이다. 이러한 요소들은 작거나 클 수도 있고, 부정적이거나 긍정적일 수 있다. 그러나 어떤 환경적 변화는 상황에 적응하기 위한 에너지가 증가하는 것을 필요로 한다. 사람에게 영향을 주는 환경에서의 요소들은 초점, 상황관련 및 잔여자극으로 분류된다.

이론적 주장

로이 모델은 인간의 적응이라는 개념에 초점을 둔다. 간호, 인간, 건강 및 환경에 대한 로이의 개념은 모두 이러한 중심 개념과 관련이 된다. 사람은 지속적으로 환경적 자극을 경험한다. 마침내 반응이 만들어지고 적응이 일어난다. 그러한 적응반응은 적응적이거나 비효과적인 반응일 수도 있다. 적응반응은 통합성을 증진시키고, 사람이 적응이라는 목표를 달성하도록 돕는다.; 즉, 그들은 생존, 성장, 생식, 지배mastery, 그리고 인간과 환경의 변형을 성취한다. 비효과적인 반응은 적응이라는 목표 성취에 실패하거나 위협받는 것이다.

간호는 환경을 조정함으로써 사람의 적응노력을 지지하는 독특한 목표를 갖는다. 그 결과는 사람은 적정한 안녕수준에 도달하는 것이다(Andrews & Roy, 1986; Randell, Tedrow, & VanLandingham, 1982; Roy, 1970, 1971, 1980, 1984; Roy & Roberts, 1981).

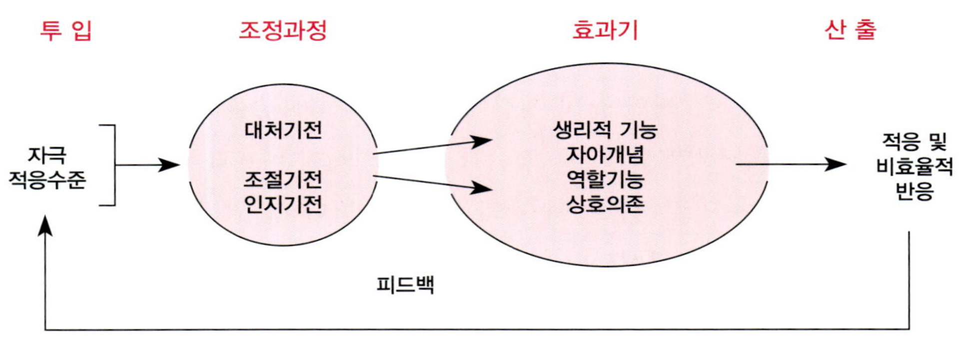

그림 17-1. 적응체계로서의 인간.
출처:Roy, C.[1984]. Introduction to nursing:An adaptation model[2nd ed., p. 30]. Englewood Cliffs, NJ:Prentice Hall.자극

개방체계로서 사람은 환경과 자신 모두로부터 자극을 투입 받는다. 적응수준은 초점, 상황관련 및 잔여자극의 혼합된 결과에 의하여 결정된다. 사람이 환경적 변화에 긍정적으로 반응할 때 적응이 일어난다. 이러한 적응반응은 사람의 통합성을 증진시키고, 건강으로 이끌어 간다. 자극에 대한 비효과적인 반응은 사람의 통합성을 분열시키게 된다(Andrews & Roy, 1986; Randell et al., 1982; Roy, 1970, 1971, 1980; Roy & McLeod, 1981).

로이의 모델에는 상호 관련된 두 개의 하부체계가 있다(그림 17-1). 일차적이고 기능적이거나 조정과정의 하부체계는 인지기전과 조절기전으로 구성된다. 이차적으로 결과체계는 다음과 같이 4개의 적응양식으로 구성된다.:(1) 생리적 욕구, (2) 자아개념, (3) 역할기능 및 (4) 상호의존(Andrews & Roy, 1986; Limandre, 1986; Mastal, Hammond, & Roberts, 1982; Meleis, 1986; Riehl & Roy, 1980; Roy, 1971, 1975).

로이는 조절기전과 인지기전을 적응의 방법으로 보았다. 생리적인 적응양식의 방식인 조절기전 적응 하부체계는 "신경, 화학 및 내분비 적응과정으로 자율적으로 반응한다"(Andrews & Roy, 1991, p. 14). 자아개념, 상호의존 및 역할기능의 방식인 인지기전 적응 하부체계는 "4개의 인지-정서 채널을 통하여 반응한다.:지각정보과정, 학습, 판단 및 정서"(Andrews & Roy 1991, p. 14). 지각은 자극에 대한 해석이고, 조절기전을 인지기전과 연결시키는데, "조절기전으로의 투입은 지각으로 변형된다. 지각은 인지기전의 과정이다. 지각 후의 반응은 인지기전과 조절기전으로 피드백 된다"(Galligan, 1979, p. 67).

로이 모델에서 두개의 하부체계의 4개의 적응양식은 인지기전과 조절기전의 활동의 형태나 표현을 제공한다. 생리적-신체적 적응양식은 산소화, 영양, 배설, 활동과 휴식 및 보호의 기본적인 욕구를 충족시키기 위하여 생리적인 과정을 통하여 인간이 환경과 상호작용하는 방식과 관련된다. 자아-개념-그룹 정체성 양식은 사회에서 어떻게 행동하고, 행동하는게 누구인지를 알고자하는 욕구와 관련된다. 개인의 자아개념은 "어떠한 주어진 시간에 한 개인이 자신에 대하여 품고 있는 신념이나 느낌의 합성으로 구성된다." 고 로이는 정의한다(Roy & Andrews, 1999, p. 49). 한 개인의 자아개념은 신체적 자아(신체 감각 및 신체상)와 개인의 자아personal self(자아-일관성, 자아-이상 및 도덕적-윤리적-영적 자아)로 구성된다. 역할기능 적응양식은 사회에서 한 개인이 수행하는 일차적, 이차적 및 삼차적 역할을 기술한다. 역할은 한 사람이 다른 사람에 대하여 어떻게 행동하는 가에 대한 기대감으로 기술한다. 상호의존 적응양식은 사회에서 사람들의 적응양식으로 기술한다. 상호의존 적응양식의 주요 과업은 사람들이 사랑, 존경 및 가치를 주고받는 것이다. 상호의존 적응양식의 가장 중요한 요소는 사람들에게 의미있는 다른 사람(배우자, 자녀, 친구 또는 신)과 그 사람의 사회적 지지체계이다. 4가지 적응양식의 목적은 생리적, 심리적 및 사회적 통합성을 성취하는 것이다. 4가지 적응양식은 지각을 통하여 서로 연관된다(Roy & Andrews, 1999)(그림 17-2).

적응총체로서의 사람은 6개의 하부체계로 구성되어 있다. 이러한 하부체계는(조절기전, 인지 기전 및 4가지 적응양식) 적응이라는 목표아래 복잡한 체계로 형성되며 상호 관련되어 있다. 4가지 적응양식 간의 관계는 내적 및 외적 자극이 한 가지 이상의 양식에 영향을 줄 때, 파괴적인 행동이 한 가지 이상의 양식에서 발생할 때, 또는 한 가지 양식이 다른 양식에 대해서 초점, 상황관련 및 잔여자극으로 될 때 발생한다(Brower & Baker, 1976; Chinn & Jacobs, 1987; Mastal & Hammond, 1980).

로이는 인간의 사회적 체계와 관련하여 조정과정control process을 안정적 하부체계stabilizer subsystem와 혁신적 하부체계innovator subsystem로 폭넓게 분류하였다. 안정적 하부체계는 개인의 조절기전 하부체계와 유사하며 안정성과 관련된다. 체계를 유지하기 위해서 안정적 하부체계는 조직적인 구조, 문화적 가치, 그리고 체계의 일상적인 규칙들을 포함한다. 혁신적 하부체계는 개인의 인지기전과 관련되며 창조성, 변화와 성장과 관련된다(Roy & Andrews, 1999).

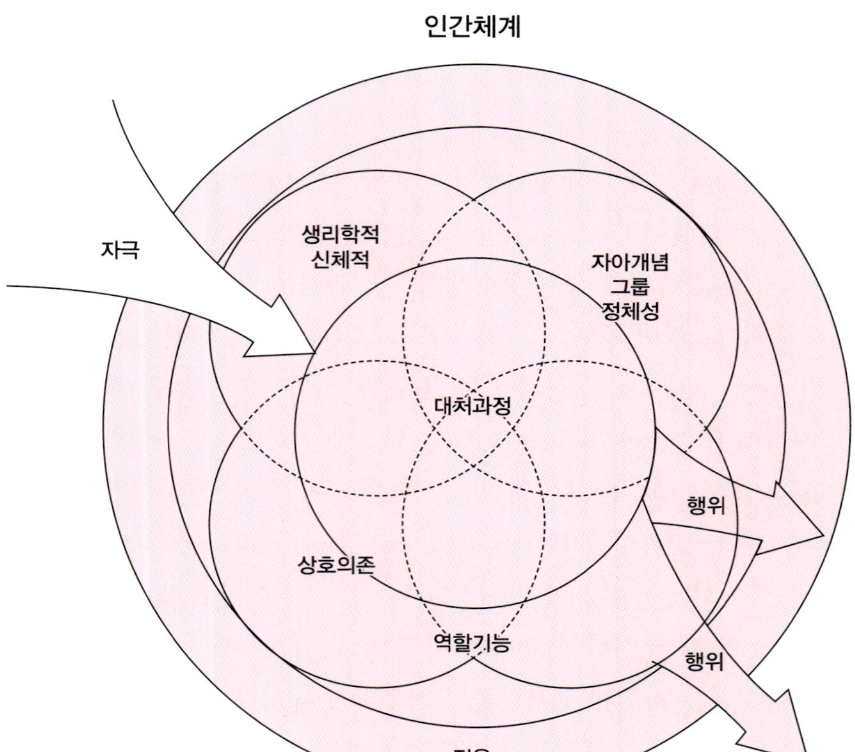

그림 17-2. **인간적응체계의 도해.**
출처:Roy, C., & Andrews, H.[1999]. The Roy adaptation model[2nd ed.]. Upper River Saddle, NJ:Person Educa-tion, Inc.

논리적 형식

간호에서의 로이 적응모델은 연역적이고도 귀납적이다. 로이 이론의 많은 부분들은 Helson의 심리생리학적 이론으로부터 도출된 것이므로 연역적이다. Helson은 초점, 상황 관련, 그리고 잔여자극의 개념을 개발하였고, 로이(1971)는 인간의 적응수준과 관련된 요소들의 유형학을 형성하기 위하여 간호학 용어로 재구성하였다. 로이는 또한 간호학 이외의 다른 학문분야에서 개념들과 이론들을 사용하였으며 자신의 적응이론으로 이러한 것들을 통합하였다.

로이의 적응이론은 로이가 동료들, 학생들과의 연구와 실무경험으로부터 네 가지의 양식을 개발하였으므로 귀납적이다. 로이는 적응의 개념적 틀을 세웠고 건강과 질병의 상황에서 적응을 증진시키기 위한 간호수행을 중재하는 간호과정을 간호사들이 사용하도록 함으로써 단계적으로 모델을 발전시켰다(Roy, 1976a, 1980, 1984).

간호학계의 수용

실무

로이 적응모델은 간호실무에 상당히 근거하고 있고, 이것은 부분적으로는 성공적으로 계속되고 있다(Fawcett, 2002). 이것은 간호실무를 이끄는 가장 많이 사용되고 있는 개념 틀 중의 하나이고, 미국 내에서나 미국 이외에서도 사용되고 있다(Roy & Andrews, 1999, Fawcett, 2005).

로이 모델은 간호실무에 유용한데, 이것은 분과학문의 특성을 명백하게 해주고, 실무, 교육 및 연구에 방향을 제시해주기 때문이다. 모델은 목표, 가치, 환자 및 실무 중재자들을 고려한다. 로이 간호과정은 잘 개발되어있다. 두 수준의 사정은 간호목표와 진단을 명확하게 해준다(Brower & Baker, 1976). 이는 초기에 간호 실무에 대한 가치 있는 이론으로 인정되었다.

이는 활동을 위한 목적이 상세한 목표가 있고, 목표를 실현할 수 있는 활동을 위한 처방이 포함되어 있기 때문이다(Dicoff, James, & Wiedenbach, 1968a, 1968b). 간호의 목표와 모델의 목표는 건강과 질병의 상황에서 4가지 적응양식으로 사람이 적응하는 것이다. 처방 또는 중재는 자극을 제거하거나, 증가시키거나, 감소시키거나 또는 변경시킴으로써 자극을 관리하는 것이다. 이러한 처방은 모델에 의해서 만들어진 실무-관련practice related 가설들을 열거함으로써 이루어질 수 있다(Roy, 1984).

로이의 6단계 간호과정을 사용할 때 , 간호사는 다음의 6 기능을 수행하게 된다:

1. 4가지 적응양식으로 표현된 행동을 사정한다.
2. 그러한 행동의 자극을 사정하고, 초점, 상황관련 및 잔여자극으로 분류한다.
3. 사람의 적응상태를 진술하거나 간호진단을 내린다.
4. 적응을 증진시키기 위한 목표를 설정한다.
5. 적응을 증진시키기 위하여 자극을 관리하는 목표를 가진 중재를 수행한다.
6. 적응목표가 충족되었는지의 여부를 평가한다.

환자가 아닌 자극을 조정함으로써 간호사는 "사람과 그들의 환경과의 상호작용을 강화시키고, 그럼으로써 건강을 증진시킨다"(Andrews & Roy, 1986, p. 51). 간호과정은 실무세팅에서 사용하기에 아주 적합하다. 두 가지 수준의 사정은 이 모델에서 독특한 것이고, 적응문제나 간호진단을 명확하게 해준다.

로이와 동료들은 로이 적응모델의 관점에 따라 간호진단의 유형을 개발하였다(Roy, 1984; Roy & Roberts, 1981). 이 유형에서 공통적으로 재발되는 문제들은 4가지 적응양식의 기본적인 욕구와 관련되어 있었다(Andrews & Roy, 1991).

중재는 본질적으로 모델에 근거하고 있지만, 간호중재의 범주를 조직할 필요가 있었다(Roy & Roberts, 1981). 간호사들은 자극을 변경하고, 증가, 감소, 제거 또는 유지하는 중재를 제공한다(Roy & Andrews, 1999). Mcdonald와 Harms(1966)에 의해서 구분된 간호판단 모델은 특정한 자극을 수정하기 위한 가장 좋은 중재를 선택하는 지침이라고 로이는 추천하였다. 이 모델에 의하면 자극을 수정하는 데 적절할 수 있는 수많은 대안적인 중재들이 나올 수 있다. 가능한 각각의 중재는 자극을 수정하는 데 기대되는 결과, 결과가 발생할 가능성(높음, 중등, 낮음)과 변화의 가치(바람직함, 바람직하지 않음)에 따라 판단된다.

Senesac(2003)은 로이 적응모델이 간호실무에서 수행된 결과에 대한 문헌들을 고찰하였다. Senesac는 간호사들이 로이 적응모델을 상당한 수준까지 이해하고, 계획을 세우는데 사용하고 있었으며, 환자들의 개별적인 간호를 위한 직접적인 간호실무에 사용하고 있다고 보고하였다. 기관 세팅에서는 적응모델을 그렇게 많이는 아니지만 사용하고 있었다. 또한 실무철학으로서 그 모델이 성공적으로 이행된다면, 그것은 기관의 미션이나 비전, 채용기준, 사정도구, 간호계획, 그리고 환자간호와 관련된 다른 증빙서류에 반영될 것이라고 로이는 추정하였다.

로이 적응모델은 기관의 세팅에서 간호실무를 이끄는데 유용하다. 그것은 신생아 중환자실, 급성기 외과 병동, 재활병동, 두 개의 종합병원의 병동, 정형외과 병원, 신경외과 병동 그리고 145개 병상이 있는 병원 등에서 수행되어졌다(Roy & Andrews, 1999).

Weiland(2010)는 전문간호사들이 중환자 간호 환경에서 영적 간호를 환자 및 가족의 간호 관리로 통합하기 위해 로이 적응모델을 사용하는 것에 대해 기술하였다. 영적 간호는 자주 간과되지만, 중환자 간호 환경에서 환자 간호 관리의 중요한 일부분이다.

로이 적응모델은 환자들 그룹을 위한 간호에도 적용되었다. 로이 적응모델이 광범위하게 적용된 사례들을 문헌에서 발견할 수 있다. Villareal(2003)은 금연을 계획했던 젊은 여성의 간호에 로이적응모델을 적용하였다. 저자는 흡연을 하고 비공개 지지그룹의 멤버인 20대의 젊은 여성들에게 로이의 6단계의 간호과정을 사용한 결과를 제시하였다. 연구자는 두 수준의 사정을 수행하였다. 첫 번째 수준에서는 네 가지 적응양식에 따라서 각각의 자극을 규명하였다. 두 번째 수준에서는 간호사는 초점(니코틴 중독), 상황관련(흡연은 즐거운 것으로, 그들을 기분 좋게 만들어 주고, 이완시키고, 안락하게 만들어 주고, 일상의 한 부분이라는 신념), 그리고 잔여자극(신체상에 대한 것으로 담배를 끊으면 체중이 늘어날 것이라는 신념과 태도)에 대하여 판단하였다. 간호사는 이 그룹에 대하여 의존성과 관련된 흡연을 끊으려는 동기 부족이라고 간호진단을 내렸다. 지지그룹의 여성들과 간호사는 금연을 하려는 장기목적 보다는 차라리 행동을 바꾸려는 단기목적을 세웠다. 간호수행은 신체에 대한 흡연의 효과, 흡연과 금연에 대한 이유와 신념, 스트레스 관리, 영양, 신체활동, 그리고 자아 존중감에 대하여 토론을 하는 것에 초점을 두었다. 평가기간 동안에 여성들은 흡연을 끊으려는 계획 전 단계에서 계획단계로 변화하고 있다고 결론지었다. 저자는 로이 적응모델이 흡연을 하는 여성들에게 간호를 제공하는 유용한 틀을 제공하였다고 결론을 내렸다.

Samarel, Tulman과 Fawcett(2002)은 125명의 초기 유방암 환자에게 적응에 대한 교육과 두 가지 형태의 사회적 지지(전화와 그룹에 의한 사회적 지지)의 효과를 조사하였다. 실험군의 여성들에게는 두 가지 사회적 지지와 교육이 주어졌고(34명), 반면에 첫 번째 대조군은 전화에 의한 지지와 교육, 그리고 두 번째 대조군은 교육만 주어졌다. 실험군과 첫 번째 대조군에서 기분장애와 외로움이 유의하게 감소하였지만 두 번째 대조군은 감소되지 않았다. 암과 관련된 두려움이나 안녕상태는 세 그룹 간에 차이가 발견되지 않았다. 이 연구는 개념화, 문헌고찰, 이론구축, 그리고 중재개발에 로이 적응모델이 어떻게 사용되는지를 보여준 매우 우수한 예를 제시하였다.

Zeigler, Smith와 Fawcett(2004)는 지역사회 기반 유방암 환자지지 그룹인 *Common Journey Breast Cancer Support Group*을 발전시키는 데 로이 적응모델을 사용하는 것에 대해 기술하였다. 이 프로그램을 연구 대상자(participant) 및 촉진자(facilitator) 관점에서 평가하기 위해 질적 연구 설계가 이용되었다. 연구 대상자의 응답이 로이 적응모델을 이용하여 분류되었다. 연구 결과에 따르면 이 프로그램은 여러 단계의 유방암 환자를 지지하는 데 효과를 보였다.

Newman(1997a)은 만성질환 환자를 돌보는 가족에게 로이 적응모델을 적용하였다. 뉴만은 이러한 집단에 간호를 제공하기 위하여 로이 적응모델이 어떻게 사용될 수 있는 지를 제시하였다. 뉴만은 만성질환자를 초점자극으로 보았다. 상황관련 자극은 간호제공자의 연령, 성별, 그리고 만성질환자와의 관계를 포함하였다. 간호제공자의 신체적 건강상태는 생리적 적응양식으로 표현하였다. 간호제공에 대한 간호제공자의 정서적 반응(쇼크, 두려움, 분노, 죄책감, 증가된 불안)은 자아개념 양식의 효과적 또는 비효과적 반응이 되었다. 중요한 다른 사람과의 관계와 지지는 상호의존 양식의 적응반응을 나타낸다. 간호제공자의 일차적, 이차적 그리고 삼차적 역할이 간호제공 역할로 인해 부가되었다. 만성질환자의 간호제공자에 대한 간호를 제공하는 데 있어서 로이 적응모델은 실무적으로 연구적으로 실용성을 보여준다.

로이 적응모델은 외상 후 스트레스 장애(Nayback, 2009), 폐경기 여성의 간호(Cunningham, 2002)를 포함한 다양한 질환을 가진 성인 환자들에게 적용되었고, 슬관절 하부절단을 한 노인환자의 사정에도 적용되었다. 로이 적응모델은 천식(Buckner, Simmons, Brakefield, wt al., 2007), 고혈압(Starnes & Peter, 2004), 죽음과 임종(Dobratz, 2011), 청소년 암환자(Ramini, Brown, & Buckner, 2008)의 돌봄 요구를 평가하기 위해서도 사용되었다.

Kan(2009)은 로이 적응모델을 이용하여 관상동맥우회수술(coronary artery bypass surgery)을 처음 받은 환자들을 대상으로 수술 후 회복에 대한 지각에 관해 연구하였다. 연구 결과에 따르면, 회복에 대한 지각과 역할 기능 사이에 긍정적 상관관계가 있음이 파악되었다. 심장 수술 후 적응 반응에 대한 지식은 퇴원 계획 및 퇴원 교육에 중요한 영향을 미친다.

교육

로이 적응모델은 간호학생들에게 건강과 질병의 상황에서 각각의 적응양식으로 인간의 적응을 증진시키기 위한 것으로 뚜렷한 목적을 제시한다. 이 모델은 또한 별개의 과정에서 가르치는 영역의 내용을 포함한 간호과학을 의학으로부터 구분하였다. 로이는 협동을 강조하였지만 간호사와 의사를 위한 별개의 목표를 기술하였다. 로이(1971)에 따르면 간호사의 목표는 환자가 회복되는 데에 환자의 에너지를 사용하도록 돕는 것이고, 반면에 의학과 학생들은 건강-질병 연속선에서 환자의 위치가 연속선을 따라 이동하도록 돕는 것에 초점을 둔다고 하였다. 로이는 이 모델을 간호학과 의학 사이의 구분을 짓는 것을 분석하기 위한 유용한 도구라고 보았다. 로이(1979)는 이러한 모델에 근거한 교과과정은 학생들에 의한 이론발달을 돕는 것이고, 이론을 검증하는 방법을 배우고 새로운 이론적 통찰력을 인식하게 한다고 믿었다. 로이(1971)는 모델이 강의와 학습을 위한 목적을 분명히 하고, 내용을 확실히 하며, 패턴을 상세하게 한다고 주장하였다.

적응모델은 교육환경에서 유용하게 사용되었는데, 1970년부터 로스앤젤레스에 있는 Mount Saint Mary's College의 간호학과에서 간호교육을 이끌었다. 1987년 초기에는 10만명 이상의 간호학생들이 미국과 외국에서 로이 적응모델에 근거한 간호 프로그램을 교육받았다. 로이 적응모델은 환자들을 질병의 희생자로 보다는 삶의 맥락 안에서 사정하고 간호하도록 학생들을 가르치는 체계적인 방법을 제공하였다.

Dobratz(2003)는 로이 적응모델의 관점으로 고안된 간호연구 과정의 학습결과를 평가하였다. 저자는 4학년 간호연구 교과목에서 학생들에게 이론적 내용들을 가르치는 방법에 대하여 상세하게 기술하였다. 평가도구는 7개의 문장으로 된 척도로 구성하였다. 학생들은 7개의 문장에 대해서 동의하지 않는다, 동의한다 또는 매우 동의한다로 질문을 받았다. 또한 가장 도움이 되었던 학습활동, 가장 도움이 되지 않았던 학습활동에 대하여, 연구에 대한 학습과 이해를 도왔던 강사가 사용한 방법에 대하여, 그리고 강사가 학습을 증진시키기 위하여 할 수 있었던 것에 대한 것 등 4가지 주관적 질문이 학생들에게서 정보를 이끌어내기 위하여 포함되었다. 연구자는 로이 적응모델에 근거한 연구과정이 학생들로 하여금 연구의 수수께끼 조각을 함께 맞추는 것을 도왔다고 결론지었다.

연구

연구가 실무자들의 행동에 영향을 준다면, 간호실무를 위한 개념적 모델로부터 도출된 이론들을 검증하고 재검증하는 방향으로 나아가야 한다. 로이(1984)는 이론개발과 개발된 이론 검증은 간호학에서 최상위 우선순위라고 진술하였다. 모델은 연구되는 데에 필요한 수많은 검증가능한 가설들을 생성한다.

로이의 이론은 수많은 일반적인 명제들을 생성하였다. 이러한 일반적인 명제들로부터 특별한 가설들을 개발하고 검증할 수 있다. Hill과 Roberts(1981)은 로이가 했던 것처럼 모델로부터 검증 가능한 가설들을 제시하였다. 모델을 타당화하거나 지지하는 자료들이 그러한 가설들의 검증에 의하여 생성되었다; 모델은 이러한 형태의 연구들을 지속적으로 생성하고 있다. 로이 적응모델은 연구를 통하여 지식발달을 이끌어 나가는데 폭넓게 사용되고 있다(Frederickson, 2000).

로이(1970)는 관찰의 과정과 사실들의 분류로부터 가정으로 이끌어진 일련의 개념들을 확인하였다. 가정들은 적응문제의 발생, 대처기전 및 초점, 상황관련 그리고 잔여자극에 대한 잠재적인 반응들을 나타내는 사실로부터 도출된 법칙에 근거한 중재와 관련된다. 로이와 동료들은 적응문제나 간호진단의 유형들의 윤곽을 확인하였다(Roy, 1973, 1975, 1976b). 유형의 영역과 중재의 범주를 모델로부터 도출하려면 연구와 검증이 필요하다. 검증이 필요한 일반적인 명제들을 또한 개발하였다(Roy & McLeod, 1981).

실무근거 연구

DiMattio와 Tulman(2003)은 관상동맥 우회술을 받은 후 6주 동안 61명의 여성들에 나타나는 기능적 상태와 그 영향요인에 대하여 기술하였다. 수술 후 2주, 4주 및 6주에 기능상태를 측정하였으며, Functional Status in Elderly and Sickness Impact Profile을 이용하였다. 3번의 측정에서 개인적인 것을 제외한 기능 상태의 모든 영역에서 유의한 증가가 있었다. 수술 후 2주와 4주 사이에 기능 상태가 가장 크게 증가하였다. 그러나 기능 상태의 어느 영역도 6주 전의 기본적인 상태로 되돌아 간 것은 없었다. 이 연구는 관상동맥 우회술을 받은 여성들을 회복기동안 더 잘 이해하게 해주고, 구체적인 목표를 설정하는데 도움을 줄 수 있다.

Young-McCaughan과 동료들은(2003) 로이의 적응모델의 관점을 가지고 구조화된 에어로빅 운동 프로그램이 암환자들의 운동 내성, 수면패턴 및 삶의 질에 미치는 효과를 연구하였다. 대상자들은 12주 동안, 일주일에 두 번, 20분씩 운동을 하였다. 운동 내성, 주관적인 수면의 질과 심리적, 생리적 삶의 질이 유의하게 증가한 것으로 나타났다.

Yeh(2002)는 암이 있는 116명의 타이완 소년과 소녀들을 대상으로(진단시기가 7세에서 18세) 로이 적응모델을 검증하였다. 로이의 두 개의 명제를 검증하였다. 첫 번째 명제는 환경적 자극(질병의 심각성, 연령, 성별, 질병에 대한 이해, 그리고 다른 사람들과의 의사소통)이 생물-심리-사회적인 반응(건강관련 삶의 질)에 영향을 준다는 것이다. 두 번째 명제는 네 개의 적응기전이 상호 관련된다는 것이다. 구조방정식 모델을 이용하여 연구자들은 질병에 대한 심각성이 질병의 단계, 임상실험 검사(백혈구, 헤모글로빈, 혈소판, 중성구 수)와 총 입원횟수와 매우 관련성이 높다는 것을 발견하였다. 초점과 상황관련 자극을 명확하게 정의내리지 않았더라도 이 연구는 환경적 자극(질병의 심각성, 연령, 성별, 질병에 대한 이해 및 다른 사람들과의 의사소통)이 소아 암환자의 생물심리사회적인 적응반응에 영향을 준다는 것을 보여주었다. 결과적으로 이 연구는 생리적(신체적 건강관련 삶의 질), 자아개념(질병과 증상 건강관련 삶의 질), 상호의존(사회적 건강관련 삶의 질) 그리고 역할기능(인지적 건강관련 삶의 질) 적응양식과 상호 관련되어 있다는 것을 보여주었다.

Woods와 Isenberg(2001)는 이론합성의 예를 보여주었다. 구타당하는 여성의 친족 학대와 외상성 스트레스에 대한 연구에서, 그들은 로이 적응모델을 친족 학대와 외상 후 스트레스 질환과 관련된 기존의 문헌들을 합성하여 중범위이론을 개발하였다. 친족 학대와 외상후 스트레스 질환의 매개체로서 적응을 조사하는데 예측 상호관련 모델을 사용하였다. 이 연구에서 초점자극은 친족 학대의 심각성, 정서적 학대, 그리고 친족 파트너에 의한 살해 위험이었다. 적응은 네 개의 적응양식으로 조작화되었고 친족 학대와 외상후 스트레스 질환 사이의 매개체를 검증하였다. 초점자극과 외상 스트레스 사이의 관계를 중개했던 네 개의 각 적응양식에서 초점자극과 친족 학대, 그리고 적응 사이에 직접적인 관계를 발견하였다.

Chiou(2000)는 로이의 네 개의 적응양식 사이의 상호관계에 대한 메타분석을 시행하였다. 정의가 잘 된 포함기준과 제외기준을 사용하여 *Cumulative Index to Nursing and Allied Health Literature*에 대한 문헌탐색을 하여 다양한 샘플과 함께 8개의 연구보고서를 산출하였다. 인쇄 중인 하나의 보고서가 포함되었다. 9개의 연구의 편의 샘플의 대상자는 노인들을 포함한 성인들이었다. 메타분석의 결과를 보면 각각 드 개의 양식 세트 사이에는 중간정도의 상호관계가 있었는데, 상호의존과 생리적인 양식 사이에는 유의한 상호관계가 나타나지 않았다. Zhan(2000)은 인지적 적응과정이 자아-일관성 유지를 돕는다는 로이의 명제를 지지하였다. Zhan(2000)은 로이가 제시한 명제인 인지적 적응과정이 자아-일관성(self-consistency) 유지에 긍정적 영향을 미친다는 연구 결과를 도출하였다.

인지적 적응을 측정하기 위하여 로이의 인지적 적응과정 도구(Roy & Zhan, 2001)와 자아-일관성 도구(Zahn & Shen, 1994)를 이용하였는데, Zahn은 인지적 적응이 청력손실에 직면한 노인들이 자아-일관성을 유지하는 데에 중요한 역할을 한다는 것을 발견하였다. 자아-일관성은 청력손실 여성들에서보다 청력손실 남성들에게서 더 높았지만 그것은 연령, 교육수준, 종족, 결혼상태 또는 수입의 차이에 따라 변화하지 않았다.

Nuamah, Cooley, Fawcett과 McCorkle(1999)는 515명의 암환자들의 삶의 질을 연구하였다. 연구자들은 로이의 적응모델의 개념들, 중범위이론의 개념들, 그리고 실증적 지표들 사이의 이론적 연결을 명백하게 수립하였다. 초점자극과 상황관련 자극이 확인되었다. 각 적응양식에서 변수들이 조작화되었다. 구조방정식 모델을 사용하여 연구자들은 두 개의 환경적 자극(보조적인 암 치료와 질병의 심각성)이 잠재적인 변수인 건강관련 삶의 질의 생물심리사회적인 지표에서 변량의 59 %를 설명하였다. 이 결과는 환경적 자극이 생물심리사회적인 반응에 영향을 준다는 로이 적응모델의 명제를 지지하였다.

Samarel과 동료들(1999)은 70명의 여성들이 실험적 지지와 교육 그룹에 참여하면서 유방암에 대하여 적응하는 여성들의 지각을 연구하는 데에 로이의 적응모델을 사용하였다. 실험군은 지도를 받았고 대조군은 아무 지도도 받지 않았다. 구조화된 전화 인터뷰에 대한 양적인 내용분석을 통하여 연구자들은 70명 중 51명의 여성(72.9 %)들이 연구기간 동안 유방암에 대하여 긍정적인 변화를 경험하였으며, 그것은 유방암에 대하여 적응을 하였다는 지표가 되었다. 연구자들은 로이의 4가지 적응모드에 대하여 질적인 적응 지표를 보고하였다.

Modrcin-Talbott와 동료들은 140명의 건강한 청소년(Modcrin-Talbott, Pullen, Ehrenberger, Zandstra, & Muenchen, 1998)과 77명의 정신과 외래 내원 청소년(Modcrin-Talbott, Pullen, Ehrenberger, Zandstra, & Muenchen, 1998)에게 로이 적응모델의 관점에서 자아존중감을 연구하였다. 건강한 청소년들은 초기(12-14세), 중기(15-16세), 후기(17-19세)로 그룹을 지었다. 건강한 청소년들은 규모가 큰 교회에서 편의적으로 모집하였다. 건강한 청소년에서 자아존중감은 연령, 성별과 흡연 여부에 따라 차이가 없었다. 규칙적으로 운동을 하는 청소년들은 자아존중감 점수가 훨씬 높았다. 자아존중감과 우울, 상태 분노, 기능 분노, 내적 분노, 외적 분노, 분노 조절 그리고 분노 표현 사이에 유의한 부정적인 관계가 나타났다. 두 번째 연구에서 외래 정신과 치료 프로그램의 정규 그룹에서 참여자들을 모집하였다. 나이가 든 청소년들에게서 자아존중감이 가장 낮은 점수를 보였다. 자아존중감은 성별, 흡연 여부에 따라 차이가 있지 않았다. 자아존중감과 우울 사이에 유의한 부정적인 관계가 관찰되었다. 건강한 청소년에 대한 연구와는 달리 자아존중감과 분노의 영역 사이에서 통계적으로 유의한 관계가 발견되지 않았다. 자아존중감은 두 연구 모두에서 부모의 음주와는 유의한 관계가 없었다.

Modcrin-Yalbott, Harrison, Groer과 Younger(2003)은 로이 적응모델에 기초하여 조산아의 생물행동학적인 적응에 대한 사람의 부드러운 접촉의 효과를 검증하였다. 로이에 의하면 신생아들은 생리적인 양식과 상호의존 양식의 두 가지 적응양식을 가지고 태어난다. 조산아들은 인간의 접촉을 받지 못하고, 기계, 소음에 의한 자극으로 가득 찬 환경과 그들을 둘러싼 침습적인 과정에 있게 된다. 연구자들은 인간의 부드러운 접촉(초점 자극)이 조산아의 생물행동학적인 적응을 증진시킨다는 것을 발견하였다. 심박동, 산소 포화도의 안정성, 조용한 수면의 증가, 덜 활동적인 수면과 졸음, 근육 활동성의 감소, 움직이지 않는 시간의 증가, 행동적 질식 증후의 감소 등이 생리적인 적응양식의 효과적인 반응으로 간주되었다. 이 연구는 신생아에서 적응에 대한 로이의 개념화를 지지한다.

Weiss, Fawcett와 Aber(2009)는 제왕절개 수술을 받은 산모의 적응을 연구하기 위해 로이 적응모델을 이용하였다. 연구 결과에 따르면, 계획에 없던 제왕절개 수술을 받은 여성에게서 더 적은 적응 반응이 나타났다. 백인 여성과 흑인 여성 및 히스패닉 여성 간 적응 반응의 문화적 차이도 발견되었다. 이 연구 결과가 간호 실무에 주는 시사점은 제왕절개 산모의 적응 반응 및 학습 요구의 조기 진단을 통해 퇴원 후 적응 반응을 촉진하기 위한 퇴원 교육 계획을 수립해야 한다는 것이다.

몬트리올 대학교의 간호과학 연구팀(Ducharme, Richard, Duquette, Levesque, & Lachance, 1998; Levesque, Richard, Ducharme, Duquette, & Bonin, 1998)은 다양한 환경적 자극에 대한 적응에 대하여 연구하고 있다. 이 팀의 연구는 사람들을 네 그룹으로 분류하였다: (1) 집에서 치매가 있는 가족을 돌보는 비공식적인 가족 간호제공자, (2) 집에서 정신질환 친척을 돌보는 비공식적인 가족 간호제공자, (3) 노인 요양기관에서 전문직 간호제공자로서의 간호사, (4) 지역사회에 있는 고령의 배우자. LISREL을 이용하여 검증한 결과 지각된 스트레스(초점 자극), 사회적 지지(상황 관련 자극), 그리고 수동적, 기피적 대처(대처기전)가 직접적, 간접적으로 심리적인 불편감과 관련되어 있었다. 이러한 결과는 대처가 적응을 증진시킨다는 로이의 명제를 지지한다.

DeSanto-Madeya(2009)는 로이 적응모델을 이용해 척수 손상 환자와 이들 가족의 적응에 대해 연구했다. 환자-가족 15쌍이 연구 대상자였으며, 15쌍 중 7쌍은 손상을 입은 지 1년이 된 사람들이며, 나머지는 3년이 된 사람들이었다. 척수손상 적응 면담스케줄(Adaptation to Spinal Cord Injury Interview Schedule, ASCIIS)을 이용한 전화 상담을 통해 연구가 진행되었다. 연구 결과에 따르면, 1년 및 3년 그룹 모두 중간 적응 점수를 받았다. 이 연구 결과는 급성 간호 및 외래 관리 환경 모두에서 척수 손상 환자를 관리해야 할 간호사에게 중요한 시사점을 제공한다.

적응 연구도구의 발달

로이 적응모델은 수많은 연구도구의 발달에 이론적 근거를 제공하였다. Newman(1997b)은 어린이가 전신 캐스트를 하고 있는 동안 부모로서 간호제공자가 그들의 일상적인 활동을 계속하게 하는 정도를 측정하기 위하여 *the Inventory of Functional Status-Caregiver of a Child in a Body Cast*를 개발하였다. 신뢰도 검증에서 집안에서, 사회적, 그리고 전신 캐스트를 하고 있는 어린이를 위한 지역사회 어린이 간호, 다른 어린이들을 위한 어린이 간호, 그리고 개인적 간호(전체 점수에서보다는)에서 이러한 개념들의 측정에 신뢰할만한 수준이었다. Modcrin-MaCarthy, McCue와 Walker(1997)는 연약한 조산아에 대한 실재적이거나 잠재적인 스트레스를 규명하고 그들을 위한 중재를 하기 위하여 사용되었던 임상 도구를 개발하기 위하여 로이의 적응모델을 사용하였다. 이 도구는 스트레스의 징후, 접촉 중재, 통증완화, 환경적 고려, 상태 및 안정성을 측정한다.

적응에 대한 중범위이론의 개발

Silva(1986)는 연구를 위하여 개념적 틀을 사용하는 것은 이론의 검증이 아니라고 지적하였다. 로이 모델을 사용했던 많은 연구자들은 실제로 모델의 명제나 가설을 검증했던 것이 아니라 그들의 연구를 이끌기 위한 틀로써 그것의 유용성을 위한 외연 타당도face validity를 제공하였다. 개념적 틀에서 도출된 이론은 명확해야만 한다.; 그러므로 로이 적응모델로부터 도출된 중범위이론을 검증하고 개발하는 것이 필요하다. 이러한 특성을 가진 몇몇 연구들이 모델에 대하여 수행되었지만, 새로운 영역의 타당화와 개발을 위한 더 많은 연구가 필요하다. 모델은 실무와 간호이론과 관련하여 매우 많은 검증가능한 가설들을 생성한다. 부분적으로 중범위이론의 수와 질적인 측면에 대하여 개념적 틀은 성공적으로 평가받고 있다. 로이 적응모델은 수많은 중범위이론들을 위한 이론적 자원이 되었다.

Dunn(2004)은 만성 통증에 적응하기 위한 중범위이론을 도출하기 위하여 로이 적응모델로부터 이론적 기초를 사용하였다. 만성통증에 적응하기 위한 Dunn의 모델에서는 통증강도를 초점자극으로 구체화하였다. 연령, 종족 및 성별이 상황관련 자극이 되었다. 종교적 그리고 비종교적 대처는 인지 하부체계의 함수이다. 만성통증에 대한 적응은 기능적 능력과 심리적 그리고 영적 안녕에 대한 결과이다.

Frame, Kelly와 Bayley(2003)는 로이 적응모델, Murrell-Armstrong의 능력 증진 매트릭스empo-werment matrix와 Harter의 발달적 관점을 합성하여 청소년 강화를 위한 Frame이론을 개발하였다. 청소년 힘의 증진 이론은 주의력 결핍 과잉행동 장애(attention deficit-hyperactivity disorder)로 진단받은 어린이들을 실험군과 대조군에 무작위로 할당하여 유사실험 설계로 검증하였다. 92명의 5학년과 6학년 학생들을 실험군 또는 대조군에 무작위로 할당하였다. 실험군 그룹에 있는 어린이들은 학교 간호사가 이끄는 지지그룹 중재(4주 동안 일주일에 2회)에 8회 참석하였다. 어린이들에게 과잉행동 장애에 대하여 가르치고, 과잉행동 장애 아동이 가진 재능, 무력감 대 능력 증진empowerment, 그 사람의 느낌, 선생님, 가족 및 반 친구들과의 능력 증진, 이완하는 법 등을 실험군에게 교육하였다. 대조군의 어린이들은 어떠한 처치도 받지 않았다. 공분산 분석을 통하여 실험군 어린이들은 사회적 수용, 운동 재능의 지각, 신체적 외모의 지각 및 전체적인 자기-가치self-worth의 지각에서 유의하게 높게 나타났다.

Jirovec, Jenkins, Isenberg와 Baiardi(1999)는 로이 적응모델에서 도출된 배뇨조절 이론의 중범위이론을 제안하였는데, 배뇨조절의 현상을 명확하게 하고 요실금을 감소시키기 위한 것이었다. 배뇨조절 이론에 의하면, 배뇨조절의 초점자극은 방광팽창이다. 상황관련 자극은 이용할 수 있는 도구와 가동능력이다. 잔여자극은 아동기 때 시작한 배뇨와 배변습관에 대한 강력한 사회화이다. 이 이론은 생리적 대처기전을 설명하는데, 조절기전(S2와 S4에 의해 중개되는 척추반사, 배뇨근 수축과 괄약근의 이완과 조화)과 인지기전(지각, 학습 판단, 긴급 뇨의와 실금에 대한 인식)이다. 요실금을 예방하기 위한 적응반응은 네 가지 적응양식으로 기술된다. 효과적인 적응은 배설자제continence로 정의되고, 비효과적인 적응은 실금으로 정의된다. 저자는 사례연구를 통하여 배뇨조절 이론에 대하여 부분적 지지를 제공하였다. 배뇨조절이론은 적응의 복합성, 다차원성, 그리고 총체적인 특성을 반영하고 있다.

몬트리올 대학교의 연구팀은 로이 적응이론에 근거하여 간호제공에 대한 중범위의 적응이론을 제안하였다. 이 중범위이론은 가정에서 치매 친척을 돌보는 비공식적인 간호제공자, 집에서 정신질환 친척을 돌보는 비공식적인 간호제공자, 노인 요양원에서 전문적인 간호제공자 그리고 지역사회에 있는 고령의 배우자 등에 대한 수많은 연구에서 검증되었다. 초점자극은 지각된 스트레스이다. 상황관련 자극은 성별, 갈등 및 사회적 지지이다. 대처기전은 적극적, 수동적 그리고 기피적 대처전략을 포함한다. 이러한 중범위이론에서는 적응(부적응) 반응(생리적인 불편감)은 자아개념 양식으로 표현된다. LISREL분석을 통하여 간호제공에 대한 적응이론과 로이 적응모델을 위한 수많은 명제들이 지지되었다.

Tsai, Tak, Moore와 Palencia(2003)는 로이적응모델로부터 통증이론에 대한 중범위이론을 도출하였다. 만성통증 이론에서 만성통증은 초점자극이고, 신체장애와 사회적 지지가 상황관련 자극이고, 성별이 잔여자극이다. 지각된 일상의 스트레스가 대처과정이다. 우울이 네 개의 모든 적응양식에서 나타나는 결과 변수이다. 경로분석을 통하여 만성통증 이론이 부분적으로 지지되었다. 만성통증과 신체장애가 크면 클수록 일상의 스트레스와 연관되고 사회적 지지가 크면 클수록 일상의 스트레스는 작아진다. 이러한 세 가지 변수들은 일상의 스트레스 변량의 35 %를 설명하였다. 더 큰 일상의 스트레스는 우울에서 변량의 35 %를 설명하였다.

로이 적응모델에서 도출된 다른 중범위이론들이 제안되었지만 이론을 검증하는 연구보고서들은 문헌검색에서 발견되지 않았다. Tsai(2003)는 간호제공자 스트레스의 중범위이론을 제안하였다. Whittemore와 Roy(2002)는 이론합성을 이용하여 당뇨병의 적응에 대한 중범위이론을 개발하였다. Pollock(1993)의 만성질환에 대한 중범위이론의 분석에 기초하여 충분한 문헌고찰과 만성질환 모델에 대한 재개념화 그리고 자기-관리, 통합, 건강-내적-질환health-within-illness과 같은 개념들을 추가하여 로이 적응모델을 당뇨병에 대한 적응이론으로 확장하였다.

Pollock(1993)는 인슐린 의존성 당뇨병, 다발성경화증, 고혈압 및 류마티스성 관절염 환자 등을 대상으로 만성질환 적응 이론에 관한 연구를 수행하였다.

미래의 발전

로이 적응모델은 간호지식체에 대해 의미있는 기여를 하였고, 지금도 지속적으로 기여를 하고 있는 간호학에 대한 접근이지만, 모델의 발달을 위해서는 아직도 약간의 영역이 남아있다. 간호진단의 유형과 중재에 대한 범주가 좀 더 충분히 정의되면 간호실무에서 유용성이 촉진될 것이다. 자아개념, 역할기능 및 상호의존의 심리적인 변수들의 중복이 로이 적응모델의 관점에서 연구를 하는 과학자들에 의하여 지적되어 왔다. 최근에 로이는 건강을 재정의하였는데, 건강-질병 연속선의 개념을 덜 강조하면서 통합체로서 건강과 총체로서의 인간을 개념화하였다. 이러한 접근은 의식이 없는 환자의 적응기전을 촉각과 구두 자극에 대한 반응으로 좀 더 분명하게 통합시킨다. 그러나 초기의 작업에서 건강을 이러한 방식으로 개념화하지 않았기 때문에 이것은 연구를 위한 새로운 영역으로 남아있다. 통합적인 문헌검색을 해보면, Frederickson(2000)은 인간과 건강에 대한 로이의 개념화를 위하여 좋은 실증적 지지를 주는 것으로 결론지었다. Frederickson은 미래를 위하여 다음과 같은 권고를 하였다. 첫째, 환경과 간호와 관련된 명제들을 검증할 연구를 설계할 필요가 있다. 둘째, 이전에 지지되었던 개념과 명제에 근거한 중재들을 검증하여야 한다.

비평

명확성

로이 적응모델의 메타패러다임 개념(인간, 환경, 간호 및 건강)은 그 정의가 명확하고 일관성이 있다. 로이는 네 개의 적응양식(생리적, 자아-개념, 상호의존 및 역할기능)을 명확하게 정의했다. 로이 적응모델에 제기된 이미 알려진 하나의 도전과제는 다음과 같다. 로이는 인간과 환경에 대한 총체론적holistic 관점을 옹호하나, 이 적응모델은 적응이 네 가지 적응 양식에서 발생하는 것으로 본다는 것이며, 인간과 환경은 하나가 다른 하나에 영향을 미치는 두 개의 별개의 독립체로 개념화된다는 것이다(Malonski, 2000).

이 도전과제에 대한 해답은 로이의 적응모델은 총체적holistic이라는 것이다. 내적 혹은 외적 환경(자극)의 변화는 전체적 반응(적응)으로 이어지기 때문이다. 사실상, 로이의 관점은 정신신경면역학이나 정신신경내분비학 같은 다른 총체적 이론과 일치한다. 일례로, 정신신경면역학은 정신과 면역 시스템의 양방향 관계를 제시하는 이론이다. 로이의 모델은 정신신경면역학보다 광범위하며 인간을 전체로서 연구하고 간호 관리하는 이론적 기초를 제공한다.

최근의 저술에서 로이는 우주에 존재하고 있는 인간의 총체적인 특성에 대하여 인정하였다. 즉, "구조, 조직 그리고 복합성에서 진보하고 있다, 그 자체를 유지하기 위하여 활동하는 체계로써보다는 강조할 것은 창조적인 우주 안에서 인간존재의 목적성purposefulness으로의 전환이다"(Roy & Andrew, 1999, p. 35).

로이는 다른 학문은 인간의 한 면에 초점을 맞추지만, 간호는 인간 전체를 본다고 기술했다(Roy & Andrews, 1999). "간호 모델의 철학적 가정에 기초해, 인간은 그들의 물리적 환경 및 사회적 환경과 동일선상에 존재하는 것으로 간주된다. 간호사는 가치에 기초한 입장을 취하면서 의식, 깨달음 및 신념에 초점을 맞춘다"(Roy & Andrews, 1999, p. 539).

로이는 인간은 우주와 신과 함께 상호적, 통합적, 그리고 자극적인 관계를 가지고 있으며, 인간으로서 "우주를 이어받고, 부양하고, 변형시키는 과정에서 자각, 계몽 및 신념의 창조적인 능력을 사용한다"고 주장하였다(Roy & Andrew, 1999, p. 35). 이러한 창조적인 능력을 사용하여 인간은(아프거나 건강하거나) 자신들의 돌봄에 적극적인 참여자가 되고, 더 높은 수준의 적응(건강)을 성취할 수 있다.

Mastal과 Hammond(1980)는 개념 정의가 중복되기 때문에 어떠한 행동을 분류하는 데 있어서 로이 모델의 어려움을 토론하였다. 이론의 개념화와 인간행동을 분류하기 위한 상호배타적인 범주에 대한 문제를 다루었다. 건강-질병 연속선 상에서 인간의 위치에 대한 개념화는 로이가 건강을 인간적 통합으로 재정의하였기 때문에 더 이상 문제가 되지 않는다. 다른 연구자들은 하나의 양식에서 행동들을 배타적으로 분류하는데 있어서 어려움을 언급하였다(Bradley & Williams, 1990; Linmandri, 1986; Nysqvist & Sjoden, 1993; Silva, 1987). 그러나 이러한 관찰은 하나의 양식에서의 행동은 다른 양식에 의해 영향을 주고받는다는 로이의 명제를 지지한다.

간결성

로이 모델은 간호, 인간, 건강-질병, 환경, 적응 그리고 간호활동의 개념들을 포함한다. 또한 두 개의 하부개념(조절기전과 인지기전)과 네 개의 결과양식(생리적, 자아개념, 역할기능, 그리고 상호의존)을 포함한다. 이 모델은 몇 개의 주요개념과 하부개념을 갖고 있으며, 따라서 관련 진술들이 복잡하다.

일반성

로이(1984)는 자신의 모델을 다수의 중범위이론으로부터 유도된 것으로 정의하였으며, 다수의 중범위이론을 간호에서 사용할 것을 주장한다. 중범위이론은 검증가능하고 과학적으로 흥미있는 충분한 일반성을 가지고 있다. 로이 적응모델의 광범위한 범위는 장점이 될 수 있는데, 이는 현상에 대한 다른 소범위 이론을 구축하고 검증하는데 유용할 수 있기 때문이다(Reynold, 1971). 로이 모델(Roy & Corliss, 1993)은 모든 간호 상황에서 일반적일 수 있지만, 인간-환경 적응의 개념을 우선적으로 설명하고 일차적으로는 환자에 초점을 두기 때문에 제한적일 수 있다. 간호사에 대한 정보는 함축되어 있다.

접근성

로이의 광범위한 개념들은 생리, 심리, 사회 및 간호에 있는 이론들에 근거를 둔다.; 실증적 자료는 이러한 일반적 이론이 실체를 가지고 있다는 것을 암시한다. 로이 모델은 연구자들이 그들의 연구에서 생리적 연구를 통합할 때 방향을 제시해준다. 로이(1980)는 간호학생들에 의해 수집된 환자 행동들에 대한 500표본을 분석하고 연구하였다. 이러한 분석으로부터 로이는 인간의 네 가지 적응양식을 제안하였다.

로이(Roy & McLeod, 1981; Roy & Roberts, 1981)는 조절기전과 인지기전 및 자아개념, 역할기능, 그리고 상호의존 양식과 관련된 많은 명제들을 규명하였다. 이러한 명제들은 일반적인 이론과 실증적 자료로부터 다양한 지지를 확보하고 있다. 대부분의 명제들은 관련 진술들이며 검증할 수 있다(Tiedeman, 1983). 시간이 지날수록 검증가능한 많은 가설들이 모델로부터 도출되었다(Hill & Roberts, 1981).

지난 25년 이상의 진전에도 불구하고, 로이 적응모델의 경험적 정밀성을 높이려는 요구가 커서 연구자들로 하여금 로이 적응모델에 근거한 중범위이론을 구축하게 하고 도출된 이론에서 제안된 개념들을 측정하기 위하여 상세하게 고안된 경험적 관계를 지속적으로 발달시키고 있다. 로이는 중범위이론의 발달에 도움이 될 만한 수많은 명제, 공리, 원리를 명확하게 하였다. 모델의 총체적인 특성은 생리적 적응과정과 심리적 적응과정 사이에 복잡한 반응들에 관심이 있는 간호연구자들을 도와줄 수 있다.

중요성

로이 적응모델은 간호과정을 명백하게 정의하였고, 임상실무를 이끄는데 유용할 수 있다. 이 모델의 효용성은 간호사들에 의해 전 세계적으로 입증이 되었다.

모델은 환자의 총체적인 욕구를 다루는 간호를 제공하는데 방향을 제공한다. 모델은 또한 모델로부터 도출되었던 가설을 검증함으로써 새로운 정보를 생성할 수 있다(Roy & Corliss, 1993; Smith, Garvis, & Martinson, 1983).

요약

로이 적응모델은 간호 전문직에 지대한 영향을 주었다. 간호 연구, 교육 및 실무를 이끄는 데 자주 사용되고 있는 모델 중의 하나이다. 이 모델을 간호학부, 석사 및 박사학위 과정에서 교과과정의 한 부분으로 가르치고 있다. 간호연구에 대한 로이 적응모델의 영향은 수많은 질적 및 양적연구에 의해서 증명이 된다. 로이 적응모델은 많은 중범위이론의 개발과 적응도구의 개발을 고무시켰다. 캘리스타 로이 수녀는 간호연구, 교육 및 실무를 위하여 적응모델을 지속적으로 정련시키고 있다.

로이에 따르면, 인간은 총체적인 적응체계이고, 간호의 초점이다. 내 · 외적 환경은 인간 적응체계를 둘러싼 모든 현상으로 구성되고, 인간의 발달과 행동에 영향을 준다. 인간은 부단히 환경과 상호작용하고, 정보, 물질 및 에너지를 교환한다.; 즉, 인간은 환경에 영향을 주고 영향을 받는다. 환경은 인간의 존재를 위협하거나 증진시키는 자극의 원천이다. 생존을 위해서 인간 적응체계는 환경적 자극에 긍정적으로 반응해야만 한다. 인간은 환경적 자극에 효과적이거나 비효과적인 적응반응을 일으킨다. 적응은 생존, 성장, 생식, 완성mastery, 그리고 인간과 환경의 변형을 증진시킨다. 로이는 건강을 통합되고 총체적인 인간으로 되어가는 상태라고 정의하였다.

환경적 자극의 세 가지 형태가 로이 적응모델에서 기술되었다. 초점자극은 가장 직접적으로 인간에게 직면하는 자극이고, 가장 많은 관심과 적응 에너지를 요구한다. 상황관련자극은 초점자극의 힘에 긍정적 또는 부정적으로 기여하는 상황에 있는 다른 모든 자극이다. 잔여자극은 초점자극에 영향을 주지만, 그들의 효과는 쉽사리 알려져 있지 않다. 이러한 세 가지 형태의 자극은 적응수준을 함께 형성한다. 한 인간의 적응수준은 통합되고, 보상적이고, 절충된다.

대처기전은 한 인간이 환경적 자극을 다루는데 사용하는 선천적이거나 획득된 과정을 말한다. 대처기전은 조절하부체계 또는 인지하부체계로 크게 분류할 수 있다. 조절하부체계는 내부적인 신경, 화학, 그리고 내분비 대처과정을 통하여 자율적으로 반응한다. 인지하부체계는 지각, 정보처리, 학습, 판단 및 정서를 포함하는 선천적이거나 획득된 인지-정서 과정을 통하여 반응한다.

적응을 나타내는 행동은 네 가지 적응양식으로 관찰할 수 있다. 생리적 양식은 환경에 대한 인간의 생리적 반응을 말하는데, 기본적인 욕구는 생리적 통합성이다. 자아개념 양식은 주어진 시간에 자신에 대한 인간의 사고, 신념 또는 느낌을 말한다. 자아개념 양식의 기본적인 욕구는 심리적 또는 영적 통합성이다. 자아개념은 내적인 지각과 다른 사람의 지각으로부터 형성된다. 자아개념은 신체적 자아(신체 감각과 신체상)와 개인적 자아(자아-일관성, 자아-이상, 그리고 도덕적-윤리적-영적 자아)에 의해 절충된다. 역할기능 양식은 한 인간이 사회에서 수행하는 일차적, 이차적 그리고 삼차적 역할을 말한다.

역할기능양식의 기본적인 욕구는 사회적 통합성 또는 한 사람이 어떻게 행동해야 하는지 그리고 사회에서 자신에게 무엇을 기대하는지를 아는 것이다. 상호의존 양식은 사람들 사이의 관계를 말한다. 상호의존 양식의 기본적인 욕구는 사회적 통합성 또는 사랑, 존경, 가치를 의미있는 다른 사람들로부터 받고 주는 것, 그리고 사회적 지지체계이다(표 17-1).

간호의 목표는 적응반응을 증진시키는 것이다. 이것은 6단계의 간호과정을 통하여 이루어진다:행동에 대한 사정, 자극에 대한 사정, 간호진단, 목표설정, 중재 및 평가. 간호중재는 "그들을 경계하고, 증가시키고, 감소시키고, 제거하거나 또는 유지함"으로서 환경적 자극들을 관리하는데 초점을 둔다(Roy & Andrews, 1999, p. 86).

Meleis(1985)는 간호이론에는 다음의 세 가지 형태가 있다고 주장하였다.

1. 욕구 중심 이론
2. 상호작용 중심 이론
3. 결과중심 이론

로이 적응이론을 결과중심이론으로 분류하는데, Meleis(1985, 2007)는간호대상자로서 인간에 대해서 그리고 외적인 조절기전으로서 간호에 대해 매우 명확히 정의된것으로(p. 180) 결과중심이론이라고 정의한다. 로이는 간호 대상자로서의 인간에 대하여 체계와 적응의 개념을 적용하면서, 실무, 교육 및 연구에서 간호사를 하나의 도구로써 사용하기 위하여 인간에 대한 명료한 정의를 제시하였다. 인간에 대한 그리고 간호과정에 대한 로이의 개념은 간호과학과 기술에 기여를 하였다. 로이 적응모델은 교육자, 연구자 및 실무자에 의한 발전과 더 많은 연구를 할 만한 가치가 있다.

표 17-1 적응양식의 개요

하부체계	적응양식	대처욕구
조절기전 REGULATOR 신경 화학 내분비	**생리적** PHYSIOLOGICAL 생리적 적응양식은 신체적 존재로서 인간이 내적, 외적 환경에 반응하고 상호작용하는 방법을 말한다. **기본적 욕구:** 생리적 통합성	**산소투여:** 환기, 가스교환, 및 가스이동을 통하여 적당한 산소농도를 유지하기 **영양:** 기능을 유지하고, 성장을 증진시키고, 음식의 소화와 동화를 통하여 조직을 치환하기 **배설:** 장과 신장을 통하여 일차적으로 대사성 노폐물을 배설하기 **보호:** 감염, 외상데 대하여 신체를 방어하고 피부구조와 선천적 그리고 획득된 면역을 통하여 체온을 변화시키기 **감각:** 사람이 시각, 청각, 접촉, 미각 및 후각에 의하여 환경과 상호작용하는 것을 가능하게 하기 **수액과 전해질, 산-염기 균형:** 세포의, 세포외적 그리고 체계기능을 증진시키기 위하여 수액, 전해질 및 산-염기 균형을 유지하기 **신경학적 기능:** 신체 활동, 의식 및 인지-정서 과정을 조정하고 조화시키기 **내분비 기능:** 신체 기능을 통합하고 조화시키기
인지기전 COGNATOR	**자아개념** SELF-CONCEPT 자아개념 적응양식은 인간의 생리적, 영적 특성을 말한다. 자아개념은 주어진 시간에 자신에 대한 느낌을 구성한다. 자아개념은 내적인 지각과 다른 사람의 반응에 대한 지각으로 형성된다. 자아개념은 두 개의 주요 영역이 있다:신체적 자아와 개인적 자아 **기본적 욕구:** 심리적 영적 통합성 **상호의존** INTERDEPENDENCE **기본적 욕구:** 관계를 양육하는 데 있어서 관계적 통합성 또는 보증 **역할기능** ROLE FUNCTION **기본적 욕구:** 사회적 통합성	**신체적 자아** PHYSICAL SELF **신체 감각:** 사람의 신체적 존재(예: 신체적 기능, 성욕, 또는 건강)에 대한 긍정적인 느낌을 유지하기 **신체상:** 사람의 신체적 존재와 신체적 외모에 대한 긍정적인 관점을 유지하기 **개인적 자아** PERSONAL SELF **자아-일관성:** 일관적인 자아-조직을 유지하고 불균형을 회피하기 **자아-이상 또는 자아-기대:** 자신이 무엇인지, 무엇을 기대하는지, 무엇을 하기를 희망하는지에 대한 긍정적이고 희망적인 관점을 유지하기 **도덕적-영적-윤리적 자아:** 자신이 누구인지에 대한 긍정적인 평가를 유지하기. 사랑, 존경 및 가치를 주고 받을 수 있는 사람과의 관계를 증진시키고 유지하기. 자신이 누구인지, 사회의 기대는 무엇인지, 그래서 사회 내에서 자신이 적정하게 행동하는 것에 대하여 알기

사례연구

24살된 남자 환자가 전신마비가 우려되는 C6와 C7이 골절되어 입원하였다. 그는 4학년이고 학교에서 축구경기를 하다가 손상을 입었다. 쿼터백으로서의 그의 경력은 매우 유망하였다. 손상 당시에 우수한 미식축구 프로팀과 계약을 진행하고 있었다.

1. 로이의 지표를 이용하여 네 가지 적응양식의 각각에 대하여 초점, 상황관련 자극을 규명하시오.
2. 다음의 네 가지 적응양식의 각각에 대하여 필요한 적응은 무엇인지 생각하시오.
   (1) 생리적 (2) 자아개념 (3) 상호의존 (4) 역할기능
3. 적응을 증진시킬 수 있는 적응양식의 각각에 대한 중재를 고안하시오.

비판적 사고

1. 카렌은 최근에 로이 적응모델에 근거한 간호 프로그램을 졸업하였고, 오전 간호사정을 수행하고 있다. 카렌은 Shadeed 씨의 방에 들어갔다. Shadeed씨는 알 수 없는 종괴로 인하여 시험적 개복술을 위한 수술전 준비를 하고 있었다. Shadeed씨는 오늘 아침 매우 불안정하였다. 그는 목이 마르다고 말하였다. 카렌은 Shadeed씨를 계속 사정하였다. 간호중재를 수행하기 전에 네 가지 적응양식에서 어떤 자료가 더 필요한가? 초점자극, 상황관련 자극 및 잔여자극은 무엇인가? 간호진단은 무엇인가? 가능한 중재는 무엇인가? 카렌은 가장 좋은 간호중재를 선택하기 위하여 어떤 과정을 사용할 수 있는가?

2. Shadeed 씨의 간호욕구가 수술전 불안에 기인한 것이라는 것을 가정하는 것이 쉽다고 하더라도, 이러한 가정은 옳을 수도 있고 틀릴 수도 있다. 네 가지 적응양식의 각각에서 자극에 대한 사정은 카렌이 초점, 상황관련 및 잔여자극을 사정할 수 있고, 올바른 진단이 될 수 있다. 카렌이 다음의 적응양식의 각각에 대하여 수집해야할 추가적인 사정 자료를 설명하시오.

- 생리적 적응양식
- 자아-개념 적응양식
- 역할기능 적응양식
- 상호의존 적응양식

POINTS FOR FURTHER STUDY

- *Nursing Science Quarterly, 24*(4) (issue dedicated to honoring Roy and her work).
- Phillips, K. D. (2010). Roy's adaptation model in nursing practice. In M. R. Alligood, (Ed.), *Nursing theory: Utilization & application* (4th ed., pp. 309–335). Maryland Heights, MO: Mosby-Elsevier.
- Roy, C., & Jones, D. (Eds.). (2007). *Nursing knowledge development and clinical practice.* New York: Springer.
- Roy, C. (2007). Update from the future: Thinking of theorist Sr. Callista Roy. *Nursing Science Quarterly, 20*(2), 113–116.
- Sr. Callista Roy. *Portraits of excellence: The nurse theorists* video/DVD series, vol 1. Athens, (OH): Fitne, Inc.
- Sr. Callista Roy. *Adaptation: Excellence in action* video/DVD. Athens, (OH): Fitne, Inc.

REFERENCES

Andrews, H. (1991). Overview of the role function mode. In C. Roy & H. Andrews (Eds.), *The Roy adaptation model: The definitive statement* (pp. 347–361). Norwalk, (CT): Appleton & Lange.

Andrews, H., & Roy, C. (1986). *Essentials of the Roy adaptation model*. Norwalk, (CT): Appleton-Century-Crofts.

Andrews, H., & Roy, C. (1991). Essentials of the Roy adaptation model. In C. Roy & H. Andrews (Eds.), *The Roy adaptation model: The definitive statement* (pp. 3–25). Norwalk, (CT): Appleton & Lange.

Bradley, K. M., & Williams, D. M. (1990). A comparison of the preoperative concerns of open heart surgery patients and their significant others. *Journal of Cardiovascular Nursing*, *5*, 43–53.

Brower, H. T., & Baker, B. J. (1976). The Roy adaptation model. Using the adaptation model in a practitioner curriculum. *Nursing Outlook*, *24*, 686–689.

Buckner, E. B., Simmons, S., Brakefield, J. A., Hawkins, A. K., Feeley, C., Kilgore, L. A. F., et al. (2007). Maturing responsibility in young teens participating in an asthma camp: Adaptive mechanisms and outcomes. *Journal for Specialists in Pediatric Nursing*, *12*, 24–36.

Chinn, P., & Kramer, M. (2008). *Integrated theory and knowledge development in nursing*. St. Louis: Mosby-Elsevier.

Chiou, C. P. (2000). A meta-analysis of the interrelationships between the modes in Roy's adaptation model. *Nursing Science Quarterly*, *13*, 252–258.

Cooley, C. H. (1902). *Human nature and the social order*. New York: Scribner's.

Cunningham, D. A. (2002). Application of Roy's adaptation model when caring for a group of women coping with menopause. *Journal of Community Health Nursing*, *19*, 49–60.

Davies, P. (1988). *The cosmic blueprint*. New York: Simon & Schuster.

De Chardin, P. T. (1959). *The phenomenon of man*. New York: Harper & Row.

De Chardin, P. T. (1965). *Hymn of the universe*. New York: Harper & Row.

De Chardin, P. T. (1966). *Man's place in nature*. New York: Harper & Row.

De Chardin, P. T. (1969). *Human energy*. New York: Harper & Row.

DeSanto-Madeya, S. (2009). Adaptation to spinal cord injury for families post-injury. *Nursing Science Quarterly*, *22*, 57–66.

Dickoff, J., James, P., & Wiedenbach, E. (1968a). Theory in a practice discipline. I. Practice oriented discipline. *Nursing Research*, *17*, 415–435.

Dickoff, J., James, P., & Wiedenbach, E. (1968b). Theory in a practice discipline. II. Practice oriented research. *Nursing Research*, *17*, 545–554.

DiMattio, M. J., & Tulman, L. (2003). A longitudinal

study of functional status and correlates following coronary artery bypass graft surgery in women. *Nursing Research*, *52*, 98–107.

Dixon, E. L. (1999). Community health nursing practice and the Roy adaptation model. *Public Health Nursing*, *16*, 290–300.

Dobratz, M. C. (2003). Putting the pieces together: Teaching undergraduate research from a theoretical perspective. *Journal of Advanced Nursing*, *41*, 383–392.

Dobratz, M. C. (2011). Toward development of a middle-range theory of psychological adaptation in death and dying. *Nursing Science Quarterly*, *24*(4), 370–376.

Ducharme, E., Ricard, N., Duquette, A., Levesque, L., & Lachance, L. (1998). Empirical testing of a longitudinal model derived from the Roy adaptation model. *Nursing Science Quarterly*, *11*, 149–159.

Dunn, K. S. (2004). Toward a middle-range theory of adaptation to chronic pain. *Nursing Science Quarterly*, *77*, 78–84.

Farkas, L. (1981). Adaptation problems with nursing home application for elderly persons: An application of the Roy adaptation nursing model. *Journal of Advanced Nursing*, *6*, 363–368.

Fawcett, J. (2002). The nurse theorists: 21st-century updates—Callista Roy. *Nursing Science Quarterly*, *15*, 308–310.

Fawcett, J. (2005). Roy's adaptation model. In J. Fawcett (Ed.), *Analysis and evaluation of contemporary nursing knowledge: Nursing models and theories* (2nd ed.) (pp. 364–437). Philadelphia: F. A. Davis.

Frame, K., Kelly, L., & Bayley, E. (2003). Increasing perceptions of self-worth in preadolescents diagnosed with ADHD. *Journal of Nursing Scholarship*, *35*, 225–229.

Frederickson, K. (2000). Nursing knowledge development through research: Using the Roy adaptation model. *Nursing Science Quarterly*, *13*, 12–16.

Galligan, A. C. (1979). Addressing small children. Using Roy's concept of adaptation to care for young children. *American Journal of Maternal Child Nursing*, *4*, 24–28.

Hill, B. J., & Roberts, C. S. (1981). Formal theory construction: An example of the process. In C. Roy & S. L. Roberts (Eds.), *Theory construction in nursing: An adaptation model.* Englewood Cliffs, (NJ): Prentice-Hall.

Illich, I. (1974). Medical nemesis. *Lancet*, *1*, 918–921.

Illich, I. (1976). *Limits to medicine: Medical nemesis*, the expropriation of health. London: Boyars.

Jirovec, M. M., Jenkins, J., Isenberg, M., & Baiardi, J. (1999). Urine control theory derived from Roy's conceptual framework. *Nursing Science Quarterly*, *12*, 251–255.

Kan, E. Z. (2009). Perceptions of recovery, physical health, personal meaning, role function, and social support after first-time coronary artery bypass surgery. *Dimensions of Critical Care Nursing*, *28*, 189–195.

Keen, M., Breckenridge, D., Frauman, A. C, Hartigan, M. F., Smith, L., & Butera, E. (1998). Nursing assessment and intervention for adult hemodialysis patients: Application of Roy's adaptation model. *American Nephrology Nurses' Association Journal*, *25*, 311–319.

Lankester, K., & Sheldon, L. M. (1999). Health visiting with Roy's model: A case study. *Journal of Child Health Care*, *3*, 28–34.

Levesque, L., Ricard, N., Ducharme, F., Duquette, A., & Bonin, J. P. (1998). Empirical verification of a theoretical model derived from the Roy adaptation model: Findings from five studies. *Nursing Science Quarterly, 11*(1), 31–39.

Limandri, B. J. (1986). Research and practice with abused women—Use of the Roy adaptation model as an explanatory framework. *Advances in Nursing Science*, *8*, 52–61.

Malinski, V. M. (2000). Commentary. *Nursing Science Quarterly, 13*(1), 16–17.

Mastal, M. F., & Hammond, H. (1980). Analysis and expansion of the Roy adaptation model: A contribution to holistic nursing. *Advances in Nursing Science*, *2*, 71–81.

Mastal, M. F., Hammond, H., & Roberts, M. P. (1982). Theory into hospital practice: A pilot implementation. *Journal of Nursing Administration*, *12*, 9–15.

McDonald, F. J., & Harms, M. (1966). Theoretical model for an experimental curriculum. *Nursing Outlook*, *14*, 48–51.

Meleis, A. I. (1985). *Theoretical nursing development and progress*. Philadelphia: Lippincott.

Meleis, A. I. (2007). *Theoretical nursing development and progress*(4th ed.) Philadelphia: Lippincott.

Modrcin-McCarthy, M. A., McCue, S., & Walker, J. (1997). Preterm infants and STRESS: A tool for the neonatal nurse. *Journal of Perinatal & Neonatal Nursing*, *10*, 62–71.

Modrcin-Talbott, M. A., Harrison, L. L., Groer, M. W., & Younger, M. S. (2003). The biobehavioral effects of gentle human touch on preterm infants. *Nursing Science Quarterly*, *16*, 60–67.

Modrcin-Talbott, M. A., Pullen, L., Ehrenberger, H., Zandstra, K., & Muenchen, B. (1998). Self esteem in adolescents treated in an outpatient mental health setting. *Issues in Comprehensive Pediatric Nursing, 21,* 159–171.

Modrcin-Talbott, M. A. Pullen, L., Zandstra, K., Ehrenberger, H., & Muenchen, B. (1998). A study of self-esteem among well adolescents: Seeking a new direction. *Issues in Comprehensive Pediatric Nursing*, *21*, 229–241.

Nayback, A. M. (2009). PTSD in the combat veteran: Using Roy's Adaptation Model to examine the combat veteran as a human adaptive system. *Issues in Mental Health Nursing*, *30*, 304–310. doi: 10.1080101612840902754404.

Newman, D. M. (1997a). Responses to caregiving: A reconceptualization using the Roy adaptation model. *Holistic Nursing Practice*, *12*, 80–88.

Newman, D. M. (1997b). The Inventory of Functional Status—Caregiver of a Child in a Body Cast. *Journal of Pediatric Nursing*, *12*, 142–147.

Nuamah, I. F., Cooley, M. E., Fawcett, J., & McCorkle, R. (1999). Testing a theory for health-related quality of life in cancer patients: A structural equation approach. *Research in Nursing & Health*, *22*, 231–242.

Nyqvist, K. H., & Sjoden, P. O. (1993). Advice concerning breast-feeding from mothers of infants admitted to a neonatal intensive-care unit—The Roy adaptation model as a conceptual structure. *Journal of Advanced Nursing*, *18*, 54–63.

Pollock, S. E. (1993). Adaptation to chronic illness: A program of research for testing nursing theory. *Nursing Science Quarterly, 6*(2), 86–92.

Rambo, B. (1983). *Adaptation nursing: Assessment and intervention*. Philadelphia: Saunders.

Ramini, S. K., Brown, R., & Buckner, E. B. (2008). Embracing changes: Adaptation by adolescents with cancer. *Pediatric Nursing*, *34*, 72–79.

Randell, B., Tedrow, M. P., & Van Landingham, J, (1982). *Adaptation nursing: The Roy conceptual model applied*. St. Louis: Mosby.

Reynolds, P. D. (1971). *A primer in theory construction*. Indianapolis: Bobbs-Merrill.

Riehl, J. P., & Roy, C. (1980). *Conceptual models for nursing practice* (2nd ed.) New York: Appleton-Century-Crofts.

Roy, C. (1970). Adaptation: A conceptual framework for nursing. *Nursing Outlook*, *18*, 42–45.

Roy, C. (1971). Adaptation: A basis for nursing practice. *Nursing Outlook*, *19*, 254–257.

Roy, C. (1973). Adaptation: Implications for curriculum change. *Nursing Outlook*, *21*, 163–168.

Roy, C. (1975). A diagnostic classification system for nursing. *Nursing Outlook*, *23*, 90–94.

Roy, C. (1976a). *Introduction to nursing: An adaptation model*. Englewood Cliffs, (NJ): Prentice-Hall.

Roy, C. (1976b). The impact of nursing diagnosis. *Nursing Digest*, *4*, 67–69.

Roy, C. (1979) Relating nursing theory to nursing education: A new era. *Nurse Educator*, *4*, 16–21.

Roy, C. (1980). The Roy adaptation model. In J. P. Riehl & C. Roy (Eds.), *Conceptual models for nursing practice* (2nd ed., pp. 179–188). New York: Appleton-Century-Crofts.

Roy, C. (1984). *Introduction to nursing: An adaptation model* (2nd ed.). Englewood Cliffs, (NJ): Prentice-Hall.

Roy, C. (1997). Future of the Roy model: Challenge to redefine adaptation. *Nursing Science Quarterly, 10*(1), 42–48.

Roy, C. (2000). The visible and invisible fields that shape the future of the nursing care system. *Nursing Administration Quarterly*, *25*(1), 119–131.

Roy, C. (2011a). Research based on the Roy adaptation model: Last 25 years. *Nursing Science Quarterly*, *24*(4), 312–320.

Roy, C. (2011b). Extending the Roy adaptation model to meet changing global needs. *Nursing Science Quarterly, 24(*4), 345–351.

Roy, C., & Andrews, H. (1991). *The Roy adaptation model: The definitive statement*. Norwalk, (CT): Appleton & Lange.

Roy, C, & Andrews, H. (1999). *The Roy adaptation model* (2nd ed.). Upper Saddle River, (NJ): Pearson.

Roy, C., & McLeod, D. (1981). Theory of the person as an adaptive system. In C. Roy & S. Roberts (Eds.), *Theory construction in nursing: Art adaptation model* (pp. 49–69). Englewood Cliffs, (NJ): Prentice-Hall.

Roy, C., & Obloy, M. (1978). The practitioner movement. *American Journal of Nursing*, *78*, 1698–1702.

Roy, C., & Roberts, S. (1981). *Theory construction in nursing: An adaptation model*. Englewood Cliffs, (NJ): Prentice-Hall.

Roy, C., & Zhan, L. (2001). The Roy adaptation model: Theoretical update and knowledge for practice. In M. E. Parker (Ed.), *Nursing theories and nursing practice* (pp. 315–342). Philadelphia: F. A. Davis.

Roy, S. C., & Corliss, C. P. (1993). The Roy adaptation model: Theoretical update and knowledge for practice. In M. E. Parker (Ed.), Patterns of nursing theories in practice. (NLN Pub. 15–2548). New York: National League for Nursing.

Samarel, N., Tulman, L., & Fawcett, J. (2002). Effects of two types of social support and education on adaptation to early-stage breast cancer. *Research in Nursing & Health*, *25*, 459–470.

Samarel, N., Fawcett, J., Krippendorf, K., Piacentino, J. C., Eliasof, B., Hughes, P., et al. (1998). Women's perception of group support and adaptation to breast cancer. *Journal of Advanced Nursing*, *28*(6), 1259–1268.

Samarel, N., Fawcett, J., Tulman, L., Rothman, H., Spector, L., Spillane, P. A., et al. (1999). A resource kit for women with breast cancer: Development and evaluation. *Oncology Nursing Forum, 26*(3), 611–618.

Senesac, P. (2003). Implementing the Roy adaptation model: From theory to practice. *Roy Adaptation Review*, 4(2), Chestnut Hill, (MA).

Silva, M. C. (1986). Research testing nursing theory: State of the art. *Advances in Nursing Science, 9*, 1–11.

Silva, M. C. (1987). Needs of spouses of surgical patients: A conceptualization within the Roy adaptation model. *Scholarly Inquiry for Nursing Practice*, *1*, 29–44.

Smith, C. E., Garvis, M. S., & Martinson, I. M. (1983). Content analysis of interviews using a nursing model: A look at parents adapting to the impact of childhood cancer. *Cancer Nursing*, *6*, 269–275.

Starnes, T. M. & Peters, R. M. (2004). Anger, expression, and blood pressure in adolescents. *Journal of School Nursing*, *20*, 335–342.

Swimme, B., & Berry, T. (1992). *The universe story*. San Francisco: Harper.

Tiedeman, M. E. (1983). The Roy adaptation model. In J. Fitzpatrick & A. Whall (Eds.), *The Roy adaptation model* (pp. 157–180). Bowie, (MD): Brady.

Tsai, P. F. (2003). Middle-range theory of caregiver stress. *Nursing Science Quarterly, 16*(2), 137–145.

Tsai, P. F., Tak, S., Moore, C., & Palencia, I. (2003). Testing a theory of chronic pain. *Journal of Advanced Nursing*, *43*, 158–169.

Villareal, E. (2003). Using Roy's adaptation model when caring for a group of young women contemplating quitting smoking. *Public Health Nursing*, *20*, 377–384.

Wagner, P. (1976). The Roy adaptation model. Testing the adaptation model in practice. *Nursing Outlook*, *24*, 682–685.

Weiland, S. (2010). Integrating spirituality into critical care: An APN perspective using Roy's adaptation model. *Critical Care Nursing Quarterly*, *33*, 282–291.

Weiss, M., Fawcett, J., & Aber, C. (2009). Adaptation, postpartum concerns, and learning needs in the first two weeks after caesarean birth. *Journal of Clinical Nursing*, *18*, 2938–2948.

Whittemore, R., & Roy, C. (2002). Adapting to diabetes mellitus: A theory synthesis. *Nursing Science Quarterly*, *15*, 311–317.

Woods, S. J., & Isenberg, M. A. (2001). Adaptation as a mediator of intimate abuse and traumatic stress in battered women. *Nursing Science Quarterly, 14*(3), 215–221.

Yeh, C. H. (2002). Health-related quality of life in pediatric patients with cancer—A structural equation approach with the Roy adaptation model. *Cancer Nursing*, *25*, 74–80.

Young-McCaughan, S., Mays, M. Z., Arzola, S. M., Yoder, L. H., Dramiga, S. A., Leclerc, K. M., et al. (2003). Research and commentary: Change in exercise tolerance, activity and sleep patterns, and quality of life in patients with cancer participating in a structured exercise program. *Oncology Nursing Forum*, *30*, 441–454.

Zeigler, L., Smith, P. A., & Fawcett, J. (2004). Breast cancer: Evaluation of Common Journey Breast Cancer Support Group. *Journal of Clinical Nursing*, *13*, 467–478.

Zhan, L. (2000). Cognitive adaptation and self-consistency in hearing-impaired older persons: testing Roy's adaptation model. *Nursing Science Quarterly*, *13*(2), 158–165.

Zhan, L., & Shen, C. (1994). The development of an instrument to measure self-consistency. *Journal of Advanced Nursing*, *20*, 509–516.

BIBLIOGRAPHY

Primary Sources

Books

Andrews, H., & Roy, C. (1986). *Essentials of the Roy adaptation model*. Norwalk, (CT): Appleton-Century-Crofts.

Boston-Based Adaptation Research in Nursing Society. (1999). *Roy adaptation model–based research: 25 years of contributions to nursing science*. Indianapolis: Sigma Theta Tau International.

Riehl, J. P., & Roy, C. (Eds.). (1974). *Conceptual models for nursing practice*. Englewood Cliffs, (NJ): Prentice-Hall.

Riehl, J. P., & Roy, C. (Eds.). (1980). *Conceptual models for nursing practice* (2nd ed.). New York: Appleton-Century-Crofts.

Roy, C. (1976). *Introduction to nursing: An adaptation model*. Englewood Cliffs, (NJ): Prentice-Hall.

Roy, C. (1982). *Introduction to nursing: An adaptation model* (Japanese translation by Yuriko Kanematsu). Tokyo, Japan: UNI Agency.

Roy, C. (1984). *Introduction to nursing: An adaptation model* (2nd ed.). Englewood Cliffs, (NJ): Prentice-Hall.

Roy, C., & Andrews, H. A. (1991). *The Roy adaptation model: The definitive statement*. Norwalk, (CT): Appleton & Lange.

Roy, C., & Andrews, H. A. (1999). *The Roy adaptation model* (2nd ed.). Stamford, (CT): Appleton & Lange.

Roy, C., & Roberts, S. (1981). *Theory construction in nursing: An adaptation model*. Englewood Cliffs, (NJ): Prentice-Hall.

Roy, C., & Jones, D. (Eds). (2007). *Nursing knowledge development and clinical practice*. New York: Springer.

Book Chapters

Barone, S. H., & Roy, C. (1996). The Roy adaptation model in research: Rehabilitation nursing. In P. H. Walker & B. Neuman (Eds.), *Blueprint for use of nursing models: Education, research, practice, and administration* (pp. 64–87). New York: National League for Nursing.

Morgillo-Freeman, S. & Roy, C. (2005). Cognitive behavior therapy and the Roy Adaptation Model: A discussion of theoretical integration. In S. M. Freeman & A. Freeman (Eds.), *Cognitive behavior therapy in nursing practice* (pp. 3–27). New York: Springer.

Roy, C. (1974). The Roy adaptation model. In J. P. Riehl & C. Roy (Eds.), *Conceptual models for nursing practice* (pp. 135–144). New York: Appleton-Century-Crofts.

Roy, C. (1980). The Roy adaptation model. In J. P. Riehl & C. Roy (Eds.), *Conceptual models for nursing practice* (2nd ed., pp. 179–188). New York: Appleton-Century-Crofts.

Roy, C. (1981). A systems model of nursing care and its effect on the quality of human life. In G. E. Lasker (Ed.), *Applied systems and cybernetics. Vol. 4. Systems research in health care, biocybernetics, and ecology* (pp. 1705–1714). New York: Pergamon.

Roy, C. (1983). A conceptual framework for clinical specialist practice. In A. B. Hamrick & J. Spross (Eds.), *The clinical nurse specialist in theory and practice* (pp. 3–20). New York: Grune & Stratton.

Roy, C. (1983). Roy adaptation model. In I. Clements & F. Roberts (Eds.), *Family health: A theoretical approach to family health*(pp. 255–278). New York: Wiley.

Roy, C. (1983). Theory development in nursing: A proposal for direction. In N. Chaska (Ed.), *The nursing profession: A time to speak* (pp. 453–467). New York: McGraw-Hill.

Roy, C. (1983). The expectant family: Analysis and application of the Roy adaptation model, and the family in primary care—Analysis and application of the Roy adaptation model. In I. W. Clements & F. B. Roberts (Eds.), *Family health: A theoretical approach to nursing care* (pp. 298–303). New York: Wiley.

Roy, C. (1987). Roy's adaptation model. In R. R. Parse (Ed.), *Nursing science: Major paradigms, theories, and critiques* (pp. 35–45). Philadelphia: Saunders.

Roy, C. (1987). The influence of nursing models on clinical decision making II. In K. J. Hannah, M. Reimer, W. C. Mills, & S. Letourneau (Eds.), *Clinical judgment and decision making. The future of nursing diagnosis* (pp. 42–47). New York: Wiley.

Roy, C. (1988). Sister Callista Roy. In T. M. Schorr & A. Zimmerman (Eds.), *Making choices: Taking chances* (pp. 291–298). St. Louis: Mosby.

Roy, C. (1989). The Roy adaptation model. In J. P. Riehl (Ed.), *Conceptual models for nursing practice* (3rd ed., pp. 105–114). Norwalk, (CT): Appleton & Lange.

Roy, C. (1991). Altered cognition: An information processing approach. In P. H. Mitchell, L. C. Hodges, M. Muwaswes, & C. A. Walleck (Eds.), *AANN's neuroscience nursing: Phenomenon and practice: Human responses to neurological health problems* (pp. 185–211). Norwalk, (CT): Appleton & Lange.

Roy, C. (1991). Structure of knowledge: Paradigm, model, and research specifications for differentiated practice. In I. E. Goertzen (Ed.), *Differentiating nursing practice: Into the twenty-first century* (pp. 31–39). Kansas City, (MO): American Academy of Nursing.

Roy, C. (1992). Vigor, variables, and vision: Commentary of Florence Nightingale. In F. Nightingale (Ed.), *Notes on nursing: What it is, and what it is not* (Commemorative edition, pp. 63–71). Philadelphia: Lippincott.

Roy, C. (2000). Alteration in cognitive processing. In C. Stewart-Amidei, J. Kunkel, & K. Bronstein (Eds.), *AANN's neuroscience nursing: Human responses to neurologic dysfunction* (2nd ed., pp. 275–323). Philadelphia: Saunders.

Roy, C. (2000). NANDA and the nurse theorists: The truth of nursing theory. In North American Nursing Diagnosis Association, *Classification of nursing diagnoses* (pp. 59–57). St. Louis: Mosby.

Roy, C. (2001). Alterations in cognitive processing. In C. Stewart-Amidei & J. A. Kunkel (Eds.), *AANN's neuroscience nursing: Human responses to neurologic dysfunction* (2nd ed.). Philadelphia: Saunders.

Roy, C. (2007). The Roy Adaptation Model: Historical and philosophical foundations. In Maria Elisa Moreno et al. (Eds.), *Application del model adaptacion en el ciclo vital humano* (2nd ed.). Chia, Columbia: Universidad de La Sabana.

Roy, C., & Anway, J. (1989). Roy's adaptation model: Theories and hypotheses for nursing administration. In B. Henry, M. DiVincenti, C. Arndt, & A. Marriner Tomey (Eds.), *Dimensions of nursing administration: 'Theory, research, education, and practice* (pp. 75–88). Boston: Blackwell Scientific.

Roy, C., & Corliss, C. P. (1993). The Roy adaptation model. Theoretical update and knowledge for practice. In M. E. Parker (Ed.), *Patterns of nursing theories in practice* (pp. 215–229). New York: National League for Nursing.

Roy, C., & McLeod, D. (1981). Theory of the person as an adaptive system. In C. Roy & S. L. Roberts (Eds.), *Theory construction in nursing: An adaptation model* (pp. 49–69). Englewood Cliffs, (NJ): Prentice-Hall.

Roy, C., & Zhan, L. (2001). The Roy adaptation model: A basis for developing knowledge for practice with the elderly. In M. Parker, (Ed.), *Nursing theories and nursing practice* (pp. 315–342). Philadelphia: F. A. Davis.

Journal Articles

Artinian, N. T., & Roy, C. (1990). Strengthening the Roy adaptation model through conceptual clarification. Commentary (Artinian) and response (Roy).

Nursing Science Quarterly, *3*(2), 60–66.

Hanna, D. R., & Roy C. (2001). Roy adaptation model perspectives on family. *Nursing Science Quarterly*, *14*(1), 9–13.

Pollock, S. E., Frederickson, K., Carson, M. A., Massey, V. H., & Roy, C. (1994). Contributions to nursing science: Synthesis of findings from adaptation model research. *Scholarly Inquiry for Nursing Practice*, *8*(4), 361–374.

Roy, C. (1970). Adaptation: A conceptual framework in nursing. *Nursing Outlook*, *18*, 42–45.

Roy, C. (1971). Adaptation: A basis for nursing practice. *Nursing Outlook*, *19*, 254–257.

Roy, C. (1973). Adaptation: Implications for curriculum change. *Nursing Outlook*, *21*, 163–168.

Roy, C. (1975a). A diagnostic classification system for nursing. *Nursing Outlook*, *23*, 90–94.

Roy, C. (1975b). The impact of nursing diagnosis. *AORN Journal*, *21*, 1023–1030.

Roy, C. (1976). The Roy adaptation model: Comment. *Nursing Outlook*, *24*, 690–691.

Roy, C. (1979). Nursing diagnosis from the perspective of a nursing model. *Nursing Diagnosis Newsletter*, *6*(3), 1–3.

Roy, C. (1979). Relating nursing theory to nursing education: A new era. *Nurse Educator*, *4*(2), 16–21.

Roy, C. (1980). Exposé de Callista Roy sur theories. Exposé de Callista Roy sur l'utilisation de sa theories au nouveau de la recherche. *Acta Nursologica, 3*. [Essay by Castilla Roy on theories. Essay by Castilla Roy on utilization of her theories in new research. *Acta Nursologica, 3*]

Roy, C. (1987). Response to "Needs of spouses of surgical patients, a conceptualization within the Roy adaptation model." *Scholarly Journal for Nursing Practice*, *1*(1), 45–50.

Roy, C. (1988). An explication of the philosophical assumptions of the Roy adaptation model. *Nursing Science Quarterly, 1*(1), 26–34.

Roy, C. (1988). Human information processing and nursing research. *Annual Review of Nursing Research*, *6*, 237–262.

Roy, C. (1990). Case reports can provide a standard for care in nursing practice. *Journal of Professional Nursing*, *6*(3), 179–180.

Roy, C. (1990). Strengthening the Roy adaptation model through conceptual clarification. *Nursing Science Quarterly*, *3*(2), 64–66.

Roy, C. (1991). Theory and research for clinical knowledge development. *Journal of Japanese Nursing Research*, *14*(1), 21–29.

Roy, C. (1995). Developing nursing knowledge: Practice issues raised from four philosophical perspectives. *Nursing Science Quarterly*, *8*(2), 79–85.

Roy, C. (1997). Future of the Roy model: Challenge to redefine adaptation. *Nursing Science Quarterly*, *10*(1), 42–43.

Roy, C. (2000). A theorist envisions the future and speaks to nursing administrators. *Nursing Administration Quarterly*, *24*(2), 1–12.

Roy, C. (2000). Critique: Research on cognitive consequences of treatment for childhood acute lymphoblastic leukemia. *Seminars in Oncology Nursing*, *16*(4), 291.

Roy, C. (2000). The visible and invisible fields that shape the future of the nursing care system. *Nursing Administration Quarterly*, *25*(1), 119–131.

Roy, C. (2003). Reflections on nursing research and the Roy adaptation model. *Japanese Journal of Nursing Research*, *36*(1), 7–11.

Roy, C. (2007). Update from the future: Thinking of theorist Sr. Callista Roy. *Nursing Science Quarterly*, *20*(2), 113–116.

Roy, C. (2011a). Research based on the Roy adaptation model: Last 25 years. *Nursing Science Quarterly*, *24*(4), 312–320.

Roy, C. (2011b). Extending the Roy adaptation model to meet changing global needs. *Nursing Science Quarterly*, *24*(4), 345–351.

Whittemore, R., & Roy, C. (2002). Adapting to diabetes mellitus: A theory synthesis. *Nursing Science Quarterly*, *15*(4), 311–317.

Dissertation

Roy, C. (1977). *Decision-making by the physically ill and adaptation during illness*. Unpublished doctoral dissertation, University of California, Los Angeles.

Secondary Sources

Book Chapters

Fawcett, J. (2005). Roy's adaptation model. In J. Fawcett (Ed.), *Analysis and evaluation of contemporary nursing knowledge: Nursing models and theories* (pp. 364–437). Philadelphia: F. A. Davis.

Galbreath, J. (2002). Roy adaptation model: Sister Callista Roy. In J. B. George (Ed.), *Nursing theories: The base for professional nursing practice* (pp. 295–338). Upper Saddle River, (NJ): Prentice Hall.

Lutjens, L. R. J. (1995). Callista Roy: An adaptation model. In C. M. McQuiston & A. A. Webb (Eds.), *Foundations of nursing theory: Contributions of twelve key theorists* (pp. 91–138). Thousand Oaks, (CA): Sage.

Pearson, A., Vaughan, B., & Fitzgerald, M. (1996). An adaptation model for nursing. In *Nursing models for practice* (pp. 110–129). Oxford: Reed.

Phillips, K. D. (2002). Roy's adaptation model in nursing practice. In M. R. Alligood & A. M. Tomey (Eds.), *Nursing theory: Utilization & application* (pp. 289–314). St. Louis: Mosby.

Tiedeman, M. E. (2005). Roy's adaptation model. In J. J. Fitzpatrick & A. L. Whall (Eds.), *Conceptual models of nursing: Analysis and application* (4th ed., pp. 146–176). Englewood Cliffs, (NJ): Prentice Hall.

Dissertations

Ahern, E. (2006). *Elaboration d'un modele theorique de l'agression en milieu psychiatrique et developpement d'instruments de mesure*. (Doctoral dissertation. Universite de Montreal, 2006). *Dissertation Abstracts International*, *68*, 3698.

Arcamone, A. A. (2005). *The effect of prenatal education on adaptation to motherhood after vaginal childbirth in primiparous women as assessed by Roy's four adaptive modes*. (Doctoral dissertation, Widener University). *Dissertation Abstracts International*, *66*, 4722.

Beck-Little, R. (2000). *Sleep enhancement interventions and the sleep of institutionalized older adults*. (Doctoral dissertation, University of South Carolina). *Dissertation Abstracts International*, *61*, 3503.

Black, K. D. (2004). *Physiologic responses, sense of well-being, self-efficacy for self-monitoring role, perceived availability of social support, and perceived stress in women with pregnancy-induced hypertension*. (Doctoral dissertation, Widener University). *Dissertation Abstracts International*, *65*, 1773.

Burns, D. P. (1997). *Coping with hemodialysis: A mid-range theory deduced from the Roy adaptation model* (Doctoral dissertation, Wayne State University). *Dissertation Abstracts International*, *58*, 1206.

Cacchione, P. Z. (1998). *Assessment of acute confusion in elderly persons who reside in long-term care facilities* (Doctoral dissertation, St. Louis University). *Dissertation Abstracts International*, *59*, 156.

Chayaput, P. (2004). *Development and psychometric evaluation of the Thai version of the Coping and Adaptation Processing Scale*. (Doctoral dissertation, Boston College). *Dissertation Abstracts International*, *65*, 2864.

Cheng, S. (2002). *A multi-method study of Taiwanese children's pain experience* (Doctoral dissertation, University of Colorado Health Sciences Center). *Dissertation Abstracts International*, *63*, 1265.

Chung, C. (1999). *Sense of coherence, self-care, and self-actualizing behaviors of Korean menopausal women* (Doctoral dissertation, Case Western Reserve University Health Sciences). *Dissertation Abstracts International*, *61*, 776.

Dunn, K. S. (2001). *Adaptation to chronic pain: Religious and non-religious coping in Judeo-Christian elders* (Doctoral dissertation, Wayne State University). *Dissertation Abstracts International*, *62*, 5640.

Frame, K. R. (2002). *The effect of a support group on perceptions of scholastic competence, social acceptance and behavioral conduct in preadolescents diagnosed with attention deficit hyperactivity disorder* (Doctoral dissertation, Widener University). *Dissertation Abstracts International*, *63*, 737.

Giedt, J. F. (1999). *The psychoneuroimmunological effects of guided imagery in patients on hemodialysis for end-stage renal disease* (Doctoral dissertation, Wayne State University). *Dissertation Abstracts International*, *61*, 192.

Gipson-Jones, T. L. (2005). *The relationship between work-family conflict, job satisfaction and psychological well-being among African American nurses*. (Doctoral dissertation, Hampton University). *Dissertation Abstracts International*, *66*, 2512.

Harner, H. M. (2001). *Obstetrical outcomes of teenagers with adult and peer age partners* (Doctoral dissertation, University of Pennsylvania, 2001). *Dissertation Abstracts International, 62*, 2256.

Henderson, P. D. (2002). African-American women coping with breast cancer (Doctoral dissertation, Hampton University). *Dissertation Abstracts International, 63*, 5764.

Hinkle, J. L. (1999). *A descriptive study of variables explaining functional recovery following stroke.* (Doctoral dissertation, University of Pennsylvania, 1999). *Dissertation Abstracts International, 60*, 6021.

Huang, C. M. (2002). *Sleep and daytime sleepiness in first-time mothers during early postpartum in Taiwan.* (Doctoral dissertation, University of Texas at Austin). *Dissertation Abstracts International, 64*, 3189.

Jenkins, B. E. (2006). *Emotional intelligence of faculty members, the learning environment, and empowerment of baccalaureate students.* (Doctoral dissertation, Columbia University). *Dissertation Abstracts International, 67*, 3701.

Kan, E. Z. (2007). *Adaptive behaviors and perceptions of recovery following coronary artery bypass graft surgery.* (Doctoral dissertation, Widener University). *Dissertation Abstracts International, 68*, 4390.

Kittiwatanapaisan, W. (2002). *Measurement of fatigue in myasthenia gravis patients.* (Doctoral dissertation, University of Alabama at Birmingham). *Dissertation Abstracts International, 63*, 4595.

Klein, G. J. M. (2000). *The relationships among anxiety, self-concept, the impostor phenomenon, and generic senior baccalaureate nursing students' perceptions of clinical competency.* (Doctoral dissertation, Widener University). *Dissertation Abstracts International, 61*,5236.

Kline, N. E. (1999). *Sleep disturbances in children receiving short-term, high dose glucocorticoid therapy for acute lymphoblastic leukemia.* (Doctoral dissertation, Texas Women's University). *Dissertation Abstracts International, 61*, 194.

Kochniuk, L. (2004). *We never buy green bananas: The oldest old. A phenomenological study.* (Doctoral dissertation, University of Idaho). *Dissertation Abstracts International, 65*, 2318.

Kruszewski, A. Z. (1999). *Psychosocial adaptation to termination of pregnancy for fetal anomaly.* (Doctoral dissertation, Wayne State University). *Dissertation Abstracts International, 61*, 194.

Lefaiver, C. A. (2006). *Quality of life: The dyad of caregivers and lung transplant candidates.* (Doctoral dissertation, Loyola University). *Dissertation Abstracts International, 67*, 4978.

Lu, Y. (2001). *Caregiving stress effects on functional capability and self-care behavior for elderly caregivers of persons with Alzheimer's disease.* (Doctoral dissertation, Case Western Reserve University, Health Sciences). *Dissertation Abstracts International, 62*,1807.

Mahoney, E. T. (2000). *The relationships among social support, coping, self-concept, and stage of recovery in alcoholic women.* (Doctoral dissertation, Catholic University of America). *Dissertation Abstracts International. 61*, 1872.

Malinski, V. M. (2000). Commentary. *Nursing Science Quarterly, 13*, 16–17.

Otten, R. (2005). *History of associate degree nursing at Mount St. Mary's College: 1970–2005* (California). (Doctoral dissertation, Pepperdine University). *Dissertation Abstracts International, 67*, 492.

Phahuwatanakorn, W. (2004). *The relationships between social support, maternal employment, postpartum anxiety, and maternal role competencies in Thai primiparous mothers.* (Doctoral dissertation, Catholic University of America). *Dissertation Abstracts International, 64*, 5451.

Sabatini, M. (2003). *Exercise and adaptation to aging in older women.* (Doctoral dissertation, Widener University). *Dissertation Abstracts International, 64*, 3748.

Saint-Pierre, C. (2003). *Elaboration et verification d'un modele predictif de l'adaptation aux roles associes de mere et de travailleuse a statut precaire.* (Doctoral dissertation. Universite de Montreal). *Dissertation Abstracts International, 65*,1252.

Sander, R. A. (2004). *Measurement of functional status in the spinal cord injured patient.* (Doctoral dissertation, Saint Louis University). *Dissertation Abstracts International, 65*, 1783.

Salazar-Gonzalez, B. C. (1999). *Responses to exercise in elderly Mexican women.* (Doctoral dissertation, Wayne State University). *Dissertation Abstracts International, 61*, 197.

Senesac, P. M. (2004). *The Roy Adaptation Model: An action research approach to the implementation of a pain management organizational change project.* (Doctoral dissertation, Boston College). *Dissertation Abstracts International, 65*, 2872.

Stephens, K. A. (2005). *Preoxygenation practices prior to tracheal suctioning by nurses caring for individuals with spinal cord injury.* (Doctoral dissertation, Loyola University, 2005). *Dissertation Abstracts International, 66*, 2518.

Taival, A. S. (1998). *The older person's adaptation and the promotion of adaptation in home nursing care: Action research of intervention through training based on the Roy adaptation model.* (Doctoral dissertation, Tampereen Teknillinen Korkeakoulu). *Dissertation Abstracts International, 60*,113.

Thomas-Hawkins, C. (1998). *Correlates of changes in functional status in chronic in-center hemodialysis patients.* (Doctoral dissertation, University of Pennsylvania, 1998). *Dissertation Abstracts International, 59*, 5792.

Toughill, E. H. (2001). *Quality of life: The impact of age, severity of urinary incontinence and adaptation.* (Doctoral dissertation, New York University). *Dissertation Abstracts International, 61*, 5240.

Tsai, P. F. (1998). *Development of a middle-range theory of caregiver stress from the Roy adaptation model.* (Doctoral dissertation, Wayne State University, 1998). *Dissertation Abstracts International, 60*, 133.

Velos Weiss, J. C. (1998). *Lifestyle and angina in the elderly following elective coronary artery bypass graft surgery.* (Doctoral dissertation, University of Pennsylvania, 1998). *Dissertation Abstracts International, 59*, 1589.

Wood, A. E. (1998). *An investigation of stimuli related to baccalaureate nursing students' transition toward role mastery.* (Doctoral dissertation, University of Tennessee, Knoxville, 1998). *Dissertation Abstracts International, 59*, 4023.

Woods, S. J. (1997). *Predictors of traumatic stress in battered women: A test and explication of the Roy adaptation model.* (Doctoral dissertation, Wayne State University). *Dissertation Abstracts International, 58*, 1220.

Wright, R. R. (2007). *Experiences of emergency nurses: What has been learned from traumatic and violent events.* (Doctoral Dissertation, Columbia University). *Dissertation Abstracts International, 68*, 3698.

Wunderlich, R. J. (2003). *An exploratory study of physiological and psychological variables that predict weaning from mechanical ventilation.* (Doctoral dissertation, Saint Louis University). *Dissertation Abstracts International, 64*, 3750.

Zbegner, D. K. (2003). *An exploratory retrospective study using the Roy Adaptation Model: The adaptive mode variables of physical energy level, self-esteem, marital satisfaction, and parenthood motivation as predictors of coping behaviors in infertile women.* (Doctoral dissertation, Widener University). *Dissertation Abstracts International, 64*, 3751.

Journal Articles

Chiou, C. (2000). A meta-analysis of the interrelationships between the modes in Roy's adaptation model. *Nursing Science Quarterly, 13*(3), 252–258.

Dawson, S. (1998). Adult/elderly care nursing: Preamputation assessment using Roy's adaptation model. *British Journal of Nursing, 7*(9), 536, 538–542.

Decker, J. W. (2000). The effects of inflammatory bowel disease on adolescents. *Gastroenterology Nursing, 23*(2), 63–66.

Dixon, E. L. (1999). Community health nursing practice and the Roy adaptation model. *Public Health Nursing, 16*, 290–300.

Dunn, H. C., & Dunn D. G. (1997). The Roy adaptation model and its application to clinical nursing practice. *Journal of Ophthalmic Nursing and Technology, 6*(2), 74–78.

Harding-Okimoto, M. B. (1997). Pressure ulcers, self-concept, and body image in spinal cord injury patients. *SCI Nursing, 14*(4), 111–117.

Hennessy-Harstad, E. B. (1999). Empowering adolescents with asthma to take control through adaptation. *Journal of Pediatric Health Care, 13* (6 Part 1), 273–277.

Ingram, L. (1995). Roy's adaptation model and accident and emergency nursing. *Accident and Emergency Nursing, 3*, 150–153.

LeMone, P. (1995). Assessing psychosexual concerns in adults with diabetes: Pilot project using Roy's modes of adaptation. *Issues in Mental Health Nursing, 16*(1), 67–78.

Modrcin-McCarthy, M. A., McCue, S., & Walker, J. (1997). Preterm infants and STRESS: A tool for the neonatal nurse. *Journal of Perinatal & Neonatal Nursing, 10*(4), 62–71.

Modrcin-Talbott, M. A., Pullen, L, Ehrenberger, H., Zandstra, K., & Muenchen, B. (1998). Self-esteem in adolescents treated in an outpatient mental health setting. *Issues in Comprehensive Pediatric Nursing, 21*, 159–171.

Modrcin-Talbott, M. A., Pullen, L., Zandstra, K., Ehrenberger, H., & Muenchen, B. (1998). A study of self-esteem among well adolescents: Seeking a new direction. *Issues in Comprehensive Pediatric Nursing, 21*, 229–241.

Newman, D. M. L., & Fawcett, J. (1995). Caring for a young child in a body cast: Impact on the care giver. *Orthopedic Nursing, 14*(1), 41–46.

Niska, K. J. (1999). Family nursing interventions: Mexican American early family formation: Third part of a three-part study. *Nursing Science Quarterly, 12*(4), 335–340.

Niska, K. J. (2001). Mexican American family survival, continuity, and growth: The parental perspective. *Nursing Science Quarterly, 14*(4), 322–329.

Orsi, A. J., Grandy, C., Tax, A., & McCorkle, R. (1997). Nutritional adaptation of women living with HIV: A pilot study. *Holistic Nursing Practice, 12*(1), 71–79.

Robinson, J. H. (1995). Grief responses, coping processes, and social support of widows: Research with Roy's model. *Nursing Science Quarterly, 8*(4), 158–164.

Samarel, N., Fawcett, J., Krippendorf, K., Piacentino, J. C., Eliasof, B., Hughes, P., et al. (1998). Women's perception of group support and adaptation to breast cancer. *Journal of Advanced Nursing, 28*(6), 1259–1268.

Samarel, N., Fawcett, J., Tulman, L., Rothman, H., Spector, L., Spillane, P. A., et al. (1999). A resource kit for women with breast cancer: Development and evaluation. *Oncology Nursing Forum, 26*(3), 611–618.

Sheppard, V. A , & Cunnie, K. L. (1996). Incidence of diuresis following hysterectomy. *Journal of Post Anesthesia Nursing, 11*, 20–28.

Woods, S. J., & Isenberg, M. A. (2001). Adaptation as a mediator of intimate abuse and traumatic stress in battered women. *Nursing Science Quarterly, 14*(3), 215–221.

Yeh, C. H. (2001). Adaptation in children with cancer: Research with Roy's model. *Nursing Science Quarterly, 14*, 141–148.

Zhan, L. (2000). Cognitive adaptation and self-consistency in hearing-impaired older persons: Testing Roy's adaptation model. *Nursing Science Quarterly, 13*(2), 158–165.

18장

도로시 존슨
Dorothy E. Johnson
1919-1999

행동체계모델
Behavioral System Model

Bonnie Holaday

"과학자이며 임상전문가인 우리는 실무에 많은 관심을 가져야 하며, 실무에 대해 끊임없는 질문을 가져야 한다. 우리가 직면하는 이론적 문제나 실무적인 문제에 대하여 이해 가능한 수준에서 가장 완전하고 진실한 답을 찾기 위하여, 우리는 탐구정신을 가지고 끊임없이 연구하여야 한다" (Johnson, 1976)

이론가 소개

도로시 존슨은 1919년 8월 21일에 조지아주 사바나(Savannah)에서 태어났다. 그녀는 조지아주 사바나 암스트롱 전문대학에서 전문학사학위(A.A.)를 받았고(1938), 테네시, 네슈빌에 있는 Vanderbilt 대학교에서 학사학위(B.S.N.)를 받았으며(1942), 보스턴에 있는 Harvard 대학교에서 보건학 석사학위(M.P.H)를 받았다(1948).

존슨은 전문가로서의 대부분의 경력을 교육에 종사하였는데 1943년에서 1944년까지는 Chatham-Savannah Health Council에서 간호사로 근무하였다. 그리고 Vanderbilt 간호

이전 저자: Victoria M. Brown, Sharon S. Conner, Linda S. Harbour, Jude A. Magers, and Judith K. Watt

대학에서 아동간호학 전임강사와 조교수로 일하였다. 1949년부터 1978년 은퇴하여 플로리다의 키 라르고Key Largo로 갈때 까지 University of California Los Angeles(UCLA)에서 아동간호학 조교수, 간호학 부교수, 간호학 교수를 역임하였다.

1955년부터 1956년도에 존슨은 인도 남부 Vellore에 있는 크리스챤 의과대학 간호학과에서 아동간호학 고문으로 근무하였다. 1965년부터 1967년까지 캘리포니아 간호협회에서 임상전문간호사clinical specialist의 자격 기준을 개발하는 위원회의 위원장직을 역임하였다. 존슨의 저서로는 4권의 책, 30개 이상의 정기간행물 논설, 수많은 연구 논문, 보고서, 발표문 및 전공논문들이 있다(Johnson, 1980).

존슨(personal communication, 1984)은 그 동안의 수많은 수상 경력 중 1975년 졸업생들로부터 받은 우수 교수상, 1977년 캘리포니아 간호협회로부터 받은 Lulu Hassenplug 공로상, 1981년도에 Vanderbilt 간호대학에서 수여 받은 간호 우수상을 가장 자랑스러워하였다. 존슨은 1999년 2월, 80세로 생을 마감하였다. 존슨은 자신의 행동체계모델이 간호이론 기초의 개발에 유용하게 사용되고, 기관마다 간호실무를 위한 모델로 사용하고 있는 것을 만족스러워하였다. 그러나 존슨은 그녀의 제자들이 생산적인 경력을 쌓아가는 것을 보게 될 때가 가장 큰 기쁨이라고 말하였다(D. Johnson, personal communication, 1996).

이론의 배경

존슨의 행동체계모델(Johnson's Behavioral System Model; JBSM)은 나이팅게일의 저서 '간호에 대하여'의 영향을 많이 받았다(Johnson, 1992). Johnson의 연구는 간호란 사회의 복지를 위하여 다른 분야와는 구별되는 특별한 공헌을 하는 전문직이라는 전제를 가지는 모델에서부터 시작하였다. 그래서 간호는 환자의 복지에 대한 명백한 행동 목적을 갖는다. 그녀의 업적은 간호의 사명은 우리가 서비스하고 있는 대상자에 국한되는 것이라는 이론적으로 고정된 관점에서 벗어나 간호의 사회적 사명을 명확하게 하고 있다는 것이다(Johnson, 1977). 그녀는 나이팅게일이 가지고 있었던 간호에서 가장 중요한 것은 질병 자체가 아니라 환자와 환자를 둘러싸고 있는 환경 사이의 관계라는 신념을 받아들였다(Johnson, 1977). 존슨(1977)은 "자신과 그녀의 동료들의 노력, 행동체계에 관한 지식체의 발달 등으로 빠른 시일 내에 행동체계모델이 이론적으로 더 확고하게 다져졌다"고 말하고 있다. 존슨(1977)은 간호는 질병 전, 중, 후 환자의 효율적 행동기능을 촉진하는데 기여한다고 하였다.

존슨은 자신의 이론을 확장시키기 위하여 심리학, 사회학 및 민속학 등 다른 학문으로부터의 개념을 사용하였으며, 특히 관찰가능한 행동에 초점을 두었다. 이것은 그녀가 제시한 7개의 하부 시스템을 만드는데 영향을 주었다. 특히 Talcott Parsons가 Johnson의 초기 행동체계모델 개념에 영향을 주었다(Johnson, 1961b). Parsons(1951; 1964)의 사회행동이론은 구조기능적 접근을 강조하였다. 특히 사회체계에서의 구조의 이해를 강조하는 구조주의적 관점 보다는 기능주의적 관점에 더 초점을 맞추고 있다. 기능주의는 모든 관찰가능한 사회행동은 그 행동을 수행하기 위한 기능을 가진다는 관념을 바탕으로 하고 있다. 그래서 사회의 모든 구조와 행동은 그 사회 체계를 유지하기 위한 기능을 가진다는 것이다. Parsons와 Johnson의 이론에서 사회구조의 내용들에는 목적, 세트, 선택, 행동 등이 포함된다.

Johnson은 체계이론에도 깊은 영향을 받았으며, Rapoport, Chin, von Bertalanffy, Buckley의 개념이나 정의들을 사용하였다(Johnson, 1980). Johnson의 이론에는 체계이론에서와 같이 위계질서가 있고, 체계는 상호작용하는 부분들이 서로 기능을 하여 전체를 형성한다고 정의하고 있다. Johnson은 인간을 행동체계로 보았다. 인간의 행동체계 내에서는 개개인을 강조하는 것이 아니라 무엇을, 왜 하였는지 전체에서의 개인의 행동에 초점을 둔다. JBS이론의 강점 중의 하나는 전체성, 목표, 상호작용, 상호의존성, 안정성, 하부구조, 규칙성, 체계, 기능, 에너지, 환류, 적응 등의 개념 정의가 일반체계이론에서 비롯되었으며 일관성 있게 통합되어 있다는 것이다.

문헌 속에서 다른 학자들 역시 인간은 행등체계이며, 인간의 특이한 반응 패턴이 전체를 구성하고 전체로 통합된다는 생각을 설명하고 있지만 존슨은 그녀가 알고 있는 한, 이 아이디어는 그녀가 제일 먼저 시작하였다고 말하고 있다. 부분적 체계에 대한 지식의 발달이 있어야 전체의 생물학적 체계에 대한 지식의 발달이 있는 것처럼, 행동체계에 대한 지식의 발달도 하나 하나의 구체적인 행동반응에 초점을 드고 있다. 이론이 소개된 이후, 부분이 아닌 전체로서의 행동체계라는 개념을 지지하고, 간호 연구, 교육 및 실무에서 간호의 의사결정을 위한 틀로써 행동체계 개념이 유용하다는 것을 지지하는 경험적 문헌들이 지속적으로 발표되고 있다(Benson, 1997; Derdiarian, 1991; Grice, 1997; Hodaday, 1981, 1982; Lachicotte & Alexander, 1990; Martha, Bhaduri, & Jain, 2004; Poster, Dee, & Randell, 1997; Turner-Henson, 1992; Wilkie, 1990; Wilmoth & Ross, 1997; Wilmouth, 2007; Wang & Palmer, 2010).

철학적 관점에서 이론을 개발시켰기 때문에, 존슨(1980)은 간호란 질병 전, 중, 후에 환자의 효율적 행동기능을 촉진하는데 기여한다고 말하였다. 존슨은 자신의 간호실무 이론을 확장시키기 위하여 사회학습, 동기화, 감각자극, 적응, 행동수정, 변화과정, 긴장 및 스트레스와 같은 다른 학문으로부터의 개념을 사용하였다.

주요개념과 정의

행동 BEHAVIOR

존슨은 행동과학자와 생물학자의 정의를 받아들였다; 행동은 감각자극의 변화에 대한 반응으로 유기체 내에서 일어나는 조정된 구조와 과정의 결과이다. 존슨(1980)은 적응상 큰 의미를 가지는 것으로 보이는 다른 사회적 존재에 의해 영향을 받는 행동에 초점을 두었다.

체계 SYSTEM

1968년 Rapoport의 정의를 인용하여 존슨(1980)은 체계란각 부분의 상호의존에 의해 전체로서 기능하는 전체(p. 208)로 정의하고 있다. 또한조직화, 상호작용, 상호의존, 부분과 요소 간의 통합(Johnson, 1980, p. 208)과 같은 Chinn의 설명을 받아들여, 인간은 자신에게 가해진 힘에 대하여 조정adjustment과 적응adaptation을 통해 부분들 간의 균형을 유지하려 한다고 보았다.

행동체계 BEHAVIORAL SYSTEM

행동체계는 패턴화되고 반복적이며 합목적적인 행동방식을 포함한다. 이러한 행동방식들은 조직화되고 통합된 기능적 단위를 형성하고, 이런 기능적 단위는 인간과 환경 간의 상호작용을 결정하고 한계를 정하며, 인간을 환경 내의 사물, 사건, 상황과 관계를 맺어준다. 일반적으로 행동은 기술할 수 있고 설명할 수 있다. 행동체계로서 인간은 효율적으로 기능할 수 있을 만큼 조정하고 적응함으로써 안정과 균형을 얻으려고 노력한다. 일반적으로 체계는 체계에 작용하는 영향요인에 충분히 순응할 정도로 유연하다(Johnson, 1980).

하위체계 SUBSYSTEM

행동체계는 수행해야 할 많은 업무를 가지고 있다; 그러므로 체계의 부분들은 특수업무가 부여된 하위체계로 분화된다. 하위체계란 다른 하위체계나 환경 간의 관계를 방

주요개념과 정의

해하지 않는 한도 내에서 특정 목표나 기능을 가진 작은 체계minisystem를 말한다(Johnson, 1980, p. 221). 존슨은 일곱 개의 하위체계를 제시하고 있으며, 하위체계는 외부에 대해 개방되어 있으며, 상호관련성을 갖고 있다. 투입과 산출은 7가지 모든 하위 체계의 구성요소가 된다(Grubbs, 1980).

동기적 충동motivational drives은 이런 하위체계의 활동을 지휘하여, 성숙, 경험 및 학습을 통하여 끊임없이 변화시킨다. 하위 체계들은 전 문화권에 걸쳐 존재하며, 생물학적, 사회심리학적 요인에 의해 통제된다. 일곱 개의 하위체계는 애착-친밀, 의존적, 섭취, 배설, 성, 성취, 공격-보호 하위체계가 있다(Johnson, 1980).

애착-친밀 하위체계 Attachment-Affiliative Subsystem

애착-친밀 하위 체계는 모든 사회조직에 기본적인 것으로서 가장 중요할 수 있다. 그 이유는 이는 모든 사회적 생물체의 기초를 이루기 때문이다. 전반적인 수준에서 생존과 안전을 제공하여 그 결과, 사회적 소속감, 친밀감 및 강한 사회적 유대를 형성, 유지하게 한다(Johnson, 1980).

의존적 하위체계 Dependency Subsystem

의존적 하위체계는 광범위하게 볼 때, 양육반응을 일으켜서 돕는 행위를 촉진시킨다. 그 결과 허용, 주의집중, 인정 및 신체적 도움을 얻게 된다. 발달 단계적으로 볼 때 의존은 전적으로 타인에게 의존하는 단계에서 전적으로 자신에게 의존하는 단계로 발달한다. 사회집단의 생존을 위해 어느 정도의 상호 의존은 필수적이다(Johnson, 1980).

섭취 하위체계 Ingestive Subsystem

섭취 하위체계와 배설 하위체계를 체계의 투입과 산출 기전으로 생각해서는 안된다. 모든 하위체계들은 독특한 하위체계에 해당하며, 자신의 투입과 산출기전을 가지고 있다. 섭취 하위체계는언제, 어떻게, 무엇을, 얼마나 그리고 어떤 조건하에서 먹을 것인가를 고려해야 한다(Johnson, 1980, p. 213).이는 크게 식욕의 만족에 기여한다(Johnson, 1980, p. 213). 이런 행동은 사회적, 심리적, 생물학적 측면과 관계된다(Johnson, 1980).

주요개념과 정의

배설 하위체계 Eliminative Subsystem

배설 하위체계는 언제, 어떻게 그리고 어떤 조건하에서 배설할 것인가를 의미한다(Johnson, 1980, p. 213). 섭취 하위체계와 함께 사회적, 심리적 요인은 이런 하위체계의 생물학적 측면에 영향을 주며, 동시에 배설 하위체계와 갈등을 빚을 수도 있다(Loveland-Cherry & Wilkerson, 1983).

성적 하위체계 Sexual Subsystem

성적 하위 체계는 생식과 욕구충족의 두 가지 기능을 가지고 있다. 이는 연애, 성교에만 국한된 것이 아니라, 성 역할(gender role) 정체감으로부터 넓은 범위의 성 역할 행동을 포함한다(Johnson, 1980).

성취 하위체계 Achievement Subsystem

성취하위체계는 환경을 조정하려고 시도한다. 이 하위 체계는 자신이나 환경에 대해 조절하거나 통제한다. 성취행동 영역에는 지적, 육체적, 정신적, 창조적, 기계적, 사회적 기술이 포함된다(Johnson, 1980).

공격-보호 하위체계 Aggressive-Protective Subsystem

공격-보호 하위체계의 기능은 보호와 보존이다. 이는 행동 강화 이론가들 보다는 Lorenz(1966)와 Feshbach(1970)와 같은 동물 행동학자의 사고와 맥을 같이 한다. 이에 의하면, 인간의 공격적인 성향은 학습에 의해서도 습득되지만, 원초적 의도가 있다고 알려져 있다. 사회는 스스로를 보호하는 방식에 제한을 가할 수밖에 없고, 따라서 인간과 그의 소유물은 존중되고 보호받으려고 노력한다(Johnson, 1980).

평형 EQUILIBRIUM

존슨(1961)은 평형을 간호목표의 중심개념으로 보았으며, 평형은 다음과 같이 정의 할 수 있다. 인간이 자신과 환경에 대해 조화를 이룬 안정상태로서, 일시적인 휴식의 시기로 정의된다(p. 65). 이 상태는 생물학적, 심리적, 사회적 힘이 서로 균형을 이룬 상태를 의미한다(Johnson, 1961b, p. 11). 질병 상태에서도 평형상태는 유지될 수 있기 때문에 건강과 동일한 개념은 아니다(Johnson, 1961b, p. 11).

주요개념과 정의

기능적 요구/필수 영양 FUNCTIONAL REQUIREMENT / SUSTENAL IMPERATIVES

하부체계의 안정성을 개발하고 유지하기 위하여, 각 하부체계에 기능적 요구가 지속적으로 공급이 되어야 한다. 환경은 보호, 보살핌, 자극 등과 같은 필수 영양을 공급한다. 존슨은 생물학적 체계 또는 모든 살아있는 체계는 동일한 것을 요구한다는 것을 제시하였다.

조절/통제 REGULATION / CONTROL

상호관련이 있는 행동 하부체계는 그 목적을 현실화하기 위하여 어떤 특정한 방법으로 조절되어야 한다. 조절은 편향적인 것을 찾아내고 바로잡는 것을 포함한다. 따라서 효과적으로 통제할 수 있도록 피드백 하여야 하며, 때로 대상자가 자가조절을 할 수도 있다. 대상자가 질병 상태에 있거나 건강을 의협하는 행동을 한다면 간호사는 일시적인 외부적 조절력을 사용하여 대상자의 행동을 적정 수준으로 통합하고 이를 유지하도록 할 수 있다.

긴장 TENSION

긴장은 극도로 신경이 예민해져 있는 상태로서, 평형 상태의 혼란에 의해 초래되는 것으로 간주된다(Johnson, 1961a, p. 10). 긴장은 적응을 일어나게 하는 점에 있어서 생산적일 수도 있다. 그러나 어떤 경우에는 에너지가 충분하지 않아 적응이 방해받고, 조직에 해로울 수 있어서, 긴장은 파괴적일 수도 있다(Johnson, 1961a). 긴장은 평형상태의 이상을 나타내는 단서가 된다(Johnson, 1961b).

스트레스원 STRESSOR

긴장을 일으키면서 어느 정도의 불안정을 초래하는 내외적 자극을 스트레스원이라고 말한다.자극이 존재할 때, 자극이 긍적적일 수 있다; 그러나 요구하거나 필요한 것이 부족할 때... 부정적일 수도 있다. [자극]의 근원은... 내인성일 수도 있고 외인성일

주요개념과 정의

수도 있다. [그리고] 한 개 이상이 관련된 개방체계에 작용할 수도 있다(Johnson, 1961b, p. 13). 개방-연결된open-linked 체계들은 지속적으로 상호변화 한다. 개방-연결 체계들은 생리적, 성격 및 의미있는 소그룹(가족) 체계와 더 큰 사회체계를 포함한다(Johnson, 1961b).

The author acknoledges the contribution of Brown, V. M.(2006). behaviral system model. In A. M. Tomey & M. R. Alligood (Eds.), *Nursing theorists and their work* (6th ed., pp. 386-404) Philadelphia: Mosby/Elsevier.

경험적 증거의 이용

존슨이 체계사고(통합)이라는 방법을 사용하면서 이 이론의 경험적 증거가 시작되었다. 이 체계적 사고의 과정에서는 행동 전체와 전체의 기능에 집중을 하였고, 행동 체계를 설명하고 이해하는데 초점을 두었다. 행동체계이론에 대한 존슨의 업적은 학문의 시대적 흐름에서 볼 때 "체계 시대"에 따라 나타난 업적이다. 존슨이 그녀의 이론을 Vanderbilt 대학에서 공식적으로 발표한 시기는 Buckley(1986)의 주요한 글들이 출판된 시기 이었다.

기초과학으로서의 체계이론은 현실 적용에 대한 물리적 도메인을 고려하지 못한 추상적 수준 이었다. 일반체계이론은 모든 체계가 가진 자체의 내적 속성은 무시한 채, 공통적인 특성을 가진 것으로 가정하고 있다. 존슨은 이론적 구성 체계나 상호관계를 설명하는데 일반체계이론을 이용하였으며, 마찬가지로 간호의 사명을 설명하는 데에도 일반체계이론과 체계적 사고를 사용하였다. JBSM은 체계의 구성요소들이 새롭게 합성되고, 여러 하부체계가 다른 체계, 즉 환경 속에서 서로 관계를 맺게 되는 어떤 맥락을 설명하고 있다는 것을 기초로 하고 있다. 과학적 환원주의와는 대조적으로, 존슨은 간호를 행동체계로서의 전인간호를 제안하였다. 체계이론이나 JBSM은 체계 전체를 구성하는 요소들 간의 상호작용을 이해할 수 있게 하고, 구성 요소들 간의 연계를 알 수 있게 한다. 다른 학문으로부터 가져온 경험적 지식을 JBSM 이론 내에서 어떻게 잘 조화시켰는지를 설명하고 있다.

문헌을 통해 존슨이 자신의 이론에서 확인하고 정의한 개념들은 지지를 받고 있다. Leitch와 Escolona는 긴장은 행동변화를 일으키고, 긴장의 특성은 개인의 내적, 외적 요인에 따라 달라진다고 하였다(Johnson, 1980). 존슨(1959b)은 행동의 특이패턴이 생물학적, 심리학적 및 사회학적 자원에서 비롯된 스트레스원에 대한 반응이라는 생각을 입증하기 위하여 Selye, Grinker, Simmons 및 Wolff의 연구를 이용하였다. 존슨(1961a)은 자신의 모델이 Selye의 스트레스 개념과 차이가 있다고 말하였다. 존슨의 스트레스 개념은 Caudill의 개념에 좀 더 가깝다. 즉, 스트레스는 다양한 자극과 이에 대항하여 일어나는 방어 사이의 상호작용이 이루어지는 과정이다. 자극이 존재할 때, 자극은 긍정적일 수 있다. 혹은 요구한 것이나 필요한 것이 없을 때는 부정적일 수도 있다(Johnson, 1961a, pp. 7-8). Selye는 "스트레스를 구체적인 증상군으로 표현되는 상태라고 생각하였고, 이는 성물체계 안에서 비특이적 변화를 일으키는 모든 것들을 의미한다"고 하였다(Johnson, 1961a, p. 8).

*Conceptual Models for Nursing Practice*에서 존슨(1980)은 행동체계를 구성하는 7가지 하위체계에 대해 서술하였다. 애착-친밀 하위체계를 입증하기 위하여 Ainsworth와 Robson의 연구를 인용하였다. Heathers, Gerwitz 및 Rosenthal의 연구는 존슨이 정의한 또 다른 하위체계인 의존적 행위를 묘사하고, 설명하였다. Walike, Mead 및 Sears가 기술한 섭취와 배설과 같은 반응 체계 역시 존슨의 행동체계의 일부분이다. Kagan과 Resnik의 연구는 성적sexual 하위체계를 입증하고 있다. 보호와 보존 기능을 하는 공격-보호 하위체계는 Lorenz와 Feshbach에 의해 입증되었다(Feshbach, 1970; Johnson, 1980; Lorenz, 1966). Atkinson, Feather 및 Crandell에 따르면 신체적, 창조적 기계적, 사회적 기술은 존슨이 제시한 또 다른 하위체계인 성취 행동체계의 특징에 해당한다(1980).

간호학 교수와 임상연구자들에 의하면, 존슨의 하위체계에는 회복체계, 즉 수면, 놀이, 및 이완과 같은 행동들이 포함된다고 하였다(Grubbs, 1980). 비록 존슨(personal communication, 1996)은 본래 확인된 것 보다 "하위체계가 더 많거나 적을 수 있다"고 인정하였지만, 존슨의 행동체계모델의 하위체계에는 회복체계가 포함되어 있지 않았다. 존슨은 수면을 동기부여의 행동으로 보지 않았고, 근본적으로 생물학적 힘이라고 생각하였다. 존슨은 놀이와 같이 영아기에 인식된 많은 행동들이 실제는 성취 행동이라고 주장하였다. 존슨(personal communication, 1996)은 탐색 행동으로 진술되는 8번째 하위체계를 연구할 필요가 있다고 하였다; 향후에는 추후 연구를 통하여 이를 성취 하위체계와는 분리된 하위체계로 기술하게 될 것이다.

주요 가정

간호

간호의 목표는 인간이 행동체계의 균형과 안정성을 유지하고 지속할 수 있도록 하고, 인간이 더 적절한 기능과 균형을 유지하도록 돕는 것이다. 따라서 존슨이 인지한 간호는, 환자가 스트레스를 경험하거나 행동체계의 불균형을 느끼고 있을 때 조절기전을 작동시키거나 자원을 제공함으로써, 환자의 행동을 적정 수준으로 유지할 수 있도록 조직화하고 통합시키는 외부적인 힘이다(Brown, 2006). 예술이자 과학인 간호는 체계의 균형이 무너지기 전과 중에 외적인 도움을 제공하기 때문에 정상과 비정상, 조절 등에 대한 지식을 필요로 한다(Herbert, 1989; Johnson, 1980). 간호활동은 의학의 권위에 일방적으로 의존하지 않으며 상호보완적 기능을 한다.

인간

존슨(1980)은 인간을 패턴화 되고 반복적이고 목적적인 행동방식을 지닌 환경과 연계된 행동체계로 보았다. 인간은 기본적으로 동기를 가지고 있다고 하는 존슨의 이론은 생물학적 요인이 행동의 패턴과 동기에 영향을 미친다는 행동이론에 많은 영향을 받았다. 존슨은 이전의 경험, 지식, 물리적, 사회적 자극 역시 행동에 영향을 준다고 하였다. 존슨은 이 모델을 적용하기 위해서는 인간을 행동체계로 보는 능력과, 행동의 하부체계들을 관찰할 수 있는 능력이 있어야 한다고 하였다. 또한 행동을 둘러싸고 있는 외부를 조작하는 생리적, 심리적, 사회문화적 요소들이 무엇인지를 아는 지식이 있어야 한다(Class notes, 1971).

존슨은 행동체계로서의 인간의 특성을 이해하기 위해서 중요한 몇 가지를 가정하고 있다. 첫 번째 가정은 체계가 이루어지기 위해서는 하나하나의 행동들은 조직되고, 상호작용하고, 상호의존 및 통합을 한다는 가정이다. 개인의 하나하나의 특정 반응 패턴은 전체로 통합된다. 상호작용하고 상호 의존하는 하나하나의 행동을 하부체계라고 한다. 두 번째로 존슨(1977)은 행동체계는 행동체계 안에서나 그 자체에 작용하는 다양한 힘의 균형을 유지하는 경향이 있다는 가정을 하고 있다. 인간은 행동체계와 충돌하는 자연적으로 생기는 힘을 스스로 조정하고 적응하여 행동체계의 균형과 안정 상태를 유지하려고 지속적으로 노력한다. 또한 인간은 균형을 방해할 수도 있는 새로운 경험을 적극적으로 찾는다고 존슨은 인식하였다.

더 나아가 존슨(1977, 1980)은 규칙성과 일관성이 요구되는 행동체계는 인간에게 필수적이라고 가정하였다. 마지막으로, 존슨(1977)은 행동체계가 균형을 유지하는 것은 어떤 방법과 어떤 정도에서 성공적으로 조정되고 적응되는지 그 수준을 반영한다고 가정하였다. 건강행위를 위한 문화적 규범에 맞지 않는 행동이라 할지라도 이 가정은 적용된다고 하였다.

효과적이고 효율적으로 기능하기 위해서는 균형이 필수적이다. 하부체계나 전체 체계 내에서 균형이 만들어지고 유지된다. 체계의 구성이나 기능은 문제, 기능적 요구의 결핍, 환경 변화에 따라 바뀐다. 균형을 새로 이루기 위해서는 평소보다 더 많은 에너지가 소비되고, 생물학적 회복 과정을 돕기 위한 에너지는 부족해진다.

건강

존슨은 건강을 생물학적, 심리적, 사회적 요인에 의해 영향을 받는 난해한, 역동적 상태라고 생각하였다. 건강은 행동체계에 속한 하위체계의 조직화, 상호작용, 상호의존성, 통합 등을 반영한다(Johnson, 1980). 인간은 이러한 체계의 균형을 유지하고자 하며, 이를 통하여 기능적 행동이 나타난다. 만일 하위체계의 구조나 기능에 필요한 균형이 깨지면, 건강이 나빠진다. 따라서 "건강"을 사정할 때 행동체계, 체계의 균형 및 안정성, 기능의 효율성 및 행동체계의 불균형과 불안정성에 초점을 맞추어 평가를 하는 것이 필요하다. 행동체계가 균형을 이룰 때 나타나는 결과는 (1) 에너지가 최소로 요구된다(건강을 유지하기 위하여 사용할 에너지가 있고, 질병이 생겼을 때 생물학적 과정이나 회복을 위하여 에너지를 사용할 수 있다). (2) 생물학적, 사회적 생존이 지속되는 것이 명확하다. (3) 어느 정도의 개인적 만족감이 생긴다(Grubbs, 1980; Johnson, 1980).

환경

존슨의 이론에서 환경은 인간의 행동체계의 일부분이 아니라 체계에 영향을 주는 모든 요인으로 구성되었다고 보았다. 간호사는 환자의 건강목표나, 행동체계의 균형을 달성하기 위하여 환경을 어느 정도 수준에서 조작할 수도 있다(Brown, 2006).

행동체계는 인간과 인간을 둘러싸고 있는 환경과의 상호작용을 결정하거나 제한하고, 인간과 환경 내에 존재하는 대상, 사건, 상황 사이의 관계를 형성하게 한다(Johnson, 1978). 그러한 행동은 순서가 있고, 예측이 가능하다. 인간과 환경과의 관계를 관리하는데 있어서 대부분 기능적 효율성과 효과성을 유지하기 때문에 행동은 지속된다. 그러나 인간이 더 적정 수준의 기능을 원하게 될 경우 행동은 변하게 된다. 행동체계는 자체의 통합을 유지하고 환경과의 관계를 조절하는 역할을 하게 된다. 행동체계는 자신에게 가해진 힘을 조정하고 이에 적응함으로써, 환경적 요인에 반응하고 평형을 유지하려고 한다. 지나치게 강한 환경의 힘은 행동체계의 균형을 깨뜨려 인간의 안정을 위협한다. 환경의 힘이 지속적으로 작용하고 있을 때, 평형상태를 회복하고자 한다면, 평소보다 더 많은 에너지가 필요하다(Loveland-Cherry & Wilkerson, 1983).

환경은 건강(행동체계의 균형)을 유지하기 위하여 필요한 보호, 양육, 자극을 주는데 필수적인 자원이다(Grubbs, 1980). 행동체계에 불균형이 나타나면, 간호사는 일시적으로 환경을 조절할 필요가 있으며, 대상자가 스트레스원에 적응 할 수 있도록 기능적으로 요구되는 것을 제공하여야 한다. 대상자가 기능적으로 요구하는 것은 대상자의 연령, 성별, 문화, 대처 능력, 질병의 중등도에 따라 다양하다.

이론적 주장

존슨의 행동체계 이론은 인간, 환경, 간호라는 세가지 메타파라다임을 설명하고 있다. 인간은 상호 관련된 하위체계로 이루어진 행동체계이다(그림 18-1). 각 하부체계는 행동적 반응, 반응적 경향, 일반적 목적을 공유하는 활동체계로 형성되어 있다. 이 반응들은 시간이 지남에 따라 분화하여 발달하고 변화되면서 성숙된다. 또한 신체적, 생물학적, 심리적 요소가 복합적으로 서로 맞물리면서 지속적으로 관리되어 발달한다.

각각의 하위체계는 다음과 같이 구조적, 기능적으로 요구와 관련지어 서술하고 분석할 수 있다. 지금까지 확인된 네 가지 구조적 요소는 다음과 같다:(1) 충동 또는 목적-행동에 의해 초래되는 궁극적 결과; (2) 세트-어떤 방향으로 행동하려는 경향이나 소인. 세트는 두 가지 유형으로 나눌 수 있다. 일반적으로 참여하고 있는 예비적인 것과 어떤 상황에서 개인이 잘하는 습관적인 관습; (3) 선택-주어진 상황에서 환자가 사용할 수 있는 자신의 행동 대안, (4)개인의 행동 또는 활동(Grubbs, 1980; Johnson, 1980). 세트는 개인이 심사숙고하여 선택하거나 궁극적인 행동을 하는데 주요한 역할을 한다. 7 가지 하부체계는 각각 다음과 같은 3 가지 동일한 구조적 요구를 지닌다: (1) 보호, (2) 양육, (3) 자극. 이 기능적 요구는 자신의 노력을 통하여 충족시키거나 또는 간호사의 도움을 받아서 충족시킨다. 하부체계가 안정성을 개발 유지하기 위해서는 환경으로부터 공급되는 기능적 요구를 계속 받아야 한다. 그러나 질병상태에 있거나 잠재성이 위협을 받았을 때는 간호사가 기능적 요구의 공급원이 된다. 하위체계들의 반응은 동기화, 경험 및 학습을 통해서 개발되고, 생물학적, 심리적, 사회적 요인에 의해 영향을 받는다(Johnson, 1980). 행동체계는 내적 환경적 자극에 적응하여 균형을 유지하려 한다. 행동 체계는 "각 인간의 삶을 특징짓는, 패턴화되고, 반복적이고, 목적적인 행동 방식들로 이루어진다"(Johnson, 1980, p. 209).

이와 같은 행동의 기능적 단위는 "인간과 환경 사이의 상호작용을 정해주고, 그 한계를 정해주고, 인간과 환경 내 사물, 사건, 및 상황의 관계를 구축해준다"(Johnson, 1980, p. 209). "행동체계는 환경과 함께 관계를 조절한다"(Johnson, 1980, p. 209). 행동체계는 능동적이며 수동적이지 않다. 간호사는 행동체계의 밖에 위치하여, 행동체계와 상호작용한다.

존슨의 행동체계 이론을 임상실무에서 성공적으로 적용하려면 간호과정과 잘 결합시키는 것이 필요하다. 환자를 행동체계로 보고 환자에게 실재적이거나 인지하는 어떤 질병위협이 있는지를 확인하고, 환자가 행동체계의 불균형 없이 질병이나 질병 위협에 대해 어느 정도 적응할 수 있는지를 결정하기 위하여 임상전문가는 행동체계 이론의 각 요소들을 잘 결합시킨 환자사정 도구를 개발하여야 한다. 즉, 행동 하부체계 하나하나를 잘 관찰하여 그에

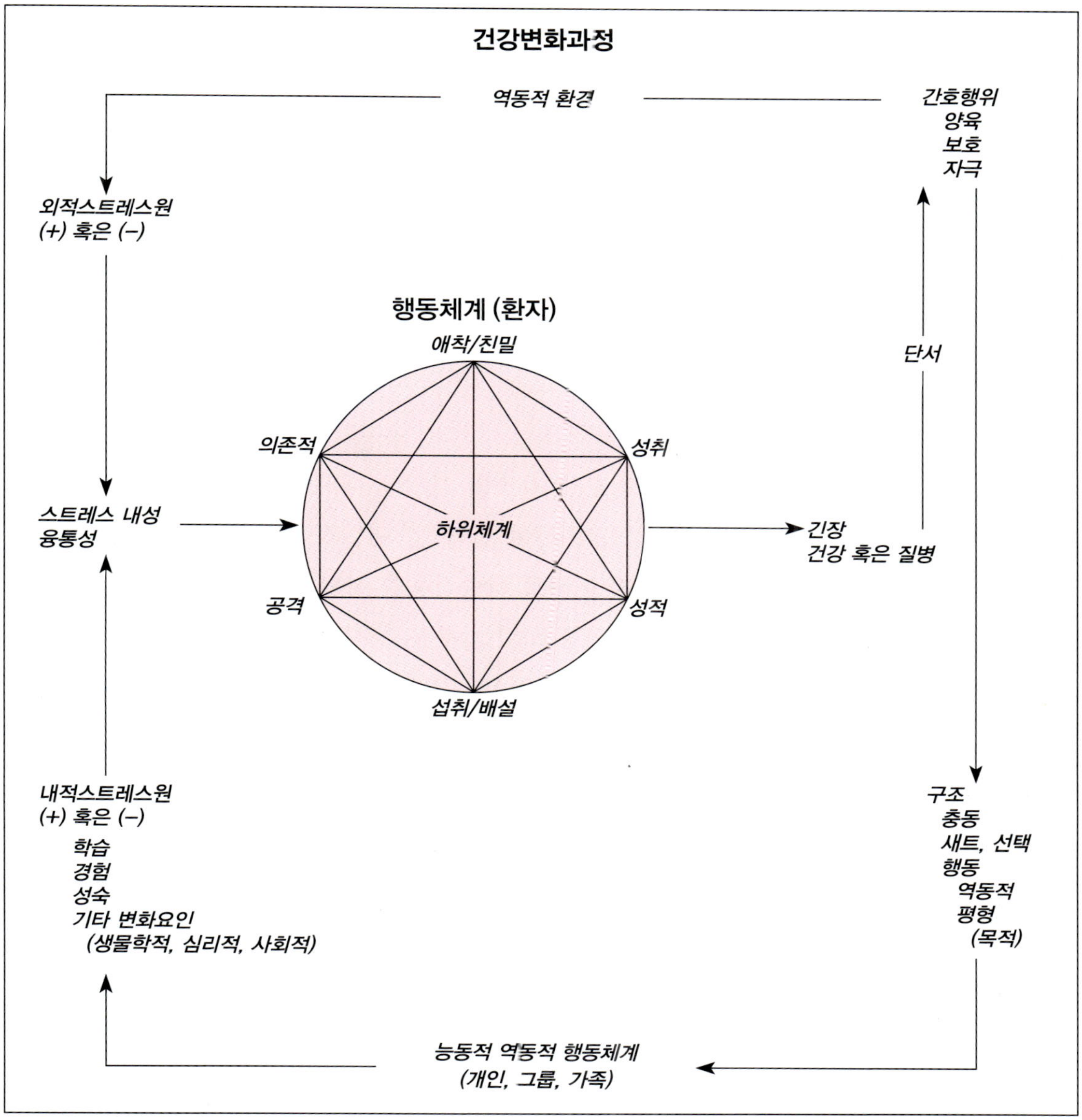

그림 18-1. 존슨의 행동체계 모델

Jude A. Magers에 의해 개념화된 그림, Indianapolis

맞는 적절한 질문을 개발하는 것을 말한다.

행동체계가 불안정 상태에 처하면, 간호중재를 필요로 한다. 체계 내 문제의 근원을 확인하게 되면, 적절한 간호를 통해 행동체계의 균형이 유지, 회복된다(Brown, 2006). 간호중재는 다음과 같은 일반적인 형태로 이루어질 수 있다. (1) 구조 자체의 교정 (2) 일시적 강력한 외부 조절 또는 통제 (3) 환경 조건의 제공 (4) 어떤 문제가 예측되거나 예방적 간호활동을 해야 하는 경우에 자극을 제공(Johnson, 1978). 구조적 스트레스원이 문제라면 간호사는 목적,

세트, 선택에 집중하거나 하부체계의 활동에 초점을 두어야 한다. 기능적인 것이 문제라면 환경의 과잉이나 결핍으로부터 초래된 기능적 문제이기 때문에 간호사는 기능적 요구도를 충족시키는데 초점을 두어야 한다(Grubbs, 1980, p. 242). 간호의 목적은 개인의 행동체계의 균형과 안정성을 유지하는 것이며, 개인이 더 적절한 행동체계의 기능적 수준을 달성하도록 도와주는 것이다(Johnson, 1978).

논리적 형식

존슨은 역사적, 분석적, 경험적 관점으로 간호의 사명에 대해 설명하고자 하였다. 존슨은 행동체계 이론을 개발하는 전 과정을 통하여 연역적, 귀납적 추론을 하였다. 전체로서의 체계는 그 체계가 부분으로 나누어지면 서로 상승작용을 하던 속성들을 잃게 된다. 그래서 체계는 전체를 이해한 다음, 체계를 이루고 있는 부분까지도 잘 이해를 하여야 한다. 존슨은 먼저 행동체계의 정의에 대해 설명을 하였고, 그 다음 체계의 행동과 속성을 설명하였다. 그리고 그녀는 행동과 속성은 부분으로서, 기능하는 체계의 부분이라고 설명하였다. 체계적 사고가 설명과 이해를 하도록 도와준다면 분석은 서술하고 지식을 갖도록 돕는다.

간호학계의 수용

실무

존슨의 행동체계이론은 다양한 임상실무나 다양한 연령에 적용하여 활용할 수 있다. 존슨의 이론은 오랫동안 간호 관리 영역에서 뿐 아니라 입원 및 외래 환자, 지역사회 세팅에서 유용하게 활용되어 왔다. 다양한 대상 집단에 적용되어 왔고, 실무에서 사용하는 도구도 몇몇 개발되었다(Fawcett, 2005).

존슨은 간호과정nursing process이라는 용어를 사용하지는 않았지만, 존슨의 여러 연구에서 사정Assessment, 장애disorders, 치료treatment, 및 평가evaluation 등의 개념을 언급하고 있다. 개념적 모델은 실무자를 위해 진단과 치료적 오리엔테이션을 제공하므로, 실무에 유용하게 적용되고 있다(Johnson, 1968a, p. 2). 행동에 기능장애가 나타났을 때, 즉 "부분적으로 조직이 와해되고, 무질서해지고, 역기능적일 때" 행동체계모델 안에서 간호과정을 적용할 수 있게 된다. 질병이나 갑작스런 내·외적 환경변화는 기능장애의 가장 흔한 원인이 된다(Johnson, 1980,

p. 212). "인간이 건강-질병과 관련하여, 평형상태가 깨지고 긴장을 야기하여 스트레스가 증가할 때 도움assistance이 필요하다"(Johnson, 1961a, p. 6).

그러나 체계이론에서 체계분석이 중요한 요소임을 아는 것은 매우 중요하다. 체계가 무엇을 수행하는지를 모니터링하고 그 산출 결과를 분석한다. 불균형의 징후가 나타나면 무엇이 문제인지를 파악하고 자료를 수집하여 문제를 좀 더 명확하게 알아내고, 평형을 유지하기 위하여 중재를 수립한다(Miller, 1965; Jenkins, 1969).

존슨(1959a)은 긴장의 단서와 불균형의 신호가 관찰될 때 초기 간호사정은 시작된다고 보았다. 사정자료는 과거력, 검사 및 구조적 관찰을 통해서 얻을 수 있다(Johnson, 1980). "행동체계는 환경과 인간사이의 상호작용을 결정하고 한계를 정하준다고 생각할 수 있다"(Johnson, 1968a, p. 3). 간호사정 자료의 양과 정확성은 간호사에 의해 결정되는 것이 아니라 체계인 환자에 의해 정해진다고 할 수 있다. 하위체계의 구조 중 관찰가능한 것은 행동이다. 6개의 내적 · 외적 조절인자는 "행동에 의해 영향을 주고 동시에 행동에 의해 영향을 받는다"고 알려졌으며, 이들은 신체적, 정신적, 발달적, 사회문화적, 가족적 및 물리 환경적 조절인자들을 말한다(Randell, 1991, p. 157).

간호사는 구조적 하위체계를 구성하는 목적, 세트 및 선택과 관련된 정보를 사정할 수 있어야 한다. "하나 또는 그 이상의 하위체계는 질병의 모든 에피소드와 관련된다. 즉 선행적인 것이나, 결과적인 것이나, 단순한 연관성을 지닌 것. 또는 질병이나 치료에 직접적으로 관여하거나, 간접적으로 관여하거나 모든 것을 포함 한다"(Johnson, 1968a, p. 3). 자료 사정은 정확한 질병진술을 위하여 절대적으로 중요하다.

존슨은 특정한 장애에 대하여 정의를 내리지 않았지만, 생물체계와의 관계를 근거로 장애의 두 가지 일반적 범주를 진술하였다(Johnson, 1968).

> 장애는 생물학적 체계 내 장애와 약하게 혹은 경미하게 관련되어 있다; 즉, 질병 자체 혹은 치료의 상황적 맥락에 의해서만 단순히 촉진된다; 그리고 ...이들[장애]은 특정 유형의 생물체계 장애 혹은 치료에 직접적으로 연관되거나, 이의 직접적 결과가 될 수 있다는 점에서, 장애는 생물학적 체계 장애가 통합된 부분이다(Johnson, 1968a, p. 7).

"관리 방법" 또는 중재는 양육, 보호, 자극을 위한 준비로 이루어진다(Johnson, 1968a, 1980). 간호사는 "일시적으로 외부조절기전과 외부조정기전을 제공할 수도 있다. 즉, 비효율적 행동 반응을 억제시키고, 환자가 새로운 반응을 습득하도록 도와줄 수 있다"(Johnson, 1968a, p. 6).

존슨(1980)은 이러한 기술에는 "교육, 역할모델, 상담"이 있다고 하였다(p. 211). 문제 혹은 장애가 예견될 경우에는, 적절한 방법으로 예방적 간호행위를 적용할 수 있을 것이다(Johnson, 1980). 건강을 증진하고 질병을 관리하는 간호활동을 위하여 양육, 보호, 자극이 중요하다(Brown, 2006).

만약 구조적 스트레스원이 문제라면, 간호사는 하부체계의 목표, 세트, 선택, 활동에 초점을 두어야 한다. 간호사는 대상자로 하여금 목표와 의미를 바꾸도록 하고, 선택을 다양하게 할 수 있도록 하며, 세트를 고치거나 활동을 변화시키도록 돕는다. 또한 간호사는 일시적으로 구조 단위를 조작하거나 통제를 강요하기도 한다. 이런 간호활동은 모두 하부체계의 상호작용을 조절하는 것이다.

간호중재의 기대되는 결과(목표)는 행동체계의 평형이다. "좀 더 구체적으로 말하면, 평형상태는 개인이 내부적으로나 대인관계에 있어서 기능적 패턴의 항상성을 유지하는 것이다"(Johnson, 1961a, p. 9). 간호중재의 평가는 "대상자의 삶에 의미있는 변화가 일어났는가"에 의해 이루어진다(Johnson,1980, p. 215).

행동체계모델은 사정도구를 개발함으로써 계속적으로 발달되어 왔다. 1974년 Grubbs(1980)는 사정도구를 개발하기 위해 존슨 이론을 이용했으며 간호과정 양식은 존슨의 7가지 하위체계에 바탕을 두고 있다. 각각의 하위체계에 관한 이 도구의 질문 문항과 기술하도록 되어 있는 관찰 내용은 간호사가 환자를 돕는데 필요한 중요한 자료를 얻게 해준다. 즉, 환자가 자신의 건강목표를 성취할 수 있는 여러 방법을 선택할 수 있게 간호사가 환자를 돕게 해준다.

같은 해, Holaday(1980)는 아동 간호용 사정도구를 개발하기 위하여 존슨 이론을 사용하였다. 이 도구는 간호사가 객관적으로 아동의 행동을 묘사하고 이에 필요힌 간호행위를 선택할 수 있도록 도와준다.

'세트'라는 개념을 확장하여 Holaday는 만성질환을 앓고 있는 영아가 요구하는 것에 대해 부적절한 반응을 유발하는 어머니의 행동패턴을 파악해 내었다.

Derdiarian(1990)은 환자와 간호사의 만족도 사정도구를 사용하고 그 효과를 조사하였다. 간호과정에 적용할 자가보고식 관찰 도구를 개발하는데도 존슨의 행동체계모델을 사용하였다. Derdiarian의 행동체계모델(DBSM)도구는 존슨이 제시한 7개의 하위체계와 회복 하위체계 사정을 한개 더 포함하고 있다. 연구결과 이 도구 적용 후 간호사정과 수행 면에서 좀 더 포괄적이고 체계적인 접근을 하게 되어 간호에 대한 환자와 간호사의 만족도가 증가하였다.

Lanouette와 St-Jacques(1994)는 미숙아 가족과 정상아 가족의 대처능력과 지각을 비교하기 위하여 존슨 모델을 사용하였다. 연구 결과 긍정적인 대처 능력이 영아와의 긴밀한 유대관계형성, 자원 사용, 문제해결 및 의사 결정과 관계가 있음을 보여주었다. Lanouette와 St-Jacques는 보육원, 병원, 지역사회 세팅의 간호실무 개선으로 이런 결과를 얻을 수 있다고 제언하였다. 이는 존슨의 다음과 같은 진술을 지지해준다. "출생 시 어머니와 접촉하면서 양육, 보호, 자극을 효율적으로 사용하면, 행동체계가 지닌 문제점을 유의하게 감소시킬 것이다"(Personal communication, 1996).

사례연구를 통해 존슨의 행동체계이론을 임상실무에서 사용하고 평가하여왔음을 보여주고 있다. 1980년대 Rawls는 한쪽 팔과 손에 기능장애를 지닌 환자를 체계적으로 사정하기 위해 존슨 이론을 사용하였다. Herbert(1989)는 노인 뇌졸중 환자를 위해 개발한 간호계획의 결과를 보고하였다. Rawl과 Herbert는 존슨 이론이 간호 중재 결과를 예측하고, 간호 표준을 공식화하고, 총체적인 간호를 제공하는데 이론적 기초를 제공하였다고 결론지었다. Fruehwirth(1989)는 알쯔하이머병 환자의 돌봄 제공자를 위한 지지그룹을 사정하고 중재하는 데에도 효과적이었음을 확인하였다.

존슨 모델을 사용한 간호실무에 대한 연구들은 의사결정과 간호 결과 평가에 초점을 두고 있다. Grice(1997)는 정신과 입원환자에게 특정 시간 항불안제와 항정신병 약물 투여를 사정하고 결정하는 데 간호사, 환자 및 상황적 특성들이 영향을 주고 있음을 발견하였다. Benson(1997)은 노인들 사이의 범죄 공포에 대하여 문헌고찰 하였다. "범죄공포의 위험성"이 섭취, 의존, 성취, 친밀, 공격-보호 등의 하위체계에서 장애를 일으킬 수 있음을 기술할 때 행동체계모델을 사용하였다(Benson, 1997, p. 26). 환자와 지역사회에 초점을 둔 중재는 간호의 질과 노인의 삶의 질을 증진시켰다.

Brinkley, Ricker와 Toumey(2007)는 존슨의 행동체계이론을 병적인 비만 상태의 환자에게 적용하였고, Tamilarasi와 Kanimozhi(2009)는 유방암 생존자들의 삶의 질을 높이기 위하여 이론에 근거한 중재를 수립하여 제공하였다.

Lachicotte와 Alexander(1990)는 간호행정가가 간호하는데 어려움을 가진 간호사를 관리하기 위한 의사 결정시 존슨의 행동체계모델을 이론적 틀로 삼았다. 존슨의 이론적 틀은 간호사의 기능장애가 나타날 때, 간호행정가가 모든 환경수준을 고려하여, 간호체계 안의 불균형을 사정할 수 있게 하고, 간호기능장애를 해결하기 위해 선택한 방법과 관련된, "체계의 균형 상태"를 평가할 수 있게 해주었다고 주장하였다(Lachicotte & Alexander, 1990, p. 103). 연구결과 간호행정가는 간호기능장애 문제를 처리할 때, 보조적 접근을 선호하는 것으로 나타났다. "간호사가 기능장애를 겪고 있음을 알게 되고, 그들을 보조해 주었을 때, 평형상태가 회복되어지기 시작하였고, 체계가 균형을 되찾기 시작하였다"는 것을 알게 되었다(Lachicotte

& Alex ander, 1990, p. 103).

UCLA의 신경정신병 연구소와 병원은 정신간호실습의 기초로 수년간 존슨의 행동체계모델을 사용하였다(Auger & De, 1983; Dee, Tyson, Capparrell, et al., 1999; Poster, Dee, & Randell, 1997). "하위체계에 따라 환자를 사정하고, 행동 자료를 분류하고 있다. 간호진단은 비효율적 행동과 환경 내 조절인자와의 관계를 반영해 준다"(Randell, 1991, p. 154). 존슨의 이론은 대학원 교육과정에도 편성되어 있다(Puntill, 2005). 존슨의 행동 체계모델과 NANDA의 간호목록을 비교연구 했을 때 존슨의 행동체계 모델이 환자문제와 원인을 더 잘 구분지어 주었다(Randell, 1991).

간호를 기록하고, 환자에 기대되는 결과 면에서 간호의 효율성을 보여주는 것이 중요하게 되었다. 존슨 모델을 사용함으로써, Poster와 동료들(1997)은 간호중재와 퇴원 시 환자에게 기대되는 결과가 성취된 정도 사이에 긍정적인 상관관계가 있음을 보여주었다. 그들은 "존슨의 간호이론적 틀은 의료로부터 간호를 차별화시켜주었다"고 말하였다(Poster, Dee, & Randell, 1997, p. 73).

Dee, Van Servellen과 Brecht(1998)는 존슨의 행동체계모델을 사용하여, 매니지드 헬스케어managed health care가 환자에게 기대되는 결과에 미치는 효과를 조사하였다. 간호사는 환자 입원 시 8개의 하위체계에 따라 환자의 행동프로파일을 작성하고, 하위체계의 균형 또는 불균형이 있는지 파악하고, 6개의 조정인자의 효과를 평가한다. 이것은 간호진단 설정, 간호행위 계획, 각 환자를 위한 간호 평가를 위해 사용된다. 이 연구 결과는 퇴원 시 환자의 기능 수준을 향상시키고 입원 기간을 감소시켰다.

교육

Loveland-Cherry와 Wilkerson(1983)은 존슨이론을 분석하고 간호교육에 유용하다고 결론지었다. 행동체계로서의 인간을 기초로 한 교과과정은 교육 목적을 정의하고 교과운영을 계획하는데 직결되었다. 학습은 행동체계로서의 환자와 행동체계의 기능장애에 중점을 두고 이루어지며, 이 기능장애는 간호과정을 필요로 한다. 학생들은 체계이론을 이해하고 이와 더불어 사회학과 행동학, 물리학 및 생물학 지식도 갖출 필요가 있다. 미국, 케나다 및 호주의 실무와 교육기관에서 이 모델을 사용하고 있다(Derdiarian, 1981; Fleming, 1990; Grice, 1997; Hadley, 1970; Harris, 1986; Orb & Reilly, 1991; Puntil, 2005).

연구

존슨(1968)은 "질병과 관련하여 발생하는 행동체계 장애를 확인하고 설명하며, 관리 방법의 이론적 근거를 개발"하기 위해 간호연구가 필요하다고 하였다(p. 7). 존슨은 간호사가 다음의 둘 중 하나의 방향을 따르게 된다고 믿었다; (1) 인간의 행동체계를 기본적으로 이해하려는 노력, (2) 행동체계 문제와 치료에 대한 근거와 방법론을 이해하려는 노력. 또한 존슨은 연구의 중요한 영역을 (1) 안정성과 변화, 조직화와 상호작용, 효과적인 조절과 통제장치와 같은 모든 것을 포함하고 있는 전체로서의 행동체계에 대한 연구와, (2) 추가적으로 나타나는 하부체계가 무엇인지를 파악하는 등의 하부체계에 대한 연구이다(Class Notes, 1971).

Small(1980)은 시각 손상이 있는 아동을 간호할 때 존슨의 이론을 개념틀로 이용하였다. 시각 손상 아동과 정상 아동의 지각된 신체상과 공간 인식을 평가하고 비교함으로써 시각 손상으로 인한 감각 박탈은 아동의 신체상과 공간 인식에 영향을 준다는 것을 발견하였다. Small은 인간 체계가 극심한 스트레스를 받게 되면 체계의 목표들이 유지될 수 없음을 발견하였다.

Wilkie, Lovejoy, Dodd 및 Tesler(1988)는 존슨의 행동체계 모델을 사용하여 암 통증 조절 행동을 조사하였다. 연구결과 인간은 높은 강도의 통증으로부터 자신을 보호하기 위하여 알려진 행동들을 사용하고 있음을 보여주었다. 이는 시간이 지나면서 통증으로부터 개인을 보호하기 위하여 '공격-보호 하부체계 행동을 개발 수정 하고, 이러한 행동들은 일부 환자가 통증 조절을 위해 선택한 것임을 나타낸다.'는 가정을 지지하였다(Wilkie, Lovejoy, Dodd, et al., 1988, p. 729).

이러한 연구 결과들은 전이로 인한 뼈의 통증을 지닌 암환자의 "자가 보고와 자가 중재 의사결정과 연관된 의미"를 조사한 최근 연그에서도 지지되었다(Coward & Wilkie, 2000, p. 101). 통증이라는 것은 의료진을 찾아 치료를 받게 하는 행동을 만들었다; 그러므로 이것은 보호 기전에 해당하였다. 그러나 연구결과 대부분의 암환자들은 통증조절을 위해 처방대로 자주 진통제를 복용하지 않았고, 체위 혹은 기분전환과 같은 비약물요법을 선호하였다.

Mejesty, Brester와 Nishio(1978)는 존슨 모델이 예방 간호에도 가치가 있다고 생각하고, 간호에 대한 환자 지표를 측정한 도구 개발 시 존슨 모델을 사용하였다. Holaday(1980), Rawls(1980)와 Stamler(1971)는 하나의 하부체계를 이용한 연구를 수행하였다. Derdiarian(1991)은 공격과 보호 하부체계와 다른 하부체계들 사이의 관련성을 조사하였다. 연구 결과 하부체계는 상호작용적이고 상호의존적이며 통합된 명제임을 지지하였다; 그러므로 Derdiarian은 "서로 다른 하부체계의 변화와 관련성을 이해하지 않으면, 질병으로 인한 변화를 잘 이해할 수 없다"는 존슨의 주장을 지지하였다(Jonson, 1980, p. 219).

Damus(1980)는 B형 간염에 노출된 경험이 있고, 다양한 간호진단이 내려진 환자의 아미노트란스페라아제(ALT)수치를 분석하여 존슨이론의 타당성을 검증하였다. Damus는 행동적 불균형과 함께 상승된 ALT수치와 신체적 장애를 상관짓고, 한 가지 영역에의 장애는 다른 영역의 장애를 반영함을 확인하였다.

간호연구자들은 임상실무에서 존슨이론이 유용함을 증명하였다. 대부분의 이와 같은 연구는 요실금, 만성 통증, 암, AIDS 및 정신과 질환과 같은 만성 질환을 지닌 환자들에게 적용되었다(Alexander, 2006; Colling, Owen, McCreedy, et al., 2003; Coward & Wilkie 2000; Derdiarian, 1988; Derdiarian & Schobel, 1990; Grice, 1997; Holaday, Turner-Henson, & Swan, 1996; Holaday & Turner-Henson, 1987; Martha, Bhaduri, & Jain, 2004). 여러 연구들에서 아동, 성인 및 노인에게 이 모델을 사용하였을 때 효율적이었음을 보여주었다. 광범위한 실무, 도구 개발 및 연구를 바탕으로 Holaday(1980)는 존슨 이론의 사용이 과학적 지식에 기초한 간호 계획과 간호를 할 수 있도록 이끌어 주었다고 결론지었다.

미래의 발전

존슨(1982)은 그녀의 모델은 사용하기에 지식적 기초가 완전하지 못하며, 그녀의 연구를 완성하기 위하여 많은 연구자들이 도전해 주기를 바란다고 하였다. 그녀의 모델이 교과과정을 개발하기 위해서는 분명한 방향을 제시해 준다고 생각하였다. 그러나 그 이론의 이러한 지식적 갭이 있으므로 실무자나 교육자들이 이 갭을 채우기 위하여 도전을 할 수 있다고 하였다. 존슨(1989)은 간호가 과학적 학문으로 발달하기를 원하였다. "환자간호에 있어서 이상적이고 명확한 목표, 즉 환자를 위한 특별한 간호를 하고 있기 때문에, 과학적 학문으로서의 간호의 성장은 매우 빠르고 폭발적일 것이다. 간호과학자가 우리 학문 분야의 일반적 개념을 파악하게 되고, 전문가로서의 관심 현상, 질문 등을 알게 되면 지식체를 쌓아가는 체계적인 열정을 가지고 함께 노력하는 것이 가능할 것이다." 원래 이 이론은 개인에 대한 것이었다. 그러나 존슨은 개인이 모여서 이루어지는 가족, 지역사회 등도 상호작용하는 행동체계의 집단으로 볼 수 있다고 생각하였다. 질적인 간호, 건강증진, 질병 및 상해 예방에 대해 최근 강조하게 되면서 행동장애를 인식하는 모델로부터도 이론 도출이 가능하다.

예방 간호(행동 체계 장애를 예방하는)와 예방 의학(생물학적 체계 장애를 예방하는)은 같지 않다는 점을 기억해야 한다. 예방을 위한 접근법이 개발되기 전에 이 두 가지 영역의 장애들을 확인하고 설명해야 한다. 이런 점에서 볼 때, 의학조차도 다양한 특이적 예방법들을 개발하지 못하였다(일부 전염병을 위한 예방주사와 일부 비타민 결핍증 예방은 예외이다). 충분한 영양, 안전한 물과 운동을 포함하여 건강 증진을 위한 접근법들은 일부 장애를 예방하기 위하여 적용할 수 있다.

Riegel(1989)은'심근 경색증 후 심장 불구 행동 또는 의존성'에 대한 주요 예측요인들을 확인하기 위하여 문헌고찰 하였다(p. 74). 사회적 지지, 자아 존중, 불안, 우울, 및 기능적 능력의 인지가 만성 관상동맥 질환에 대한 심리적 적응의 주요 영향요인으로 고려되었다. 이는 의존성 하위체계의 구조와 기능에 대한 사회적 지지나 양육의 효과를 강조하였다. 존슨은'만약 간호를 받는 사람caretaker이 자신의 행동과 가족의 행동이 상호작용하여 질병 초기 환자의 의존적 행동을 권장하고 있음을 인식하게 된다면, 그들은 많은 기능장애 문제점들을 쉽게 예방할 수 있었을 것' 이라고 말한다(D. Johnson, personal correspondence, 1996).

존슨 이론을 더욱 발전시키게 되면, 질병 예방과 건강증진을 위하여 적절히 기능할 수 있는 간호활동을 찾을 수 있을 것이다. 불균형으로 인한 결과에 반응하기 위한 간호중재 개발에 에너지를 쏟기 보다는 불균형의 전조 징후를 확인하고 예방적인 중재로 이에 응하는 방법을 배울 필요가 있다.

지역사회는 하나의 지리적 영역, 하부 인구집단, 혹은 사람들이 모여 있는 곳이라고 가정하고, 간호중재를 통해 지역사회가 혜택 받을 수 있다고 가정한다면, 행동체계 이론의 틀을 지역사회 건강에 적용할 수 있다. 지역사회는 구조적인 요소와 기능적 요구를 지니며, 상호작용하는 하위 체계를 지닌 하나의 행동체계라고 기술할 수 있다. 예를 들면, 만성질병 아동의 어머니들은 성취-하위체계 안에서 안정성을 유지하는데 필요한 기능적 요구들을 가지고 있다. '경제, 교육 및 고용과 같은 환경적 요인들의 상호작용은 어머니의 간호제공 기술에 영향을 준다'(Turner-Henson, 1992, p. 97).

지역사회는 보호, 양육, 자극을 필요로 하는 것에 외에도 목적, 표준, 선택, 행동을 가지고 있다. 지역사회는 내적 혹은 외적 자극에 반응하여, 기능적 행동을 하게 되거나 비기능적 행동을 하게 된다. 외적 자극의 한 예는 건강정책이고 기능장애행동의 한 예는 높은 신생아 사망률이다. 아직도 행동체계에는 정의되지 않은 하부 체계로서 조직화된, 상호작용적, 상호의존적, 및 통합된 하위체계가 있다. 육체적, 생리적, 심리 사회적 요인들 또한 지역사회 행위에 영향을 준다.

결국 존슨의 행동체계이론을 더 발달시키면 체계이론의 영역에서 더 나아가 미래지향적으로 발달하는 것이다. 존슨이 체계역동과 같은 분야에서 그녀의 이론을 발달시킨 이후부터 체계이론의 활용에 있어서 중요한 향상이 있었다고 할 수 있다(Lance, 1999; Wolstenholme, 1990). 체계 역동을 연구하는 연구자들은 인간의 정보처리 과정은 매우 제한적이어서, 정보처리 과정에서 정신적인 노력을 덜 하기 위해서 편중과 탐구(e.g., 한 곳에 고정하거나 가능한 탐구만을 하기)를 하게 된다. 집단도 유사한 편견을 보인다(Hogarth, 1987; Vennix, Gubbels, Post, et.al., 1990). 인지지도에 관한 연구를 보면 인간의 정보처리 과정이 한정되어 있음을 보여준다. 인간은 복잡하게 연결된 생각을 경험하는 것이 어렵게 보인다. 인간은 피드백 과정을 무시한다는 연구 결과가 보고되어 왔다(Dorner, 1980).

섭취 하부체계에 대한 연구 결과를 보면 우리는 잘 알 수 있다. 대상자가 의사결정(선택하고 행동하는 것)을 하는데 지침이 되는 현실적 모델을 어떻게 구성하고, 또 어떤 과정으로 정보처리를 하는가? 체계역동으로부터 이끌어낸 대상자의 간호사정에서 잠재적 문제가 되거나 부족한 것이 무엇인가? 임상실무에서는 연구를 통하여 효과적인 사정도구를 개발할 수 있다.

체계역동 연구는 간호중재에 대한 아이디어를 제공해 준다. 체계역동은 경과챠트나 다이어그램을 이용하여 대상자의 모델을 구축하는 것이 정보처리를 하는데 도움이 된다는 것을 알게 한다. 이는 다이어그램을 그려보는 것은 정보처리를 하는데 도움이 된다는 것을 기본 가정으로 하고 있다. 체계역동은 또한 시뮬레이션이나 훈련을 하는 것이 매우 효과적임을 깨닫게 한다(Vennix, Gubbels, Post, et.al., 1990; Huz, Andersen, Richardson, et.al., 1997). 섭취 하부체계에서 충분하지 않거나 일치하지 않는 간호진단을 내렸다면, 같은 유형의 간호중재가 도움이 될 수 있을 것인가?

Holden(2005)은 전통적 간호는 대상자와 간호서비스를 체계적 관점에서 보았으며, 복잡성 과학(Complexity Science)은 그러한 전통적 간호에서 출발하였다고 하였다. 복잡성 과학은 복잡한 적응체계를 이해하고자 하였다(Miller & Page, 2007; Rickle, Hawe, & Shiell, 2007). 복잡한 적응 체계는 한 요인의 행동이 다른 요인의 행동을 변화시키는 단순한 요인들의 상호의존 하는 예측가능한 행동이 아니라 자유로운 개개 요인들이 집합한 것이다(Plsek & Greenhaligh, 2001. p.625). 존슨의 행동체계 이론은 체계 파라다임 내의 연결과 상호작용을 강조한다. 복잡성 과학은 오늘날 직면하고 있는 환경적 요인과 생활습관과 관련이 있는 만성질환을 설명하는데 까지 확대하여 적용할 수 있다. 존슨의 체계 이론이나 복잡성 과학은 현대의 보건의료의 문제에 대해 단순하고 획일적인 간호중재가 아닌 유연한 범위로 까지 간호중재의 범위를 확장하는 것이 매우 필요하다는 것을 알려주고 있다. 비만, 만성통증, 당뇨병 등과 같은 만성적인 건강문제는 생활습관 뿐 아니라 사회적, 문화적 영향과 같은 많은 요인들이 작용하고 있으며, 하나의 단순 해결 방법으로 문제를 해결하기 어렵다. 보건의료 문제를 검토하기 위하여 복잡한 적응 체계 이론의 원리나 존슨의 행동체계이론을 함께 적용하면 새로운 통찰력을 가질 수 있다.

비평

간결성

존슨의 이론은 매우 복합적이고 광범위하여 간호실무의 모든 분야에 적용할 수 있고, 간호연구와 간호교육을 위해서도 훌륭한 지침이 될 수 있다. 존슨의 이론은 개념수에 비하면 비교적 간단명료하다. 즉, 인간을 7가지 하부체계로 구성된 행동체계로 보았고, 간호는 외적인 조절력이 된다.

명확성

행동체계와 그 하부체계 및 환경 사이에는 수많은 상호관계가 가능하기 때문에 존슨 이론은 잠재적 복잡성을 가지고 있다. 잠재적 상호관계에 대한 연구는 지속적으로 되어 왔으나, 경험에 근거한 연구가 더 필요하다(Brown, 2006).

일반성

존슨의 이론을 환자들에게 적용시 비교적 제한을 받지 않지만, 건강한 개인이나 단체에게는 사용되지 않는다. 존슨은 인간을 7가지의 하위체계로 구성되어 있는 행동체계이자 상호 작용하는 행동체계가 모인 것이라고 생각하였다. 존슨은 초기에는 질병이 아닌 상황 또는 예방적 간호를 명확히 진술하지 않았다(D Johnson, curriuculum vitae, 1984). 후기 출판물에서 존슨(1992)은 개인과 사회를 위한 예방적 건강관리 시 간호사의 역할을 강조하였다. 그녀는 "간호사의 건강에 대한 특수한 임무는 독특한 사회적 사명감에서 도출되었다. 간호사는 사회적 책임을 다하기 위하여 예방적 간호를 발전시키는데 전력을 기울일 필요가 있다"고 말하였다(Johnson, 1992, p. 26).

접근성

접근성은 모델의 추상적 개념을 경험적 지표로 찾아내었을 때 가능하다. 그 이유는 모델은 추상적 개념들을 포함하고 있기 때문이다. 하위 개념과 개념들 간의 상호관계가 좀 더 잘 정의되고, 경험적 지표들이 과학에 알려질 때 경험적 정밀성은 증가한다. 존슨의 이론 안의 단위, 그리고 단위 간의 상호작용은 일관되게 정의되고 사용되고 있다. 존슨의 이론은 추상성이 높은 개념을 좀 더 잘 정의내릴 필요가 있으므로, 중정도의 경험적 정밀성을 지닌다. 존슨의 저술들을 보면, 균형, 안정, 조정, 적응, 교란, 불균형, 행동장애와 같은 용어들은 그들의 의미가 상호교환적으로 사용되어왔다. 그러나 Dee, Deridorian, Holaday, Lovejoy와 Poster의 연구 프로그램에서는 용어들을 조작적 정의를 하여 개념을 사용할 때 일관성을 유지하고 있다. 하위체계 안에서의 정의가 명확해 지면, 존슨 모델의 검증가능성이 높아질 것이다(Brown, 2006).

중요성

존슨의 이론은 간호실무, 교육, 연구를 인도하고, 간호에 대한 새로운 아이디어를 만들어주며, 다른 건강 전문직과 간호를 구분지어 준다. 존슨 이론은 심리 사회적인 전문직 개념과 중복되는 것도 있지만, 생물학적인 것보다는 행동에 초점을 둠으로써 의학으로부터 간호를 명백하게 구분지어 준다.

존슨의 행동체계 이론은 간호교육, 실무 및 연구를 위한 개념틀을 마련해준다. 존슨 이론은 간호 연구를 지속할 수 있도록 간호현상에 대한 질문을 가지도록 해주었다. 간호 교과과정 개발의 기초로 적합한지 분석하고 평가되어왔다. 실무자들과 환자들은 존슨 이론에 의하여 수행되어지는 간호활동에 대해 만족해왔다(Johnson, 1980). 존슨 이론은 앞으로도 가치 있는 간호의 목적을 달성하는데 지속적으로 활용될 수 있을 것이다.

요약

존슨의 행동체계 모델은 인간을 일곱 개의 하위체계를 지닌 행동체계로 기술하였다; 성취, 애착-친밀, 공격-보호, 의존, 섭취, 배설 및 성 하위체계이다. 7개의 하위체계 각각은 다른 하위 체계, 환경적, 구조적 성분 및 기능과 상호 연관되어 통합성을 유지한다. 행동체계의 구조적 성분은 개인이 행동이나 패턴화된 행동을 취하기 위하여 이용할 수 있는 것을 선택하여 특정한 방식으로 행동할 성향과 함께 구체적 목적을 행동으로 달성하는 것이다. 행동체계의 기능적 요소는 양육, 보호 및 자극이다. 행동체계가 균형적이고 안정적일 때, 개인의 행동은 목적적이며, 조직적이며, 예측가능하게 되지만, 내적 · 외적 환경 요인으로부터 긴장과 스트레스가 쌓이면 하위체계는 균형감을 잃고 불안정해 질 것이다.

간호는 특정 행동을 억제, 자극, 강화시키거나(조절 기전), 구조적 성분(환자의 목적, 선택, 행동)을 변경시키거나, 기능적 요구를 채워줌으로써 균형과 안정을 되찾게 해주는 외적 조절력에 해당한다(Johnson, 1980). 존슨은 궁극적으로 간호실무, 간호교육과정 및 간호과학의 발전에 기여하고자 하였다. 그녀는 Johnson Behavioral System Model을 성공적으로 개발하여 간호학문에 널리 보급하였다; 윤리적 의식을 반영시킨 간호중재를 체계화 시켰고, 다양한 관점으로 보는 것을 중요하게 여겼으며, 사회의 가치를 존중하였다. 그녀는 JBSM이 미래 세대의 간호사들에게 기틀로 남기를 원했다(D. Johnson, personal communication, 1991).

사례연구

67세의 남성이 심한 복통과 혈변 후 진단적 검사를 받기 위해 병원에 왔다. 의식은 명료하며, 오리엔테이션도 있다. 그는 제2형 당뇨와 고혈압을 앓고 있다. 혈당은 187mg/dl 이며, 혈압은 188/100mmHg이다. 키는 175cm이며, 몸무게는 65Kg이다. 현재 항고혈압제, 항응고제, 소염제 및 당뇨병 약물을 복용하고 있다.

최근 6주전 뇌졸중 병력이 있었으며, 우측팔과 다리에 부분 마비가 있었고, 감각이 없었으며, 표현성 실어증이 있고, 말이 어눌하다. 4주 입원하여 재활 치료를 마친 다음 지팡이를 이용하여 중간정도의 도움을 받고 짧은 거리를 걸을 수 있게 되었다. 그는 쇠약하고, 쉽게 피곤해 한다. 오른 팔을 움직일 수 있음에도 통증으로 움직이지 않으려고 한다. 오른 팔을 치료하기 전과 취침 전에 아세트아미노펜(Extra Strength Tylenol)을 복용하고 있다. 그는 여전히 실어증 증상을 보이고 있다. 오른 팔 때문에 진료 받아야 하는 정형외과 의사의 진료 시간을 지키지 못할 까봐 불안해한다. 음식 맛을 느끼지 못하며, 식욕이 없다. 가족의 권유아래 소량씩 매 끼니마다 식사를 하고 있고, 어려움 없이 음료를 마시고 있다.

대학을 졸업했으며, 최근에 퇴직하였다. 그는 결혼한 지 45년이 되었고, 두 명의 성장한 자녀가 있으며, 이들 모두는 같은 도시에 살고 있다. 그는 교회와 지역사회에서 지도자 역할을 맡았었고, 가족과 친구가 자주 병문안 오고 있다. 친지 방문 시 그는 쾌활하게 말하려고 노력한다. 그러나 방문객이 없으면 어두운 방에서 잠을 자거나 조용히 지낸다. 가족이 헤어지면서 안아줄 때마다 눈물을 흘린다. 매 방문할 때 마다 감사하고, 매번 '감정적이 된 것'을 사과한다.

행동 사정 BEHAVIORAL ASSESSMENt

죤슨 행동체계모델을 이용하여 다음과 같은 행동체계 사정이 이루어졌다:

- 성취: 대상자는 성인기의 수많은 발달과업 목적을 성취하였다. 그는 일상생활동작(걷고, 말하기 외에도 책읽기, 쓰기, 말하기 등과 같은 인지-운동적 기술)을 재학습해야 한다.
- 애착-친밀: 대상자는 결혼하여 두 명의 자녀를 두었고, 이들은 지지적이고 같은 도시에 살고 있다. 그는 친구와 사회적 지지도 풍부하여, 이들은 자주 방문하고 있다.
- 공격-보호: 대상자의 부인이 밤에 병원으로 오는 것을 염려하고 있고, 그녀가 병원에 그와 함께 머무는 동안 잘 먹지 못한다고 걱정하고 있다.
- 의존: 최근의 뇌졸중으로 오른 팔과 다리의 기능감소로 그의 기동력과 독립적 일상생활동작에 영향을 미쳤다. 낙상 위험이 있고, 손상 시 팔이나 다리의 감각을 느끼지 못할 수 있고, 허약감 등으로 인하여 안전 사고위험이 있다. 그의 부인이 재정과 가정유지 책임을 맡았다.
- 섭취: 뇌졸중 이후 환자의 식욕은 감소하였다. 6주 동안 체중이 9kg이나 감소하였다. 검사 결과 연하장애는 없었다. 왼손을 사용하여 스스로 음식을 먹을 수 있지만 음식을 자를 때는 도움을 필요로 한다.
- 배설: 어려움 없이 소변기를 사용하여 배뇨를 할 수 있지만, 화장실에 가서 배뇨하는 것을 선호한다. 수분과 음식물 섭취량이 적기 때문에 쉽게 변비가 된다.
- 성: 통증, 오른쪽 사지의 제한 및 피로 때문에 부인과의 성 관계에 변화가 있다.

환경 사정 ENVIRONMENTAL ASSESSMENT

내 · 외적 환경요인 사정 시 몇 가지 요인에 의해 긴장이 야기되고, 행동체계의 균형과 안정성이 위협받고 있다. 행동체계의 생물학적, 심리적 안정성이 이미 약화되었었는데 이번 입원과 진단적 검사로 인하여 스트레스가 가중되었다. 뇌졸중은 몇 가지 신체적, 인지적 장애를 초래하여 독립성, 자가간호, 학습, 성숙 및 사회화에 영향을 준다. 이 시기의 입원은 환자의 신체적 재활과 언어 재활의 진행을 지연시키거나 감소시킬 수 있다. 병원 환경 안에서 안전하게 이동하려면 도움이 필요하다.

환자와 그의 부인은 교회생활에 활동적이고, 여러 사회적 활동에 참여하고 있다. 환자는 주일학교 교사였다. 최근의 질병, 입원 및 피로로 인하여 환자는 이전만큼 일을 하지 못한다. 그는 왼손을 사용하여 일상생활 활동을 수행하고 지팡이에 의지하여 걷는 등 자신의 오른 쪽 쇠약과 운동기능감소에 적응하였지만, 그래도 여전히 도움을 필요로 한다. 대상자와 그의 부인은 교외 주택가에서 살고 있다. 가족들은 계단을 이용하지 않고 집안을 출입할 수 있도록 경사대를 설치하였다. 부인의 진술에 의하면, 이웃들이 그녀가 외출했을 때 집을 지켜주고, 안전하게 돌아왔는지 확인해주고 있다.

구조적 구성요소 STRUCTURAL COMPONENTS

- 충동 또는 목적Drive or goal: 대상자는 진단적 검사를 마치고 집에 되돌아오고 싶어 하는 것 같다. 그는 몹시 외래 재활프로그램으로 되돌아가고 싶어 한다. 또한 부인의 스트레스를 덜어주는 것도 그에게는 매우 중요한 일이다. 그의 부인은 그에게 긍정적인 격려를 제공하고 지지하고 있다. 그는 부인에게 의사결정내리는 것과 도움을 기대하고 있다.
- 세트Set: 환자는 스스로 의사 결정을 하고, 리더로 지내왔다. 그리고 자신이 내린 결정에 부인이 만족해 하는지 상의해 왔다.
- 선택Choice: 환자가 진단적 검사를 동의했지만, 입원 후 더 이상 통증과 출혈은 없었다. 그러므로 그는 좀 더 재활에 목적을 두게 되었다. 그는 활동을 시작하고, 가족의 도움을 받아 화장실가기, 복도 걷기, 일상생활동작을 수행하고 있다.
- 행동Actions: 환자는 방문객 및 가족과 적극적으로 대화하고 사교적인 모습을 보인다. 그는 신체적, 인지적 욕구를 위해 도움을 필요로 하고 있다. 질병관리 동안 영적 인도를 위해 가족과 친구에게 기도를 부탁한다.

기능적 요구 FUNCTIONAL REQUIREMENTS

환자는 보호, 양육 및 자극을 포함한 3가지 모든 기능적 요구를 위해 외부의 도움을 필요로 한다. 오른쪽을 느낄 수 없고, 기동성 장애로 인하여 손상의 위험성이 높다. 손잡이hand bar와 같은 보호 기구와 샤워의자를 사용할 수 있다. 환자는 음식 준비를 위하여 도움이 필요하지만, 왼손을 사용하여 음식을 먹고 마시는 데는 적응하였다. 외래 재활 기관에서의 사회화와 수행performance은 환자에게 자극을 주기 의해 중요하다. 환자를 방문하는 친구와 가족도 자극이 된다. 라디오, 텔레비전과 읽기와 같은 다른 유형의 자극을 이해하기 어렵기 때문에, 지속적인 사회적 자극이 환자에게 아주 중요하다.

간호

간호 활동은 환자 행동체계의 구조와 통합성을 보존하기 위하여 보호, 자극 및 양육시켜야 할 외적 조절력에 해당한다. 이 환자를 위한 간호 활동은 진단적 검사 방법 및 검사 결과를 설명하는데 중점을 두어야 한다. 좋아하는 음식을 확인하고, 음식과 음료를 소량씩 자주 섭취시켜서 변비를 예방해야 한다. 간호사는 입원환자의 신체적 치료와 언어 치료를 도와주어야 하고, 환자의 성취 행동을 강화시키고, 의존적 요구를 감소시켜야 한다. 또한 친구 및 가족과의 사회화 과정을 권장하는 것도 마찬가지로 중요한다. 간호사는 환자와 그의 부인에게 체계의 불균형과 불안정에 적응하고 관리하도록 지지, 교육할 필요가 있고, 또한 체계의 균형과 안정성을 증진시킬 행위를 확인하도록 지지하고 가르칠 필요가 있다.

비판적 사고 활동

1. 임상실무에서 환자를 한명 선정하여 존슨의 행동체계이론에 맞는 증거가 되는 것을 찾아보시오. 그 환자에게서 불균형이 있거나 정상에서 벗어난 하부 체계 한 두개를 찾아낸 다음 아래의 질문에 답하시오.

a. 행동체계의 불균형이 있거나 정상이 아닌 하부체계가 무엇이었습니까?
b. 환자의 입장에서 보면, 그 상황에서 환자가 중점을 둔 것은 무엇이었습니까?
c. 환자의 선택을 생각해 보면, 환자는 그 상황에서 행동의 범위를 고려하였습니까?
d. 어떤 행동을 보았으며, 얼마나 자주 보았습니까? 강도는 어떠하였습니까?
e. 실제적이고 바람직한 행동을 위해 양육, 보호, 자극이 되는 것은 무엇이었습니까? 그것은 지속적이고 충분하였습니까?
f. 당신이 진단할 수 있는 간호진단은 무엇입니까? 간호중재에 대해 설명하시오,

2. 1번 활동문제에서 당신이 환자의 간호사정을 하고, 문제를 기술하고, 간호진단을 한 것에 영향을 준 모델을 유추해 보시오. 어떤 통찰력으로 당신은 환자를 볼 때 그 이론을 사용하게 되었습니까?

3. 지역사회 현장에서 예방간호를 위해 존슨 모델을 이용하였을 때, 강점과 제한점을 확인해 보시오.

POINTS FOR FURTHER STUDY

- [카디날 스트리치 대학 도서관] Cardinal Stritch University Library at: http://library.stritch.edu/research/subjects/health/nursingtheorists/nursingtheoristsIndex.htm
- [클래이턴주립대학교] Clayton State University at: http://nursing.clayton.edu/health/nursing/nursingtheory
- [도로시 존슨 이론] Dorothy Johnson's Theory at: http://dorothyjohnson.wetpaint.com
- [도로시 존슨] Dorothy Johnson at: http://www.youtube.com/watch? v = DMG3HIArc20
- [도로시존슨 이론 비디오/DVD] Dorothy Johnson, (1988) *Portraits of Excellence: The Nurse Theorists.* Video/DVD. Available from Athens, (OH): Fitne, Inc. (http://www.fitne.net/nurse_theorists1.jsp).
- [홀러데이] Holaday, B. (2010). Johnson's behavioral system model in nursing practice. In M.R. Alligood, (Ed.), *Nursing theory: Utilization & application.* Philadelphia; Mosby Elsevier.
- [반더빌트 메디칼 센터] Vanderbilt Medical Center at: http://www.mc.vanderbilt/edu/biolib/hc/biopages/djohnson.html
- [반더빌터대학, 데스킨드 바이오메디칼 역사박물도서관] Vanderbilt University, Eskind Biomedical Library Historical Collections has a complete set of Dorothy Johnson's published and unpublished papers, personal correspondence and photographs..

REFERENCES

Alexander, M. (2006). *Compassion fatigue experienced by emergency department nurses who provided care during and after the hurricane season of 2005.* College of Nursing Master's Thesis, Florida State University.

Auger, J. A. & Dee, V. (1983). A patient classification system based on the Johnson Behavioral System Model of Nursing: Part 1. *Journal of Nursing Administration, 13*(4), 38–43.

Benson, S. (1997). The older adult and fear of crime. *Journal of Gerontological Nursing, 23*(10), 24–31.

Martha L, Bhaduri, A. & Jain, A. G. (2004). Impact of oral cancer and related factors on the quality of life (QOL) of patients. *Nursing Journal of India, 95*(6), 129–131.

Brinkley, R., Ricker, K., & Toumey, K. (Fall, 2007). Esthetic knowing with a hospitalized morbidly obese patient (abstract). *Journal of Undergraduate Nursing Scholarship, 9* (1).

Brown, V. M. (2006). Behavioral system model. In A. M. Tomey & M.R. Alligood (Eds.), *Nursing theorists and their work* (6th ed., pp. 386–404) Philadelphia: Mosby/Elsevier.

Buckley, W. (Ed.) (1968). *Modern systems research for the behavioral scientist: A source book.* Chicago: Aldine.

Colling, J., Owen, T., McCreedy, M., & Newman, D. (2003). The effects of a continence program on frail community-dwelling elderly persons. *Urologic Nursing, 23*(2), 117–131.

Coward, D. D., & Wilkie, D. J. (2000). Metastatic bone pain: Meanings associated with self-report and self-management decision making. *Cancer Nursing, 23*(2), 101–108.

Damus, K. (1980). An application of the Johnson behavioral system model for nursing practice. In J. P. Riehl & C. Roy (Eds.), *Conceptual models for nursing practice* (2nd ed.). New York: Appleton-Century-Crofts.

Dee, V., van Servellen, G., & Brecht, M. (1998). Managed behavioral health care patients and their nursing care problems, level of functioning, and impairment on discharge. *Journal of the American Psychiatric Nurses Association, 4*(2), 57–66.

Dee, V., Tyson, S., Capparrell, L., Rigali, J., & Gross, S. (1999) *Guide to Johnson Behavioral System Model*

Patient Acuity Classification. Unpublished Manual. University of California Los Angeles, Neuropsychiatric Institute & Hospital Nursing Department, Los Angeles, CA.

Derdiarian, A. K. (1988). Sensitivity of the Derdiarian behavioral system model instrument to age, site, and stage of cancer: A preliminary validation study. *Scholarly Inquiry for Nursing Practice*, *2*(2), 103–124.

Derdiarian, A. K. (1981). Nursing conceptual frameworks: Implications for education, practice, and research. In D. L. Vredevae, A. K. Deridiarian, L.P. Sama, M. Eriel, & J. C. Shipaoff (Eds.), *Concepts of oncology nursing* (pp. 369–385). Englewood Cliffs, (NJ): Prentice Hall.

Derdiarian, A. K. (1990). Effects of using systematic assessment instruments on patient and nurse satisfaction with nursing care. *Oncology Nursing Forum*, *17*(1), 95–100.

Derdiarian, A. K. (1991). Effects of using a nursing model–based assessment instrument on quality of nursing care. *Nursing Administration Quarterly*, *15*(3), 1–16.

Derdiarian, A. K., & Schobel, D. (1990). Comprehensive assessment of AIDS patients using the behavioral systems model for nursing practice instrument. *Journal of Advanced Nursing*, *15*(4), 436–446.

Dorner, D. (1980). On the difficulties people have in dealing with complexity. *Simulation and Games*, *11*(1), 87–106.

Fawcett, J. (2005). *Contemporary nursing knowledge: Analysis and evaluation of nursing models and theories* (2nd ed.). Philadelphia: F. A. Davis.

Feshbach, S. (1970). Aggression. In P. Mussen (Ed.), *Carmichael's manual of child psychology* (3rd ed.). New York: Wiley.

Fleming, B. H. (1990). *Use of the Johnson model in nursing education* (abstract). In Proceedings of the National Theory Conference (pp. 109–111). Los Angeles: UCLA Nursing Department.

Fruehwirth, S. E. S. (1989). An application of Johnson's behavioral model: A case study. *Journal of Community Health Nurse*, *6*(2), 61–71.

Grice, S. L. (1997). *Nurses' use of medication for agitation for the psychiatric inpatient*. Unpublished doctoral dissertation, Catholic University of America, Washington, DC.

Grubbs, J. (1980). An interpretation of the Johnson behavioral system model for nursing practice. In J. P. Riehl & C. Roy (Eds.), *Conceptual models for nursing practice* (pp. 217–254). New York: Appleton-Century-Crofts.

Hadley, B. J. (1970). *The utility of theoretical frameworks for curriculum development in nursing; the happening at Colorado*. Paper presented at WIN (Western Interstate Council of Higher Education in Nursing (March). Honolulu, Hawaii.

Harris, R. B. C. (1986). Introduction of a conceptual model into a baccalaureate course. *Journal of Nursing Education*, *25*(1), 66–89.

Herbert, J. (1989). A model for Anna: Using the Johnson model of nursing in the care of one 75-year-old stroke patient. *Journal of Clinical Practice, Education and Management, 3*(42), 30–34.

Holaday, B. (1980). Implementing the Johnson model for nursing practice (pp. 255–263). In J. P. Riehl & C. Roy (Eds.), *Conceptual models for nursing practice* (2nd ed.). New York: Appleton-Century-Crofts.

Holaday, B. (1981). Maternal response to their chronically ill infant's attachment behavior of crying. *Nursing Research*, *30*, 343–348.

Holaday, B. (1982). Maternal conceptual set development: Identifying patterns of maternal response to chronically ill infant crying. *Maternal-Child Nursing Journal*, *11*, 47–69.

Holaday, B., & Turner-Henson, A. (1987). Chronically ill school-age children's use of time. Pediatric Nursing, 13(6), 410–414.

Holaday, B., Turner-Henson, A., & Swan, J. (1996). The Johnson Behavioral system model: Explaining activities of chronically ill children. In P. Hinton Walker & B. Neuman (Eds.), *Blueprint for use of nursing models* (pp. 33–63). New York: NLN Press.

Holden, L. M. (2005). Complex adaptive systems: Concept analysis. *Journal of Advanced Nursing*, *52*(6), 651–658.

Hogarth, R. (1987). *Judgement and choice* (2nd Ed.). Chichester, UK: Wiley.

Huz, S., Andersen, D. F., Richardson, G. P., and Boothroyd, R. (1997). A framework for evaluating systems thinking interventions: An experimental approach to mental health system change. *Systems Dynamics Review*, *13*(2), 145–169.

Jenkins, G. M. (1969). The systems approach. *Journal of Systems Engineering*, *1*(1), 3–49.

Johnson, D. E. (1959a). A philosophy of nursing. *Nursing Outlook, 7*(4), 198–200.

Johnson, D. E. (1959b). The nature of a science of nursing. *Nursing Outlook*, *7*, 291–294.

Johnson, D. E. (1961a). *Nursing's specific goal in patient care*. Unpublished lecture, Faculty Colloquium, School of Nursing, University of California, Los Angeles.

Johnson, D. E. (1961b). *A conceptual basis for nursing care*. Unpublished lecture, Third Conference, C. E. Program, University of California, Los Angeles.

Johnson, D. E. (1965). *Is nursing meeting the challenge of family needs*. Unpublished lecture, Wisconsin League for Nursing, Madison, WI.

Johnson, D.E. (1968). *One conceptual model of nursing*. Unpublished lecture, Vanderbilt University, Nashville, TN.

Johnson. D. E. (1976). *The search for truth*. Paper presented at the installation of officers for the new chapter (Gamma Mu) of Sigma Theta Tau at the University of California, Los Angeles.

John. D. E. (1977). *The behavioral system model for nursing*. Paper presented at a workshop for Sigma Theta Tau.

Johnson, D. E. (1978). *Implications for research—the Johnson Behavioral System Model*. Paper presented at the Second Annual Nurse Educator Conference, New York City.

Johnson, D. E. (1982). *The behavioral system model for nursing*. Paper presented at Wheeling College, West Virginia.

Johnson, D. E. (1980). The behavioral system model for nursing. In J. P. Riehl & C. Roy (Eds.), *Conceptual models for nursing practice* (2nd ed.). New York: Appleton-Century-Crofts.

Johnson, D. E. (1989). *Some thoughts on nursing*. Unpublished paper.

Johnson, D. E. (1992). Origins of behavioral system model. In F. Nightingale (Ed.), *Notes on nursing* (Commemorative edition, pp. 23–28). Philadelphia: Lippincott.

Lachicotte, J. L., & Alexander, J. W. (1990). Management attitudes and nurse impairment. *Nursing Management*, *21*(9), 102–110.

Lance, D. C. (1999). Social theory and system dynamics practice. *European Journal of Operational Research*, *113*(3), 501–527.

Lanouette, M., & St-Jacques, A. (1994). Premature infants and their families. *Canadian Nurse*, *90*(9), 36–39.

Lorenz, K. (1966). *On aggression*. New York: Harcourt.

Loveland-Cherry, C., & Wilkerson, S. (1983). Dorothy Johnson's behavioral systems model. In J. Fitzpatrick & A. Whall (Eds.), *Conceptual models of nursing: Analysis and application.* Bowie, MD: Robert J. Brady.

Lovejoy, N. C., & Moran, T. A. (1988). Selected AIDS beliefs, behaviors and informational needs of homosexual/bisexual men with AIDS or ARC. *International Journal of Nursing Studies*, *25*, 207–216.

Majesky, S. J., Brester, M. H., & Nishio, K. T. (1978). Development of a research tool: Patient indicators of nursing care. *Nursing Research*, *27*(6), 365–371.

Miller, J. G., & Page, S. E. (2007). *Complex adaptive systems: An introduction to computational models of social life*. Princeton, (NJ): Princeton University Press.

Miller, J. G. (1965). Living systems: Basic concepts. *Behavioral Science*, *10*(2), 193–237.

Orb, A., & Reilly, D. E (1991). Changing to a conceptual base curriculum. *International Nursing Review*, *38*(2), 56–60.

Parsons, T. (1951). *The social system*. Glencoe: Free Press.

Parsons, T. (1964). *Societies: Comparative and evolutionary perspectives*. Englewood, (NJ): Prentice Hall.

Plsek, R., & Greenhaligh, T. T. (2001). Complexity science: The challenge of complexity in health care. *British Medical Journal*, *323*(7313), 625–628.

Poster, E. C, Dee, V., & Randell, B. P. (1997). The Johnson behavioral systems model as a framework for patient outcome evaluation. *Journal of the American Psychiatric Nurses Association 3*(3), 73–80.

Puntil, C. (2005). New graduate orientation program in geriatric psychiatric inpatient setting. *Issues in Men-*

tal Health Nursing, *56*(1), 65–80.

Randell, B. P. (1991). NANDA versus the Johnson behavioral systems model: Is there a diagnostic difference? In R. M. Carroll-Johnson (Ed.), *Classification of nursing diagnosis: Proceedings of the ninth conference.* Philadelphia: Lippincott.

Rawls, A. C. (1980). Evaluation of the Johnson behavioral model in clinical practice: Report of a test and evaluation of the Johnson theory. *Image: The Journal of Nursing Scholarship, 12*(1), 13–16.

Rickles, D., Hawe, P., & Shiell, A. (2007). A simple guide to chaos and complexity. *Health*, *61*(11), 933–937.

Riegel, B. (1989). Social support and psychological adjustment to chronic coronary heart disease: Operationalization of Johnson's behavioral system model. *Advances in Nursing Science*, *11*(2), 74–84.

Small, B. (1980). Nursing visually impaired children with Johnson's model as a conceptual framework. In J. P. Riehl & C. Roy (Eds.), *Conceptual models for nursing practice* (2nd ed.). New York: Appleton-Century-Crofts.

Stamler, C. (1971). Dependency and repetitive visits to nurses' office in elementary school children. *Nursing Research*, *20*(3), 254–255.

Sterman, J. D. (1994). Learning in and about complex systems. *Systems Dynamics Review, 10*(2–3), 291–330.

Tamilarasi, B., & Kanimozhi, M. (2009). Improving quality of life in breast cancer survivors: Theoretical approach. *The Nursing Journal of India, 100*(12), 276–277.

Turner-Henson, A. (1992). Chronically ill children's mothers' perceptions of environmental variables. Unpublished doctoral dissertation, University of Alabama at Birmingham.

Vennix, J. A. M., Gubbels, J. W., Post, D., & Poppen, H. J. (1990). A structured approach to knowledge elicitation in conceptual model-building. *Systems Dynamics Review, 6*(2), 194–208.

Wang, K., & Palmer, M. H. (2010). Women's toileting behavior related to urinary elimination: concept analysis. *Journal of Advanced Nursing*, *66*(8), 1874–1884.

Wilkie, D. J. (1990). Cancer pain management: State-of-the-art nursing care. *Nursing Clinics of North America*, *25*(2), 331–343.

Wilkie, D., Lovejoy, N., Dodd, M., & Tesler, M. (1988). Cancer pain control behaviors: Description and correlation with pain intensity. *Oncology Nursing Forum*, *15*(6), 723–731.

Wilmoth, M. C., & Ross, J. A. (1997). Women's perception: Breast cancer and sexuality. *Cancer Practice*, *5*(6), 353–359.

Wilmoth, M. C. (2007). Sexuality: A critical component of quality of life in chronic disease. *Nursing Clinics of North America*, *42*(4), 507–514.

Wolstenholme, E. F. (1990). *Systems enquiry: A system dynamics approach*. Chichester, UK: Wiley.

BIBLIOGRAPHY

Primary Sources

Book Chapters

Johnson, D. E. (1964, June). Is there an identifiable body of knowledge essential to the development of a generic professional nursing program? In M. Maker (Ed.), *Proceedings of the first interuniversity faculty work conference.* Stowe, (VT): New England Board of Higher Education.

Johnson, D. E. (1973). Medical-surgical nursing: Cardiovascular care in the first person. In American Nurses Association, *ANA Clinical Sessions* (pp. 127–134). New York: Appleton-Century-Crofts.

Johnson, D. E. (1976). Foreword. In J. R. Auger (Ed.), *Behavioral systems and nursing.* Englewood Cliffs, (NJ): Prentice-Hall.

Johnson, D. E. (1978). State of the art of theory development in nursing. In National League for Nursing, *Theory development: What, why, how?* (NLN Pub. No. 15–1708). New York: National League for Nursing.

Johnson, D. E. (1980). The behavioral system model for nursing. In J. P. Riehl & C. Roy (Eds.), *Conceptual models for nursing practice* (2nd ed.). New York: Appleton-Century-Crofts.

Johnson, D. E. (1990). The behavioral system model for nursing. In M. E. Parker (Ed.), *Nursing theories in practice.* New York: National League for Nursing.

Johnson, D. E. (1992). Origins of behavioral system model. In F. Nightingale (Ed.), *Notes on nursing* (Commemorative ed., pp. 23–28). Philadelphia: Lippincott.

Journal Articles

Johnson, D. E. (1943). Learning to know people. *American Journal of Nursing*, *43*, 248–252.

Johnson, D. E. (1954). Collegiate nursing education. *College Public Relations Quarterly*, *5*, 32–35.

Johnson, D. E. (1959). A philosophy of nursing. *Nursing Outlook, 7*(4), 198–200.

Johnson, D. E. (1959). The nature of a science of nursing. *Nursing Outlook, 7*(5), 291–294.

Johnson, D. E. (1961). Patterns in professional nursing education. *Nursing Outlook, 9*(10), 608–611.

Johnson, D. E. (1961, Nov.). The significance of nursing care. *American Journal of Nursing, 61*(11), 63–66.

Johnson, D. E. (1962). Professional education for pediatric nursing. *Children*, *9*, 153–156.

Johnson, D. E. (1964). Nursing and higher education. *International Journal of Nursing Studies*, *1*, 219–225.

Johnson, D. E. (1965). Today's action will determine tomorrow's nursing. *Nursing Outlook, 13*(9), 38–41.

Johnson, D. E. (1965). Crying in the newborn infant. *Nursing Science*, *3*, 339–355.

Johnson, D. E. (1966). Year round programs set the pace in health careers promotion. *Hospitals*, *40*, 57–60.

Johnson, D. E. (1966). Competence in practice: Technical and professional. *Nursing Outlook, 14*(10), 30–33.

Johnson, D. E. (1967). Professional practice in nursing. *NLN Convention Papers*, *23*, 26–33.

Johnson, D. E. (1967). Powerlessness: A significant determinant in patient behavior? *Journal of Nursing Educators, 6*(2), 39–44.

Johnson, D. E. (1968). Critique: Social influences on student nurses in their choice of ideal and practiced solutions to nursing problems. *Communicating Nursing Research*, *1*, 150–155.

Johnson, D. E. (1968). Toward a science in nursing. *Southern Medical Bulletin*, *56*, 13–23.

Johnson, D. E. (1968). Theory in nursing: Borrowed and unique. *Nursing Research*, *17*, 206–209.

Johnson, D. E. (1974). Development of theory: A requisite for nursing as a primary health profession. *Nursing Research*, *23*, 372–377.

Johnson, D. E. (1982). Some thoughts on nursing. *Clinical Nurse Specialist*, *3*(1), 1–4.

Johnson, D. E. (1987). Evaluating conceptual models for use in critical care nursing practice. *Dimensions of Critical Care Nursing*, *6*, 195–197.

Johnson, D. E., Wilcox, J. A., & Moidel, H. C. (1967). The clinical specialist as a practitioner. *American Journal of Nursing*, *67*, 2298–2303.

Johnson, D. E. (1974). Development of theory: A requisite for nursing as a primary health profession. *Nursing Research*, *23*, 372–377.

McCaffery, M., & Johnson, D. E. (1967). Effect of parent group discussion upon epistemic responses. *Nursing Research*, *16*, 352–358.

Secondary Sources

Books

Auger, J. R. (1976). *Behavioral systems and nursing.* Englewood Cliffs, (NJ): Prentice Hall.

Hoeman, S. P. (1996). Conceptual bases for rehabilitation nursing. In S. P. Hoeman (Ed.), *Rehabilitation nursing: Process and application* (2nd ed., p. 7). St. Louis: Mosby.

Johnson, B. M., & Webber, P. B. (2005). *An introduction to theory and reasoning in nursing*. Philadelphia: Lippincott. (Johnson material, pp. 141–144.)

McEwin, M., & Wills, E. M. (2007). *Theoretical basis for nursing*. 2nd Ed. Philadelphia: Lippincott. (Johnson material, pp. 148–152.)

Wesley, R. L. (1995). *Nursing theory and models.*

Springhouse, (PA): Springhouse. (Johnson material, pp. 64–66; 152–153).

Dissertations

Aita, V. A. (1995). *Toward improved practice: Formal prescriptions and informal expressions of compassion in American nursing during the 1950s*. Unpublished doctoral dissertation, University of Nebraska Medical Center, Omaha, NE.

Dee, V. (1986). Validation of a patient classification instrument for psychiatric patients based on the Johnson model for nursing. *Dissertation Abstracts International*, *47*, 4822B.

Devlin, S. L. (1992). *The relationship between nurse managers' and staff nurses' return to school*. Unpublished doctoral dissertation, D'Youville College. (ATT1347531).

Grice, S. L. (1997). *Nurses' use of medication for agitation for the psychiatric inpatient*. Unpublished doctoral dissertation, The Catholic University of America, Washington, DC.

Holaday, B. (1979). *Maternal response to their chronically ill infant's attachment behavior of crying*. Unpublished doctoral dissertation, University of California, San Francisco.

Lian, H. (2007). *Chinese culture versus Western medicine: Health implications for San Francisco elder Chinese immigrants with heart failure*. Unpublished doctoral dissertation, Walden University. AAT3258410.

Litz, H. L. (1998). *Smoking cessation: What works best for whom*. Unpublished doctoral dissertation, Clarkson College (ATT1391123).

Lovejoy, N. C. (1981). *An empirical verification of the Johnson behavioral system model for nursing*. Unpublished doctoral dissertation, University of Alabama, Birmingham.

Naguib, H. H. (1988). *Physicians', nurses' and patients' perceptions of the surgical patients' educational rights*. Unpublished doctoral dissertation. University of Alexandria, United Republic of Egypt.

Riegal, B. J. (1991). *Social support and cardiac invalidism following myocardial infarction*. Unpublished doctoral dissertation, University of California, Los Angeles.

Talerico, K.A. (1999). *Correlates of aggressive behavioral actions of older adults with dementia*. Unpublished doctoral dissertation, University of Pennsylvania (AAT9953602).

Turner-Henson, A. (1992). *Chronically ill children's mothers' perceptions of environmental variables*. Unpublished doctoral dissertation, University of Alabama, Birmingham.

Wilkie, D. (1990). *Behavioral correlates of lung cancer pain*. Unpublished doctoral dissertation, University of California, San Francisco.

Wilmoth, M. D. (1993). *Development and psychometric testing of the sexual behaviors questionnaire*. Unpublished doctoral dissertation, University of Pennsylvania (AAT9413929).

Book Chapters

Brown, V. M. (2006). Behavioral system model (pp. 386–404). In A. M. Tomey & M.R. Alligood (Eds.), *Nursing theorists and their work* (6th ed.) Philadelphia: Mosby/Elsevier.

Fawcett, J. (1995). Johnson's behavioral systems model. In J. Fawcett (Ed.), *Analysis and evaluation of conceptual models of nursing* (3rd ed., pp. 67–107). Philadelphia: F. A. Davis.

Fawcett, J. (2005). Johnson's behavioral system model. In J. Fawcett (Ed.), *Contemporary nursing knowledge. Analysis and evaluation of contemporary knowledge: Nursing models and theories* (2nd ed., pp. 60–87, 104). Philadelphia: F. A. Davis.

Holaday, B. (1997). Johnson's behavioral system model in nursing practice. In M. R. Alligood & A. Marriner Tomey (Eds.), *Nursing theory: Utilization & application* (pp. 49–70). St. Louis: Mosby.

Holaday, B., Turner-Henson, A., & Swan, J. (1996). The Johnson behavioral system model: Explaining activities of chronically ill children. In P. H. Walker & B. Neuman (Eds.), *Blueprint for use of nursing models: Education, research, practice and administration* (pp. 33–63, Pub. No. 14–2696). New York: National League for Nursing.

Holaday, B. (2006). Dorothy Johnson's behavioral system model and its applications (pp. 79–93). In M. E. Parker (Ed.) *Nursing theories and nursing practice,* 2nd Ed. Philadelph1a, F. A. Davis.

* All unpublished papers are available at the Eskind Library, Vanderbilt University, Nashville, TN. Contact the Archives Division.

Holaday, B. (2006). Johnson's behavioral system model in nursing practice. (pp. 157–180). In M. R. Alligood & A. M. Tomey (Eds.), *Nursing theory: utilization and application.* Philadelphia: Mosby Elsevier.

Lobo, M. L. (2002). Behavioral system model: Dorothy E. Johnson (pp. 155–169). In J. B. George, *Nursing theories: the base for professional nursing practice,* 5th ed. Upper Saddle River, (NJ): Prentice Hall.

Loveland-Cherry, D., & Wilkerson, S. (1983). Dorothy Johnson's behavioral systems model. In J. Fitzpatrick & A. Whall (Eds.), *Conceptual models of nursing: Analysis and application.* Bowie, (MD): Robert J. Brady.

Meleis, A. (2012). *Theoretical nursing: Development and progress*. 5th Ed. Philadelphia: Wolters Kluwer/Lippincott. (Chapter 13, On outcomes, Dorothy Johnson, pp. 280–289).

Wilkerson, S. A. & Loveland-Cherry, C. J. (2005). Johnson's behavioral system model. In J. J. Fitzpatrick & A. L. Whall, *Conceptual models of nursing: Analysis and application* (4th ed., pp. 83–103). Upper Saddle River, (NJ): Pearson/Prentice Hall.

Journal Articles

Adam, E. (1987). Nursing theory: what it is and what it is not. *Nursing Papers: Perspectives in Nursing, 19*(1), 5–14.

Benson, S. (1997). The older adult and fear of crime. *Journal of Gerontological Nursing, 23*(10) 24–31.

Botha, M. E. (1989). Theory development in perspective: The role of conceptual frameworks and models in theory development. *Journal of Advanced Nursing, 14*(1), 49–55.

Colling, J., Owen, T., McCreedy, M., & Newman, D. (2003). The effects of a continence program on frail community-dwelling elderly persons. *Urologic Nursing, 23*(2), 117–131.

Coward, D. D., & Wilkie, D. J. (2000). Metastatic bone pain: Meanings associated with self-report and self-management decision making. *Cancer Nursing, 23*(2), 101–108.

Dee, V., van Servellen, G., & Brecht, M. (1998). Managed behavioral health care patients and their nursing care problems, level of functioning, and impairment on discharge. *Journal of the American Psychiatric Nurses Association, 4*(2), 57–66.

Derdiarian, A. K. (1991). Effects of using a nursing model-based assessment instrument on quality of nursing care. *Nursing Administration Quarterly, 15*(3), 1–16.

Derdiarian, A. K., & Forsythe, A. B. (1983, Sept./Oct). An instrument for theory and research development using the behavioral systems model for nursing: The cancer patient. Part II. *Nursing Research, 32*, 260–266.

Derdiarian, A. K., & Schobel, D. (1990). Comprehensive assessment of AIDS patients using the behavioral systems model for nursing practice instrument. *Journal of Advanced Nursing, 15*(4), 436–446.

Dhasaradhan, I. (2001). Application of nursing theory into practice. *Nursing Journal of India, 92*(10), 224, 236.

D'Huyvetter, D. (2000). The trauma disease. *Journal of Trauma Nursing, 7*(1), 5–12.

Dimino, E. (1988). Needed: nursing research questions which test and expand our conceptual models of nursing. *Virginia Nurse, 56*(3), 43–46.

Fleming, B. H. (1990). *Use of the Johnson model in nursing education* (abstract). In Proceedings of the National Theory Conference (pp. 109–111). Los Angeles: UCLA Nursing Department.

Holaday, B. (1974). Achievement behavior in chronically ill children. *Nursing Research, 23*, 25–30.

Keen, J. (1982). The behavioral mode. *Nursing (Oxford), 2*(3), 71–73.

Lanouette, M., & St-Jacques, A. (1994). Premature infants and their families. *Canadian Nurse, 90*(9), 36–39.

Lovejoy, N. (1983). The leukemic child's perception of family behaviors. *Oncology Nursing Forum, 10*(4), 20–25.

Lovejoy, N. C., & Moran, T. A. (1998). Selected AIDS beliefs, behaviors and informational needs of homosexual/bisexual men with AIDS or ARC. *International Journal of Nursing Studies, 25*(3), 207–216.

Ma T., & Gandet, D. (1997). Assessing the quality of our end-stage renal disease client population. *Journal of the Canadian Association of Nephrology Nurses and Technicians, 7*(2), 13–16.

Magnari, L. E. (1990). Hardiness, self-perceived health, and activity among independently functioning older adults. *Scholarly Inquiry for Nursing Practice, 4*(3),

177–188,

McCauley, K. C., Choromanski, J. D., Wallinger, C., & Liv, K. (1984). Current management of ventricular tachycardia: Symposium from the Hospital of the University of Pennsylvania. Learning to live with controlled ventricular tachycardia; Utilizing the Johnson mode. *Heart and Lung*, *13*(6), 633–638.

Moreau, D., Poster, E. C., & Niemela, K. (1993). Implementing and evaluating an attending nurse model. *Nursing Management*, *24*(6), 56–58, 60, 64.

Newman, M. A. (1994). Theory for nursing practice. *Nursing Science Quarterly*, *7*(4), 153–157.

Niemela, K., Poster, E. D., & Moreau, D. (1992). The attending nurse: A new role for the advanced clinician: Adolescent inpatient unit. *Journal of Child & Adolescent Psychiatric & Mental Health Nursing*, *5*(3), 5–12.

Poster, E. C. & Beliz, L. (1988). Behavioral category ratings of adolescents on an inpatient psychiatric unit. *International Journal of Adolescence and Youth*, *1*, 293–303.

Poster, E. C. & Beliz, L. (1992). The use of the Johnson behavioral systems model to measure changes during adolescent hospitalizations. *International Journal of Adolescence and Youth*, *4*(1), 73–84.

Poster, E. C, Dee, V., & Randell, B. P. (1997). The Johnson behavioral systems model as a framework for patient outcome evaluation. *Journal of the American Psychiatric Nurses Association*, *3*(3), 73–80.

Rawls, A. C. (1980). Evaluation of the Johnson behavioral model in clinical practice. *Image: The Journal of Nursing Scholarship*, *12*(1), 13–16.

Reynolds, W., & Cormack, D. F. S. (1991). An evaluation of the Johnson Behavioral Systems model for nursing. *Journal of Advanced Nursing*, *16*(9), 1122–1130.

Urh, I. (1998). Dorothy Johnson's theory and nursing care of a pregnant woman. *Obzornik Zdravstvene Nege*, *32*(516), 199–203.

Wilkie, D., Lovejoy, N., Dodd, M., & Tesler, M. (1988). Cancer pain control behaviors: Description and correlation with pain intensity. *Oncology Nursing Forum*, *15*(6), 723–731.

Wilmoth, M. C., & Tingle, L. R. (2001). Development and psychometric testing of the Wilmoth Sexual Behaviors Questionnaire: Female. *Canadian Journal of Nursing Research*, *32*(4), 135–151.

Wilmoth, M. C., & Townsend, J. (1995). A comparison of the effects of lumpectomy versus mastectomy on sexual behaviors. *Cancer Practice*, *3*(5), 279–285.